D1319278

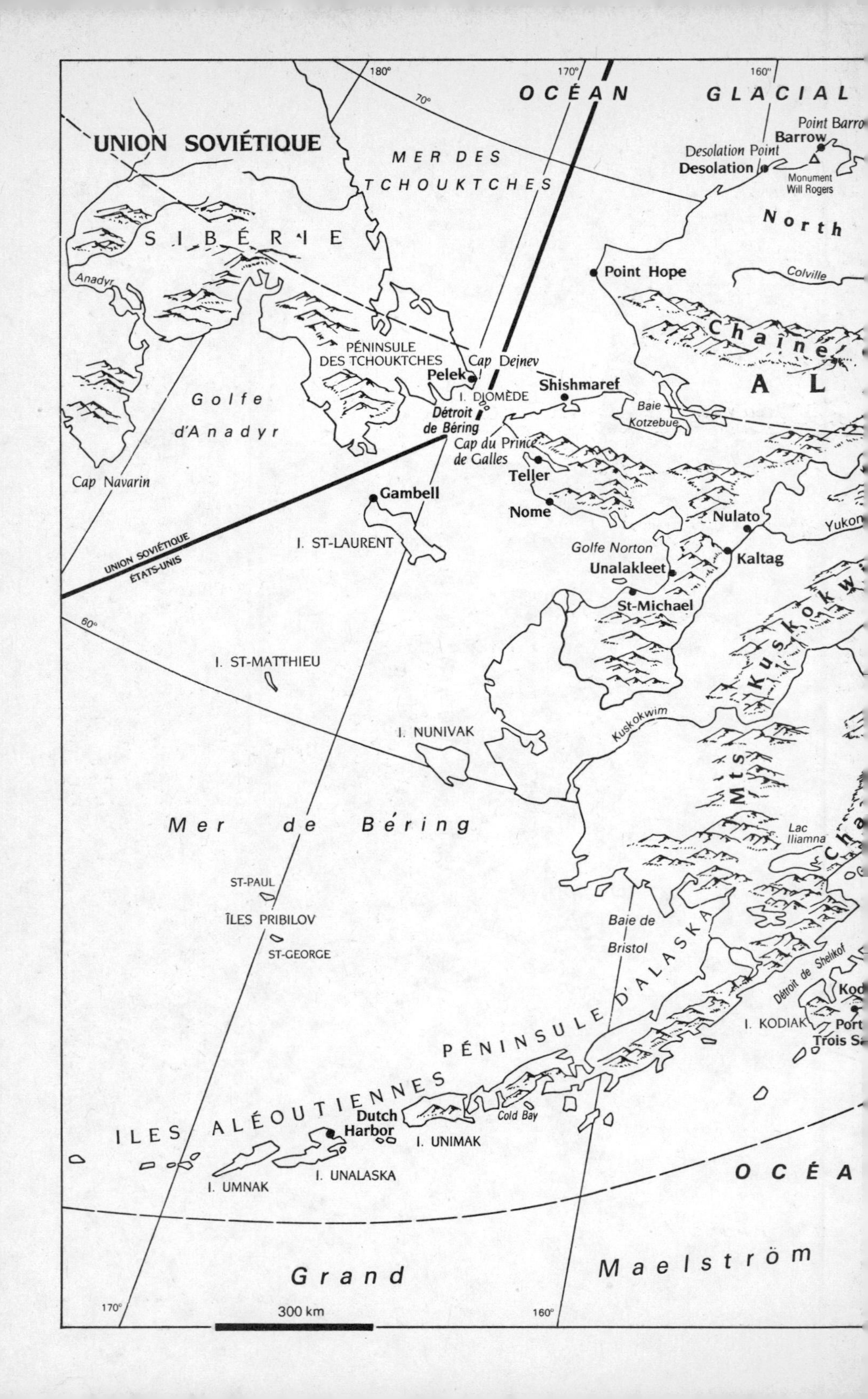

180°
170°
160°
70°
OCÉAN GLACIAL
UNION SOVIÉTIQUE
MER DES TCHOUKTCHES
SIBÉRIE
Point Barrow
Barrow
Desolation Point
Desolation
Monument Will Rogers
North
Point Hope
Colville
Anadyr
PÉNINSULE DES TCHOUKTCHES
Cap Dejnev
Pelek
I. DIOMÈDE
Shishmaref
Golfe d'Anadyr
Détroit de Béring
Baie Kotzebue
Cap du Prince de Galles
Teller
Nome
Cap Navarin
Gambell
I. ST-LAURENT
Nulato
Yukon
Golfe Norton
Kaltag
Unalakleet
St-Michael
UNION SOVIÉTIQUE
ÉTATS-UNIS
60°
I. ST-MATTHIEU
Kuskokwim
I. NUNIVAK
Mts Kuskokwim
Mer de Béring
Lac Iliamna
ST-PAUL
ÎLES PRIBILOV
ST-GEORGE
Baie de Bristol
PÉNINSULE D'ALASKA
Détroit de Shelikof
I. KODIAK
ILES ALÉOUTIENNES
Dutch Harbor
Cold Bay
I. UNIMAK
I. UMNAK
I. UNALASKA
Grand Maelström
170°
300 km
160°

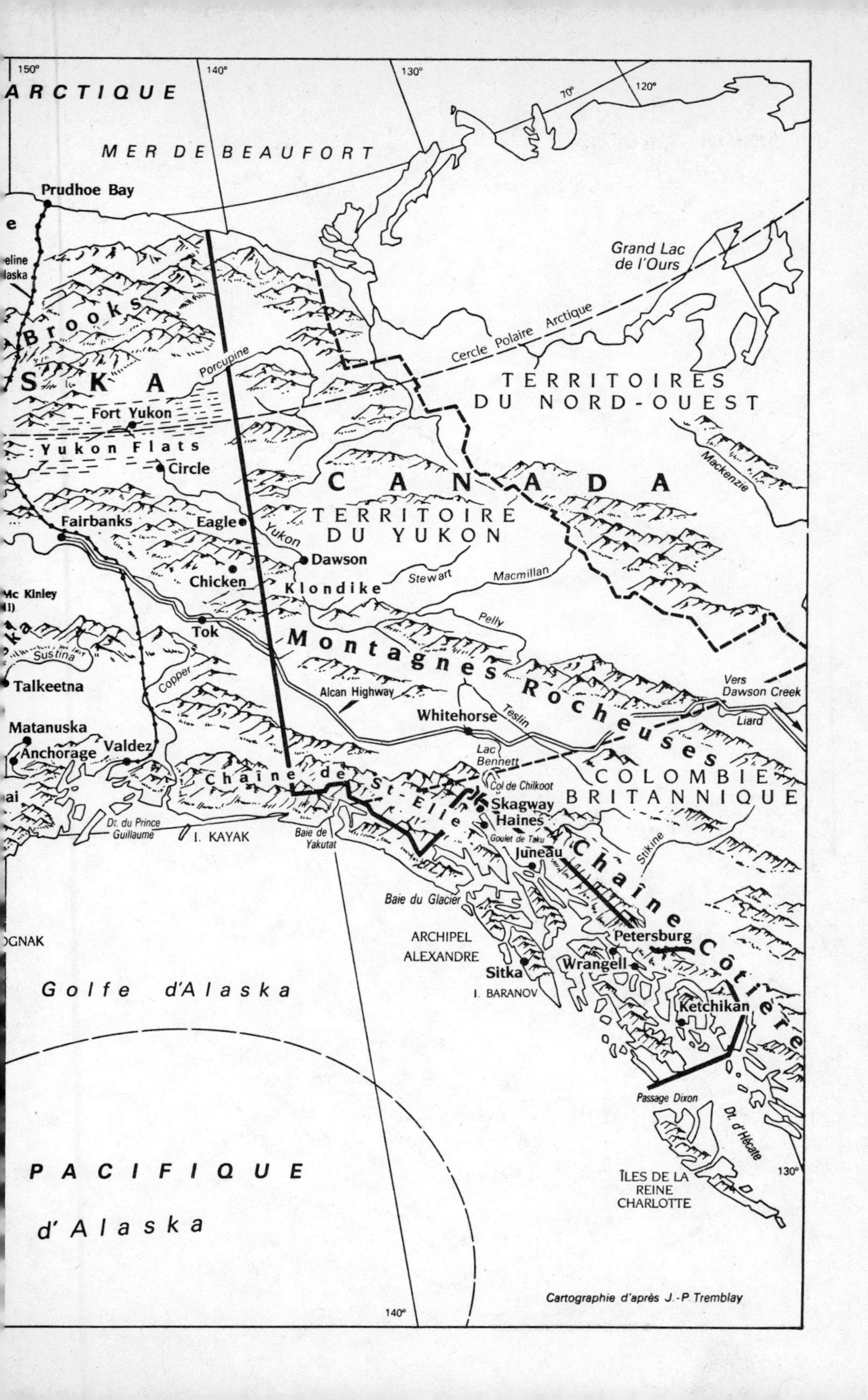

150°
140°
130°
120°
70°
ARCTIQUE
MER DE BEAUFORT
Prudhoe Bay
Grand Lac
de l'Ours
Cercle Polaire Arctique
Brooks
SKA
Porcupine
TERRITOIRES
DU NORD-OUEST
Fort Yukon
Yukon Flats
Circle
Mackenzie
CANADA
TERRITOIRE
DU YUKON
Fairbanks
Eagle
Yukon
Dawson
Chicken
Klondike
Stewart
Macmillan
Mc Kinley
Pelly
Tok
Montagnes Rocheuses
Sustina
Copper
Talkeetna
Alcan Highway
Vers
Dawson Creek
Liard
Whitehorse
Teslin
Matanuska
Anchorage
Valdez
Lac
Bennett
Chaîne de St-Élie
Col de Chilkoot
COLOMBIE
BRITANNIQUE
Skagway
Haines
Dt. du Prince
Guillaume
I. KAYAK
Baie de
Yakutat
Goulet de Taku
Juneau
Chaîne Côtière
Stikine
Baie du Glacier
ARCHIPEL
ALEXANDRE
Petersburg
Wrangell
Sitka
I. BARANOV
Golfe d'Alaska
Ketchikan
Passage Dixon
Dt. d'Hécate
PACIFIQUE
ÎLES DE LA
REINE
CHARLOTTE
d'Alaska
Cartographie d'après J.-P. Tremblay

ALASKA

MER DE
BARENT
NOUVELLE-ZEMBLE
(Novaia- Zemlia)
60°
50°
MER
DE KARA
TERRE DU NORD
(Severnaia-Zemlia)
TERRE FRANÇOIS-JO
(Zemlia Frantsa-Iosifa)
Ienissei
Cercle Polaire Arctique
OCÉA
MER DES
LAPTEV
Lena
I. DE NOUVELLE SIBÉRIE
UNION SOVIÉTIQUE
SIBÉRIE
Iakoutsk
MER DE SIBÉRIE
ORIENTALE
Kolyma
I. WRANGEL
MER DES
TCHOUKTCHE
ÎLES DIOMÈDE
Cap Dejnev
Cap du P
de Galles
Détroit
de Béring
MER
D'OKHOTSK
150°
KAMTCHATKA
Cap Navarin
I. ST-LAURENT
I. NUNIVAK
I. BÉRING
ÎLES DU
COMMANDEUR
Petropavlovsk
MER DE BÉRING
160°
I. PRIBILOV
I. ATTU
I. AGATTU
ÎLES ALÉOUTIENNES
PÉNINSULE D'A
I. KISKA
I AMCHITKA
I. TANAGA
I. LAPAK
I. ADAK
I. ATKA
I. UMNAK
I. UNALASKA
I. UNIMAK
OCÉA
Cartographie d'après J.-P. Tremblay
170°
180°
170°

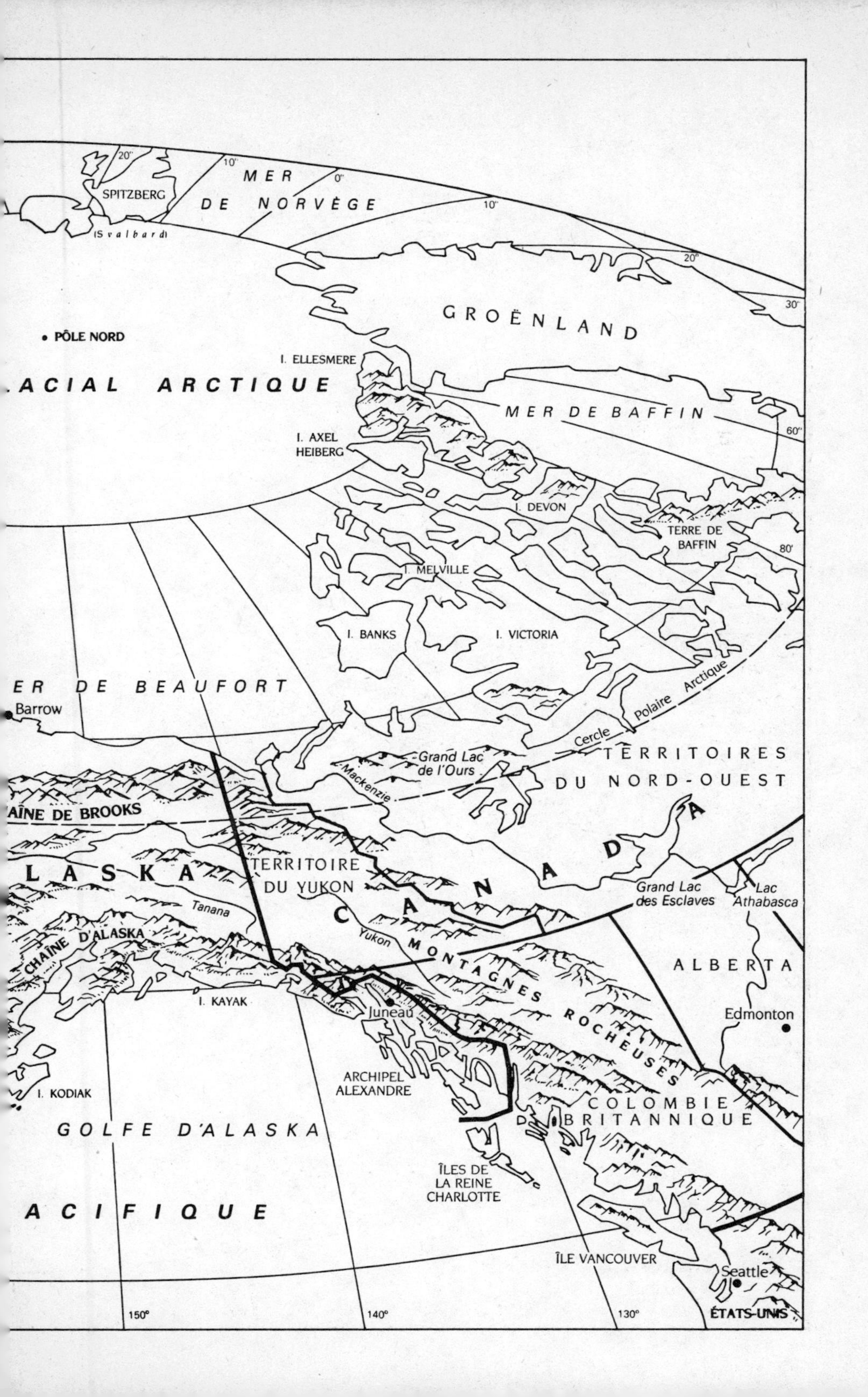

SPITZBERG
(Svalbard)
MER DE NORVÈGE
GROËNLAND
• PÔLE NORD
I. ELLESMERE
.ACIAL ARCTIQUE
MER DE BAFFIN
I. AXEL HEIBERG
I. DEVON
TERRE DE BAFFIN
I. MELVILLE
I. BANKS
I. VICTORIA
ER DE BEAUFORT
Barrow
Cercle Polaire Arctique
Grand Lac de l'Ours
Mackenzie
TERRITOIRES DU NORD-OUEST
AÎNE DE BROOKS
LASKA
TERRITOIRE DU YUKON
CANADA
Grand Lac des Esclaves
Lac Athabasca
Tanana
CHAÎNE D'ALASKA
Yukon
MONTAGNES ROCHEUSES
ALBERTA
Edmonton
I. KAYAK
Juneau
ARCHIPEL ALEXANDRE
I. KODIAK
COLOMBIE BRITANNIQUE
GOLFE D'ALASKA
ÎLES DE LA REINE CHARLOTTE
ACIFIQUE
ÎLE VANCOUVER
Seattle
ÉTATS-UNIS
150°
140°
130°
60°
80°
30°
20°
10°
0°

Du même auteur

chez le même éditeur

La Course aux étoiles

JAMES A. MICHENER

ALASKA

traduit de l'américain par
Françoise et Guy Casaril

PRESSES DE LA CITÉ

Titre original :
ALASKA

Éditeur original :
Random House (New York)

Données de catalogage avant publication (Canada)

Michener, James A. (James Albert) 1907-

Alaska

Traduction de: Alaska.

ISBN 2-89111-395-0

1. Alaska - Histoire - Romans. I. Titre.

PS3525.I19A7914 1989 813'.54 C89-096458-0

Dépôt légal :
4e trimestre 1989
ISBN 2-89111-395-0

Ce livre est un roman, fondé sur des faits historiques. Mais les événements qu'il relate, les lieux, les personnages sont souvent fictifs. Une note en fin de volume permet de distinguer le domaine de la réalité et celui de l'imagination.

1

L'affrontement des blocs

Il y a environ un milliard d'années, longtemps avant que les continents ne se séparent pour définir les anciens océans ou que leurs propres contours ne se déterminent, une petite protubérance surgit à l'angle nord-ouest de ce qui deviendrait plus tard l'Amérique du Nord. Aucune montagne élevée, pas de ligne de côte précise, mais un bloc fermement enraciné dans du rocher massif, qui resterait attaché en permanence à l'Amérique du Nord primitive.

Sa position, si fixée qu'elle fût en relation à la masse terrestre plus vaste, ne resta pas longtemps à ce qui semblait l'angle nord-ouest ; des études effectuées vers le milieu de notre siècle ont montré que les caractéristiques de surface de la Terre reposent sur des plaques souterraines massives qui se déplacent sans discontinuer, prenant tantôt une position tantôt une autre, et se heurtent souvent. En ces temps anciens, la future Amérique du Nord glissait et tournait à assez vive allure ; parfois la protubérance se trouvait à l'est ou au nord, ou même, plus surprenant encore, en plein sud. Pendant une longue période, elle servit de pôle Nord temporaire à la Terre entière. Mais elle se trouva plus tard près de l'équateur et eut alors un climat tropical.

Il s'agissait en fait d'un appendice fixé à une masse terrestre aux mouvements désordonnés mais toujours en relation avec d'autres continents potentiels comme l'Europe, et surtout l'Asie, à laquelle elle serait intimement associée. De toute manière, le comportement erratique de cette petite verrue de rocher attachée au grand corps n'aurait pas permis de prévoir sa position actuelle.

Ce fragment persistant était destiné à former la souche du futur Alaska, mais pendant cette première période de formation et longtemps après, il demeura simplement un noyau ancestral, auquel s'ajouteraient les parties postérieures, plus importantes, de l'Alaska.

Au cours d'une de ces interminables dérives, il y a environ un demi-milliard d'années, le noyau s'arrêta temporairement à peu près où se trouve aujourd'hui l'Alaska, c'est-à-dire non loin du pôle Nord, et se le représenter à ce moment-là ne manque pas d'intérêt. Le pays, en période de subsidence après des ères de soulèvements violents, émergeait à peine des mers qui ne s'étaient pas encore séparées sous la forme des océans que nous connaissons. Aucune montagne importante ne rompait le profil bas, et comme ni arbres ni fougères ne s'étaient encore développés, l'Alaska, promontoire mineur, demeurait nu. En hiver, même à ces latitudes élevées, il tombait peu de neige — phénomène qui caractériserait toujours l'Alaska septentrional. Les mers environnantes, souvent prises par les glaces, engendraient si peu de précipitations que les grands blizzards, fréquents à l'époque en d'autres parties du monde, ne se produisaient pas. Le peu de neige qui tombait était chassé ici et là par des vents hurlants : ils balayaient le sol à nu ou se contentaient de jouer avec les flocons.

Alors comme de nos jours, la nuit hivernale était très longue. Pendant six mois, le soleil demeurait très bas dans le ciel — quand il apparaissait; et pendant une saison de même durée, il ne se couchait que très peu de temps et il régnait une chaleur étouffante. Les différences de température, sous un ciel qui ne contenait pas moins d'humidité relative que maintenant, étaient incroyables : de 50 degrés Celsius en été à 85 degrés au-dessous de zéro en hiver. En conséquence, les plantes qui essayaient de pousser — aucune d'entre elles ne ressemblait à celles que nous connaissons maintenant — devaient s'accommoder de ces fluctuations étonnantes; des mousses préhistoriques, des buissons bas aux racines profondes avec peu de ramure et presque pas de feuilles s'accrochaient à la mince couche de terre à côté de fougères adaptées au froid, dont les racines se glissaient souvent dans des crevasses du rocher.

Aucun animal que nous reconnaîtrions ne hantait la région; les grands dinosaures étaient encore loin dans l'avenir, les mastodontes et mammouths qui domineraient un jour ces contrées amorceraient leur genèse seulement dans plusieurs millénaires. Mais la vie avait commencé, et dans la moitié méridionale du petit promontoire des formes en évolution quittaient la mer pour faire des essais de survie sur la terre.

En ces journées reculées et incertaines, le petit Alaska semblait en suspens, ne sachant pas où son continent maternel dériverait ensuite, ni quel seraient son climat et son destin. Il faisait figure de potentialité, rien d'autre. Il pouvait devenir une multitude de choses différentes; il pouvait s'attacher à n'importe lequel des trois continents; il pouvait s'agrandir à partir de son noyau ancestral et construire un avenir miraculeux.

En fait, il allait soulever de grandes montagnes, les plus hautes d'Amérique du Nord. Il allait accumuler de vastes glaciers, sans équivalent dans le monde. Il allait abriter, pendant des générations avant l'arrivée de l'homme, des animaux surprenants de noblesse. Et quand il accueillerait enfin des êtres humains errants, venus d'Asie ou d'ailleurs, il deviendrait la demeure de peuples comptant parmi les plus passionnants que cette Terre ait connus : les Athapascans, les Tlingits et, beaucoup plus tard, les Eskimos et les Aléoutes.

Mais il nous faut d'abord comprendre comment ce banal noyau ancestral a pu agréger à sa masse les nombreux éléments de terrains qui finiraient par s'associer pour constituer l'Alaska de notre ère. Telle une araignée à l'affût des mouches qui passent, le noyau demeura passif, mais il s'adjoignit tous les blocs qui passaient à sa portée — agglomérat de roches, considérables par la taille et aventureuses par leurs déplacements. D'où provenaient ces blocs disparates ? Comment des masses si énormes pouvaient-elles se mouvoir ? Si elles se mouvaient, qu'est-ce qui les emportait vers le nord et l'Alaska ? Et comment se comportaient-elles quand elles butaient contre le noyau ancestral et son escorte ?

L'explication forme un récit d'une complexité subtile, car les divers blocs se déplacent avec une merveilleuse délicatesse : mais la violence cataclysmique ne manque pas, chaque fois que ces masses à la dérive heurtent un noyau fixe. Cette partie de l'histoire de l'Alaska est une des plus instructives que nous offre la Terre.

Les caractéristiques visibles de la planète, y compris ses océans, reposent sur six à huit grandes plaques souterraines identifiables — l'Asie en est une, de toute évidence, et l'Australie une autre — auxquelles s'ajoutent une vingtaine de plaques plus petites, chacune clairement définie ; de leurs mouvements lents, presque imperceptibles, dépendent les positions relatives des continents et des océans.

À quelle vitesse une plaque peut-elle se déplacer ? La distance actuelle de la Californie à Tokyo est de huit mille deux cent quatre-vingt-quatre kilomètres. Si la plaque nord-américaine avançait sans discontinuer vers le Japon à la vitesse minimum d'un centimètre par an, San Francisco bousculerait Tokyo dans près de huit cent trente millions d'années. Si le mouvement de la plaque s'accélérait à trente centimètres par an, la collision se produirait au bout de vingt-sept millions d'années, ce qui n'est guère long, sur l'échelle des temps géologiques.

Donc le déplacement d'un bloc, de n'importe où en Asie, dans l'océan Pacifique ou en Amérique du Nord, vers les côtes en formation de l'Alaska ne présentait aucune difficulté insurmontable. Accordons assez de temps et de mouvement aux plaques respectives, n'importe quoi pourra se produire...

Dans l'une des lointaines étendues vides du Pacifique Sud, une masse terrestre de quelque amplitude et truffée d'îles depuis longtemps disparues s'éleva des eaux. On lui a donné le nom de Wrangellia et si elle n'avait pas bougé elle aurait produit un groupe d'îles comme l'archipel de Tahiti ou celui des Samoa. Au lieu de cela, pour des raisons inconnues, elle se brisa et ses deux moitiés se déplacèrent en direction du nord avec une partie de la plaque Pacifique ; la moitié orientale aboutit en Idaho le long de la Snake River, et la partie occidentale se fixa à la péninsule de l'Alaska. Nous pouvons l'affirmer avec certitude, car des savants ont comparé la structure des deux segments dans le moindre détail et chaque couche du terrain qui a atterri en Idaho correspond parfaitement à une couche émigrée en Alaska. Les strates de rocher ont été posées à la même époque, dans le même ordre, avec la même épaisseur relative et la même orientation magnétique. La correspondance est absolue, vérifiable dans de nombreuses stratifications.

Au cours des millénaires, des blocs errants similaires semblent s'être rattachés au noyau Alaska. À maintes reprises d'énormes masses rocheuses — parfois de la taille du Kentucky ou de la Bretagne — ont dérivé sans relâche vers le nord depuis leur lieu d'origine et se sont heurtées à ce qui se trouvait déjà là. Il se produisait alors des déchirements soudains, le paysage existant changeait, et l'Alaska s'agrandissait.

Parfois, deux blocs plus petits se heurtaient très loin de l'Alaska, fusionnaient puis formaient pendant des ères entières une île quelque part dans le Pacifique. Puis leur plaque dérivait imperceptiblement vers l'Alaska, un jour elle le touchait, si doucement que même les oiseaux de l'île ne s'apercevaient pas de l'accostage, mais l'ancienne île continuait d'avancer, écrasait les obstacles, envahissait la côte de l'Alaska à l'époque ou se laissait submerger par elle, si bien qu'aucun observateur de la surface n'aurait pu déceler où et comment s'était opérée la jonction de cette nouvelle terre à l'ancienne.

De toute évidence, lorsque huit ou dix de ces blocs se furent associés au noyau ancestral, aucun élément de la structure d'origine ne se trouva au contact de l'océan : elle était entourée de tous côtés par les terrains captifs. Une grande péninsule était en train de se former — une des plus vastes de la terre, avec une immense trompe tournée vers l'Asie. Il y a environ soixante-dix millions d'années, cette péninsule naissante commença à prendre vaguement la forme de l'Alaska actuel, mais peu de temps après elle acquit une particularité que nous ne lui connaissons plus.

Un passage surgit des mers pour relier l'Alaska à l'Asie — ou inversement — et devint si large et permanent qu'il offrit une liaison terrestre continue entre les continents. Sur le moment, ce changement ne provoqua guère d'avantages, car il existait sur Terre peu d'animaux et bien entendu aucun être humain susceptible de profiter du pont mystérieusement construit, mais quelques dinosaures aventureux semblent l'avoir utilisé pour venir d'Asie.

Avec le temps ce pont de terres disparut, envahi par les mers. L'Asie et l'Alaska se séparèrent, et ce dernier demeura libre de recevoir d'autres blocs à la dérive, pour doubler et même tripler sa taille.

Nous voici prêts à observer le relief particulier de l'Alaska. Quand la moitié septentrionale du contour actuel fut plus ou moins déterminée — quoique en attente de ses derniers blocs — la plaque Pacifique heurta apparemment la plaque continentale sur laquelle reposait le noyau originel de l'Alaska, et elle le fit avec une violence si grande et persistante qu'une grande chaîne de montagnes (aujourd'hui la chaîne de Brooks) s'éleva en direction est-ouest. Dans la région déserte et sans neige du nord des montagnes, bien au-delà du cercle polaire arctique, apparurent une multitude de petits lacs, si nombreux qu'ils ne seraient jamais comptés.

La chaîne elle-même, à l'origine très haute et mystérieusement composée de plaques de calcaire superposées, subirait l'érosion du vent et du gel et se briserait sous l'action des pluies d'été; les sommets les plus hauts n'atteignent pas trois mille mètres — moignons de montagnes jadis deux fois plus élevées. Mais ils demeurent une chaîne noble, l'essence de l'Alaska.

Au sud s'étendirent des vallées spacieuses qui accueillaient le soleil hiver comme été, parfois d'un froid glacial, mais agréables la majeure partie de l'année. La neige y tombait dru, les animaux y menaient une vie prospère, tout était prêt pour la venue de l'homme — et le resta pendant des millénaires, jusqu'à ce qu'il apparaisse enfin.

À une époque largement postérieure, une nouvelle collection de masses terrestres, d'origine très diverse, se mirent en branle pour compléter la forme essentielle de l'Alaska actuel. Elles arrivèrent avec une telle violence titanesque qu'une chaîne de montagnes entièrement nouvelle se forma, à environ cinq cents kilomètres de la vieille chaîne de Brooks et presque parallèle à celle-ci : la chaîne d'Alaska, majestueux cordon de pics déchiquetés, beaucoup plus récents que les sommets de la Brooks et donc beaucoup moins érodés. Jeunes, abrupts, de formes hardies, formidables à tous égards, ces pics poignardent l'air glacé à des altitudes de quatre, cinq, six mille mètres et davantage. Le mont Denali, gloire de l'Alaska, atteint presque sept mille mètres et constitue l'une des montagnes les plus sublimes des deux Amériques.

La vieille chaîne de Brooks et la jeune chaîne d'Alaska forment l'ossature jumelée de la région et lui donnent des espaces vierges aux sommets puissants que l'homme n'a pas encore explorés dans sa totalité. Parfois, vu d'avion, l'Alaska semble une forêt de milliers de pics, la plupart sans nom, tous différents sous leur manteau de neige.

Et chaque sommet a été formé par un segment de la plaque Pacifique heurtant de plein fouet la plaque nord-américaine ; submergée sur la ligne d'impact, elle provoqua de tels chocs et de tels déplacements de forces que les grandes montagnes se sont soulevées. Quand on survole à présent les monts splendides de l'Alaska, on voit aussitôt la preuve de la puissance de la plaque Pacifique dans sa dérive vers le nord et l'est. Aujourd'hui même, le visiteur de la baie de Yakutat peut observer la poussée de la plaque dans l'Alaska à la vitesse constante de cinq centimètres par an. Comme nous le verrons plus tard, cela produit dans la région de violents tremblements de terre et le mont Saint-Élias, non loin, avec ses cinq mille quatre cent quatre-vingt-douze mètres, prend de l'altitude chaque année.

Une autre région de l'Alaska montre de façon encore plus révélatrice l'action de la grande plaque Pacifique. À l'ouest de ce qui est devenu aujourd'hui l'Alaska continental ne se trouvait autrefois que de l'eau, et de l'eau turbulente, car en ces lieux une mer arctique, la mer de Béring, rencontrait un océan, le Pacifique. Des vagues sombres marquaient leur affrontement, et formaient la demeure de phoques et de morses, d'oiseaux marins qui planaient au ras des eaux à l'affût de poissons, ainsi que d'une des plus gracieuses créations de la nature : l'élégante loutre de mer, dont le visage rond moustachu rappelle les traits d'un vieux grincheux. Dans ces eaux nageait également le poisson qui devait rendre l'Alaska célèbre par la suite : le saumon, aux migrations si étranges.

À cet endroit, le choc des plaques provoqua un magnifique chapelet d'îles, les Aléoutiennes, et deux des manifestations les plus spectaculaires de la nature — les tremblements de terre et les volcans. En un siècle, si l'on considère toute la surface de la Terre et tous les tremblements de terre qui se produisent, trois ou quatre des dix séismes les plus violents ont eu lieu le long des Aléoutiennes ou dans les environs immédiats. Les plus destructeurs sont souvent ceux qui ont leur origine en profondeur, sous l'océan, car des glissements de terrain de dimensions gigantesques déplacent des millions de tonnes de terre sous-marine. Ces modifications puissantes créent d'immenses vagues océaniques qui se manifestent sous forme de raz de marée — ou plus exactement de *tsunamis* — capables de traverser l'océan Pacifique entier à des vitesses parfois supérieures à huit cents kilomètres à l'heure.

Un tremblement de terre sous-marin dans les Aléoutiennes constitue donc un danger potentiel pour les îles Hawaii, car, six ou sept heures après le séisme en Alaska, le tsunami qui en résulte peut frapper l'archipel avec une violence dévastatrice. Sans bruit, sans provoquer en surface une vague de plus d'un mètre de hauteur, le tsunami transmet son énergie avec une violence qui irradie très vite; s'il ne rencontre aucun obstacle sur son chemin, il continue jusqu'à ce que sa puissance se dissipe. Mais s'il heurte une île, les vagues d'un mètre de haut arrivent sans bruit mais sans répit jusqu'à ce qu'elles recouvrent le sol d'environ deux mètres d'eau. Cette inondation fait peu de dégâts par elle-même, mais quand ces eaux accumulées repartent violemment vers la mer, les destructions et les ravages peuvent être affolants.

Il se produit sans cesse des tremblements de terre le long de la chaîne Aléoutienne, des milliers chaque siècle, mais par bonheur la plupart d'entre eux sont mineurs. De nombreux séismes sous-marins déclenchent des tsunamis, mais ils ont rarement assez d'amplitude pour menacer Hawaii, même si les raz de marée locaux ont souvent un énorme pouvoir destructeur.

Les forces tectoniques qui créent des situations génératrices d'activité sismique produisent des volcans, et les Aléoutiennes sont donc devenues l'une des régions les plus volcaniques du monde, avec une quarantaine de volcans échelonnés le long de la chaîne. Il est rare qu'une île n'ait pas son cratère, et certains cratères ne semblent pas associés à une île antérieure mais constituent des points isolés au milieu de la mer. D'autres paraissent sur le point de devenir des îles, fument au-dessus de la surface pendant cent ans, s'affaissent pendant un demi-siècle puis passent leur tête sulfureuse au-dessus des vagues pour lancer des flammes dans la nuit.

En raison de l'abondance d'activité volcanique le long des Aléoutiennes — il s'agit vraiment d'un chaudron qui bouillonne —, l'Alaska occupe une place d'honneur, peut-être la première, sur la Ceinture de Feu, la chaîne ininterrompue de volcans qui entoure l'océan Pacifique partout où la plaque Pacifique entre en contact violent avec d'autres plaques.

Si l'on commence par la Terre de Feu, à la pointe méridionale de l'Amérique du Sud, les volcans remontent sur la bordure occidentale du continent (Cotopaxi, Lascar, Misti) puis le long du Mexique (Popocatépetl, Ixtaccihuatl, Orizaba, Paracutín), dans l'ouest des États-Unis (Lassen, Hood, Saint Helens, Rainier) et enfin dans les Aléoutiennes, où ils sont si nombreux et si communs que presque personne ne connaît leur nom (souvent donné pour commémorer un marin russe).

La Ceinture de Feu continue de façon spectaculaire le long de la côte orientale de l'Asie, avec les nombreux volcans du Kamtchatka, le mont Fuji et les autres volcans du Japon, une série stupéfiante de volcans en Indonésie et en Nouvelle-Guinée, jusqu'aux magnifiques Ruapehu et Tongariro de Nouvelle-Zélande.

Et comme pour prouver l'étonnante capacité de cette région à engendrer une activité volcanique violente, en plein milieu de l'océan Pacifique s'élèvent les deux beaux volcans d'Hawaii, Mauna Loa et

Mauna Kéa. Si l'on considère la base à partir de laquelle ils se dressent, très loin sous la surface des eaux, il faut les compter parmi les plus hautes montagnes de la terre et ce sont ses plus hauts volcans.

Mais aucune des zones volcaniques le long de la Ceinture n'est aussi regroupée et aussi passionnante à étudier que les quelques dizaines de cratères qui se pressent le long de la chaîne Aléoutienne ; à vrai dire, ces îles pourraient très bien devenir un parc universel pour démontrer au monde la majesté des phénomènes volcaniques et la puissance des plaques tectoniques en mouvement.

***

Quel est l'avenir de l'Alaska, géologiquement parlant ? Pour des raisons intéressantes, que nous évoquerons, il faut s'attendre à ce que, dans un temps relativement lointain — peut-être vingt mille années —, l'Alaska soit de nouveau réuni à l'Asie par l'ancien pont de terres, alors que toute communication terrestre avec le reste des États-Unis sera probablement coupée.

Et comme les grandes plaques de la Terre ne restent jamais en repos, nous pouvons prévoir l'arrivée en Alaska d'autres masses continentales, mais n'y comptons pas trop pendant encore plusieurs millions d'années. Cet événement futur provoquera sans doute de nombreux commentaires, s'il existe encore à ce moment-là des êtres vivants se souvenant de l'histoire.

La ville de Los Angeles se trouve en ce moment à plus de trois mille huit cents kilomètres au sud de l'Alaska central, et comme elle se déplace lentement vers le nord à mesure que la faille de San Andréas glisse irrésistiblement, elle est destinée à faire partie de l'Alaska un jour. Si le mouvement continue à raison de cinq centimètres par an, ce qui est souvent le cas, il faut s'attendre à ce que Los Angeles arrive au large d'Anchorage dans vingt-six millions d'années environ — soit à peu près le temps qu'il a fallu aux autres blocs du Sud pour prendre position contre le socle ancestral.

Il faut donc considérer que les deux traits principaux de l'Alaska sont sa beauté étonnante, mais aussi son hostilité implacable. Sa mosaïque complexe de terrains disparates a produit des montagnes élevées, des volcans et des glaciers sans équivalent. Mais dès le départ, le pays ne se montra jamais hospitalier pour ses habitants. Les animaux et les êtres humains qui sont venus sur ce promontoire ont dû s'adapter au froid intense, aux grandes distances et à de maigres ressources alimentaires. En d'autres termes, les hommes et les femmes qui y ont survécu ont toujours appartenu par la force des choses à une race particulière. Aventureux et héroïques, ils acceptaient de se battre contre les grands vents, les nuits sans fin, les hivers glacés, la nécessité cruelle de chercher sans cesse sa nourriture. Un peuple proche de cette terre sans merci, parce qu'il ne pouvait en être autrement, mais aussi à cause de l'ivresse du défi.

L'Alaska susciterait toujours le meilleur d'eux-mêmes chez une poignée d'hommes et de femmes audacieux, mais ceux que n'exalterait pas l'affrontement ou qui refuseraient de se soumettre à ses règles strictes se sentiraient rejetés par ce pays glacé et le fuiraient avant qu'il ne les tue.

Le nombre d'habitants ne fut jamais très important, car dans la toundra glacée du versant nord, pas plus de quelques milliers d'hommes et de femmes n'affronteraient en même temps les rigueurs du climat. Dans les magnifiques vallées entre les chaînes, peu d'êtres s'adapteraient aux alternances extrêmes de la température, et même dans les enclaves plus faciles et dans les îles du sud, la population ne s'entasserait pas, alors qu'elle pouvait, avec infiniment moins d'effort, jouir du climat plus accueillant de la Californie.

Mais parce que l'Alaska se trouve au carrefour de l'Amérique du Nord et de l'Asie, il a été et il sera toujours important ; et comme il domine ce carrefour, il occupe une place que seuls les grands cerveaux de la région ont appréciée à sa juste valeur. Il y a toujours eu et il y aura toujours quelques Russes et quelques Américains capables de mesurer ce rôle capital — ce sont eux qui ont fait l'histoire de ce pays étrange et attirant.

2

La citadelle de glace

A diverses périodes des temps reculés, pour une série complexe de raisons qui n'ont pas encore été élucidées, la glace commença à s'amonceler aux pôles en de vastes quantités, s'épaissit et s'étendit de plus en plus, puis finit par créer d'immenses calottes qui empiétèrent sur les continents voisins. De la neige tomba avec une telle densité qu'elle ne pouvait plus fondre comme elle l'aurait fait dans des circonstances plus ordinaires. Elle s'entassa donc à des hauteurs sans précédent, et la pression des couches supérieures devint si considérable que la neige du bas se transforma en glace. La neige continua de tomber et la glace de se former jusqu'à atteindre à certains endroits plus de deux mille mètres d'épaisseur. Le poids devint si énorme et la pression si puissante que certaines parties de la surface de la Terre, lourdement chargées, commencèrent à s'enfoncer de façon sensible : des sols qui se trouvaient autrefois au-dessus de la surface des océans furent comprimés au niveau de la mer ou au-dessous.

Si, dans une région donnée, cette énorme accumulation de glace reposait sur un plateau plat, il en résultait une énorme calotte de glace en expansion continue ; mais comme la surface de la Terre, par suite des circonstances violentes de sa formation, était irrégulière, sillonnée de montagnes et de vallées, la glace qui se trouvait sur une pente (et c'était le cas le plus fréquent) se mit à glisser vers le bas sous la force de la pesanteur, et son poids était si colossal qu'elle entraîna avec elle une masse de débris composée de sable, gravier, rochers et parfois blocs d'une taille gigantesque. Ce transport latéral de matériaux se produisait chaque fois que le champ de glace se déplaçait, mais quand un champ de neige s'accumulait sur un plateau puis commençait à envoyer des glaciers dans des vallées à la pente très abrupte, les conséquences se révélaient encore plus spectaculaires : la glace formait un glacier mouvant qui arrachait le fond de la vallée et griffait les versants en laissant des traces si prononcées qu'on les verrait encore des millénaires plus tard.

Ces glaciers ne pouvaient pas « couler » éternellement ; en arrivant dans des lieux plus bas et moins froids, leur tête commençait à fondre pour former d'énormes fleuves qui charriaient la glace, les boues et les rochers jusqu'à la mer. Ces fleuves glaciaires étaient d'un blanc laiteux, colorés par les particules de rocher qu'ils charriaient, et à mesure qu'ils déposaient leur fardeau rocheux, des terrains naissaient des détritus du champ de glace en train de fondre.

Si la vallée que suivait le glacier se terminait à la côte, la glace pouvait avoir une épaisseur énorme à son arrivée au bord de l'océan ; alors, des fragments du glacier, parfois de la taille d'une cathédrale, parfois plus grands, se brisaient avec des craquements retentissants qui se réverbéraient dans l'air glacé sur des dizaines de kilomètres, tandis que l'iceberg ainsi formé s'écrasait dans l'océan, où il naviguerait isolément pendant des mois, peut-être des années et des années. Le soleil scintillait sur ses hautes flèches de glace, les vagues jouaient à ses pieds, les oiseaux primitifs saluaient au passage sa majestueuse beauté.

Avec le temps, bien entendu, les grands icebergs fondaient et ajoutaient leur eau à l'océan ; les nuages se chargeaient de cette eau, la transportaient à l'intérieur des terres et la déposaient sous forme de neige fraîche sur le champ de glace en expansion qui alimentait les glaciers.

Normalement — si l'on peut appliquer ce mot à une fonction naturelle forcément variable par son caractère même —, il s'établissait un équilibre entre la formation de glace et sa disparition lorsqu'elle fondait dans l'eau, de sorte que les champs de glace n'envahissaient pas des terrains sans couverture glaciaire dans le passé ; mais, au cours de ce que l'on a appelé les âges glaciaires, cet équilibre fut troublé et de la glace se forma plus vite que la fusion ne pouvait la dissiper. Pendant des siècles, le mystère à l'origine de ces déséquilibres a fasciné les meilleurs esprits.

On a suggéré pour expliquer les âges glaciaires sept ou huit facteurs éventuels : l'inclinaison de l'axe de la Terre vers le soleil, car si une portion de la Terre s'éloignait de la chaleur du soleil, même légèrement, de la glace se formerait ; le déplacement des pôles de la Terre, car ils ne sont pas fixes et se sont trouvés à certaines périodes près de l'équateur actuel ; l'orbite elliptique de la Terre autour du Soleil, qui dévie assez sensiblement pour que la distance de la Terre au Soleil varie beaucoup au cours d'une année ; des changements au sein du Soleil même, provoquant des variations d'intensité de la chaleur émise ; des modifications chimiques de l'atmosphère ; des modifications physiques des océans ; et d'autres possibilités originales et attrayantes.

Le facteur temps, associé à ces variables, n'est parfois que d'une seule année, mais ce chiffre atteint dans d'autres cas cinquante ou cent mille ans. Échafauder une théorie qui explique comment ces variables interviennent pour produire un âge glaciaire constitue un problème manifestement ardu, qui n'a pas encore été résolu. Pour prendre un exemple facile, si quatre facteurs différents d'un problème complexe opèrent selon des cycles de treize, dix-sept, vingt-trois et trente-sept ans respectivement et si tous les quatre doivent coïncider pour produire le résultat désiré, il faut attendre cent quatre-vingt-huit mille soixante et onze ans ($13 \times 17 \times 23 \times 37$) avant que les conditions voulues coïncident. Mais si l'on peut obtenir des résultats assez satisfaisants par la coïncidence des deux premiers facteurs seulement, deux cent vingt et un ans (13×17) suffiront.

Une intéressante théorie soutient qu'à une époque relativement récente des périodes de glaciation importante sur l'Europe et l'Amérique du Nord se sont produites en conformité avec trois cycles inexpliqués d'environ cent mille ans, quarante et un mille ans et vingt-deux mille ans. À ces intervalles, pour des raisons que l'on ne comprend pas pleinement, la glace commença à s'accumuler et à s'étendre, pour couvrir des régions qui, pendant des millénaires, n'avaient connu ni champs de glace ni glaciers. Les causes en sont naturelles et nous en comprendrons peut-être un jour le mécanisme ; en fait, les écrivains de science-fiction rêvent qu'elles deviendront maîtrisables, de sorte que nous pourrions empêcher les futurs âges glaciaires d'envahir l'Europe et l'Amérique du Nord comme dans le passé.

Curieusement, bien qu'une calotte glaciaire permanente soit parvenue avec le temps à recouvrir le pôle Sud, qui se trouve sur un continent, aucune ne s'est formée au pôle Nord, qui est sur une mer. Les glaciers qui ont recouvert l'Amérique du Nord provenaient de calottes du Canada ; ceux qui ont submergé l'Europe, des pays Scandinaves ; et ceux qui ont envahi la Russie, de sites voisins de la mer de Barents. Et comme en Amérique du Nord les glaces se sont déplacées principalement vers le sud, l'Alaska ne s'est jamais trouvé sous une couche massive de glace. Le Wisconsin et le Massachusetts furent recouverts, ainsi qu'une douzaine d'autres États américains, mais pas l'Alaska. Nous associons à l'Alaska l'image d'un pays froid et nu, couvert de glace et de neige, mais au cours de tous ses millénaires d'existence il n'a jamais connu autant de glace qu'un État plus hospitalier comme le Connecticut, le Massachusetts ou l'État de New York.

Le monde a connu de nombreux âges glaciaires, dont deux qui ont duré de nombreux millénaires, pendant lesquels la majeure partie de l'Europe et de l'Amérique du Nord a été écrasée sous de monstrueuses épaisseurs de glace. Des vents hurlaient alors sur des étendues désertes infinies et les nuits glaciales semblaient perpétuelles. Quand le soleil apparaissait, il demeurait stérile et ses rayons se reflétaient sur des surfaces mortes. Toute vie visible avait péri : herbes et arbres, vers et insectes, poissons et autres animaux. Pendant ces longues périodes de désert glacé où régnait la désolation, la chaleur et la vie devaient paraître bannies sans retour.

Mais chaque âge glaciaire prolongé fut suivi par de joyeux intervalles de longueur égale, où la glace battit mystérieusement en retraite pour libérer de sa prison gelée une terre bouillonnante d'énergie, capable de restaurer la vie dans toutes ses manifestations. De l'herbe poussa pour nourrir les animaux, qui se hâtèrent de revenir. Des arbres grandirent, certains portèrent des fruits. Les champs enrichis par des minéraux non utilisés depuis longtemps donnèrent des récoltes abondantes et les oiseaux se remirent à chanter. Ce qui deviendrait plus tard le Wisconsin ou l'Autriche explosa de vie dès que le soleil ramena la chaleur et le bien-être. Le monde retournait à la vie.

Ces deux premiers grands âges glaciaires se sont produits il y a si longtemps (disons : sept cents millions d'années) qu'ils ne nous concernent guère, mais il y a environ deux millions d'années, quand l'histoire était sur le point de commencer, une série d'âges glaciaires beaucoup plus brefs survint, et leur étendue et leurs caractéristiques ont été si bien définies qu'on leur a donné des noms — en Amérique : Nebraskan, Kansan, Illinoian, Wisconsin ; en Europe : Gunz, Mindel, Riss et Würm. Et comme la dernière glaciation est subdivisée en trois parties, cela fait au total six « âges glaciaires ». Oublions ces noms, nous n'y ferons plus allusion ; mais deux faits significatifs doivent rester en mémoire : la dernière de ces six époques glaciaires s'est achevée il y a seulement quatorze mille ans, avec des résidus glaciaires existant encore il y a sept mille ans, de sorte que les hommes et les femmes vivant à cette époque ont connu un âge glaciaire. D'autre part, l'étendue et le retrait de la calotte glaciaire du pôle indiquent que nous devons prévoir pour dans environ vingt mille ans une autre avancée glaciaire vers le sud jusqu'à New York et l'Iowa. A ce moment-là — si tant est que l'histoire du passé permette de prédire l'avenir — l'Alaska sera un endroit sans glace et relativement attrayant où les résidents de nos États du Nord pourront chercher refuge.

⁂

L'Alaska évita la submersion sous l'énorme poids d'eau glacée, mais il fut cependant attaqué par des glaciers isolés formés dans ses propres montagnes. Certains étaient d'une taille importante. Dans les régions du Nord, au cours des âges glaciaires inférieurs, un doigt glacé recouvrit la chaîne de Brooks, sculpta et lima les montagnes, construisit de belles vallées. Beaucoup plus tard, des glaciers d'une certaine étendue se formèrent dans la chaîne d'Alaska, au sud, et aujourd'hui encore d'énormes champs de glace, avec leurs tentacules de glaciers, existent à l'extrême sud, où les précipitations constantes, apportées par les vents du Pacifique, maintiennent la couverture de neige. La glace se forme alors exactement comme dans les premiers champs de glace du passé.

Mais la majeure partie de l'Alaska a échappé à l'action des glaciers. Au fond de la chaîne de Brooks, il n'y en avait pas ; ni dans la vaste partie centrale entre les montagnes ; et dans certaines régions isolées du Sud, il ne s'en forma pas non plus. Jamais plus de trente pour cent de la région ne fut couverte de glace.

Néanmoins, les âges glaciaires récents créèrent en Alaska un effet plus spectaculaire que partout ailleurs en Amérique, et cela pour une raison qui devient évidente dès qu'on la mentionne. Si une couche de glace de près de deux kilomètres d'épaisseur couvre une grande partie de l'Amérique du Nord, l'eau qu'elle emprisonne a dû venir de quelque part — elle ne peut pas être tombée mystérieusement de l'espace interstellaire. Elle ne peut pas *arriver* sur la surface de la Terre ; elle ne peut venir que d'eau existant déjà. En d'autres termes, elle a dû être volée aux océans. Et c'est ce qui s'est apparemment produit : des vents secs soufflant sur les océans soulevèrent d'énormes quantités de vapeur d'eau qui tomba en pluie froide dans les hautes latitudes et en neige vers les pôles. Une fois comprimée en glace, elle commença à se répandre et recouvrit des sites restés nus jusque-là, si bien que les précipitations ultérieures furent surtout de la neige. Cette neige alimenta à son tour les glaciers existants et en créa de nouveaux.

Au cours de la période récente qui nous concerne, ce vol d'eau continua des milliers d'années ; les champs de neige prirent une ampleur immense et les océans se vidèrent dangereusement. En fait, quand le niveau des océans du monde — tous les océans du monde — fut au plus bas, il y a environ vingt mille ans, il se trouvait à cent mètres au-dessous du niveau actuel. Les côtes de tous les États américains qui s'ouvrent sur l'Atlantique se situaient à des dizaines de kilomètres plus à l'est ; une grande partie du golfe du Mexique se trouvait à sec, la Floride n'était pas une péninsule, ni Cape Cod un cap. Les îles des Antilles étaient agglutinées en de vastes blocs insulaires, et l'on ne pouvait absolument pas distinguer la côte du Canada, car elle se perdait sous la banquise.

Cet abaissement radical du niveau des océans signifiait que des contrées autrefois séparées se trouvaient réunies par des langues de terre relevées au moment du retrait des eaux. Ainsi l'Australie se rattacha à l'Antarctique, Ceylan à l'Inde, Chypre à l'Asie Mineure, l'Angleterre au reste de l'Europe. Mais le plus étonnant de ces traits d'union fut celui de l'Alaska à la Sibérie, car il réunit deux continents et permit aux animaux et aux hommes de passer de l'un à l'autre. Ce fut aussi le seul qui reçut un nom : les savants l'ont baptisé Béringia, la terre perdue de la mer de Béring.

La malchance voulut que les géographes inventent pour désigner ce phénomène d'émergence de terres l'expression « pont continental ». En effet l'image que nous nous faisons d'un pont risque d'induire en erreur. La liaison Alaska-Sibérie n'était pas un pont au sens ordinaire, une structure étroite permettant de passer, mais un fond marin exposé : seulement cent kilomètres d'est en ouest (d'un continent à l'autre), mais mille kilomètres du nord au sud. Au plus large, il couvrait la distance de Paris à Copenhague (en Amérique, d'Atlanta à New York). Il était quatre fois plus large que la majeure partie de l'Amérique centrale actuelle d'un océan à l'autre, et un homme debout au milieu n'aurait nullement eu l'impression de se trouver sur un pont, mais en plein continent. Ce fut pourtant une voie de passage et l'histoire du peuplement de l'Alaska commence par l'ouverture de ces espaces aux premiers immigrants.

***

Il y a environ trois cent quatre-vingt-cinq mille ans, les océans et les continents se trouvaient à peu près à la place où nous les connaissons aujourd'hui et le pont continental d'Asie était « ouvert ». Un animal gigantesque, pesant, ressemblant beaucoup à un éléphant démesuré mais doté d'énormes défenses tournées vers l'avant, prit lentement le chemin de l'est, suivi par quatre femelles et leurs petits. Ce n'était nullement le premier de son espèce à s'aventurer sur le pont, mais il comptait parmi les plus intéressants car sa vie symbolisait l'aventure sublime dans laquelle s'étaient engagés les animaux de son temps.

Il s'agissait d'un mastodonte, et nous lui donnerons ce nom, car il fut l'ancêtre de ces nobles animaux massifs qui s'établirent en Alaska. De toute évidence, un million d'années auparavant, il était issu de la même souche qui devait produire l'éléphant, mais en Afrique, en Europe et plus tard en Asie centrale, il avait acquis les caractères qui permettaient de le distinguer de son cousin éléphant : défenses plus grosses, garrot plus bas, pattes plus puissantes, corps couvert de poils beaucoup plus visibles. Mais il se comportait à peu près de la même manière, recherchait le même genre de nourriture et vivait à peu près au même âge.

Lorsqu'il traversa le pont — moins de cent dix kilomètres d'Asie en Alaska — Mastodonte avait quarante ans et pouvait compter sur environ quarante autres années de vie s'il échappait aux félins féroces qui se repaissaient de sa chair. Ses quatre femelles, beaucoup plus jeunes que lui, avaient une espérance de vie encore plus longue, ce qui est fréquent dans le règne animal.

Au moment où les neuf mastodontes entrèrent en Alaska, ils rencontrèrent quatre types de terrain radicalement différents, sans point commun avec le pays qu'ils venaient de quitter en Asie. Tout au nord, en face de l'océan Arctique, une étroite bande de désert arctique formait un pays sinistre et effrayant de sables mouvants sur lesquels presque rien de comestible ne poussait. Au cours des dizaines de semaines d'hiver où le soleil ne paraissait jamais, la terre se recouvrait d'une neige fine qui ne s'entassait jamais car les vents intenses la balayaient sur le paysage nu jusqu'à ce qu'un épaulement ou un contrefort de rocher l'arrête.

Comme aucun animal de son espèce ne pouvait survivre longtemps dans ce désert, Mastodonte évita instinctivement le Grand Nord ; il lui restait trois autres régions à explorer, sans doute plus accueillantes. Juste au sud du désert et se confondant avec lui à divers égards, s'étendait une autre bande relativement étroite, une toundra perpétuellement glacée jusqu'à trente à soixante centimètres de la surface, mais riche en vie végétale quand la couche supérieure du sol était assez sèche pour permettre la croissance de plantes. Là, de succulents lichens poussaient en abondance ainsi que des mousses riches en éléments nutritifs et parfois même des buissons bas avec des branches assez vigoureuses pour fournir des feuilles comestibles. Aucun arbre véritable ne poussait, bien entendu, car les étés étaient trop courts pour permettre la floraison ou le développement suffisant de branches. Mastodonte et sa famille trouveraient donc de quoi manger pendant les longs étés où la journée presque permanente activait la croissance végétale, mais il leur faudrait partir à l'approche de l'hiver.

Il ne restait plus que deux zones riches entre les glaciers du nord et du sud ; la première constituait une région splendide, hospitalière, la grande steppe d'Alaska, dont l'herbe riche poussait généreusement la plupart du temps et fournissait même un peu de nourriture les années de disette. Peu de grands arbres s'élevaient normalement sur la steppe mais dans quelques coins isolés, protégés des vents violents, des groupes d'arbustes bas prenaient pied, en particulier le saule nain, dont Mastondote appréciait les feuilles. Quand il avait très faim, il aimait arracher l'écorce du saule avec ses puissantes défenses, et parfois il restait des heures au milieu d'un bosquet de saules à flâner en grignotant une tranche d'écorce ; et en été, il se protégeait de la chaleur intense en cherchant un peu d'ombre entre les branches basses.

La quatrième région à sa disposition était plus vaste que les précédentes, car à l'époque l'Alaska avait un climat assez doux qui permettait et encourageait la croissance d'arbres dans des régions autrefois dénudées et qui le redeviendraient quand les températures baisseraient de nouveau. Le peuplier, le bouleau, le pin et le mélèze poussaient en grand nombre, et Mastodonte, qui aimait les arbres car il pouvait se repaître de leurs feuilles abondantes sans se baisser, partageait ces forêts avec de petits animaux des bois comme la moufette tachetée. Après son repas, Mastodonte pouvait se gratter le dos contre les troncs vigoureux des pins et des mélèzes.

Entre les largesses des terres boisées et la richesse plus limitée mais plus stable de la steppe, Mastodonte et sa famille pouvaient manger très bien, mais comme ils entraient en Alaska au printemps, il se dirigea naturellement vers la région qui ressemblait le plus à son ancien habitat de Sibérie, la toundra, car il était certain d'y trouver de l'herbe et des buissons bas. Il se trouva vite confronté à un problème intéressant, car la chaleur du soleil, qui avait permis à ces plantes de pousser, faisait également fondre les vingt ou vingt-cinq centimètres supérieurs du permafrost, transformant le sol ramolli en une sorte de boue collante. Apparemment, l'humidité n'avait nulle part où aller : la terre, au-dessous, était glacée et le demeurerait pendant d'innombrables années. À l'approche de l'été, des milliers de lacs peu profonds se dégelaient et la boue s'épaississait — parfois Mastodonte en avait jusqu'aux genoux.

Pataugeant et dérapant ainsi au milieu de la toundra aqueuse, il lui fallait lutter contre les myriades de moustiques qui venaient d'éclore pour tourmenter tout ce qui bougeait. Parfois quand il arrachait une de ses énormes pattes au marais boueux dans lequel il s'enlisait lentement, le bruit de succion de la patte libérée retentissait à de longues distances.

Mastodonte et son groupe continuèrent de paître sur la toundra pendant presque tout ce premier été, mais quand le refroidissement des rayons solaires signala l'approche de l'hiver, il commença à dériver peu à peu vers le sud et la steppe rassurante, où de l'herbe perçait la mince couche de neige. Au début de l'automne, alors qu'il se trouvait à la limite de la toundra et de la steppe, il crut un moment que les saules nains, bas sur l'horizon, l'invitaient à passer l'hiver dans leur refuge ; mais la disparition du soleil détermina sa décision finale et quand les premières neiges tombèrent sur la forêt entre les grands glaciers, Mastodonte et sa famille avaient déjà gagné les bois qui leur fourniraient toute la nourriture dont ils auraient besoin.

Les six premiers mois passés en Alaska s'étaient révélés très positifs pour Mastodonte, mais il ignorait bien entendu qu'il était passé d'Asie en Amérique du Nord ; il n'avait fait que suivre une meilleure source de nourriture. En réalité, il n'avait même pas quitté l'Asie, car pendant toutes ces années, l'Alaska faisait en fait partie du grand continent ancien.

Au cours de ce premier hiver, Mastodonte s'aperçut qu'il n'était nullement le seul, avec ses congénères, à occuper cet habitat favorable : une véritable ménagerie l'avait précédé dans cet exode du continent asiatique. Un matin glacé où il broutait le bout des branches d'un saule, debout dans la neige molle, il entendit un bruit de branches brisées qui l'inquiéta. Prudemment, il s'écarta de peur qu'un ennemi tapi dans le haut des arbres ne lui saute dessus ; et ce n'était pas trop tôt, car, à l'instant où il se détournait du saule, il vit sortir d'un bosquet voisin son ennemi le plus redoutable.

C'était un machérode, une sorte de tigre pourvu de griffes puissantes et possédant sur la mâchoire supérieure deux dents effrayantes, incroyablement acérées et longues de près d'un mètre. Mastodonte savait que « Dent-de-sabre » ne pouvait pas enfoncer ces dents menaçantes dans la peau épaisse de son dos ou de ses flancs bien protégés, mais si le tigre parvenait à assurer une bonne prise sur son dos, il parviendrait à les planter dans la peau plus molle de la base du cou. Mastodonte n'avait qu'un instant pour se défendre de cet ennemi affamé ; et avec une agilité surprenante pour un animal aussi gros, il pivota sur sa patte de devant gauche, traça un demi-cercle avec son corps massif et affronta Dent-de-sabre qui chargeait.

Mastodonte disposait bien entendu de ses longues défenses, mais il ne pouvait pas empaler son adversaire en lui fonçant dessus — elles n'étaient pas adaptées à cette tactique. Son cerveau minuscule envoya des signaux qui firent tracer aux défenses de larges moulinets et, au moment où le félin bondit, espérant bien les éviter, la défense de droite projetée avec une force colossale toucha les pattes de derrière de Dent-de-sabre ; le coup ne culbuta pas le félin ni ne l'immobilisa, mais il détourna l'attaque et engendra une souffrance qui mit l'animal en fureur sans le désarmer.

Il se réfugia entre les arbres en boitant, se ressaisit, puis contourna rapidement sa proie pour pouvoir l'attaquer par l'arrière : un bond géant lui permettrait d'atterrir sur le dos de Mastodonte pour lui perforer le cou. Le félin était beaucoup plus rapide que le mastodonte et, après une série de feintes qui fatiguèrent le gros animal obligé de les contrer, Dent-de-sabre bondit enfin, non sur le plat du dos comme il l'aurait voulu, mais à moitié sur le dos et à moitié sur le flanc. Aussitôt, il essaya de grimper pour assurer sa victoire, mais Mastodonte, avec un remarquable instinct de conservation, s'élança sous les branches basses pour griffer ses flancs, et si le félin n'avait pas lâché prise, Mastodonte l'aurait écrasé contre un tronc.

Repoussé deux fois, le grand félin — peut-être neuf fois plus gros que nos tigres actuels — poussa un grognement furieux, se tapit entre les arbres et rassembla ses forces pour un dernier assaut. Cette fois, avec un bond plus puissant que les autres, il se lança sur Mastodonte de côté, mais l'énorme animal était prêt : il pivota de nouveau sur sa patte de devant gauche et fit tracer à ses défenses un vaste arc de cercle qui toucha Dent-de-sabre en plein vol et l'envoya rouler entre les arbres, une patte grièvement blessée.

Dent-de-sabre n'insista pas. Il s'éloigna avec des feulements de protestation, ayant appris que pour festoyer d'un mastodonte, il ne devait pas le chasser tout seul mais à deux, ou même à trois ou quatre, parce qu'un mastodonte rusé était fort capable de se défendre.

L'Alaska hébergeait à l'époque de nombreux lions, énormes et beaucoup plus velus que ceux qui leur succéderaient. Ils ne possédaient ni belles crinières ni queues à panaches et les mâles n'avaient pas cette allure royale qui deviendrait un jour leur trait essentiel ; ils étaient ce que la nature voulait qu'ils fussent : de grands félins dotés de remarquables capacités pour la chasse. Comme Dent-de-sabre, ils avaient appris à ne jamais attaquer isolément un mastodonte, mais une bande de six ou sept pouvait très bien le cerner et le tuer, aussi Mastodonte ne s'aventurait jamais dans des secteurs où plusieurs lions pouvaient se dissimuler. Il évitait les défilés rocheux couverts d'arbres et les canyons profonds qui auraient permis à des groupes de lions de l'attaquer depuis les versants. Parfois, quand il avançait bruyamment en écrasant les jeunes arbres trop serrés, il apercevait dans le lointain une bande de lions en train de se repaître d'un animal qu'ils avaient pourchassé ; aussitôt il changeait de direction pour ne pas attirer leur attention.

L'animal aquatique que Mastodonte rencontrait souvent était l'énorme castor, qui l'avait suivi dans sa migration d'Asie. De taille gigantesque, avec des dents capables d'abattre de grands arbres, ces castors passaient leurs heures de travail à construire des barrages, que Mastodonte observait souvent de loin ; mais quand le travail était terminé, ces grandes bêtes, dont la lourde fourrure brillait sous le soleil froid, aimaient s'amuser et chahuter : leur agilité différait tellement des mouvements pesants de Mastodonte que leurs cabrioles le stupéfiaient. Jamais il ne vivait à proximité des castors aquatiques, mais il les observait avec des yeux perplexes lorsqu'ils se livraient à leurs jeux après le travail.

Mastodonte avait surtout des relations avec les nombreux bisons des steppes, énormes ancêtres du bison d'Amérique. Ces animaux hirsutes à la tête basse et aux cornes puissantes, parallèles au sol, paissaient dans la plupart des endroits que Mastodonte aimait fréquenter. Parfois un si grand nombre de bisons se réunissaient dans la même prairie que tout l'espace en semblait couvert. Ils broutaient tous avec la tête tournée dans la même direction. Mais si un dent-de-sabre se glissait furtivement vers un traînard, sur un signal que Mastodonte ne parvenait pas à déceler les centaines de bisons géants prenaient la fuite pour éviter les crocs redoutables du félin, et le tonnerre de leurs sabots faisait trembler la steppe.

Parfois, il rencontrait des chameaux. Ces grands animaux balourds, qui broutaient le haut des arbres, ne semblaient adaptés nulle part ; ils se déplaçaient lentement, ruaient férocement contre leurs ennemis, mais se rendaient très vite quand un dent-de-sabre parvenait à s'accrocher à leur dos. Rarement Mastodonte et un couple de chameaux avaient brouté au même endroit ; mais chaque fois les deux animaux, si différents, s'étaient ignorés ; et souvent plusieurs mois passaient avant que Mastodonte ne revoie un chameau. C'étaient de mystérieuses créatures et il se contentait de les laisser tranquilles.

Ainsi, placide et pesant, Mastodonte menait une vie peu mouvementée. S'il se défendait contre les dents-de-sabre, évitait de tomber dans des marécages dont il ne pourrait pas s'extraire et fuyait les grands incendies allumés par la foudre, il avait peu de chose à craindre. Il disposait de nourriture en abondance. Il était encore assez jeune pour attirer et retenir des femelles. Et le temps ne lui semblait ni trop chaud et humide en été, ni trop froid et sec en hiver. Il avait la belle vie et il suivait son chemin avec une dignité courtoise. D'autres animaux, comme les loups et les dents-de-sabre, cherchaient parfois à le tuer pour se nourrir, mais lui-même n'appréciait que l'herbe et les feuilles tendres — il en consommait trois cents kilos par jour. De tous les habitants de l'Alaska en ces jeunes années, c'était le plus sympathique.

Une curieuse condition physique limitait le mouvement des animaux en Alaska car le pont continental de Béringia ne pouvait exister qu'au moment où les calottes glaciaires polaires s'étendaient suffisamment pour emprisonner de vastes quantités d'eau auparavant dans les océans. Le pont ne pouvait exister que si le manteau de glace était immense.

Les glaces occupaient tout le Canada occidental ; elles n'atteignirent jamais l'Alaska en une masse continue mais envoyèrent les tentacules de glaciers qui avec le temps parvinrent à la côte du Pacifique et formèrent une série de barrages glaciaires infranchissables par les animaux et les hommes. Entrer en Alaska de l'Asie était alors facile, mais on ne pouvait en sortir vers l'intérieur de l'Amérique du Nord. Fonctionnellement parlant, l'Alaska devint une partie de l'Asie. Il le resterait pendant de longues périodes.

À aucun moment, autant que nous sachions, aucun animal, aucun homme n'a pu traverser le pont et continuer directement vers l'intérieur de l'Amérique ; mais comme des mastodontes, des bisons et des moutons sont réellement passés d'Asie sur le continent américain — ainsi que des hommes — nous devons conclure que ces migrations se sont produites seulement après un séjour prolongé dans la citadelle de glace de l'Alaska.

On en trouve des preuves diverses. Certains animaux venus d'Asie en Alaska y sont restés, tandis que leurs frères se répandaient dans le reste de l'Amérique du Nord au cours d'un intervalle où les barrières glaciaires étaient couvertes. Mais les deux souches furent si totalement séparées quand les barrières se refermèrent qu'au cours des millénaires chaque branche acquit des caractéristiques uniques.

Les migrations d'animaux sur le pont continental ne se firent pas toujours dans la même direction. S'il est vrai que les animaux les plus spectaculaires — mastodontes, dents-de-sabre, rhinocéros — vinrent d'Asie enrichir le nouveau monde, d'autres animaux, comme le chameau, originaires d'Amérique, allèrent offrir leurs étonnantes capacités à l'Asie. Et l'échange intercontinental qui eut les conséquences les plus remarquables se produisit également dans le sens est-ouest, vers l'Asie.

Un matin où Mastodonte flânait entre les peupliers près de la berge d'un marais dans le centre de l'Alaska, il vit s'avancer du sud une ligne d'animaux beaucoup plus petits que ceux qu'il avait vus auparavant. Comme lui, ils marchaient sur quatre pattes ; mais ils n'avaient ni défenses, ni toison épaisse, ni grosse tête, ni membres pesants. C'étaient des bêtes élancées, aux mouvements vifs, à l'œil alerte, et Mastodonte les observa et les étudia avec un intérêt instinctif. Pas une seule attitude, pas un seul mouvement ne lui indiqua qu'ils risquaient de se montrer dangereux. Il les laissa donc s'approcher, s'arrêter, le regarder, puis passer.

C'étaient des chevaux, le plus beau cadeau du nouveau monde à l'ancien. Ils partaient vers l'Asie, d'où leurs descendants, des millénaires plus tard, se disperseraient miraculeusement dans toute l'Europe. Comme ils étaient beaux, ce matin-là, lorsqu'ils croisèrent Mastodonte au cœur de l'Alaska, où ils feraient halte quelque temps en ce début de leur long pèlerinage !

On ne saurait mieux observer nulle part ailleurs les relations subtiles de la nature. Glace haute, océans bas. Pont ouvert, passage vers l'intérieur fermé. Mastodontes pesants en route vers l'Amérique du Nord, chevaux délicats partant pour l'Asie. Mastodontes avançant vers l'inévitable extinction, chevaux galopant vers une expansion inimaginable. L'Alaska, dans ses confins de glace, a servi de relais de poste pour tous les voyageurs, quelle que fût la direction de leur migration. C'était vraiment une citadelle de glace, et la vie entre ses murs gelés pouvait être agréable, quoique exigeante.

Quelle tristesse de savoir que tous ces animaux imposants que nous venons d'observer — retenus en Alaska au cours du dernier âge glaciaire et de ses entractes de climat plus doux — appartiennent à des espèces éteintes (en général avant même l'apparition de l'homme). Les grands mastodontes ont disparu, les féroces félins à dents-de-sabre se sont évanouis dans les brouillards des marécages au bord desquels ils chassaient. Les rhinocéros ont prospéré quelque temps puis sont tombés lentement dans l'oubli. Les lions n'ont pu trouver aucune niche permanente en Amérique du Nord, et même le chameau n'a pu survivre dans son pays d'origine. Comme l'Amérique du Nord serait plus séduisante si elle avait conservé ces grands animaux pour animer le paysage ! Mais ce n'était pas son destin. Ils demeurèrent quelque temps en Alaska, puis se dirigèrent vers leur fin.

Certains immigrants parvinrent cependant à s'adapter et leur présence embellit encore les décors d'Amérique : le castor, le caribou, l'orignal majestueux, le bison et le mouton. Un autre animal splendide traversa le pont d'Asie et survécut assez longtemps pour cohabiter avec l'homme. Il avait de grandes chances d'échapper à l'extinction, et la manière dont il livra cette bataille pour sa survie constitue une épopée du règne animal.

Le mammouth laineux vint d'Asie beaucoup plus tard que le mastodonte, plus tard même que les animaux que nous venons de citer. Il arriva à un moment de transition rapide, vers la fin d'une période relativement douce, avant le début d'un intervalle sévère. Il s'adapta si facilement à son nouveau milieu qu'il se multiplia et devint l'un des cas d'immigration les plus réussis, l'archétype des animaux d'Alaska en ces temps reculés.

Ses ancêtres lointains avaient vécu en Afrique tropicale — éléphants de taille colossale, dotés de longues défenses et d'énormes oreilles qu'ils agitaient sans cesse à la manière d'éventails, pour abaisser la température de leur corps. En Afrique, ils broutaient les arbres bas et arrachaient l'herbe avec leur trompe préhensile. Admirablement bâtis pour la vie en climat tropical, c'étaient des bêtes splendides.

Quand ces éléphants se déplacèrent lentement vers le nord, ils se transformèrent progressivement en animaux idéalement adaptés à la vie dans les zones arctiques. Par exemple, leurs immenses oreilles diminuèrent jusqu'à n'être plus qu'à environ un douzième de leur taille sous les tropiques, car ils n'avaient plus besoin de s'éventer pour lutter contre les grosses chaleurs ; il leur suffisait de s'exposer quelques instants aux vents de l'Arctique pour se rafraîchir.

Ils se débarrassèrent également de la peau lisse qui les avait aidés à demeurer au frais en Afrique, et acquirent à la place une épaisse toison dont chaque poil pouvait atteindre un mètre ; après plusieurs millénaires dans les climats froids, ils étaient si couverts de ces poils qu'ils avaient l'air de couvertures ambulantes mal cardées.

Mais cette toison ne suffisait pas à les protéger des rafales glacées de l'Alaska en hiver — et à l'époque où nous nous situons à présent, l'avancée des glaces était à son maximum — et le mammouth, déjà recouvert d'une couche épaisse de poils protecteurs, acquit une deuxième couche voisine de la peau, constituée de laine serrée si efficace qu'il pouvait résister à des températures incroyablement basses.

Le mammouth se modifia également à l'intérieur. Son estomac s'adapta à l'alimentation différente qu'il trouvait à Béringia — les herbes basses et dures, beaucoup plus nutritives que les feuillages des arbres d'Afrique. Ses os devinrent plus petits, de sorte que le mammouth moyen, nettement moins grand que l'éléphant, exposait au froid une moindre surface. Son train avant devint beaucoup plus lourd et plus haut que son train arrière, si bien que son profil ressembla moins à celui d'un éléphant et davantage à celui d'une hyène, toutes proportions gardées : en forte pente vers l'arrière à partir du garrot.

En un sens, le changement le plus spectaculaire, sans être le plus fonctionnel, survint à ses défenses. En Afrique, elles poussaient de sa mâchoire supérieure à peu près parallèlement, se courbaient vers le bas puis partaient droit devant. Elles constituaient des armes redoutables, que le mâle utilisait pour défendre le droit de conserver telle ou telle femelle dans son troupeau. Elles permettaient également de faire ployer des branches pour brouter.

Dans les terres arctiques, les défenses des mammouths subirent une modification remarquable. Tout d'abord, elles devinrent beaucoup plus grosses que celles des éléphants d'Afrique : dans certains cas, elles mesuraient plus de quatre mètres. Mais surtout, après avoir poussé vers le bas et l'avant, comme celles de l'éléphant, elles s'écartaient du corps et formaient une belle courbe vers le bas. Si elles avaient continué dans cette direction, elles auraient constitué des armes d'attaque et de défense à la fois énormes et puissantes, mais au moment où elles semblaient le mieux remplir ce but, elles retournaient arbitrairement vers l'axe central et leurs pointes finissaient par se rencontrer et même se croiser à l'avant de la tête du mammouth.

Dans cet état bizarre, elles gênaient le mammouth en été, et lui étaient vaguement utiles en hiver pour chasser la neige accumulée sur les mousses et les lichens comestibles. D'autres animaux, le bison par exemple, parvenaient au même résultat en poussant la neige à gauche et à droite avec leur grosse tête.

Protégé contre les froids extrêmes de l'hiver, adapté à la nourriture abondante de l'été, le mammouth proliféra et domina le paysage longtemps après la disparition du mastodonte, beaucoup plus gros. Comme tous les autres animaux de la première période, le mastodonte avait subi les attaques du féroce dent-de-sabre, mais avec l'extinction progressive de ce tueur, les seuls ennemis du mammouth furent les lions et les loups qui essayaient de voler les jeunes. Bien entendu, quand un mammouth devenait vieux et faible, des meutes de loups réussissaient à le pourchasser à mort, mais c'était sans conséquence, car si la mort n'était pas venue sous cette forme, elle l'aurait fait sous une autre.

Les mammouths vivaient de cinquante à soixante ans, avec de temps en temps un rude gaillard qui dépassait soixante-dix ans. Et, dans une certaine mesure, la célébrité qu'a connue cet animal est liée à sa façon de mourir. Fort souvent, en Sibérie, en Alaska et au Canada — assez souvent pour justifier des études statistiques — des mammouths, des deux sexes et de tous les âges, se sont enfoncés dans des fosses marécageuses et y ont trouvé la mort, se sont fait prendre dans des inondations soudaines charriant des graviers, et sont morts sur les berges de rivières où leurs carcasses s'échouaient.

Si ces morts accidentelles se produisaient au printemps ou en été, des prédateurs, notamment des corbeaux, détruisaient rapidement les cadavres, en laissant seulement des os nus et de longues bandes de poils qui disparaissaient vite. On a trouvé en divers endroits des accumulations de ces os, qui ont permis de reconstituer ce que nous savons du mammouth.

Si la mort accidentelle avait lieu à la fin de l'automne ou au début de l'hiver, le cadavre de l'animal se recouvrait souvent d'une épaisse couche de boue collante qui gelait avec les grands froids hivernaux. Le corps se trouvait conservé exactement comme dans un congélateur, toute putréfaction devenant impossible. Le plus souvent, le printemps et l'été provoquaient un dégel, la boue protectrice perdait ses cristaux de glace et le cadavre se décomposait. Les chairs se désintégraient alors, mais le gel avait retardé la décomposition d'une saison.

A de rares occasions cependant, qui deviendraient en fait assez nombreuses avec le passage du temps, la congélation deviendrait permanente pour une raison ou une autre, et le cadavre serait conservé intact pendant mille ans, trente mille ans, cinquante mille ans. Puis, au jour lointain où des humains sillonneraient les vallées de l'Alaska central, un homme curieux verrait émerger d'une masse en train de dégeler un objet qui ne serait ni de l'os ni du bois conservé. Il creuserait et se trouverait en face des restes intacts d'un mammouth laineux mort en ces lieux des millénaires auparavant.

Une fois nettoyée l'accumulation de boue visqueuse, un objet remarquable, unique au monde, apparaîtrait : un mammouth entier, avec ses longs poils en place, ses grandes défenses qui s'enroulaient et se touchaient au bout, le contenu de son estomac exactement tel qu'au moment où il broutait, ses dents énormes en si bon état que l'on pourrait calculer, à cinq ou six ans près, son âge à sa mort. Il ne s'agissait pas bien entendu d'un animal debout, propre et grassouillet, dans un bel écrin de glace bleutée ; il était aplati, couvert de boue, honteusement sale, et les articulations de ses jambes commençaient à se détacher, mais il demeurait entier et révélait à ceux qui l'avaient découvert quantité de renseignements.

Et c'est très important. Nous connaissons les grands dinosaures qui ont précédé le mammouth de plusieurs millions d'années parce qu'au cours des millénaires leurs os ont été envahis par des dépôts minéraux qui ont conservé les structures les plus fines du squelette. Nous disposons dans ce cas non pas d'os réels mais d'os pétrifiés, comme il existe du bois pétrifié, sans un seul atome du matériau d'origine. Jusqu'à une découverte récente dans le Grand Nord de l'Alaska, aucun être humain n'avait vu un os de dinosaure, même si chacun pouvait voir dans les muséums d'histoire naturelle les pétrifications magiquement conservées de ces os — photographies en pierre d'os depuis longtemps disparus.

Mais, dans le cas des mammouths conservés par congélation en Sibérie et en Alaska, nous avons les os réels, les poils, le cœur, l'estomac — et un incomparable trésor de connaissances. La première de ces découvertes glacées semble s'être produite par hasard en Sibérie au cours du XVIIIe siècle. D'autres ont suivi, à intervalles réguliers. Un mammouth remarquablement entier a été découvert il y a peu de temps près de Fairbanks, en Alaska, et nous devons nous attendre à d'autres découvertes du même genre avant la fin du siècle.

Pourquoi est-ce le mammouth que nous découvrons dans un état aussi excellent de conservation ? On a trouvé parfois d'autres animaux, mais peu, et rarement dans la condition des plus beaux spécimens de mammouths. Une des raisons doit être le nombre considérable d'individus dans cette espèce. En outre, le mammouth avait tendance à vivre dans des régions où la conservation dans la boue glacée était possible. Notons aussi la taille des os et des défenses ; de nombreux oiseaux ont dû mourir dans ces régions à la même époque, mais comme ils n'avaient pas de gros os, leurs squelettes n'ont pas survécu pour maintenir leur peau et leurs plumes en place. Plus important, ce groupe particulier de mammouths est mort pendant une période de glaciation où la congélation instantanée n'était pas seulement possible mais probable.

Quoi qu'il en soit, le mammouth laineux a joué un rôle unique, d'une valeur inestimable pour les êtres humains : en se congelant rapidement à sa mort, il a continué d'exister pour nous apprendre comment l'on vivait en Alaska, lorsque la citadelle de glace fonctionnait comme un refuge pour les grands animaux.

***

Par une journée de la fin de l'hiver, il y a de cela vingt-huit mille ans, Matriarche, une grand-mère mammouth âgée de quarante-quatre ans et commençant à sentir son âge, conduisit le petit troupeau de six dont elle était responsable sur une prairie en pente douce qui s'achevait sur la rive du grand fleuve connu plus tard sous le nom de Yukon. Elle leva sa trompe très haut pour renifler l'air de plus en plus tiède et faire signe aux autres de la suivre, puis elle entra dans un bosquet de jeunes saules qui longeait le fleuve ; quand les autres furent à ses côtés, elle leur donna le signal du repas, constitué par les pointes de branches de saule en train de bourgeonner. Ils se mirent à manger, à grand bruit et en se déplaçant constamment car ils étaient contents de se rattraper un peu après les maigres rations de l'hiver. Et tandis qu'ils se gavaient, Matriarche poussait des grognements d'encouragement.

Elle avait dans son troupeau deux filles, chacune avec deux petits, femelle et mâle pour l'aînée, mâle et femelle pour la plus jeune. Matriarche imposait aux six membres du groupe une discipline sévère, car les mammouths avaient appris que la survie de leur espèce ne dépendait guère des grands mâles aux défenses ostentatoires ; ils n'apparaissaient qu'au milieu de l'été pour la période de rut ; le reste de l'année, on ne les voyait nulle part, et ils ne prenaient donc aucune responsabilité pour l'alimentation et l'éducation des jeunes.

Obéissant aux instincts de sa race et aux pulsions spécifiques liées à sa nature de femelle, Matriarche consacrait sa vie entière à son troupeau, et surtout aux petits. Elle pesait à ce moment-là mille cinq cents kilos et pour se maintenir en vie il lui fallait chaque jour quatre-vingts kilos d'herbes, lichens, mousses et petites branches ; lorsque cette quantité considérable lui manquait, elle connaissait les déchirements de la faim car ce qu'elle mangeait contenait un minimum d'éléments nutritifs et se trouvait complètement absorbé par son corps en moins de douze heures ; elle ne se gavait pas pour ruminer ensuite, comme d'autres animaux qui remâchent leur herbe pour en extraire toute la valeur. Non, elle se remplissait avec de vastes quantités d'aliments de basse qualité et se débarrassait rapidement des restes. Manger demeurait donc sa préoccupation essentielle.

Cependant, si dans sa recherche constante de nourriture elle soupçonnait que ses quatre petits-enfants n'obtenaient pas leur part, elle se privait pour les laisser manger en premier. Elle aurait fait de même si les jeunes mammouths n'appartenaient pas à sa famille mais se trouvaient sous sa garde pendant que leurs propres mère et grand-mère fourrageaient ailleurs. Même quand son estomac se contractait, vide et douloureux, en lui adressant des avertissements urgents, elle s'occupait d'abord des petits et attendait qu'ils aient trouvé de l'herbe et des branches pour brouter les pointes de bouleau et cueillir les bonnes herbes avec sa noble trompe.

Ce trait, qui la distinguait des autres grand-mères mammouths, s'était développé à cause de son affection monomaniaque pour ses enfants. Des années plus tôt, avant que sa fille cadette ait mis bas son premier petit, un vieux mâle très puissant s'était joint à son troupeau pendant la saison du rut et, pour une raison inexplicable, était resté avec le troupeau après la fin des accouplements alors qu'il aurait dû se joindre aux autres mâles qui fourrageaient de leur côté jusqu'à la saison du rut suivante.

Matriarche n'avait fait aucune objection quand ce vieux mâle était apparu pour s'occuper de ses filles — trois, à l'époque — mais elle montra des signes d'impatience quand il resta au-delà de la période où sa présence était désirée, et de plus d'une manière, par exemple en le chassant des meilleurs herbages, elle lui indiqua qu'il devait quitter les femelles et leurs petits. Comme il refusait d'obéir, elle se mit en colère, mais dut se borner à exprimer ses sentiments car il était moitié plus lourd qu'elle, possédait des défenses énormes et la dominait autant par son agressivité que par sa grande taille. Elle se contenta donc de pousser des grognements et de montrer son déplaisir en faisant des moulinets avec sa trompe.

Or un jour, comme elle surveillait le vieux bonhomme, elle le vit bousculer une jeune mère qui éduquait sa fille d'un an — ce qui aurait été admissible car les mâles, traditionnellement, avaient droit aux meilleurs pacages — mais cette fois-là Matriarche eut l'impression que le mâle chassait aussi le petit, et elle ne put le tolérer. Avec un cri perçant, elle se jeta sur l'intrus sans tenir compte de sa taille supérieure et de ses capacités au combat (car il n'aurait pas pu couvrir les filles de Matriarche s'il n'avait pas été capable de chasser d'autres mâles moins puissants qui désiraient la même chose). Son désir de protéger ses jeunes était si intense qu'elle repoussa de plusieurs pas l'animal, beaucoup plus gros qu'elle.

Mais avec sa force considérable et ses immenses défenses croisées, il affirma vite son autorité ; en une contre-attaque rageuse, il se jeta sur elle avec une telle violence qu'il lui brisa la défense droite vers le milieu. Pour le restant de ses jours, elle serait une femelle vieillissante, avec une défense et demie. Déséquilibrée, l'air gourd comparée à ses sœurs, elle trottait sur la steppe avec sa défense brisée et la perte de cette masse d'ivoire l'obligeait à compenser en penchant sa lourde tête légèrement à droite, comme si elle regardait avec ses petits yeux plissés des choses que nul autre ne pouvait voir.

Jamais elle n'avait été jolie, ni même gracieuse. Elle ne possédait pas la ligne impressionnante de ses ancêtres éléphants, car elle formait une sorte de triangle lourd avec pour sommet le dôme de sa tête et comme base le sol où se posaient ses pieds ; le côté de devant tombait à la verticale devant son visage, avec sa trompe pendante ; quant à l'autre, ce n'était qu'une longue pente laide, de son avant-train élevé à son arrière-train nain. Et comme pour rendre son apparence presque informe, tout son corps était recouvert de poils longs, parfois emmêlés et feutrés. Elle était aussi un paillasson ambulant, et elle avait même perdu le peu de dignité qu'auraient pu lui donner de belles défenses régulières.

Oui, elle manquait de grâce, avec son moignon de défense, mais son amour passionné pour les jeunes mammouths qui tombaient sous sa protection la dotait d'une incontestable noblesse de comportement, et cette énorme créature pleine de gaucherie faisait honneur au concept de maternité.

*
**

En ces années, au plus fort de l'âge glaciaire, Matriarche disposait pour nourrir sa famille d'un terrain plus hospitalier à bien des égards que du temps des mastodontes. L'Alaska se composait toujours de quatre parties : désert arctique au nord, toundra gelée en permanence, steppe riche d'herbages, puis bande possédant assez d'arbres pour porter le nom de bois, ou même de forêt. Mais la steppe s'était agrandie, et son mélange d'herbes comestibles et de saules nains nutritifs fournissait suffisamment de fourrage aux mammouths qui la parcouraient.

En fait, cette vaste zone s'avéra très hospitalière pour ces énormes animaux au pas lourd, et les savants qui ont essayé de reconstituer la vie en Alaska il y a vingt-huit mille ans ont donné à ce terrain le nom explicite de « steppe à mammouths ». Non sans raison, car ce fut cette immense étendue enfermée dans la citadelle de glace qui permit aux mammouths au dos en pente d'exister en grand nombre. Au cours de ces siècles, il semblait bien que les mammouths, avec les caribous et les antilopes, seraient toujours les principaux occupants de cette steppe qui porterait un jour leur nom.

Matriarche se déplaçait sur la steppe comme si elle avait été créée pour elle seule. Le pays entier lui appartenait, mais elle concédait que pendant quelques semaines chaque été elle avait besoin des services des grands mâles, cantonnés le reste du temps sur leurs propres territoires. Pourtant, elle savait qu'après la naissance des petits la survie des mammouths ne dépendrait que d'elle, et c'était donc elle qui choisissait les pacages et donnait le signal du départ quand la famille devait abandonner un territoire appauvri pour en chercher un autre plus riche.

Un petit troupeau de mammouths comme celui de Matriarche pouvait parcourir en une année plus de six cents kilomètres et elle connaissait donc de vastes régions de la steppe. Au cours des pèlerinages qu'elle dirigeait, elle se familiarisa avec deux choses surprenantes, qu'elle ne parvint jamais à comprendre mais dont elle sut s'accommoder. Les parties les plus riches de cette steppe offraient une diversité d'arbres comestibles dont les mastodontes disparus avaient dû connaître les ancêtres — mélèze, saule nain, bouleau, aulne — mais récemment, en quelques endroits privilégiés, abrités des tempêtes et alimentés en eau, une nouvelle espèce d'arbres avait fait une timide apparition, des arbres beaux à voir, mais du poison pour l'estomac. Ils étaient particulièrement tentants parce qu'ils ne perdaient jamais leurs feuilles, longues et fines, en forme d'aiguille ; mais même en hiver, quand les mammouths ne trouvaient presque rien à manger, ils les évitaient, car s'ils avalaient ces aiguilles appétissantes ils tombaient malades et parfois même en mouraient.

C'était le plus haut des arbres de la steppe : l'épicéa, dont l'arôme particulier attirait les mammouths et les repoussait à la fois. L'épicéa émerveillait Matriarche : elle n'osait certes pas goûter à ses aiguilles, mais elle s'était aperçue que les porcs-épics, ses compagnons dans la forêt, faisaient leurs délices de ces feuilles empoisonnées, et elle se demandait souvent pourquoi. Elle n'avait pas remarqué qu'avant de manger les aiguilles d'épicéa, les porcs-épics montaient vers la cime des arbres. L'épicéa, aussi malin que les animaux autour de lui, avait mis au point pour se protéger une stratégie défensive surprenante de sagacité. Dans ses copieuses branches basses qu'un mammouth vorace aurait pu détruire en une matinée, l'arbre concentrait une essence volatile qui donnait mauvais goût à ses branches. Mais les hautes branches qu'aucun mammouth ne pouvait atteindre même avec sa longue trompe, demeuraient succulentes.

Dans les rares endroits où poussaient des épicéas, ils participaient à la deuxième énigme. De temps à autre, au cours des longs étés, quand l'air devenait lourd, quand l'herbe et les buissons semblaient secs comme de l'amadou, un éclair sillonnait le ciel, suivi d'un vacarme effrayant, comme si mille arbres étaient tombés au même instant. Aussitôt après, bien souvent, le feu prenait dans l'herbe, mystérieusement, sans la moindre raison. Ou bien un immense épicéa se trouvait fauché, comme par le choc d'une défense gigantesque ; de son écorce s'élevait un tortillon de fumée, puis une petite flamme, et presque au même instant la forêt entière flambait et la steppe elle-même se transformait en champ de feu.

Quand cela se produisait, et Matriarche avait survécu à six de ces incendies, les mammouths avaient appris à se diriger vers la rivière la plus proche et à se submerger jusqu'aux yeux en gardant le bout de la trompe au-dessus de l'eau pour respirer. Pour cette raison, les conducteurs de troupeaux comme Matriarche voulaient toujours savoir où se trouvait l'eau la plus proche ; quand l'incendie faisait rage soudain sur la steppe, ils battaient en retraite vers ce refuge, car ils avaient appris qu'une fois complètement encerclés par le feu ils n'auraient guère de chance de se sauver. Au cours des siècles, quelques mâles audacieux avaient réussi à traverser la ceinture fatale, et c'était leur expérience qui avait enseigné aux mammouths leur stratégie de survie.

Vers la fin d'un été où la terre était particulièrement sèche, des flèches de lumière et des craquements assourdissants emplirent l'air. Matriarche vit que le feu avait déjà pris près d'un vaste bosquet d'épicéas, et elle comprit que sous peu les arbres allaient exploser en immenses bouffées de flammes qui prendraient au piège tous les êtres vivants. Vite, elle força son troupeau vers l'endroit où elle savait qu'une rivière attendait. Mais l'incendie se répandit si vite qu'il engloutit les arbres devant elle avant qu'elle puisse sortir de la forêt. Au-dessus de sa tête les essences contenues dans la végétation explosaient et lançaient des étincelles vers le sol et les aiguilles sèches. Bientôt, les cimes des arbres et le tapis d'aiguilles au-dessous d'eux furent en flammes et les mammouths se trouvèrent confrontés à la mort.

Matriarche, au milieu des tourbillons de fumée âcre, dut prendre sa décision : ramener son troupeau en arrière vers la steppe ou continuer à travers les arbres en feu jusqu'à la rivière. On ne saurait dire qu'elle raisonna — « si je reviens en arrière, les herbes en feu ne tarderont pas à nous encercler » —, mais elle prit la bonne décision. Sans cesser de barrir pour que tous puissent la suivre dans la fumée, elle se jeta à travers le mur de flammes, le traversa et trouva un passage dégagé jusqu'à la rivière où ses six compagnons plongèrent dans l'eau salvatrice tandis que l'incendie de forêt faisait rage autour d'eux.

Mais voici le plus surprenant : Matriarche avait appris qu'en dépit des destructions du feu elle ne devait pas abandonner la région ravagée. Le feu, malgré ses dangers, demeurait un des meilleurs amis des mammouths, et Matriarche devait maintenant enseigner à ses jeunes comment l'exploiter. Dès que les flammes se calmèrent — elles devaient consumer plusieurs centaines de kilomètres carrés avant de s'éteindre tout à fait — elle ramena son troupeau à l'endroit où ils avaient failli perdre la vie et elle leur apprit à arracher des plaques d'écorce avec leurs défenses sur le tronc des épicéas brûlés. Purifié par le feu qui avait chassé les essences nocives, l'épicéa était devenu non seulement comestible mais savoureux, et les mammouths affamés s'en gavèrent. L'écorce avait été rôtie spécialement pour eux.

Quand le feu s'éteignit de toutes parts, Matriarche maintint son troupeau au voisinage de la région brûlée, car les mammouths avaient appris qu'aussitôt après ce genre de cataclysme les racines des plantes vivaces dont les parties visibles venaient d'être brûlées formaient très rapidement des milliers de nouvelles pousses — la nourriture la plus raffinée dont un mammouth pût rêver. Plus important encore, les cendres des grands incendies fertilisaient le sol, le rendaient plus nutritif et plus friable, si bien que les jeunes arbres poussaient ensuite avec une vigueur accrue. Pour la steppe à mammouths et son mélange d'arbres et d'herbe, un incendie de grande envergure de temps en temps constituait une bénédiction, car à sa suite herbes, buissons, arbres et animaux prospéraient.

Étrange paradoxe : le feu redoutable, auquel Matriarche n'avait échappé que de justesse à plusieurs reprises, constituait pour elle et ses successeurs un facteur de progrès. Elle n'essaya jamais de résoudre cette énigme ; elle se contentait de se protéger des dangers et de profiter des avantages.

Au cours de ces années, certains mammouths décidèrent de retourner en Asie, où ils avaient vécu leur jeunesse, mais Matriarche n'eut aucun désir de se joindre à eux. L'Alaska qu'elle connaissait si bien était un endroit agréable et elle en avait fait son foyer. L'abandonner lui paraissait impensable.

Mais, au cours de sa cinquantième année, des changements commencèrent à se produire qui envoyèrent des ondes, de vagues suggestions, à son minuscule cerveau, et l'instinct la prévint que ces changements étaient irréversibles : le moment approchait où elle se sentirait contrainte de partir seule, d'abandonner sa famille pour chercher un endroit tranquille où mourir. Elle ne possédait bien entendu aucune conscience de la mort, elle ne comprenait pas que sa vie s'achevait, n'avait pas à proprement parler de prémonition concernant le jour où elle quitterait sa famille et les steppes où elle se trouvait si bien. Mais les mammouths mouraient, et ils le faisaient selon un rituel ancien qui leur ordonnait de s'écarter du troupeau, comme pour transmettre à leurs successeurs par ce geste symbolique la steppe familiale, ses rivières et ses saules.

Quels facteurs avaient provoqué cette sorte de prise de conscience nouvelle ? Comme les autres mammouths, Matriarche avait reçu à sa naissance un système dentaire complexe qui lui fournirait, pendant la longue durée de sa vie, douze énormes dents composites, plates, sur chaque mâchoire. Ces vingt-quatre dents monstrueuses n'apparaissaient pas toutes à la fois dans la bouche du mammouth, mais cela n'avait pas d'importance ; chaque dent était assez grosse pour qu'une seule paire suffise à bien mastiquer. À certains moments, l'animal possédait jusqu'à trois paires de ces énormes meules, et sa capacité de mastication devenait immense. Mais cela ne durait pas longtemps parce que, avec le passage des années, chaque dent avançait irrésistiblement vers l'avant de la mâchoire, puis tombait. Quand il en arrivait à sa dernière paire de dents, le mammouth sentait que ses jours étaient comptés, car une fois la dernière paire désintégrée, continuer de vivre sur la steppe lui serait impossible.

Matriarche avait encore quatre grosses dents, mais comme elle les sentait avancer sans cesse, elle savait que son temps était limité.

⁂

Quand la saison du rut commença, les mâles arrivèrent de loin. Le vieux mâle qui avait brisé la défense droite de Matriarche était encore si puissant au combat qu'il avait réussi, les années précédentes, à défendre sa place auprès des femelles du troupeau. Bien entendu, il ne retournait pas chaque année auprès de cette famille, mais à plusieurs reprises il était revenu — plutôt vers cette région qu'il connaissait bien que vers un groupe particulier de femelles.

Cette année-là, sa cour aux filles de Matriarche fut assez négligente, mais la présence du vieux mâle eut un effet remarquable sur l'aîné des petits de la fille cadette, un jeune mâle bien bâti, mais pas encore assez mûr pour quitter le troupeau des mères. Il observa l'action vigoureuse du vieux mammouth et ressentit de vagues désirs. Un matin où le vieux mâle s'occupait d'une femelle qui n'appartenait pas à la famille de Matriarche, le jeune mâle, contre toute attente et sans préméditation, voulut faire des avances à la jeune personne. Aussitôt, le vieux mammouth furibond se jeta sur lui et le corrigea sans pitié, à grands coups de ses longues défenses croisées au bout.

Quand Matriarche s'en aperçut, sans même savoir ce qui avait provoqué la querelle, elle se jeta de nouveau sur le vieux mâle. Il la repoussa sans peine et l'écarta pour pouvoir continuer sa cour à la jeune femelle inconnue. Ensuite, son devoir accompli, il quitta le troupeau et disparut comme toujours dans les collines au pied du glacier. On ne le reverrait plus pendant dix mois, mais il laissait derrière lui six femelles pleines et un jeune mâle très intrigué, prêt à faire lui-même sa cour l'année suivante. Longtemps avant que la saison du rut ne revienne, ce jeune mâle partit un jour tout seul dans un bosquet de sapins près du grand fleuve, où l'un des derniers félins à dents-de-sabre survivants en Alaska attendait dans les branches d'un mélèze. Quand le jeune mammouth passa à sa portée, le félin sauta sur lui et enfonça ses deux redoutables cimeterres dans sa nuque.

Le mammouth n'avait aucune chance de se défendre ; le premier coup de dents du félin était mortel, mais dans son agonie il poussa un barrissement puissant qui retentit sur la steppe. Matriarche l'entendit ; elle savait que le jeune mâle était en âge de quitter la famille, mais il était encore sous sa garde et sans hésiter elle galopa aussi vite que le permettait son corps lourd couvert de poils, droit vers le dent-de-sabre accroupi sur sa proie morte.

Dès qu'elle l'aperçut, elle comprit d'instinct que c'était son ennemi le plus dangereux sur cette steppe. Il avait le pouvoir de la tuer, mais elle était dans une telle fureur qu'il ne lui vint pas à l'esprit de se protéger. Un des jeunes mammouths dont elle était responsable venait d'être attaqué et elle ne connaissait qu'une réaction : détruire l'agresseur si possible, sinon perdre la vie dans la tentative. Avec un barrissement de rage, elle se jeta de son pas bancal sur le dent-de-sabre — qui esquiva aisément sa charge. Mais à la surprise du félin, elle se retourna avec un tel acharnement qu'il dut abandonner le cadavre dont il comptait se repaître, et il se retrouva acculé au tronc d'un gros mélèze. Matriarche, voyant son adversaire dans cette position, projeta tout son poids en avant pour le pourfendre avec ses défenses, ou au moins l'empêcher de s'esquiver.

Pour une fois, la défense droite brisée, grosse et arrondie, s'avéra utile. Matriarche en frappa le dent-de-sabre et l'écrasa contre l'arbre. Quand elle sentit la lourde défense s'enfoncer dans la cage thoracique, elle poussa plus fort, sans se soucier de ce que le félin enragé pourrait lui faire.

La défense brisée avait blessé le dent-de-sabre, mais malgré ses côtes gauches cassées, il gardait la tête claire : il s'écarta d'un bond pour éviter une deuxième charge. Avant que le félin puisse rassembler ses forces pour une contre-attaque, Matriarche le bloqua au sol, au pied d'un arbre, avec sa défense gauche intacte. Puis, avec une vitesse que le dent-de-sabre ne put ni prévoir ni éviter, Matriarche souleva son énorme patte et lui martela la poitrine.

Sans cesser de barrir à tue-tête, elle continua d'écraser à coups de patte le puissant félin. Toutes ses côtes se brisèrent, et même l'une de ses longues dents splendides. Quand elle vit le sang jaillir des blessures, Matriarche devint comme folle et ses cris augmentèrent encore quand elle s'aperçut que le corps de son petit-fils, le jeune mammouth, gisait inerte dans l'herbe. Elle continua de piétiner le dent-de-sabre comme une forcenée, puis, quand sa rage fut enfin assouvie, elle se mit à gémir entre les deux cadavres.

Comme pour son propre destin, elle n'avait pas une conscience très nette de ce qu'était la mort, mais la mort avait toujours intrigué le clan de l'éléphant et ses cousins, surtout lorsqu'elle frappait un parent ou un animal auquel le survivant était associé. Le jeune mâle était mort, cela ne faisait aucun doute, et en quelque manière vague, Matriarche comprenait que son merveilleux potentiel était perdu à jamais. Il ne ferait la cour à aucune femelle dans les étés à venir ; il ne lutterait contre aucun mâle vieillissant pour établir son autorité ; et il n'engendrerait aucun successeur avec l'aide des filles et des petites-filles de Matriarche. Une chaîne venait d'être brisée, et pendant plus d'une journée Matriarche veilla auprès du cadavre comme si elle espérait le ramener à la vie. Mais à la fin du deuxième jour, elle s'éloigna des deux animaux morts, sans même se rendre compte que pendant tout ce temps, elle n'avait pas une seule fois regardé le dent-de-sabre. C'était son petit-fils qui comptait, et il était mort.

Comme sa mort était survenue à la fin de l'été, la décomposition commença sur-le-champ ; des corbeaux et d'autres prédateurs attaquèrent le cadavre. Le destin ne voulut pas qu'il se congèle dans la boue pour l'édification de savants, vingt millénaires plus tard, mais une autre mort qui se produisit au cours des dernières journées d'automne eut des conséquences très différentes.

Le vieux mâle qui avait brisé la défense de Matriarche, et provoqué indirectement la mort du jeune mammouth, s'était éloigné du troupeau comme s'il avait la force de survivre encore de nombreuses saisons de rut. Mais les exigences de cette saison-là avaient été lourdes. Il avait couvert plus de femelles que d'habitude et avait dû se défendre contre quatre ou cinq jeunes mâles envieux qui se jugeaient en droit d'imposer leur autorité. Pendant tout l'été, il s'était dépensé à l'amour et au combat, sans manger beaucoup ; l'automne venu, ses ressources vitales commencèrent à baisser.

Cela commença par un étourdissement au moment où il remontait sur la berge du grand fleuve. Il avait souvent parcouru cette piste, mais cette fois il trébucha et faillit tomber sur la pente boueuse qui ralentissait sa marche. Puis il perdit la première de ses quatre dernières dents, et il sentit que deux autres branlaient. Beaucoup plus grave, l'approche de l'hiver le laissait indifférent : normalement, il aurait dû manger des quantités extravagantes pour entasser des réserves de graisse qui le protégeraient du froid dès que la neige tomberait. Ne pas se soumettre à l'impératif : « Nourris-toi, car les blizzards arrivent ! » mettait sa vie en danger — et pourtant c'est ce qu'il fit.

Le jour de la première chute de neige, un vent violent souffla de l'Asie et les flocons glacés tombèrent presque parallèlement à la terre. Matriarche et les cinq membres de sa famille aperçurent le vieux mâle dans le lointain, à l'endroit qui porterait plus tard le nom de site du Bouleau *(Birch Tree Site)*. Il avait la tête basse, et ses grosses défenses semblaient posées sur le sol, mais ni Matriarche ni les autres n'y prirent garde. Ils ne se soucièrent pas non plus de sa sécurité, car c'était son problème, et ils savaient qu'il avait eu le choix.

Quelques jours plus tard, quand ils le revirent, il ne se dirigeait pas vers un refuge ou un pacage. Il demeurait immobile au même endroit, et Matriarche, toujours dévouée, se dirigea vers lui pour voir s'il était capable de se débrouiller seul. Mais quand il la vit s'avancer, quand il sentit qu'elle allait troubler sa solitude désirée, il s'écarta pour l'éviter, sans se précipiter comme il aurait fait autrefois, mais péniblement, avec des grognements pour protester contre l'intrusion. Elle ne lui imposa pas sa présence, car les vieux mâles comme lui, elle le savait, préféraient qu'on les laisse seuls. La dernière fois qu'elle le vit, il retournait vers le fleuve.

Deux jours plus tard, la neige tombait dru et Matriarche conduisit sa famille vers les bosquets d'aulnes dans lesquels elle se réfugiait souvent pendant les longs hivers. Sa plus jeune petite-fille, animal au tempérament curieux, partit explorer les berges du fleuve. Elle reconnut bientôt le mâle qui avait passé avec le troupeau une bonne partie de l'été : il était tombé dans une crevasse pleine de boue et il piétinait, incapable de s'en extraire. Elle barrit pour appeler à l'aide et prévenir les autres. Quelques instants plus tard, Matriarche, ses filles et ses petites-filles accoururent sur les lieux de l'accident.

À leur arrivée, la situation du vieux mâle enlisé dans la boue collante était si désespérée que Matriarche et son troupeau ne pouvaient plus lui être d'aucun secours. La neige et le froid redoublèrent, et les femelles regardèrent, impuissantes, le vieux mammouth épuisé se débattre en vain, barrir pour implorer de l'aide, puis succomber enfin à la succion irrésistible de la boue et au froid glacial. Avant la tombée de la nuit, il était congelé dans son tombeau de boue, seul le sommet de sa tête bulbeuse dépassait, et, le matin venu, tout fut enseveli sous la neige. Il demeurerait ainsi, miraculeusement vertical, pendant les vingt-huit mille années suivantes, sentinelle spirituelle du site du Bouleau.

Matriarche, obéissant aux pulsions qui commandaient depuis toujours la race des mammouths, demeura auprès de son tombeau pendant deux jours, puis, quoique encore intriguée par la mort, elle l'oublia complètement, rejoignit sa famille et la conduisit vers l'un des meilleurs endroits où passer un long hiver, dans le centre de l'Alaska.

C'était une enclave vers le fond occidental d'une vallée arrosée par deux cours d'eau — un petit qui gelait très vite et un plus grand qui conservait de l'eau courante presque tout l'hiver. Là, protégés même des vents les plus violents, ses filles, ses petits-enfants et elle-même demeuraient la plupart du temps immobiles pour conserver la chaleur de leur corps et ralentir la digestion du peu de nourriture qu'ils trouvaient.

Une fois encore, sa défense brisée s'avéra efficace : le bout arrondi arrachait très bien l'écorce des bouleaux dont les feuilles avaient disparu depuis longtemps, et il permettait de repousser la neige pour mettre au jour les herbes et les plantes enfouies. Elle ne savait pas qu'elle se trouvait enfermée dans une immense citadelle de glace, car elle n'avait nul désir de se diriger vers l'est (dans ce qui serait un jour le Canada) ou vers le sud (la Californie). Sa prison de glace était de dimensions énormes et elle ne s'y sentait nullement prisonnière, mais quand le sol glacé commença à se dégeler et que les saules risquèrent quelques pousses timides, elle prit conscience — sans pouvoir se l'expliquer — de grands changements survenus dans les régions où elle avait régné pendant tant d'années. Peut-être à cause de son odorat perçant, peut-être à cause de bruits nouveaux, elle comprit — peu importe en fait la façon dont lui parvint le message — que la vie sur la Steppe à Mammouths avait été altérée, et sûrement pas en bien.

Sa prise de conscience devint plus précise quand elle perdit l'une de ses dernières dents ; puis, un soir où elle flânait avec sa famille, elle tomba sur un spectacle qui troubla ses yeux affaiblis. Sur les berges du fleuve qu'elle suivait se trouvait une forme comme elle n'en avait jamais vu. On aurait dit un nid d'oiseau renversé sur le sol, mais infiniment plus gros. Sous les yeux de Matriarche, il en sortit des animaux qui marchaient sur seulement deux pattes ; ils ressemblaient aux oiseaux aquatiques qui fréquentaient les bords de l'eau, mais en beaucoup plus grands. L'un d'eux, en voyant les mammouths, se mit à faire du bruit. D'autres se déversèrent de l'immense nid et Matriarche s'aperçut que sa présence provoquait beaucoup d'excitation.

Puis, plusieurs de ces animaux, beaucoup plus petits qu'elle ou même que le plus jeune de ses petits-enfants, se mirent à courir vers elle. La vitesse à laquelle ils se déplaçaient la mit en alerte : le troupeau allait affronter un danger nouveau. Instinctivement, elle voulut s'écarter, puis elle pressa le pas et se mit à courir en barrissant de toutes ses forces.

Très vite, elle se rendit compte qu'elle n'était pas libre d'aller où elle désirait : où qu'elle essaie de s'enfuir avec son troupeau, l'une des créatures surgissait des ombres pour l'empêcher de passer. Quand le jour commença, la confusion augmenta, car partout où Matriarche cherchait à conduire sa famille, ces êtres la précédaient, inlassables, pareils à des loups en train de traquer un caribou blessé. Ils ne s'arrêtaient jamais et, à la tombée de la nuit, ils provoquèrent un surcroît de terreur en faisant jaillir un feu sur la toundra. Les mammouths furent saisis de panique, persuadés que l'herbe sèche de l'été précédent allait s'enflammer en un incendie impossible à maîtriser, mais cela ne se produisit pas. Matriarche regarda ses enfants, perplexe, incapable de concevoir l'idée qu'ils avaient d' « un feu qui n'est pas incendie », mais ressentant très bien la stupéfaction qu'aurait provoquée ce paradoxe.

Le lendemain, les nouveaux animaux étranges continuèrent de

pourchasser Matriarche et ses mammouths, et quand le troupeau fut épuisé, les nouveaux venus isolèrent la plus jeune des petites-filles de Matriarche. Une fois le jeune animal détaché du troupeau, les poursuivants le cernèrent ; ils tenaient dans leurs pattes de devant, celles dont ils ne se servaient pas pour marcher, des branches d'arbres auxquelles ils avaient fixé des pierres. Ils s'en servirent pour frapper le mammouth encerclé et le blesser jusqu'à ce qu'il se mette à barrir pour appeler à l'aide.

Matriarche, à la tête du troupeau, entendit le cri et revint sur ses pas, mais quand elle voulut porter secours à sa petite-fille, plusieurs de ces créatures étranges se détachèrent du groupe et la frappèrent avec leurs branches pour la forcer à se retirer. Les cris de sa petite-fille devinrent si pitoyables que Matriarche frémit de rage, poussa un barrissement puissant, traversa le cordon des assaillants et, sans s'arrêter, s'avança vers l'endroit où le jeune mammouth menacé s'efforçait de défendre sa peau. Matriarche chargea les créatures et les repoussa à grands coups de sa défense brisée.

Triomphante, elle allait conduire en lieu sûr sa petite-fille terrorisée, quand l'un des êtres insolites émit un son ressemblant à « Varnak ! » Aussitôt, un autre animal un peu plus grand et plus lourd que les autres, bondit vers le jeune mammouth, se laissa tomber entre ses pattes meurtrières et, d'un coup vertical, enfonça l'arme qu'il portait dans le ventre de la bête.

Matriarche comprit que la blessure de sa petite-fille n'était pas fatale, mais lorsque le troupeau voulut prendre la fuite pour obtenir un peu de répit de ses agresseurs, la jeune blessée fut incapable de suivre le rythme. Toute la famille ralentit, Matriarche vint auprès de sa petite-fille et les énormes bêtes purent ainsi s'échapper.

Mais, à leur vive surprise, les petites silhouettes sur deux pattes ne se tinrent pas pour battues. Elles se rapprochèrent de plus en plus et, le troisième jour, profitant d'un moment d'inattention pendant que Matriarche conduisait les autres dans un de ses refuges, les créatures entourèrent de nouveau la jeune blessée. Voulant écraser ces intrus une fois pour toutes, Matriarche revint sur ses pas pour défendre sa petite-fille, mais lorsqu'elle se lança sur les agresseurs pour les transpercer avec sa défense brisée, comme elle avait fait avec le dent-de-sabre, l'un d'eux, armé seulement d'une longue tige de bois et d'une autre plus courte enflammée au bout, s'avança hardiment et la força à reculer. Elle aurait pu résister au long bout de bois, bien qu'il fût prolongé par une pierre pointue, mais non au feu qu'on lui lançait en plein visage. Elle essaya en vain d'éviter ce brandon fumant : impuissante, elle dut reculer, les yeux pleins de fumée et de flammes, tandis que sa petite-fille se faisait massacrer.

Avec des cris perçants qui ressemblaient beaucoup aux hurlements des loups quand ils se jettent enfin sur leur proie blessée, les créatures dansèrent et sautèrent autour du mammouth abattu, puis se mirent à le dépecer.

De loin, cette nuit-là, Matriarche et le reste de ses enfants virent de nouveau le feu qui flambait mystérieusement sans engloutir la steppe... Ce fut de cette manière troublante et tragique que les mammouths, si longtemps en sécurité dans leur citadelle de glace, firent la connaissance de l'Homme.

3

Ces gens du Nord

Environ vingt-neuf mille ans avant l'ère actuelle — c'est-à-dire avant l'année de référence 1950, où le système de datation au carbone devint fiable pour la mise en ordre des événements préhistoriques — la famine régnait dans la protubérance orientale de l'Asie, connue plus tard sous le nom de Sibérie. Nulle part elle ne frappa avec plus de férocité que dans une cabane de boue séchée orientée vers le Levant. Dans une grande pièce creusée à presque un mètre au-dessous du niveau du sol environnant, une famille de cinq personnes allait affronter l'hiver imminent avec des réserves de nourriture limitées et peu d'espoir d'en trouver davantage.

Leur demeure n'offrait aucun confort, hormis une légère protection contre les vents hurlants de l'hiver, qui soufflaient presque sans discontinuer à travers la moitié de la cabane qui s'élevait au-dessus du sol — constituée de branches grossièrement entrelacées puis couvertes d'une couche de boue. Cette cabane n'était qu'une case-grotte, mais elle comportait un élément essentiel : au milieu du sol, un endroit pour le feu. Sur ce foyer des branches souvent humides dégageaient la fumée qui donnait de l'arôme à ce qu'ils mangeaient, tout en irritant sans fin leurs yeux.

Les cinq personnes tapies dans cette habitation misérable en cette fin d'automne avaient pour chef un homme résolu, nommé Varnak, l'un des chasseurs les plus redoutables du village de Nurik. Il avait pour épouse la femme Tevuk, âgée de vingt-quatre ans et mère de deux fils bientôt en âge d'accompagner leur père sur les traces des animaux dont la viande nourrirait la famille. Mais, cette année-là, les animaux étaient devenus si rares que, dans certaines cases-grottes, les jeunes adultes commençaient de murmurer : « Peut-être n'y aura-t-il plus à manger que pour les jeunes, et il va être temps que les vieux s'en aillent. »

Varnak et Tevuk ne voulaient rien entendre de tout ça. Ils avaient, certes, une très vieille femme à leur charge, mais elle était si précieuse pour eux qu'ils seraient morts de faim plutôt que de la priver. On l'appelait l'Ancienne. C'était la mère de Varnak et il avait décidé de l'aider à survivre jusqu'au bout de sa vie parce que personne dans le village n'était plus sage qu'elle. Oui, personne d'autre ne pouvait rappeler aux jeunes le passé héroïque dont ils étaient les héritiers.

— D'autres disent : « Laissons mourir les vieux », mais je n'en ai pas l'intention, déclara un soir Varnak à sa femme.

— Ni moi, répondit Tevuk.

Et comme elle n'avait elle-même ni mère ni tantes, elle savait que les paroles de son mari s'appliquaient seulement à sa propre mère. Elle était prête, elle aussi, à veiller sur cette vieille femme résolue tant qu'il resterait un peu de vie. Ce serait difficile, car l'Ancienne ne se laissait pas manœuvrer et personne d'autre (ou presque) que Tevuk ne voulait s'occuper d'elle, mais le lien de reconnaissance entre les deux femmes demeurait fort et indissoluble.

Quand Varnak, dans sa jeunesse, avait cherché une épouse, il avait concentré ses attentions sur une jeune femme d'une rare beauté, que plusieurs hommes courtisaient ; mais sa mère, qui avait perdu son mari assez jeune dans un accident de chasse au mammouth laineux, vit nettement qu'il arriverait malheur à son fils s'il se liait à cette femme, et elle entreprit de le convaincre que sa vie serait bien meilleure s'il s'alliait à Tevuk, plus âgée, pleine de bon sens et dotée d'une capacité de travail peu ordinaire.

Varnak, captivé par la plus jeune, avait résisté au conseil de sa mère et allait prendre la séductrice, mais l'Ancienne barra l'ouverture de leur cabane et ne permit pas à son fils de sortir pendant trois jours — jusqu'à ce qu'un autre homme ait capturé l'enchanteresse.

— Elle lance des charmes, Varnak. Je l'ai vue ramasser de la mousse et chercher des bois de cerfs pour les réduire en poudre. Je te protège de ses sorts.

Inconsolable d'avoir perdu la jeune beauté, Varnak refusa longtemps d'écouter sa mère, mais quand sa colère tomba, il put regarder Tevuk d'un œil clair et il vit que sa mère avait raison : Tevuk serait aussi utile que maintenant lorsqu'elle deviendrait une vieille de quarante ans.

— Elle est de ces femmes qui prennent de la force avec les saisons, Varnak. Comme moi.

Et Varnak avait découvert que c'était la vérité.

À présent, dans cette passe difficile où il n'y avait presque rien à manger dans la case-grotte, Varnak appréciait doublement ses deux excellentes femmes, car son épouse parcourait les environs à la recherche de la moindre nourriture pour leurs deux fils, pendant que sa mère réunissait non seulement ses petits-fils, mais aussi les autres enfants du village, pour chasser la faim de leur esprit en leur contant les traditions heroïques de la tribu.

— Dans les temps anciens, notre peuple vivait dans le Sud, où il y a beaucoup d'arbres et toutes sortes d'animaux à manger. Vous savez ce que signifie « sud » ?

— Non.

Dans l'obscurité glacée de l'hiver, elle le leur expliquait.

— Cela veut dire « chaud ». Ma grand-mère me l'a appris. Le Sud est là où il n'y a pas d'hiver sans fin.

— Pourquoi ces gens sont-ils venus ici ?

Ce problème avait toujours intrigué l'Ancienne et elle l'aborda avec la vague compréhension qu'elle en avait.

— Il y a des gens forts et des gens faibles. Mon fils, Varnak, est très fort, vous le savez. Comme Tourak, l'homme qui a tué le grand bison. Mais quand notre peuple vivait dans le Sud, nous n'étions pas forts, et d'autres nous ont chassés de ces bonnes terres. Nous sommes partis vers le nord, où le pays était moins bon ; ils nous ont également chassés de là. Un été, nous sommes arrivés ici, et c'était beau, tout le monde a dansé, disait ma grand-mère. Mais que s'est-il passé ensuite?

Elle posa cette question à une fillette de onze saisons, et celle-ci répondit :

— L'hiver est venu.

— Oui, l'hiver est venu, confirma l'Ancienne.

Son résumé de l'histoire du clan — et de l'humanité — correspondait étonnamment à la réalité des faits. La vie humaine était apparue sous des climats chauds et humides, où la survie s'avérait aisée, mais dès qu'un grand nombre de gens fut rassemblé — disons, au bout d'un million d'années —, la compétition pour l'espace vital devint inévitable et des groupes plus entreprenants commencèrent à s'éloigner vers le nord et la zone plus tempérée. Dans ce climat plus uniforme, ils inventèrent peu à peu les premières techniques humaines, comme l'agriculture saisonnière et l'élevage des animaux, qui permettraient l'éclosion des formes supérieures de civilisation.

Puis, de nouveau, à l'époque de la trisaïeule de l'Ancienne, ou même avant, la compétition pour des sites favorables reprit; mais cette fois, ce furent les gens les moins capables qui durent s'en aller, en laissant les mieux adaptés régner sur les zones tempérées. Ainsi, les régions subarctiques de l'hémisphère Nord commencèrent à se peupler de gens évincés des climats plus hospitaliers. La pression s'exerçait toujours à partir des terres plus chaudes du Sud, et toujours les peuples de la périphérie étaient contraints à vivre sur des terres froides et arides qui parvenaient mal à les nourrir.

Il existait pourtant une autre interprétation de ce mouvement vers le nord, et l'Ancienne la relata fièrement aux enfants du village.

— Certains, des hommes et des femmes de courage, aimaient les pays froids et la chasse aux mammouths et aux caribous. Ils appréciaient les jours sans fin de l'été et n'avaient pas peur des nuits d'hiver comme celle-ci.

Elle regardait chaque enfant tour à tour, pour essayer de leur instiller un sentiment de fierté pour leurs ancêtres.

— Mon fils est un homme courageux comme ça. Et aussi Tourak, qui a tué le bison. Quand vous grandirez, vous devez devenir comme eux et combattre les mammouths.

La vieille femme avait raison. La plupart des hommes qui venaient dans le Nord s'attaquaient sans peur à la baleine et au morse, ne reculaient pas devant l'ours polaire et le mammouth laineux. Ils recherchaient le phoque et la loutre de mer pour leur fourrure, qui leur permettait de survivre aux hivers arctiques, et ils avaient appris les secrets de la glace, de la neige et des blizzards soudains. Ils trouvèrent des moyens de combattre les moustiques féroces qui les assaillaient chaque printemps en hordes capables de masquer le soleil, et ils enseignèrent à leurs fils l'art de pister les animaux pour la fourrure et la chair, de sorte que la vie puisse continuer après leur mort.

— Tels sont les gens du Nord, dit l'Ancienne.

Elle aurait pu ajouter qu'aucune race plus hardie n'avait jamais existé sur cette Terre.

— Je veux que vous deveniez comme eux, conclut-elle.

Une des fillettes se mit à pleurer.

— J'ai faim.

Alors, l'Ancienne prit un bout de gras de phoque séché dans la tunique de peau de phoque qu'elle portait en hiver. Elle le partagea entre les enfants sans rien garder pour elle.

Un jour, au changement de saison, quand il n'y eut pour ainsi dire plus aucune lumière du jour dans le village, la vieille faillit perdre courage, car l'un des enfants qui s'étaient réunis dans la cabane sombre pour écouter ses légendes lui demanda :

— Pourquoi ne retournerions-nous pas dans le Sud, où il y a à manger ?

— Autrefois, les gens se posaient souvent cette question, dut-elle répondre en toute sincérité. Parfois même, ils se jouaient la comédie et disaient : « Oui, l'an prochain nous retournerons là-bas », mais ils n'en avaient pas vraiment l'intention. Nous ne pouvons pas revenir. Vous ne pouvez pas revenir. Vous êtes à présent des gens du Nord.

Jamais elle ne considérait sa vie dans le Nord comme un handicap, et elle ne permettait pas à son fils et à ses petits-enfants de l'envisager ainsi. Mais à mesure que l'enfer de l'hiver avançait vers sa fin — déjà les jours rallongeaient, mais le froid augmentait et la glace devenait plus épaisse —, elle attendait que les enfants soient endormis puis murmurait à son fils et sa bru affamés :

— Encore un hiver comme celui-ci et nous mourrons tous.

Car ils survivaient seulement en rongeant des bouts de peau de phoque, qui leur fournissaient peu d'énergie.

— Où aller ? demanda son fils.

— Un jour, mon père a poursuivi un mammouth pendant quatre jours. Il l'a suivi vers l'est, à travers les terres désertes. Et de là-bas, il a aperçu des champs de verdure.

— Pourquoi ne pas partir vers le sud ? demanda Tevuk.

— Il n'y a jamais eu de place pour nous dans le Sud, répondit l'Ancienne à sa belle-fille. Pour moi, le Sud est exclu.

Ainsi donc, en ces journées de frustration de l'avant-printemps où l'hiver tourmentait de plus belle ces gens du côté ouest du pont continental, le redoutable chasseur Varnak, voyant sa famille mourir lentement de faim, se mit à poser des questions sur le pays de l'Est. Il tomba sur un vieil homme qui lui raconta ceci :

— Un matin, quand j'étais jeune et sans rien de mieux à faire, je suis parti vers l'est, oui. Le soir venu, avec le soleil encore haut dans le ciel car c'était en été, je n'ai pas eu envie de rentrer chez moi, et j'ai donc continué pendant deux jours. Le lendemain, j'ai vu quelque chose de surprenant.

— Quoi ? demanda Varnak.

Les yeux du vieillard brillèrent comme si l'incident s'était produit l'avant-veille.

— Le corps d'un mammouth mort.

Il s'arrêta pour permettre à Varnak d'assimiler l'importance de cette révélation. Comme le jeune homme ne réagissait pas, il s'expliqua :

— Si un mammouth a vu une raison de traverser ce pays désert, des hommes devraient avoir eux aussi une raison de le faire.

— Peut-être, répliqua Varnak. Mais tu as dit que le mammouth était mort.

L'homme éclata de rire.

— Exact. Mais il avait une bonne raison d'essayer. Et tu as toi aussi une bonne raison. Parce que si tu restes ici, tu crèveras de faim.

— Si je pars, m'accompagneras-tu ?

— Je suis trop vieux, répondit l'homme. Mais toi...

Ce jour-là, Varnak réunit les quatre membres de sa famille.

— Quand l'été viendra nous partirons du côté du soleil levant.

L'itinéraire qu'il suivrait était praticable depuis deux mille ans. Certains hommes avaient aperçu le pont, mais ne l'avaient pas trouvé engageant. Sur ses mille kilomètres du nord au sud, des vents violents soufflaient avec une telle constance qu'aucun arbre ni arbuste n'avait pu s'y établir. Les herbes et les mousses étaient si rares qu'aucun grand animal ne pouvait y survivre. En hiver, le froid était tellement accablant que même les lièvres et les rats restaient sous terre, et peu d'hommes s'étaient aventurés par là, même en été. S'y installer pour y vivre semblait impensable.

Mais cette zone inhospitalière n'était nullement infranchissable car, d'ouest en est — la direction que les gens de Varnak suivraient s'ils tentaient la traversée —, la distance ne serait guère de plus de cent kilomètres. Bien entendu, Varnak l'ignorait, mais tout ce qu'il avait glané au sujet de précédentes tentatives suggérait une distance assez courte.

— Nous partirons quand le jour sera égal à la nuit, annonça-t-il à sa mère.

Elle l'approuva de tout cœur et se hâta de répandre la nouvelle dans le village.

Quand on apprit que Varnak comptait chercher de la nourriture vers l'est, il y eut plus d'une discussion passionnée dans les cases-grottes, et plusieurs hommes décidèrent qu'ils feraient bien de l'accompagner. À la veille du printemps, quatre ou cinq familles se mirent à envisager sérieusement la possibilité d'émigrer. Au bout du compte, trois d'entre elles promirent fermement à Varnak :

— Nous partirons aussi.

Le jour de mars choisi par Varnak, seul moment de l'année où le jour et la nuit sont égaux sur la Terre entière, Varnak, Tevuk, leurs deux fils et l'Ancienne se préparèrent au départ, accompagnés de trois autres chasseurs, leurs femmes respectives et leurs huit enfants.

Les dix-neuf migrants se rassemblèrent à l'est de leur village. Ils avaient une allure redoutable : les hommes s'enveloppaient dans d'énormes fourrures ; ils portaient de longues piques comme s'ils partaient en guerre, et leurs cheveux noirs en broussaille leur tombaient sur les yeux. Ils avaient la peau d'un jaune foncé et des yeux noirs brillants — quand ils regardaient vivement à gauche et à droite, en un geste familier, ces yeux semblaient aussi prédateurs que ceux d'un aigle.

Les cinq femmes étaient vêtues dans des styles différents, avec des peaux décorées de coquillages à l'ourlet, mais leurs cinq visages se ressemblaient étrangement et portaient les mêmes tatouages — des bandes verticales bleues dont certaines couvraient le menton et d'autres couraient sur toute la longueur du visage, près des oreilles percées pour recevoir des boucles sculptées dans de l'ivoire blanc. Quand elles marchaient, c'était toujours d'un pas vif, même la vieille femme. Et lorsque les quatre traîneaux qui transporteraient les biens des quatre familles se trouvèrent en position, ce furent les femmes qui se saisirent des courroies et se préparèrent à tirer.

Les dix enfants formaient comme un bouquet de fleurs des champs car leurs vêtements étaient de formes et de couleurs variées : tuniques courtes avec des bandes de bleu et de blanc, longues houppelandes et lourdes bottes. Tous portaient sur la tête un ornement quelconque, un bout de coquillage brillant ou d'ivoire.

Le moindre vêtement était précieux, car les hommes avaient risqué leur vie pour ramener les peaux et les femmes avaient eu du mal à les tanner et à préparer les nerfs pour les coudre. Un pantalon d'homme soigneusement cousu pour protéger du froid et de l'eau devait durer la majeure partie d'une vie d'adulte. Rares étaient les hommes, sur cette péninsule, qui posséderaient jamais deux de ces pantalons.

Le plus important demeurait cependant les bottes, dont certaines montaient jusqu'au genou ; chaque groupe de familles devait avoir une femme capable de confectionner des bottes avec des grosses peaux, sinon les hommes du groupe auraient les pieds gelés pendant leurs chasses sur la glace. C'était même une des raisons pour lesquelles Varnak tenait à conserver sa mère en vie : depuis deux générations, personne dans le village n'avait fait d'aussi bonnes bottes qu'elle. Ses doigts n'étaient plus aussi alertes, mais ils restaient forts et parvenaient encore à enfoncer les nerfs de renne dans la peau de phoque la plus épaisse.

Les hommes de cette expédition étaient de faible taille. Varnak, le plus grand, ne mesurait pas plus d'un mètre soixante-huit et les autres étaient sensiblement plus petits. Aucune des femmes ne dépassait de beaucoup un mètre cinquante et l'Ancienne n'atteignait même pas cette taille. Les enfants étaient tout petits et les trois bébés minuscules, excepté leur grosse tête ronde.

Sur leurs petits traîneaux aux glissières en bois de cerfs et en os, les voyageurs tiraient derrière eux la pitoyable réserve d'outils et d'objets réunis par leur peuple au cours de dix mille ans de vie dans l'Arctique : des aiguilles en os, extrêmement précieuses, des peaux pas encore cousues en vêtements, des bols peu profonds taillés dans du bois dur ou de l'os, des cuillères de cuisine à long manche en ivoire ; aucun meuble, mais un coussin de nuit pour chacun, et plusieurs couvertures de fourrure par famille.

Mais ils ne quittaient pas l'Asie avec seulement ces maigres possessions matérielles ; dans leur tête ils emportaient une compréhension extraordinaire du Grand Nord. Les femmes comme les hommes avaient appris des centaines de règles pour survivre à l'hiver arctique et de recettes efficaces pour trouver de la nourriture en été. Ils connaissaient tous la nature des vents et le mouvement des étoiles qui les guidaient pendant la nuit hivernale. Ils avaient toutes sortes de trucs pour se protéger des moustiques qui, sinon, les auraient rendus fous ; surtout ils avaient observé les caractéristiques des animaux, et savaient les pister, les tuer et utiliser toutes les parties de leurs corps (même leurs sabots) quand le sacrifice était réussi.

L'Ancienne et les quatre jeunes femmes maîtrisaient cinquante manières différentes d'utiliser un mammouth abattu. Et aussitôt après la mort de la proie, l'Ancienne se précipitait vers la carcasse en criant aux hommes de découper le corps comme ci et comme ça ; elle s'assurait surtout qu'on lui réservait les os dont elle avait besoin pour fabriquer d'autres aiguilles.

Sur leurs quatre traîneaux et dans leurs esprits, nos voyageurs emportaient un autre élément précieux, sans lequel aucun groupe ne peut survivre longtemps. Sur le traîneau, dissimulés dans un coin bien protégé, ils emportaient des morceaux de coquillages nacrés, des bouts d'ivoire précieux sculptés de façon étrange, ou des cailloux polis d'une forme séduisante à l'œil. Ces babioles avaient à certains égards plus de valeur que le reste du chargement, car certains de ces objets anciens parlaient des esprits qui surveillent la vie des humains, d'autres évoquaient la façon de se concilier les animaux pour s'assurer qu'il y aurait de la nourriture à portée en cas de besoin, d'autres encore servaient à apaiser les grandes tempêtes pour que les chasseurs ne se perdent pas dans les blizzards, et certains cailloux et coquillages étaient conservés comme des trésors simplement à cause de leur extraordinaire beauté. Par exemple, l'Ancienne conservait dans une cachette secrète la première aiguille d'os dont elle s'était servie. Elle n'était plus aussi longue que dans le passé, et sa blancheur d'origine avait vieilli en un or lustré, mais son utilité suprême de génération en génération l'avait investie d'une telle beauté que le cœur de l'Ancienne se gonflait de joie de vivre chaque fois qu'elle la regardait.

Ces Tchouktches qui se dirigeaient vers l'Alaska il y a vingt-neuf mille ans étaient des hommes à part entière. Ils avaient peut-être le front bas, la ligne des cheveux très près des yeux, et leurs mouvements semblaient parfois simiesques, mais des êtres exactement semblables, en Europe méridionale, créaient déjà un art immortel sur les plafonds et les parois de leurs grottes, composaient des mélopées pour le feu, la nuit, et des récits représentant leur expérience de la vie. Le groupe de Varnak n'emportait aucun bien matériel, mais ce qu'il avait appris lui permettrait d'affronter les situations qui se présenteraient. Ils ne disposaient pas d'une langue écrite, mais ils comprenaient le désert arctique et la steppe, respectaient les animaux avec lesquels ils partageaient ces espaces, et savaient apprécier les merveilles qui se produisaient autour d'eux chaque année. Dans des ères postérieures, d'autres hommes et d'autres femmes au courage et à la compétence comparables s'aventureraient dans ces terres inconnues avec un acquis mental guère plus riche que celui de ces errants à la tête sombre.

Comme pour d'autres migrations qui auraient des conséquences colossales dans l'histoire du monde — l'ouverture de deux continents à la race humaine —, il faut noter les limites de celle de Varnak. Lui et ses compagnons ne se rendirent jamais compte qu'ils passaient d'un continent à un autre ; ils ne pouvaient pas savoir que ces énormes masses terrestres existaient, et l'auraient-ils su, ils auraient considéré l'Alaska de l'époque comme une partie de l'Asie, et non de l'Amérique du Nord. L'idée qu'ils traversaient un pont ne les aurait même pas effleurés, car le paysage difficile qui les entourait ressemblait à tout sauf à un « pont ». Enfin, ils ne ressentaient pas cette expédition comme une migration : leur voyage ne couvrirait pas plus de cent kilomètres, et, comme Varnak le leur rappela, le matin du départ :

— Si les choses ne vont pas mieux là-bas, nous pourrons toujours revenir l'été prochain.

Malgré cela, s'il avait existé une muse de l'Histoire pour conserver le souvenir de ce jour, elle aurait baissé les yeux de son Olympe pour exulter :

— Quelle splendeur ! Dix-neuf petits bonshommes emmitouflés dans des fourrures franchissent le seuil entre deux continents vides.

***

À la fin de la première journée, tous les voyageurs, sauf les tout-petits, comprirent que l'expédition allait s'avérer extrêmement difficile. Ils n'avaient, depuis leur départ, vu aucune trace de vie, hormis des herbes basses couchées par les rafales incessantes du vent. Aucun oiseau dans le ciel, aucun animal sur terre n'épiait la procession désordonnée ; aucun ruisseau ne coulait, nul poisson ne longeait les berges glacées.

Comparée au pays relativement riche qu'ils avaient connu avant la famine, cette région s'annonçait sinistre et inhospitalière. Le soir venu, quand ils redressèrent leurs traîneaux pour se protéger du vent, ils s'aperçurent que les glissières s'étaient usées faute de neige.

Le deuxième jour ne fut pas véritablement plus mauvais, mais les voyageurs commençaient à désespérer, car ils ne savaient pas que, cinq jours plus loin de cet enfer, ils atteindraient les terrains sensiblement plus accueillants de l'Alaska : ils s'avançaient dans l'inconnu.

Il en alla de même pendant les deux jours suivants. Ils ne trouvèrent aucune nourriture et les maigres réserves qu'ils avaient emportées diminuaient dangereusement.

— Demain, nous ne toucherons pas à nos réserves, dit Varnak lorsqu'ils se blottirent à l'abri de leurs traîneaux le troisième soir. Parce que je suis certain qu'après-demain nous tomberons sur de meilleures terres.

— Si le pays doit être meilleur, demanda un homme, pourquoi ne pas compter sur la nourriture que nous y trouverons ?

— S'il y a du gibier, il nous faudra des forces pour le poursuivre et pour le combattre quand nous l'aurons rattrapé, raisonna Varnak. Pour cela, nous devrons nous remplir le ventre.

Le quatrième jour, personne ne mangea. Les mères portèrent leurs enfants affamés et essayèrent de les consoler. Dans la tiédeur du printemps, tous survécurent à cette journée épuisante, et le cinquième jour, en fin d'après-midi quand Varnak et un autre homme s'en retournèrent d'une de leurs reconnaissances, ils annoncèrent la bonne nouvelle : à une journée de marche, il y avait de meilleures terres. Ce soir-là, avant le coucher du soleil, Varnak distribua le reste de leurs provisions. Tout le monde mangea lentement, en mâchant jusqu'à ce qu'il ne reste presque rien sous la dent, savourant chaque bouchée qui descendait dans la gorge. Au cours des jours suivants, il leur fallait trouver des animaux ou mourir.

Au milieu de l'après-midi du sixième jour, une rivière apparut, avec des buissons rassurants sur les rives. Varnak déclara aussitôt :

— Nous campons ici.

Il savait que s'ils ne trouvaient rien à manger dans un lieu si favorable, il n'y avait plus d'espoir. On mit les traîneaux en position et les chasseurs installèrent au-dessus une sorte de tente basse. Ils indiquèrent aux femmes et aux enfants qu'ils devraient se contenter de cette demeure pour le moment. Et pour confirmer leur décision de ne pas errer plus loin avant d'avoir trouvé de quoi manger, ils allumèrent un petit feu pour chasser les moustiques.

En début de soirée, le même jour, le plus jeune des adultes repéra une famille de mammouths en train de brouter près de la berge : une grand-mère à la défense droite brisée, deux jeunes femelles et trois animaux beaucoup plus jeunes. Ils semblaient résider en cet endroit, vers l'est, et même quand Varnak et cinq autres Tchouktches partirent pour les observer, les animaux levèrent la tête un instant dans leur direction, puis se remirent à paître.

Dans la nuit tombante, Varnak prit la tête des opérations.

— Nous devons encercler les animaux, un homme dans chaque direction, avant le jour. Et à l'aurore, nous serons en position pour isoler l'un des plus jeunes du reste du troupeau. Ensuite, nous l'abattrons.

Les autres tombèrent d'accord, car Varnak avait plus d'expérience.

— Je vais me poster à l'est, dit-il, pour barrer le passage aux mammouths s'ils essaient de retourner à des pâturages par là-bas.

Il ne le fit pas en ligne droite, pour éviter de passer trop près des animaux. Il plongea dans la rivière, la traversa à la nage et s'enfonça dans les terres avant de partir vers l'est. Il se mit à courir, sans perdre de vue les six énormes bêtes, et, au prix d'un effort qui aurait épuisé n'importe quel homme bien nourri, le petit chasseur affamé, hors d'haleine sous la lune, gagna la position clé qu'il désirait occuper. Il retraversa la rivière à la nage et prit son poste de guet derrière un rideau d'arbres. Si les mammouths désiraient s'enfuir vers l'est, ils tomberaient sur lui.

Au lever du jour, les quatre Tchouktches se trouvaient en position, chacun avec deux armes : une massue courte et un long épieu dont l'extrémité et les côtés étaient renforcés par des éclats acérés de silex. Pour tuer un mammouth, un homme devait enfoncer son épieu près d'un centre vital puis frapper l'animal blessé, titubant, jusqu'à ce qu'il s'effondre. Leur longue expérience leur avait enseigné que la première poursuite, le combat décisif, puis le dernier acte autour de l'animal blessé, jusqu'à sa mort, pouvaient prendre trois jours, mais ils étaient prêts. Ils savaient qu'ils devaient aller jusqu'au bout ou mourir de faim.

Ils encerclèrent les mammouths par une journée tiède de mars, et Varnak les avertit :

— N'essayez pas de frapper la vieille grand-mère. Elle est trop avisée. Concentrez-vous sur l'un des plus jeunes.

Les mammouths les aperçurent juste au moment où le soleil apparut. Ils se dirigèrent vers l'est, comme Varnak l'avait prévu, mais ils n'allèrent pas bien loin car, lorsqu'ils se rapprochèrent de lui, il s'élança hardiment vers eux en brandissant sa massue d'une main et son épieu de l'autre. Troublée, la vieille grand-mère rebroussa chemin pour conduire son troupeau vers l'ouest, mais deux autres Tchouktches se précipitèrent vers elle. Désespérée, elle obliqua vers le nord, sans tenir compte des épieux et des massues, en emmenant ses compagnons.

Les mammouths s'étaient libérés mais, pendant toute la journée, qu'ils courent dans un sens ou dans un autre, les chasseurs résolus demeuraient sur leurs talons. À la tombée de la nuit, les animaux et les hommes comprirent que, si habiles que fussent les mammouths à les éviter, les hommes gagneraient la partie.

La nuit venue, Varnak ordonna à ses compagnons d'allumer un autre feu pour chasser les moustiques, car il se doutait, à juste titre, que cela attirerait l'attention des mammouths épuisés. Ils restèrent non loin, et le lendemain au point du jour ils étaient encore visibles. Mais le camp où attendaient les femmes et les enfants des Tchouktches se trouvait maintenant très loin.

Pendant toute la deuxième journée, les mammouths fatigués essayèrent de s'enfuir, mais Varnak prévoyait chacune de leurs décisions. Où qu'ils aillent, il les attendait avec son redoutable épieu et sa massue, et vers la fin de l'après-midi, il aurait réussi à isoler une jeune femelle si la vieille grand-mère n'avait pas prévu à son tour la manœuvre. Elle s'était jetée sur lui avec sa défense brisée. Oubliant sa proie, il avait fait un bond de côté à l'instant où la redoutable défense allait l'éventrer. Une fois la vieille grand-mère écartée, l'épieu brandi, il avait chassé le jeune mammouth vers l'endroit où les autres hommes attendaient.

Habilement, en suivant des tactiques mises au point depuis des siècles, les chasseurs cernèrent la jeune femelle isolée et se mirent à la tourmenter avec tant d'adresse qu'elle fut incapable de se protéger. Mais elle pouvait barrir, et ses cris de terreur attirèrent la grand-mère qui revint sur ses pas, fonça droit sur les chasseurs menaçants et les dispersa comme autant de feuilles tombées d'un bouleau.

Pendant un instant, on put croire que la vieille femelle, dans sa sagesse de mammouth, avait vaincu les hommes. Mais Varnak ne pouvait pas le permettre. Sachant que sa vie et celle de tout son groupe dépendaient de sa manœuvre suivante, il plongea la tête la première entre les pattes du jeune mammouth. Il savait que d'un seul coup la patte puissante pouvait l'écraser, mais il n'avait pas le choix. Avec la violence du désespoir il enfonça son épieu dans les entrailles de la bête, puis s'écarta en roulant sur lui-même. Il ne la tua pas sur le coup ; la blessure n'était même pas mortelle, mais la souffrance fit chanceler l'animal, et lorsqu'il se releva les autres chasseurs poussaient des cris de joie et s'élançaient derrière leur proie. Incapable de récupérer son épieu qui pendait du ventre du mammouth, Varnak se saisit de sa massue et rattrapa les autres en hurlant.

La nuit tomba. De nouveau les Tchouktches allumèrent un feu, espérant que les mammouths resteraient dans les parages. Les grands animaux étaient si épuisés qu'ils ne pourraient pas aller bien loin. À l'aube, la chasse reprit. Guidés par une piste de sang, encouragés par le fait qu'elle semblait de plus en plus large à mesure que la journée avançait, les Tchouktches continuaient de courir.

— Nous nous rapprochons, dit enfin Varnak. Chacun à son poste.

Ils virent que les énormes bêtes s'étaient blotties dans un bosquet de bouleaux. Varnak prit l'épieu du plus jeune Tchouktche et conduisit ses hommes vers leur proie.

Il lui fallait maintenant neutraliser la grand-mère, qui piaffa à plusieurs reprises et barrit sa détermination de lutter jusqu'au bout. Rassemblant tout son courage, il s'avança de quelques pas, seul contre la grande bête. Pendant un bref instant elle hésita, tandis que les autres hommes attaquaient le mammouth blessé, sans protection, à coups de massue et d'épieu.

Quand la vieille femelle s'en aperçut, elle baissa la tête et fonça sur Varnak. Il courait un danger mortel et il le savait, mais il savait aussi que s'il laissait cette vieille bête enragée s'attaquer à ses hommes, elle était bien capable de les détruire tous et de sauver le jeune mammouth. Varnak, faisant preuve d'un courage dont peu d'hommes pouvaient se vanter, bondit en face de l'énorme animal en train de charger et le frappa de son épieu. Décontenancée, la vieille femelle recula, ce qui permit aux autres hommes d'achever leur proie.

Le mammouth blessé s'écroula sur ses genoux ; du sang giclait de plusieurs blessures. Les trois Tchouktches bondirent sur la carcasse et frappèrent avec leurs épieux et leurs massues jusqu'à la mort. Quand la bête expira, ils agirent suivant des règles observées depuis des milliers d'années : ils lui tranchèrent le ventre pour mettre à jour les entrailles, cherchèrent l'estomac plein d'herbes à moitié digérées et mangèrent goulûment à la fois les parties solides et les liquides. Leurs ancêtres avaient appris que ces matières contenaient des éléments nutritifs essentiels à la vie. Ensuite, leur vigueur restaurée après des jours de privations, ils dépecèrent le mammouth en quartiers de viande assez gros pour nourrir leurs familles respectives jusqu'en plein été.

Varnak n'avait joué aucun rôle dans la mise à mort proprement dite ; il avait infligé au mammouth la première blessure, puis il avait repoussé la vieille matriarche quand celle-ci aurait pu troubler la chasse. À présent, épuisé, privé de nourriture pendant de si longues journées, vidé par la chasse difficile du peu de forces qui lui restait, il s'appuya contre un arbre bas, haletant comme un chien au bout de son rouleau, trop fatigué pour partager la viande déjà en train de griller sur le nouveau feu. Mais il se rendit pourtant vers l'énorme carcasse, joignit les mains en forme de coupe et but une partie du sang qu'il avait fourni à son peuple.

***

Quand les chasseurs eurent fini de dépecer le mammouth, ils prirent une décision traditionnelle. Au lieu de transporter la masse de viande, d'os et de peau, à l'endroit où leurs familles les attendaient, ils décidèrent d'établir leur campement non loin de la carcasse, dans un bosquet de bouleaux. Les deux plus jeunes hommes partirent donc chercher les femmes, les enfants et les traîneaux.

Le déplacement se fit aisément, car les femmes étaient tellement affamées qu'en apprenant le succès de la chasse, elles voulurent partir sur-le-champ. Les hommes leur expliquèrent qu'il fallait déplacer le campement tout entier et elles se hâtèrent d'enlever la couverture qui servait de tente et de charger les traîneaux. Quelques heures plus tard, lorsque les femmes et les enfants aperçurent le mammouth abattu, ils poussèrent des cris de joie, abandonnèrent leurs traîneaux et se précipitèrent vers le feu où des portions de viande rôtissaient.

Un groupe de chasseurs comme celui de Varnak ne pouvait espérer tuer un mammouth qu'une fois par an. Avec une chance exceptionnelle ou la présence à leur tête d'un chasseur particulièrement habile, ils parvenaient parfois à en abattre deux. Comme il s'agissait d'un événement fort rare, certains rituels s'étaient établis au cours des siècles. L'Ancienne, en tant que gardienne de la sécurité spirituelle de la tribu, alla se camper devant la tête tranchée de l'animal et l'apostropha en ces termes :

> *Ô, noble mammouth qui partages la toundra avec nous, qui règnes sur la steppe où coule la rivière, nous te remercions pour le don de ton corps. Nous nous excusons de t'avoir pris la vie et prions que tu aies laissé derrière toi de nombreux enfants qui viendront à nous dans l'avenir. Par respect pour toi, nous faisons cette prière.*

Tout en parlant, elle trempa les doigts de sa main droite dans le sang du mammouth, puis les posa sur les lèvres de toutes les femmes et de tous les enfants, qui devinrent rouges. Pour les quatre chasseurs dont dépendait la survie de son peuple, elle frotta avec ses doigts sanglants d'abord le front de l'animal mort, puis les fronts des hommes, tout en adjurant la bête d'impartir à ces hommes valeureux une plus profonde compréhension de son espèce, pour qu'ils se montrent plus efficaces dans leurs futures chasses au mammouth. Ce fut seulement après avoir accompli ces rites sacrés qu'elle se permit de fouiller parmi les entrailles à la recherche de tripes solides capables d'être travaillées en une sorte de lanière à coudre.

Pendant ce temps, son fils désossa l'épaule droite et quand l'omoplate énorme fut dégagée, blanche comme de l'ivoire au soleil, il se mit au travail avec un burin de pierre qui faisait jaillir des éclats d'os. Bientôt il eut entre les mains un grattoir résistant, aux bords tranchants, dont il se servirait pour découper la viande du mammouth avant de l'entasser dans des endroits frais. Son travail au burin s'avéra important pour deux raisons : il lui fournit un outil à découper fort utile sur le moment — et qui, presque trente mille ans plus tard, serait mis au jour par des archéologues, démontrant que des êtres humains avaient réellement vécu sur le site du Bouleau à l'aube de l'histoire du Nouveau Monde.

Chacun des neuf adultes fut chargé d'une responsabilité spéciale à l'égard du mammouth mort : l'un rassembla les os qui serviraient de poutrelles pour la demeure qu'ils construiraient plus tard ; un autre lava la peau précieuse et se mit à la tanner avec un mélange d'urine et d'acide distillé à partir d'écorce d'arbre. Les poils des pattes seraient tissés en une sorte de drap commode pour faire des coiffes, et l'on mit de côté le cartilage qui reliait le sabot à la patte pour fabriquer une espèce de mucilage. L'Ancienne continua de vérifier chaque morceau de viande, à la recherche d'os solides et fins pour faire des aiguilles, et un homme aiguisa de gros os pour renforcer le bout de son épieu.

Sans agriculture organisée, ne sachant ni faire pousser ni conserver des aliments d'origine végétale, les Tchouktches ne pouvaient compter que sur leurs compétences de chasseurs, d'ailleurs remarquables. La poursuite du mammouth, source majeure de nourriture, demeurait pour eux fondamentale et ils étudiaient donc ses habitudes, apaisaient son esprit pour le rendre favorable, calculaient les meilleurs moyens de le duper, et le chassaient sans relâche. Tout en dépeçant celui qu'ils venaient d'abattre, ils examinèrent chaque aspect de son anatomie et essayèrent de prédire comment il se serait comporté dans des circonstances différentes ; quand il fut absorbé par la tribu comme une sorte de divinité, les quatre hommes tombèrent d'accord :

— Le moyen le plus sûr de tuer un mammouth est la façon dont Varnak a procédé. Se laisser tomber sous son ventre et donner un coup d'épieu vertical.

Rassérénés par cette conclusion, ils prirent leurs fils à part et leur enseignèrent la manière de tenir l'épieu à deux mains, de tomber par terre le visage tourné vers le haut et de frapper le ventre d'un mammouth enragé tout en priant les Grands Esprits de vous protéger des pattes meurtrières. Quand ils eurent tout appris aux garçons, en leur montrant comment tomber tout en contrôlant la position de l'épieu, Varnak fit un clin d'œil à l'un des chasseurs. Cette fois, quand l'aîné des enfants bondit et se jeta au sol la tête vers le haut, ce chasseur couvert d'une peau de mammouth sauta soudain en l'air en poussant des hurlements fantastiques et se mit à taper du pied à quelques centimètres de la tête du gamin. Le jeune fut si terrifié par cette explosion inattendue qu'il lâcha son épieu et se couvrit le visage.

— Tu es mort ! cria le chasseur au gamin affolé.

Mais Varnak condamna sa lâcheté avec un argument beaucoup plus grave.

— Tu as laissé le mammouth s'échapper. Nous mourrons tous de faim.

On rendit donc l'épieu à l'enfant et vingt fois de suite il se jeta au sol, le visage vers le haut, pendant que Varnak et les autres piétinaient en hurlant autour de sa tête. Chaque fois, à la fin du numéro, ils tiraient la leçon de son comportement.

— Oui, tu as eu l'occasion de frapper le mammouth. Si c'était un mâle, il t'aurait sans doute tué, mais ton épieu serait enfoncé dans son ventre, et nous qui restons aurions eu une chance de le poursuivre et de l'abattre.

Ils continuèrent ces exercices jusqu'à ce que l'enfant, en face d'un vrai mammouth, sente qu'il avait une bonne chance de le blesser assez grièvement pour que les autres puissent achever la bête. À la fin de la séance, Varnak félicita le gamin.

— Je crois que tu sauras, à présent.

Et l'enfant sourit.

Aussitôt, les hommes se tournèrent vers le garçon suivant, un enfant de neuf ans. Quand ils lui tendirent un épieu et lui ordonnèrent de se lancer par terre sous le corps du mammouth en train de charger, il s'évanouit.

***

Au nouveau campement près des bouleaux, les Tchouktches déchargèrent leurs maigres possessions et se préparèrent à construire leurs abris grossiers. Comme ils allaient tout recommencer, ils auraient pu chercher à améliorer le style de leur logement, mais ils n'en firent rien. Ils n'inventèrent ni l'igloo de glace ni la yourte de peaux, ni la cabane au-dessus du sol, construite en pierres et en branchages, ni aucun autre type satisfaisant d'habitation. Ils se contentèrent du genre de case qu'ils avaient en Asie : un creux boueux au-dessus du sol, recouvert d'une sorte de dôme de branches tressées et de peaux, enduit de boue. Comme auparavant, l'excavation n'avait ni cheminée pour évacuer la fumée, ni fenêtre pour laisser entrer la lumière, ni porte gondée pour empêcher de passer les petits animaux. Mais chaque trou couvert constituait un foyer, et c'était là que les femmes cuisinaient, cousaient et élevaient leurs petits.

À cette époque, l'espérance de vie était d'environ trente et un ans, et à force de mâcher constamment de la viande et du cartilage, les dents avaient tendance à s'user avant le reste du corps — si bien que la cause de la mort était souvent la faim. Les femmes avaient en général trois enfants qui vivaient et trois autres qui mouraient, à la naissance ou peu après. Une famille restait rarement au même endroit pendant longtemps, car les animaux disparaissaient ou devenaient méfiants ; les humains partaient alors à la recherche d'autres proies. La vie était difficile et les plaisirs peu nombreux, mais il n'existait aucune guerre entre tribus ou groupes de tribus — surtout parce que les groupes vivaient si éloignés les uns des autres qu'ils n'avaient aucune raison de se chamailler pour le droit à un territoire.

Les ancêtres avaient appris patiemment, en cent mille années d'essais et d'erreurs, certaines règles de survie dans le Nord, et elles étaient rigoureusement observées. L'Ancienne les répétait sans fin à son clan :

— Ne pas manger la viande devenue verte. Au début de l'hiver, s'il n'y a pas assez de nourriture, dormir presque toute la journée. Ne jamais jeter un bout de fourrure, si graisseux qu'il soit devenu. Mammouth, bison, castor, renne, renard, lièvre et souris, chasse-les dans cet ordre mais n'oublie jamais la souris car c'est elle qui te maintiendra en vie pendant les périodes de famine.

L'expérience, longue et cruelle, leur avait aussi appris une leçon fondamentale :

— Quand tu cherches une compagne, va toujours dans une tribu éloignée, car si tu prends une femme de ton groupe de cabanes, il en résultera de l'horreur.

Se conformant à cette règle sévère, elle avait autrefois ordonné elle-même l'exécution d'une sœur et d'un frère qui s'étaient mariés. Elle avait refusé de leur accorder grâce bien qu'ils fussent les enfants de son propre frère.

— Il le faut ! avait-elle crié aux membres de la famille. Et avant qu'un enfant ne naisse. Car si nous permettons à un de ces enfants-là de venir parmi nous, *Ils* nous puniront.

Elle ne précisait jamais qui étaient *Ils,* mais elle avait la conviction profonde qu'ils existaient et exerçaient de grands pouvoirs. Ils établissaient les saisons, ils faisaient venir les mammouths, ils veillaient sur les femmes enceintes, et pour tous ces services ils méritaient le respect. Ils vivaient, croyait-elle, au-delà de l'horizon (où que ce fût). Parfois, dans les plus mauvais moments, elle se tournait vers le bord le plus lointain du ciel et s'inclinait vers les Invisibles qui, seuls, avaient le pouvoir d'améliorer la situation.

Les Tchouktches connaissaient des moments de joie extrême : quand les hommes abattaient un mammouth vraiment énorme ou quand une femme accablée par une grossesse difficile mettait enfin au monde un enfant mâle fort. Par les nuits d'hiver où la nourriture était rare et aucun confort possible, ils bénéficiaient pourtant d'une joie spéciale : dans les cieux du Nord, les mystérieux Invisibles suspendaient de grands rideaux de feu qui emplissaient le ciel de myriades de couleurs, en des formes dansantes, et d'immenses épieux de lumière qui brillaient d'un horizon à l'autre en un colossal étalage de puissance et de majesté.

Les hommes et les femmes sortaient alors de la boue glacée de leurs misérables cabanes, dans la nuit étoilée, et tournaient leurs visages vers les cieux tandis que les Autres-au-delà-de-l'horizon animaient ces lumières, suspendaient les couleurs et lançaient de grands jets de feu à travers le firmament. Alors le silence se faisait, et les enfants appelés pour assister à ce miracle s'en souviendraient jusqu'à la fin de leurs jours.

Un homme comme Varnak pouvait espérer assister à une parade céleste de ce genre vingt fois dans sa vie. Avec de la chance, il participerait à la mise à mort d'à peu près le même nombre de mammouths, pas davantage. Et vers la trentaine — l'âge de Varnak à ce moment-là — il devait s'attendre à une diminution rapide de ses forces puis à leur disparition. Il ne fut donc pas surpris le matin d'automne où Tevuk lui annonça :

— Ta mère ne peut pas se lever.

Il courut à l'endroit où elle était couchée, par terre, sous les bouleaux.

Il vit aussitôt qu'elle allait mourir et se pencha pour la réconforter autant qu'il pourrait, mais elle n'avait nul besoin de lui. En ses derniers moments, elle désirait seulement regarder le ciel qu'elle avait aimé et se décharger de ses responsabilités à l'égard des gens qu'elle avait aidés, guidés et protégés pendant si longtemps.

— Quand viendra l'hiver, murmura-t-elle à son fils, rappelle bien aux enfants de dormir beaucoup.

Varnak l'enterra dans le bosquet de bouleaux ; dix jours plus tard, la tombe fut recouverte par la première neige de l'année. Les vents balayaient les flocons sur la steppe, et comme ceux-ci s'entassaient au pied des cabanes, Varnak se demanda : « Ne devrions-nous pas hiverner au village que nous avons quitté ? » Il consulta les autres adultes mais leur conseil fut unanime :

— Mieux vaut rester où nous sommes.

Sur cette résolution, les dix-huit nouveaux habitants de l'Alaska, avec assez de viande séchée pour passer l'hiver le plus rigoureux, s'enfoncèrent dans leurs cases pour se protéger des tempêtes imminentes.

Varnak et ses compagnons n'étaient pas les premiers à avoir fait la traversée d'Asie en Alaska. D'autres semblent les avoir précédés, en différents endroits, au cours de plusieurs millénaires, en se déplaçant peu à peu, arbitrairement vers l'est, au cours de leur recherche constante de nourriture. Certains faisaient le voyage par curiosité, ce qu'ils trouvaient leur plaisait et ils restaient. Certains se disputaient avec leurs parents ou leurs voisins, et partaient donc sans but précis. D'autres se joignaient passivement à un groupe et n'avaient jamais l'énergie de retourner. Certains poursuivaient des animaux si vite et si loin qu'à la fin de la chasse ils restaient sur place ; d'autres étaient séduits par la beauté d'une fille de l'autre côté du fleuve que suivaient leurs parents. Mais aucun, autant que l'on sache, ne traversa jamais avec l'intention de s'installer dans un nouveau pays ou d'explorer un nouveau continent.

Et lorsqu'ils parvenaient en Alaska, les mêmes motivations subsistèrent. Jamais ils ne partirent consciemment occuper l'intérieur de l'Amérique du Nord ; les distances et les obstacles étaient si grands qu'aucun groupe d'êtres humains n'aurait pu vivre assez longtemps pour accomplir la traversée à lui seul. Bien entendu, si le chemin du Sud n'avait pas été bloqué par les glaces à l'arrivée de Varnak et de ses compagnons, et s'ils avaient été poussés, ils auraient sans doute pu atteindre le Wyoming au cours de leur vie, mais, comme nous l'avons vu, le corridor du Sud fut rarement ouvert en même temps que le pont. Et même si Varnak avait décidé d'atteindre l'intérieur de l'Amérique — à supposer qu'il puisse nourrir un tel dessein, ce qui était impossible — il aurait dû attendre des millénaires que le passage se libère des glaces. Cent générations auraient vécu et seraient mortes avant que ses descendants puissent atteindre le nord des États-Unis actuels.

Sur la centaine de Tchouktches qui passèrent de Sibérie en Alaska à l'époque de Varnak, environ un tiers durent retourner à leur point de départ après avoir découvert qu'en général l'Asie se montrait plus hospitalière. Les deux tiers qui restèrent furent tous emprisonnés dans la citadelle de glace, ainsi que leurs descendants. Ils devinrent

Alaskans ; avec le temps, tous leurs souvenirs furent liés à ce beau pays ; ils oublièrent l'Asie et ne surent jamais rien de l'Amérique du Nord. Varnak et ses dix-sept compagnons ne retournèrent jamais en arrière, pas plus que leurs descendants.

Quel nom faut-il leur donner ? Quand leurs ancêtres s'étaient aventurés pour la première fois dans le Nord, on les avait appelés avec mépris Ceux-qui-fuient-le-Sud, peut-être parce que les anciens résidents savaient que si les nouveaux venus avaient été plus forts, ils ne se seraient pas laissé évincer de ces climats favorables. Pendant une période où ils n'avaient pas pu trouver de sites acceptables pour leurs campements, on les avait appelés les Errants, puis lorsqu'ils avaient fini par trouver un endroit sûr, à la pointe de l'Asie, ils avaient pris le nom de la région : ils étaient devenus des Tchouktches. On aurait pu les appeler Sibériens, mais comme ils s'étaient associés à l'Alaska (sans le vouloir ni le savoir) ils acquirent le nom générique d'Indiens, et seraient différenciés plus tard comme des Athapascans.

En tant que tels, ils mèneraient une existence prospère dans la partie centrale de l'Alaska et connaîtraient un essor remarquable au Canada. Une branche vigoureuse s'installerait dans les belles îles qui constituent l'Alaska méridional, et, si improbable que cela aurait paru à Varnak, certains de ses descendants, des millénaires plus tard, partiraient vers le sud, jusqu'en Arizona, où ils deviendraient les Indiens Navajos. Les spécialistes ont démontré que la langue de ces Navajos est aussi proche de celle des Athapascans que le portugais l'est de l'espagnol, et il est impossible que ce soit l'effet du hasard. Les deux groupes sont forcément liés.

Ces Athapascans errants n'ont en revanche aucune relation avec les Eskimos des périodes ultérieures. Et nous ne devons pas nous les représenter comme une vague puissante d'émigration en éventail, destinée à apporter sa civilisation dans des terres inhabitées. Rien de commun avec les Pèlerins anglais qui traversèrent l'Atlantique en un exode résolu, adoptant des lois provisoires à bord des bateaux avant de débarquer au milieu des Indiens. Il est fort probable que les Athapascans se sont répandus dans toute l'Amérique sans avoir jamais l'impression de partir de chez eux.

Ainsi, Varnak et son épouse (par exemple), déjà âgés, auraient tendance à rester où ils se trouvaient dans le bosquet de bouleaux, mais, quelques années plus tard, un de leurs fils et son épouse jugeraient peut-être avantageux de bâtir leur cabane un peu plus loin vers l'est, où les mammouths sont plus nombreux. Ils partiraient. Mais ils garderaient sans doute des contacts avec leurs parents restés près des bouleaux, et, le temps passant, leurs propres enfants décideraient à leur tour de s'en aller vers des lieux plus accueillants, tout en conservant eux aussi des relations avec leurs parents, et même peut-être avec les vieux Varnak et Tevuk, au site des Bouleaux. De cette manière, insensiblement, des gens peuvent peupler un continent entier en avançant seulement de quelques kilomètres à chaque génération — si on leur accorde vingt-neuf mille ans pour le faire ! Ils peuvent ainsi passer de Sibérie en Arizona sans jamais s'éloigner de leur foyer.

De meilleures chasses, le goût de l'aventure, l'insatisfaction provoquée par l'oppression — telles sont les motivations séculaires qui incitent certains hommes et certaines femmes à partir même en temps de paix. Ce fut sans doute en écoutant ces voix que les hommes et les femmes de ces temps anciens s'établirent peu à peu dans les deux Amériques, sans même en prendre conscience.

Pendant cette période de peuplement, l'Alaska jouerait un rôle crucial pour des régions comme le Minnesota, la Pennsylvanie, la Californie et le Texas, car il constituerait le creuset des tribus qui allaient s'établir dans ces diverses contrées. Descendants de Varnak et de Tevuk, héritiers du courage remarquable de l'Ancienne, ils implanteraient des cultures nobles dans des pays où la glace était rare, et ne conserveraient aucun souvenir de l'Asie. Ces colons et les différents groupes qui les suivraient au cours des millénaires seront le plus beau cadeau de l'Alaska à l'Amérique.

***

Quatorze mille ans avant l'ère actuelle, l'itinéraire terrestre fut temporairement submergé par la fonte de la calotte polaire. Un des peuples les plus avenants du monde vivait dans des régions relativement peuplées à la pointe orientale de la Sibérie. C'étaient les Eskimos, des chasseurs asiatiques trapus, à la peau sombre, qui portaient leurs cheveux coupés droit au-dessus des sourcils. Une race hardie, car leur existence dépendait des risques qu'ils prenaient en s'aventurant sur l'océan Arctique et les eaux voisines pour chasser les grandes baleines, les morses aux longues défenses et les phoques rusés. Aucun peuple au monde ne vivait plus dangereusement et dans un climat plus inhospitalier que ces Eskimos, et parmi eux aucun ne se donnait autant de mal, en ces années, qu'un petit bonhomme robuste, aux jambes arquées, nommé Ougruk. Il connaissait toutes sortes de difficultés.

Il avait pris pour épouse, trois ans plus tôt, la fille de l'homme le plus important de son village — Pelek, au bord de la mer — et sur le moment, il s'était vraiment demandé pourquoi une jeune personne aussi séduisante s'était intéressée à lui, parce qu'il n'avait pour ainsi dire rien à offrir. Pas de kayak pour chasser les phoques, pas de part de l'un des grands oumiaks dans lesquels les hommes partaient en groupe traquer les baleines qui glissaient au large du promontoire, pareilles à des îles flottantes. Il ne possédait rien, n'avait que deux ou trois peaux de phoque pour se protéger des mers glaciales, et, plus grave encore, il n'avait plus de parents pour l'aider à faire son chemin dans le monde très dur des Eskimos. Pour couronner le tout, il louchait — et d'une manière particulière, qui mettait tout le monde en fureur. Si vous regardiez son œil gauche, croyant qu'il s'en servait, l'œil gauche semblait s'esquiver et vous aviez l'impression de ne plus rien regarder. Mais si vous passiez aussitôt à l'œil droit, l'œil droit bougeait à son tour et vous retombiez dans le vide. Parler à Ougruk n'était pas facile.

La raison mystérieuse pour laquelle Nukliet, la jolie fille du chef de village, désirait épouser le pauvre louchard, apparut peu après le festin des noces : Ougruk découvrit que sa jeune mariée était enceinte, et dans les bateaux on chuchota même que le père était un robuste harponneur du nom de Shaktoulik, qui avait déjà, malgré son jeune âge, deux épouses et trois autres enfants. La situation d'Ougruk ne lui permettait guère de protester contre la duperie, ni d'ailleurs de protester contre quoi que ce fût. Il se mordit donc la langue, s'avoua heureux d'avoir pour épouse, même dans ces circonstances, une aussi jolie fille que Nukliet, et se jura de devenir le meilleur marin des divers bateaux arctiques que possédait son beau-père.

Le père de Nukliet refusa de prendre Ougruk dans son équipage, car la chasse à la baleine était une occupation dangereuse, et chacun des six hommes du lourd bateau devait être un expert. Quatre ramaient, un tenait le gouvernail, le dernier lançait le harpon, et ces postes étaient occupés depuis longtemps dans l'oumiak du chef de village. Lui-même barrait. Shaktoulik harponnait. Et quatre gars robustes aux nerfs de granit souquaient aux avirons. Dans de nombreuses expéditions contre les baleines, ces hommes avaient prouvé leur mérite, et le père de Nukliet ne songeait pas à briser son équipe simplement pour caser son peu estimé gendre.

Mais il accepta de donner à Ougruk un kayak, pas un des meilleurs, mais assez robuste pour ne pas couler — « léger comme une brise de printemps dans les sapins, étanche comme une fourrure de phoque » — quelle que soit la violence des vagues. Ce kayak ne répondait pas vite aux coups de pagaie, mais il était cent fois meilleur que tout ce qu'Ougruk avait jamais rêvé de posséder, et l'Eskimo ne dissimula pas sa reconnaissance. Ses parents, tués par une baleine qui avait renversé leur bateau, ne lui avaient rien laissé.

Au milieu de l'été, quand les grands animaux marins se déplacent, le beau-père d'Ougruk, aidé par Shaktoulik, lança son oumiak depuis la plage de gravier du village de Pelek. Avant de partir pour une expédition qu'ils savaient dangereuse, ils indiquèrent, avec force haussements d'épaules, qu'Ougruk pouvait utiliser le kayak. Peut-être tomberait-il sur un phoque somnolent : le village avait toujours besoin de fourrure et de viande. Tout seul sur la plage, non loin du grossier kayak, il regarda de ses yeux plissés les hommes les plus capables de Pelek partir en prononçant des prières et des cris.

Quand leurs têtes ne furent plus que six points sur l'horizon, Ougruk poussa un soupir résigné, se tourna vers sa hutte pour voir si Nukliet regardait, et soupira de nouveau en ne l'apercevant pas. Il se dirigea vers le kayak, écœuré, étudia sa ligne peu élégante et murmura :

— Dans celui-là, on ne pourrait même pas rattraper un phoque blessé.

Il était long, environ trois fois la taille d'un homme, et complètement recouvert de peau de phoque étanche pour rester à flot par les mers les plus mouvementées. La seule ouverture était juste suffisante pour les hanches d'un homme; la peau de phoque était ensuite fixée serré autour de la taille du chasseur. Les tendons de baleine avec lesquels la peau de phoque était cousue au kayak, souples quand ils étaient secs, formaient des liens imperméables une fois mouillés.

Ougruk se glissa dans l'ouverture, tira la partie supérieure de la peau de phoque autour de sa taille et l'attacha solidement pour que l'eau ne puisse pas pénétrer même si le kayak se retournait. Si cela se produisait, Ougruk n'aurait qu'à pagayer violemment pour que le kayak se redresse. Bien entendu, si un homme attaché dans son kayak se montrait assez téméraire pour attaquer un morse adulte, les défenses de l'animal risquaient de percer la couverture ; l'homme, projeté dans la mer, se noierait, car les Eskimos ne savaient pas nager ; d'ailleurs le poids de ses gros vêtements imbibés d'eau aurait suffi à l'entraîner par le fond.

Au moment où l'oumiak de chasse à la baleine disparut dans le lointain, Ougruk fit l'essai de sa pagaie de sapin et partit en mer, vers l'est. Il n'escomptait guère trouver des phoques, et s'il tombait sur un gros il n'aurait pas su s'en dépêtrer. Il partait simplement en reconnaissance et s'il avait la chance de repérer une baleine qui faisait surface, ou un morse en train de paresser, il noterait la direction prise par l'animal et en informerait les autres à leur retour. Car si les Eskimos étaient certains de la présence d'une baleine ou d'un gros morse dans un secteur donné, ils se faisaient fort de le traquer.

Il ne vit aucun phoque, ce qui ne le déçut nullement car il n'était pas encore très sûr de ses talents de chasseur. Il voulait d'abord se familiariser avec les manies de son kayak avant de le conduire au milieu d'un troupeau de phoques. Il se contenta donc de pagayer vers la terre lointaine, que l'on voyait parfois par beau temps de l'autre côté de la mer. Personne de Pelek n'était jamais allé sur la côte d'en face, mais tout le monde connaissait son existence car on voyait souvent ses collines basses briller sous le soleil, l'après-midi.

Assez loin de la côte, à plusieurs milles nautiques au sud de l'endroit où devait se trouver l'oumiak à ce moment-là, il vit sur sa droite un spectacle qui le pétrifia : une baleine noire flottait à la surface de l'eau, sur toute sa longueur. Sa queue puissante la poussait nonchalamment vers lui. Elle était énorme, beaucoup plus grosse que toutes celles qu'Ougruk avait pu voir sur la plage quand les hommes dépeçaient leurs prises. Bien sûr, il était mauvais juge, car les chasseurs de Pelek avaient attrapé seulement trois baleines au cours des sept années précédentes. Mais celle-ci était un colosse, nul ne pourrait le nier, et Ougruk devait impérativement prévenir l'oumiak de la présence du monstre. Tout seul, il ne pouvait rien. Six des meilleurs hommes de Sibérie seraient nécessaires pour venir à bout de l'animal géant.

Mais comment avertir son beau-père ? N'ayant pas d'autre choix, il décida de rester avec la baleine qui nageait paresseusement vers le nord, espérant que, tôt ou tard, son itinéraire croiserait celui de l'oumiak.

La manœuvre s'avéra délicate, car si la baleine se sentait menacée par un objet inconnu non loin d'elle, elle pouvait en trois ou quatre battements de sa queue puissante rattraper le kayak, l'écraser, le couper en deux d'une bouchée, tuer l'homme et détruire son frêle canot ; tout l'après-midi, seul dans son bateau, Ougruk suivit donc la baleine en essayant de rester invisible. Chaque fois que l'animal soufflait, montrant qu'elle était toujours là, il se réjouissait. À deux reprises, l'énorme bête plongea et disparut. Ougruk n'en menait pas large, car sa proie pouvait refaire surface n'importe où, et même accidentellement sous le kayak — ou bien se perdre à jamais en fuyant entre deux eaux. Mais il fallait bien que la baleine respire, et après une absence prolongée, la gigantesque créature sombre remontait, soufflait un grand jet d'eau vers le ciel et continuait sa promenade paresseuse en direction du nord.

Une heure avant que le soleil, réticent à se coucher, descende effleurer la terre vers le nord, Ougruk calcula que si les hommes de l'oumiak avaient continué dans la direction convenue, ils devaient se trouver nettement au nord-est de l'endroit où se dirigeait la baleine. Ils allaient donc la manquer complètement. Il décida alors de quitter l'animal ; en pagayant de toutes ses forces, il avait des chances de rattraper les six chasseurs.

Mais il se trouvait à l'ouest de la baleine, et il fallait qu'il passe à l'est, en évitant bien entendu d'inciter l'animal à l'attaquer, mais en perdant le moins de temps et d'espace possible. Il se rappela que, selon la tradition, les baleines avaient une mauvaise vue, mais une ouïe excellente. Il décida donc de passer très vite devant la baleine en faisant le moins de bruit possible.

La manœuvre l'exposait au danger, mais il ne devait pas seulement tenir compte de sa sécurité personnelle. Depuis son enfance, on lui avait enseigné que la responsabilité suprême d'un adolescent ou d'un homme était de ramener une baleine sur la plage pour que tout le village puisse s'en repaître et utiliser les énormes os pour la construction, ainsi que les précieux fanons pour les divers usages que permettaient leur souplesse et leur résistance. Attraper une baleine pouvait ne se produire qu'une fois dans toute une vie, et Ougruk se trouvait en position de le faire, car s'il conduisait les chasseurs à la baleine pour qu'ils la tuent, il partagerait les honneurs et il serait loué pour sa ténacité dans la poursuite de l'immense animal.

Au moment de se lancer devant la tête même de la baleine, un fait curieux le soutint dans sa décision vitale : si peu que lui eût laissé son pauvre père, il avait cependant hérité d'un talisman possédant un pouvoir et une beauté extraordinaires. C'était un petit disque circulaire tout blanc, d'environ deux doigts de diamètre ; il avait été fait dans l'ivoire d'un des rares morses tués par son père, et à sa surface des signes finement gravés représentaient l'océan rempli de glaces et les créatures qui y vivaient et le partageaient avec les Eskimos.

Ougruk avait regardé son père graver ce disque et en polir les bords pour leur donner un beau fini, et comme ils s'étaient tous les deux rendu compte depuis le début qu'une fois terminé ce disque serait un objet vraiment spécial, il n'était nullement ridicule que son père ait prédit :

— Ougruk, il te portera bonheur.

Acceptant cela sans discussion, l'enfant de neuf ans n'avait pas cillé quand son père lui avait percé la lèvre inférieure avec un couteau pointu en os de baleine et avait garni l'incision avec des herbes. La plaie s'élargirait en guérissant, car on y insérerait chaque mois des morceaux de bois de plus en plus gros et la lèvre inférieure finirait par former une étroite bande de peau entourant et délimitant un trou circulaire.

Au milieu du processus, le trou s'infecta, comme c'était souvent le cas, et Ougruk dut rester couché sur le sol de terre battue, tremblant de fièvre. Pendant trois jours et trois nuits de malheur où son esprit s'était mis à errer, sa mère appliqua des herbes à sa lèvre et entassa des cailloux chauds contre ses pieds. Puis la fièvre se calma, et quand il reprit conscience, l'enfant vit avec satisfaction que le trou guéri avait presque la taille requise.

Ougruk n'oublierait jamais le jour où on le conduisit à une hutte sinistre des confins du village. On le fit entrer cérémonieusement dans un des endroits les plus sales et les plus encombrés qu'il eût jamais vus. Le squelette d'un homme était accroché à l'un des murs de terre, le crâne d'un phoque à l'autre. Des sacs sales, en peau de phoque cousue, gisaient sur le sol à côté d'un tas de peaux puantes sur lequel dormait l'occupant de la hutte. C'était le chaman du village de Pelek, le saint homme capable de lancer des prières pour maîtriser l'océan et de converser avec les esprits qui amenaient les baleines près du promontoire. Lorsqu'il sortit de l'ombre pour s'avancer vers Ougruk, il lui parut redoutable — grand, dégingandé, avec des yeux enfoncés dans le crâne et des dents manquantes, les cheveux extrêmement longs et emmêlés couverts d'une crasse qui n'avait pas été enlevée depuis des dizaines d'années. Le chaman émit des bruits incompréhensibles, prit le disque d'ivoire, observa son élégance (visiblement surpris qu'un homme aussi pauvre que le père d'Ougruk puisse posséder un tel trésor), puis tira sur la lèvre inférieure de l'enfant et de ses doigts sales enfonça le disque dans le trou. Non sans douleur, le tissu durci de la cicatrice pinça le disque solidement dans la position qu'il occuperait tant qu'Ougruk vivrait.

L'insertion était douloureuse ; il le fallait pour que le disque ne tombe pas, mais une fois le bel objet en place, tout le monde pouvait voir — la plupart avec envie — qu'Ougruk le louchard, si démuni jusque-là, possédait désormais un trésor : le labret le plus beau de toute la côte orientale de Sibérie...

Comme il lançait son kayak à toute allure en travers du passage de la baleine, il lécha sa lèvre inférieure et la présence rassurante du labret magique lui donna du courage. Sa langue toucha l'ivoire sculpté des deux côtés, et il put sentir la baleine qui y était représentée. Cela le persuada de sa chance, et non sans raison, car au moment où il passa, si près que la baleine aurait pu bondir sur le kayak d'un seul coup de sa queue gigantesque et l'écraser avec son passager, la bête paresseuse enfonça la tête sous l'eau, sans daigner se préoccuper du petit objet qui traversait les eaux si près d'elle.

Mais lorsque le kayak fut en sécurité, la baleine souleva son énorme tête, souffla de grands volumes d'eau et ouvrit la bouche machinalement, comme pour bâiller. Ougruk se retourna au bruit du jet d'eau, vit la taille de la gueule à laquelle il venait d'échapper, et son immensité l'épouvanta. Dans son adolescence, il avait participé au dépeçage de quatre baleines, dont deux grosses, mais aucune n'avait une tête ou une gueule aussi gigantesques. La bouche caverneuse demeura ouverte pendant presque une minute, grotte noire capable d'engloutir le kayak tout entier, puis elle se referma avec nonchalance, un jet d'eau minuscule sortit, et la baleine énorme s'enfonça de nouveau sous la surface de l'eau, toujours dans la direction approximative de l'endroit où Ougruk pensait trouver ses compagnons dans leur oumiak. Il fit claquer son labret porte-bonheur contre ses dents, et rama avec plus d'énergie que jamais.

Il se trouvait maintenant à l'est de la baleine et se dirigeait vers le nord, si loin en mer que les promontoires de son village n'étaient plus visibles, ni d'ailleurs la côte d'en face. Il était vraiment seul sur la vaste mer arctique, sans rien pour le soutenir en dehors de son labret et de l'espoir d'aider les gens de Pelek à attraper cette baleine.

Comme on était au milieu de l'été, il n'avait pas peur que la venue du crépuscule lui fasse perdre la baleine. Tout en pagayant, il pouvait voir de temps en temps, par-dessus son épaule, la créature qui continuait d'avancer. La lumière argentée de l'été éternel lui permettait de s'assurer que la baleine poursuivait bien sa route vers le nord avec lui ; mais chaque fois qu'il l'apercevait, il croyait revoir la bouche monstrueuse, la caverne noire qui représentait l'autre monde contre lequel le chaman mettait parfois en garde, quand il entrait dans une de ses transes. S'élancer vers le nord dans la grisaille d'une nuit arctique suivi par une baleine sombre nageant dans les sillons profonds de la mer mettait à l'épreuve le courage d'un homme, et Ougruk aurait sans doute rebroussé chemin, malgré son désir de se conduire bien si la présence du labret ne l'avait pas rassuré.

À l'aube, la baleine continuait encore vers le nord ; avant que le soleil ne s'élève beaucoup au-dessus de l'horizon où il avait traîné toute la nuit, Ougruk crut voir vers le nord-est un point sombre, sûrement l'oumiak. Il cessa aussitôt de surveiller la baleine et se mit à pagayer avec rage vers ce qu'il supposait être le bateau. Il ne se trompait pas : pendant un instant où il se trouva en même temps que l'oumiak sur la crête des vagues, il vit les six hommes en train de ramer, et eux le virent aussi. Agitant sa pagaie, il fit le signal indiquant qu'une baleine avait été repérée, et donna la direction suivie par l'animal.

À une vitesse surprenante, l'oumiak fonça vers l'ouest pour intercepter le monstre, sans tenir aucun compte d'Ougruk : seule la baleine importait, non le messager. Ougruk le comprit, et lança son frêle kayak sur un cap qui lui permettrait de rattraper l'oumiak juste au moment où il atteindrait la baleine. Les hommes du grand bateau haletaient d'excitation ; la baleine continuait d'avancer majestueusement, inconsciente du danger imminent ; et Ougruk le solitaire pagayait comme un forcené sans trop savoir ce que serait son rôle dans l'acte suivant ; et autour d'eux, dans toutes les directions, la houle longue de la mer arctique, sans les icebergs du printemps, sans les oiseaux, sans un seul cap, golfe ou baie en vue. Dans l'immensité solitaire, ces créatures du Nord se préparaient au combat.

Quand les hommes de l'oumiak aperçurent enfin la baleine, ils ne purent évaluer exactement la taille du monstre ; ils voyaient tantôt la tête, tantôt la queue, jamais l'animal dans toute sa longueur, et ils se dirent donc qu'il s'agissait simplement d'une baleine ordinaire. Cependant, quand ils se rapprochèrent, l'animal encore ignorant de leur présence sortit soudain de l'eau ; pour une raison connue d'elle seule, la baleine se cambra complètement au-dessus de la surface, révélant son corps entier. Puis, avec une force colossale, elle se tourna sur le flanc comme pour se gratter le dos et replongea dans la mer au milieu de gerbes d'eau gigantesques. Les six Eskimos comprirent qu'ils se trouvaient en face d'un colosse qui, s'il se laissait prendre, nourrirait leur village pendant de nombreux mois.

Le beau-père d'Ougruk n'eut que quelques ordres à lancer. On prépara les vessies de phoque gonflées qui ralentiraient la baleine si les chasseurs parvenaient à la harponner. Chacun des quatre rameurs vérifia les épieux dont il se servirait quand ils se rapprocheraient de la baleine et le grand Shaktoulik, à la proue de l'oumiak, cala ses genoux contre le plat-bord du bateau et saisit de ses mains puissantes le harpon qu'il lancerait dans les parties vitales de la baleine. Ougruk était encore loin derrière.

Le harpon, dont Shaktoulik prenait un soin extrême, était une arme puissante. Sa longue hampe se terminait par un silex pointu, aussitôt suivi par des barbelures en forme de crochet, sculptées dans de l'ivoire de morse. Mais même cette arme mortelle se serait avérée inefficace si le harponneur l'avait lancée à la main, comme un épieu, car la force ainsi produite n'aurait pas suffi à pénétrer la peau épaisse de la baleine, protégée par du lard; le miracle du système eskimo n'était pas le harpon, mais le bâton à lancer le harpon, qui multipliait par trois ou quatre la force de pénétration de la tige barbelée.

Le bâton de jet, morceau de bois d'environ soixante-quinze centimètres de long et taillé d'une forme très étudiée, avait pour effet d'augmenter considérablement la longueur du bras de l'homme. L'arrière, qui possédait une sorte de rainure où l'on posait le manche du harpon, se nichait dans le coude replié du lanceur. La longueur du bâton suivait le bras de l'homme et se prolongeait bien au-delà du bout de ses doigts ; c'était contre le bois que le harpon reposait. Vers l'avant, il y avait une prise de doigt qui permettait à l'homme de garder le contrôle du harpon et du bâton, et, non loin, un endroit lisse grâce auquel le pouce pouvait immobiliser le long harpon au moment où l'homme se préparait à lancer. Bien campé sur ses jambes, le harponneur plaçait son bras droit, porteur du bâton, aussi loin que possible vers l'arrière et vérifiait que le manche du harpon se trouvait bien dans sa rainure. Puis, d'un geste large, parallèlement à la surface de la mer et non de haut en bas comme on pouvait s'y attendre, il projetait brusquement son bras droit en avant, lâchait le harpon à ce moment précis, et, grâce à la double longueur de bras que cela lui donnait, le harpon à pointe de silex partait vers la baleine avec une force suffisante pour percer la peau la plus épaisse. En appliquant le même principe, douze mille ans plus tard, le petit David lancerait un caillou mortel contre le géant Goliath. Il fallait parfois des années d'entraînement pour parvenir à une précision suffisante, mais, une fois que les divers gestes étaient synchronisés, cette espèce de harpon-fronde devenait une arme redoutable.

Il paraît incroyable que des hommes aussi primitifs aient pu inventer un instrument si curieux et si compliqué, mais les chasseurs de différents continents l'inventèrent : on l'a appelé *atlatl,* d'après le nom de l'arme découverte au Mexique par les Européens, et toutes ses versions se ressemblent. Des hommes, sans aucune connaissance en ingénierie et en dynamique, ont compris que leurs harpons seraient trois fois plus efficaces s'ils le projetaient avec leur atlatl au lieu de le lancer directement. Cette découverte complexe témoigne d'une capacité intellectuelle remarquable, mais pour l'apprécier à sa juste valeur, nous ne devons pas oublier que, pendant cent mille ans, les hommes ont passé la plupart de leurs heures de veille à tuer des animaux pour se nourrir ; aucune occupation n'était pour eux aussi vitale, aussi n'est-il peut-être pas si surprenant qu'au bout de vingt mille ou trente mille ans d'expérimentation ils aient découvert le meilleur moyen de lancer un harpon : par un mouvement de fronde latéral, un peu comme un enfant maladroit lance une balle.

Ce jour-là, le chef eskimo avait calculé à la perfection son avancée vers la proie. De sa position initiale un peu sur la droite, le plus près possible derrière l'animal, il comptait avancer rapidement sous un angle qui permettrait à Shaktoulik de frapper juste derrière l'oreille droite ; en même temps, les deux rameurs de gauche auraient l'occasion de frapper avec leurs épieux, de même que le capitaine, depuis sa place à la barre, derrière les autres. Cette manœuvre permettrait aux quatre Eskimos du côté gauche de l'oumiak de blesser l'énorme créature, peut-être pas mortellement, mais assez pour la rendre vulnérable aux attaques suivantes, jusqu'à la victoire finale. Une bataille de profonde stratégie s'engageait.

Mais au moment où l'oumiak se rapprocha, la baleine prit conscience du danger et, par une réaction automatique qui stupéfia les hommes, elle pivota sur elle-même et projeta méchamment son énorme queue. Le capitaine, voyant son oumiak détruit si la queue le frappait, vira de bord, mais l'homme de l'avant, Shaktoulik, et son harpon furent d'autant plus exposés ; au passage de la queue un aileron frappa le harponneur à la tête et aux épaules et le projeta dans la mer. Aussitôt, d'un mouvement de toute évidence accidentel, la queue puissante s'abattit, écrasa Shaktoulik et l'entraîna sans connaissance sous la surface de l'eau, où il mourut. La baleine avait remporté la première manche.

Le capitaine évalua aussitôt la situation et agit d'instinct. Il s'écarta de la baleine, chercha Ougruk des yeux, aperçut le kayak à peu près à l'endroit où il s'attendait à le trouver, dirigea l'oumiak vers lui et lui cria :

— À bord !

Ougruk n'était que trop heureux de participer au combat mais il savait aussi que le canot dans lequel il pagayait appartenait à son beau-père.

— Le kayak ?

— Laisse-le, répondit le capitaine sans hésitation.

Tous les bateaux étaient précieux, et celui-ci ne faisait pas exception, mais la capture d'une baleine passait avant tout, et quand Ougruk embarqua dans l'oumiak, le kayak partit à la dérive.

Il était entendu depuis longtemps que si Shaktoulik ou le capitaine mouraient ou se perdaient en mer, le premier rameur — celui de l'avant à gauche — prendrait la place vacante. C'est ce qu'il fit, laissant son propre poste vide. Au début, Ougruk supposa que la place lui reviendrait, mais son beau-père, conscient des limites de ses capacités, changea rapidement l'ordre de ses rameurs et plaça Ougruk sur le banc arrière-gauche, sous sa surveillance directe. C'était là qu'il pouvait faire le moins de tort, et les Eskimos, sans une pensée ou presque pour le sort malheureux de Shaktoulik, reprirent leur chasse interrompue.

Le monstre, se sachant attaqué, adopta plusieurs stratagèmes pour se protéger, mais ce n'était pas un poisson — il lui fallait de l'air pour respirer — et il devait donc refaire surface de temps en temps. Or chaque fois ces maudites petites bestioles dans leur embarcation venaient le tourmenter. Elles avaient peu de succès mais ne renonçaient pas pour autant car elles savaient qu'en obligeant la baleine à réagir à leurs intrusions elles parviendraient à l'épuiser ; le moment viendrait où, fatiguée de fuir, vidée par la nécessité de plonger et de souffler sans relâche, l'animal deviendrait enfin vulnérable.

Ce combat inégal occupa entièrement la première journée ; les hommes savaient très bien qu'un seul coup de cette queue redoutable, une seule bouchée de ces énormes mâchoires suffiraient à les terrasser. Mais ils n'avaient pas le choix : ou bien les Eskimos capturaient leurs proies dans l'océan, ou bien ils mouraient ; abandonner la lutte ne leur venait jamais à l'esprit. Quand le soleil baissa vers l'horizon, du côté du nord, indiquant le début de ce qui correspondait à la nuit, les hommes de l'oumiak n'interrompirent donc pas leur poursuite. Tout au long du crépuscule d'argent qui se prolongea en beauté jusqu'à une aurore également argentée les six petits Eskimos pourchassèrent la grande baleine.

Le deuxième jour vers midi, le chef jugea que l'animal se fatiguait ; il était temps de porter un maître coup. Il remit donc l'oumiak en position, derrière la baleine, et fonça pour que son nouveau harponneur puisse frapper avec précision, ainsi que les deux rameurs de gauche et lui-même. Dès le début de la manœuvre, il lança un coup de pied dans le dos d'Ougruk.

— Prépare ta lance !

Et il regarda avec mépris son inepte gendre farfouiller sous son banc à la recherche de l'arme, nouvelle pour lui.

Au moment de l'attaque, Ougruk n'avait pas encore trouvé sa lance, pour l'excellente raison que l'ancien occupant du banc arrière-gauche l'avait emportée à son nouveau poste. Quand la baleine glissa sur le côté gauche de l'oumiak l'homme devant Ougruk frappa, mais Ougruk ne put rien faire, et le chef, le voyant les bras ballants, se mit à l'insulter tandis que leur proie s'éloignait, le flanc droit en sang.

— Espèce d'idiot, si tu l'avais frappée toi aussi, nous l'aurions eue !

Pendant la journée, son beau-père continua de répéter cette conjecture, et les autres chasseurs de l'oumiak commencèrent à croire que l'incapacité d'Ougruk à se servir de sa lance était la seule cause de leur deuxième échec. L'hostilité devint si vive que le louchard ne put éviter de se défendre.

— Je n'avais pas de lance. On ne m'en avait pas donné.

Les autres fouillèrent l'oumiak et durent se rendre à l'évidence, mais, trop contents de faire porter sur un autre le poids de leurs propres erreurs, ils continuèrent de grommeler :

— Si Ougruk avait su se servir de sa lance, nous aurions pris cette baleine.

Pendant la deuxième nuit où la baleine resta visible de temps à autre lorsqu'elle levait sa queue gigantesque au-dessus des flots, le chef distribua des rations de nourriture et permit à ses hommes de boire un peu d'eau. Tous savaient que la réserve de provisions s'épuisait et qu'il faudrait faire l'effort suprême le lendemain ou jamais. Tôt dans la matinée, le chef remit son oumiak dans la position qu'il jugeait la meilleure — légèrement à l'arrière, légèrement à l'est. Avec une grande habileté, il plaça le harponneur de l'avant dans l'angle où il pourrait faire le plus de dégâts, mais quand l'homme porta son coup, la pointe du harpon toucha un os et fut déviée. L'homme assis devant Ougruk assena de nouveau un bon coup, profond mais non mortel, puis vint le tour d'Ougruk. Quand il se leva, il sentit son beau-père lui lancer un coup de pied. Il brandit l'épieu emprunté, visa, frappa de toutes ses forces et la pointe s'enfonça profondément dans la baleine.

Mais il était inexpérimenté et dans cet instant de triomphe il oublia de bloquer les genoux et les pieds contre le bordage de l'oumiak. Surtout, il ne lâcha pas son épieu et il se trouva entraîné dans l'eau.

A l'instant où il s'écrasait dans l'eau glacée, pris entre l'oumiak et la baleine en mouvement, il entendit son beau-père lancer un juron et le vit planter impeccablement son épieu dans l'animal, puis reprendre son équilibre en repoussant habilement l'épieu, selon la règle, comme pour l'enfoncer plus profondément.

À bord de l'oumiak, dans la bousculade, une voix cria :

— Suivons la baleine ! Elle est blessée.

D'autres lancèrent :

— Repêchons Ougruk ! Il est vivant.

Après un instant d'hésitation, comme la baleine ne pouvait pas s'échapper et qu'Ougruk ne savait pas nager, le chef décida qu'il valait mieux s'occuper d'abord de ce dernier. Quand Ougruk fut hissé à bord, avec de l'eau salée gouttant de son labret porte-bonheur, son beau-père lui lança en ricanant :

— Tu nous as fait perdre la baleine... deux fois.

Ce n'était vrai qu'en partie, parce que l'animal était moins gravement blessé que les hommes ne l'avaient supposé. Il lui restait assez de force pour nager très vite et, à la fin de cette troisième journée, les Eskimos durent reconnaître qu'ils l'avaient perdue. Désespérés d'avoir manqué de si peu la capture d'une baleine géante, ils s'en prirent de nouveau à Ougruk, l'accusèrent de leur défaite et lui reprochèrent de ne pas avoir frappé la baleine et d'être tombé par-dessus bord. Ainsi naquit dans cet oumiak démoralisé l'idée illogique qu'ils auraient sûrement capturé la baleine s'ils ne s'étaient pas arrêtés pour sauver Ougruk.

— Oui, il est tellement maladroit qu'il est tombé de l'oumiak, et quand nous nous sommes arrêtés pour le repêcher, la baleine s'est échappée.

Le jeune Eskimo écouta ces accusations, mordit son labret et se dit : « Ils oublient que c'est moi qui leur ai signalé la baleine. » Et quand son beau-père, dans un accès d'illogisme ridicule, se mit à lui reprocher d'avoir en plus perdu le kayak, Ougruk conclut que le monde était devenu fou : « Il m'a ordonné de l'abandonner ; je le lui ai demandé deux fois et il me l'a ordonné deux fois. »

Quelle amertume ! Tous les membres de la communauté s'étaient retournés contre lui et l'avaient rabaissé sans aucune raison, en lui faisant porter le poids de leurs propres insuffisances ! Ougruk comprit sur-le-champ qu'il serait inutile de se défendre contre des accusations aussi irresponsables. Mais son silence ne lui valut aucun répit, car les hommes de l'oumiak se trouvaient maintenant confrontés à un autre problème : il leur faudrait trois jours pour rentrer chez eux et ils n'avaient aucune nourriture et très peu d'eau. Accablés, ils renouvelèrent leurs attaques contre Ougruk, et un membre de l'équipage proposa même de le jeter par-dessus bord pour calmer les esprits qu'il avait offensés. De l'arrière de l'oumiak, le chef lança sèchement :

— Je ne veux plus entendre parler d'une chose pareille.

Mais il n'en cessa pas pour autant d'accabler le malheureux louchard.

Puis, du côté de l'est, les hommes aperçurent pour la première fois les promontoires du pays d'en face, et en fin d'après-midi, sous le soleil, le pays leur parut engageant et digne d'attention. Il ne se composait pas de montagnes pareilles à celles qu'ils connaissaient, de leur côté de la mer vers l'ouest, mais de collines douces, sans arbres, mais accueillantes. Impossible de savoir si la contrée était habitée ou non, et ils ignoraient également s'ils pourraient y trouver de quoi manger, mais il y aurait à coup sûr de l'eau douce. Tous approuvèrent la décision du chef de mettre le cap vers la côte et de chercher un accostage sûr.

Les hommes s'avancèrent vers ce pays inconnu avec une très sérieuse appréhension : que se passerait-il si cet endroit manifestement hospitalier contenait des gens ? Effectivement, lorsqu'ils dépassèrent un petit cap protégeant une baie, ils constatèrent, le cœur tremblant, qu'un petit village s'était établi dans ce refuge. Avant même que le chef puisse ralentir l'oumiak, sept kayaks rapides à un seul homme se détachèrent de la côte et entourèrent le bateau. Les inconnus étaient armés, et ils auraient peut-être lancé leurs épieux si le beau-père d'Ougruk n'avait pas levé ses deux mains vides au-dessus de sa tête, avant de les porter à sa bouche pour faire le geste de boire.

Les étrangers comprirent, se rapprochèrent de l'oumiak et le fouillèrent des yeux à la recherche d'armes ; voyant Ougruk et un autre homme rassembler les épieux de chasse à la baleine et les ranger sous les bancs, ils laissèrent l'oumiak les suivre à terre, où un homme âgé, visiblement leur chaman, leur souhaita généreusement la bienvenue.

Ils restèrent trois jours à Shishmaref — comme le site s'appellerait plus tard. Ils mangèrent à peu près la même chose que chez eux et apprirent des mots nouveaux très proches de leur propre langue. Ils ne pouvaient pas converser facilement avec ces gens de la rive orientale de la mer de Béring, mais ils parvenaient à se faire comprendre. Les gens du village, Eskimos de toute évidence, leur racontèrent que leurs ancêtres habitaient cette baie depuis de nombreuses générations ; et les os dont ils se servaient pour la construction de leurs maisons indiquaient qu'ils chassaient à peu près les mêmes animaux marins que les gens de Pelek. Ils se montrèrent amicaux, et quand Ougruk et ses compagnons s'en allèrent, les adieux furent chargés d'émotion.

Cette visite à l'Est permit aux hommes de l'Ouest de survivre jusque chez eux, et au cours de cette longue traversée l'antagonisme contre Ougruk se cristallisa. Quand ils accostèrent à Pelek, le jugement officiel était devenu le suivant : Shaktoulik et Ougruk sont tombés tous les deux par-dessus bord ; des démons nous ont fait perdre le meilleur et sauver le mauvais.

Ce dogme se répandit à terre de façon si convaincante que tout le monde, dans les huttes, le prit pour argent comptant et Ougruk fut mis à l'écart. Mais il n'était pas au bout de ses peines, car un ennemi plus puissant que les hommes de l'oumiak s'éleva contre lui : le chaman, mélange de saint, de prêtre, de nécromancien et de voleur, prétendit bientôt qu'en passant insolemment sous le nez de la baleine Ougruk était la cause directe de la mort de Shaktoulik — on savait très bien que ce harponneur très expérimenté était plus que capable de se tirer de n'importe quel danger naturel. De toute évidence, une force mauvaise avait lancé un charme néfaste contre lui et le coupable était bien entendu Ougruk.

Le chaman, secouant ses longues mèches sales, trahit alors la raison profonde qui motivait son attaque : il chuchota à qui voulait l'entendre qu'en toute justice jamais un minable comme Ougruk ne devrait posséder un labret doté de pouvoirs magiques, représentant d'un côté une baleine et de l'autre un morse ; et il amorça les manœuvres perfides qui avaient déjà fonctionné à son avantage dans des situations similaires du passé. Son but réel, qu'il n'avait avoué à personne, même pas aux esprits, n'était autre que de s'emparer du labret.

Il déplora bruyamment la mort du harponneur Shaktoulik, pleura en public la perte d'un si noble jeune homme, et essaya d'obtenir l'aide du beau-père d'Ougruk et de Nukliet, la jolie fille mariée au louchard. Mais il rencontra un obstacle sérieux, car à la surprise de tous, y compris de son père, Nukliet ne prit pas parti contre son lourdaud de mari ; elle le défendit. Elle fit valoir l'injustice des attaques lancées contre lui et convainquit peu à peu son père que, loin d'avoir saboté leur expédition, Ougruk en était à certains égards le héros.

Pourquoi cette attitude ? Elle savait que leur fille n'avait pas été engendrée par Ougruk et que son père et tout le village s'étaient désolés quand elle avait épousé le louchard. Mais quatre années s'étaient écoulées et elle avait constaté à maintes reprises les qualités de caractère de son époux. Il était droit. Il travaillait au mieux de ses capacités. Il adorait leur petite fille et s'en occupait comme si c'était la sienne, et il partageait toujours avec sa femme le peu qu'il possédait, alors que la plupart des jeunes hommes estimés de tous traitaient leurs épouses avec mépris.

Pendant ces quatre années, elle avait en particulier comparé le comportement d'Ougruk à celui de Shaktoulik, le père naturel de son enfant, et plus elle avait observé la conduite du beau harponneur, plus elle avait apprécié celle de son peu séduisant mari. Shaktoulik se montrait arrogant, trompait ses deux femmes, ne se souciait pas de ses enfants, et avait trahi sa méchanceté profonde de vingt façons honteuses. Il volait les épieux des autres et s'en vantait en riant. Il prenait leurs femmes et les mettait au défi de l'en empêcher. Sans doute était-il brave à la chasse, chacun en convenait, mais sur tous les plans humains il s'était avéré lamentable, et Nukliet le reconnaissait, même si personne d'autre n'osait l'avouer. Quand le chaman se mit à faire ses simagrées sur la mort de Shaktoulik, la jeune femme ouvrit les yeux, tendit l'oreille et comprit quel genre de toile le méchant homme commençait à tisser.

Curieusement, tout en reconnaissant la bonté d'Ougruk, elle ne parvenait pas encore à le croire intelligent, et elle exprima donc ses craintes à son père, non à son mari.

— Le chaman cherche à chasser Ougruk de Pelek.

— Et pourquoi ?

— Il convoite une chose que possède Ougruk.

— Mais quoi donc ? Le pauvre bougre n'a rien.

— Il m'a, moi.

Avec un instinct remarquable, Nukliet avait percé à jour la deuxième raison qui poussait le chaman à se débarrasser d'Ougruk. Il convoitait le beau labret, mais seulement pour accroître ses pouvoirs de chaman — et son autorité sur le village. Pour lui-même, pour sa vie d'homme dans la case de l'orée du village, il désirait Nukliet, sa fille et il espérait tirer profit de son rang. Il avait reconnu en elle une de ces femmes — peu nombreuses, d'après son expérience — qui confèrent de la grâce à tout ce qu'elles touchent. Quatre ans auparavant, il s'était demandé, perplexe, pourquoi elle épousait Ougruk au lieu de devenir la troisième épouse de Shaktoulik, mais il comprenait à présent que sa décision venait de sa force de caractère et de sa détermination : elle voulait être première, non troisième. Il se persuada que s'il lui offrait maintenant la chance de devenir sa propre épouse, la femme de l'homme le plus puissant de la communauté, elle sauterait sur l'occasion.

De cent manières, cet homme bizarre vivait dans l'illusion. Dans le monde dangereux de l'Arctique, la capture d'un morse pouvait faire la différence entre la vie et la mort, et les Eskimos devaient donc apaiser l'esprit du morse. Qui pouvait s'en charger, sinon le chaman ? L'hiver, il savait détourner les violents blizzards. Quand régnait la sécheresse, il faisait tomber la pluie. Lui seul pouvait garantir une grossesse à une femme sans enfant, ou bien provoquer la naissance d'un fils. Avec une conviction profonde, il reconnaissait quels Eskimos étaient possédés par des démons, et — toujours à grand prix — il les exorcisait juste avant que le clan ne prenne les armes pour les abattre. En deux circonstances extrêmes, il avait deviné que si les esprits n'étaient pas apaisés, le clan n'aurait aucun espoir de survie. Sans le moindre scrupule de conscience, il avait désigné un responsable, que le village avait alors banni.

Personne à Pelek ne songeait à contester le pouvoir de ce despote. On savait que des forces inconnues gouvernent le monde : seul le chaman pouvait les maîtriser, ou du moins se les concilier pour qu'elles fassent le minimum de mal. À cet égard, il jouait plusieurs rôles utiles : quand un Eskimo mourait, le chaman guidait comme il convient son esprit à son lieu de repos, au moyen de rituels complexes, et confirmait au clan qu'aucune force malveillante n'errerait près de la côte pour en éloigner les phoques et les morses. Il s'avérait particulièrement efficace quand les chasseurs partaient dans leur oumiak. Ses incantations les rassuraient puisqu'elles devaient les protéger des esprits malfaisants capables d'acculer au désastre une entreprise déjà bien assez dangereuse par elle-même. Au plus fort de l'hiver glacé, quand toute vie avait apparemment disparu de la Terre, l'espoir revenait au clan quand le chaman ordonnait aux esprits de terrasser les mers glacées et de faire revenir à Pelek les brises tièdes du printemps. Aucune communauté ne pouvait survivre sans un chaman puissant, et même ceux qui avaient souffert de son fait reconnaissaient l'importance cruciale de ses services. Au pire, certains lançaient :

— Je regrette tout de même qu'il ne soit pas meilleur homme.

Le chaman de Pelek avait acquis son empire sur les autres d'une façon naturelle, presque par accident. Enfant, il s'était senti différent, car il pouvait regarder dans l'avenir alors que les autres en étaient incapables. Il était également très sensible à la présence de forces, bonnes ou mauvaises. Mais, surtout, il découvrit très tôt que le monde est un endroit mystérieux, où les grandes baleines se déplacent selon des règles indiscernables par l'homme, et que la mort frappe de façon arbitraire. Ces mystères le troublaient, comme tous les hommes, mais à l'inverse des autres, il s'attacha à les conquérir.

Il le faisait en réunissant des objets de chance et de pouvoir, qui lui permettaient d'exercer ses intuitions (c'était la raison même pour laquelle il convoitait le labret puissant d'Ougruk). Il se fabriqua un sac de peau de castor, la fourrure luisant à l'extérieur, pour ranger des cailloux de forme spéciale et des morceaux d'os pleins de significations. Il apprit tout seul à siffler comme un oiseau. Il développa ses dons d'observation, ce qui lui permit de voir des situations et des relations dont les autres ne s'apercevaient pas. Et quand il fut certain de posséder les capacités d'un chaman, il maîtrisa l'art de parler avec des voix différentes et de placer sa voix de plusieurs manières, si bien que tous ceux qui le consultaient au sujet de leurs appréhensions et de leurs angoisses pouvaient entendre les esprits répondre à leurs questions.

Il rendait de bons services à sa communauté. A vrai dire, sa seule faiblesse était son insatiable désir de pouvoir, que la jeune Nukliet fut la première du village à découvrir et à dénoncer. Déjà soucieuse de l'impuissance de son brave mari devant cet autoritaire chaman, elle fut très vite amenée à s'inquiéter pour elle-même. Percevant un danger réel, elle demanda à son père de l'accompagner au bord de la mer, qui commençait à se couvrir de glaces.

— Ne comprends-tu pas, père ? Il ne s'agit pas d'Ougruk ou de moi. En réalité, c'est ton pouvoir qu'il convoite.

Le chef de village, doté d'un pouvoir considérable dans une communauté eskimo, tourna en ridicule les craintes de sa fille.

— Les chamans s'occupent des esprits. Les chefs s'occupent de la chasse.

— Si leurs pouvoirs continuent d'être séparés...

— Il ne vaudrait rien dans un oumiak et encore moins dans un kayak.

— Mais s'il soumettait à lui les gens qui vont dans l'oumiak ?

Elle n'aboutit à rien avec son père, trop préoccupé à emmagasiner assez de réserves pour l'hiver imminent. Dans les semaines qui suivirent, elle le vit peu car il partit avec ses hommes sur la grande mer où la glace se formait. Au soulagement de tous, il réussit à ramener suffisamment de phoques gras et un petit morse. Le chaman bénit la prise et expliqua aux gens que les chasses avaient connu un tel succès parce qu'Ougruk était resté à terre.

⁂

Ce fut un hiver difficile. Sans baleine sur la plage, bien des denrées nécessaires manquèrent au petit village de Pelek. La longue nuit s'installa et la mer gela le long de la côte jusqu'à une très grande distance. Comme Pelek se perchait à la pointe extrême de la péninsule des Tchouktches, le village se trouvait assez loin du cercle arctique vers le sud, et donc le soleil apparaissait brièvement, même en plein milieu de l'hiver — orbe froid et réticent qui dégageait peu de chaleur — puis, sans doute effrayé de s'aventurer si loin vers le nord, s'enfuyait au bout de deux maigres heures, suivies de vingt-deux heures de ténèbres glacées.

L'effet de ce froid sur la mer était spectaculaire. Non seulement l'eau gelait, mais les plaques se soulevaient, se brisaient et se bousculaient. D'énormes blocs de glace, plus hauts que le plus haut des épicéas du Sud, s'élevaient de la surface, pareils à des décombres étranges lancés par quelque géant malveillant. L'effet était saisissant ; une surface déchiquetée et sillonnée de crevasses, où l'on ne pouvait pas se déplacer en traîneau sans que des monstrueuses tours de glace vous forcent à faire sans cesse des détours.

Mais entre ces grands blocs se trouvaient de vastes secteurs où la mer glacée restait plate. Là, les hommes et les femmes venaient pêcher. Avec de gros pilons de bois, conservés de génération en génération, ils frappaient sur la glace jusqu'à ce qu'elle se brise, puis ils plaçaient dans ces trous les lignes pourvues d'hameçons d'ivoire qui leur fournissaient leur nourriture d'hiver. Creuser les trous était pénible, attendre des heures qu'un poisson vienne mordre vous glaçait les os, mais les gens de Pelek devaient s'en accommoder s'ils ne voulaient pas souffrir de la faim.

Pendant les longues heures d'obscurité, les Eskimos, comme les prudents Sibériens avant eux, dormaient beaucoup pour conserver leur énergie, mais parfois des groupes d'hommes s'aventuraient très loin sur les glaces, jusqu'à l'endroit où l'eau demeurait libre, pour tenter d'attraper un ou deux phoques, car ils avaient besoin de ce lard très riche pour combler les carences de leur régime. Quand ils en tuaient un, le responsable dépeçait aussitôt l'animal et se gavait du foie, mais les hommes rapportaient au village les quartiers de viande et de lard, et à l'approche de Pelek, ils annonçaient la bonne nouvelle à grands cris. Leurs épouses et leurs enfants couraient vers la grève et sur la glace pour les aider à traîner la viande tellement convoitée. Pendant deux jours, sans interruption, les gens de Pelek festoyaient.

Mais en ces hivers pénibles, les Eskimos de Pelek restaient la plupart du temps près de leurs huttes, en repoussant périodiquement la neige qui menaçait de les engloutir, souvent blottis autour de leurs maigres feux. Aucun Eskimo de cette partie du Grand Nord ne vivait en igloo ; ces maisons de glace, ingénieuses et parfois très belles, avec leurs dômes splendides, existeraient plus tard, et à des milliers de kilomètres à l'est de Pelek. Les Eskimos d'il y a quatorze mille ans habitaient dans des cabanes creusées à même le sol, surmontées par un assemblage de bois, d'os de baleine et de peaux de phoque. Elles ressemblaient beaucoup à celles des Sibériens de l'époque de Varnak, quinze millénaires auparavant.

Dans l'hiver sombre, craintes et superstitions s'épanouissaient, et c'était pendant cette période d'oisiveté forcée et nerveuse que le chaman pouvait le mieux jeter ses sorts. Si une femme enceinte avait du mal à accoucher, il savait de qui c'était la faute et n'hésitait pas à désigner le coupable. Il n'avait pas le pouvoir de vie et de mort — réservé à l'ensemble de la communauté — mais il pouvait influencer la décision. Seul dans sa petite hutte aux abords immédiats de Pelek, vers l'intérieur, loin de la mer qu'il cherchait à éviter, il s'installait au milieu de ses cailloux et de ses charmes, de ses bouts d'os et d'ivoire précieux, de ses rameaux de sapin qui avaient pris en poussant des formes prémonitoires — et il jetait ses sorts.

Cet hiver-là, il jeta ses sorts d'abord contre Ougruk, non sans raisons solides : avec ses manières douces et ses yeux de travers, Ougruk était le genre d'homme capable de devenir chaman. Et le labret porte-bonheur pouvait aussi l'y aider. Mieux valait le faire exclure du village. Cette tactique semblait logique, car il y avait peu de chance que sa désirable épouse l'accompagne, si Ougruk partait. Elle resterait, à n'en pas douter. Et quand le chaman se serait attribué les pouvoirs que détenait Nukliet, le père de la jeune femme deviendrait à son tour vulnérable.

Ces hommes et ces femmes de Pelek, douze mille ans avant la naissance du Christ, onze mille ans avant le miracle grec, comprenaient parfaitement les passions et les pulsions qui animent l'homme et la femme. Ils savaient apprécier leurs relations avec la terre, la mer et les animaux qui vivaient dans l'une et l'autre. Et aucun d'eux ne comprenait mieux ces forces que le chaman, hormis la peu banale Nukliet, dont il était obsédé.

— Ougruk, murmura-t-elle dans la case sombre, je crois qu'il nous rendra la vie impossible dans ce village pendant les mois qui viennent.

— Il me déteste. Il monte tous les hommes contre moi.

— Non, celui qu'il déteste vraiment, c'est...

Elle montra du doigt l'endroit où son père dormait. Et elle expliqua à son mari qu'il était, lui Ougruk, seulement le premier de la liste. Elle serait la deuxième mais ils représentaient seulement des objectifs intermédiaires, des étapes permettant au sorcier d'atteindre son but réel.

— Quel but réel ?

— Détruire mon père. S'emparer de son pouvoir.

Ougruk, sur les instances de sa femme, réfléchit aux manigances du chaman et comprit qu'elle avait raison. Une sorte de rage froide se forma en lui. Il essaya de concevoir une riposte pour se défendre et défendre Nukliet contre les premiers assauts du chaman, puis pour protéger son beau-père contre l'attaque du sorcier, mais il dut avouer son impuissance. Le chaman jouait dans le village un rôle essentiel ; tout ce qui lui porterait tort mettrait en danger la communauté entière. Ougruk était paralysé.

Sa fureur initiale se mua en une douleur sourde, un malaise qui ne quittait jamais son esprit et qui provoqua une réaction curieuse. Le louchard se mit à dissimuler dans la neige qui entourait la hutte de son beau-père des morceaux d'os de baleine et du bois rejeté sur la plage par les marées de l'été précédent. Il acquit des peaux de phoque et prit plusieurs longueurs de nerf sur des cadavres d'animaux. À mesure qu'il rassemblait tout cela, un plan commença à germer. Il revit le groupe sympathique de huttes sur la côte orientale de la mer, où il avait été si bien accueilli avec ses camarades de chasse alors qu'ils n'avaient plus rien à manger. Souvent il se disait : « Je serais mieux là-bas. »

Quand il eut discrètement réuni assez de matériaux divers pour envisager sérieusement ce qu'il pourrait en faire, il mit Nukliet et son beau-père dans le secret. L'idée qu'il leur révéla était révolutionnaire.

— Un kayak à trois places. Un homme pagaie à l'avant, un autre à l'arrière, Nukliet et l'enfant au milieu.

Son beau-père rejeta aussitôt cette ineptie.

— Les kayaks n'ont qu'une place. Quand on veut une embarcation à trois places, on construit un oumiak.

Mais Ougruk, si lent d'esprit qu'il parût, jugeait la nécessité plus importante que la tradition.

— En haute mer, un oumiak peut embarquer de l'eau et tout le monde coule. Mais un kayak, en toutes circonstances, peut tourner sur lui-même et se remettre à flot. Tout le monde survit.

Son beau-père continua d'insister pour un oumiak, mais Ougruk déclara avec une force surprenante pour un homme aussi timide :

— Seul un kayak pourra nous sauver.

L'homme plus âgé sauva la face en changeant de sujet.

— Et où irions-nous avec un kayak de ce genre ?

— Là-bas, répliqua Ougruk sans hésiter, l'index gauche braqué vers l'est, par-delà la mer glacée.

En cet instant décisif, l'idée de quitter ce village sans retour, avec sa famille, devint une réalité tangible.

Ougruk se mit donc à construire un kayak et la nouvelle parvint aux oreilles du chaman. Accroupi au milieu de ses amulettes magiques, ses vêtements en haillons puant de crasse et de sueur, le sorcier chevelu jeta plus de sorts que jamais et posa aux uns et aux autres des questions pertinentes.

— Pourquoi construit-il ce kayak ? Quel mauvais dessein Ougruk-le-Louchard a-t-il dans l'esprit ?

Le chef, en entendant ces insinuations, répondit carrément :

— Mon stupide gendre a perdu mon bon kayak pendant la chasse à la baleine l'été dernier. Je l'oblige à le remplacer.

Ce mensonge associa automatiquement le chef à l'entreprise. Il s'aperçut qu'il était prêt, lui aussi, à quitter Pelek pour toujours et à tenter sa chance dans le monde au-delà de la mer — tout en sachant que là-bas il ne serait plus chef. Il renoncerait aisément à la gloire discrète de conduire son peuple de décision en décision. D'autres hommes prendraient la barre de l'oumiak pour poursuivre la baleine ; des hommes meilleurs, plus jeunes et plus forts, combattraient le morse et partageraient la viande après la curée. Mieux que sa fille et son gendre, le chef pouvait apprécier tout ce à quoi il renoncerait en s'en allant. Mais il savait aussi qu'il était impuissant du fait que le chaman s'était retourné contre lui.

Quand le nécromancien apprit que le nouveau kayak, dont les membrures se dressaient sur la neige, aurait trois ouvertures, il en déduisit que les trois personnes contre lesquelles il complotait se préparaient à échapper à son emprise ; aux derniers jours de l'hiver, avant que la grande mer ne fonde et ne permette d'utiliser oumiaks et kayaks, il décida d'attaquer et manœuvra de façon à imposer son autorité.

— Il n'y a jamais eu de kayak à trois places. Les esprits s'insurgent contre ces corruptions. Et pour quelle raison, ce kayak ? Le chef se prépare à abandonner Pelek et s'il apporte ses compétences de chasseur ailleurs, nous mourrons de faim.

Lorsqu'il proféra ces paroles, tous comprirent qu'il menaçait de condamner le chef à une existence cruelle : il devait rester dans le village pour diriger la chasse, mais il devait également, poussé par la honte, remettre au chaman le pouvoir qu'il exerçait sur la communauté. Dans la chasse, il serait un homme libre ; dans tout le reste, un prisonnier suspect.

Seule la foi des Eskimos en leur chaman permettait un châtiment aussi diabolique ; le seul secours envisageable pour le chef et ses enfants était la fuite. Ils activèrent donc la construction du kayak, et à la fin du printemps, quand les neiges fondirent et que la mer commença à se dépouiller de sa couverture glacée, Ougruk et le chef se hâtèrent de terminer leur bateau, tandis que Nukliet-initiatrice en un sens de la stratégie de fuite — réunissait toutes les choses nécessaires qu'elle entasserait à ses pieds pendant la traversée de la mer. Quand elle comprit combien l'espace serait limité, elle vit tout ce qu'il lui faudrait abandonner. Elle en eut le cœur gros mais sa résolution demeura aussi ferme.

Si elle avait hésité, si son mari l'avait mécontentée d'une manière ou d'une autre, elle aurait eu, en ces jours de printemps, de nombreux prétextes pour abandonner la conspiration, parce que le chaman commença à appliquer son plan pour se débarrasser d'Ougruk et neutraliser le père de Nukliet. Un jour, quand il n'y eut plus beaucoup de glace en mer et que les fleurs commencèrent à percer, il se présenta à la hutte du chef accompagné par trois jeunes hommes qui portaient à bout de bras un vieux kayak usé à une seule place ; d'une voix rauque, la tête rejetée en arrière comme s'il s'adressait aux esprits, il cria :

— Ougruk, dont les mauvaises actions ont permis à la grande baleine de s'enfuir, qui apporte malheur sur malheur à Pelek, les esprits qui nous guident et les hommes de ce village ont jugé que tu devais nous quitter.

Les voisins, sortis des huttes proches, restèrent sans voix en entendant cette déclaration implacable. Même le chef, à la tête de ces gens pendant tant d'années avec une compétence cent fois confirmée, eut peur de prendre la parole. Dans le silence craintif qui suivit, Nukliet s'avança à côté de son mari, tenant par la main sa fillette de quatre ans. Par ce geste simple, elle faisait savoir que si Ougruk était expulsé, elle l'accompagnerait.

Le chaman escomptait qu'Ougruk partirait sur-le-champ, mais la décision de Nukliet déjouait ce plan, et les visiteurs se retirèrent confus, en emportant leur kayak. Ce revers temporaire n'incita nullement le chaman à renoncer à son projet de restructurer le village et trouver une épouse, et, cette nuit-là, des jeunes gens qui ne furent jamais identifiés se glissèrent près de la maison du chef et saccagèrent le kayak à trois places.

Nukliet, sortie de bonne heure pour ramasser du bois de chauffage, fut la première à découvrir cet acte de vandalisme. Elle ne se laissa pas aller à la panique. Sachant que des regards devaient l'épier, car la hutte qu'elle habitait semblait maudite par les esprits protecteurs du village, elle continua son chemin vers la grève à la recherche du bois d'épaves que la mer rejetait après les grands gels d'hiver. À son retour, elle en avait une bonne brassée. Elle éveilla les hommes et leur recommanda de ne pas se lamenter en public quand ils verraient ce qu'il était advenu de leur kayak.

Sans un mot, Ougruk et son beau-père sortirent pour inspecter les dégâts. Le jeune homme décida que les membrures brisées étaient remplaçables et la coque de peau éventrée facile à recoudre. En trois journées, les deux hommes remirent l'embarcation en état, mais chaque soir ils l'engageaient à moitié dans leur hutte et Ougruk dormait assis dans l'ouverture qui restait dehors, la tête appuyée sur ses bras croisés, posés sur la peau de phoque.

Les Eskimos de l'époque, et ceux des ères ultérieures, fort pacifiques, ne se livraient jamais à des massacres. Le chaman avait déclaré la guerre à ces hommes, mais il n'était pas libre de les tuer, ou de les faire tuer. Les gens ne l'auraient pas toléré. Cependant il avait le droit, en tant que chaman, de mettre le village en garde contre des personnes susceptibles de porter malheur. Il le fit avec ferveur et efficacité.

Il fit observer que les yeux loucheurs d'Ougruk prouvaient sa malveillance.

— Sinon, pourquoi les esprits obligeraient-ils les yeux d'un homme à se croiser ?

Pour amuser la galerie, il loucha pendant un moment et rendit hideux son visage déjà laid. Au cours de ses diatribes, il se gardait bien d'attaquer le chef, toujours respecté ; au contraire, il le louait abondamment pour ses compétences à la barre de l'oumiak de chasse, dans l'espoir de provoquer une scission entre les deux hommes. Il y serait parvenu s'il n'avait pas commis une erreur capitale.

Poussé par son désir de plus en plus violent d'obtenir Nukliet, il la suivit un soir où elle cueillait les premières fleurs de l'année. Captivé par sa beauté sombre et la grâce de ses gestes tandis qu'elle s'arrêtait ici et là pour observer la végétation printanière, il courut vers elle et, sans écouter les appels de la raison, chercha maladroitement à l'embrasser. Pendant son adolescence, Nukliet avait connu plusieurs jeunes gens très séduisants, pendant plusieurs mois elle avait été la compagne du beau Shaktoulik, et elle connaissait donc les hommes. Mais même au prix d'un effort insensé, elle ne pouvait imaginer comme partenaire sexuel ce chaman répugnant. Surtout, elle avait découvert avec Ougruk le genre de compagnon que les femmes apprécient le plus. Sa douceur et sa bravoure avaient fait oublier à Nukliet le défaut de son regard. Il se montrait toujours aimable avec les autres, mais résolu une fois sa décision prise. Dans son défi au chaman, il avait fait preuve de courage, et pour la construction du nouveau kayak il avait démontré son habileté. Nukliet, pleine de maturité à vingt ans, savait qu'elle avait beaucoup de chance d'être tombée sur lui.

Le chaman adipeux, avec ses cheveux poisseux et ses vêtements puants, n'avait rien de bien désirable en dehors de ses relations avec les esprits et de sa capacité à les faire travailler à son profit. Et quand il voulut la saisir, Nukliet s'aperçut qu'elle était prête à défier même ces pouvoirs-là.

— Va-t'en, espèce de dégoûtant.

Elle le repoussa d'un geste sec et dans son écœurement eut une réaction malencontreuse : elle lui rit au nez. Pour lui, c'était intolérable. En s'éloignant, il jura de détruire cette femme et tous ceux qui lui étaient associés, même sa fillette innocente. Le village de Pelek serait débarrassé de ces êtres maléfiques.

De retour dans sa hutte isolée où il communiquait avec les forces qui gouvernent l'univers, il s'enferma dans sa colère et échafauda toute une série de complots pour châtier cette femme qui l'avait raillé. Il envisagea le poison, le poignard, la noyade en mer ; puis ses passions effrénées se calmèrent et il prit sa décision. Le lendemain, au lever du soleil, il rassemblerait la population du village et prononcerait l'anathème contre le chef, sa fille, le mari de celle-ci et leur enfant. Il déclamerait alors la liste des mauvaises actions qu'ils avaient commises ; la honte s'emparerait du village et l'hostilité des esprits. Ses accusations seraient si violentes qu'à la fin de son discours la foule, prise de folie, déciderait peut-être de surmonter l'aversion naturelle des Eskimos pour le meurtre et d'abattre ces quatre victimes propitiatoires pour s'épargner le châtiment des esprits.

Mais aux premiers feux de l'aurore, quand il voulut réunir les gens pour les conduire à la hutte du chef où il prononcerait ses imprécations, il trouva presque tout le village déjà rassemblé sur la grève. Il se fraya un chemin dans la foule et vit ce qu'ils observaient. Sur l'horizon, trop loin pour être rattrapées même par le plus rapide des oumiaks, trois silhouettes nichées dans les trois ouvertures protégées du nouveau type de kayak s'éloignaient vers le monde inconnu de l'autre rivage.

La haute mer était agitée et quelques icebergs erraient encore à la dérive vers le sud ; il faudrait donc trois journées entières à ces émigrants audacieux pour passer d'Asie en Amérique du Nord. Mais en cette aube claire, tout paraissait possible, et ils se dirigeaient vers l'est d'un cœur léger — sentiment que jugerait improbable toute personne associée à la mer. Les promontoires de l'Asie disparurent ; devant, il n'y avait encore rien. Ils continuèrent de ramer, avec le soleil dans les yeux. Seuls sur la mer immense, sans trop savoir ce que les jours suivants leur réservaient, ils retenaient leur souffle chaque fois que leur kayak filait au creux d'une vague plus forte, puis soupiraient de soulagement quand il s'élevait sur la crête suivante. Ils ne faisaient qu'un avec les phoques en train de jouer dans l'embrun, ils se sentaient cousins des morses aux défenses recourbées en route vers les territoires de reproduction du Nord. Quand une baleine soufflait dans le lointain puis plongeait, ses ailerons de queue battant le vide, le chef criait :

— Ne bouge pas d'ici, nous reviendrons.

Leur départ précipité de Pelek avait suscité des instants d'une telle gravité qu'ils résumaient une vie. Nukliet était revenue de sa rencontre avec le chaman le visage blême, dans un état de choc. Quand son père lui avait demandé ce qui s'était passé, elle avait simplement répondu :

— Nous devons partir dans la nuit.

— Impossible ! s'était écrié Ougruk.

— Il le faut.

Elle n'avait rien ajouté. Elle n'avait ni expliqué qu'elle avait repoussé et ridiculisé le chaman, ni avoué que sa conduite avait mis toute la hutte en danger : il était désormais impossible de l'occuper plus longtemps.

Les hommes, s'apercevant qu'un interdit avait été transgressé, avaient seulement demandé :

— Cette nuit même ?

Elle avait hoché la tête, puis, comprenant qu'elle devait fournir la réponse la plus forte possible, celle qui éliminerait d'emblée toute discussion, elle avait lancé :

— Nous partirons dès que le village se sera endormi, sinon nous mourrons.

Le deuxième instant inoubliable s'était produit lorsque ces émigrants-par-la-force-des-choses étaient parvenus sur la plage. Ougruk et son beau-père transportaient le kayak sans bruit, l'épouse et la fillette s'étaient chargées des possessions de la famille. Les hommes mirent l'embarcation à la mer et aidèrent Nukliet à s'installer dans l'ouverture centrale, où elle tiendrait la fillette pendant la traversée, puis le chef voulut naturellement occuper la place de l'arrière, poste de commande du kayak, car il supposait qu'il dirigerait l'expédition. Mais Ougruk le devança et dit d'une voix calme :

— Je piloterai.

Son beau-père n'avait pas insisté.

À présent, loin de la côte et à l'abri des représailles du chaman, les quatre Eskimos dans leur frêle kayak adoptèrent les routines qui marqueraient les longues heures des trois journées suivantes. À l'arrière, Ougruk imposait une cadence lente mais régulière : deux cents coups de rame du côté droit puis un grognement.

— Change !

Et deux cents coups sur la gauche. À l'avant, le chef faisait travailler ses muscles puissants sans se ménager, comme si leur progression dépendait de lui seul ; c'était surtout lui qui entraînait le bateau. Au milieu, Nukliet donnait de l'eau douce aux deux hommes, puis des morceaux de lard à mâcher pendant l'effort.

La fillette, toujours consciente de la fatigue qu'elle imposait à sa mère, essayait parfois de s'asseoir sur le bord de l'ouverture, mais Nukliet la ramenait toujours contre elle :

— Si nous nous retournons pendant que tu es là-haut, comment ferons-nous pour te sauver ?

Et Nukliet la gardait sur ses genoux.

Ils ne s'arrêtèrent pas à la nuit, car il était important de continuer d'avancer dans la pénombre argentée. Quand le soleil finit par se cacher en ces premiers jours de l'été, Ougruk et son beau-père adoptèrent un rythme plus lent, mais qui leur permit de maintenir constamment la proue du bateau dans la direction de l'est. Aucun homme ne pouvait pagayer sans arrêt et, au lever du soleil, les deux rameurs somnolèrent tour à tour, d'abord le chef, puis Ougruk. Quand ils le firent, chacun prit soin de coincer sa précieuse rame dans l'ouverture, contre sa jambe, pour pouvoir la récupérer au plus vite.

Nukliet ne dormit pas les deux premiers jours ; elle encouragea sa fille à le faire, et quand la tête de l'enfant endormie reposait contre la sienne, elle se sentait plus mère que jamais, car sur cette grande mer houleuse, rien d'autre qu'elle, Nukliet, ne protégeait sa fille de la mort. Mais elle éprouvait deux autres sensations presque aussi fortes. Pendant toute la traversée, elle laissa son pied gauche contre la peau du phoque contenant l'eau douce, pour s'assurer qu'elle était bien là, et son pied droit contre la rame de secours, qui deviendrait nécessaire si par malheur l'un des deux hommes perdait la sienne. Elle s'imaginait en train de saisir la pagaie pour la remettre soit à son mari, soit à son père ; et là, sur le vaste désert de la mer, elle éprouva la certitude que si pareil accident se produisait, ce serait son père et non Ougruk qui perdrait sa rame.

Le matin du troisième jour, incapable de rester éveillée, elle s'endormit. S'apercevant qu'elle avait laissé sa fille sans protection, elle s'écria :

— Père, vous devez tenir l'enfant un moment.

Elle voulut faire passer la fillette à l'avant, mais Ougruk s'interposa.

— Donne-la-moi.

En sombrant dans le sommeil, Nukliet songea avec des larmes dans les yeux : « Ce n'est pas sa fille, mais elle emplit cependant son cœur. »

⁂

L'après-midi de ce troisième jour, les terres de l'Est devinrent visibles, ce qui incita les hommes à ramer avec davantage de vigueur, mais la nuit tomba avant qu'ils n'atteignent la côte, et quand les étoiles brillèrent — un peu plus que d'habitude car elles luisaient aussi de l'espoir des quatre immigrants silencieux —, le kayak continua d'avancer résolument, avec Nukliet qui serrait de nouveau son enfant, un pied contre l'eau rassurante, l'autre contre la rame de secours.

Peu après minuit, les étoiles disparurent et un grand vent se leva. Soudain, car le temps change rapidement dans cette région, une tempête tomba sur eux et le kayak se mit à basculer dans d'énormes creux, puis à s'élever en craquant à des hauteurs terrifiantes. Les deux hommes devaient ramer de toutes leurs forces pour empêcher leur frêle esquif de se retourner, et juste au moment où ils ne pouvaient plus supporter la douleur cuisante dans leurs bras, Ougruk hurlait pardessus le tumulte du vent :

— Change !

En un rythme parfait, ils changeaient de côté et maintenaient leur mouvement vers l'avant.

Nukliet, à chaque glissante du bateau, serrait davantage son enfant contre elle, mais la fillette ne pleurait pas, ni ne s'abandonnait à la peur. Quoique terrifiée par la violence de la mer, devenue toute noire, elle se contentait de serrer un peu plus fort le bras de sa maman.

Puis une vague gigantesque surgit des ombres. Le chef cria :

— Fini !

Le kayak bousculé se mit à tourner vers la gauche, totalement englouti sous la grosse vague.

Il était convenu depuis mille ans que lorsqu'un kayak se retournait, l'homme qui pagayait, d'un vigoureux coup de pagaie, en tordant son corps, essayait de renforcer le mouvement de rotation dans le même sens pour faire faire à l'embarcation un tour complet. Submergés dans l'eau noire glacée les deux hommes obéirent à ces instructions traditionnelles, en forçant sur leurs rames et en projetant leur poids de façon à profiter de l'élan. Nukliet fit automatiquement de même, car on le lui avait enseigné dès sa naissance, et même la fillette savait que leur salut reposait sur la rotation ininterrompue du kayak : elle s'accrocha à sa mère et contribua à maintenir l'élan.

Quand le kayak se trouva au maximum de submersion, avec ses passagers la tête en bas dans les eaux meurtrières, le miracle de sa conception se manifesta : la peau de phoque parfaitement ajustée maintint l'eau au-dehors et l'air au-dedans. Dans ces conditions, l'embarcation légère pouvait continuer de tourner et de se redresser, victorieuse des forces redoutables de la tempête. Quand les voyageurs chassèrent l'eau salée de leurs yeux, ils virent à l'est les premiers signes du jour naissant. Ils s'aperçurent aussi que la terre était proche. Les vagues se calmèrent, la mer s'apaisa. Les deux hommes continuèrent de pagayer sans bruit tandis que Nukliet séchait sa fille, qu'elle avait protégée des profondeurs.

Ils accostèrent avant midi, sans savoir si le village où ils s'étaient rendus un jour se trouvait au nord ou au sud. Peu importait : ils sauraient le découvrir. Les deux hommes halèrent le kayak à terre. Nukliet les arrêta un instant, plongea la main sous la peau de phoque et en sortit la rame de secours. Debout entre les deux hommes, elle leva la pagaie dans l'air clair du matin.

— Elle était inutile. Vous saviez ce qu'il fallait faire.

Elle les embrassa tous les deux ; d'abord son père, par respect pour tout ce qu'il avait fait dans l'ancien pays et ce qu'il ferait dans le nouveau, puis son mari courageux pour l'amour qu'elle lui portait.

Ce fut ainsi que ces Eskimos au visage rond et à la peau foncée s'établirent en Alaska.

Il y a douze mille ans — et maintenant la chronologie devient nettement plus fiable, car des archéologues ont découvert des objets datables : fonds de cabane en pierre et même restes de villages longtemps oubliés —, un groupe d'Eskimos différents des autres éléments de cette race remarquable vivait à plusieurs endroits proches du côté alaskan du pont continental. La raison de leur différence demeure obscure car ils parlaient la même langue que les autres Eskimos ; ils s'étaient adaptés à peu près de la même manière à la vie dans les climats froids ; et à certains égards ils étaient même plus habiles à vivre efficacement aux dépens des animaux qui arpentaient les terres ou nageaient dans les mers voisines.

De plus petite taille que les autres Eskimos, et plus sombres de peau, comme s'ils provenaient à l'origine d'une autre région de Sibérie, ou même de l'Asie centrale, plus loin vers l'ouest, ils étaient restés sur les terres situées à l'ouest du pont continental suffisamment longtemps pour acquérir les traits culturels fondamentaux des Eskimos installés là. Cependant, quand ils passèrent en Alaska, ils s'établirent à part, et provoquèrent le soupçon, voire l'hostilité de leurs voisins.

Cet antagonisme entre groupes n'était pas exceptionnel. Le groupe originel de Varnak, après son arrivée en Alaska, avait peuplé, avec ses descendants, connus sous le nom d'Athapascans, la majeure partie du pays. Quand les Eskimos d'Ougruk survinrent sur la côte, les Athapascans établis depuis longtemps, qui monopolisaient les régions les plus accueillantes entre les glaciers, les reçurent avec hostilité. Une règle s'établit : les Eskimos s'accrochèrent aux rivages, où ils purent conserver leur ancien style de vie, associé à la mer, tandis que les Athapascans se groupèrent dans les terres, plus favorables à la chasse qu'ils pratiquaient. Des décennies s'écoulaient souvent sans qu'un groupe empiète sur le territoire de l'autre, mais quand cela se produisait, il y avait souvent des contestations, des affrontements, et parfois mort d'hommes. En général, les Athapascans, plus vigoureux, remportaient la victoire. Après tout, ils avaient occupé ces terres des millénaires avant l'arrivée des Eskimos.

Il ne s'agissait peut-être pas de l'antagonisme traditionnel dans le monde entier des hommes de la montagne envers les hommes de la côte, mais l'on n'en était pas loin. Et si le peuple d'Ougruk avait du mal à se défendre contre les Athapascans plus agressifs, la troisième vague de migrants, plus petits de taille et plus doux de caractère, paraissait incapable de se protéger contre les uns et les autres. Très vite, il devint évident que jamais ils ne pourraient maintenir leur position dans l'une des meilleures régions de l'Alaska, et les deux cents et quelques membres de leur clan s'interrogèrent sur leur avenir.

Malheureusement, juste en ce moment de déclin de leur bonne étoile, leur sage le plus vénéré, un vieillard de trente-sept ans, tomba si malade qu'il ne put les guider. Tout partit à l'abandon, les décisions les plus urgentes furent ajournées ou oubliées. Par exemple, au cours de ses errances forcées, le groupe s'était établi provisoirement dans le sud, fort attirant, de la péninsule qui constituait la partie le plus occidentale de l'Alaska pendant les millénaires où la montée des eaux avait englouti le pont continental. Bien entendu, depuis que le passage avait réémergé, il n'y avait pas d'océan à moins de cinq cents kilomètres, mais le groupe vivait dans l'abondance grâce à des ressources naturelles encore plus riches et variées.

Pour des raisons qui n'ont jamais été expliquées et ne le seront peut-être jamais, à cette époque-là — vers douze mille ans avant l'ère actuelle — la faune de l'Alaska et de la Terre entière, proliféra à un rythme inconnu jusque-là. Non seulement la diversité des espèces animales fut extraordinaire, mais le nombre d'individus devint excessif, et, plus inexplicable encore, chaque spécimen était beaucoup plus gros que ses descendants ultérieurs. Les castors ? Énormes. Les bisons ? Des monuments velus. Les orignals ? De véritables tours, à la ramure plus grande que certains arbres. Et le bœuf musqué à longs poils ? D'une taille vertigineuse. C'était l'époque des animaux géants, et les hommes qui vivaient parmi eux avaient beaucoup de chance, car abattre une seule de ces bêtes assurait leur survie pendant de nombreux mois.

Comme au temps de Varnak le chasseur, le roi de la steppe, le plus gros et le plus majestueux de tous les animaux, demeurait le mammouth. Au cours des quinze millénaires depuis que Varnak avait poursuivi Matriarche sans réussir à la tuer, les mammouths étaient devenus plus gros et plus nombreux, de sorte que la région occupée par ce groupe d'Eskimos hébergeait ces énormes créatures en telle quantité que n'importe quel adolescent élevé du côté oriental de ce pont continental se flattait de les connaître. Il n'en voyait pas tous les jours, ni même tous les mois, mais il les savait présents autour de lui, comme les ours géants et les lions rusés.

Un de ces jeunes gens se nommait Azazrouk. Âgé de dix-sept ans et grand pour son âge, il était asiatique à tout point de vue : cheveux d'un noir intense, peau d'un jaune foncé, yeux très étroits, bras plus longs que ceux de ses camarades. Sans aucun doute ses ancêtres appartenaient aux Mongols d'Asie. Fils d'un homme âgé en train de mourir, il aurait dû naturellement exercer à sa maturité la même autorité que son père, comme celui-ci l'espérait, mais avec le passage des années, il s'était peu à peu avéré que ce ne serait pas le cas. Le père n'avait jamais reproché à son fils ses faiblesses, mais il ne parvenait pas à cacher sa déception.

En fait, avec les meilleures intentions du monde, le vieil homme ne parvenait pas à trouver un seul domaine dans lequel son fils puisse contribuer au bien-être du clan. Il ne savait pas chasser ; il n'avait aucune habileté pour tailler des pointes de flèches acérées dans les blocs de silex; et il ne montrait aucune aptitude pour conduire les hommes à la bataille contre leurs oppresseurs. Certes, il avait la voix forte quand il voulait s'en servir, et il aurait pu s'imposer pendant les discussions, mais il préférait parler si doucement qu'il paraissait parfois presque efféminé. Mais c'était tout de même un garçon juste, son père le savait et l'ensemble de la communauté aussi. La question importante demeurait : comment exercerait-il sa charge si une crise l'exigeait ?

Son père, dans sa sagesse, s'était aperçu que très peu d'hommes au cours d'une vie pouvaient éviter les grands moments d'épreuve. Les chefs de naissance, comme lui-même, en rencontraient constamment. Quand ils chassaient les animaux, construisaient les cabanes et déterminaient où se dirigerait le clan, leurs décisions avaient force de loi pour leurs pairs. Le fardeau de l'autorité justifiait ces privilèges. Mais il avait également observé que l'homme moyen, que rien ne qualifiait pour exercer une autorité, connaissait lui aussi des moments où tout est en suspens. Dans ces circonstances un homme doit agir très vite, sans prendre le temps de délibérer ni de calculer soigneusement toutes les possibilités. Le mammouth pourchassé se retourne à l'improviste, et il faut que quelqu'un l'affronte. Le kayak se retourne dans une turbulence du torrent et quand le rameur essaie de le retourner de la manière habituelle, en augmentant sa vitesse de rotation, il rencontre un rocher — que fait-il ? Un homme qui évite les désagréments de son mieux se trouve confronté soudain à un bravache qui cherche à l'intimider. Les femmes n'échappaient pas non plus à cette exigence et devaient juger les situations instantanément : un bébé se présentait par le siège à la naissance — que faisaient les matrones ? Une adolescente refusait de menstruer — comment fallait-il procéder ?

La vie dans la citadelle de glace de l'Alaska plaçait constamment les êtres humains en face de difficultés, et, à l'âge de dix-sept ans, Azazrouk aurait dû posséder déjà un caractère bien trempé. Ce n'était pas le cas, et son père mourant s'interrogeait encore sur l'avenir de son fils.

Un jour, vers la fin du printemps, les Athapascans des régions du nord lancèrent malencontreusement un raid contre le clan. Le vieil homme agonisait, et son fils resta près de lui au lieu de se joindre aux guerriers qui tentaient bien en vain de défendre leurs biens. A l'approche de la mort, le père murmura :

— Azazrouk, tu dois conduire notre peuple en un endroit plus sûr.

Avant que le jeune homme n'ait le temps de répondre ou même de faire comprendre à son père qu'il avait entendu son ordre, la mort soulagea les craintes du vieillard.

Ce ne fut pas une grande bataille, simplement la continuation de la pression exercée par les Athapascans sur tous les Eskimos, où qu'ils fussent. Mais comme elle coïncida avec la mort de son chef de longue date, le clan en fut troublé, et les hommes déconcertés s'assirent devant leurs huttes dans la soirée printanière en se demandant que faire. Pas un seul, et surtout ceux qui s'étaient battus, ne se tourna vers Azazrouk en quête d'un conseil ou même d'une suggestion. On le laissa donc seul. Confronté au mystère de la mort et soupesant les dernières paroles de son père, il sortit du village et marcha à l'aveuglette jusqu'à ce qu'il tombe devant un torrent qui dévalait du glacier, vers l'est.

Comme il essayait de démêler les pensées qui se bousculaient dans sa tête, il baissa les yeux par hasard vers le torrent et remarqua qu'il était presque blanc, car il charriait des myriades de bouts de pierre arrachés à des roches de la face du glacier. Pendant un moment, cette blancheur l'émerveilla et il se demanda si elle ne constituait pas une sorte de présage. Tout en réfléchissant à cette possibilité, il vit, dans la boue noire qui constituait la berge du torrent, un étrange objet, brillant et de couleur dorée : un petit morceau d'ivoire de la taille de deux doigts, peut-être arraché à une défense de mammouth ou bien apporté dans les terres des siècles plus tôt à la suite d'une chasse au morse. Mais ce qui le rendait le plus remarquable — même en ces premiers instants, dans la main d'Azazrouk —, c'était que le hasard ou la main d'un artiste mort depuis longtemps avait conféré à l'ivoire la forme d'un être vivant, peut-être un homme, peut-être un animal. Pas de tête, mais un torse, des membres sur ce torse et une main (ou une patte) clairement définie.

Azazrouk fit tourner l'objet en tous sens dans la lumière douce, étonné par sa présence particulière : c'était de l'ivoire, à n'en pas douter, mais aussi quelque chose de vivant... Posséder un trésor pareil créa chez le jeune homme une sorte d'illumination et lui donna soudain un but. Impossible de croire que la découverte de cette petite créature pleine de vie le jour précis de la mort de son père, quand la confusion régnait dans le clan, fût l'effet du hasard. Azazrouk comprit que si les Grands Esprits l'avaient conduit jusqu'à ce talisman, c'était pour le destiner à une mission importante. Aussitôt, il décida de garder secrète sa découverte. Il dissimula la figurine dans un pli de la peau de daim qu'il portait, et elle y resterait jusqu'au jour où les esprits qui la lui avaient envoyée lui révéleraient leurs intentions.

Puis, au moment où il allait quitter le torrent dont les eaux turbulentes demeuraient aussi blanches que le lait d'une vache musquée, un chœur de voix le fit sursauter — les voix des esprits qui lui avaient envoyé la figurine d'ivoire et présidaient aux fortunes de son clan. En une belle harmonie de chuchotements que nulle autre oreille n'aurait entendue, les voix lui annoncèrent : « Tu seras le chaman. » Puis elles se turent.

Ce message, qui aurait suscité des transports de joie dans le cœur de tout Eskimo ordinaire, car il présageait une grande autorité et des relations constantes avec les esprits qui dirigeaient la vie, emplit le pauvre Azazrouk de consternation. Depuis sa plus tendre enfance, il avait vu son père, rusé et sagace, en opposition déclarée avec les divers chamans associés à son clan : il reconnaissait le caractère unique de leurs pouvoirs, le fait que le peuple et lui-même devaient compter sur leur intercession dans le domaine spirituel, mais il leur reprochait leurs empiétements constants sur ses prérogatives temporelles et il avait prévenu son fils :

— Garde-toi des chamans. Obéis à leurs instructions pour tout ce qui concerne l'esprit, mais pour le reste, évite-les.

Le vieil homme détestait particulièrement les habitudes négligées des chamans, leurs peaux de bêtes sales et leurs cheveux longs collés par la crasse, quand ils accomplissaient leurs mystères et rendaient leurs jugements.

— Un homme n'a pas besoin de sentir mauvais pour être sage.

Et l'adolescent avait eu plus d'une occasion de constater la justesse des critiques de son père.

Un jour, quand Azazrouk avait dix ans, un Eskimo décharné s'était joint au clan en proclamant avec arrogance qu'il était chaman ; il s'offrait pour remplacer un vieux sage qui venait de mourir. Le chaman décédé passait pour meilleur que la moyenne, et les faiblesses du nouveau faiseur de miracles sautèrent vite aux yeux de tous. Il n'attirait ni mammouth ni ours sur les terrains de chasse — ni enfants mâles sur les lits des accouchées ; la vie spirituelle du village ne fut ni améliorée ni amendée, et le père d'Azazrouk s'était servi du malencontreux exemple de cet incapable pour condamner tous les chamans.

— Ma mère m'a appris qu'ils étaient essentiels et je le crois encore. Comment pourrions-nous vivre avec des esprits qui pourraient nous attaquer si nous n'avions pas leur protection ? Mais je préférerais que les chamans vivent dans la forêt de sapins et nous protègent depuis là-bas.

Azazrouk, la figurine d'ivoire cachée contre son ventre, les oreilles bourdonnantes des échos du torrent près de lui, commença cependant à se demander si les esprits ne lui avaient pas envoyé son nouveau trésor pour ratifier leur décision sur son propre destin : serait-il le chaman dont son peuple avait besoin ? Cela le fit frémir et il essaya de repousser l'idée, à cause des lourdes responsabilités impliquées. Il envisagea même de jeter dans le torrent la figurine importune. Mais lorsqu'il saisit l'ivoire dans le pli de sa taille, la petite créature parut lui sourire — même sans visage. Et ce sourire invisible était tellement chaleureux et engageant qu'Azazrouk, si tourmenté qu'il fût par la mort de son père et ces événements étranges, fut contraint de sourire à son tour, puis de rire et enfin de bondir en l'air, pris par une sorte de joie délirante. Il reconnut alors qu'il venait de recevoir l'invitation, ou peut-être l'ordre, de devenir le chaman de son clan. Et en cet instant d'acceptation spirituelle de son destin, les esprits montrèrent leur approbation en provoquant un miracle.

D'entre les sapins qui bornaient le torrent magique survint un mammouth, un vieux solitaire, de taille normale mais énorme dans les ombres du soir. Quand il vit Azazrouk, il ne s'arrêta pas, ni ne fit un écart ; au contraire, il s'avança, oubliant le danger qu'il courait. En arrivant à environ quatre longueurs de son corps, il s'arrêta, regarda le jeune homme et demeura sur place. Ses pattes monstrueuses légèrement enfoncées dans la terre molle, il se mit à brouter des branches de sapin et de saule comme si l'Eskimo n'existait pas.

Azazrouk se retira lentement, un pas à la fois, jusqu'à l'orée du bois. Puis, en une sorte de transe mystique, il se dirigea solennellement vers le village où des femmes préparaient le cadavre de son père pour l'enterrement. Plusieurs hommes, surpris par sa mine grave, se tournèrent vers lui.

— Je vous ai apporté un mammouth, annonça-t-il simplement.

La chasse commença.

Quatre jours plus tard, à cause de ses encouragements ardents, les hommes parvinrent à abattre le grand animal, et le village comprit qu'à l'instant de la mort de son père l'esprit de ce sage était passé dans le corps de son fils. N'avait-il pas prédit que le mammouth solitaire partirait vers l'est pendant deux jours après le premier coup d'épieu, puis reviendrait deux jours plus tard à la recherche d'un site familier pour mourir ? Et l'animal était effectivement revenu non loin de l'endroit où Azazrouk l'avait découvert. À sa mort, sa carcasse se trouvait presque à l'endroit où elle serait consommée.

— Azazrouk possède un pouvoir sur les animaux, dirent les hommes et les femmes tout en dépeçant le mammouth et en festoyant de sa viande riche.

Et cela parut se confirmer. Deux semaines plus tard, deux lionnes attaquèrent et blessèrent d'un coup de patte à la nuque un des hommes du village. Tout le monde supposa que le pauvre homme mourrait — on savait que les lions ont tellement de poison dans les griffes que nul n'échappe à la mort. Mais Azazrouk s'était précipité pour chasser les lionnes puis avait aussitôt placé sur la blessure saignante un emplâtre de feuilles et de mousses de la forêt. À la surprise du clan entier, l'homme blessé continua de vaquer à ses affaires et put tourner le cou comme s'il ne lui était rien arrivé.

⁂

Quand Azazrouk assuma l'autorité spirituelle, il prit plusieurs décisions, qui consolidèrent son pouvoir et le rendirent plus acceptable par son peuple que tout autre chaman, de mémoire d'homme. Il refusa, systématiquement avec une énergie exemplaire, toute responsabilité dans les autres domaines : guerre, gouvernement et chasse ; il répétait sans cesse que c'étaient les prérogatives du chef, homme audacieux et éprouvé de vingt-deux ans pour qui Azazrouk éprouvait un grand respect. Ce chasseur courageux connaissait parfaitement les habitudes des animaux et ne demandait jamais à quiconque de faire une chose qu'il n'était pas prêt à accomplir lui-même. Sous sa direction le clan serait aussi bien protégé qu'avant, sinon mieux.

En outre, Azazrouk établit des pratiques qui n'avaient jamais été essayées auparavant dans son peuple. Il ne voyait aucune raison justifiant qu'un chaman vive à l'écart des autres et reste sale et mal vêtu. Il continua d'occuper la hutte de son père — un trou dans le sol entouré de murs de bois et de pierre — et de prendre soin de son pantalon en peau de caribou et de sa cape de peau de phoque. Il se mit à la disposition des gens qui avaient des problèmes, et s'occupa surtout des enfants pour les aider à prendre un bon départ. En particulier, il leur assignait des devoirs : les fillettes devaient apprendre à traiter les peaux des animaux et les os des mammouths et des rennes ; les garçons devaient savoir chasser et fabriquer les accessoires indispensables à la chasse. Il voulait que la tribu ait un tailleur de silex expérimenté, un autre homme sachant maîtriser le feu, un troisième habile à suivre les pistes des animaux.

Azazrouk croyait que la plupart de ses pouvoirs provenaient de sa connaissance des animaux ; chaque fois qu'il se déplaçait sur les vastes terres entre les glaciers, il étudiait les bêtes qui partageaient ce paradis avec lui. Peu lui importait leur taille. Il savait où se cachaient les petits gloutons et comment les blaireaux traquaient leurs proies. Il comprenait le comportement des renardeaux et les artifices des rats et des minuscules créatures qui creusaient sous le sol. Parfois, quand il chassait ou aidait les autres chasseurs, il se sentait momentanément loup à l'affût d'un troupeau, mais son plus grand plaisir demeurait les plus grands animaux : le mammouth, le grand orignal, le bœuf musqué, l'effrayant bison et le puissant lion.

L'homme possédait une certaine dignité à cause de son intelligence supérieure et de son habileté manuelle, mais la taille même de ces animaux leur conférait une noblesse particulière — notamment du fait que dans ces régions aux hivers glacés, ils avaient trouvé des moyens de se protéger et de survivre jusqu'à ce que le printemps tiédisse l'air et fasse fondre les neiges. Ils étaient à leur manière aussi sages que n'importe quel chaman. En les étudiant, Azazrouk espérait déceler leurs secrets et en tirer parti.

Mais après l'étude de ces animaux, quand il eut associé leur sagesse à ce qu'il avait appris sur les êtres humains, un autre domaine de l'esprit demeurait, que ni lui ni les animaux ne pouvaient pénétrer. Qu'est-ce qui faisait rugir les grands vents venus d'Asie ? Pourquoi avait-on plus froid dans le Nord que dans le Sud ? Qui alimentait les glaciers, quand chacun constatait qu'ils mouraient au moment où leur mufle touchait la terre sèche ou la mer ? Qui appelait les fleurs jaunes à la vie au printemps et les fleurs rouges à l'automne ? Et pourquoi des enfants naissaient-ils presque en même temps que des vieillards mouraient ?

Il passa les sept premières années de sa vie de chaman à se débattre avec ces questions, et avec le temps, il définit certaines règles. Les cailloux luisants qu'il avait ramassés, les menues babioles que sa mère appréciait, les bâtons et les os qui possédaient un pouvoir de présage, l'aidaient lorsqu'il désirait invoquer les esprits pour parler avec eux. Il apprenait beaucoup de choses au cours de ces dialogues, mais il conservait toujours derrière ses paupières l'image du morceau d'ivoire doré en forme d'animal ou d'homme — un homme en train de sourire, peut-être, bien qu'il n'eût pas de tête. Et il se mit à voir le monde comme un lieu amusant où il se passait des choses ridicules. Un homme ou une femme pouvaient obéir à toutes les règles et éviter tous les dangers, mais tomber cependant dans une situation absurde dont leurs voisins et les esprits eux-mêmes ne pouvaient s'empêcher de rire, parfois furtivement mais la plupart du temps aux éclats. Le monde était tragique, des hommes de courage et des animaux puissants mouraient de façon arbitraire, mais il était aussi tellement absurde que parfois même les crêtes des montagnes semblaient se tordre de rire.

***

Au cours de sa neuvième année comme chaman, le rire cessa. Une maladie venue de la mer frappa le village ; puis, à peine les cadavres furent-ils enterrés que les Athapascans arrivèrent de l'est. Les mammouths quittèrent la région, les bisons les suivirent, la faim s'installa. Un jour, alors que tout semblait conspirer contre le clan, Azazrouk convoqua les anciens du village, dont plus de la moitié étaient ses aînés, et leur annonça sans ambages :

— Les esprits envoient des avertissements. Il est temps de partir.

— Où ? demanda le chef des chasseurs.

Avant qu'Azazrouk énonce une suggestion, plusieurs hommes avancèrent des réponses négatives.

— Nous ne pouvons pas aller vers la demeure de la Grande Étoile. C'est là que se trouvent les peuples qui chassent la baleine.

— Et nous ne pouvons pas aller où le soleil se lève. C'est là qu'habitent les gens des arbres.

— Le Pays des Baies Brisées serait favorable, mais les tribus de ces contrées sont redoutables. Elles nous repousseront.

Une fois écartées ces options logiques, ce malheureux groupe, si petit qu'il ne représentait aucun pouvoir, parut exclu de toutes parts. Un homme timide, qui n'avait vraiment rien d'un chef, suggéra :

— Nous pourrions revenir d'où nous sommes venus.

Pendant un long silence, les anciens envisagèrent ce retrait, mais ils ne conservaient plus le moindre souvenir du pays que leurs ancêtres avaient quitté deux mille ans auparavant ; il existait des récits traditionnels d'exode décisif d'ouest en est, mais personne ne se rappelait plus à quoi ressemblait la patrie d'origine ni les raisons puissantes qui avaient incité les ancêtres à la quitter.

— Nous sommes venus de par là-bas, dit une vieille femme en agitant la main dans la direction de l'Asie. Mais qui sait pourquoi ?...

Personne ne savait et cette première délibération sur le sujet n'aboutit donc à rien. Mais quelques jours plus tard Azazrouk vit une fillette couper les cheveux d'une amie avec une coquille de palourde.

— Où as-tu trouvé ce coquillage ? demanda-t-il.

Les fillettes lui apprirent que, selon une tradition de leur famille, plusieurs de ces coquillages avaient été jadis apportés au village par des hommes d'allure étrange qui parlaient leur langue d'une curieuse façon.

— D'où venaient-ils ?

Les fillettes l'ignoraient, mais le lendemain elles conduisirent leurs parents à la hutte du chaman, et ceux-ci lui apprirent qu'ils n'avaient pas connu les hommes-aux-coquillages.

— Ils sont venus avant notre époque. Mais la grand-mère disait qu'ils étaient arrivés de par là-bas.

D'après les souvenirs, les inconnus venaient du sud-ouest. Ils ne ressemblaient pas aux gens du village mais s'étaient montrés aimables et avaient dansé. Oui, tous ceux que les parents avaient entendu parler de ces hommes-aux-coquillages affirmaient qu'ils avaient dansé.

Ce furent ces renseignements de hasard, sans le secours d'aucun raisonnement logique, qui incitèrent Azazrouk à envisager un départ vers l'endroit d'où étaient venus les coquillages. Après de longues négociations, il se décida : aucune autre région ne leur était ouverte et continuer au même endroit s'avérerait de plus en plus mauvais ; leur seul espoir reposait dans des pays inconnus et supposés habitables.

Mais il ne pouvait pas recommander un voyage aussi périlleux sans la ratification des esprits. Pendant trois longues journées il resta pour ainsi dire immobile dans sa case, ses fétiches étalés autour de lui ; dans le noir, quand la faim eut induit en lui une sorte de stupeur, les esprits lui parlèrent — des voix venues de loin, parfois dans des langues qu'il ne comprenait pas, parfois aussi nettes que le meuglement d'un orignal par un matin glacé :

— Azazrouk, ton peuple meurt de faim. Des ennemis l'insultent de tous côtés. Vous n'êtes pas assez puissants pour combattre. Vous devez partir.

Il l'avait déjà accepté, et il trouva étrange que les esprits répètent une chose aussi évidente, mais à la réflexion il revint sur son jugement : « Ils procèdent pas à pas, se dit-il, comme un homme vérifierait de la glace fraîche. » Un peu plus tard, les esprits en vinrent au fait :

— Il vaudrait mieux, Azazrouk que vous partiez vers la Grande Étoile, au bord de la terre glacée, pour chasser la baleine et le morse à la manière d'autrefois. Si vous avez du courage et des hommes audacieux, partez là-bas.

En se frappant le front du plat de la main, il s'écria :

— Mais notre chef n'a pas assez de guerriers !

— Nous le savons, répondirent les esprits.

Profondément déçu, Azazrouk se demanda pourquoi les esprits recommandaient d'aller au nord alors qu'ils en connaissaient les risques, mais ce qu'ils lui dirent ensuite l'emplit de colère froide.

— Dans le Nord, vous construiriez des oumiaks pour chasser au large la grande baleine. Vous poursuivriez le morse et péririez s'il vous attrapait. Vous mettriez à mort le phoque et le poisson à travers la glace. Vous vivriez comme votre peuple a toujours vécu. Dans le Nord, vous feriez tout cela.

Ces paroles étaient tellement insensées qu'Azazrouk suffoqua. L'air se bloqua dans sa gorge et il tomba en avant au milieu de ses fétiches, sans connaissance. Il demeura longtemps ainsi, et dans ses rêves déments, il comprit qu'en lui donnant ces ordres impossibles, les esprits essayaient de lui rappeler qui il était, ce que sa vie avait été pendant des générations sans nombre : même si son clan vivait dans les terres depuis deux mille ans, il demeurait un peuple de la mer glacée, qu'aucun autre peuple ne pouvait défier sans risque. Il était un Eskimo, possesseur d'une tradition merveilleuse, et même le passage des générations ne pouvait pas effacer ce fait suprême.

Quand il revint à lui, purifié de ses craintes par les messages insistants des esprits, ceux-ci lui parlèrent plus doucement :

— Vers le sud-ouest, il doit y avoir des îles, sinon comment les inconnus auraient-ils pu apporter des coquillages ?

— Je ne comprends pas, cria-t-il.

— Îles, mer. Mer, coquillages. Un homme peut trouver son héritage sous des formes différentes.

Et ils se turent sur ces mots.

Le matin du quatrième jour, Azazrouk apparut devant la population inquiète qui avait passé la nuit précédente devant sa hutte, et entendu d'étranges sons venir de l'intérieur. Grand, sec et maigre, propre, les yeux enfoncés dans le crâne et enflammés par une illumination comme il n'en avait jamais connu, il annonça :

— Les esprits ont parlé. Nous irons par là-bas.

Il tendit le bras vers le sud-ouest.

Mais quand il rentra dans sa hutte, où le peuple ne pouvait pas le voir, sa résolution céda et il se laissa accabler par les risques du voyage et les distances à parcourir jusqu'à ces terres inconnues qui n'existaient peut-être pas. Puis il s'aperçut que la petite figurine d'ivoire se moquait de lui, tournait ses craintes en ridicule et participait, de sa manière intemporelle, à la sagesse qu'elle avait acquise lorsqu'elle faisait partie d'un grand morse, puis quand elle avait attendu dix-sept mille ans dans la boue d'un torrent glaciaire, en regardant dériver devant elle tout un univers de poissons morts, de mammouths foudroyés et d'hommes insouciants.

— Ce sera gai, Azazrouk. Tu verras sept mille couchers de soleil, sept mille levers de soleil.

— Trouverai-je un refuge pour mon peuple ?

— Est-ce important ?

En rangeant la petite figurine dans son étui, il l'entendit continuer de rire — du rire des vents sur la crête d'une colline, de l'allégresse d'une baleine quand elle crève la surface après une longue poursuite sous-marine, de la gaieté d'un jeune renard pourchassant des oiseaux à l'aveuglette : l'écho merveilleux et sacré d'un univers ne se souciant guère que l'homme trouve un refuge ou non, du moment qu'il prend un plaisir espiègle à la recherche.

***

Les dix-neuf années pendant lesquelles Azazrouk conduisit son peuple errant à l'aventure dans le sud-ouest de l'Alaska comptèrent parmi les plus magnifiques que cette région du monde connaîtrait jamais. Le règne animal, à son zénith, fournissait une abondance inépuisable de nobles bêtes bien adaptées à ce pays stupéfiant. Les montagnes étaient plus hautes, à l'époque ; les glaciers plus puissants ; les torrents plus impétueux. Dans ce pays débordant d'énergie, chaque élément forçait l'émerveillement, depuis les hivers si froids que les animaux prudents s'enfouissaient sous terre, jusqu'aux étés qui emplissaient les plaines d'une multitude de fleurs.

En ces années, le pays semblait immense, aucun homme n'aurait pu le traverser d'un bout à l'autre, ni explorer la multitude des cours d'eaux glaciaires et des sommets vertigineux. De presque partout, le voyageur pouvait voir des montagnes enneigées, et la nuit dans son sommeil il entendait non loin les lions puissants et les grands loups. Sans parler des ours bruns, aussi hauts que les arbres quand ils se dressaient sur leurs pattes de derrière — et ils le faisaient souvent, comme pour se vanter de leur taille. Beaucoup plus tard on les appellerait « grizzly », et de tous les animaux qui s'approchaient des campements quand les voyageurs s'arrêtaient, c'étaient les plus surprenants. S'il y avait de la nourriture, ils se montraient aussi doux que les moutons de la basse montagne, mais s'ils étaient vexés ou mis en rage par un comportement inattendu, ils s'avéraient capables d'éventrer un homme d'un seul coup de leurs redoutables pattes.

À cette époque, les ours mesuraient plus de cinq mètres de haut, et ils terrorisaient les novices. Pour Azazrouk, qui avait appris à consulter les animaux, c'étaient des amis énormes, gauches et imprévisibles. Il ne les recherchait pas, mais quand ils apparaissaient aux abords du campement de son peuple, il leur parlait ; s'il tombait sur eux par hasard, il s'asseyait sur un rocher, calmement, pour leur demander si les baies étaient mûres sous les bouleaux, ou ce que mijotaient les puissants bisons. Les grands ours, assez énormes pour l'éventrer d'un coup de dents, l'écoutaient attentivement et s'approchaient parfois pour se frotter à lui : ils sentaient qu'il n'avait pas peur et ne lui faisaient donc aucun mal.

Il n'en alla pas de même avec un jeune chasseur. Voyant l'ours avec le chaman et ignorant qu'il existait une relation spéciale entre l'homme et la bête, le chasseur attaqua le grand ours. Celui-ci, surpris par ce changement soudain, écarta le jeune homme. Mais quand ce dernier l'attaqua une deuxième fois, l'animal riposta d'un coup de sa patte droite, qui faillit décapiter l'assaillant. Cette fois, les soins du chaman et ses pansements de feuilles et de mousse demeurèrent sans effet ; l'homme mourut sans même reprendre conscience, et le camp ne revit jamais cet ours-là.

Pourquoi ce groupe tout à fait ordinaire d'Eskimos mit-il dix-neuf ans à trouver un nouveau foyer ? Tout d'abord ils n'étaient pas partis vers un but précis ; ils se contentaient de dériver, en essayant un emplacement après l'autre. Ensuite, les fleuves demeuraient parfois en crue pendant deux ou trois étés de suite et des montagnes formaient obstacle. Mais le principal responsable de cette durée fut le chaman lui-même : chaque fois qu'il tombait sur un endroit agréable, il se croyait arrivé et il avait tendance à ne plus bouger jusqu'à ce que l'adversité le contraigne à un autre déplacement pour survivre.

Les gens le laissaient toujours décider, car ils sentaient que dans une période de changements si radicaux, il leur fallait le soutien sans réserve des esprits. Une fois, vers la fin, quand ils furent bien établis sur les berges d'un immense lac où les poissons pullulaient, ils eurent envie de rester. Même quand les esprits prévinrent le chaman qu'il était temps de repartir, ils traînèrent pendant deux ans le long de la rive ; mais le jour où ils arrivèrent au bout du lac, vers l'ouest, où un fleuve partait à la recherche de la mer, ils rassemblèrent tout de même leurs maigres possessions et se remirent en route, soumis.

Au cours de l'année suivante, la dix-septième de leur pèlerinage, ils se trouvèrent confrontés à des problèmes beaucoup plus graves que de coutume, car une expédition sommaire de reconnaissance leur apprit qu'ils n'entraient pas seulement dans une nouvelle région, mais sur une étroite péninsule bordée des deux côtés par l'océan. Les esprits les encouragèrent à s'enfoncer sur cette péninsule et quand ils se retrouvèrent au contact immédiat de la mer, après une absence de deux mille ans, des changements formidables commencèrent à se produire, comme si des souvenirs raciaux longtemps enfouis remontaient à la surface.

Réagissant à l'air salé et aux embruns du ressac, ces errants, qui n'avaient jamais mangé de coquillages ni pêché de poissons dans la mer, se mirent à faire l'un et l'autre avec enthousiasme. Des artisans construisirent des petits bateaux peu différents des kayaks de leurs ancêtres ; les modèles qui ne tenaient pas bien la mer furent abandonnés aussitôt et l'on améliora ceux qui paraissaient le mieux adaptés. De vingt manières, dont la plupart semblaient insignifiantes, ces Eskimos d'autrefois redevinrent un peuple de la mer.

Azazrouk, aussi craintif que quiconque dans un monde aussi différent de celui de son enfance, fut encouragé à poursuivre par le soutien inflexible de ses fétiches. Chaque fois qu'il les étalait dans sa hutte de peaux près de l'océan, ils confirmaient leur approbation — les encouragements les plus ardents lui venaient de la petite figurine d'ivoire. Un soir où, au-dehors, les vagues déferlaient avec un bruit de tonnerre, il dit à l'objet :

— Je crois que tu voulais nous conduire à la mer. As-tu déjà vécu ici ?

Et par-dessus la tempête, il crut entendre le rire de la figurine. Des jours plus tard, quand les mers se calmèrent, il fut certain d'avoir entendu des éclats de rire dans le petit sac de peau.

Le clan passa l'année à s'enfoncer davantage vers l'ouest, en explorant la péninsule comme s'il devait trouver de l'autre côté de la colline suivante le refuge qu'il cherchait. Mais parfois dans le lointain, les hommes apercevaient la fumée de feux inconnus, et cela signifiait qu'ils n'étaient pas encore en sécurité. Dans cet état d'esprit insatisfait, ils parvinrent à la pointe occidentale de la péninsule et la question qu'ils se posèrent allait orienter leur histoire pour les douze mille années suivantes : fallait-il qu'ils s'accrochent à la péninsule, ou bien qu'ils s'élancent vers les îles inconnues ?

Rarement un peuple a eu l'occasion de prendre en un temps limité une décision aussi grave ; les sociétés font bien entendu des choix, mais ceux-ci ont tendance à s'insinuer discrètement sur une longue période — et ils résultent souvent du refus de choisir. Un moment aussi capital se produirait des millénaires plus tard, quand des peuples noirs d'Afrique centrale durent décider de migrer des régions tropicales vers les terres plus fraîches du Sud, en bordure des océans ; ou bien quand un groupe de pèlerins, en Angleterre, dut décider que la vie serait probablement meilleure sur l'autre rivage de l'Atlantique.

Pour le clan d'Azazrouk, le moment crucial survint lorsqu'ils décidèrent, après de pénibles délibérations, de quitter la péninsule pour tenter leur chance sur le chapelet d'îles qui s'étalait vers l'ouest. Ce fut une décision audacieuse, et des deux cents personnes qui avaient abandonné dix-huit ans auparavant leur village relativement sûr, moins de la moitié avait survécu pour aller dans les îles. Mais de nombreux enfants étaient nés en chemin. En un sens, ce fut une chance, car la majorité de ceux qui suivraient la décision seraient plus jeunes et davantage prêts à s'adapter à l'inconnu.

Le groupe qui suivit le chaman dans le détroit vers la première île ne manquait pas de vigueur, mais il lui faudrait beaucoup d'énergie physique et de courage moral pour survivre dans ces territoires inhospitaliers. L'archipel se composait d'une douzaine de grandes terres entre lesquelles choisir, et de plus de cent petites îles, certaines réduites à de simples récifs. Elles offraient un spectacle étonnant : plusieurs avaient de hautes montagnes, d'autres de grands volcans enneigés presque toute l'année. Le peuple d'Azazrouk, émerveillé, explora la grande île qui porterait plus tard le nom d'Unimak, puis traversa la mer jusqu'à Akutan, puis Unalaska et Umnak. Ensuite, ils essayèrent Seguam, Atka et Adak, à la forme torturée. Puis un matin, dans leurs explorations vers l'ouest, ils aperçurent sur l'horizon une île peu accueillante, protégée par une barrière de cinq hautes montagnes s'élevant de la mer pour défendre ses accès vers l'est. Azazrouk, découragé par ces abords inhospitaliers, cria à ses rameurs, dans le premier bateau :

— À la suivante !

Mais lorsque le convoi dépassa le cap du nord, le chaman vit s'ouvrir devant lui une large baie splendide prolongée par une plaine centrale de laquelle s'élevait un grand volcan au contour parfait. Sa beauté couronnée de neige dormait paisiblement depuis dix mille ans.

— Ce sera ton pays, chuchotèrent les esprits. Vous y vivrez dangereusement mais connaîtrez de grandes joies, promirent-ils pour rassurer les voyageurs.

Confiant, Azazrouk mit le cap vers la côte, mais les esprits l'arrêtèrent :

— Au-delà de l'autre cap, il y a mieux.

Effectivement, quand il continua son exploration, Azazrouk découvrit une baie profonde entourée de montagnes et abritée du côté nord-ouest (d'où venaient les tempêtes) par un chapelet d'îles formant comme une main protectrice. Sur la côte orientale de cette baie, il trouva un estuaire, une sorte de fjord flanqué de montagnes, et lorsqu'il parvint à son embouchure, il cria :

— Voici ce que les esprits nous ont promis !

Ce fut là que son clan errant établit sa base.

À peine les voyageurs étaient-ils installés sur Lapak une saison entière, que dans une île beaucoup plus petite vers le nord, un volcan minuscule, s'élevant à peine à trente mètres au-dessus de la mer, explosa en une gerbe éblouissante de vapeurs enflammées — on eût dit une baleine soufflant du feu et non de l'eau. Les nouveaux venus ne pouvaient pas entendre les étincelles siffler en retombant dans la mer, ni savoir que sur la côte opposée, sous des nuages de vapeurs, un fleuve de lave apparemment inépuisable se déversait dans la mer. Mais ils admirèrent le spectacle continu — et les esprits assurèrent à Azazrouk qu'ils l'avaient organisé pour lui souhaiter la bienvenue dans sa nouvelle patrie. Et comme le jeune volcan soufflait chaque fois qu'il était sur le point d'exploser, les nouveaux venus l'appelèrent Qugang — le Siffleur.

Lapak, de forme brisée, rectangulaire, mesurait trente-quatre kilomètres d'est en ouest dans sa plus grande largeur, et dix-huit kilomètres du nord au sud entre ses bras tendus. Onze sommets, dont certains s'élevaient à six cents mètres d'altitude, marquaient le périmètre extérieur, mais la côte des deux baies était habitable et même engageante par endroits. Aucun arbre n'avait jamais poussé sur l'île, mais l'herbe verdoyante s'étalait généreusement partout et des arbustes bas apparaissaient dans le moindre vallon abrité du vent. Le trait le plus marquant, en dehors des deux volcans et des montagnes protectrices, était l'abondance de petites criques : comme les esprits l'avaient annoncé, c'était une île entièrement tournée vers la mer ; tout homme qui choisissait d'y vivre savait qu'il ne pourrait subsister que par la mer ; il passerait son existence soumis à ses vagues, ses tempêtes et sa générosité.

Quand Azazrouk étudia son nouveau domaine, la présence de plusieurs petites rivières s'enfonçant dans l'intérieur le rassura.

— Elles nous apporteront de la nourriture. Sur cette île notre peuple pourra vivre en paix.

Avant l'arrivée du clan d'Azazrouk, jamais l'île n'avait été habitée, bien que de temps à autre les tempêtes eussent sans doute jeté vers ses côtes un chasseur dans son kayak solitaire ou l'équipage d'un oumiak. En effet un matin, des enfants qui s'amusaient dans une vallée ouverte sur l'océan tombèrent sur trois squelettes d'hommes, morts dans un isolement atroce. Mais aucun groupe n'avait essayé de s'y installer et l'on supposait qu'aucune femme n'avait posé le pied sur Lapak avant l'arrivée du peuple d'Azazrouk.

Un jour, cependant, un groupe d'hommes parti à la pêche sur l'une des rivières qui descendaient des flancs du volcan central se trouva pris par la nuit et chercha refuge au fond d'une grotte creusée dans une paroi rocheuse dominant la mer de Béring que limitait le chapelet d'îles. Le matin venu ils découvrirent, stupéfaits, que leur grotte était déjà occupée par une femme incroyablement vieille, et ils coururent l'annoncer à leur chaman :

— Miracle ! Une vieille femme se cache dans une grotte !

Azazrouk les suivit. Il leur demanda d'attendre à l'entrée de la grotte pendant qu'il étudiait cet événement étrange. Vers le fond de la grotte, il se trouva en face des traits desséchés, parcheminés d'une femme d'autrefois dont on avait campé debout le corps momifié. Elle semblait vivante et presque impatiente de partager avec son visiteur les aventures qu'elle avait vécues pendant les millénaires passés.

Il resta longtemps avec elle, en essayant de se représenter comment elle avait atteint cette île, quelle avait été sa vie, quelles mains aimantes l'avaient placée dans cette position abritée et respectueuse. Elle semblait si désireuse de lui parler qu'il se pencha comme pour tendre l'oreille ; et à voix basse il se dit ces paroles de réconfort comme si elle-même les prononçait :

— Azazrouk, tu as conduit ton peuple chez lui. Vous ne voyagerez plus.

À son retour dans sa hutte, près de la côte, chaque fois qu'il fit appel à ses cailloux et à ses os fétiches il entendit la voix rassurante de l'ancienne orienter ses décisions, et une grande partie du bonheur dont son peuple jouit dans l'île de Lapak vint des sages conseils de cette femme.

⁂

Sans arbre, avec guère d'espace favorable au peu d'agriculture que l'on pratiquait à l'époque, comment les immigrants comptaient-ils vivre ? Des largesses de la mer, car les océans semblaient avoir prévu les besoins de ces gens audacieux et les comblaient avec générosité. Avaient-ils faim ? Chaque baie, chaque crique regorgeait de buccins, de coquillages, de mollusques et d'algues de l'espèce la plus nutritive. Désirait-on quelque chose de plus copieux ? Avec une ligne de boyau de phoque et un hameçon sculpté dans un os de baleine, on pouvait pêcher dans les baies sans risque de revenir bredouille. Et si un homme trouvait un long bout de bois parmi les épaves rejetées sur la grève, il pouvait se pencher sur un rocher et pêcher en eau profonde. Avait-on besoin de bois de construction pour des huttes ? Il suffisait d'attendre la tempête suivante : sur la grève, juste devant chez soi, s'entasserait une énorme pile de bois.

Pour celui qui avait l'audace de quitter la terre pour s'aventurer sur l'océan, les richesses semblaient inépuisables. Il lui suffisait de posséder des mains habiles pour construire un kayak à une place, et assez de courage pour confier sa vie à ce frêle esquif que même la plus petite lame risquait d'écraser contre un écueil. Avec son kayak, un homme pouvait ramer jusqu'à deux milles de la côte pour attraper de beaux saumons au corps élancé. À dix milles, il trouverait des flétans et de la morue. Mais s'il préférait, comme la plupart, la chair plus riche des grands mammifères marins, il pouvait chasser les phoques ou s'aventurer en haute mer pour mettre son courage à l'épreuve contre les gigantesques baleines et les morses puissants.

Repérer une baleine n'était pas aussi difficile qu'on pourrait le croire, car les îles de l'archipel, par leur disposition même, permettaient à des bêtes de cette taille de passer seulement dans certains chenaux. Lapak se trouvait entre deux d'entre eux. Les baleines nageaient si près des promontoires qu'on les apercevait régulièrement, mais leur chasse demeurait un combat douteux. Souvent les plus courageux de l'île pourchassaient une baleine pendant trois jours et la blessaient grièvement, sans pour autant la ramener à la côte. Les larmes aux yeux, ils regardaient s'éloigner la baleine condamnée, qui allait mourir en mer et serait rejetée sur des rivages lointains où elle nourrirait un groupe d'inconnus n'ayant joué aucun rôle dans sa capture. Mais aussi, certains matins, il arrivait que telle ou telle femme de Lapak partie de bonne heure ramasser des goémons aperçoive non loin de la côte un objet flottant d'une taille si énorme qu'il s'agissait forcément d'une baleine. Pendant un instant, elle se disait qu'un animal vivant s'était aventuré près des côtes, mais, ne le voyant pas bouger au bout d'un moment, elle partait prévenir les hommes en courant, soudain au comble de l'excitation.

— Une baleine ! Une baleine !

Alors, ils se précipitaient vers leurs kayaks, rattrapaient le géant défunt et attachaient des peaux de phoque gonflées à la carcasse pour la maintenir à flot pendant qu'ils la halaient lentement vers la côte. Lorsqu'ils la dépeçaient, tandis que les femmes battaient les tambours, ils voyaient les blessures fatales infligées par une autre tribu et trouvaient même des têtes de harpon derrière l'oreille de la baleine. Ils remerciaient alors les inconnus qui avaient combattu cette baleine pour que Lapak puisse s'en nourrir.

Il se passa quelque temps avant que le peuple d'Azazrouk découvre la véritable richesse de son île, mais un matin où le chaman se trouvait au milieu du premier oumiak à six hommes construit dans l'île (par un chasseur valeureux nommé Shougnak), le bateau dériva au milieu du chapelet d'îlots conduisant au petit volcan. Comme ces écueils étaient dangereux, Azazrouk avertit Shougnak.

— Pas trop près de ces rochers !

Mais le chasseur, plus jeune et plus hardi que le chaman, avait vu quelque chose bouger dans les masses de goémons entourant les écueils et il continua. Quand l'oumiak se rapprocha des algues emmêlées, Azazrouk aperçut un animal qui nageait, d'un aspect si étonnant qu'il poussa un cri. Les autres lui en demandèrent la raison, et il ne put que montrer le miracle au milieu des vagues.

Ce fut ainsi que les hommes de Lapak firent la connaissance de la fabuleuse loutre de mer, qui ressemble beaucoup à un petit phoque car elle est bâtie de la même façon et nage à peu près comme lui. Celle-ci mesurait environ un mètre cinquante, avait une magnifique ligne effilée et se sentait manifestement à l'aise dans les eaux glacées. Mais ce qui avait laissé Azazrouk sans voix — et les autres aussi, dès qu'ils virent l'animal — c'était son visage, ressemblant trait pour trait à celui d'un bonhomme moustachu en train de vieillir avec élégance dans la joie et la sagesse, après avoir bien profité de la vie. Même front plissé, même regard vif injecté de sang, même moustache frisée mal entretenue. De cette apparition de la loutre de mer, exagérée par les conteurs, naîtrait la légende de la sirène. De fait, son visage est tellement humain que, plus tard, des chasseurs, émerveillés par cette vision marine, renonceraient à tuer la loutre de peur de commettre involontairement un meurtre.

Dès l'instant où il rencontra cette créature étonnante, Azazrouk comprit intuitivement qu'elle était spéciale, mais ce qui se passa ensuite le convainquit, ainsi que Shougnak à la barre de l'oumiak, qu'ils venaient de faire la connaissance d'un animal vraiment rare. Derrière la première loutre survint une mère allongée sur le dos comme une baigneuse nonchalante, en train de prendre le soleil dans un bassin paisible ; sur son ventre, dépassant des vagues, un bébé loutre s'était perché, parfaitement à l'aise pour observer paresseusement le monde. Cette scène touchante enchanta Azazrouk, car il adorait les nouveau-nés et révérait les mystères de la maternité, bien que n'ayant lui-même ni épouse ni enfants. Quand la mère et l'enfant dérivèrent devant l'oumiak, il lança aux rameurs :

— Quel berceau ! Regardez-les !

Mais les chasseurs regardaient quelque chose d'encore plus extraordinaire : derrière les deux premières loutres venait un mâle plus âgé, qui flottait lui aussi sur le dos. Ce qu'il faisait était incroyable. Sur son ventre, maintenu en équilibre par les muscles, se trouvait un gros caillou. L'animal, en se servant de ses pattes de devant comme un homme de ses mains, cassait sur ce caillou des palourdes de rochers et autres crustacés. Il les cognait jusqu'à ce que leur coquille se brise, puis il prenait leur chair et l'enfournait dans sa bouche souriante.

— Est-ce un caillou sur son ventre ? s'écria Azazrouk.

Les hommes de la proue le confirmèrent et à cet instant Shougnak, toujours tenté de jeter sa lance sur tout ce qui bougeait, donna un coup de pagaie si habile que l'arrière de l'oumiak vira près de la loutre en train de faire la planche. D'un coup de sa lance acérée, Shougnak transperça le mangeur de palourdes sans méfiance et le hissa à bord.

Plus tard, il dépouilla la loutre en secret, jeta la chair à ses femmes pour un ragoût, et quand la peau fut traitée, au bout de quelques mois, il la porta drapée sur ses épaules. Tous s'émerveillèrent de la douceur du poil, de son brillant et de son épaisseur sans équivalent. Le commerce de peau de loutre de mer avait commencé — de même que la rivalité entre Azazrouk le chaman bienveillant et Shougnak le maître-chasseur.

Ce dernier vit dès le début que la fourrure de loutre de mer serait particulièrement appréciée par les hommes. Le commerce des peaux vers des contrées lointaines ne débuterait que des millénaires plus tard, mais chaque adulte de Lapak désira posséder une peau de loutre, ou deux, ou trois. Ils pouvaient obtenir toutes les peaux de phoque qu'ils voulaient, et elles faisaient des vêtements admirables, mais c'était la loutre de mer que les îliens convoitaient, et nul autre que Shougnak n'était en mesure de leur en fournir.

Il s'aperçut vite que chasser ces loutres avec un oumiak à six hommes serait une perte de temps, et en se fondant sur des souvenirs tribaux, il ordonna à ses hommes de construire des répliques des anciens kayaks. Dès que ces bateaux tinrent bien la mer, il enseigna à ses hommes comment chasser avec lui, en groupe. Sans bruit, ils rôdaient sur les flots jusqu'à ce qu'ils tombent sur une famille de loutres, avec un des gros mâles en train de casser des palourdes. Les jours fastes, les hommes de Shougnak en ramenaient au village jusqu'à six, et très vite les îliens jetèrent la chair pour ne conserver que la peau. Bientôt, le massacre des loutres devint épouvantable et Azazrouk dut intervenir.

— Tuer les loutres est mal.

Shougnak, bon et même doux pour tout ce qui ne concernait pas la chasse, résista aussitôt.

— Nous avons besoin des peaux.

Manifestement, personne n'avait réellement *besoin* des peaux, car les phoques demeuraient très nombreux et l'on trouvait la viande de loutre trop dure. Tous ceux qui avaient déjà des vêtements de peau de loutre les adoraient et les autres ne cessaient de presser Shougnak de leur rapporter des peaux.

L'opinion du chasseur se justifiait de façon fort simple.

— Les loutres ne servent à rien ni à personne, là-bas. Elles se contentent de nager et de casser des palourdes sur leur ventre.

Mais Azazrouk comprenait mieux le monde :

— Les animaux de la terre et de la mer ont été engendrés par les Grands Esprits pour permettre à l'homme de vivre.

Cette idée commença à l'obséder et, un matin, il monta dans la grotte de la vieille femme momifiée, où il demeura longtemps en sa présence comme pour la consulter.

— Suis-je ridicule de penser que les loutres de mer sont mes frères ? demanda-t-il.

Mais seul l'écho de sa voix lui répondit.

— Shougnak aurait-il raison de les chasser comme il le fait ?

De nouveau le silence.

— Supposons que nous ayons raison tous les deux, Azazrouk d'aimer les animaux et Shougnak de les tuer ?

Il s'arrêta, puis posa une question qui intriguerait plus d'un philosophe par la suite :

— Comment deux choses aussi différentes seraient-elles vraies en même temps ?

Ensuite, comme tous les hommes et toutes les femmes qui ont consulté des oracles à travers l'histoire, il trouva la réponse en lui-même. Il projeta sa propre voix vers la momie et l'entendit lui répondre, avec une assurance généreuse :

— Azazrouk doit aimer et Shougnak doit tuer, vous avez raison tous les deux.

Elle ne dit rien d'autre, mais dans la grotte silencieuse, Azazrouk modela la phrase qu'il ferait chanter dans l'esprit de son peuple des îles : « Nous vivons aux dépens des animaux, mais nous vivons aussi avec eux. »

Alors Azazrouk expliqua comment il percevait les intentions des esprits et beaucoup l'écoutèrent, mais la plupart convoitaient néanmoins les peaux de loutre. Ils lancèrent donc à mots couverts une campagne contre leur chaman, en prétendant qu'il s'opposait à la chasse aux loutres parce qu'elles ressemblaient à des êtres humains — mais tout le monde savait, bien entendu, que c'étaient seulement de gros poissons recouverts d'une fourrure de grande valeur.

La communauté de l'île se divisa : d'un côté les défenseurs du chaman, de l'autre les partisans du chasseur ; et dans des milliers de ces communautés primitives de l'Asie et de l'Alaska on assista à des divisions similaires, les rêveurs contre les pragmatiques, les chamans responsables du bien-être de leur peuple contre les grands chasseurs qui se donnaient pour tâche de les nourrir. Pendant les ères qui suivirent, l'inévitable lutte allait continuer, et le problème divisa toujours les hommes de bonne volonté.

Sur l'île de Lapak le conflit se cristallisa par un matin d'été où Shougnak se préparait à sortir en kayak pour attraper des loutres. Le chaman l'arrêta sur la grève.

— Nous n'avons plus besoin de loutres mortes. Laisse vivre ces créatures.

Son ascétisme et son caractère mystique avaient fait de lui un être complètement à part des autres. Il était doux, mais les rares fois où il prenait la parole, les autres se sentaient tenus de l'écouter.

À l'inverse, Shougnak, trapu, large d'épaules et pourvu de grosses mains lourdes, avait dans son regard la flamme sauvage du grand chasseur. Il semblait rougeaud, à la différence des îliens typiques, jaunes ou bruns, et trois lignes parallèles à ses yeux permettaient de le reconnaître de loin. La première n'était autre qu'un gros os de baleine enfoncé dans le septum de son nez et dépassant de chaque narine. La deuxième consistait en une arrogante moustache raide, d'un noir de jais. Et la troisième, qui faisait le plus d'effet, se composait d'une paire de labrets de petite taille placés aux coins de sa bouche et reliés entre eux, par-dessus son menton, par trois rangs d'une chaîne finement sculptée dans de l'ivoire de morse. Il se vêtait des peaux des lions de mer qu'il avait attrapés et quand il se redressait, avec ses bras puissants qui élargissaient son torse, il passait pour redoutable.

Ce matin-là, il n'avait pas l'intention de laisser le chaman interrompre sa chasse, et quand Azazrouk voulut le faire, il l'écarta d'un geste doux. Azazrouk savait que Shougnak avait la force de le terrasser d'un revers de main, mais pouvait-il trahir ses responsabilités envers les animaux ? Il revint barrer le passage à Shougnak. Cette fois, le chasseur s'impatienta. Sans aucune intention d'irrévérence, car il aimait bien le chaman dans la mesure où celui-ci s'occupait de ses propres affaires, il le repoussa brusquement. Azazrouk tomba. Shougnak monta dans son kayak, s'éloigna vers le large à coups de pagaie rageurs, et continua sa chasse.

L'île connut des heures de tension. Au retour de Shougnak, Azazrouk l'attendait, et les deux hommes discutèrent pendant plusieurs jours. Le chaman plaida contre ce qui aboutirait selon lui à l'extermination des loutres de mer, et Shougnak répliqua en s'entêtant dans son réalisme : puisque les animaux se trouvaient manifestement dans ces eaux pour qu'on les utilise, il avait l'intention de les utiliser.

Azazrouk, pour la première fois en ses longues années de pouvoir, perdit son calme et fulmina de façon ridicule contre tous les chasseurs et leurs kayaks de maraudeurs. Il se montra si insultant que les gens commencèrent à se détourner de lui. Il s'était comporté de façon si stupide à leurs yeux, il les avait tellement écœurés, qu'il ne lui restait plus qu'à renoncer à son autorité. Il le comprit vite et un matin, avant que les autres s'éveillent, il réunit ses fétiches, abandonna sa hutte près de la mer et se dirigea tristement vers le fond d'une baie écartée. Comme mille chamans avant lui, il apprenait que le conseiller spirituel d'un peuple a tout intérêt à ne pas se mêler des querelles politiques et économiques.

C'était un vieillard de presque cinquante ans. Son peuple appréciait toujours qu'il les ait conduits dans cette île, mais personne ne voulait plus qu'il se mêle des affaires. On voulait un chef plus raisonnable, comme Shougnak — fort capable, s'il s'y appliquait, d'apprendre à consulter les esprits et à les concilier.

Azazrouk finirait donc ses jours en exil dans sa case isolée. Sur les côtes de la baie, il pourrait ramasser assez de coquillages, de mollusques et d'algues pour survivre. Quelques jours après son installation, Shougnak au grand cœur lui donnerait un kayak. Azazrouk n'avait jamais beaucoup pagayé, mais il devint assez habile. Souvent, il s'aventurait loin de la côte, vers le nord, vers les eaux qui avaient attiré de tout temps son peuple. Là, au milieu des vagues, il parlait aux phoques et s'entretenait avec les grandes baleines qui passaient. De temps à autre, s'il apercevait un groupe de morses en route vers le nord, il les appelait. Parfois, dans la tiédeur de l'été, il passait la nuit entière — à peine deux ou trois heures — sous les étoiles pâles, seul sur le vaste océan, en paix avec la mer.

Mais les heures qu'il préférait demeuraient celles où il se trouvait au milieu des goémons près d'une famille de loutres de mer. La mère flottait sur le dos avec son bébé sur le ventre ; les grands yeux du petit brillaient au nouveau monde qu'il découvrait ; le vieux mâle moustachu, heureux, faisait la planche avec son caillou sur le ventre et deux palourdes dans ses grosses pattes.

De tous les animaux qu'Azazrouk avait connus — et ses amis étaient légion, depuis le mammouth gigantesque jusqu'au lion rusé — c'étaient ces loutres de mer qu'il appréciait le plus. Vers la fin de ses jours, sans aucune justification rationnelle, il se prit à penser que ces créatures remarquables représentaient mieux que toute autre les esprits qui l'avaient inspiré et guidé au long de sa vie honorable et productive : « Ce sont elles qui m'ont appelé quand nous vivions sur les steppes arides, dans l'est. Ce sont elles qui sont venues, la nuit, me rappeler l'existence de l'océan, foyer de mon peuple. » Un matin, à son retour d'une traversée nocturne sur cet océan maternel, il s'assit au milieu de ses fétiches, il les sortit de leurs petits sacs pour leur permettre de respirer et de lui parler ; surpris mais ravi de sa surprise, il s'aperçut que le bout d'ivoire sans tête qu'il aimait tant n'était pas un homme mais une loutre de mer en train de paresser, allongée sur le dos. En cet instant il découvrit que le monde est un, qu'il existe une unité spirituelle entre mammouth, baleine, oiseau et homme. Cette certitude emplit son âme d'allégresse.

On ne le découvrit que plusieurs jours plus tard. Deux femmes enceintes entreprirent le long voyage jusqu'à sa hutte pour s'assurer auprès de lui que leurs bébés seraient en bonne santé. Elles s'arrêtèrent à la porte et l'appelèrent. Ne recevant pas de réponse, elles le supposèrent en mer. Puis l'une d'elles remarqua son kayak vide, remonté très haut sur la grève, et elle en déduisit qu'il devait être dans la hutte. À leur entrée, les deux femmes le trouvèrent assis par terre, le corps basculé vers l'avant sur sa collection de fétiches.

Le chapelet d'îles au milieu desquelles Azazrouk avait conduit son clan porterait plus tard le nom d'Aléoutiennes ; ses résidents seraient des Aléoutes. Rarement la terre a porté un groupe de gens aussi étrange et aussi complexe. Isolés, ils définirent un style de vie unique. Hommes et femmes de la mer, ils obtenaient des flots tous leurs moyens de subsistance. Comme chaque groupe se suffisait à lui-même sur son île, ils n'éprouvèrent pas le besoin, en ces débuts du monde, d'inventer la guerre. En sécurité dans un milieu gouverné par leurs esprits bienveillants, ils menaient une vie heureuse. Ils connaissaient des tragédies : la famine menaçait parfois, et les tempêtes soudaines qui déferlaient sur les grandes mers dont ils dépendaient privaient la plupart des familles d'un père, d'un mari ou d'un fils. Ils n'avaient pas d'arbres, aucun des magnifiques animaux qu'ils avaient connus sur le continent, ni aucun contact avec les Eskimos du Nord ou les Athapascans du centre. Mais ils vivaient en relation étroite avec l'esprit de la mer et le mystère du petit volcan qui crachait au large de leurs côtes — sans parler des baleines, des morses, des phoques et des loutres de mer.

Beaucoup plus tard, remarquant le bras accueillant que l'archipel tendait vers l'Asie — constituant presque un pont continental à sa manière — des savants imagineraient qu'une tribu particulière de Mongoloïdes d'Asie aurait franchi ce pont supposé jusqu'au groupe occidental des Aléoutiennes, puis aurait peuplé l'ensemble de l'archipel d'ouest en est. Cela ne s'est pas passé ainsi. Les Aléoutiennes ont été colonisées d'est en ouest par des Eskimos comme Azazrouk et son peuple. S'ils avaient tourné vers le nord après avoir traversé le vrai pont continental, rien ne les aurait distingués des Eskimos de l'océan Arctique. Mais en prenant la direction du sud, ils devinrent des Aléoutes.

Azazrouk, qui demeurerait vénéré dans les légendes de l'île comme le Grand-Chaman, avait légué à sa mort deux choses importantes. Pour ses expéditions sur l'océan, vers la fin de sa vie, il avait conçu une coiffure aléoute qui deviendrait peut-être le couvre-chef le plus remarquable du monde. Sculpté dans le bois — mais on pouvait aussi se servir d'os de baleine — ce « bonnet » montait droit à l'arrière jusqu'à une certaine hauteur. De là il descendait en pente vers l'avant tout en s'élargissant, et se prolongeait devant les yeux de façon fort gracieuse, en une longue visière qui protégeait le regard du marin des éclats éblouissants du soleil. Par sa forme seule il méritait l'attention mais au point où l'arrière vertical rejoignait la longue pente vers l'avant, Azazrouk fixait cinq ou six plumes de belle allure, ou bien des tiges de fleurs mortes, ou encore des bouts de fanons de baleine décorés, placés de façon à se recourber en avant au-dessus de la visière. Oui, ce chapeau de bois était une œuvre d'art, parfaite dans toutes ses proportions.

Quand un groupe de six ou sept Aléoutes, chacun dans son kayak, chacun avec son « chapeau azazrouk », visière en avant, plumes penchées, fonçait sur l'océan, le spectacle était inoubliable ; plus tard, quand les peintres européens qui accompagnaient les explorateurs en firent des dessins, ces chapeaux devinrent le symbole de l'Arctique.

L'autre apport du chaman à sa civilisation fut encore plus durable. Les enfants nés à Lapak ne cessaient de le harceler pour qu'il leur raconte les légendes passionnantes de l' « autre pays » d'où venait le clan. Il en parlait toujours comme de la Grande Terre, et effectivement, avec ses glaciers et sa collection fascinante d'animaux, c'était un pays magnifique. L'abandonner avait représenté pour la tribu une défaite désolante. Avec le passage du temps, les deux mots finirent par représenter l'héritage perdu. Le Grand-Pays se trouvait à l'est, au-delà du chapelet d'îles, et constituait un noble souvenir.

L'expression aléoute pour Grand-Pays était Alaxsxaq. Quand les Européens arrivèrent aux îles Aléoutiennes, leur première escale dans cette région de l'Arctique, ils demandèrent aux gens comment s'appelaient les terres de l'Est. Ils répondirent « Alaxsxaq », et dans les langues européennes, cela devint Alaska.

4

Les explorateurs

Le jour de l'an 1723, à Iakoutsk, point extrême de l'empire russe en Sibérie, un cosaque d'Ukraine de taille gigantesque, révolté par les exactions du gouverneur, lui trancha la gorge.

Sur-le-champ six jeunes fonctionnaires — car trois n'y auraient pas suffi — s'emparèrent de lui, l'entravèrent et le ligotèrent à un poteau sur la place d'armes, en face du fleuve — la Lena. Après dix-neuf coups de knout sur son dos nu, on lui lut la sentence :

> *Trophime Jdanko, cosaque au service du tsar Pierre (que le Ciel protège son auguste vie!), vous serez transporté dans les fers à Saint-Pétersbourg pour y être pendu.*

Le lendemain à sept heures du matin, des heures avant le lever du jour à cette latitude nordique, un peloton de seize soldats partit pour la capitale de la Russie, située à plus de six mille cinq cents kilomètres à l'ouest. Au bout de trois cent vingt jours de voyage fort difficile à travers les solitudes désertiques dépourvues de pistes de la Sibérie et de la Russie centrale, ils parvinrent à ce qui passait pour de la civilisation : Vologda, où des messagers rapides galopèrent en avant-garde pour informer le tsar de ce qu'il était advenu de son gouverneur à Iakoutsk. Six jours plus tard, le peloton livra son prisonnier, toujours dans les fers, à une prison humide. Le gardien qui referma la porte de son cachot sans lumière lui lança :

— On sait tout sur toi, Jdanko. Vendredi matin, la corde!

Mais à dix heures et demie le lendemain soir, un homme encore plus grand et plus redoutable que le cosaque sortit d'une demeure imposante des rives de la Neva et sauta dans une voiture à deux chevaux qui l'attendait. Quoique emmitouflé de fourrures, il était nu-tête et le vent glacé de novembre ébouriffa son épaisse tignasse. Dès qu'il s'assit, quatre cavaliers armés jusqu'aux dents prirent place à l'avant et à l'arrière de la voiture, car il s'agissait de Pierre Romanov, tsar de toutes les Russies, destiné à rester dans les mémoires avec l'épithète de Grand.

— À la prison des quais! lança-t-il.

Le cocher s'engagea dans les ruelles verglacées et le tsar se pencha pour lui crier :

— Content qu'on ne soit pas au printemps, hein ? Tu serais dans la boue jusqu'au moyeu.

— Si c'était le printemps, Sire, répliqua l'homme avec un soupçon de familiarité nettement perceptible dans la voix, nous ne passerions pas par ces bourbiers.

— Ravale ce mot-là, lança le tsar. L'an prochain, ce seront des rues pavées.

Quand la voiture arriva devant la prison, que Pierre avait installée sagement près des quais, où il savait que des marins de tous les pays maritimes d'Europe ne manqueraient pas de se quereller, il sauta de voiture avant que la garde ait le temps de former les rangs, se dirigea d'un pas vif vers le portail barricadé et frappa à grand bruit. Il se passa du temps avant que la sentinelle somnolente se hisse de son lit en grommelant et passe le nez au guichet minuscule, placé au centre de la lourde porte.

— Qu'est-ce que c'est que ce boucan ? À une heure pareille !

Pierre, sans montrer le moindre déplaisir de se voir retardé par le garde-chiourme, annonça en souriant :

— Le tsar Pierre.

La sentinelle, invisible derrière son guichet, ne trahit aucun étonnement ; il savait depuis longtemps que le souverain faisait souvent de ces visites surprises.

— J'ouvre tout de suite, Sire !

Bientôt les portes grincèrent sur leurs gonds. Quand elles furent assez écartées pour que la voiture puisse passer, le cocher fit signe à Pierre de sauter derrière lui et entra dans la cour de prison à grand fracas — déjà le souverain s'éloignait à larges enjambées en appelant à tue-tête le chef des geôliers.

Le bruit avait réveillé les détenus longtemps avant que les gardes-chiourme ne se secouent, et dès qu'ils virent qui leur rendait visite à cette heure tardive, ils se mirent à le bombarder de leurs réclamations.

— Sire, on m'a enfermé contre toute justice !

— Sire, attention à votre canaille de gouverneur de Tobolsk. Il m'a volé mes terres.

— Tsar Pierre, justice !

Sans un regard pour les criminels qui criaient, mais en notant mentalement leurs accusations contre tel ou tel représentant de son gouvernement, il se dirigea directement vers la lourde porte de chêne qui barricadait l'entrée principale du bâtiment. Il frappa impatiemment avec le heurtoir de fer, tandis que la sentinelle de l'entrée, en pantoufles, criait à pleins poumons.

— Mitrofan ! Mitrofan ! C'est le tsar.

Aussitôt Pierre entendit les échos d'une activité fébrile derrière les portes massives construites en bois qu'il avait importé d'Angleterre.

Moins d'une minute plus tard, le geôlier Mitrofan avait fait ouvrir la porte et s'inclinait très bas.

— Sire, je suis impatient d'obéir à vos ordres.

— Tu as intérêt ! lança l'empereur en donnant à son fonctionnaire une claque sur l'épaule. Fais-moi chercher le cosaque Trophime Jdanko.

— Je l'amène où, Sire ?

— Dans la pièce rouge en face de ton bureau.

Certain que son ordre serait promptement exécuté, il se dirigea sans escorte vers la pièce dont il avait ordonné lui-même la construction quelques mois auparavant. Elle n'était pas grande, car en ces premières années de sa nouvelle capitale, Pierre l'avait conçue exactement pour l'usage qu'il allait en faire. Elle ne contenait qu'une table et trois chaises. Cela suffisait pour les interrogatoires : une chaise derrière la table pour le responsable, une autre à côté de la table pour le secrétaire qui notait les réponses et la troisième en face pour ce détenu, assis avec la lumière de la fenêtre tombant sur ses yeux. Pour les interrogatoires de nuit, la lumière viendrait d'une lampe à huile de baleine accrochée au mur derrière la tête du policier. Pour donner au cadre le caractère solennel exigé par le but poursuivi, Pierre avait fait peindre les murs d'un rouge sinistre.

En attendant la venue du prisonnier, Pierre déplaça les meubles, car il ne voulait pas souligner le fait que Jdanko était un détenu. Sans solliciter d'aide, il avança la table vers le centre, plaça une chaise d'un côté et les deux autres en face. Puis il se mit à faire les cent pas, sans parvenir à maîtriser son énergie débordante. Quand il entendit des pas dans le couloir de pierre, il essaya de se rappeler le cosaque rebelle qu'il avait jadis condamné à la prison : un énorme Ukrainien moustachu, de la même taille que lui, envoyé à Iakoutsk à sa libération de prison pour assurer la police militaire et faire appliquer les ordres du gouverneur civil ; un excellent soldat avant tous ces ennuis, et au souvenir de ces jours meilleurs, le tsar grommela :

— Encore heureux qu'ils ne l'aient pas pendu là-bas.

Le loquet grinça et la porte s'ouvrit devant Trophime Jdanko, un mètre quatre-vingt-huit, épaules larges, cheveux noirs, fière moustache tombante, immense barbe qui pointait en avant quand son possesseur avançait le menton pour défendre un argument. À la sortie de la cellule, au milieu des gardiens, le geôlier lui avait appris l'identité de son visiteur nocturne, et dès qu'il entra, le grand cosaque, toujours dans ses fers, s'inclina très bas et dit sans humilité excessive mais avec un respect sincère :

— Sire, vous me faites honneur.

Pendant un instant, le tsar Pierre, qui détestait les barbus et avait envisagé de les interdire dans son empire, dévisagea son visiteur hirsute d'un œil sombre. Puis il sourit.

— Geôlier Mitrofan, vous pouvez lui enlever ses fers.

— Mais, Sire, c'est un assassin !

— Les fers ! rugit Pierre.

Et quand ils tintèrent sur les dalles de pierre, il ajouta d'une voix douce :

— Maintenant, Mitrofan, vous allez sortir avec les gardiens.

Comme l'un de ceux-ci hésitait visiblement à laisser le tsar seul avec ce criminel notoire, Pierre gloussa de rire, se rapprocha du cosaque et lui lança une bourrade dans le bras.

— Je me suis toujours bien entendu avec ce gars-là.

Les autres se retirèrent.

Après leur départ, Pierre fit signe au cosaque de prendre une des deux chaises, puis il s'assit sur la chaise d'en face, posa les coudes presque au milieu de la table et dit :

— Jdanko, j'ai besoin de ton aide.

— Elle vous est acquise depuis toujours, Sire.

— Mais cette fois, je ne veux pas que tu assassines mon gouverneur.

— Il ne valait rien, Sire. Il vous a volé au moins autant qu'à moi.
— Je le sais. Mais les rapports sur ses détournements ont mis beaucoup de temps à me parvenir. Je ne les ai reçus que le mois dernier.
Jdanko fit la grimace, puis avoua :
— Pour un homme innocent, le voyage de Iakoutsk à Saint-Pétersbourg dans les fers n'est pas une partie de plaisir.
Pierre éclata de rire.
— Si quelqu'un était capable d'en réchapper, c'était bien toi... Je t'avais envoyé en Sibérie, reprit-il d'un ton grave, en pensant qu'un jour j'aurais besoin de toi là-bas. Ce moment est venu.
Il se tut et sourit au colosse, qui posa les deux mains sur la table, très écartées, et regarda le tsar droit dans les yeux.
— Eh bien ? demanda-t-il.
Pierre ne répondit pas. Il se mit à se balancer d'avant en arrière, visiblement troublé par un sujet trop ardu pour une explication simple. Sans quitter le cosaque des yeux, il posa enfin la première question importante.
— Puis-je encore te faire confiance ?
— Vous connaissez la réponse, dit Jdanko sans humilité ni équivoque.
— Peux-tu garder des secrets importants ?
— On ne m'en a jamais confié. Mais... Oui, je suppose.
— Tu n'en es pas sûr ?
— Je n'ai jamais été mis à l'épreuve sur ce point.
Comprenant que cela pouvait passer pour de l'impudence, il se hâta d'ajouter d'une voix ferme :
— Oui, si vous m'ordonnez de me taire. Oui.
— Jure de ne rien répéter.
— Je le jure.
Pierre, satisfait de cette promesse, se leva brusquement, s'élança vers la porte et l'ouvrit pour crier dans le couloir :
— Apportez-nous de la bière. De l'allemande.
Et quand le geôlier Mitrofan entra avec un pichet de bière brune et deux chopes, il trouva le cosaque condamné à mort et le tsar assis côte à côte au milieu de la pièce comme deux amis, la table derrière eux.
Après une longue gorgée de bière, Jdanko avoua :
— C'est la première depuis un an !
Puis Pierre lança la conversation sur le sujet qui occuperait le plus clair de son temps au cours des mois à venir, et tout le temps de Jdanko pendant le reste de ses jours.
— Je suis très inquiet pour la Sibérie, Trophime.
Pour la première fois, il l'appelait par son prénom, et tous les deux en comprirent l'importance.
— Ces chiens de Sibériens sont difficiles à mater, répondit le cosaque. Mais ce sont des toutous comparés aux Tchouktches de la péninsule.
Le tsar se pencha en avant.
— Ce sont ces Tchouktches qui m'intéressent. Raconte.
— J'en ai rencontré deux fois ; les deux fois, ils m'ont battu. Mais je suis sûr qu'on peut en venir à bout si l'on sait s'y prendre.
— Qui sont-ils ?
Le tsar temporisait. Les qualités de combattants de ces Tchouktches perchés tout au bout de son empire ne l'intéressaient guère. Chaque groupe ethnique rencontré par ses soldats et ses administrateurs dans

leur avancée irrésistible vers l'est s'était avéré difficile au début, mais soumis dès que l'on installait un gouvernement solide et appliquait résolument la force. Les Tchouktches feraient de même, à n'en pas douter.

— Je vous l'ai signalé dans mon premier rapport : ils sont plus proches des Chinois, je veux dire par leur physique et leurs coutumes, que de vous les Russes, ou de nous les Ukrainiens.

— Mais ils ne sont pas les alliés des Chinois, j'espère ?

— Aucun Chinois ne les a jamais vus. Et pas beaucoup de Russes non plus. Votre gouverneur... (légère hésitation) celui qui est mort... avait une peur bleue des Tchouktches.

— Mais tu es allé au milieu d'eux ?

Jdanko fut tenté de jouer au héros, mais se retint.

— Deux fois, Sire. Mais sans l'avoir choisi.

— Raconte-moi. Si tu m'en as fait le rapport, j'ai oublié les détails.

— Je ne vous l'ai pas mentionné, Sire, parce que je ne m'en suis guère sorti à mon honneur.

Dans la pièce silencieuse, à minuit passé, il raconta au tsar ses deux tentatives de s'embarquer vers le nord à partir de sa base de Iakoutsk, sur la rive gauche de la grande Lena, le plus grand fleuve de l'est. La première fois, il avait échoué à cause de l'opposition des tribus sibériennes hostiles qui infestaient la région.

— Que peux-tu me dire de la Lena ?

— Un fleuve majestueux, Sire. Vous a-t-on parlé des bouches de la Lena ? Peut-être cinquante bras différents se jettent dans le Grand Océan du Nord. Un véritable désert d'eau. Je m'y suis perdu.

— Mais tu n'as sans doute jamais rencontré un seul Tchouktche sur la Lena et ses cinquante embouchures, n'est-ce pas ? demanda Pierre doucement, avant d'ajouter, d'un ton hésitant : À ce que j'ai appris, les Tchouktches se trouveraient beaucoup plus à l'est.

Jdanko mordit à l'appât.

— Oh, oui ! Sur la péninsule. Où s'arrête la terre. Où finit la Russie.

— Comment sais-tu ça ?

Le cosaque se pencha en arrière pour prendre sa bière sur la table, puis se tourna vers Pierre et avoua :

— Je ne l'ai dit à personne, Sire. La plupart des gens impliqués sont morts. Vos fonctionnaires de Iakoutsk, et ce maudit gouverneur, ne s'intéressaient pas à ça, comme si mes découvertes n'avaient aucune valeur. Je suis à peu près sûr qu'aucun de nos hommes de Saint-Pétersbourg ne s'y serait intéressé non plus. Vous êtes le premier Russe qui s'en soucie. Et je sais exactement pourquoi vous êtes venu ce soir.

— Ah bon ? Et pourquoi suis-je ici, Jdanko ? demanda Pierre en souriant aimablement, nullement offensé par cette sortie intempestive contre ses administrateurs.

— Vous croyez que je sais quelque chose d'important sur ces terres de l'Est.

— Oui, je soupçonne depuis un certain temps qu'au cours de ton périple sur le fleuve au nord de Iakoutsk, tu ne t'es pas contenté de descendre la Lena jusqu'à ses nombreuses embouchures, comme l'indique ton rapport.

— Où croyez-vous que je suis allé ? demanda Jdanko comme s'il s'agissait d'un jeu.

— Je pense que tu es sorti sur l'océan du Nord et que tu as navigué vers l'est jusqu'à l'autre fleuve.

— La Kolyma, oui. Et j'ai découvert qu'elle se jetait dans l'océan par plusieurs embouchures.

— Je l'ai appris par d'autres, qui y sont allés, répondit le tsar comme s'il commençait à s'ennuyer.

— Mais personne n'y était parvenu par la mer, lança Trophime sèchement.

Pierre éclata de rire.

— C'était au cours d'un deuxième voyage, dont je me suis bien gardé de parler à votre méprisable gouverneur...

— Tu as réglé son compte. Laissons son âme en paix.

— Et j'ai donc rencontré les Tchouktches.

Les mains de Pierre se mirent à trembler, car la révélation du cosaque permettrait peut-être de répondre aux questions lancinantes que l'on se posait dans les cercles érudits de Paris, Amsterdam et Londres, sans parler bien entendu de Moscou. Les meilleurs géographes du monde, des hommes qui rêvaient rarement, avaient donné au tsar deux versions différentes de ce qui se trouvait dans l'angle nord-est de son empire, dans des confins ensevelis sous le brouillard et figés plus de la moitié de l'année sous d'immenses gâteaux de glace.

— Sire, lui avait-on appris à Paris, au niveau du cercle polaire arctique et juste au-dessous, votre Russie est reliée à l'Amérique du Nord par une bande de terre ininterrompue. L'espoir de trouver un passage maritime de la Norvège au Japon autour de la pointe orientale de la Sibérie est vain. Dans le Grand Nord, l'Asie et l'Amérique ne forment qu'une seule terre.

Mais à Amsterdam et à Londres, on avait essayé de le persuader du contraire.

— Sire, retenez nos paroles. Si vous trouvez des navigateurs assez courageux pour partir d'Arkhangelsk, dépasser la Nouvelle-Zemble et les bouches de la Lena...

Il ne les avait pas interrompus, ne désirant pas révéler que c'était déjà accompli.

— ... vous découvrirez qu'ils pourront, s'ils le souhaitent, continuer de la Lena vers la Kolyma puis contourner le dernier cap et redescendre tout droit vers le Japon. La Russie et l'Amérique sont séparées par une mer. Et cette mer doit être navigable en été.

Après ses voyages historiques en Europe et son séjour dans un chantier naval de Hollande, Pierre avait accumulé pendant des années tous les éléments d'information qu'il avait pu glaner dans les récits de voyage plus ou moins fantaisistes et les rumeurs, ainsi que les preuves solides et les spéculations astucieuses des géographes et des philosophes. En cette année 1723, il avait fini par se convaincre qu'il existait bien un passage océanique ouvert une grande partie de l'année entre ses possessions de l'Est et l'Amérique du Nord. Sûr de son fait, il s'intéressait maintenant à d'autres aspects du problème, et pour les résoudre, il lui fallait en savoir plus long sur les Tchouktches et le pays inhospitalier où ils vivaient.

— Parle-moi de ton second voyage, Jdanko. Celui où tu as rencontré les Tchouktches.

— Cette fois-là, en arrivant aux bouches de la Kolyma, je me suis demandé : « Au-delà, quoi ? » J'ai navigué par beau temps de longs jours, grâce à un habile batelier sibérien, un homme sans peur. Pas plus que moi il ne comprend les étoiles et nous ne savons donc pas jusqu'où nous sommes allés. Mais je sais une chose : nous étions très au nord du cercle polaire, parce que pendant tout ce temps le soleil ne s'est pas couché une seule fois.

— Et qu'as-tu trouvé ?

— Un cap, puis les côtes tournent brusquement vers le sud. Et quand nous avons essayé d'accoster nous sommes tombés sur ces maudits Tchouktches.

— Que s'est-il passé ?

— Ils nous ont repoussés. Deux fois. En batailles rangées. Et si nous avions essayé de débarquer à tout prix, je suis sûr qu'ils nous auraient tués.

— Tu n'as pas pu parler avec eux ?

— Non. Mais ils étaient prêts à faire du commerce avec nous et ils connaissaient la valeur de ce que nous avions.

— Tu leur as posé des questions ? Par signes, je veux dire.

— Oui. Ils nous ont répondu que la mer continuait sans fin vers le sud ; mais qu'il y avait des îles juste au-delà des brouillards.

— Tu es allé dans ces îles ?

— Non.

Le tsar ne put dissimuler sa déception et le cosaque lui rappela :

— Sire, nous étions très loin de chez nous... dans un petit bateau, et nous ne pouvions pas deviner où se trouvaient ces îles. Pour vous dire la vérité, nous avons eu peur.

Le tsar Pierre se sentait obligé de connaître la situation dans toutes les parties du vaste domaine dont il était empereur. Il ne répondit pas à cet aveu sincère d'échec et de frayeur, mais après une longue gorgée de bière, il dit :

— Je me demande ce que j'aurais fait à ta place.

— Qui sait ?

Jdanko haussa les épaules, et Pierre se félicita que le cosaque ne se soit pas écrié « Oh, Sire, je suis sûr que vous auriez continué », car lui-même n'en était pas si certain. Un jour, pendant la traversée de Hollande en Angleterre, il avait été pris par une furieuse tempête de la mer du Nord et il comprenait qu'un homme dans un petit bateau puisse être saisi de peur.

Puis il frappa dans ses mains, se leva et se remit à arpenter la pièce.

— Écoute, Jdanko. Je sais déjà que la Russie et l'Amérique du Nord ne se touchent pas. Et je veux faire quelque chose à ce sujet, mais dans l'avenir, pas pour l'instant.

L'interrogatoire semblait terminé, le tsar prêt à repartir pour son palais encore inachevé et le cosaque vers le gibet. Jdanko, qui se battait pour sa vie, tendit hardiment le bras et saisit la manche droite de Pierre, en veillant bien à ne pas toucher sa personne.

— Au cours des échanges avec les Tchouktches, Sire, j'ai obtenu deux choses susceptibles de vous intéresser.

— Lesquelles ?

— Franchement, Sire, je désirerais les échanger contre ma liberté.

— Je suis venu ici ce soir pour te rendre ta liberté. Tu quitteras ces lieux et logeras au palais, près de mes appartements.

Jdanko se leva et les deux colosses se dévisagèrent droit dans les yeux. Un grand sourire illumina le visage du cosaque.

— Dans ce cas, Sire, je vais vous donner mes secrets sans rien réclamer, et avec reconnaissance.

Il se baissa pour baiser l'ourlet du manteau doublé de fourrure de son souverain.

— Où sont-ils donc, ces secrets ? demanda Pierre.
— Je les ai fait sortir en douce de Sibérie ; ils sont cachés chez une femme que j'ai connue dans le temps.
— Faut-il aller chez elle cette nuit ?
— Cela en vaut la peine.
Sur ces mots, Trophime Jdanko laissa ses fers sur les dalles de la prison, accepta la cape de fourrure que le tsar ordonna au geôlier de lui donner, franchit la porte de chêne aux côtés de Pierre et monta dans la voiture qui attendait tandis que les quatre cavaliers en armes se mettaient en place pour les protéger.
Ils quittèrent les quais du fleuve, où Jdanko put voir les charpentes nues de nombreux bateaux en construction, mais avant de parvenir au quartier du palais ils tournèrent brusquement le dos à la Neva. Dans l'obscurité de deux heures du matin, ils trouvèrent une ruelle misérable et s'arrêtèrent devant une masure protégée par une porte sans gonds. L'occupant à moitié endormi, quand il finit par ouvrir les yeux, apprit à Jdanko :
— Elle a déménagé l'an dernier. Vous la trouverez trois rues plus loin, la maison à la porte verte.
Une fois là-bas, ils apprirent que la brave Maria avait bien gardé le paquet précieux que le prisonnier Jdanko lui avait envoyé de Iakoutsk. Elle n'exprima ni surprise ni plaisir en reconnaissant son ami Trophime, et pour une excellente raison : en voyant les soldats, elle prit le grand bonhomme à côté de Jdanko pour un policier quelconque, chargé d'arrêter le cosaque accusé d'avoir volé le contenu du paquet.
— Tenez, murmura-t-elle en remettant un baluchon graisseux entre les mains du tsar.
Puis, à Jdanko :
— Je suis désolée, Trophime. J'espère qu'ils ne te pendront pas.
Le tsar, impatient, ouvrit le paquet. Il contenait deux peaux, d'environ un mètre cinquante chacune, avec la fourrure la plus douce, la plus fine et la plus solide qu'il eût jamais vue. Elle était d'un marron qui luisait dans la faible lumière, et chaque poil semblait plus long que ceux des peaux qu'il connaissait, bien que les marchands lui apportassent seulement les plus belles. C'étaient les peaux des précieuses loutres de mer qui habitaient les eaux glacées à l'est du pays des Tchouktches. Ces deux peaux étaient les premières qui parvenaient dans le monde occidental. Dès l'instant où il examina ces fourrures remarquables, Pierre apprécia leur valeur et se représenta aussitôt l'immense importance qu'elles prendraient dans les capitales d'Europe si l'on pouvait en fournir des quantités suffisantes.
— Excellent, dit Pierre en se tournant vers le capitaine de ses gardes. Dis à cette femme qui je suis et donne-lui quelques roubles pour la remercier de les avoir gardées.
Quand l'officier lui remit les pièces d'or, Maria tomba à genoux et embrassa les bottes du tsar.
Ce geste ne mit pas fin à cette nuit extraordinaire, car avant même que la femme ne se relève, Pierre cria à un des gardes :
— Va le chercher !
Sans attendre le retour de l'homme, le tsar força un Jdanko stupéfait à s'asseoir sur l'unique chaise du taudis. Le garde apporta un long rasoir à l'air meurtrier.
— Aucun homme, Jdanko ! cria le tsar. Aucun, même pas toi, ne logera dans mon palais avec une barbe.

Et sans attendre, à grands coups qui arrachaient au passage de grosses plaques de peau, il entreprit de soulager le cosaque de sa barbe.

Trophime ne protesta pas : en tant que sujet du tsar, il savait que la loi lui interdisait de porter la barbe ; et en tant que cosaque, il n'était pas question qu'il fasse la grimace quand le rasoir mal affûté arrachait la racine des poils ou lui coupait le visage. Stoïque, il ne bougea pas jusqu'à la fin du rasage, puis se leva, essuya le sang sur son nouveau visage, et dit :

— Sire, accrochez-vous au trône. Parce que vous ne ferez jamais un bon coiffeur.

Pierre lança le rasoir à un garde, qui le laissa tomber par terre plutôt que de se couper. Posant le bras autour des épaules du cosaque éberlué, le tsar l'entraîna vers leur voiture.

La découverte d'une merveilleuse fourrure nouvelle dans les confins orientaux de la Sibérie ne détourna nullement Pierre le Grand de ses principales intentions pour cette région. Bien entendu, il demanda à son tailleur, un Français appelé Des Arbes, de monter ces fourrures sur trois de ses tenues de cérémonie, mais il les oublia vite, car il s'intéressait avant tout aux frontières de la Russie, à ses relations avec ses voisins, et à sa sécurité dans l'avenir. Parfois, le sang lui montait soudain à la tête comme pour le prévenir que, malgré sa force, il demeurait mortel. Il se concentrait alors sur les trois ou quatre grands projets nécessitant toute son attention. La Russie n'avait encore aucun port de mer digne de ce nom, et surtout aucun port en eaux chaudes. Les relations avec le puissant Empire ottoman n'étaient pas bonnes. L'administration même de la Russie laissait beaucoup à désirer, surtout dans les régions éloignées de Saint-Pétersbourg, où une lettre d'instructions mettait parfois huit mois à arriver ; si le destinataire se montrait négligent, la réponse ne parvenait parfois à la capitale que deux ans plus tard. Le réseau routier était lamentable sur tout le territoire, en dehors d'une route passable entre les deux plus grandes villes. Et quant à l'Est, au-delà de l'Oural, personne dans l'entourage du pouvoir ne semblait savoir ce qu'il s'y passait.

Si importantes que fussent les fourrures — et une bonne partie de la richesse russe provenait des trappeurs du désert sibérien — la découverte providentielle des magnifiques loutres de mer dans les eaux voisines du pays des Tchouktches ne provoqua pas une action immédiate. Pierre le Grand avait appris au cours de son séjour en Europe occidentale que son pays serait confronté en Extrême-Orient à deux dangers potentiels : la Chine d'une part, et de l'autre la puissance européenne qui allait s'emparer de la côte ouest de l'Amérique du Nord. Il savait déjà que l'Espagne, par l'intermédiaire du Mexique, avait solidement pris pied sur la région de l'Amérique tournée vers l'océan Pacifique ; personne ne contestait son autorité au sud, jusqu'au cap Horn. En étudiant les cartes à sa disposition, de plus en plus complètes chaque année, Pierre voyait très bien que si l'Espagne tentait d'étendre son domaine d'influence vers le nord, comme elle le ferait probablement, elle finirait par entrer en conflit avec les intérêts russes. Il s'intéressait donc beaucoup à ses agissements.

Mais avec l'intuition qui assiste souvent les grands hommes, surtout quand ils portent la responsabilité d'une patrie, il prévoyait que d'autres nations, devenues plus puissantes que l'Espagne, chercheraient également à étendre leur pouvoir sur la côte Pacifique de l'Amérique du Nord. Si la France ou l'Angleterre, installées l'une et l'autre sur la côte Atlantique, décidaient de pousser vers l'ouest, la Russie risquait de subir des pressions de ces pays à la fois sur sa frontière occidentale d'Europe et sur sa frontière orientale du Pacifique.

Pierre adorait les bateaux, avait navigué et croyait que si sa vie avait évolué différemment il aurait fait un bon capitaine au long cours. La possibilité que possèdent les bateaux de naviguer librement sur les eaux du monde ne laissait pas de le fasciner. Il était sur le point de réaliser son grand dessein : faire de la Russie une puissance maritime européenne ; et cette décision avait valu de tels avantages à son empire qu'il envisageait de construire une flotte en Sibérie si les conditions le permettaient. Encore fallait-il d'abord qu'il connaisse ces conditions.

Il passa donc beaucoup de temps à étudier une vaste entreprise destinée à lancer un vaisseau russe de construction robuste dans les eaux sibériennes, avec mission d'explorer la région, non dans un but précis, mais pour réunir toutes les informations générales dont peut avoir besoin le souverain d'un empire pour prendre des décisions sages. Sur la question vitale du lien continental entre la Sibérie et l'Amérique du Nord, son opinion était faite, mais il possédait dans la région des intérêts commerciaux considérables. Il avait déjà établi des échanges profitables avec la Chine par voie de terre, et il voulait savoir si la voie de mer ne serait pas plus avantageuse. Il aurait aimé commercer avec le Japon à n'importe quelle condition, car les rares produits en provenance de ce pays mystérieux qui parvenaient en Europe étaient d'une telle qualité que le Japon le passionnait autant qu'il intriguait les autres puissances. Surtout, il avait envie de savoir ce que manigançaient l'Espagne, l'Angleterre et la France dans cet océan important, avant de déterminer ce qu'elles seraient en mesure de faire un jour. Quatre-vingts ans plus tard, le président américain Thomas Jefferson — qui ressemblait sur bien des plans au tsar Pierre — se poserait à peu près les mêmes questions au sujet de ses possessions récemment acquises le long du Pacifique.

Quand ses idées parvinrent à l'état d'écume neigeuse — étape qui précède souvent la réflexion la plus constructive —, il fit venir ce sacré cosaque en qui il avait confiance, cet homme rude et illettré qui semblait en savoir sur la Sibérie bien plus que les administrateurs diplômés envoyés là-bas pour gouverner. Après quelques joutes préliminaires pour vérifier l'énergie et l'intérêt de Jdanko, il parvint à une conclusion favorable.

— Trophime, tu as vingt-deux ans, un âge magnifique. C'est le moment où l'homme parvient à son sommet. Par Dieu, j'aimerais avoir encore vingt-deux ans.

Il fit signe à Jdanko de s'asseoir à côté de lui sur le banc et continua.

— J'ai l'intention de te renvoyer à Iakoutsk. Et peut-être plus loin. Peut-être jusqu'au Kamtchatka.

— Placez-moi sous un meilleur gouverneur cette fois, Sire.

— Tu ne seras sous aucun gouverneur.

— Sire, que puis-je faire tout seul ? Je ne sais ni lire ni écrire.

— Tu ne seras pas seul.

Le cosaque se leva.

— Je ne comprends pas.

— Tu seras sur un bateau. Placé sous le commandement du meilleur marin que nous pourrons trouver.

Sans laisser à Trophime le temps d'exprimer sa surprise, le tsar s'anima, le ton monta, il se mit à agiter les bras.

— Tu iras à Tobolsk recruter des charpentiers. À Ienisseisk tu prendras des hommes qui savent travailler le goudron. Puis à Iakoutsk, où tu connais tout le monde, tu pourras choisir des hommes que tu conduiras à Okhotsk. C'est là que tu construiras ton bateau. Un gros. Je te donnerai les plans...

— Sire, coupa Jdanko, je ne sais pas lire.

— Tu apprendras. À partir d'aujourd'hui. Et tu ne révéleras à personne pourquoi tu apprends. Je veux que tu prennes un emploi sur les quais. Dans les chantiers de construction navale...

— Je ne m'y connais guère en bois.

— Ne perds pas ton temps avec le bois. Écoute, juge, compare. Tu seras mes yeux et mes oreilles.

— À quelle fin ?

— Pour me conseiller. Je veux choisir le meilleur de tous. Un homme qui connaît vraiment les bateaux. Qui sait mener les hommes. Et surtout, Jdanko, il faut qu'il soit aussi brave que toi.

Le cosaque ne répondit pas. Il n'essaya pas de jouer la fausse modestie et de nier sa bravoure, car c'était son audace, en Ukraine, qui avait attiré l'attention du tsar sur lui lorsqu'il avait quinze ans. Et Pierre savait que pour un homme ne connaissant rien à la mer, descendre la Lena et longer la côte jusqu'au pays des Tchouktches, puis en revenir sain et sauf, représentait un sacré courage.

Prenant le bras de Jdanko, le tsar s'écria :

— J'aimerais être le capitaine de ce bateau, avec toi pour commander les troupes. Nous partirions de la côte du Kamtchatka, où qu'elle soit, et nous naviguerions jusqu'en Amérique.

Trophime passa donc ses journées à travailler dans le chantier naval, et ses nuits à apprendre à lire. Il découvrit que la plupart des constructions navales entreprises à Saint-Pétersbourg — et il y en avait des quantités — n'étaient pas dirigées par des Russes mais par des hommes compétents venus d'autres pays d'Europe. Le précepteur à qui on l'avait confié, Soderlein, était originaire d'Heidelberg, en Allemagne, comme deux des docteurs en médecine de la cour. L'enseignement des mathématiques se trouvait entre les mains de brillants professeurs de Paris. Des érudits d'Amsterdam et de Londres écrivaient des livres sur toutes sortes de sujets. L'astronomie, à laquelle Pierre s'intéressait beaucoup, était représentée par des savants éminents de Lille et de Bordeaux. Et chaque fois qu'il fallait trouver des solutions pratiques à des problèmes précis, Trophime découvrit aux postes clés des Anglais et des Écossais — surtout ces derniers. C'étaient eux qui dessinaient les plans des bateaux, construisaient les escaliers à double révolution des palais, enseignaient aux paysans les soins à donner aux animaux, géraient les finances. Un jour où Pierre et Trophime discutaient de l'expédition encore brumeuse vers l'est, le tsar expliqua au cosaque :

— Pour les idées, adresse-toi aux Français et aux Allemands. Mais pour l'action, engage un Anglais ou un Écossais.

Un jour où Jdanko apporta des lettres à l'Académie de Moscou, il la trouva peuplée de Français et d'Allemands ; et le portier qui lui fit visiter les salles récemment aménagées lui chuchota :

— Le tsar s'est payé les hommes les plus intelligents de l'Europe. Ils sont tous ici.

— Et qu'est-ce qu'ils font ? demanda Trophime en serrant son paquet.

— De la pensée.

Au cours du deuxième mois de son éducation, Jdanko apprit autre chose sur son tsar : les Européens, surtout les Français et les Allemands, faisaient peut-être « de la pensée ». Mais Pierre et un groupe de Russes comme lui faisaient « du gouvernement ». Ils contrôlaient les capitaines, indiquaient où irait l'armée et quels bateaux seraient construits. Pas d'erreur possible, c'étaient eux qui gouvernaient la Russie. Cela lui posait des problèmes, car s'il devait aider le tsar à choisir le marin qui commanderait la vaste expédition du Pacifique, il se sentait obligé de trouver un Russe capable de diriger une entreprise de cette ampleur. Or, plus il étudiait les hommes sur les quais, plus il écoutait de rapports à leur sujet, plus il comprenait qu'aucun Russe n'aurait les compétences nécessaires. Il n'osait pas l'avouer à Pierre, mais le jour où le tsar lui demanda où en était son enquête, il dut se résoudre à dire la vérité.

— Je vois deux Allemands, un Suédois et un Danois qui feraient l'affaire. Mais les Allemands, avec leurs façons hautaines, ne pourraient pas s'imposer à des Russes comme moi, et le Suédois s'est battu contre nous trois fois dans les guerres de la Baltique avant de passer dans notre camp.

— Nous avions coulé tous ses bateaux, lança Pierre en riant. S'il voulait continuer d'être marin, il fallait bien qu'il vienne chez nous. Tu parles de Lundberg, n'est-ce pas ?

— Oui. Il est très bien. Si vous le choisissez, je lui ferai confiance.

— Et qui est le Danois ? demanda Pierre.

— Le capitaine de deuxième rang Vitus Béring. Ses hommes disent du bien de lui.

— Moi aussi, répondit le tsar, et l'on en resta là.

Mais une fois seul, Pierre passa de longues heures à vérifier ce qu'il savait de Béring : « Rencontré il y a vingt ans quand notre flotte d'entraînement s'est arrêtée en Hollande. Nos amiraux avaient tellement besoin d'hommes connaissant la mer qu'ils l'ont nommé sous-lieutenant sans examen. Un bon choix, car il a gravi rapidement les échelons ; capitaine de quatrième-rang, puis de troisième et de deuxième-rang. Bien combattu pendant notre guerre contre la Suède. »

Plus jeune que Pierre de huit ans, Béring avait pris sa retraite, avec honneur, au début de 1724, et s'était installé dans le magnifique port finnois de Vyborg, où il espérait passer le restant de ses jours entre son jardin et le spectacle des vaisseaux qui remontaient le golfe de Finlande vers Saint-Pétersbourg. À la fin de l'été de la même année, on le convoqua en Russie pour une audience avec le tsar.

— Vitus Béring, jamais je n'aurais dû vous autoriser à prendre votre retraite. Nous avons besoin de vous pour une entreprise extrêmement importante.

— Votre Majesté, j'ai quarante-quatre ans. Je m'occupe de mon jardin, plus des bateaux.

— Vous plaisantez ! Si l'on n'avait pas besoin de moi ici, je partirais à votre place.

— Mais vous êtes un homme spécial, Votre Majesté.

Béring disait la vérité. Il était lui-même de petite taille, tout rond avec des joues roses, une bouche tordue et des cheveux qui lui tombaient sur les yeux ; mais Pierre mesurait presque quarante centimètres de plus que lui et possédait une présence imposante faisant totalement défaut au capitaine. Le Danois, lent mais compétent, du type bouledogue, était parvenu à son grade élevé davantage par sa détermination farouche que par des qualités manifestes de chef. C'était ce que les marins anglais appellent volontiers un « chien de mer » : quand ils ont planté les dents dans une proie, rien ne peut les faire renoncer.

— Vous êtes spécial vous aussi, capitaine Béring, à votre manière, et d'une manière vitale pour ce projet.

— Quel est votre projet ?

Détail caractéristique de Béring, dès le début il attribua le projet au tsar. L'idée, quelle qu'elle fût, appartenait à Pierre, et Béring se sentait honoré de devenir son agent.

Jdanko n'entendit pas ce que Pierre répondit à cette question de Béring, mais il laissa plus tard un mémorandum assez important où il assure que Pierre avait parlé à Béring à peu près dans les mêmes termes qu'à lui-même : « Il lui a expliqué qu'il désirait en connaître davantage sur le Kamtchatka, savoir où se terminaient les terres des Tchouktches et quels pays européens avaient établi des colonies sur la côte occidentale de l'Amérique. » Jdanko aurait juré qu'ils n'avaient pas discuté de l'existence d'un passage maritime entre le territoire russe et l'Amérique du Nord : « Pour les deux hommes, c'était un fait acquis. »

Pendant plusieurs semaines, Jdanko vit le petit Danois joufflu aller et venir dans les chantiers navals, puis le capitaine disparut.

— On l'a convoqué à Moscou pour discuter avec des académiciens, apprit un ouvrier à Jdanko. Un de ces types de France et d'Allemagne qui savent tout mais sont incapables de nouer eux-mêmes leur cravate. S'il les écoute, il aura des ennuis.

Deux jours avant Noël, fête que Jdanko aimait beaucoup, le capitaine Béring, de retour à Saint-Pétersbourg, fut convoqué par le tsar à une réunion à laquelle assista Jdanko. À l'instant où le cosaque entra dans la salle de travail du palais, il s'écria :

— Sire, vous avez travaillé trop dur. Vous n'avez pas l'air bien.

Sans tenir compte de la remarque, Pierre fit signe aux deux hommes de s'asseoir, et prit un ton solennel.

— Vitus Béring, je dois vous nommer capitaine de premier rang, parce que je désire que vous entrepreniez la mission importante dont nous avons parlé l'été dernier.

Béring voulut lui objecter qu'il n'était pas digne d'un tel honneur, mais Pierre, continuellement malade depuis qu'il avait sauté sans hésiter dans les eaux glacées du golfe de Finlande pour sauver un marin en train de se noyer, et qui commençait à craindre que la mort mette fin prématurément à ses grands desseins, balaya d'un geste ces formules de politesse.

— Oui. Vous traverserez notre empire jusqu'à ses confins orientaux, vous construirez là-bas des bateaux et dirigerez les explorations dont nous avons parlé.

— Majesté, je considérerai que c'est votre expédition, naviguant sous votre commandement.

— Bien. J'enverrai avec vous nos hommes les plus capables, reprit Pierre. Et je vous donne pour principal collaborateur un cosaque qui

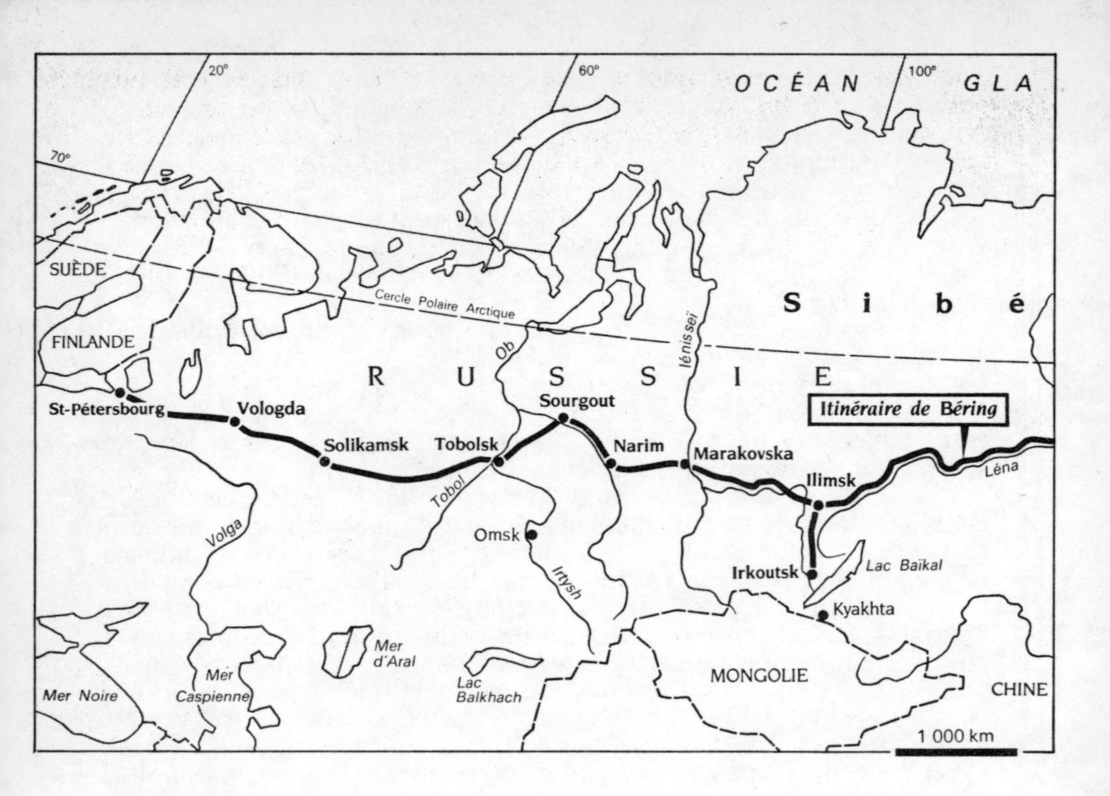

connaît ces régions, Trophime Jdanko. Il a toute ma confiance. C'est un homme qui a fait ses preuves.

Quand le tsar se leva pour s'avancer vers son cosaque, le petit Béring, au milieu, parut comme une colline entre deux montagnes.

Un mois plus tard, avant d'avoir eu l'occasion de préciser les détails de l'exploration, le tsar Pierre, appelé à juste titre le Grand, mourut prématurément à l'âge de cinquante-trois ans. Le gouvernement de la Russie échut à sa veuve, Catherine Ire, femme extraordinaire née dans une famille paysanne de Lituanie, orpheline très jeune, et mariée à l'âge de dix-huit ans à un dragon suédois qui l'abandonna après une lune de miel de huit jours d'été. Maîtresse de plusieurs nobles bien placés, elle tomba entre les mains d'un homme politique russe influent qui la présenta à Pierre. Elle donna au tsar trois enfants, à la suite de quoi il l'épousa. Elle s'avéra une épouse remarquable et, son mari défunt, ne songea qu'à réaliser ses projets restés en suspens. Le 5 février 1725, elle remit à Béring, avec ses ordres, le titre temporaire qu'il conserverait jusqu'au terme de l'expédition : capitaine de la flotte.

Ces ordres se réduisaient à trois paragraphes confus griffonnés par Pierre lui-même peu avant sa mort. Les instructions concernant la traversée de la Russie et la construction des bateaux étaient claires, mais ce qu'il convenait de faire ensuite avec ces bateaux le paraissait beaucoup moins. Les amiraux jugèrent que Béring devait déterminer si l'Asie orientale était ou non reliée à l'Amérique du Nord; d'autres, comme Trophime Jdanko, qui avaient parlé à Pierre en personne, estimaient que le tsar désirait organiser une reconnaissance de la côte américaine, et peut-être annexer à la Russie d'éventuels territoires inoccupés. Les deux interprétations s'accordaient sur un point : Béring

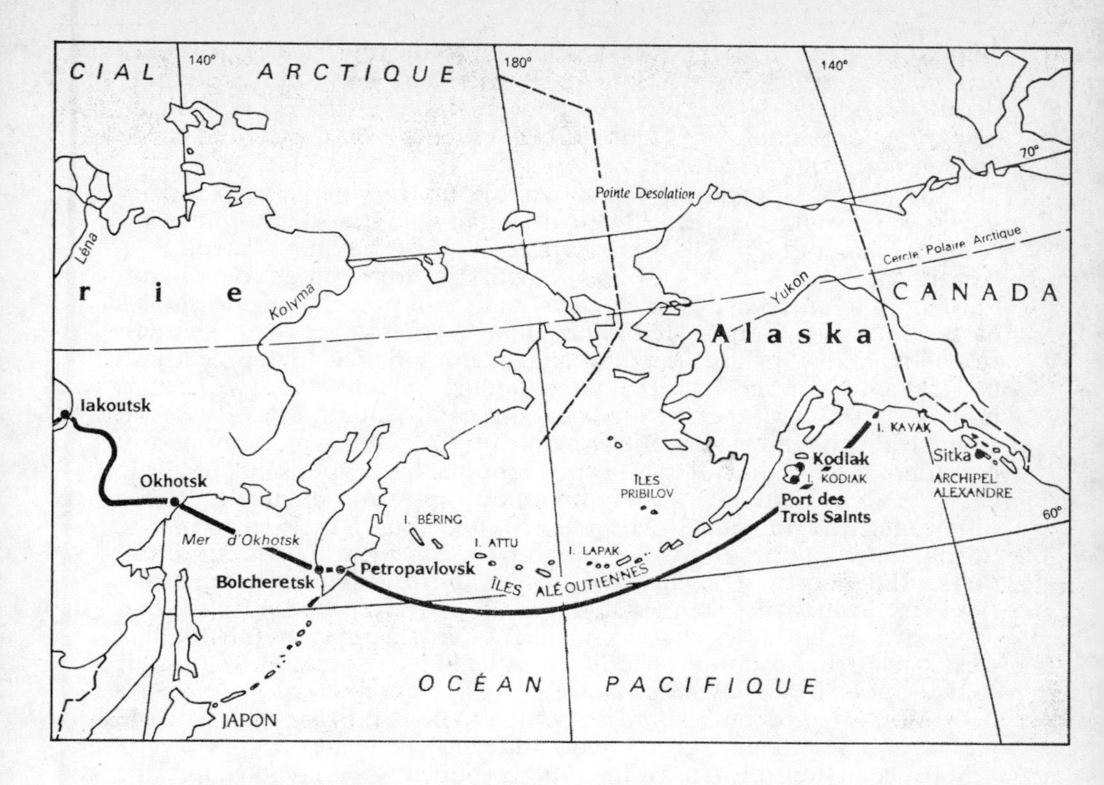

devait essayer de découvrir les avant-postes européens dans la région et intercepter les vaisseaux européens pour obtenir des renseignements. Aucun explorateur éminent — et Vitus Béring allait le devenir — ne se lança dans une grande traversée avec des ordres aussi imprécis des commanditaires qui payaient les factures. Avant sa mort, Pierre savait sans doute ce qu'il voulait faire ; ses successeurs l'ignoraient.

La distance de Saint-Pétersbourg à la côte orientale du Kamtchatka, où seraient construits les bateaux, s'élevait à neuf mille kilomètres, plus de dix mille avec les inévitables détours. Les routes ? Dangereuses ou inexistantes. Les fleuves ? Parfois navigables, mais à condition d'avoir des bateaux. Il faudrait recruter des ouvriers en chemin, dans des petites villes isolées sans main-d'œuvre qualifiée. Il faudrait s'aventurer dans de vastes étendues désertes qu'aucun groupe de voyageurs n'avait jamais traversées. Plus irritant encore, l'administration de Saint-Pétersbourg n'avait aucun moyen de prévenir ses représentants dans la lointaine Sibérie de l'arrivée imminente d'une bande d'hommes résolus qui allaient leur présenter des exigences impossibles à satisfaire sur place. Au bout de la deuxième semaine, Jdanko déclara à Béring :

— Ce n'est pas une expédition. C'est de la folie.

Cela resterait vrai pendant la majeure partie du voyage.

Les vingt-six meilleurs hommes de Béring, conduisant vingt-cinq chariots chargés de matériaux indispensables, partirent en avant-garde et il les suivit peu après avec six compagnons, dont son aide, Trophime

Jdanko, avec qui il avait noué des relations solides et efficaces. Au cours du voyage en troïka jusqu'à Solikamsk, village insignifiant marquant le début des terres désertiques, les deux hommes eurent l'occasion de découvrir leurs qualités et leurs faiblesses, ce qui était essentiel car le voyage prendrait des années.

Vitus Béring, découvrit Jdanko, était un homme aux principes stricts. Il respectait le travail bien fait, louait volontiers les hommes qui se comportaient bien et exigeait autant de lui-même que d'autrui. Il ne restait pas plongé dans les livres, ce qui rassura le cosaque pour qui l'alphabet avait posé des problèmes, mais comptait beaucoup sur les cartes, qu'il étudiait assidûment. Il ne semblait pas extrêmement religieux, mais il priait. Ce n'était pas un glouton, mais il appréciait un bon repas et un verre de temps en temps. Surtout, il respectait les hommes. Conscient d'être un Danois qui commandait à des Russes, il essayait de ne jamais se montrer arrogant, tout en faisant comprendre qui donnait les ordres. Il avait cependant une faiblesse qui troublait le cosaque, dont l'autorité sur ses hommes s'appuyait sur une méthode différente. Aux moments critiques, comme tous les officiers russes, Béring convoquait ses subordonnés et les consultait sur la situation qu'ils allaient affronter. Lorsqu'ils avaient formulé leurs recommandations, ils devaient les soumettre par écrit, pour qu'il ne soit pas seul à encourir le blâme si les choses tournaient mal. Ce qui troublait Jdanko, c'est que Béring écoutait les objections de ses assistants et les prenait souvent pour base de ses décisions.

— Moi, je leur demanderais leur opinion, mais je brûlerais ensuite le papier qu'ils ont signé, grommelait Jdanko.

Mais, ce défaut mis à part, le grand cosaque respectait son capitaine et s'attachait à bien le servir.

Pour sa part, Béring voyait en Jdanko un homme courageux et résolu, capable en période de crise (comme il l'avait prouvé à Iakoutsk) de tuer son supérieur quand le comportement irrationnel de celui-ci menaçait la position de la Russie en Sibérie. Quand le tsar Pierre avait parlé de Trophime à Béring, il ne lui avait rien caché :

— L'homme qu'il a tué le méritait. Jdanko a fait mon travail à ma place.

— Dans ce cas, pourquoi l'avoir ramené à la capitale les fers aux pieds ?

— Il fallait le calmer un peu, avait-il répondu, avant de préciser en riant : J'avais toujours eu l'intention de l'utiliser plus tard à un beau projet. Le vôtre.

Béring reconnaissait la force énorme, physique et morale, du cosaque, mais il l'appréciait surtout pour une raison spéciale : Jdanko avait descendu la Lena en bateau et navigué dans les mers du Nord. Il remarqua aussi l'appétit pantagruélique de son assistant, la promptitude avec laquelle il se mettait en colère pour pardonner aussi rapidement, et sa tendance, quand se présentait un défi, à choisir la voie la plus difficile. Dès le début du voyage, Béring décida de ne jamais solliciter le conseil de Jdanko mais de s'appuyer sur lui en cas d'ennui. À Solikamsk, il eut l'occasion de mettre à l'épreuve ses théories concernant le cosaque.

Solikamsk était l'un de ces minuscules relais où les voyageurs s'arrêtaient seulement pour obtenir un repas graisseux et, à prix d'or, de l'avoine pour leurs chevaux. Il ne se composait que de seize cabanes grossières et d'un gros bonhomme d'aubergiste répondant au nom de

Pavloutski, qui commença de se plaindre dès que les hommes et les chariots de Béring se présentèrent.

— Jamais je n'en ai vu autant. Comment voulez-vous donc...

Béring expliqua que la nouvelle impératrice avait ordonné cette entreprise en personne, mais Pavloutski gémit de plus belle.

— Elle vous l'a peut-être dit à vous, mais pas à moi.

Ce qui était exact. Le pauvre homme, habitué à un courrier solitaire se rendant de temps à autre de Vologda à Tobolsk, était submergé par cet afflux inattendu.

— Je ne peux rien faire pour vous.

— Si ! répliqua Jdanko. Vous asseoir ici et la fermer !

Il souleva l'aubergiste et le planta sur un tabouret en le menaçant de lui rompre le cou s'il prononçait un seul mot de plus. Ensuite, le cosaque ordonna à ses hommes et à ceux de Pavloutski de partager entre les membres de l'expédition les provisions qu'il y aurait — toutes les provisions — et le fourrage entre les chevaux. Comme le relais lui-même ne put fournir qu'une partie du nécessaire, il ordonna également de fouiller les cabanes voisines et de ramener non seulement de la nourriture mais des femmes pour préparer les repas et des hommes pour panser les bêtes.

En moins d'une demi-heure, Jdanko avait mobilisé presque toute la population de Solikamsk, et du crépuscule jusqu'à minuit, les villageois coururent d'un bout à l'autre du hameau pour satisfaire les besoins des voyageurs. À une heure du matin, quand ses deux tonneaux de bière furent vides, Pavloutski s'avança humblement vers Béring :

— Qui va payer tout ça ?

Béring montra Jdanko. Celui-ci posa le bras sur les épaules de l'aubergiste en un geste rassurant.

— La tsarine, voyons. La tsarine. Je vais te donner un billet à ordre que la tsarine honorera.

Et, à la lumière vacillante d'une lampe à huile de baleine, il inscrivit :

Le capitaine de la Flotte Vitus Béring a demandé ici trente-trois repas et quarante-sept chevaux. À payer au relais Ivan Pavloutski de Solikamsk.

En remettant le billet à l'aubergiste médusé, il lui assura :

— Je suis sûr qu'elle paiera.

En toute sincérité, il l'espérait.

De Solikamsk, ils voyagèrent en troïka sur les champs glacés jusqu'à la halte importante de Tobolsk, mais les neiges étaient si périlleuses à l'est de cette ville qu'ils durent attendre presque neuf semaines. Jdanko en profita pour sillonner la région et réquisitionner d'autres soldats, malgré les protestations des commandants locaux. Béring, pour sa part, ordonna à un moine et au juge d'un petit village de se joindre à l'expédition, si bien que le jour où la troupe put enfin quitter Tobolsk, elle se composait de soixante-sept hommes et quarante-sept chariots.

À leur départ de cette ville relativement confortable, ils étaient déjà en chemin depuis exactement cent jours, et ils avaient couvert la respectable distance de deux mille deux cent cinquante kilomètres au cœur de l'hiver. Mais à Tobolsk s'arrêtaient les relais de poste réguliers et il leur fallait maintenant longer des rivières, traverser des étendues désertiques, contourner dans l'ombre des montagnes hostiles. La précieuse troïka avec ses fourrures chaudes fit place au char à bancs, puis au simple cheval de selle. Enfin, il fallut marcher dans la neige glacée.

Au début de l'été 1725, ils n'avaient parcouru que trois cent cinquante kilomètres — Tobolsk, Sourgout, Narim —, mais ils tombèrent bientôt sur un réseau fluvial qui leur permit de voyager rapidement en chalands. Le jour où ils parvinrent à la forteresse menaçante de Marakovska, Béring dit des prières pour un missionnaire remarquable, le métropolite Philopeï, qui avait converti les païens de la région au christianisme quelques années auparavant.

— Quelle noble entreprise d'apporter l'enseignement de Jésus-Christ à des âmes humaines, dit le Danois à son assistant.

Mais Jdanko avait d'autres problèmes.

— Comment allons-nous faire passer nos hommes et tout ce bagage par-dessus la montagne jusqu'à l'Ienisseï ?

Ils y parvinrent au prix d'un effort surhumain, et, pendant les quelques semaines qui suivirent, leur vie fut facile : ils purent descendre en bateau par une série de rivières jusqu'à la petite ville d'Ilimsk, ainsi que le grand fleuve dont Jdanko avait jadis exploré la basse vallée — la Lena. Mais ils se trouvaient déjà à l'entrée de l'hiver et ils durent renoncer à toute tentative de continuer vers l'est. Dans des cabanes misérables, avec à peine de quoi calmer leur faim, ils survécurent à l'épouvantable hiver 1725-1726. Ils ajoutèrent à leur effectif trente forgerons et charpentiers. Ils étaient à présent quatre-vingt-dix-sept au total, et s'ils atteignaient jamais le Pacifique avec au moins une partie des matériaux de construction qu'ils transportaient, ils seraient en mesure de construire des bateaux. Aucun d'entre eux, sauf bien entendu Béring, n'était monté sur un vrai bateau ni n'en avait construit, et Jdanko n'avait navigué que sur de petites embarcations improvisées, mais comme le déclara un charpentier du nom d'Ilya lorsqu'on le racola pour l'expédition :

— Si un homme peut construire une barque pour la Lena, il peut construire un vaisseau pour Dieu sait quel océan nous trouverons au bout de la route.

Vitus Béring, rarement découragé par des conditions qu'il ne pouvait pas maîtriser, s'impatienta vite dans cette détestable prison de neige, et il montra à Jdanko et ses hommes à quel point il pouvait êtrer têtu. Ne pouvant se diriger ni vers le nord ni vers l'est, il lança :

— Voyons donc ce qu'il y a vers le sud.

On lui parla alors de la ville importante d'Irkoutsk, à presque cinq cents kilomètres d'Ilimsk, dont le voïvode actuel était autrefois en poste à Iakoutsk, la ville vers laquelle ils se dirigeaient, et dont Jdanko avait assassiné le gouverneur.

— Quel genre d'homme, cet Ismaïlov ? demanda Béring à son assistant.

— Je le connais bien ! Un des meilleurs ! répliqua Trophime d'un ton enthousiaste.

Cela suffit à lancer les deux hommes dans la neige, dans l'espoir de recueillir des faits nouveaux que le voïvode pouvait connaître sur la Sibérie.

Ce voyage vers le sud s'avéra infructueux, car le voïvode d'Irkoutsk n'était plus l'Ismaïlov que Jdanko avait connu. Le gouverneur actuel n'avait jamais mis le nez dans les pays à l'est d'Irkoutsk et ne serait donc d'aucun secours pour les voyageurs. Mais il ne demandait qu'à les aider.

— Grigori Voronov, de Saint-Pétersbourg, à votre service. On m'a envoyé ici il y a trois ans.

Apprenant que Jdanko avait exploré l'Est sibérien jusqu'au village d'Okhotsk, il l'interrogea longuement sur ces marches orientales de sa province. Les découvertes que Béring allait sans doute faire l'intéressaient aussi.

— Je vous envie vraiment. Quelle chance de naviguer sur ces eaux arctiques !

Quand les trois hommes eurent discuté pendant une heure, Voronov appela un serviteur.

— Va dire à Mlle Marina que les messieurs apprécieraient un thé et un plateau de friandises.

Peu après entra dans la pièce une belle fille robuste de seize ans, aux yeux brillants et aux larges épaules, avec une allure qui proclamait : « Maintenant, c'est moi qui commande ! »

— Qui sont ces hommes, père ?

— Des explorateurs envoyés par la tsarine... À propos de la traite des fourrures, ajouta-t-il en se tournant vers Béring, j'ai de bonnes nouvelles... et des mauvaises. À Kyakhta, dans le sud, aux confins de la Mongolie, des marchands chinois achètent nos fourrures à des prix ahurissants. Au cours de votre voyage, entassez tout ce que vous pourrez.

— Aucun danger, sur la frontière mongole ? demanda Béring.

On lui avait appris que les relations sino-russes étaient tendues. Ce fut Marina qui répondit, d'une voix que l'excitation faisait trembler :

— J'y suis allée deux fois. Des hommes tellement étranges. Un peu Russes, un peu Mongols et pour beaucoup Chinois. Et si vous voyiez ce marché !

La mauvaise nouvelle du voïvode concernait la route conduisant à Iakoutsk par voie de terre.

— Des agents m'ont affirmé que cela reste le trajet le plus difficile de toute la Sibérie. Seuls les plus braves s'y risquent.

— Je l'ai fait trois fois, répondit Jdanko doucement, se hâtant d'ajouter avec un sourire : Drôlement froid, je peux vous dire.

— J'adorerais y aller, s'écria Marina.

Et quand les visiteurs s'en allèrent pour préparer leur départ dans le nord, Béring remarqua :

— Cette jeune personne semble prête à partir n'importe où.

De retour à Ilimsk, après cinq cents kilomètres de terrain difficile, Vitus Béring et son compagnon reprirent leur attente sur les rives de la Lena, encore gelée. Quand la débâcle du printemps libéra enfin les vallées et les cours d'eau, ils descendirent en chaland jusqu'à la place forte orientale de Iakoutsk — à plus de mille quatre cents kilomètres. Là, Trophime montra à Béring la partie de la Lena sur laquelle il s'était lancé à deux reprises, et lorsque le capitaine danois vit cette immense étendue d'eau, si semblable en un sens à l'océan Arctique, son respect pour son assistant redoubla.

— J'aimerais bien descendre ce fleuve, dit-il avec une émotion sincère. Mais mes ordres m'appellent vers l'est.

— Si notre expédition est couronnée de succès, répondit Jdanko, peut-être reviendrons-nous en remontant la Lena, non ?

— J'aimerais voir ces cent bouches dont vous parlez, répondit Béring.

⁂

Il fallut tout l'été 1726 et une partie de l'automne pour franchir les mille trois cents kilomètres de Iakoutsk à Okhotsk, port désolé sur l'immense mer qui porte le même nom — des mois pendant lesquels le mot redoutable de Sibérie prit tout son sens pour les voyageurs. De vastes étendues désertiques sans une seule habitation à perte de vue. Parfois des collines et des montagnes, avec des torrents impétueux à passer à gué. Chaque groupe d'hommes était suivi par des loups à l'affût d'un accident qui leur offrait une victime sans défense. Des neiges hors de saison survenaient du nord, coupées soudain par des vagues inattendues de chaleur provenant du sud. Aucun homme ne pouvait anticiper son étape de la journée et la parcourir sans encombre. Prévoir à une semaine ou un mois de distance relevait de la folie.

Quand on rencontrait, sur les plateaux désolés de ces régions perdues, un voyageur solitaire venant en sens inverse, ou bien il ne parlait aucune langue connue, et l'on ne pouvait obtenir aucun renseignement de lui ; ou bien c'était un assassin enfui de quelque horrible lieu de détention, invisible depuis la piste. Cette Sibérie-là terrifiait les malfaiteurs, et une condamnation sur ces terres désespérées signifiait en général la mort. À cette époque-là, la pire de toutes les régions de cette immensité était celle que devait affronter le capitaine de la Flotte Vitus Béring. À la fin de l'automne, la moitié à peine de ses chariots étaient arrivés au rendez-vous de l'est, et il eut l'impression qu'il n'aurait jamais de flotte à commander.

Les voyages d'aller et retour entre Iakoutsk et Okhotsk cette année-là furent si épuisants que les porteurs accablés par leurs charges s'effondraient souvent à leur arrivée. Béring dut faire le trajet à cheval, car ni les chariots ni les traîneaux ne pouvaient traverser les montagnes et les marécages des plaines. Même les traîneaux de fret furent bloqués par les neiges. Au début, Jdanko resta dans l'ouest pour surveiller le matériel, puis débordant d'énergie, il fit deux voyages aller et retour coup sur coup.

À son arrivée, harassé et amaigri, il croyait bénéficier de quelque repos, mais les neiges annonciatrices de l'hiver se mirent à tomber et Béring apprit qu'un petit groupe de ses hommes restait encore bloqué dans une mauvaise passe. Sans que le capitaine ait à le lui demander, Jdanko se porta volontaire.

— Je les ramènerai.

Avec quelques hommes de sa trempe, il repartit sur les pistes enneigées pour ramener le matériel vital. Ce fut une intervention providentielle car ce groupe de traîneaux transportait une partie de l'outillage nécessaire aux charpentiers.

Béring et ses hommes avaient parcouru plus de huit mille kilomètres depuis leur départ de Saint-Pétersbourg, en comptant les détours et les retours en arrière, et ils s'engageaient dans leur troisième hiver ; ce n'était pourtant que le début de leurs difficultés, car il leur fallait construire deux bateaux sans matériaux convenables et sans expérience. Et l'on décida qu'il serait plus rapide de le faire non pas dans la ville relativement bien équipée d'Okhotsk mais de l'autre côté de la mer, sur la péninsule encore vierge de Kamtchatka.

Une fois prise cette décision hasardeuse, il leur fallut résoudre une autre série de problèmes : une embarcation provisoire, construite à la hâte à Okhotsk, les débarquerait sur la côte *occidentale* de la péninsule,

alors que l'exploration devrait débuter de la côte *orientale*. Sur q
côte fallait-il dans ce cas construire les bateaux ? Selon son habit
Béring consulta ses subordonnés, et deux opinions se firent jour. To
les Européens et les hommes formés à l'européenne recommandèren
un débarquement à l'ouest, la traversée des hautes montagnes de la péninsule, et l'établissement du chantier de construction à l'est.

— De là, vous pourrez naviguer directement vers votre objectif.

Mais les Russes, et en particulier Trophime Jdanko, qui connaissait les eaux du Nord, répliquèrent que la seule décision raisonnable serait de construire les bateaux sur la côte ouest, la plus proche, puis de contourner la pointe sud du Kamtchatka avant de commencer le travail sérieux dans le nord.

La recommandation de Jdanko ne manquait pas de bon sens — elle permettrait à Béring d'éviter le transport meurtrier du matériel de construction à travers la chaîne centrale du Kamtchatka, avec ses sommets de quatre mille cinq cents mètres — mais elle avait un défaut très grave : personne à l'époque ne savait jusqu'où s'étendait le Kamtchatka vers le sud, et si Béring suivait l'avis du cosaque, il risquait de perdre une année pour rien à essayer de contourner un cap, où qu'il soit. En réalité, ce cap ne se trouvait pas à plus de deux cent cinquante kilomètres de l'endroit où les bateaux auraient pu être construits, et Béring aurait pu l'atteindre aisément en cinq ou six jours de mer. Mais aucune carte de l'époque ne reposait sur des certitudes, et certaines plaçaient le cap à presque mille kilomètres dans le sud.

Malgré les vigoureuses protestations de Jdanko, Béring décida d'accoster sur la côte occidentale, en un lieu solitaire et balayé par le vent du nom de Bolcheretsk, hameau de quatorze huttes misérables. De là, dans l'été finissant, l'indomptable Danois, âgé maintenant de quarante-sept ans, lança une opération qui stupéfia ses hommes et enflamma l'imagination des marins et explorateurs qui l'apprirent par la suite. Il décida qu'il ne pouvait pas se permettre un quatrième hiver à ne rien faire, et il ordonna de transporter tout le matériel, y compris le bois de construction, avec des traîneaux à chiens à travers la péninsule, sur des montagnes qui seraient couvertes de neige. Il pourrait ainsi avoir des bateaux prêts à appareiller vers le nord dès la fin de l'hiver. Jdanko, en voyant partir les premiers hommes lourdement chargés, frémit à la perspective de ce qui les attendait. Comme prévu, il prit l'arrière-garde avec le matériel le plus précieux.

— Dans ces montagnes, dit-il à ses hommes en serrant les dents, il y a parfois un sacré blizzard. On l'appelle le *purga*, et quand il fait rage, chaque homme doit creuser son trou !

Lorsqu'il parvint au point le plus haut de l'itinéraire en février, la température tomba à moins quarante-cinq degrés et bien qu'en général aucun vent ne soufflât par un froid pareil, le redoutable *purga* se mit à rugir, venu du nord de l'Asie, projetant devant lui la neige et les glaçons comme des balles. Jamais Jdanko ne s'était trouvé pris dans une tempête aussi violente, mais il en avait entendu parler.

— Creusez ! cria-t-il à ses hommes.

Avec rage, ils creusèrent dans la neige, à l'abri d'énormes rochers, des trous de trois, quatre et cinq mètres, puis ils s'y glissèrent tandis que la neige en refermait l'entrée.

Jdanko dut creuser presque jusqu'à six mètres avant de trouver une base solide, et il craignit qu'à cette profondeur il ne risque d'être complètement recouvert et incapable de se dégager. Pendant toute la durée de la tempête, il ne cessa de remonter à mesure que la neige et la glace tombaient, si bien qu'à l'aurore, lorsque le vent se calma, il put se dégager vite et se mettre à la recherche de ses compagnons. Lorsqu'ils sortirent de leurs terriers blancs, deux des hommes parlèrent de rebrousser chemin et d'autres les auraient soutenus si Jdanko, avec la fierté farouche qui motivait la plupart de ses actes, n'avait pas d'un coup de poing bien ajusté étalé le premier protestataire dans la neige. Il lui sauta aussitôt dessus, à la manière d'un chat sauvage, et se mit à lui marteler le crâne; peut-être l'aurait-il tué si l'un des hommes qui n'avaient rien dit n'était alors intervenu.

— Non, Trophime!

Le colosse se redressa, honteux — non d'avoir corrigé l'homme, mais de l'avoir fait avec excès.

Il aida l'homme à se relever et lui lança en riant :

— Tu as travaillé assez dur pour aujourd'hui. Passe à l'arrière... Mais n'essaie pas de t'enfuir. Tu ne t'en sortirais pas, ajouta-t-il.

Cette traversée de la péninsule en plein hiver fut l'un des moments les plus cauchemardesques de l'expédition, mais Béring tint ses hommes en main, et quand ils arrivèrent sur la côte orientale, il leur ordonna aussitôt de déblayer la neige pour commencer la construction. Il avait choisi pour son chantier naval un endroit vraiment perdu, mais jamais dans toute sa vie aventureuse Vitus Béring ne se montra autant à son avantage. On pouvait croire qu'il construisait le bateau à lui tout seul, car il était toujours à l'endroit où sa présence serait le plus nécessaire. Pendant les longues aurores et les longs crépuscules du printemps, il passa sur le chantier dix-huit heures par jour, et chaque fois qu'un détail des plans dessinés à Saint-Pétersbourg paraissait incompréhensible, il essayait de le déchiffrer, ou il le modifiait sans hésiter. Ses dons d'improvisation étaient incroyables.

Le goudron pour calfater le bateau avait été perdu en route. À quoi bon chercher un responsable ? Quelque part sur les dix mille kilomètres qui les séparaient de la capitale — sur l'un des radeaux pendant la descente d'une des rivières sans nom, pendant le trajet effroyable entre Iakoutsk et Okhotsk, ou bien au cours d'un des deux blizzards des cols du Kamtchatka — on avait perdu le goudron et le *Saint-Gabriel* (comme on décida d'appeler le bateau) ne pourrait pas prendre la mer : si on ne le calfatait pas, les jointures de son bordage laisseraient entrer assez d'eau pour le faire couler en vingt minutes.

Pendant presque une journée entière, Béring réfléchit au problème, puis il lança un ordre simple.

— Coupez ces mélèzes.

Il en fit abattre une quantité, les fit débiter en longueur puis distilla de leur écorce une sorte de substance collante qui, mêlée à de grandes herbes dures, fit un calfatage passable. La construction se poursuivit.

Ce fut cependant une autre invention qui lui valut sa popularité auprès de ses hommes.

— Aucun marin ne devrait s'embarquer sans avoir un coup de gnôle pour se réchauffer par une nuit glacée.

Il leur fit cueillir, sur ses indications, diverses herbes, racines et aromates, et quand ils en eurent réuni une quantité suffisante, il entreprit de les faire fermenter. Après plusieurs faux départs, il finit par obtenir une boisson forte qu'il baptisa cognac. Ses hommes enthousiastes en firent ample provision.

Dans une perspective plus pratique dans l'immédiat, il ordonna à d'autres hommes de faire bouillir de l'eau de mer pour réunir des réserves de sel, et il demanda à Jdanko d'attraper le plus de poisson possible pour faire de l'huile qui remplacerait le beurre. On sala les gros poissons pour remplacer la viande, dont on manquait, et d'autres hommes tressèrent des herbes solides ensemble pour fabriquer des cordes de secours, en cas d'urgence. En quatre-vingt-dix-huit jours, du 4 avril au 10 juillet, cet homme construisit pour ainsi dire à lui seul un bâtiment hauturier avec lequel il ferait l'un des premiers grands voyages d'exploration de l'histoire. Et après s'être accordé un repos de quatre jours, il appareilla. Il se produisit alors l'un des mystères de la mer : cet homme audacieux, qui avait bravé de tels obstacles et déjà passé trois ans et demi à se rapprocher de son but, ne navigua vers le nord que trente-trois jours, vit un autre hiver se rapprocher, et se hâta de regagner sa base du Kamtchatka, où il arriva après seulement cinquante et un jours de croisière, aller et retour, bien que le *Saint-Gabriel* possédât dans ses cales un an de provisions et de médicaments pour quarante hommes.

De retour à terre, avec de grosses neiges prêtes à tomber, les hommes s'entassèrent dans des cabanes improvisées et passèrent l'hiver 1728-1729 sans rien faire. Un groupe de Tchouktches, interrogé par Béring, lui apprit que par beau temps ils avaient souvent vu une côte mystérieuse de l'autre côté de la mer, mais le temps resta si mauvais que Béring ne vit rien.

Aux premiers beaux jours du printemps, il lança de nouveau le *Saint-Gabriel*, navigua hardiment vers l'est pendant trois jours, puis perdit courage et mit le cap sur Okhotsk. Cette fois, ironie du sort, il prit par le sud comme Trophime Jdanko l'avait suggéré deux ans plus tôt, et il doubla facilement la pointe méridionale du Kamtchatka. S'il avait suivi cet itinéraire aisé la première fois, il aurait pu naviguer pendant des mois dans le Pacifique Nord, et aurait évité la pénible traversée de la péninsule à travers les blizzards.

Il fallait qu'il rentre à Saint-Pétersbourg, et comme il connaissait à présent les avantages et les inconvénients du réseau sibérien de routes et de rivières, il ne mit que sept mois et quatre jours. Il s'était absenté plus de cinq ans pour cet héroïque voyage, mais n'avait guère passé plus de trois mois en mer — dont la moitié en trajets de retour.

Comme il avait reçu des instructions fort vagues, on ne pouvait dire que son expédition se soldait par un échec. Bien entendu, il n'avait pas confirmé la conviction de Pierre le Grand sur l'existence d'un détroit entre l'Asie et l'Amérique, et il n'avait pas navigué assez loin pour rencontrer des établissements coloniaux espagnols ou anglais. Mais l'intérêt des Russes et des Européens pour le Pacifique Nord redoubla grâce à lui, et il avait effectué les premiers pas qui feraient de cette région inhospitalière une partie de l'empire russe.

***

Moins de deux mois après son retour dans la capitale et malgré les critiques qui lui reprochaient de n'avoir pas navigué soit vers l'ouest pour rejoindre la Kolyma, soit vers l'est pour prouver que l'Asie était bien séparée de l'Amérique du Nord, Vitus Béring, le Danois têtu eut la témérité de proposer au gouvernement russe une deuxième expédition du Kamtchatka, non pas avec cent hommes, comme la première, mais dans une perspective telle qu'il lui en faudrait au bout du compte plus de trois mille. Et avec ses arguments, il présenta un devis précis démontrant qu'il réaliserait cet exploit pour dix mille roubles.

Son coup d'éclat, pendant cette négociation, fut de refuser carrément d'avouer que sa première tentative se soldait par un échec. Quand les critiques voulaient l'attaquer pour ses erreurs prétendues, il leur souriait avec indulgence et faisait observer :

— Mais j'ai fait tout ce que m'avait ordonné le tsar.

— Vous n'avez pas trouvé d'Européens.

— Il n'y en avait pas, répliquait-il.

Et il continuait d'insister pour que le gouvernement le renvoie.

Cependant, il n'était pas question de dépenser dix mille roubles à la légère, et Béring admettait lui-même que son expédition risquait d'en coûter douze mille. Les responsables du gouvernement se mirent donc à éplucher les qualifications du Danois et interrogèrent ses principaux collaborateurs, dont le cosaque Trophime Jdanko. Celui-ci n'avait rien eu à reprocher à Béring pendant la première expédition. Comme ni famille ni affaire pressante ne le retenaient en Russie occidentale, il était prêt à repartir dans l'est.

— Béring ? Un excellent meneur d'hommes, assura-t-il aux hauts fonctionnaires. Je commandais les troupes, et je peux vous assurer qu'il savait faire travailler ses subordonnés et les contenter — ce n'était pas si facile. Oui, je serais fier de collaborer de nouveau avec lui.

— Mais pourquoi n'est-il pas allé assez loin vers le nord pour démontrer que les deux continents ne se rejoignent pas ?

— Le tsar Pierre lui-même m'a dit un jour...

À ces mots, les responsables restèrent pantois.

— Le tsar ? Le tsar vous aurait consulté ?

— Mais oui. Il est venu me voir juste avant qu'on me pende.

On interrompit aussitôt l'interrogatoire pour vérifier si Pierre le Grand s'était bien rendu à une prison des quais pour discuter avec un détenu cosaque du nom de Trophime Jdanko. Le geôlier Mitrofan le confirma, et l'on se hâta de poser d'autres questions à Jdanko.

— Pierre le Grand, que son âme honorée repose en paix, songeait déjà à l'expédition en 1723. Il a dû répéter à Béring ce dont nous avions discuté ensemble. Il savait déjà que la Russie ne touche pas l'Amérique et il désirait en apprendre plus long sur l'Amérique.

— Pourquoi ?

— Parce qu'il était tsar. Normal, qu'il sache, non ?

Ils assaillirent le cosaque de questions pendant une matinée entière, mais apprirent seulement que Vitus Béring avait rempli la mission du tsar en tous points, sauf la découverte des Européens — et que Jdanko avait hâte de repartir avec lui.

— Mais il a cinquante ans, fit observer l'un des fonctionnaires.

— Aussi capable à cinquante ans qu'un homme de vingt, répliqua le cosaque en toute sincérité.

Quelqu'un insista :

— Dites-moi, confieriez-vous dix mille roubles à Vitus Béring ?

— Je lui ai déjà confié ma vie, et je suis prêt à le refaire.

Cet interrogatoire, parmi d'autres, eut lieu en 1730 — Trophime avait alors vingt-huit ans — et dans les années qui suivirent on discuta beaucoup : fallait-il lancer l'expédition entièrement par mer, ce qui serait plus rapide et meilleur marché, ou bien par terre et mer, ce qui permettrait au gouvernement de Saint-Pétersbourg d'en apprendre davantage sur la Sibérie ? Il fallut deux ans pour parvenir à une décision, et quand Béring quitta la capitale par la voie de terre, on était en 1733 et il avait cinquante-trois ans.

De nouveau, Jdanko et lui furent immobilisés pendant deux hivers atroces par les neiges de la Russie centrale, et de nouveau il fut retardé à Okhotsk, et ses vrais ennuis commencèrent, car à Saint-Pétersbourg les comptables remirent au Trésor russe des rapports effarants.

— Ce Vitus Béring, qui nous a assuré que son expédition coûterait dix mille roubles, douze mille au plus, en a déjà dépensé plus de trois cent mille avant de quitter Iakoutsk. Et il n'a pas encore posé le pied à bord de ses bateaux. Comment est-ce possible ? Ils n'ont encore rien construit.

Et les comptables nerveux conclurent par une prédiction pertinente :

— Cette expérience ridicule de dix mille roubles finira par nous en coûter deux millions.

Dans une crise de rage mesquine et futile, les autorités diminuèrent de moitié la solde de Béring et refusèrent de le nommer amiral comme il le souhaitait. Il ne s'en plaignit pas, et lorsqu'il eut pris quatre années entières de retard sur ses prévisions, il se contenta de serrer la ceinture, de maintenir le moral de ses hommes et de poursuivre la construction de ses bateaux. Enfin, sept ans après avoir quitté la capitale, en 1740, il lança le *Saint-Pierre,* dont il prendrait le commandement, et le *Saint-Paul,* qu'il confia à son jeune assistant, Alexeï Tchirikov. Le 4 septembre de la même année, il lança les deux bateaux pour leur grande exploration des eaux septentrionales et des terres qui les bordaient.

Ils traversèrent bravement la mer d'Okhotsk, contournèrent la pointe sud du Kamtchatka et relâchèrent au port construit depuis peu de Petropavlovsk, qui prendrait une importance cruciale au cours des cent cinquante années suivantes. Il se trouvait au fond d'une baie étonnante, orientée vers le sud, à l'abri des tempêtes. De longs bras de terre protégeaient les bateaux à l'ancre et le long de la côte s'élevaient des maisons confortables pour les officiers et des baraquements pour les équipages. Aucun civil n'y habitait encore, mais c'était une implantation maritime splendide, qui prendrait vite de l'importance. Ce fut là que Béring et Jdanko passèrent leur huitième hiver depuis leur départ de Saint-Pétersbourg.

Parmi les hommes qui logeaient dans les maisons blotties près de la grève se trouvait un naturaliste allemand de trente-deux ans, doté de capacités exceptionnelles : Georg Steller. On l'avait emmené avec des astronomes, des interprètes et d'autres savants pour prêter à l'expédition une certaine dignité intellectuelle. Il était capable de le faire mieux que tout autre. Dans son avidité d'apprendre, il avait fréquenté quatre universités allemandes — Wittenberg, Leipzig, Iéna et Halle — et il partait avec Béring bien résolu à élargir les connaissances humaines. Pendant le voyage à terre, il avait examiné tout ce qui lui tombait sous les yeux concernant la géographie, l'astronomie et l'histoire naturelle de la Russie, depuis la mer Baltique jusqu'à l'océan Pacifique. Au terme de ce pénible voyage avec ses insupportables retards, il avait hâte de prendre la mer, de visiter des îles inconnues et de poser le pied sur les côtes inexplorées d'Amérique du Nord. Dans son inébranlable enthousiasme, il dit à Jdanko :

— Avec un peu de chance, nous pourrons découvrir des centaines de nouvelles espèces d'animaux, d'arbres, de fleurs et d'herbes.

— Je croyais que toutes les herbes étaient pareilles.

— Oh, non !

Et le jeune Allemand, dans son russe approximatif, montra à Jdanko deux douzaines de variétés d'herbes, lui expliqua comment elles fleurissaient, comment les animaux les utilisaient et le grand bien qu'elles pourraient faire si les hommes les cultivaient intelligemment.

Désireux de détourner la conversation d'un sujet qui ne l'intéressait guère, Jdanko fit observer :

— Parfois vous parlez des oiseaux et des poissons comme si c'étaient des bêtes.

— Mais ce sont des bêtes, Trophime !

La leçon qui suivit dura presque toute la matinée, puis le cosaque l'interrompit soudain.

— Pour moi un oiseau est un oiseau et une vache est une bête.

— Sans aucun doute, Trophime ! s'écria Steller en riant. Et pour vous un aigle est un oiseau et un flétan est un poisson. Mais pour un savant, toutes ces créatures, y compris l'homme, sont des animaux.

Jdanko se leva brusquement et tonna :

— Je ne suis pas un poisson. Je suis un homme.

Steller réagit comme si le colosse n'était qu'un enfant sur les bancs de l'école.

— Voyons, élève Trophime, comment appellerez-vous un poulet ? À certains égards on dirait un oiseau, mais il court sur le sol.

— Si ça a des plumes, c'est un oiseau.

— Mais il a aussi du sang. Il se reproduit sexuellement. Pour le savant, c'est un animal.

— Quels nouveaux animaux comptez-vous trouver ?

— C'est une question ridicule, Trophime. Comment saurais-je ce que je vais trouver avant de l'avoir trouvé ?

Il sourit, puis ajouta à la réflexion :

— J'ai entendu parler d'un animal remarquable, la loutre de mer.

— J'ai eu un jour deux peaux de loutre de mer.

Steller voulut apprendre tout ce que le cosaque savait de cet animal légendaire, et Trophime lui raconta ce dont il se souvenait de ses peaux, qu'il avait données au tsar, bénie soit sa mémoire. Elles étaient splendides sur ses capes. Steller se pencha en arrière, dévisagea le cosaque et lui dit avec de l'admiration dans la voix :

— Trophime, vous devriez être savant. Vous remarquez tout. C'est merveilleux, vraiment.

Puis il reprit son rôle de pédagogue :

— Mais comment appelleriez-vous une loutre de mer ? Elle nage comme un poisson, vous le savez. Mais ce n'est manifestement pas un poisson, vous le savez aussi.

— Si ça nage, c'est un poisson.

— Mais si je vous jetais par-dessus bord vous nageriez vous aussi. Est-ce que cela fait de vous un poisson ?

— Je ne sais pas nager. Je reste un homme.

Les deux bateaux demeurèrent au mouillage dans le port de Petropavlovsk, immobilisés par des incidents agaçants. Pour profiter au mieux de l'été, ils auraient dû prendre le large avant le milieu d'avril ; l'appareillage fut annoncé pour le 1er mai, mais à la fin de ce mois-là, des charpentiers faisaient encore des réparations et des modifications. On apprit alors que la réserve de biscuits de marin sur laquelle comptait l'expédition était complètement avariée : il faudrait sans doute passer au port un autre hiver. Au cours d'une réunion d'urgence, l'état-major proposa et ratifia un plan d'action.

Ce fut alors que la science — si chaudement louée par l'Allemand Steller — intervint pour saboter toute l'entreprise. Certains savants du siècle précédent avaient admis à la suite de rumeurs qu'il existait de vastes terres entre l'Asie et l'Amérique du Nord. Selon la légende, elles auraient été découvertes par l'indomptable navigateur portugais Dom Joaõ Da Gama en 1589, et elles contenaient d'immenses richesses. On les avait baptisées Terra Da Gama, et comme le pays qui en prendrait possession le premier en tirerait d'énormes profits, les Russes espéraient que Béring découvrirait l'île, relèverait ses côtes, laisserait Steller l'explorer pour ses minerais, et dissimulerait les faits aux autres nations.

Comme les bateaux ne pouvaient pas appareiller avant juin, et que la saison serait donc très courte, on passerait évidemment la majorité des beaux jours à chercher la Terra Da Gama, en réservant un minimum pour l'exploration de l'Amérique. Donc le 4 mai 1741, les sages de l'expédition, et ils étaient nombreux, décidèrent que leur premier objectif serait la Terra Da Gama et signèrent le procès-verbal de leurs noms : commandant Vitus Béring, capitaine Alexeï Tchirikov, astronome Louis de Lisle de La Croyère et sept autres. Retardés par une malchance tragique, ils se lancèrent donc le 4 juin 1741 dans la recherche futile d'une terre qui n'existait pas et qui portait le nom d'un Portugais légendaire qui n'avait jamais navigué nulle part, pour la bonne raison qu'il n'avait jamais existé lui non plus.

Après avoir constaté qu'il n'y avait aucune Terra Da Gama et qu'il n'y en avait jamais eu, les bateaux se dirigèrent vers l'est, puis la malchance voulut qu'un coup de vent les sépare ; chaque capitaine chercha l'autre scrupuleusement pendant deux jours entiers, mais les deux bateaux ne reprirent jamais contact. Le *Saint-Paul* de Tchirikov n'avait pas coulé, il continua sa route et le *Saint-Pierre* de Béring fut incapable de le rattraper. Après avoir tourné en rond inutilement quelques jours, Béring remit le cap à l'est, et les deux bateaux russes s'avancèrent vers l'Amérique à l'insu l'un de l'autre.

Peut-on reprocher au capitaine de la Flotte Béring — pour lui donner son grade accordé à titre temporaire au début de cette malheureuse expédition — d'avoir laissé ses deux bateaux se séparer ? Non. Avant d'appareiller, il avait donné des instructions très précises pour maintenir le contact et il avait, de son côté, suivi ces indications. Comme bien des fois au cours de sa longue exploration des mers orientales, il fut victime de la malchance ; les tempêtes séparaient les bateaux et les brouillards épais rendaient toute réunion impossible. C'est le hasard, non la mauvaise volonté, qu'il faut rendre responsable. Le fait que les deux bateaux naviguaient vers les côtes d'Amérique du Nord démontre que ses ordres étaient clairs et furent obéis.

Puis, le 16 juillet, la malchance de Béring cessa. À midi et demi, le crachin s'arrêta et dans les brouillards qui s'entrouvraient apparut le panorama de montagnes enneigées le plus sublime de toute l'Amérique. Perchées sur ce qui deviendrait l'angle de la frontière entre l'Alaska et le Canada, elles s'élevaient, splendides, jusqu'à quatre mille huit cents, cinq mille quatre cents et cinq mille sept cents mètres, avec, blottis autour des pics, une vingtaine de sommets à peine inférieurs. Un spectacle magnifique qui justifiait toute la traversée, et les Russes s'enflammèrent à l'idée qu'ils pourraient obtenir un jour la souveraineté sur ce pays splendide. Quelle émotion lorsque apparut dans toute sa beauté la montagne que Béring appela Saint-Élie ! Des Européens avaient découvert l'Alaska.

Mais les mers qui protègent ce pays enchanté du Nord permettent rarement à ces spectacles de durer. Quelques heures plus tard, le journal de bord du *Saint-Pierre* déclare : « *Nuages rapides, air épais, impossible de prendre les relevés de terrain, car la côte est dissimulée par de gros nuages.* » Et le lendemain matin : « *Nuages lourds et pluie.* » Tout vaisseau qui tenterait de naviguer dans ces eaux répéterait à satiété la même observation : « Nuages lourds et pluie. »

Le troisième jour, quand aurait dû commencer l'exploration de la terre découverte, le journal de bord précise : « *Vent, brouillard, pluie. La terre ne doit pas être très loin, mais les brumes et la pluie nous empêchent de la voir.* » Et Béring, qui découvrit l'Alaska pour l'Europe, ne posa jamais le pied sur le continent. Cependant, quatre jours après avoir aperçu le mont Saint-Élie, il tomba sur une île longue et mince, qu'il appela également Saint-Élie, car c'était le saint de ce jour-là. Plus tard, les Russes la rebaptiseraient Kayak, à cause de sa forme.

Et il se produisit alors une des plus incroyables débâcles des expéditions de Béring. Préoccupé avant tout de la sécurité de son bateau et de son retour à Petropavlovsk, Béring décida de ne jeter qu'un coup d'œil à l'île, mais Steller, peut-être le cerveau le plus brillant de ces voyages, protesta à la limite de l'insubordination : depuis dix ans, toute sa vie était orientée vers le moment suprême où il pourrait enfin poser le pied sur une terre nouvelle. Il fit un tel raffût que Béring, à regret, lui accorda une brève visite dans l'île. Au moment où il quitta le bateau, un clairon du bord entonna une sonnerie en fanfare ironique, comme si un haut personnage s'en allait, et tous les marins éclatèrent de rire. Steller n'emmena qu'un aide, Trophime Jdanko, qu'il avait réussi à convaincre de l'importance des sciences. Dès qu'ils accostèrent, les deux hommes se mirent à courir en tous sens, à ramasser des cailloux, à regarder les arbres, à écouter les oiseaux. Ils essayèrent d'observer tout à la fois, sachant que le *Saint-Pierre* risquait de prendre le large d'un moment à l'autre. À peine avaient-ils passé sept ou huit heures à terre qu'un signal du bateau avertit Jdanko qu'il allait appareiller.

— Herr Doktor Steller ! Vite !
— Je ne fais que commencer.
— Le bateau nous appelle.
— Laissez-le appeler.
— Herr Doktor, ils insistent.
— J'insiste moi aussi.

Non sans de bonnes raisons. Il avait étudié en Allemagne pendant de longues années pour se préparer à une occasion comme celle-là, et il avait rongé son frein pendant huit ans à travers la Russie jusqu'au Kamtchatka, puis était resté confiné sur un bateau pendant des semaines, et quand il débarquait enfin sur le continent américain, ou une de ses îles à moins de cinq kilomètres de la côte, on ne lui laissait même pas une journée pour accomplir son travail. C'était rageant, grossier et dément, et il le dit à Jdanko. Mais le cosaque, en un sens officier du bateau, avait appris à obéir aux ordres, et le capitaine de la Flotte Béring signifiait que la chaloupe devait retourner immédiatement et avec Steller.

En fait Béring avait donné l'ordre :

— Faites-lui signe de venir à bord tout de suite ou nous appareillons sans lui.

Il devait songer à son bateau. Il aurait pu accorder au savant allemand deux ou trois jours à terre, mais il n'oubliait pas les instructions convenues avant le départ du Kamtchatka : « En toutes circonstances, le *Saint-Pierre* et le *Saint-Paul* devront être rentrés à Petropavlovsk le dernier jour de septembre 1741 ou avant. »

— Steller ! lança Jdanko en s'avançant vers le savant en sueur, dont les bras étaient chargés d'échantillons de toute sorte. Je monte dans la chaloupe et vous venez avec moi.

Malgré toutes les protestations de l'Allemand, il le traîna vers la côte. Ce soir-là, le journal de bord porta la remarque suivante :

> *La yole est retournée avec de l'eau, et l'équipage a signalé qu'il avait vu les restes d'un feu, des pas d'hommes et un renard en fuite. L'adjoint Steller a ramené plusieurs sortes d'herbes.*

Un peu plus tard, pendant l'appareillage, Béring renvoya Jdanko avec plusieurs hommes de l'équipage sur l'île Saint-Élie pour une mission qui symbolisait son désir personnel de faire du bon travail pour ses maîtres russes. Mais cette fois, il n'autorisa pas Steller à les accompagner, car il avait appris le refus de l'Allemand d'interrompre ses recherches la première fois.

> *Les hommes qui revinrent avec la petite yole avaient annoncé la découverte d'une cabane à moitié souterraine, un peu comme une cave, mais sans personne. Ils avaient trouvé dans cette cabane du poisson séché, des arcs et des flèches. Le capitaine commandant de la Flotte ordonna alors à Trophime Jdanko d'apporter à cette cabane un certain nombre d'objets, au nom du gouvernement : treize aunes de tissu vert, deux couteaux, du tabac chinois et des pipes.*

Ce fut de cette manière discrète et généreuse que débuta le commerce lucratif de la Russie avec les indigènes de l'Alaska. Le compte rendu par Georg Steller de cette journée mémorable fut plus acerbe : « *J'ai passé dix ans à me préparer pour une mission de quelque importance et l'on ne m'a laissé que dix heures pour la remplir.* »

Mais si Béring ne sut pas apprécier ce que fit Steller pendant le temps qui lui fut alloué, l'histoire a rendu justice au savant allemand, car au cours de ces brèves heures passées à terre, il perçut l'importance du nord de l'Amérique, le caractère de ses confins occidentaux, et leur importance potentielle pour la Russie. Son travail ce jour-là constitue l'un des plus beaux exemples de ce que peut faire l'intelligence humaine dans des limites très étroites.

Vitus Béring n'était pas le premier Européen à voir l'Alaska. En effet, au moment où son bateau, le *Saint-Pierre,* perdit contact avec le *Saint-Paul,* le capitaine de ce dernier, Alexeï Tchirikov, passa près de trois journées entières à chercher son compagnon de route, puis inscrivit dans son journal de bord :

À la cinquième heure de la matinée, nous avons cessé de rechercher le Saint-Pierre *et poursuivi notre chemin avec l'assentiment de tous les officiers du* Saint-Paul.

Le jeune capitaine procéda à son exploration sans une seule bavure. Le 15 juillet 1741, la veille du jour où Béring repéra le groupe de sommets, Tchirikov aperçut la terre à environ 55° de latitude. Il longea la côte vers le nord et passa près de la belle île que les Russes occuperaient plus tard, Baranov, devant la baie splendide où allait s'élever leur capitale, Sitka. Au passage, ils virent un volcan couronné de neige d'une forme presque parfaite, qui porterait le nom d'un explorateur ultérieur de beaucoup plus grande réputation — Edgecumbe —, mais ils ne prirent pas le temps d'explorer les parages, qui comptent parmi les plus beaux de la région.

Un peu plus vers le nord, le capitaine Tchirikov envoya cependant dans une autre île une chaloupe sous les ordres du premier maître Dementiev, assisté de dix hommes armés. La chaloupe disparut au milieu d'un essaim de petites îles et l'on n'en entendit plus jamais parler. Après six jours d'angoisse où le mauvais temps l'empêcha d'intervenir, le capitaine Tchirikov laissa partir trois autres hommes dans une deuxième barque — le bosco Savelev, le charpentier Polkovnikov et le calfat Gorine — à la recherche de la première chaloupe. À la dernière minute, le matelot Fadiev lança :

— Je veux bien partir, moi aussi.

Et on le lui permit.

Cette barque disparut elle aussi, et les hommes du *Saint-Paul* durent prendre des décisions atroces. Ils n'avaient plus aucune embarcation de secours pour pouvoir aller chercher de la nourriture ou de l'eau douce, et il ne leur restait que quarante-cinq tonneaux d'eau.

À la première heure de l'après-midi, les officiers parvinrent à la décision suivante, qu'ils mirent par écrit : retourner directement au port de Petropavlovsk sur la côte est du Kamtchatka ; ordonner à l'équipage de recueillir l'eau de pluie et commencer le rationnement.

Ainsi la grande expédition proposée par Vitus Béring touchait-elle à sa fin, cahin-caha, sans grand résultat positif. Aucun officier n'avait posé le pied sur l'Alaska proprement dit ; les explorations scientifiques avaient avorté ; aucune carte utile n'avait été dressée ; et l'on déplorait déjà la perte de quinze hommes. L'aventure que Béring se faisait fort de mener à bien pour dix mille roubles en coûterait au bout du compte deux millions, comme les comptables l'avaient prédit. Tout cela seulement pour prouver que l'Alaska existait, et que la Terra Da Gama n'existait pas.

Et le pire restait à venir. Quand le bateau de Béring, le *Saint-Pierre,* mit le cap à l'ouest de l'endroit où il avait aperçu les hautes montagnes, il suivit plus ou moins la courbe régulière des îles Aléoutiennes. Mais le bâtiment répondait si mal qu'avec le vent contraire il ne parvenait pas à avancer de plus de seize ou dix-sept milles nautiques par jour. De temps à autre les vigies signalaient une des îles, et plusieurs des grands volcans qui marquent l'archipel furent parfaitement visibles avec leurs sommets couverts de neige découpés sur le bleu du ciel.

Les marins n'eurent guère l'occasion d'apprécier toutes ces beautés, car ils subirent une attaque de scorbut d'une virulence rare. Sans aliments frais ni suffisamment d'eau pour accompagner leur biscuit, ils virent leurs jambes enfler ; ils avaient du mal à garder l'équilibre et souffraient de violentes crampes d'estomac. Leurs yeux devinrent vitreux. Chaque jour leur sort empirait et les notes du livre de bord se transformèrent en une litanie de lamentations.

> *Violente tempête et vagues énormes... toute la journée les vagues ont balayé le pont des deux côtés... Tempête terrible... vingt et un hommes portés malades... Alexeï Kiselev, par la volonté de Dieu mort du scorbut... vingt-neuf hommes portés malades...*

Pendant les derniers jours où une activité normale resta possible, le *Saint-Pierre* se rapprocha de la côte de l'île de Lapak, celle où le grand chaman Azazrouk avait conduit ses émigrants douze mille ans auparavant, et les marins de Béring rencontrèrent les îliens qui leur fournirent de l'eau et de la viande de phoque — ce qui les aida à survivre pendant le mois de septembre.

Comme la plupart des jeunes officiers étaient immobilisés par le scorbut, Trophime Jdanko prit le commandement de la chaloupe et il demanda à Georg Steller de l'accompagner. Ce fut une décision heureuse, car peu de temps après l'accostage, l'Allemand se mit à cueillir des herbes en sautant de joie.

— Pas de temps pour ces bêtises ! protesta Jdanko.

Mais Steller lui brandit une poignée de plantes sous le nez en criant :

— Trophime ! C'est un antiscorbutique ! Je peux sauver tous les malades.

Il continua sa cueillette et engagea trois enfants aléoutes pour l'aider car il était certain que ces herbes au goût acide combattraient le scorbut. Si on l'avait laissé faire, il aurait peut-être sauvé même les membres de l'équipage dont la mort avait déjà figé le regard.

Mais l'homme qui devait exercer l'influence la plus durable à la suite de cette brève visite fut Trophime Jdanko : en fin de journée, il tomba sur une cabane creusée assez profond dans le sol à la façon d'autrefois, mais pourvue d'une façade de pierres posées avec grand soin et couverte d'un toit robuste en os de baleine et poutres de gros bois échoué sur l'île ; il voulut en savoir davantage sur la personne qui avait réalisé une aussi bonne construction. Quand le bonhomme, effrayé, finit par s'avancer timidement, les cheveux noirs sur ses yeux et un gros os de morse passé dans le septum de son nez, Jdanko lui tendit une partie des choses que le capitaine Béring lui avait remises pour se concilier les indigènes.

— Voilà. Du tabac chinois. Un miroir. Regarde-toi. N'es-tu pas joli garçon, avec cet os au milieu de la figure ? Ce beau tissu, c'est pour ta dame, je suis sûr que tu en as une avec ta belle gueule. Tiens, une hache, une pipe. Encore du tabac ?

L'Aléoute qui reçut ces largesses, dont le capitaine Béring voulait se débarrasser avant de retourner en Sibérie, comprit qu'on lui offrait des cadeaux ; le miroir miraculeux prouvait à lui seul que selon la coutume de son peuple il devait donner quelque chose en retour à cet énorme étranger, plus haut que lui d'au moins deux têtes. Mais en voyant la magnificence des présents de Jdanko, notamment la hache de métal, il se demanda vraiment ce qu'il pourrait offrir à son tour sans paraître mesquin. Puis il se souvint.

Il fit signe à Jdanko de le suivre et ils entrèrent ensemble dans une sorte d'entrepôt souterrain, duquel l'Aléoute sortit deux défenses de morse, deux peaux de phoque et, du coin le plus sombre, la fourrure d'une loutre de mer plus longue et plus belle que celles offertes au tsar par Trophime. Mesurant plus de deux mètres de long, elle était d'une douceur et d'une souplesse sans égales. Un cadeau magnifique, et Jdanko fit comprendre à l'Aléoute qu'il l'appréciait.

— Il y en a beaucoup par ici ? demanda-t-il en désignant la mer.

L'homme montra qu'il comprenait en agitant les bras en l'air pour représenter une grande quantité. Puis il indiqua que son kayak, sur la grève, était le meilleur de l'île pour les attraper.

Steller, pendant ce temps, avait réussi à ramasser une grosse brassée d'herbes sauvages, qu'il avait déjà commencé à mâchonner énergiquement. Quand le bosco fit signe que la chaloupe allait repartir, l'Allemand appela Jdanko et lui offrit une poignée de ses herbes salvatrices dont l'acide ascorbique combattrait les effets du scorbut. En voyant la loutre de mer, il rappela à Trophime leur conversation, car il espérait recevoir cette peau pour augmenter sa maigre collection. Mais le cosaque ne l'entendait pas de cette oreille-là. Il lui tourna le dos.

— Une merveille, cette île, dit-il. Je me demande comment elle s'appelle.

L'Allemand fit alors la preuve de son intelligence étonnante. Tendant à Jdanko sa poignée d'herbes, il se tourna vers l'Aléoute et, avec des mouvements des mains et des lèvres bien orchestrés, il lui demanda quel nom son peuple donnait à l'île.

— Lapak, répondit l'homme.

Steller se pencha, toucha le sol, puis se leva et étendit ses bras comme pour embrasser l'île entière.

— Lapak ? demanda-t-il.

L'indigène acquiesça de la tête.

En se retournant pour admirer l'île, Steller remarqua sur la côte nord un splendide cône de rocher qui émergeait des flots. Par gestes, il demanda s'il s'agissait d'un volcan, et l'Aléoute le confirma.

— Est-ce qu'il explose ? Feu ? Lave coulant dans la mer ? Sifflements ?

Steller posa toutes ces questions et reçut des réponses. Ravi d'avoir découvert un volcan en activité, il essaya d'en apprendre le nom, mais c'était un concept d'un ou deux degrés trop difficile pour le langage par signes inventé par les deux hommes en un demi-heure, et le naturaliste n'apprit pas qu'au cours des douze mille années depuis qu'Azazrouk avait aperçu pour la première fois le volcan naissant, à moins de trente mètres au-dessus de la surface des eaux, l'îlot avait connu des centaines d'éruptions, tantôt s'élevant très haut dans l'air, parfois retombant presque sous les vagues. Il avait alors une altitude intermédiaire, environ mille mètres, et il était coiffé par une légère couche de neige à son sommet. En aléoute, il s'appelait Qugang, le Siffleur, et lorsque Trophime Jdanko eut admiré sa belle silhouette toute proche au-dessus des vagues, il lança à Steller :

— J'aimerais revenir ici.
— Moi aussi, répliqua l'Allemand en reprenant ses herbes.

⁂

L'élixir que prépara Steller s'avéra une cure presque parfaite contre le scorbut, car il fournissait tous les éléments nutritifs qui manquaient au régime abondant mais mal équilibré de biscuit et de lard de porc salé. Mais, par une de ces ironies fréquentes dans l'histoire de la mer, tous les hommes même qui auraient pu échapper à la mort en prenant la potion au goût amer refusèrent catégoriquement d'y goûter. Steller en but, ainsi que Trophime, convaincu des compétences du savant allemand, et trois jeunes officiers, qui sauvèrent ainsi leur vie. Les autres s'obstinèrent dans leur refus, encouragés par le capitaine Béring lui-même qui lança :
— Emportez ça tout de suite ! Vous voulez me tuer ?
Steller pesta contre cette folie. Comment pouvait-on refuser une substance qui vous éviterait de mourir ? Mais, entre eux, les matelots murmuraient :
— Aucun maudit Allemand ne me fera boire de l'herbe.
Vers la mi-octobre, longtemps après la date prévue du retour à Petropavlovsk, les hommes du *Saint-Pierre* avarié par les tempêtes commencèrent à mourir en série des suites du scorbut. Le livre de bord devint de plus en plus lugubre.

> *Coup de vent d'une violence extrême. Aujourd'hui j'ai commencé à souffrir du scorbut, mais je ne me compte pas parmi les malades.*
> *Douleurs affreuses dans les pieds et les mains. J'ai eu du mal à rester debout pendant mon quart. Malades : trente-deux.*
> *Décédé par la volonté de Dieu le soldat Karp Petchenoï de Iakoutsk. Obsèques en mer.*
> *Ivan Petrov, charpentier du bord, est mort.*
> *Le petit tambour, Ossip Tchenstoï, de la garnison sibérienne, est mort.*
> *À dix heures, décès du clairon Mikhaïl Totopstov. Le grenadier Ivan Nebaranov est mort.*

Le 5 novembre 1741 le *Saint-Pierre* se mit en panne au large d'une des îles les plus désolées des mers septentrionales, très au-delà de l'arc des Aléoutiennes. Le capitaine Béring, gravement atteint du scorbut lui-même, rassembla ses officiers pour étudier en toute objectivité leur situation tragique. En début de séance, Jdanko lut le rapport préparé par le médecin du bord, lui-même trop malade pour participer.
— Nous n'avons plus assez d'hommes pour assurer la manœuvre du bateau. Douze sont déjà morts. Trente-quatre sont dans un tel état de faiblesse qu'ils risquent de passer bientôt. Nombre total d'hommes assez forts pour manier les cordages : dix ; et sur ces dix, sept ne se déplacent qu'avec difficulté. Nous n'avons aucune nourriture fraîche et très peu d'eau.
Confronté à ces faits, Béring n'avait guère le choix. Il recommanda d'échouer en cet endroit isolé le bateau avec lequel il avait rêvé d'accomplir tant d'exploits. Ensuite, on construirait un refuge où les marins les plus malades auraient peut-être une chance de survivre à

l'hiver imminent. Ce fut fait, mais sur les quatre premiers hommes que l'on envoya à terre, trois moururent dans le canot de sauvetage — le canonnier Dergatchev, le matelot Emilianov, le soldat sibérien Popkov — et le quatrième, le matelot Trakanov s'éteignit juste au moment où on le posait sur le sol.

Puis survint un blizzard de décès : Stepanov mourut, puis Ovtsine, Antipine et Esselberg. Enfin, la note la plus douloureuse du journal de bord.

> *En raison de la maladie, je dois cesser de tenir régulièrement ce journal.*

Le 1er décembre 1741, jour le plus sombre de tout le voyage, le capitaine Béring fit appeler son assistant Jdanko. Dans un sursaut d'énergie remarquable pour un homme si âgé et si malade, il fit le tour du campement et encouragea chacun en assurant que l'hiver se passerait comme tous les autres hivers difficiles qu'ils avaient vécus ensemble. Il refusait de reconnaître que la situation était désespérée et lorsque Jdanko essaya de lui dépeindre les périls dans lesquels ils se trouvaient, le vieil homme s'arrêta, regarda son collaborateur et lança :

— Je ne m'attendais pas à ce qu'un Russe en pleine santé parle en ces termes.

Jdanko, comprenant que son capitaine n'avait plus tous ses esprits, le reconduisit vers son lit, mais ne put forcer le vieux lion à se coucher. Béring continua d'aller et venir en donnant des ordres pour l'amélioration du camp. Enfin il chancela, essaya de s'accrocher au vide, et tomba dans les bras de Jdanko.

On le déposa, sans connaissance, sur le lit dont il ne se relèverait jamais. Le deuxième jour, il dormit ; mais le troisième, il exigea qu'on lui rende compte en détail de tout ce qui se passait sur le bateau, puis il sombra de nouveau dans le coma — signe de la miséricorde divine, assura Jdanko, à cause des souffrances extrêmes que le vieux lutteur traversait. Le 7 décembre, par un temps glacial, il voulut qu'on le porte à bord du *Saint-Pierre,* mais le cosaque s'y opposa. Dans ses moments de lucidité, Béring discutait intelligemment de tout ce qui restait à faire pour que l'expédition passe pour un succès. À son avis, la meilleure solution serait de ne pas bouger de tout l'hiver, de démolir le *Saint-Pierre,* puis de construire avec le bois un bateau plus petit — une hourque — avec laquelle on gagnerait Petropavlovsk à la voile, quand le temps tournerait au beau. Ensuite, on construirait un autre bateau, plus résistant, et l'on repartirait pour explorer sérieusement les terres alléchantes proches du grand nid des montagnes qui tombaient jusqu'à la mer.

Jdanko l'encourageait dans tous ses rêves, et cette nuit du 7 décembre, il dormit à côté de cet extraordinaire Danois qu'il avait appris à respecter et à aimer. Vers quatre heures du matin, Béring s'éveilla avec une pléiade de nouveaux projets — les autorités de Saint-Pétersbourg les approuveraient, il en était certain — mais quand il essaya de les expliquer en détail il passa à la langue danoise. Aucun de ses Danois n'était plus en vie pour le comprendre.

— Il faut dormir, petit capitaine, murmura Jdanko.

Peu après cinq heures, le vieux marin mourut sur cette île balayée par les tempêtes.

Mais les survivants se serrèrent les coudes, comme Béring l'avait escompté. Malgré les blizzards et le manque de nourriture, les quarante-six courageux qui restaient étudièrent la topographie de l'île et ses possibilités, puis firent exactement ce que Béring avait prévu : avec les bois de démolition du *Saint-Pierre,* ils construisirent une hourque à qui ils donnèrent le même nom : onze mètres de long, moins de quatre mètres de large ; un mètre soixante de profondeur. Dans cette embarcation frêle et pleine à craquer, les quarante-six hommes franchirent les trois cent six milles nautiques qui les séparaient de Petropavlovsk, où ils débarquèrent le 27 août 1742, neuf ans et cent soixante-trois jours après leur départ de Saint-Pétersbourg, le 18 mars 1733.

À leur arrivée, ils apprirent que le second bateau de l'expédition, le *Saint-Paul,* avait eu sa part d'ennuis lui aussi. Sur les soixante-seize officiers et matelots partis en juin, cinquante-quatre seulement étaient rentrés en octobre, quatre mois plus tard. Ils s'affligèrent sur la disparition de quinze marins compétents près d'une île splendide. Et l'un des officiers leur indiqua :

— Sur le trajet du retour à Petropavlovsk, le scorbut a tué les autres...

Le pire que l'on puisse reprocher à Vitus Béring, c'est sa malchance. Tous les événements semblaient conspirer contre lui. Ses bateaux firent eau ; les provisions qu'il escomptait n'arrivèrent pas à temps, se perdirent ou furent volées. Beaucoup d'autres capitaines dirigèrent des traversées beaucoup plus longues que la sienne dans l'espace et le temps, du Kamtchatka à l'Alaska, sans subir d'attaques de scorbut aussi virulente. Mais il était tellement marqué par un destin contraire qu'au cours de sa croisière relativement brève, il perdit trente-six hommes sur un bateau et vingt-deux sur l'autre. Et il mourut sans même avoir rencontré les Européens qu'il cherchait.

Et pourtant ce petit Danois bedonnant laissa derrière lui un héritage d'honneur et une tradition de la mer qui inspira la marine d'une grande nation. Il avait sillonné les mers septentrionales avec une énergie qui galvanisait les hommes et son entourage, et dans aucun de ses livres de bord il n'est fait état une seule fois de mécontentements contre le capitaine ou d'agitation parmi les matelots sous ses ordres.

Dans les mers qu'il parcourut de façon si inefficace, deux témoignages nous restent de sa valeur. L'eau glacée qui se trouve entre les océans Arctique et Pacifique porte son nom : c'est la mer de Béring, et elle lui a emprunté plus d'un trait de caractère. Elle est austère ; elle gèle dur ; il y est difficile de naviguer quand la glace prend ; et elle punit ceux qui se méprennent sur sa puissance. Mais elle accueille une vie animale abondante et récompense généreusement les bons chasseurs et les bons pêcheurs. C'est une mer qui mérite de porter le nom d'un homme rude comme Béring, et dans notre récit nous la rencontrerons à maintes reprises, toujours avec respect. À la fin du siècle qui suivit l'expédition de Béring, des milliers d'hommes viendraient peupler ses côtes et certains trouveraient dans ses sables magiques la fortune dorée de Crésus.

Les Russes donnèrent également le nom de Béring à l'île désolée où il mourut, et aucun bon marin n'eut jamais un monument funéraire plus lugubre. Mais il y aura toujours des critiques pour prétendre que Béring n'était pas un bon marin.

— Aucun bon marin n'a vu aussi grand, prétendent-ils.

L'histoire ne se sent pas à l'aise pour arbitrer ce genre de débat.

⁂

L'exploration de l'Alaska fut l'œuvre de deux types d'homme radicalement différents : d'un côté des explorateurs tenaces de réputation bien établie (comme Vitus Béring et d'autres personnages historiques que nous rencontrerons bientôt) ; de l'autre, de rudes aventuriers sans nom, des hommes de profit, qui obtinrent souvent des résultats plus constructifs que les savants désintéressés dont ils suivaient les traces. Au début du développement, cette deuxième vague d'hommes en mouvement se composa d'aigrefins, de voleurs, d'assassins et de voyous nés en Sibérie ou déportés là-bas. Leur devise, lorsqu'ils se lancèrent à la conquête des îles Aléoutiennes, était brève mais juste :

« Dieu est haut, le tsar est loin. Mais nous sommes dans les îles, faisons donc ce qu'il faut. »

Trophime Jdanko, échappé par miracle à l'hiver de famine sur l'île Béring, devint un de ces aventuriers-commerçants à la suite d'un étrange concours de circonstances. Il était rentré au port d'Okhotsk, au bout de la route de Russie, et il supposait qu'on allait le rapatrier chez lui. Mais il s'aperçut peu à peu, pendant les six mois d'attente, qu'il n'avait en réalité aucun désir de rentrer dans l'Ouest : « J'ai quarante et un ans. Mon tsar est mort. Qu'ai-je à faire à Saint-Pétersbourg ? Ma famille est morte. Qu'ai-je à faire en Ukraine ? » Plus il réfléchissait à ses perspectives limitées, plus il était tenté de rester dans l'Est, et il commença à demander quelles étaient ses chances d'obtenir un poste du gouvernement. Très vite, il apprit ainsi un des faits de base de la vie russe :

— Quand il y a un bon poste dans une province non russe, comme la Sibérie, c'est toujours un fonctionnaire né en Russie proprement dite qui l'obtient. Les autres, inutile de poser leur candidature.

Le meilleur emploi de l'État que pouvait espérer, à Okhotsk, un Ukrainien comme lui, était une place de manœuvre au nouveau port en construction pour lancer le commerce avec le Japon, la Chine et les Aléoutiennes — si ce commerce se développait un jour, ce qui paraissait peu probable, puisque les ports des deux premiers pays étaient fermés aux bateaux russes, et que les Aléoutiennes ne possédaient aucun port. Découragé, et ne sachant trop quels malheurs pouvaient lui échoir s'il retournait à Saint-Pétersbourg maintenant que des têtes nouvelles se trouvaient au pouvoir, il traînait sur le port, au soleil, un matin de juin 1743 quand un homme, manifestement sibérien (peau sombre, traits de type mongol, pas de cou) l'accosta en ces termes :

— M'appelle Poznikov, noble marchand. Avez l'air costaud.

— J'ai rencontré plus costaud que moi.

— Jamais navigué ?

— Je suis allé en face.

Il tendit le bras vers l'Amérique et le marchand resta bouche bée. Il le prit par le bras et le fit pivoter pour l'examiner de plus près.

— Vous étiez avec Béring ?

— Je l'ai enterré. Un grand homme.

— Venez avec moi, que je vous présente ma femme.

Le marchand conduisit Jdanko à une maison bien bâtie et meublée donnant sur le port. Mme Poznikov, visiblement impérieuse de caractère, n'était pas sibérienne.

— Pourquoi me présentes-tu cet ouvrier ? lança-t-elle sèchement à son mari.

— Ce n'est pas un ouvrier, répondit-il d'un ton humble. C'est un marin.
— Où a-t-il navigué ?
— En Amérique... Avec Béring.
À ce nom, la femme s'avança vers Trophime, le fit pivoter pour l'examiner avec soin comme son mari dans la rue, et fit tourner sa grosse tête à gauche et à droite comme si elle espérait le reconnaître. Puis elle haussa les épaules et demanda avec un soupçon de mépris :
— Toi ? Tu étais avec Béring, toi ?
— Deux fois. Son assistant.
— Et tu as vu les îles là-bas ?
— Je suis descendu à terre deux fois, et comme vous le savez nous y avons passé un hiver entier.
— Je ne le savais pas, répliqua-t-elle.
Elle ordonna à Trophime de s'asseoir et à son mari d'aller chercher une boisson à base d'airelles, abondantes dans la région. Puis elle se racla la gorge et reprit son interrogatoire.
— Dis-moi, cosaque, y avait-il vraiment des fourrures dans ces îles ?
— Partout où nous sommes allés.
— Mais les gens du premier bateau qui est rentré, celui du capitaine Tchirikov, m'ont dit qu'ils n'avaient pas vu de fourrures.
— Ils ne sont pas descendus à terre, comme nous.
Elle se leva brusquement et se mit à faire les cent pas dans la pièce, puis elle s'assit à côté de son mari et lui posa la main sur le genou, comme pour lui demander conseil ou lui imposer silence.
— Cosaque, demanda-t-elle très lentement, accepterais-tu de repartir dans les îles ? Pour mon mari, n'est-ce pas ? Pour nous rapporter des fourrures ?
Jdanko respira à fond pour dominer l'émotion qu'il ressentait à la perspective qui s'offrait d'éviter une vie morne en Russie occidentale.
— Si c'est possible..., répondit-il.
— Que veux-tu dire ? Tu l'as déjà fait.
Elle agita la main pour écarter toutes les objections :
— Les équipages, les bateaux... C'est à ça que sert Okhotsk. Partiras-tu ? lança-t-elle en se campant devant lui.
À quoi bon retarder sa réponse enthousiaste :
— Oui, dit-il.
Au cours des discussions qui suivirent sur l'organisation, ce fut Mme Poznikov qui fixa les principes.
— Tu iras jusqu'au nouveau port de Petropavlovsk, dans un bon vaisseau d'Okhotsk appartenant à l'État : mille milles marins de traversée facile. De là-bas, tu ne seras qu'à six ou sept cent milles de la première île ; tu construiras ton bateau et tu prendras la mer au début du printemps. Pêche et chasse tout l'été. Retour à l'automne. Quand tu arriveras ici, Poznikov apportera tes fourrures à Irkoutsk...
— Pourquoi si loin ? demanda Jdanko.
— C'est la capitale de la Sibérie ! lança-t-elle. Tout ce qui est bien dans cette partie de la Sibérie vient d'Irkoutsk... Je viens d'Irkoutsk, précisa-t-elle en feignant la modestie. Mon père y était voïvode.
Et quand elle prononça le mot, Trophime et elle se montrèrent mutuellement du doigt et éclatèrent de rire.
— Qu'y a-t-il de si drôle ? demanda Poznikov.
Sa femme prit le cosaque par le poignet et le secoua énergiquement.

— Oui, il était avec Béring ! Je l'ai vu de mes yeux avec Béring... Cela fait combien d'années ?

— Dix-sept, répondit Trophime. Vous nous avez apporté du thé et votre père nous a parlé du commerce des fourrures en Mongolie.

Après un instant de silence, il ajouta :

— Êtes-vous jamais retournée à ce marché mongol près de la frontière ?

— Oh oui ! C'est là que je l'ai rencontré, répondit-elle en montrant son mari impassible, sans lui témoigner d'affection mais avec un grand respect. Ivan, lança-t-elle aussitôt en frappant dans ses mains, j'engage ce cosaque tout de suite. Ce sera notre capitaine.

Ivan Poznikov, à cinquante ans passés, s'était endurci au cours des hivers cruels de Sibérie, mais surtout à cause des méthodes violentes qu'il avait dû pratiquer dans ses échanges avec les Tchouktches, les Kalmouks et les Chinois. Il était de grande taille, un peu plus petit que Jdanko, mais plus large d'épaules et aussi puissant des bras. Il avait des mains énormes, et plusieurs fois où il s'était trouvé en danger de mort, ses longs doigts s'étaient crispés autour du cou de son adversaire et n'en avaient plus bougé jusqu'à ce que l'homme tombe inerte entre ses mains. En affaires, il se montrait aussi brutal, mais au cours des années sa femme n'avait cessé de lui en imposer et il la laissait diriger la famille et le commerce.

Quand Trophime rencontra les Poznikov en ce matin de printemps, il se demanda comment cette femme dynamique, fille d'un voïvode envoyé de la capitale, avait consenti à épouser un simple marchand sibérien. Mais dans les semaines qui suivirent il se rendit compte qu'à eux deux ils dominaient le commerce de la fourrure dans tout l'est du pays, et il se rappela l'intérêt qu'elle avait montré pour cette activité à Irkoutsk, quand elle était encore jeune fille. Apparemment, elle avait vu en Poznikov sa meilleure chance de se faire initier aux mystères de la Sibérie orientale. Elle avait donc tiré un trait sur ses ambitions sociales, l'avait pris pour mari et avait multiplié par six le volume de ses affaires. C'était elle qui contrôlait la vente et prenait la plupart des décisions majeures. Poznikov avouait volontiers :

— Je m'en tire mieux quand je l'écoute.

Un jour où les deux hommes travaillaient sur le projet de comptoirs commerciaux dans les Aléoutiennes, Poznikov laissa échapper une remarque banale laissant supposer que Madame — comme les deux hommes l'appelaient — avait sans doute fait les premiers pas vers lui.

— Nous étions sur la frontière mongole, et sa connaissance précise des prix des fourrures m'étonna. Je lui dis : « Vous êtes merveilleuse ! » À ma vive surprise, elle me répondit carrément : « Vous êtes merveilleux vous aussi, Poznikov. Ensemble, nous ferions une excellente équipe. »

Et les deux hommes passèrent à un autre sujet.

Quand il devint manifeste que la préparation de la première traversée aux Aléoutiennes prendrait beaucoup plus de temps que prévu, Mme Poznikov remarqua :

— Il est temps d'aller chercher nos fourrures à Kyakhta sur la frontière mongole.

Elle proposa à Jdanko d'engager six gardes armés pour les escorter sur les huit cents premiers kilomètres de steppe, hantée par des bandits entre Okhotsk et la Lena. Quand on en vint aux détails, Trophime apprit qu'il ne protégerait pas seulement le marchand et son épouse, mais aussi leur fils de seize ans, adolescent orgueilleux et mal élevé qui répondait au prénom fort mal choisi d'Innokenti.

Au cours de leurs premières heures ensemble, Trophime apprit que le fils était arrogant, têtu, brutal à l'égard des inférieurs et honteusement gâté par sa mère. Innokenti avait réponse à tout et désirait prendre toutes les décisions. Comme il était de grande taille, ses opinions arrêtées exerçaient plus de poids qu'elles n'en auraient eu autrement, et il prenait un malin plaisir à dire à Jdanko ce qu'il avait à faire — il n'avait guère plus de considération pour lui que pour un serf. Comme le trajet à Iakoutsk s'élevait à plus de douze cents kilomètres, le voyage avec les peaux ne s'annonçait pas comme une partie de plaisir.

Pour détendre l'atmosphère tandis qu'ils avançaient dans les terres désolées de Sibérie, Trophime inventa un quatrain sans tête ni queue, comme ceux que sa mère lui chantait en Ukraine :

D'Irkoutsk à Ilimsk, à Iakoutsk, à Okhotsk,
Pourquoi tous ces noms à coucher dehors ?
D'Okhotsk à Iakoutsk, à Ilimsk, à Irkoutsk
Quand on est cosaque, il faut être fort.

— Quelle chanson idiote ! lança Innokenti. Taisez-vous !

Mais les six gardes avaient déjà adopté les noms difficiles et le rythme brisé. Bientôt toute la colonne sauf le jeune homme chantait *D'Okhotsk à Irkoutsk* et les kilomètres monotones parurent plus supportables.

À peu près à mi-chemin de Iakoutsk, ils campèrent un soir sur le versant dénudé d'une montagne sibérienne. Enchanté du voyage, satisfait par la sympathie que lui témoignait le couple Poznikov, Trophime décida de parler au grand marchand sans cou et aux moustaches tombantes.

— J'ai apporté une fourrure particulière, lui confia-t-il au clair de lune. Je crois qu'elle a de la valeur. Accepterez-vous de la vendre pour mon compte quand vous aurez les vôtres de Mongolie ?

— Avec plaisir. Où est-elle ?

De sa blouse ample, Trophime sortit la peau remarquable qui lui avait été offerte dans l'île de Lapak. Dès que Poznikov toucha le poil, avant même de la rapprocher de la lumière, il dit :

— Loutre de mer.

— Oui.

Le marchand siffla entre ses dents.

— Je ne savais pas qu'elles pouvaient atteindre cette taille.

— Là-bas, les mers en sont pleines.

Dans les minutes qui suivirent, Jdanko comprit pourquoi le Sibérien au cou de taureau avait si bien réussi, même avant d'épouser son éminente femme. Poznikov régla la lampe à huile pour qu'elle éclaire la fourrure sans en révéler la présence aux six gardes, qui risquaient de fureter. Puis il souleva les bords l'un après l'autre, vérifia la qualité en frottant entre ses doigts, et tira dessus, d'abord doucement pour s'assurer que les poils n'avaient pas été collés à la peau, puis d'un coup sec quand Jdanko tourna la tête un instant. La fourrure était bien réelle, bien que d'un type peu courant. Il la posa contre son visage, puis souffla dessus pour séparer les poils et étudier les subtiles variations de couleur sur leur longueur. Soudain, en un geste qui surprit Trophime, il appuya les deux mains très fort contre la fourrure et écarta les poils pour voir la peau même de l'animal et juger si elle était saine. Quand ce fut fait, il s'éloigna de la lampe pour que nul ne puisse le voir sauf Jdanko, leva sa main droite au-dessus de sa tête et laissa se dérouler sur toute sa longueur cette splendide peau.

Lorsqu'il revint dans la lumière, il dissimula la fourrure, s'assit à côté de Trophime et lui remit la peau entre les mains.

— Il faut que Madame la voie, chuchota-t-il.

Ils se glissèrent sans bruit jusqu'à la tente.

— Nous avons trouvé un trésor, annonça-t-il à sa femme et à Innokenti en faisant signe à Trophime de la dérouler devant eux.

Dès qu'elle vit la fourrure, elle essaya d'évaluer sa valeur avec une série de trucs totalement différents de son mari. Cette femme imposante de trente-quatre ans se leva et, prenant des poses de princesse, drapa la fourrure autour de ses épaules, fit quelques pas, pivota, revint vers son fils et s'inclina devant lui comme s'il l'avait invitée à danser.

Alors seulement elle donna son opinion.

— Belle fourrure. Une fortune.

— Combien ? demanda Trophime d'une voix hésitante.

— Sept cents roubles...

Trophime en resta bouche bée.

— Il y en a des centaines, là-bas.

Elle étudia la peau, la soupesa dans ses mains, la fit glisser contre sa joue.

— Peut-être neuf cents !

Malheureusement, Innokenti assistait à la scène. Le lendemain, il ne put s'empêcher de se vanter auprès d'un des gardes sibériens :

— Nous avons une peau d'une espèce nouvelle. Elle vaut plus de mille roubles.

Et les jours suivants, l'homme raconta aux autres gardes :

— Dans ces balles qu'ils n'ouvrent jamais, ils ont des centaines de peaux qui valent quinze cents roubles chacune.

Ainsi commença le complot.

Au moment où la caravane s'engagea dans un canyon entouré de collines basses, sur un coup de sifflet de l'un des Sibériens, les six gardes se jetèrent sur les Poznikov et leur défenseur personnel, Jdanko. Sachant qu'il fallait d'abord se débarrasser de ce dernier, les trois gardes les plus costauds tombèrent sur Trophime avec des massues et des couteaux. Ils comptaient bien le tuer sur le coup, mais, avec un instinct acquis au cours de ses nombreux combats, le cosaque devança chacune de leurs manœuvres et parvint à les tenir en échec.

À la stupéfaction des trois autres gardes qui avaient attaqué les trois Poznikov en escomptant une victoire facile, la famille se mua en tigres de Sibérie ou pis encore. Mme Poznikov se mit à hurler et à faire des moulinets autour d'elle avec sa canne de marche, qu'elle manipulait avec rage et précision. Son fils, loin de prendre la fuite comme n'importe quel gamin de seize ans pris de peur, saisit l'un des hommes par le bras, lui fit perdre l'équilibre et le projeta contre un arbre. Le garde s'écroula. Aussitôt, Innokenti lui sauta dessus et le terrassa à coups de poing. Mais le plus valeureux s'avéra Poznikov lui-même. Il maîtrisa son assaillant, l'étrangla avec ses énormes mains puis bondit au secours de Jdanko qui tenait encore ses trois agresseurs en respect.

L'un de ces derniers braquait vers la gorge de Trophime un long couteau pointu. Poznikov se jeta sur lui, le renversa mais ne put le désarmer aussitôt, et le gardien désespéré lui planta le couteau dans le ventre, tira vers le haut puis sur le côté et laissa l'arme achever son œuvre dans la blessure. Poznikov, se sentant mortellement blessé, hurla quelque chose à sa femme dans une curieuse langue de Sibérie. Aussitôt, celle-ci cessa ses moulinets et s'élança vers son mari.

Dès qu'elle vit ce qui s'était passé, elle comprit qu'il allait mourir. Elle saisit le manche du long couteau, l'arracha aux entrailles de son mari, et lança autour d'elle des regards fous. Voyant l'homme que son fils venait de mettre hors de combat, elle bondit et lui enfonça le couteau dans la gorge. Elle se jeta ensuite sur l'homme que son mari avait renversé et elle le poignarda trois fois dans la poitrine en poussant un cri sauvage.

Les quatre autres gardiens, horrifiés par les actes de cette femme prise de folie, voulurent s'enfuir sans plus songer aux balles qu'ils croyaient pleines de fourrures de loutre. Mais Innokenti fit trébucher l'un d'eux, le cloua au sol et cria à sa mère de lui donner le couteau. Il poignarda l'homme plusieurs fois.

Trois vauriens sibériens et le marchand avaient perdu la vie dans le canyon, et quand Trophime et Innokenti eurent enterré Poznikov sous un tas de pierres, Madame fit en toute sincérité le bilan du combat.

— Innokenti s'est montré très brave, je suis fière de lui. Et je savais ce que je faisais quand j'ai pris ce couteau. Mais nous serions tous morts si Jdanko n'avait pas retenu les trois premiers si longtemps. Et avec une telle vaillance...

Elle s'inclina devant lui et ordonna à son fils de faire de même, par respect pour son comportement digne d'un vrai cosaque. Le jeune homme, accablé par la mort de son père, refusa.

Craignant que les trois gardes en fuite ne renouvellent avec des comparses leur tentative d'attaquer la caravane, les voyageurs délibérèrent sur la meilleure façon de protéger leur vie et leur chargement. Comme ils avaient parcouru plus de la moitié du chemin, ils décidèrent de continuer : il ne restait que trois cent vingt kilomètres. Le matin, après des adieux éplorés à la tombe d'Ivan Poznikov, marchand-combattant, ils s'élancèrent sur un des espaces les plus désolés du monde : les plateaux dénudés de la Sibérie centrale, où les journées s'étiraient dans un vide absolu, sans rien qui arrête l'œil jusqu'à l'horizon. Chaque nuit, le vent hurlait.

Sur ces terres où chacun se trouvait à l'épreuve, Trophime apprécia vraiment la famille extraordinaire dont il faisait maintenant partie, en un sens. Ivan Poznikov s'était avéré sans peur dans la vie, courageux dans la mort. Sa veuve Marina, tout à fait admirable, l'égale de n'importe quel homme en matière de commerce, pouvait devenir redoutable avec un couteau à la main. En l'observant qui s'adaptait à la perte de son mari et aux rigueurs de la marche, il comprit pourquoi Ivan lui avait volontiers cédé la direction de ses affaires. Maintenant, dans la partie la plus dangereuse de leur voyage, elle montait la garde pendant que les hommes dormaient. Elle mangeait aussi frugalement qu'eux, parcourait les chemins difficiles sans une plainte et aidait à panser les chevaux. Elle sourit quand Trophime lui lança ce qu'il jugeait le plus beau des compliments :

— Vous êtes un cosaque en jupons !

Innokenti posait un problème. Il s'était extrêmement bien conduit pendant l'attaque de leur caravane, et s'était battu comme un homme de trois fois son âge. Mais il demeurait très désagréable, comme si le fait de tuer un homme l'avait rendu plus arrogant. Il éprouvait pour Trophime un dédain viscéral, l'autorité de sa mère lui déplaisait et il avait tendance à faire toutes sortes de choses agaçantes qui empêchaient les adultes de lui accorder leur confiance. Malgré ses qualités, il ne serait jamais estimable. Trophime l'entendit se plaindre :

— Trois voleurs morts, mais le cosaque n'en a pas tué un seul. C'est une femme et un gamin qui ont sauvé la caravane.

Mme Poznikov ne le laissa pas aller plus loin.

— Nous savons qui nous a protégés ce soir-là. Par miracle, je pense. Qui a tenu tête aux trois hommes ?...

Et c'était Jdanko qui les guidait au milieu de ces déserts pleins de dangers. Il choisissait les endroits où faire halte et se portait volontaire pour monter la garde pendant la nuit. Il surveillait les pistes des ours, s'engageait le premier dans les gués et se comportait à tous égards comme un vrai cosaque. Mais malgré ces preuves constantes de compétence, Innokenti refusait de le considérer autrement que comme un serf. Il obéit cependant à Trophime pendant tout le trajet — mais avec l'intention de se débarrasser de lui à l'arrivée.

Les voyageurs, en quatorze journées périlleuses sur les pistes solitaires, parvinrent sur la colline d'où ils purent contempler la majestueuse Lena. Épuisés, ils s'arrêtèrent pour prendre quelque repos et Jdanko, les yeux posés sur le large fleuve, ne put s'empêcher de dire :

— Quand vous aurez vendu les fourrures, vous aurez des roubles à la place des peaux. Et nous devrons nous soucier de retourner sans encombre à Okhotsk.

— Cette fois, nous engagerons des gardes honnêtes, répondit Madame.

À Iakoutsk elle dut résoudre un problème différent : trouver des marchands honnêtes pour remonter ses balles en chaland sur la Lena jusqu'aux grands marchés de la frontière mongole ; elle fit appel à d'anciennes relations de son mari et conclut un accord prometteur. Avant d'envoyer les peaux, elle prit les marchands à part pour leur montrer la fourrure spéciale qu'elle leur confiait dans le lot.

— Loutre de mer. Rien de pareil au monde. Et je peux en fournir des quantités régulières.

Les hommes examinèrent la fourrure exceptionnelle et demandèrent pourquoi son mari n'avait pas accompagné un chargement aussi précieux.

— Il est parti avec nous mais nos gardes l'ont tué. Aidez-moi à en trouver six qui ne me tueront pas sur le chemin du retour.

Ils lui fournirent des hommes de confiance, choisis dans leurs propres équipes.

— Apportez-nous toutes les peaux de loutre de mer que vous pourrez trouver. Les marchands chinois vont se battre pour cette fourrure.

Elle leur fit une promesse :

— Vous me reverrez souvent à Iakoutsk.

Et en revenant à Okhotsk elle discuta avec Trophime et son fils des meilleurs moyens d'exploiter les îles Aléoutiennes.

Le lendemain de leur arrivée dans cette bourgade en train de se transformer en ville, Madame convoqua Trophime et lui dit carrément :

— Cosaque, tu es un homme formidable. Tu as du courage et de la cervelle. Il faut que tu restes avec moi. J'ai besoin de toi pour contrôler les îles de la fourrure.

— Je n'ai pas l'intention de me marier, répondit-il.

— Qui parle de mariage ? J'ai besoin de toi pour mes affaires.

— Je suis un marin. Je n'entends rien aux affaires.

— Je t'apprendrai... Poznikov, paix à son âme, était marchand depuis des années. Mais il n'avait rien fait jusqu'au jour où je lui ai mis de l'acier dans les os.

— Ce qui m'intéresse, ce sont les îles.

— Cosaque, nous nous emparerons de ces îles, toi et moi. Et de toutes les fourrures qu'elles contiennent.

Elle s'avança vers lui et, haussant progressivement le ton :

— Mais ni toi ni moi n'y parviendrons sans l'autre. Cosaque, j'ai besoin de toi.

Mais Trophime Jdanko connaissait son destin.

— Je partirai dans les îles. Je vous rapporterai des fourrures. Mais c'est vous qui les vendrez.

Il ne voulut pas démordre de ce principe simple. Et Madame dut dissimuler — très mal — sa contrariété.

— Soit. Mais tu emmèneras Innokenti avec toi. Enseigne-lui la sagesse et la maîtrise de soi. Il n'a ni l'une ni l'autre.

— L'emmener ? Je n'en ai guère envie. Il est déjà perdu, j'en ai peur. Mais je l'emmènerai.

Elle le prit par le bras.

— Au diable la sagesse et la maîtrise de soi. Enseigne-lui à être un homme de confiance, comme son père et comme toi. Sinon j'ai bien peur qu'il ne le devienne jamais.

Tout charpentier de marine sérieux se serait arraché les cheveux en voyant dans quel baquet lamentable Trophime Jdanko et Innokenti Poznikov (maintenant âgé de dix-huit ans) se proposaient de traverser la mer de Béring avec onze autres hommes, de Petropavlovsk à l'île d'Attu, la plus occidentale des Aléoutiennes. Pour la carcasse du bateau, on s'était servi de bois vert, mais non pour les bordages, constitués de peaux de phoque — certaines assez épaisses pour résister aux chocs, d'autres si fines que n'importe quel glaçon pourrait les éventrer. Comme il n'y avait pour ainsi dire aucun clou au Kamtchatka, le petit nombre que l'on avait réuni avait servi pour les pièces maîtresses de bois. Quant au reste, on s'était contenté de nerfs de morse et de baleine et un marin s'écria :

— Ce truc-là n'a pas été construit, mais cousu.

En fait, ce n'était guère mieux qu'un oumiak de peau de phoque vaguement renforcé et assez grand pour contenir treize marchands de fourrure et leur matériel — notamment leurs fusils. En fait, il y avait tellement d'armes à feu à bord que le bateau ressemblait à un arsenal flottant. Les hommes étaient impatients de les utiliser; mais la barcasse fragile avait peu de chance d'atteindre les Aléoutiennes et encore moins d'en revenir chargée de peaux. Jdanko, n'écoutant que sa bonne étoile, appareilla cependant par un jour du printemps 1745 avec l'intention bien arrêtée de s'emparer de l'Alaska pour l'empire russe, et de ses richesses pour son équipage de sac et de corde.

C'était une bande sauvage, prête à prendre des risques et bien décidée à faire fortune dans le commerce des peaux. Avant-garde de l'expansion de la Russie vers l'est, ils allaient devenir l'archétype de la colonisation russe en Alaska.

Quel genre d'individus étaient-ils ? On peut distinguer trois groupes : de vrais Russes venus de l'État relativement petit centré autour de Saint-Pétersbourg et Moscou ; des aventuriers de toutes les autres parties de l'empire, notamment des Sibériens de l'Est ; enfin un groupe curieux qui portait le nom difficile de *promychlenniki* — vagabonds sans lois, d'origine diverse, auxquels les tribunaux avaient donné le choix entre la mort et une servitude forcée aux Aléoutiennes. Malgré ces différences, on les appelait tous Russes.

Ce sinistre ramassis reçut au départ la bénédiction de vents favorables qui ne cessèrent de gonfler leur voile improvisée. Après vingt jours de traversée facile, sans un coup de rame ou presque, Jdanko annonça :

— Peut-être demain. Ou après-demain.

Le grand nombre de phoques qu'ils voyaient leur réchauffait le cœur, et un matin à l'aurore, Innokenti aperçut vers l'est, rebondissant au gré des vagues, sa première loutre de mer.

— Trophime ! appela-t-il (car il continuait de traiter le cosaque comme un serf), c'en est une ?

Le petit bateau encombré ne permettait guère de déplacements, mais Trophime se pencha et regarda dans la lumière matinale.

— Je ne vois rien.

— Là ! Là ! Elle nage sur le dos ! cria Innokenti, agacé et impatient.

Trophime vit alors l'un des spectacles les plus étranges et les plus charmants de la nature : une loutre de mer en train de nager sur le dos avec un bébé blotti sur le ventre. Tous les deux, parfaitement à l'aise, semblaient prendre plaisir aux dessins que traçaient les nuages dans le ciel. Trophime ne pouvait être sûr qu'il s'agissait de loutres, mais ce n'étaient pas des phoques. Il passa à l'arrière, prit la barre et manœuvra vers les deux animaux.

Ne sachant ni ce qu'était un bateau, ni ce qu'était un homme, la mère loutre continua de nager paresseusement tandis que les chasseurs se rapprochaient. Même quand Innokenti leva son arme pour viser, elle ne tenta pas de fuir. Elle entendit un claquement violent, sentit une brûlure dans sa poitrine et coula instantanément au fond de la mer de Béring, morte et d'aucune utilité pour personne. Son bébé qui continuait de flotter, fut assommé d'un coup d'aviron et coula par le fond lui aussi. Dans les années qui suivraient, sept sur dix de toutes les loutres abattues par les chasseurs inexpérimentés qui tiraient trop tôt, couleraient avant que l'on puisse s'emparer de leur fourrure. Avec le premier coup de feu d'Innokenti, l'extermination débuta.

Ayant perdu une vraie loutre de mer — en tout cas Trophime et les autres l'assuraient —, le jeune homme n'était pas de la meilleure humeur un peu plus tard ce matin-là quand l'un des hommes cria : « Terre ! » Il ne prit aucun plaisir à voir émerger des brumes qui l'entouraient l'île solitaire d'Attu.

Arrivés à l'angle nord de l'île, ils longèrent le rivage pendant une journée entière. Ils n'y trouvèrent que des falaises inhospitalières et des espaces qui paraissaient nus, sans arbres ni buissons. Ils passèrent devant une baie mais la côte rocheuse était si sauvage de chaque côté de l'entrée que tenter d'y accoster semblait fort téméraire. Ce soir-là, en se couchant, Innokenti observa d'un ton geignard :

— Attu n'est qu'un rocher.

Mais le lendemain matin après avoir contourné un promontoire bas, à la pointe est de l'île, ils se trouvèrent en face d'une large baie bordée de grèves sablonneuses accueillantes et de vastes prairies. Ils accostèrent avec précaution puis, supposant l'île inhabitée, s'engagèrent dans les terres. À peu de distance de la baie, ils découvrirent le miracle d'Attu : où qu'ils aillent ils foulaient un trésor de belles fleurs, d'une variété inouïe — pâquerettes, crocus rouges, lupins de toutes les couleurs, fumeterres, chardons étoilés, et deux espèces qui les émerveillèrent : des iris violets et des orchidées vert-de-gris.

— C'est un jardin ! s'écria Trophime.

Innokenti, qui s'était détourné, lança soudain :

— Regardez !

À l'autre bout de la prairie s'avançait une procession d'indigènes portant le couvre-chef remarquable de leur île : longue visière vers l'avant, arrière vertical et des bouquets de plume plantés sur la couronne. Jamais ils n'avaient vu de Blancs ; jamais les envahisseurs, mis à part Jdanko, n'avaient vu d'îliens. De part et d'autre la curiosité était extrême.

— Ils sont gentils et doux, jusqu'à preuve du contraire, assura Jdanko à ses hommes.

Mais il eut du mal à les en convaincre, car chaque îlien avait un os assez long planté horizontalement dans le nez et un ou deux labrets dans la lèvre inférieure. Leur allure semblait si sauvage qu'Innokenti cria :

— Tirez dessus !

Trophime s'y opposa et s'avança en présentant dans ses mains tendues une poignée de perles de verroterie. Quand ils les virent briller au soleil, les îliens discutèrent entre eux à voix basse, puis l'un d'eux s'approcha de Jdanko pour lui offrir un morceau d'ivoire sculpté. Ainsi débuta l'exploitation sérieuse des îles Aléoutiennes.

Les premiers contacts furent agréables. Les îliens formaient un groupe organisé : ces hommes de petite taille, aux visages sombres typiquement orientaux, marchaient pieds nus, se vêtaient de peaux de phoque et se tatouaient le visage. Leur langue ne ressemblait à aucune de celles que Jdanko et ses hommes avaient entendues, mais leurs larges sourires exprimaient un caractère accueillant.

Mais lorsque Jdanko et son équipe s'avancèrent vers l'une des huttes dans lesquelles vivaient les îliens, deux choses se produisirent : de toute évidence, les hommes d'Attu ne voulaient pas que les inconnus entrent en contact avec leurs femmes et leurs enfants ; et quand les Sibériens entrèrent de force dans l'une des cabanes, ils furent désagréablement surpris par l'obscurité de cette grotte souterraine, par le désordre qui y régnait et par l'odeur épouvantable de poisson séché et de gras de phoque en train de rancir. Une certaine tension s'ensuivit et l'un des hommes de Jdanko grommela avec mépris :

— Ils ne sont pas humains !

Cela devint vite l'opinion générale.

Néanmoins, dans plusieurs des huttes les nouveaux venus trouvèrent de petits tas de peaux de phoque, mais sans savoir si les îliens accepteraient d'en faire commerce. Et dans deux habitations il y avait des peaux de loutre de mer fort bien tannées. Leur longue recherche, commencée à Okhotsk et poursuivie par leur traversée de la mer de Béring dans leur invraisemblable bateau, semblait couronnée de succès.

Jdanko, qui était astucieux, n'eut aucun mal à expliquer aux hommes d'Attu que s'ils lui apportaient des peaux de phoque, il leur donnerait en échange certaines choses de son bateau ; mais il leur fit comprendre ensuite que les nouveaux venus désiraient surtout des peaux de loutre de mer. Ce ne fut pas aussi facile, parce que depuis des siècles les îliens avaient appris que la loutre de mer était l'animal le plus rare de leurs eaux. Et qu'elle ne se laissait pas attraper si facilement. Les Sibériens finirent cependant par convaincre les îliens de partir dans leurs kayaks pour leur ramener des fourrures, surtout des loutres.

Un jeune îlien du nom d'Ilchouk voulut enseigner à Innokenti les rites de son île. Plus âgé que le Sibérien de cinq ans, c'était un chasseur expérimenté et il avait activement participé à la capture de l'unique baleine ramenée à terre par les hommes d'Attu au cours des dix années précédentes. Avec les fanons de l'animal les sœurs d'Ilchouk avaient fabriqué de nombreux objets utiles et deux paniers qui, outre leur rôle pratique, constituaient de véritables œuvres d'art.

Quand il vit ces paniers et d'autres objets fabriqués en os de baleine et en ivoire, Trophime commença à changer d'avis au sujet des îliens d'Attu. Et le jour où Ilchouk l'invita avec Innokenti dans sa hutte, il se rendit compte qu'ils ne vivaient pas du tout comme des bêtes. L'ordre régnait dans la hutte, organisée à peu près comme une maison en Sibérie, sauf qu'elle était presque entièrement creusée dans le sol ; et quand les vents d'hiver se mirent à souffler, Trophime comprit vite pourquoi les habitations étaient aussi basses : les bourrasques les auraient emportées si elles avaient été plus hautes.

Au creux de l'hiver, les tensions entre les deux groupes éclatèrent, car les nouveaux venus, avides de fourrures, voulurent que les îliens continuent de chasser malgré le mauvais temps, tandis que les hommes d'Attu, au fait de la violence des tempêtes hivernales, savaient qu'ils devaient rester à terre jusqu'au printemps. Ce fut Innokenti, âgé de dix-neuf ans et de plus en plus brutal dans ses relations avec les autres, qui exerça les pressions les plus violentes. Très fier d'appartenir à la famille qui avait établi le commerce des fourrures en Sibérie orientale, il n'acceptait pas l'intrusion d'hommes comme Jdanko et voulait diriger lui-même l'accumulation des balles et les opérations qui promettaient d'en obtenir davantage. Trophime, de vingt-cinq ans l'aîné de ce jeune blanc-bec, lui abandonna le contrôle de la chasse des fourrures, mais résolut de tenir en main tout le reste.

Dès que les tempêtes cessaient, et il y avait parfois deux ou trois jours de suite relativement calmes, Innokenti ordonnait à Ilchouk et à ses hommes de prendre la mer ; s'ils se montraient réticents, il se mettait en colère. Bientôt les hommes d'Attu s'aperçurent que progressivement, par étapes dont ils ne pouvaient même plus se souvenir, ils étaient devenus les esclaves des étrangers. Ce sentiment se cristallisa quand deux des hommes d'Innokenti s'approprièrent des jeunes femmes de l'île, avec des résultats si agréables qu'un troisième Sibérien jeta son dévolu sur une des sœurs d'Ilchouk.

Il y eut de la rancœur, mais à Attu les relations entre hommes et femmes d'âge adulte étaient traditionnellement assez souples, et les querelles qui auraient sans doute surgi ailleurs n'éclatèrent pas. Les îliens, en revanche, n'admirent pas l'insistance intransigeante d'Innokenti à leur faire prendre la mer alors que leur instinct et leur longue expérience leur conseillaient de rester à terre. Ils s'opposèrent à cette modification radicale de leur système de vie. Un jour sans brume où

Innokenti demanda à Ilchouk et quatre de ses hommes de sortir en mer, ceux-ci se rebiffèrent. L'incident se termina rapidement : Innokenti braqua son fusil et ordonna par gestes :

— Partez ou je tire.

À regret, ils s'embarquèrent, en montrant le ciel comme pour dire : « Nous vous avons prévenu ! » Ils étaient encore en vue de la terre quand un grand vent s'éleva du côté de l'Asie, et apporta des bourrasques de pluie glacée tombant parallèlement à la mer. Deux kayaks détruits, leurs occupants noyés. Quand Ilchouk ramena les bateaux survivants à la côte il invectiva Innokenti avec rage, et celui-ci subit les reproches pendant plusieurs minutes sans rien dire. Mais quand les autres hommes d'Attu se joignirent aux récriminations et l'entourèrent de trois côtés, il perdit son calme, leva son arme et tira sur l'un des protestataires. Ilchouk, en voyant l'homme tomber, mortellement blessé, voulut se précipiter sur Innokenti, mais deux des Sibériens s'emparèrent de lui, le jetèrent à terre et le tabassèrent à coups de pied dans la tête.

Trophime, en entendant les coups de feu, abandonna son travail — il construisait une cabane en bois d'épave — et survint sur le lieu de la querelle. Par sa taille et son autorité il ramena un peu d'ordre dans ce qui aurait sans doute dégénéré en émeute et abouti à la mort de tous les envahisseurs. Ce fut la dernière fois qu'il devait exercer son autorité sur les hommes.

— Qui a fait ça ? cria-t-il.

Innokenti s'avança d'un pas, sans vergogne.

— Moi. Ils m'attaquaient.

Les autres le soutinrent, le menton en avant, agressifs. Jdanko comprit aussitôt que le commandement de l'expédition était passé à Innokenti.

— La guerre a commencé. Que chacun veille sur sa peau, dit-il tristement.

Mais Innokenti donna des ordres précis.

— Amenez notre bateau plus près de nos huttes. Et tout le monde dort ensemble, personne avec les femmes indigènes.

L'homme qui avait pris pour partenaire de lit la sœur d'Ilchouk ne tint pas compte de la recommandation. Deux matins plus tard, quand le brouillard d'hiver se leva, on trouva sur la plage son cadavre percé de plusieurs coups de poignard.

La guerre devint sournoise, silencieuse : mouvements d'ombres et représailles soudaines. Avec seulement douze hommes y compris lui-même, Trophime essaya de rétablir son autorité en faisant la paix avec les îliens beaucoup plus nombreux. Il aurait sans doute réussi si une sale affaire n'avait pas compromis définitivement ses chances. Ilchouk, dans sa sagesse, se désolait de la détérioration des relations. Accompagné de deux autres pêcheurs il s'avança pour discuter avec Trophime d'une sorte de trêve. Innokenti, qui les observait avec quatre de ses partisans, les laissa s'approcher, puis sur son signal les Russes braquèrent leurs armes et abattirent les trois membres de la délégation de paix. Le lendemain, quand une des jeunes filles de l'île accusa Innokenti d'avoir assassiné son frère dans l'embuscade, il le confirma en la tuant à son tour.

En vain, Trophime tenta d'arrêter le massacre. Coup sur coup six autres îliens furent abattus. Après quoi, tout le monde se résigna à accepter le nouvel ordre qui régnait à Attu. Lorsque le retour du printemps permit de pratiquer de façon régulière la chasse à la loutre de mer, Innokenti et son groupe avaient si rigoureusement organisé la vie de l'île que les kayaks sortirent régulièrement et rentrèrent avec les fourrures convoitées par les marchands. On a du mal à comprendre comment onze hommes — cinq Sibériens, trois criminels russes sans envergure, deux hommes natifs d'autres régions de l'empire et le gamin Innokenti — purent s'imposer ainsi à la population entière d'une île mais c'est ce qui se produisit. Leur principal argument fut manifestement le meurtre : huit hommes, puis deux douzaines, puis trente exécutés de sang-froid, aux moments et dans les endroits capables de créer l'effet d'intimidation le plus vif. Très vite tout le monde apprit, à Attu, que si les chasseurs-pêcheurs tardaient à faire ce que les étrangers désiraient, quelqu'un serait abattu — en général le pêcheur réfractaire et parfois plusieurs de ses amis.

On a encore plus de mal à expliquer pourquoi Trophime Jdanko laissa tout cela se produire. Mais quand les hommes se trouvent constamment sous tension, ils prennent des décisions à la suite d'événements qui échappent à leur contrôle. C'est le hasard qui décide, non la réflexion. Chaque incident sanglant survenu à Attu renforçait l'autorité d'Innokenti et affaiblissait celle de Jdanko. Il ne participa lui-même à aucune scène de meurtre : cosaque entraîné à tuer sur l'ordre du tsar, il avait appris que le meurtre se justifie seulement s'il permet d'obtenir une paix efficace. À Attu, le massacre gràtuit d'Innokenti n'apporta pas la paix mais seulement davantage de fourrures. Vers le milieu de l'été la situation s'était tellement dégradée que la seule stratégie raisonnable consistait à quitter l'île avec les fourrures accumulées et mettre le cap sur Petropavlovsk.

Quand Trophime le suggéra, la plupart des hommes étaient si pressés de quitter Attu qu'il regagna un minimum d'autorité, mais une fois encore le hasard intervint contre lui. Vers le milieu de juillet 1746 il organisa le départ des hommes de façon à filer discrètement, mais une femme de l'île surprit le manège et en informa les pêcheurs, qui décidèrent d'assassiner tous les étrangers avant qu'ils gagnent leur bateau.

Quand les balles de fourrure furent embarquées et les douze survivants sur le point de prendre le large, les îliens tentèrent de se jeter sur eux. Innokenti s'y attendait : lorsque la masse des hommes et des femmes s'élança en hurlant vers le bateau, il ordonna à ses hommes de tirer dans le tas, puis de recharger et de tirer de nouveau. C'est ce qu'ils firent, avec une efficacité meurtrière.

Quand ce premier groupe d'envahisseurs venus de Russie passer un hiver dans les Aléoutiennes repartit enfin sur la mer de Béring, il avait abattu, depuis le jour de son débarquement, soixante-trois Aléoutes.

***

La traversée de retour fut un cauchemar affreux. Dans leur frêle bateau sans pont, avec une voile modeste fixée à un mât fragile, il leur fallait vaincre les vents contraires venus d'Asie. Il leur fallut subir successivement : une vergue brisée, la cale envahie par l'eau, la nourriture putréfiée, un marin pris de folie menacé de mort par Innokenti s'il ne cessait pas de délirer, d'interminables tempêtes qui menacèrent de les faire chavirer pendant des jours et des jours. Trophime, le seul homme à bord connaissant la mer, prit le commandement du pitoyable bateau et le maintint à flot davantage par son courage que par ses compétences. Quand leur vie parut en danger et que certains conseillèrent de lancer les balles de fourrure par-dessus bord pour alléger le bateau, il l'aurait peut-être fait si Innokenti ne s'était pas interposé avec une volonté de fer.

— N'y touchez pas ! Mieux vaut mourir en essayant de rentrer avec nos fourrures que vivre sans elles.

Quand la tempête s'apaisa, le bateau rentra à son port d'attache avec des balles intactes : le commerce des fourrures avec les Aléoutiennes était lancé.

Lorsque Trophime et Innokenti accostèrent à Petropavlovsk, une surprise les attendait : pendant leur absence, Mme Poznikov avait installé son quartier général dans ce nouveau port excellent et construit sur une hauteur, non loin de la grève, une maison spacieuse avec une belle vue du premier étage.

— Pourquoi une si grande maison ? lui demanda Trophime.

— Parce que nous allons y vivre tous les trois, répondit-elle carrément.

Il resta sans voix, et elle poursuivit :

— Tu te fais vieux, cosaque. Et je ne rajeunis pas.

Il avait quarante-quatre ans, elle trente-sept. Il ne se sentait pas vieux du tout, mais son expérience à Attu, où il avait perdu son autorité sur ses hommes, venait de lui enseigner qu'il n'était plus le jeune Ukrainien infatigable pour lequel le monde représentait une aventure sans fin.

Il demanda un peu de temps pour réfléchir à ce que cette femme suggérait, se promena le long des quais, regarda les petits bateaux au mouillage, et imagina les îles vers lesquelles ils se rendraient un jour. Deux faits s'imposaient : Mme Poznikov était une femme remarquable. Et il avait besoin des îles et des terres de l'Est. Ce serait pour lui un honneur d'avoir pour épouse une femme comme Madame, et travailler avec elle au commerce des fourrures lui plairait assez. Mais avant de s'engager, il désirait convenir avec elle de certaines choses. Il retourna donc à la maison neuve et attendit dans le salon, assis tout raide comme un homme d'affaires nerveux sollicitant un prêt de son banquier.

— Madame, j'ai admiré votre mari et je respecte ce que vous avez accompli avec lui. Une association avec vous pour le commerce des fourrures me ferait honneur. Mais jamais plus je ne partirai aux Aléoutiennes sans un vrai bateau.

Étonnée par cette réponse extraordinaire à sa demande en mariage, elle éclata de rire et s'écria d'une voix tonnante :

— Cosaque, viens voir !

Elle le conduisit, le long de la grand-rue de Petropavlovsk, jusqu'à un chantier naval en bonne et due forme qui n'existait pas au départ de Trophime, deux ans plus tôt.

— Regarde ! lança-t-elle fièrement. Voici le bateau que je fais construire pour toi.

Il regarda les membrures robustes et dut avouer :

— Parfait pour les Aléoutiennes.

Après le mariage, elle voulut forcer son fils Innokenti à prendre le nom de Jdanko et à appeler Trophime « père » — ce qu'il refusa.

— Ce maudit serf ! Ce n'est pas mon père.

Et même quand quelqu'un l'appelait « le fils adoptif du cosaque », il grinçait des dents. Gênée par ce comportement, sa mère le fit venir en présence de son mari.

— À partir de ce jour, nous sommes tous des Jdanko, dit-elle, et une nouvelle vie passionnante nous attend. Vous allez conquérir les îles l'une après l'autre. Puis l'Amérique.

Trophime protesta que cela s'avérerait sans doute plus difficile qu'elle ne le supposait, mais elle s'écria :

— Notre destin se trouve vers l'est, toujours vers l'est. Mon père a quitté Pétersbourg pour Irkoutsk. J'ai quitté Irkoutsk pour le Kamtchatka. Les fourrures et la fortune nous attendent là-bas.

Ce fut ainsi que le cosaque ukrainien Trophime Jdanko acquit un bateau qu'il convoitait, une femme qu'il admirait et un fils qu'il détestait.

Bientôt, grâce à l'exemple offert par Mme Jdanko, la cour de Saint-Pétersbourg découvrit qu'il y avait des moissons de fourrures à récolter dans les Aléoutiennes, et l'on encouragea des jeunes aventureux à s'associer pour tenter leur chance dans les îles. Ces groupes sans organisation stricte se composaient surtout de cosaques formés à la dure école de la Sibérie — et aucune meute d'envahisseurs plus cruels ne se jeta jamais sur un peuple primitif. Habitués à faire appliquer une discipline de fer parmi les tribus illettrées de Russie orientale, ils inventèrent de nouvelles atrocités pour les doux Aléoutes sans méfiance. Les précédents de brutalités établis par Innokenti Jdanko lors du premier contact sur l'île d'Attu devinrent la norme pendant toute l'avancée des cosaques vers l'est, et les maraudeurs découvrirent d'autres supplices lorsqu'ils accostèrent sur les grandes îles du milieu de l'archipel.

Bien entendu, quand le premier groupe qui survint à Attu après Trophime et Innokenti voulut débarquer de son bateau de peau de phoques, les indigènes, saisis de rage, se rappelant ce qui s'était produit, envahirent la plage et abattirent sept marchands. Cet événement enracina dans la pensée russe l'idée que seuls la poudre et le knout pourraient venir à bout de ces sauvages Aléoutes. Mais une autre expédition accosta à Kiska, l'île suivante de l'archipel, et fut bien accueillie par des indigènes n'ayant rencontré aucun Blanc. Les cosaques inaugurèrent cependant sur cette île un règne de terreur qui produisit quantité de fourrures et quantité d'Aléoutes morts.

Sur Amchitka, l'île suivante, de grande étendue, les îliens se soumirent vite aux envahisseurs impitoyables. Ils durent se taire quand les nouveaux venus volaient leurs femmes. Ils durent sortir en mer par tous les temps pour chasser la loutre. Sur le nombre de loutres tuées par les nouvelles méthodes introduites par les Russes, plus de la moitié coulaient inutilement au fond de la mer de Béring ; mais comme celles qu'on ramenait à terre atteignaient des prix de plus en plus élevés quand les caravanes les apportaient à la frontière mongole, la chasse augmenta de plus belle, ainsi que les atrocités.

En 1761, Mme Jdanko, impatiente de voir avant sa mort les Aléoutiennes et l'Alaska sous le contrôle des Russes, remplaça le bateau déjà vieilli de Trophime par un bâtiment neuf construit avec de vrais clous, et elle fit embarquer pour la première traversée son fils Innokenti, homme mûr de trente-quatre ans connu pour son acharnement impitoyable à ramener les cargaisons les plus lourdes. Pour protéger son investissement dans le bateau, Madame suggéra que Trophime en prenne le commandement, malgré ses cinquante-neuf ans.

— Cosaque, tu as l'air d'un homme de trente ans et ce bateau vaut cher. Évite les rochers.

Ce n'était pas une parole en l'air, car il en allait des bateaux comme des loutres massacrées : sur cent bâtiments construits par les Russes dans la région, une bonne moitié coulaient à la suite de défauts de construction, et la moitié qui restaient à flot étaient commandés par des capitaines si incompétents qu'un grand nombre s'écrasaient contre les rochers et les récifs.

Au cours de la décennie suivante, les Jdanko, père et fils adoptif, sautèrent plus d'une petite île pour accoster directement à Lapak, le beau pays gardé par son volcan, dont Trophime parlait souvent quand il racontait ses aventures avec le capitaine Béring. Lorsque le bateau contourna la côte nord de l'île et que Trophime vit le paysage inoubliable qu'il avait exploré avec Georg Steller en 1741, il rappela à ses hommes la générosité avec laquelle les îliens l'avaient traité, et il donna des ordres stricts.

— Personne ne doit être molesté sur cette île.

Par suite de cette attitude humaine, les premières semaines à terre se passèrent sans aucune des atrocités qui avaient sali les débarquements sur les autres îles. Trophime rechercha l'indigène qui lui avait donné les peaux de loutre et apprit qu'il était mort. L'un des marchands de fourrures, qui avait acquis quelques mots d'aléoute au cours d'une précédente expédition, informa Trophime que le fils de l'homme, nommé Ingalik, avait hérité de deux kayaks du vieillard et de son autorité sur le clan de l'île. Espérant se lier d'amitié avec le jeune chef et éviter les incidents survenus dans les autres îles, Trophime voulut le connaître. Il apprit, consterné, que des échos de l'attitude des Russes s'étaient répandus dans toutes les îles : la population de Lapak, s'attendant au pire, était terrifiée.

Trophime essaya de calmer le jeune homme, et les relations auraient pu s'établir sur de bonnes bases s'il n'y avait pas eu parmi les marchands un cosaque très fruste, à la tête rasée et aux longues moustaches rousses, répondant au nom de Zagoskine. Il était tellement obsédé par les loutres de mer qu'il voulut forcer les hommes de Lapak à partir immédiatement sur les territoires de chasse. Le jeune Ingalik essaya d'expliquer qu'il y avait peu de chance de rencontrer des animaux à cette époque, mais Zagoskine ne voulut rien entendre. Sur son ordre, deux marchands alignèrent six kayaks sur la plage, et demandèrent que les propriétaires se présentent et partent à la chasse aux loutres. Comme personne ne répondait à cet ordre stupide, Zagoskine saisit une hache et se vengea sur les kayaks : il éventra les parois délicates et brisa le cadre fragile de bois d'épaves.

Cette destruction était si insensée que plusieurs îliens, incapables de comprendre une telle démence, s'avancèrent en grommelant vers le cosaque enragé qui continuait de saccager. Mais Innokenti ne pouvait pas permettre même le moindre signe de rébellion. Il ordonna aux hommes de Lapak, par gestes, de reculer sur-le-champ ; puis voyant que ceux-ci n'obéiraient pas, il cessa d'essayer de les dissuader, leva son arme et ordonna au reste de ses hommes de faire de même. Sur un signal de sa main gauche, ils tirèrent.

Huit Aléoutes moururent à la première salve, et trois autres à la deuxième. Déjà Zagoskine, comme un sauvage, s'élançait sur les cadavres et les profanait avec sa hache. Un silence absolu se fit sur la plage, puis les femmes se mirent à gémir, d'une voix suraiguë, en une plainte si douloureuse qu'elle attira Trophime sur les lieux du carnage. Arrivé trop tard, il ne put déterminer les origines de la tragédie, tout en se doutant que son fils et Zagoskine étaient sans doute les principaux responsables. Il en fut révolté, mais il dut supporter bientôt deux autres actes si vils que le nom naguère honorable de Jdanko en sortirait sali à jamais.

Le premier se produisit seulement deux mois après le massacre de la plage. Flattée par les encouragements de Zagoskine, la tendance naturelle d'Innokenti à la violence devint plus intense et au cours des semaines qui suivirent la première série de meurtres, il se produisit plusieurs incidents isolés au cours desquels Zagoskine et Innokenti abattirent des Aléoutes qui tardaient trop à leur obéir.

Ces deux hommes vils prenaient plaisir à participer à la chasse des loutres. Ils ordonnèrent à des îliens de leur construire un kayak à deux places dans lequel ils pourraient sortir en mer avec les chasseurs. Zagoskine, aux biceps plus puissants, pagaya à l'arrière; Innokenti à l'avant. Depuis qu'Ougruk s'était lancé en kayak à la poursuite de la grande baleine, quatorze mille ans s'étaient écoulés et les hommes du Nord avaient mis au point un nouveau type de pagaie, avec une pale à chaque bout du manche, de sorte que le rameur n'avait plus besoin d'inverser la position de ses mains pour changer de côté. Zagoskine et Innokenti devinrent habiles à manœuvrer cette double rame.

Leur kayak n'était pas vraiment nécessaire pour la chasse et ils comprirent que parfois leur présence faisait plus de mal que de bien, mais la poursuite du gibier les amusait trop pour qu'ils renoncent. Voici comment se passait la chasse. Un Aléoute à l'œil vif repérait ce qui semblait être une loutre du côté du Qugang, le volcan siffleur. Il faisait signe aux autres et filait droit sur l'animal pendant que les autres kayaks s'écartaient pour former un cercle autour de l'endroit supposé de la loutre. Ensuite silence. Aucune rame ne bougeait. Bientôt la loutre, n'étant pas un poisson, serait contrainte de refaire surface pour respirer. Tous se précipiteraient vers elle ; elle replongerait ; vite, les bateaux reformeraient un autre cercle, au centre duquel la loutre réapparaîtrait. Ce manège se répétait six ou huit fois, avec le pauvre animal toujours forcé de remonter pour respirer au milieu des kayaks qui le tourmentaient. Au bord de l'épuisement, la loutre refaisait une dernière fois surface, à moitié morte. Un coup de massue sur la tête, la main déjà tendue pour attraper la proie avant qu'elle ne sombre, et le précieux animal était hissé à bord de l'un des kayaks, le crâne écrasé mais la fourrure intacte.

Zagoskine et Innokenti s'amusaient le plus quand le cercle se refermait sur une mère loutre en train de flotter avec son bébé sur le ventre. Les deux animaux se prélassaient comme des plaisanciers. Puis Innokenti, à l'avant, forçait la mère à plonger. Mais le jeune ne pouvait pas rester sous l'eau aussi longtemps que sa mère, et dès que cette dernière sentait son enfant suffoquer, elle remontait à la surface, malgré le danger qu'elle courait. Aussitôt, elle redevenait la cible des canots qui fonçaient sur elle, Innokenti en tête. De nouveau elle plongeait au milieu des cris sauvages, de nouveau son petit suffoquait, de nouveau elle remontait dans le cercle des kayaks menaçants.

— Nous la tenons ! criait Innokenti.

Zagoskine et lui se jetaient alors sur la mère angoissée et tapaient dessus jusqu'à ce que le bébé échappe à son étreinte protectrice. Dès que le petit nageait seul, Zagoskine l'assommait, le cueillait avec une épuisette et l'embarquait dans le kayak. La mère, privée de son enfant, se mettait à nager d'un bateau à l'autre, à sa recherche. Dès qu'elle s'approchait d'un kayak en gémissant comme une mère humaine, les coups pleuvaient. Elle nageait vers un autre sans cesser de supplier qu'on lui rende son enfant.

Enfin, affaiblie et si désemparée par ses recherches infructueuses qu'elle n'osait même plus bouger, elle restait à la surface, son visage presque humain tourné vers ses bourreaux, et appelait son enfant perdu jusqu'à ce qu'Innokenti, ou un autre, d'un coup sur la tête, lui fasse perdre connaissance, puis la hisse dans son kayak et l'achève.

Un jour, pendant leur retour vers la côte après deux meurtres de ce genre, plusieurs pêcheurs aléoutes protestèrent contre le massacre du bébé loutre et de sa mère. Avec leur langage par signes, ils firent comprendre à Innokenti que si Zagoskine et lui continuaient ainsi, le nombre des loutres dans les eaux de Lapak diminuerait vite.

— Et dans ce cas il nous faudra aller trop loin en mer pour trouver les loutres que vous convoitez.

Innokenti, agacé par ces objections, les balaya d'un geste insouciant. Mais quand Trophime eut vent de la discussion, il prit le parti des Aléoutes :

— Ne voyez-vous pas les conséquences du massacre des mères et des petits ? Avant longtemps nous n'aurons plus de fourrures pour notre commerce, et les indigènes ne pourront plus s'en vêtir comme dans le passé.

L'avertissement, venant de la bouche de son père adoptif, mit Innokenti en fureur.

— Les indigènes ? répliqua-t-il avec insolence. Il est temps qu'ils apprennent ce que nous avons tous appris. Dorénavant, leur rôle, c'est de tuer des loutres. Rien d'autre. Je veux des balles entières de ces peaux, et non quelques poignées.

Sans tenir compte des conseils de Jdanko, Zagoskine et Innokenti lancèrent les Aléoutes en mer chaque jour pour chasser les loutres, et les disciplinèrent en leur donnant des coups et en les privant de nourriture chaque fois que leur chasse n'était pas couronnée de succès.

Et toujours les deux forcenés prenaient la mer avec l'assistance forcée de plusieurs îliens pour chasser des mères avec leur bébé. Un après-midi où le soleil se cachait derrière des nuages, Innokenti en aperçut une et cria aux Aléoutes qui l'accompagnaient :

— Par ici !

La chasse se termina comme toujours, avec le bébé abattu et la mère loutre qui nagea presque dans les bras d'un Aléoute en suppliant d'un ton pitoyable. Cet Aléoute, un excellent chasseur, soucieux de ses relations avec tout ce qui vit, refusa de tuer inutilement — on n'avait besoin ni de nourriture ni de vêtements — et ne tint aucun compte des cris d'Innokenti. L'Aléoute laissa la mère s'enfuir et lança un regard écœuré à Zagoskine qui frappait sur l'eau de dépit, avec sa pagaie.

Lorsqu'ils accostèrent, Innokenti se précipita vers l'homme qui avait refusé de tuer la loutre et l'insulta pour sa désobéissance. L'homme, outragé, jeta sa pagaie par terre, indiquant sans ambiguïté qu'il ne chasserait plus de loutres avec les Blancs, ni femelles ni mâles, et que dorénavant ni lui ni ses amis ne tueraient de mères avec leur petit.

Innokenti, enragé par ce défi à son autorité, saisit l'îlien par le bras, le fit pivoter et lui lança un coup de poing qui étala l'homme à terre. Les autres îliens se mirent à murmurer entre eux, et les signes d'hostilité devinrent si manifestes que Zagoskine, pris de peur, s'écarta. Les Aléoutes, estimant à tort qu'ils avaient convaincu les étrangers, se rapprochèrent d'Innokenti pour lui demander de cesser de les insulter.

Sa réaction fut diamétralement opposée à celle qu'ils escomptaient. Innokenti appela tous ses hommes à la rescousse et courut chercher son fusil et celui de Zagoskine. Les Russes, en groupe serré, marchèrent sur les Aléoutes confondus — qui battirent aussitôt en retraite, ayant appris l'efficacité meurtrière des fusils. Mais Innokenti ne pouvait supporter que cette épreuve de force s'achève de façon si banale. Quand les îliens s'enfuirent, il prononça la phrase redoutable si souvent répétée au cours de ces années où des Européens « civilisés » entrèrent en contact avec des peuples « non civilisés » :

— Il est temps que nous leur donnions une bonne leçon.

Il ordonna à trois marchands russes consentants de choisir au hasard douze chasseurs aléoutes. Il les fit mettre en rang, derrière l'homme à l'origine des protestations. On fit avancer la file et Innokenti cria :

— Nous allons leur montrer ce que peut faire un bon mousquet russe.

Il chargea son arme, s'avança près du premier homme de la file et visa le cœur.

À cet instant, Trophime Jdanko survint.

— Fils ! cria-t-il. Que fais-tu ?

Le mot *fils* mit Innokenti dans une telle fureur qu'avec la crosse de son fusil il frappa Trophime au visage. Puis, avec une rage glacée, il tira. Huit Aléoutes, l'un après l'autre, tombèrent morts ; le neuvième s'évanouit, la balle bloquée par ses côtes. Les trois derniers demeurèrent pétrifiés.

Innokenti avait donné aux Aléoutes sa « bonne leçon ». À la suite de cet acte, il put établir sur Lapak, jadis tellement agréable à habiter si l'on aimait la mer et ignorait l'existence d'arbres dans d'autres parties du monde, une dictature si totale que chaque habitant de l'île, Russe ou Aléoute, dut travailler à ses ordres, et chaque femme se consacrer à ses plaisirs. Lapak devint l'un des endroits les plus épouvantables de cette Terre ; et Trophime Jdanko, le vieux cosaque d'honneur, s'isola dans sa hutte, accablé de honte et impuissant devant le mal engendré par son fils adoptif.

Le XVIIIe siècle touchait à sa fin. Les gouvernements de nombreuses nations apprirent que les eaux du Nord décelaient des richesses, et que de vastes territoires attendaient d'être découverts, explorés et revendiqués. Les Espagnols partis du nord de la Californie envoyèrent une flotte d'explorateurs audacieux — notamment Alessandro Malaspina et Juan de La Bodega — qui effectuèrent des découvertes importantes ; mais comme leur gouvernement ne suivit pas leur action par une politique de colonisation, il n'en sortit rien de durable, hormis les noms de quelques caps le long de la côte.

Les Français lancèrent un homme de valeur au titre ronflant — Jean-François de Galaup, comte de La Pérouse — pour voir ce qu'il pourrait trouver ; il ramena un récit passionnant de ses aventures mais peu de connaissances précises sur les mers garnies d'îles entourées de récifs au milieu desquels les navigateurs futurs devraient se déplacer.

En 1778, les Anglais envoyèrent dans ces parages un homme svelte et nerveux, issu d'un milieu très modeste, qui allait devenir le plus célèbre navigateur de son époque et l'un des deux ou trois plus grands de tous les temps : James Cook, aux talents de marin sans égal, doublés d'un courage inflexible et d'un immense bon sens. Au cours de deux voyages exemplaires dans le Pacifique Sud, il clarifia une fois pour toutes la carte de cet océan, plaçant les îles où elles se trouvaient, définissant les contours de deux continents, l'Australie et l'Antarctique; il révéla au monde les splendeurs de Tahiti et découvrit du même coup le moyen de lutter contre le scorbut.

Avant Cook, un vaisseau de la marine britannique qui quittait l'Angleterre avec quatre cents marins pouvait s'attendre à cent quatre-vingts décès avant la fin de la traversée. Parfois, on compta jusqu'à deux cent quatre-vingts morts. Cook, qui n'avait aucune intention de naviguer dans un cercueil flottant, décida sans tapage de lutter contre le fléau. Il institua plusieurs règles rationnelles, qu'il expliqua à son équipage au début de son mémorable troisième voyage.

— Nous nous sommes aperçus que l'on peut éviter le scorbut si vous maintenez vos quartiers propres. Si vous portez des vêtements secs chaque fois que ce sera possible. Si vous observez notre règlement : un quart de service, deux quarts libres, pour que vous puissiez vous reposer beaucoup. Et si vous prenez chaque jour votre ration de *wort and rob*.

Les marins demandèrent ce que c'était, et les officiers de Cook leur expliquèrent :

— Le *wort* est un brouet de malt, de vinaigre, de choucroute, de légumes frais disponibles et de plusieurs autres choses. Ça sent mauvais, mais quand on en boit on n'attrape pas le scorbut.

— Le *rob*, expliqua un autre officier, est un mélange *inspissé* de jus d'orange, de citron et de citron vert.

— *Inspissé*, c'est quoi ? demandait toujours quelqu'un.

— Le capitaine Cook l'a dit comme ça, répliquait l'officier.

— D'accord, mais c'est quoi ? insistait le matelot.

— Ça veut dire..., grommelait l'officier. Ça veut dire : « tu le bois ». Si tu le bois, t'attrapes jamais le scorbut.

Les officiers avaient raison. Tout marin qui prenait ce *wort and rob* se trouvait miraculeusement immunisé contre le sinistre fléau de la mer; la moitié des ingrédients composant le *wort* étaient inefficaces par eux-mêmes, notamment le malt, mais la choucroute, et surtout son jus fermenté, opérait des prodiges; le jus d'orange ne comptait guère, mais le jus de citron énormément. L'*inspissation*, à laquelle Cook tenait beaucoup, n'avait rigoureusement aucun effet; c'était simplement un procédé qui épaississait le jus de citron et facilitait son transport et sa conservation.

Par son entêtement à lutter contre le scorbut, ce marin tranquille, soucieux de ses hommes, sauva des milliers de vies et permit à la Grande-Bretagne de construire la flotte la plus puissante du monde.

À l'époque, l'Angleterre se battait encore contre ses colonies américaines, au Massachusetts, en Pennsylvanie et en Virginie. Le gouvernement anglais envoya son grand explorateur en mer une troisième fois pour mettre fin aux conjectures des géographes concernant le Pacifique Nord. Comme il avait résolu les énigmes multiples du Pacifique Sud,

Cook accepta volontiers le défi. Il s'agissait d'établir une fois pour toutes si l'Asie communiquait avec l'Amérique du Nord, s'il existait un passage du Nord-Ouest en haut du monde, si l'océan Arctique était libre de glaces — car un savant éminent avait démontré qu'aucune glace ne pouvait se former en mer : il fallait que la glace soit amarrée en quelque manière à la terre — et en particulier où se trouvait exactement la côte de cet Alaska découvert récemment. S'il parvenait à résoudre ces questions épineuses, la Grande-Bretagne serait en mesure de revendiquer l'Amérique du Nord, depuis le Québec et le Massachusetts, à l'est, jusqu'à la Californie et le futur Oregon, à l'ouest.

Au cours de cette célèbre troisième exploration qui s'échelonnerait sur près de quatre années, 1776 à 1779, Cook découvrirait non seulement les îles Hawaii, mais serait le premier Européen à explorer sérieusement les côtes très découpées de l'Alaska. Il allait porter sur la carte le splendide volcan de Sitka et lui donner le nom de mont Edgecumbe ; visiter le site futur d'Anchorage ; naviguer au milieu des Aléoutiennes et les situer à leur place exacte par rapport au continent. Il monterait vers le nord jusqu'à l'endroit où l'océan Arctique lui opposerait une muraille de glace de six mètres de haut — cette glace dont le savant avait démontré qu'elle ne pourrait pas se former.

Ce fut un voyage merveilleux, un succès à tous égards car si Cook ne découvrit pas le légendaire passage du Nord-Ouest, que les navigateurs cherchaient depuis presque trois siècles — depuis la découverte de l'Amérique par Colomb —, il prouva que le passage supposé ne débouchait pas dans le Pacifique sur des eaux libres de glace. En partant vers le nord pour le démontrer, Cook dut traverser le mur constitué par les Aléoutiennes. Il le fit par un passage situé juste à l'est de l'île de Lapak. Lorsqu'il contourna le cap, il découvrit à l'ouest le volcan Qugang, le siffleur, qui s'élevait de la mer de Béring à trois cent trente mètres au-dessus des flots.

Après avoir étudié le relief de Lapak, Cook fut le premier à déduire de la forme semi-circulaire de l'île que celle-ci avait été jadis un volcan de dimensions colossales, dont le centre avait explosé ; l'érosion avait usé le bord septentrional du cratère. Le port vaste et accueillant ne laissa pas de l'attirer, et il envoya à terre un détachement chargé de ramener à bord les provisions que les îliens accepteraient de céder. Les deux jeunes officiers qui commandaient ce détachement devaient rendre leur nom célèbre dans les années qui suivirent. Le plus âgé était le maître d'équipage William Bligh et son assistant, George Vancouver. Le premier observa avec précision tout ce qui se passait sur l'île et prit note des deux Russes qui semblaient faire la loi, Zagoskine et Innokenti ; il ne les apprécia pas du tout, et se dit que si ces deux-là servaient sous ses ordres, il corrigerait vite leurs manières insolentes. Vancouver, navigateur doué de capacités exceptionnelles, nota la position de l'île, l'étendue de son port, le fait qu'elle était en mesure d'approvisionner des bateaux importants, et son climat probable dans la mesure où l'on pouvait en juger au cours d'une visite aussi brève. De toute évidence, Cook avait choisi ses collaborateurs avec soin, car ces deux-là comptaient parmi les marins les plus compétents naviguant dans le Pacifique cette année-là.

La visite dura moins d'une demi-journée, car au milieu de l'après-midi, Cook voulut repartir avec le *Resolution* vers le nord. Il ne releva donc qu'une fraction des renseignements disponibles, par sa faute et non celle de ses hommes. Détail surprenant quand on songe avec quelle précision méticuleuse il préparait ses voyages, il n'avait embarqué pour cette exploration au nord personne qui sache parler russe, et aucun dictionnaire de cette langue. Les autorités de Londres refusaient encore de croire que la Russie avait déjà établi une solide tête de pont dans le nord-ouest de l'Amérique, et comptaient bien agrandir leur domaine. Cook fut cependant en mesure de noter dans son journal de bord :

> *Nous sommes tombés sur un chapelet prometteur d'îles sans arbres dont les occupants sont venus nous saluer dans des canots à deux hommes ; ils portaient des coiffures fort ravissantes avec de longues visières et des décorations. J'ai encouragé le peintre Weber à exécuter plusieurs dessins de ces hommes et de leurs chapeaux, ce qu'il a fait. L'archipel contient une île portant le nom de Lapak, si nous avons bien compris ce que ses occupants russes nous disaient. Nous avons dressé la carte de toute l'île et sondé un beau port sur le côté nord, protégé par un beau volcan éteint de trois cent trente mètres d'altitude situé à six milles au large. Il porte un nom comme Liougong, mais quand je leur ai demandé de répéter, ils se sont mis à siffler — pour me faire comprendre quoi ? Je l'ignore. Peut-être est-ce leur volcan sacré.*

George Vancouver, pendant la dernière heure de sa visite de l'île, rencontra le Russe Trophime Jdanko et reconnut dans ce lutteur grisonnant un homme d'une trempe différente des deux jeunes bravaches. Il aurait bien voulu échanger des idées avec ce colosse sage, et le Russe à son tour mourait d'envie de demander aux étrangers comment ils avaient pu obtenir un si beau bateau, comment ils l'avaient piloté depuis l'Europe et comment ils envisageaient l'avenir de ces îles. Hélas, ils ne pouvaient converser que par signes.

Des coups de feu tirés à bord du *Resolution* prévinrent Bligh et Vancouver que Cook désirait appareiller. Le vieux cosaque tendit à chaque officier une peau de loutre pour les remercier de leur sympathie, mais malheureusement, dans sa générosité, il leur avait offert les plus belles, et Innokenti, quand il s'en aperçut, arracha les peaux des mains des Anglais et leur substitua des fourrures de qualité inférieure. Vancouver, toujours gentleman, salua et remercia le père et le fils de leur générosité ; mais Bligh lança à Innokenti un regard noir, comme s'il avait envie de le gifler pour son insolence. Quand les deux hommes remontèrent à bord de leur bateau, Bligh rédigea dans son journal cette note révélatrice :

> *Sur l'île de Lapak j'ai rencontré un Russe très désagréable, appelé, si je ne me trompe, Innocent. Il m'a déplu au premier regard, et plus j'ai subi sa présence, plus mon dégoût s'est accru. Vraiment le type même du sale Russe.*
>
> *Mais quand j'ai observé la manière docile avec laquelle les indigènes lui obéissaient, ainsi que la paix et l'ordre enviables qui régnaient sur cette île, j'en ai déduit que l'autorité gouvernant l'endroit était ferme et efficace, condition toujours désirable. Je soupçonne qu'avant notre arrivée il s'est produit ici certains troubles, mais une réaction vive de la part de quelqu'un les a apaisés, et si le responsable en est cet Innocent, je*

retire mes réserves contre lui, car dans toute société l'ordre passe avant tout, même au prix d'une certaine sévérité.

Ainsi, sans s'insurger contre la terreur que faisaient régner les Russes, le grand navigateur anglais James Cook croisa la trace du navigateur russe Vitus Béring : chacun accosta brièvement à Lapak; chacun resta à peu près le même temps; chacun envoya à terre des subordonnés destinés à la célébrité — deux pour Cook : Bligh et Vancouver, un seul pour Béring : Georg Steller — et chacun reprit sa route, le Russe en 1741, l'Anglais en 1778, trente-sept ans plus tard.

Comme ces deux hommes paraissent différents : Béring, le chef malchanceux, Cook, le capitaine sans reproche (sauf un défaut, qui ne devint sensible que vers la fin); Béring naviguant sous les ordres les plus stricts du tsar ou de la tsarine, et Cook seul maître à bord dès qu'il avait perdu de vue les côtes anglaises; Béring l'explorateur hésitant qui rentrait au bercail au premier signe d'adversité sans terminer sa mission, Cook le sans-pareil qui continuait un mille plus loin et découvrait un continent de plus; Béring à qui on ne peut attribuer aucun progrès dans l'art de la navigation, Cook qui modifia le sens des mots *océan* et *cartographie*; Béring que son gouvernement soutenait à regret et qui n'obtint aucune gloire internationale, Cook qui ne manquait de rien en Angleterre et qui entendit pendant plus de dix ans les louanges du monde entier tinter à ses oreilles; Béring souvent sans uniforme puis avec une tenue lamentable qui lui allait mal, Cook avec son élégant costume d'officier, taillé sur mesure et surmonté par un chapeau de marin à cocarde coûtant une fortune. On imagine mal un contraste plus saisissant de tempéraments, de carrières et de résultats.

Quand Cook entreprit le deuxième de ses trois grands voyages, l'Angleterre et la France se trouvaient en guerre et la lutte était acharnée sur les mers, mais les deux pays s'accordèrent pour laisser passer Cook librement partout où il voudrait naviguer. Chacun reconnaissait que sa mission servait les intérêts de la civilisation en général, et savait qu'il n'aurait pas tiré sur un bateau français ennemi s'il en avait rencontré un. Au cours de son troisième voyage, celui de l'Alaska, l'Angleterre était en guerre contre ses colonies américaines et contre leur alliée la France, mais une fois encore les trois pays en guerre convinrent de laisser James Cook naviguer où il voulait car, grâce à son traitement du scorbut — dont Georg Steller avait été l'un des pionniers —, il avait sauvé plus de vies que n'importe quelle victoire militaire. Ce deuxième sauf-conduit de Cook fut obtenu en partie grâce à l'intervention de Benjamin Franklin, l'ambassadeur américain en France, esprit pratique qui savait reconnaître un bienfaiteur de l'humanité quand il en voyait un.

J'ai dit un peu plus haut qu'en tant que navigateur Cook avait un défaut. Quand il était fatigué, il lui arrivait de s'emporter. En février 1779, dans la baie de Kealakekua, sur la grande île d'Hawaii, entouré d'indigènes légèrement hostiles qu'il aurait pu apaiser et se concilier par des présents, il perdit patience, tira un coup de feu dans la foule menaçante, au milieu de laquelle un Hawaiien d'une certaine importance venait d'être tué. Aussitôt, les assistants furieux se jetèrent sur Cook, l'assommèrent par-derrière et maintinrent sa tête sous l'eau lorsqu'il s'écroula dans le ressac.

Vitus Béring et James Cook, deux des plus grands noms de l'histoire de l'Alaska, eurent des fins tragiques : le premier mourut du scorbut sur une île désolée, sans arbres et battue par le vent, à l'âge de soixante et un ans, sans avoir achevé l'œuvre de sa vie. Le second, après avoir vaincu le scorbut et conquis les océans lointains, mourut à cinquante et un ans à cause de son impétuosité sur une belle île tropicale, loin dans le sud. Les explorations de ces capitaines et de leurs hommes ouvrirent les océans du monde.

⁂

Mais il y avait à la même époque des explorateurs d'un autre genre : les aventuriers du commerce. En 1780, l'un d'entre eux arriva presque par hasard dans la baie de Lapak avec un petit bateau incroyablement résistant, un brick de chasse à la baleine de deux mâts à voiles carrées, baptisé *Evening Star* et venant de Boston. Son capitaine, un petit bonhomme noueux, aussi résolu que son bateau était résistant, se nommait Noah Pym, et à quarante et un ans il avait déjà essuyé plus d'une fois les tempêtes redoutables du cap Horn, fréquenté les comptoirs de commerce de Canton, apprécié les côtes séduisantes d'Hawaii et sillonné tous les immenses espaces vides du Pacifique où se cachaient des baleines, car si son bateau n'était pas grand Pym ne manquait pas de courage, et avec l'*Evening Star*, il était prêt à défier n'importe quelle tempête, n'importe quel groupe d'indigènes hostiles rassemblés sur une plage.

À la différence de Béring et de Cook, Pym ne quittait jamais le port avec l'appui de son gouvernement ou au milieu des vivats de ses concitoyens. À peine pouvait-il compter sur un entrefilet dans le journal de Boston : « *Ce matin, l'*Evening Star *— Noah Pym, avec son équipage de vingt et un marins — a appareillé pour les mers du Sud, retour prévu dans six ans.* » Et il n'était pas question que les grandes nations s'entendent pour accorder à ce petit bonhomme la liberté de passage : plus probablement, chacune essaierait de le couler à vue en supposant qu'il naviguait pour l'ennemi. Il avait dû affronter à plusieurs reprises les vaisseaux de France et d'Angleterre, mais il les « affrontait » à sa manière : en maintenant de bonnes vigies et en fuyant comme un diable affolé dès qu'il apercevait une voile supposée hostile.

Quand l'*Evening Star* apparut au large de la côte sud de Lapak, Zagoskine et Innokenti se trouvaient en mer dans leur kayak à deux places, en train de chasser les loutres. La voix qui les héla de la passerelle parlait en excellent russe :

— Ohé, là-bas ! Nous aurions besoin d'eau et de provisions.

— Qui êtes-vous ? lança Innokenti pour bien établir qui était le maître.

— Baleinier *Evening Star* de Boston, capitaine Noah Pym.

— Il y a un bon port sur la côte nord, au sud du volcan ! cria Innokenti, surpris qu'un bateau venu d'aussi loin ait trouvé l'île de Lapak.

Zagoskine se mit à pagayer de toutes ses forces à l'arrière et le kayak montra le chemin.

Lorsque le brick jeta l'ancre entre la côte et le volcan, Innokenti et Zagoskine montèrent à bord et constatèrent aussitôt que malgré son canon à l'avant, l'*Evening Star* n'était pas un bateau de guerre. Ni l'un ni l'autre n'avaient vu de baleinier auparavant, mais le marin qui les avait hélés en russe leur en expliqua la manœuvre et ils s'aperçurent vite d'une chose : le capitaine Noah Pym de Boston, malgré sa petite taille, était un dur à cuire avec qui il valait mieux ne pas se prendre de querelle.

L'étonnant petit brick qui venait de si loin — cap Horn, Chine, une tentative au Japon, Hawaii — avait dans son équipage des marins qui parlaient la plupart des langues du Pacifique, et où que le bateau jette l'ancre, quelqu'un était capable de négocier avec les indigènes. Un seul homme à bord parlait russe, le matelot Atkins, et pendant deux journées passionnantes, Innokenti et le capitaine Pym échangèrent par son truchement des informations sur le Pacifique.

Une fois la glace brisée, Pym prit beaucoup de plaisir à la conversation.

— L'*Evening Star* appartient à six hommes de Boston, et ils me donnent une part entière pour mon travail de capitaine.

— Vous recevez aussi un salaire ? demanda Innokenti.

— Médiocre mais régulier. Mon vrai salaire, c'est ma part de capitaine sur l'huile de baleine que nous rapportons et sur la vente des marchandises de Chine.

— Et les marins ?

— Comme moi. Petit salaire mais un bon paquet si nous attrapons des baleines.

Pym leur montra du doigt un jeune colosse de Nouvelle-Angleterre, presque aussi grand que Zagoskine et avec le même air renfrogné.

— C'est Kane, notre harponneur. Très habile. S'il réussit, sa part est doublée.

— Pourquoi êtes-vous venu dans nos eaux ? demanda Innokenti.

L'adjectif possessif froissa le harponneur Kane, mais le capitaine Pym répondit courtoisement :

— Les baleines. Il doit y en avoir par là-haut.

— Nous en voyons passer de temps en temps, confirma Zagoskine.

Il en aurait sans doute dit davantage si Innokenti ne lui avait pas fait signe de tenir sa langue. Cette réprimande silencieuse irrita visiblement le Russe chauve. Pym et Atkins comprirent l'avertissement et se gardèrent d'insister.

Le troisième jour, les hommes de l'*Evening Star* rencontrèrent Trophime Jdanko, presque octogénaire et encore sans barbe par respect pour la mémoire du tsar Pierre. Il leur plut au premier abord, autant que les deux jeunes leur étaient antipathiques. Le vieillard, avec la collaboration d'Atkins, épancha ses souvenirs du capitaine Béring, de l'hiver meurtrier sur l'île et des travaux remarquables du savant allemand Georg Steller.

— Il avait étudié dans quatre universités, il savait tout. Il m'a sauvé la vie grâce à sa potion d'herbes qui guérissait le scorbut.

— Qu'est-ce que c'était ? demanda Pym.

Il avait l'habitude de regarder fixement les personnes avec qui il parlait de sujets importants : ses petits yeux se refermaient à moitié, réduits à des perles sombres, et ses cheveux lui tombaient sur le front.

— Le scorbut ? C'est la mort des marins.

— Je le sais, lança Pym impatiemment. Qu'est-ce que c'était, la potion de ce Steller ?

Trophime ne le savait pas précisément.

— Des herbes et du varech, je m'en souviens bien. La première fois que j'y ai goûté, je l'ai recraché. Mais Steller m'a dit... Ici même, oui, derrière ce groupe de rochers il m'a dit : « Tu n'en as peut-être pas envie, mais ton sang en a besoin. » Plus tard, pendant cet hiver redoutable sur l'île Béring, c'est avec joie que j'ai bu chaque jour le petit verre de potion auquel j'avais droit. Il me semblait plus doux que le miel parce que je sentais qu'il me rendait la vie.

— Vous en buvez encore ?

— Non. La viande de phoque est aussi bonne. Surtout le lard et les tripes. Quand on mange du phoque on n'attrape jamais le scorbut.

— Que va-t-il se passer ici ? demanda Pym. Je veux dire tout le monde s'intéresse à la région, non ? L'Espagne, l'Angleterre, la France, peut-être même la Chine.

Il tendit le bras vers l'est, vers le pays inconnu que le grand chaman Azazrouk avait autrefois appelé Alaxsxaq, la Grande Terre.

— C'est déjà russe, répondit Trophime sans hésiter. J'étais avec le capitaine Béring quand il l'a découvert pour le tsar.

Un soir avant le départ, le capitaine Pym aborda avec Jdanko le problème de navigation qui l'avait conduit à Lapak — il s'était gardé de poser ses questions aux deux jeunes Russes, dont il se méfiait déjà.

— Jdanko, que savez-vous des océans, au nord ?

De toute évidence, Pym envisageait de naviguer plus au nord, aventure difficile, comme Jdanko l'avait appris au cours de ses propres explorations au-delà du cercle arctique, et le cosaque prévint l'Américain.

— Très dangereux. En hiver les glaces descendent.

— Mais il doit y avoir des baleines.

— Oui. Il en passe par ici tout le temps. Elles vont et viennent.

— Est-ce que des petits bateaux, comme le nôtre, ont déjà navigué plus au nord ?

Jdanko ignorait où le capitaine Cook avait navigué après avoir quitté Lapak et il répondit en toute sincérité :

— Non. Ce serait trop dangereux.

Malgré ce conseil, Pym résolut d'essayer les mers arctiques avant que d'autres baleiniers osent s'aventurer dans ces eaux glacées, mais il ne mit pas Jdanko au courant de ses projets, de peur que les autres Russes ne les apprennent.

Le lendemain, Pym se permit un geste peu caractéristique : il embrassa le vieux cosaque. Par son allure noble, par sa générosité à partager sa connaissance des océans, il respectait la grande tradition de la mer, et Pym s'était sentit régénéré à son contact. Il appela Atkins.

— Demande-lui pourquoi il vit tout seul dans sa petite hutte.

A cette question, Jdanko haussa les épaules et indiqua du menton l'endroit où son fils adoptif et Zagoskine chuchotaient. Son regard exprimait à la fois de la répugnance et de la résignation.

Sans indications ni cartes marines pour le guider, Pym mit donc le cap au nord dès que l'*Evening Star* quitta Lapak. Il pénétra dans un monde où aucun autre Américain ne s'était aventuré, ni ne s'aventurerait avant longtemps. Les bateaux yankees sillonnaient les autres grands océans en suivant sans bruit le sillage étincelant des vaisseaux du capitaine Cook. Mais la recherche constante des baleines — dont l'huile pour les lampes, l'ambre gris pour la parfumerie et les fanons pour les corsets des dames feraient la fortune des armateurs et de leurs capitaines — les obligeait à explorer des mers encore vierges. Pour naviguer au nord des Aléoutiennes il fallait de l'audace, mais s'il y avait des baleines dans le secteur, le jeu en valait la chandelle, en tout cas aux yeux de Noah Pym.

Il menait une vie dure. C'était un excellent père, mais comme il voyageait pendant des années de suite, lorsqu'il rentrait chez lui, il reconnaissait à peine ses trois filles. Ses campagnes s'avéraient si profitables que toutes les personnes intéressées, ses armateurs comme son équipage, le pressaient de reprendre la mer au plus vite, et il le faisait — beaucoup plus tôt qu'il n'en avait en réalité le désir. Il conservait à son bord un groupe de marins fidèles : John Atkins, qui parlait le chinois et le russe ; Tom Kane, le harponneur sans lequel le bateau n'aurait rien pu faire quand une baleine était signalée ; et Miles Corey, son second, un Irlandais meilleur navigateur que le capitaine. Même par gros temps, Pym dormait tranquille, sachant que ces hommes et le reste de l'équipage seraient à la hauteur. Il soupçonnait Corey d'être crypto-catholique, mais que lui importait, du moment qu'il ne créait aucun problème à bord ?

Bientôt l'*Evening Star* entra dans les eaux dangereuses, si accueillantes au début du printemps, si redoutables en octobre et novembre, quand la glace peut prendre dans la nuit ou survient en plein après-midi sous la forme de grands icebergs descendus du nord et emportés par les courants.

Noah Pym, qui cherchait des baleines et non des connaissances, en captura une au sud du détroit où les continents semblaient se rejoindre. Ayant entendu dire à Hawaii que Béring et Cook, dans leurs bateaux plus grands, avaient continué au nord sans incident, il décida de les imiter. Dans l'océan Arctique, Kane harponna une grosse baleine. Pym manœuvra son bateau le long de la bête mourante, on posa des planches pour monter sur sa carcasse et les marins se mirent à la dépecer pour recueillir les fanons et l'ambre gris, puis lancèrent à bord de grosses tranches de lard qui seraient réduites en huile sur les fourneaux du pont.

Comme le brick restait en panne pendant qu'on faisait dégorger l'huile, Corey, de sa voix la plus calme, avertit le capitaine :

— Si la glace se met à descendre vers nous, il faudra être prêts à filer.

Pym écouta, mais n'ayant aucune expérience de ces eaux, il ne comprenait pas que la glace puisse prendre son bateau de vitesse.

— Il faudra surveiller l'eau, répondit-il.

Mais le harponneur abattit une deuxième baleine et le dépeçage commença dans un tel enthousiasme, avec la promesse de fûts pleins pour la longue traversée de retour, que Pym oublia la menace de la glace. Pendant plusieurs journées triomphales, nul ne songea qu'à entasser à bord fanons et tranches de lard.

Puis tel un géant maléfique dans un rêve enfiévré, la glace de l'Arctique commença à descendre vers le sud, non pas comme un promeneur disposé à flâner mais par vastes bancs flottants qui faisaient des bonds énormes en une matinée et encore plus gigantesques pendant la nuit. Dès que ces plaques de glace apparurent, surgies de nulle part et de partout à la fois, les eaux libres autour d'elles commencèrent à geler. Le capitaine Pym comprit vite que s'il ne mettait pas le cap immédiatement vers le sud, il courait le risque de se trouver bloqué pour l'hiver entier. Mais lorsqu'il voulut donner l'ordre de mettre toutes voiles dehors, Corey lui répondit d'une voix qui ne trahissait encore aucune émotion :

— Trop tard. Il faut se diriger vers la côte.

Le conseil était bon. Il n'y avait aucun autre moyen d'éviter à l'*Evening Star* d'être écrasé par les glaces. Avec une habileté dont des navigateurs beaucoup plus capables qu'eux n'auraient peut-être pas fait preuve, ces deux marins de Nouvelle-Angleterre exploitèrent chaque bouffée de vent pour conduire leur petit baleinier et sa très précieuse cargaison jusqu'à la côte septentrionale de l'Alaska. À une latitude de presque soixante et onze degrés nord, en un lieu qui serait baptisé plus tard Desolation Point, ils tombèrent par une chance inespérée sur un passage dégagé qui les conduisit à une vaste baie où ils trouvèrent un port abrité entouré de collines protectrices. Sauvés de la glace meurtrière, ils y passèrent les neuf mois de l'hiver 1780-1781. Très souvent pendant cet interminable emprisonnement, loin de maudire Pym de sa lenteur à quitter l'Arctique les marins le louèrent d'avoir trouvé « le seul endroit de cette côte abandonnée de Dieu où la glace ne puisse pas briser le bateau en petit bois ».

À peine avaient-ils commencé de construire un refuge sur la côte que le marin Atkins, celui qui parlait russe, cria :

— Ennemi, sur la glace !

Sans dissimuler leur frayeur, les vingt autres membres de l'équipage levèrent les yeux. Sur la baie glacée s'avançait un groupe insolite : deux douzaines d'hommes de petite taille, au visage foncé, emmitouflés dans de grosses fourrures.

— Préparez-vous à vous défendre ! lança le capitaine Pym à voix basse.

Mais Atkins, mieux placé pour voir les nouveaux venus lui cria :

— Ils n'ont pas d'armes.

Quelques minutes plus tard, dans un silence tendu, ils arrivèrent auprès des Américains, regardèrent avec stupéfaction leurs visages blancs et sourirent.

Pendant les jours qui suivirent, les Américains apprirent que ces gens habitaient à peu de distance vers le nord, dans un village de treize huttes souterraines : au total cinquante-sept personnes. Ils ne songeaient qu'à vivre en paix — au grand soulagement des baleiniers. C'étaient des Eskimos, les descendants directs des aventuriers qui avaient suivi Ougruk à son départ d'Asie quatorze mille ans plus tôt. Six cent soixante générations les séparaient d'Ougruk et avec les siècles ils avaient acquis des compétences qui leur permettaient de survivre et même de prospérer à presque cinq cents kilomètres au nord du cercle arctique.

Au début, la précarité de la vie de ces Eskimos, l'exiguïté et la simplicité de leurs cabanes souterraines aux toits d'os de baleines recouverts de peaux de phoque, découragèrent les Américains, mais ils appréciérent bientôt l'intelligence avec laquelle ces petits hommes trapus s'étaient adaptés à leur milieu inhospitalier. Ils s'aventuraient sur l'océan glacé et en arrachaient leur subsistance avec un courage et une habileté stupéfiants. Cinq ou six hommes du village vinrent aider les marins à construire une cabane longue avec les matériaux dont ils disposaient : os de baleine, bois d'épave, peaux de bêtes. Lorsqu'elle fut terminée, assez vaste pour loger les vingt-deux Américains, elle offrit une protection efficace contre le froid, qui risquait de descendre au-dessous de moins quarante-cinq degrés. Quand les Eskimos les aidèrent à transporter à terre les réserves de l'*Evening Star* la force de ces petits bonshommes mesurant rarement plus d'un mètre cinquante-cinq émerveilla les marins. Quand tout fut en place, les Américains se préparèrent au genre d'hiver qu'ils avaient connu en Nouvelle-Angleterre — quatre mois de neige et de froid —, mais Atkins apprit bientôt, en parlant par signes avec les Eskimos, qu'ils demeureraient pris par les glaces neuf mois, peut-être dix.

— Bon Dieu ! se plaignit un marin. Nous ne pourrons pas sortir d'ici avant juillet prochain ?

— C'est ce qu'il prétend, répondit Atkins. Et il est bien placé pour le savoir.

Mais les Eskimos exploitaient habilement l'océan glacé. Un jour, un jeune costaud du nom de Sopilak annonça en rentrant de la chasse la présence d'un énorme ours polaire sur la glace, à plusieurs kilomètres de la côte. L'instant suivant, tous les hommes étaient prêts pour une longue poursuite, mais ils attendirent que les femmes aient donné des vêtements convenables au capitaine Pym, en qui ils avaient reconnu un chef, au matelot Atkins, qui leur avait plu d'emblée, et à l'immense harponneur Kane. Vêtus de grosses fourrures qui les protégeraient de la glace, de la neige et du vent, les trois Américains s'élancèrent sur la glace nue, dont les formes chaotiques rendaient les déplacements difficiles. Aucun rapport avec une promenade sur la glace en Nouvelle-Angleterre, lorsqu'un étang ou une rivière paisible étaient gelés en hiver ; il s'agissait ici de glace sauvage, née dans les profondeurs d'un océan salé, lancée vers le ciel par des pressions soudaines, fracturée par des forces venant de tous les côtés, une glace torturée par un sculpteur fou, qui se dressait en formes déchiquetées et en longues houles surgies des bas-fonds. Jamais ils n'avaient vu ou imaginé pareil spectacle : la glace de l'Arctique, explosive, craquant sans cesse la nuit quand elle se tordait, violente, destructrice, toujours menaçante dans la lumière grise, et s'étendant à l'infini.

Sur cette glace, les hommes de Desolation Point se lancèrent à la chasse à l'ours polaire. Après une journée entière de recherches, ils n'avaient rien trouvé. La nuit tombait vite en ce début d'octobre, et les Eskimos prévinrent les marins : il faudrait sans doute passer la nuit sur la glace, sans même savoir s'ils trouveraient l'ours le lendemain. Mais juste avant la tombée de la nuit, Sopilak revint à grands pas de ses raquettes de neige.

— Pas loin devant !

Et les chasseurs se rapprochèrent de leur proie. Mais l'animal ne manquait pas d'astuce et avant qu'aucun d'eux n'ait une chance de le voir — le premier de son espèce que des Américains rencontreraient dans ces eaux — il fit noir, et les chasseurs formèrent un large cercle pour pouvoir suivre l'ours, s'il essayait de profiter de l'obscurité pour filer.

Atkins, qui restait près de Sopilak et semblait apprendre des mots de la langue eskimo par dizaines, alla avertir ses compagnons.

— Ils nous préviennent : l'ours est dangereux. Tout blanc. Il vient sur vous comme un fantôme. Il ne faut pas fuir. Aucune chance de lui échapper. S'arrêter, combattre et crier pour appeler les autres.

— Ça me paraît dangereux, remarqua Kane.

— Si j'ai compris ce qu'ils essayaient de me dire, ils s'attendent à perdre un ou deux hommes quand ils chassent un ours blanc.

— Pas d'accord, répondit Kane.

Atkins proposa que les trois Américains restent ensemble.

— Nous avons des fusils. Il faut nous préparer à nous en servir.

Les Américains et la plupart des Eskimos ne dormirent pas tranquilles cette nuit-là, mais Sopilak ne dormit pas du tout. Il avait déjà chassé l'ours polaire avec son père, il était présent quand un immense animal blanc, deux fois plus haut qu'un homme quand il se dressait sur ses pattes de derrière, avait abattu d'un seul coup de patte un chasseur de Desolation Point. Il avait projeté l'homme contre la glace puis l'avait déchiré de toutes ses griffes. L'homme et ses vêtements avaient été réduits en lambeaux et l'ours s'était enfui indemne.

Au cours d'autres chasses, certaines dirigées par Sopilak lui-même, les bêtes monstrueuses, plus belles qu'un rêve de blizzards blancs, avaient été vaincues par la sagesse et le courage des hommes au bout de plusieurs journées de poursuite.

Vers l'aube, Sopilak ordonna à Atkins :

— Dites à vos amis de me regarder faire.

Le marin essaya de lui expliquer que les fusils des Américains leur donneraient un avantage considérable en cas de combat. À plusieurs reprises, il tendit le bras dans le noir en faisant « Bang, Bang ! », mais Sopilak ne le comprit pas. Comme les Américains n'avaient ni massue ni épieu, il craignait pour leur sécurité.

Une lumière pâle et froide, argentée, se leva. Un éclaireur, loin vers le nord, signala l'ours polaire en vue. Aucun des trois Américains ne devait oublier les instants suivants : comme ils contournaient un énorme bloc de glace qui surgissait très haut au-dessus de la mer glacée, ils virent devant eux l'une des plus nobles créatures du monde, un animal aussi impressionnant que les mastodontes et les mammouths qui étaient passés jadis en Alaska non loin de ce cap. Immense, si parfaitement blanc qu'il se confondait avec la neige, agile et non sans une certaine grâce pataude qui faisait hésiter le cœur humain, tant l'impression de beauté était paralysante, l'ours s'avança, débordant d'énergie. Exemple suprême de perfection animale, il semblait ne faire qu'un avec la croûte de glace et le ciel gelé. Une neige légère se mit à tomber, le jour se leva, les hommes de Sopilak lancèrent leur chasse dans une lumière de rêve.

L'ours polaire, unique en son genre par la couleur, la taille et la vitesse, peut distancer facilement n'importe quel homme à la course ; il est également capable de plonger la tête la première dans les étranges ouvertures de la banquise où l'eau demeure libre, pour nager énergiquement jusqu'à une autre étendue d'eau, grimper avec une aisance étonnante sur de la glace récente et filer ainsi vers d'autres secteurs glacés où les hommes ne peuvent pas le poursuivre car ils ne peuvent traverser l'eau. Mais comment échapperait-il à une demi-douzaine de chasseurs acharnés, armés d'épieux et de massues, qui poussaient des cris pour l'empêcher d'atteindre l'eau ? Le combat qui s'engagea ce jour-là était donc à peu près égal : les hommes pouvaient le harceler et lui interdire l'eau ; l'ours pouvait les prendre de vitesse et nager sur de courtes distances pour occuper une nouvelle position. Mais en fin de compte l'insistance des hommes et leur intelligence à devancer ses mouvements leur permirent de rester très près et de forcer l'ours jusqu'à ce qu'il s'essouffle.

La journée passe vite à cette latitude en automne. Les hommes comprirent que s'ils ne s'emparaient pas très vite de l'ours, ils risquaient de le perdre pendant la longue nuit. Deux Eskimos, Sopilak et un autre, redoublèrent d'audace : en deux attaques combinées, ils coururent vers l'ours pour le déconcerter et d'un coup d'épieu Sopilak lui blessa la patte arrière gauche. Le voyant touché, deux autres hommes attaquèrent à leur tour par-derrière, esquivèrent le coup de patte avant meurtrier quand la bête se retourna et frappèrent de nouveau, à la même patte.

L'ours était à présent gravement blessé et le savait ; il battit en retraite, pour se placer le dos à un gros bloc de glace qui protégerait ses arrières. Les hommes devraient donc l'attaquer depuis des positions où il pourrait les voir avancer. Avec sa patte ensanglantée mais possesseur de griffes capables d'éventrer n'importe quel chasseur, le géant blanc paraissait encore plus redoutable.

Le combat était devenu égal. Le premier Eskimo qui chargerait avait toutes les chances de se faire étriper et aucun des compagnons de Sopilak ne se proposa pour cette attaque suicidaire ; le maître-chasseur comprit qu'il lui appartenait d'agir. Il réussit à frapper la cuisse droite intacte de l'ours, mais quand il voulut s'échapper, l'animal l'atteignit d'un revers de la patte et il s'aplatit sur la glace, exposé à la vengeance de l'ours.

Aussitôt, deux Eskimos s'élancèrent bravement pour tenter d'achever l'ours, sans s'occuper de Sopilak. Mais l'animal eut le temps de bondir sur son ennemi à terre et il l'aurait écorché et réduit en lambeaux si le capitaine Pym et le harponneur Kane n'avaient pas déchargé leurs fusils pour arrêter le grand monstre blanc. Avec deux balles dans le corps — expérience toute nouvelle — l'ours s'arrêta et ouvrit la gueule ; Atkins tira à son tour et sa balle se logea dans le crâne de la bête. Elle s'écroula sans force sur le corps du maître-chasseur.

Et le merveilleux ours blanc mourut, la créature des mers glacées, le géant superbe dont la fourrure était souvent plus blanche que la neige où il marchait... Quand les sept Eskimos virent qu'il était vraiment mort, ils firent une chose qui stupéfia les trois Américains : ils se mirent à danser, respectueusement et avec des larmes sur le visage. L'homme qui aidait Sopilak à tenir debout pour qu'il puisse participer, se mit à psalmodier un chant remontant à cinq millénaires. Et dans la nuit tombante, les hommes de Desolation pleurèrent et dansèrent en l'honneur de la grande créature blanche qu'ils avaient tuée. Le matelot Atkins comprit aussitôt le sens profond de cette cérémonie et, répondant à une force ancienne révérée jadis par ses ancêtres d'Europe, il lâcha le fusil qui avait participé au meurtre de l'ours et se joignit aux danseurs. Sopilak lui saisit la main, l'accueillit dans le cercle. Atkins prit le rythme et se joignit à la mélopée, car il voulait honorer lui aussi le splendide ours blanc, si noble dans la vie, si brave dans la mort.

Sopilak avait une sœur de quinze ans nommée Kiinak ; dans les jours qui suivirent, elle aida sa mère et les autres femmes de Desolation à dépecer l'ours polaire et à préparer les os précieux, les tendons et la magnifique peau blanche. Elle s'aperçut vite que le jeune matelot Atkins de l'*Evening Star* venait souvent se placer près d'elle pour la regarder faire. Avec les mots eskimos qu'il assimilait si vite, il avait pu expliquer à Sopilak et à sa mère qu'il était l'un des cuisiniers à bord du bateau américain, il désirait apprendre comment les Eskimos préparaient la viande des ours, des morses et des phoques qu'ils chassaient en hiver. Cette explication de sa présence fut admise.

Les Eskimos qui avaient participé à la chasse de l'ours savaient qu'Atkins et son chef Noah Pym avaient, par leur bravoure, sauvé la vie de Sopilak. Ils avaient raconté ces grands moments et tout le village était au courant de l'héroïsme du jeune homme. Sa participation au dépeçage et sa présence auprès de Kiinak fut donc acceptée, et même encouragée. À plusieurs reprises, Sopilak dit aux gens du village :

— Ce jeune-là m'a sauvé la vie.

Et chaque fois, Kiinak souriait.

C'était une jeune fille vive de gestes et d'esprit, large d'épaules mais pas plus haute que trois pommes — un mètre cinquante. Le sourire de son visage rond et plat enchantait tous ceux à qui il s'adressait. Mais son plus grand charme venait de sa masse de cheveux très noirs. Elle les coupait si bas qu'ils cachaient ses sourcils, et elle les agitait de gauche et de droite quand elle riait — ce qui lui arrivait maintes fois chaque jour car l'absurdité suprême du monde l'amusait : les airs pompeux de son frère quand il tuait un morse ou un phoque, les minauderies des jeunes femmes qui essayaient d'attirer l'attention de Sopilak, ou même les caprices d'un marmot pour imposer sa volonté à sa mère. Quand elle parlait, elle avait l'habitude de relever les cheveux de ses yeux d'un geste insouciant de la main gauche, et elle prenait alors un air mutin — les vieilles du village savaient très bien que cette Kiinak allait donner du fil à retordre aux jeunes chasseurs quand elle serait en âge de choisir un mari.

Autre aspect engageant pour John Atkins — et il le remarqua la première fois qu'il la vit dans la hutte qu'elle partageait avec Sopilak et sa jeune épouse —, Kiinak n'avait pas le visage surchargé de tatouages comme la plupart des femmes eskimos : seulement deux minces traits bleus descendant de sa lèvre inférieure vers son menton ; ils conféraient une touche de délicatesse à son visage large, car dès qu'elle souriait, ces deux traits se mettaient de la partie pour rendre son chaud sourire encore plus généreux.

Quand le dépeçage de l'ours fut terminé à l'endroit où il avait été abattu, et les centaines de kilos de viande riche ramenés à terre pour être préparés de diverses manières, Atkins cessa d'avoir une raison valable de s'attarder près de la hutte de Sopilak, mais il le fit ; bientôt les commères de Desolation prédirent qu'il allait se passer quelque chose d'intéressant un de ces jours. Contradiction amusante et qui a semé la zizanie dans plus d'une société, les vieilles femmes étaient des sentimentales qui adoraient voir les jeunes filles plaire aux jeunes gens et les séduire, et elles passaient de longues heures à se demander qui partagerait la couche de celle-ci ou de celle-là, et quel genre de scandale en résulterait ; mais elles veillaient aussi à ce que l'on applique rigoureusement les règles de la morale et elles protégeaient la continuité du village.

Au cours de longs siècles, elles avaient appris que la société eskimo fonctionnait le mieux quand les jeunes filles attendaient pour avoir des enfants le moment où elles se seraient liées à un homme solide capable de les nourrir. Le flirt appuyé et même les relations de lit avec tel ou tel beau jeune homme étaient permis et même encouragés — par exemple, si deux tantes avaient une nièce plutôt moche qui risquait de ne jamais accrocher un homme ; mais si cette nièce avait un enfant sans avoir d'abord trouvé un époux, ces mêmes tantes la traînaient dans la boue et la bannissaient souvent de leur hutte. Comme dit un jour une vieille en voyant le matelot Atkins faire sa cour à la sœur de Sopilak :

— Il vaut toujours mieux que les choses se passent dans l'ordre.

La moitié sentimentale de leurs soucis fut vite résolue : à la fin du dépeçage, Atkins dut retourner à la longue hutte des Américains, à huit cents mètres du village, mais il n'y resta que deux jours ; il revint vite à Desolation sur ses raquettes, pour voir sa belle Eskimo. Il arriva vers midi avec quatre biscuits de marin comme présents pour Sopilak, sa jeune épouse, sa vieille mère et Kiinak. Ils goûtèrent cet aliment inconnu devant leur hutte pour profiter des dernières heures de clarté avant que l'hiver ne pose sur eux son éteignoir glacé, et demandèrent à Atkins :

— Est-ce là ce dont vous nous avez parlé ? La nourriture des hommes blancs ?

Il acquiesça et ils ajoutèrent, sans mépris :

— Le lard de phoque est bien meilleur. Le gras tient chaud en hiver.

— Nous le découvrirons bien assez tôt, lança Atkins en riant. Il ne nous reste presque plus de biscuits.

La semaine suivante, les Eskimos commencèrent de fournir de la viande de phoque aux marins bloqués par les glaces et ceux-ci apprirent à l'aimer ; mais ils ne purent se résoudre à manger le lard, qui permettait aux Eskimos de survivre dans l'Arctique. Un après-midi, John Atkins apporta de la viande à la longue hutte, accompagné par Sopilak qui avait attrapé le phoque, puis il retourna à Desolation Point et vécut par la suite dans la case de Sopilak, où il partagea un lit de peaux de phoques avec la rieuse Kiinak.

Avec les derniers jours de novembre, une obscurité totale tomba sur le bateau immobilisé dans la banquise. Les vingt et un Américains de la longue hutte — Atkins les avait quittés — définirent la routine qui leur permettrait de supporter le terrible isolement. Détail important, chaque jour lorsqu'il s'estimait à midi, le capitaine Pym, accompagné de son second Corey, montait à bord du bateau pour remonter l'horloge en grande cérémonie ; tous deux tenaient absolument à avoir ce qu'ils appelaient « l'heure de Greenwich », car elle leur permettait de calculer où ils se trouvaient par rapport à Londres. Le principe était simple, comme le capitaine Pym l'expliquait chaque fois qu'un nouveau marin les accompagnait à bord.

— Si l'horloge indique cinq heures de l'après-midi au méridien de Londres, et que notre visée du soleil indique midi ici, nous sommes manifestement à cinq heures à l'ouest de Londres. Comme chaque heure représente quinze degrés de longitude, nous pouvons en déduire que nous nous trouvons par soixante-quinze degrés ouest, soit dans l'Atlantique, à quelques milles à l'est de Norfolk, Virginie.

Quelques années plus tard, les capitaines aventuriers posséderaient les nouveaux chronomètres perfectionnés par les génies anglais de l'horlogerie ; ils leur permettraient de calculer leur longitude avec précision. Avec son horloge assez fruste, Pym devait se contenter d'une approximation. Bien entendu, on savait déterminer la latitude avec un étonnant degré d'exactitude depuis trois mille ans : la journée, en visant le soleil à midi ; la nuit en visant l'étoile polaire. Et chaque jour, après avoir remonté l'horloge, Pym répétait :

— Cent cinquante-neuf degrés de longitude ouest ; soixante-dix degrés trente-trois minutes de latitude nord.

Aucun autre explorateur ne s'était aventuré aussi loin vers le nord dans ces eaux.

D'après les tables imprécises qu'emportaient les marins comme lui, le capitaine Pym calcula qu'à cette latitude nord le soleil quitterait le ciel vers le 15 novembre et ne réapparaîtrait pas, ne serait-ce que sous forme de croissant, avant la dernière semaine de janvier. Le harponneur Kane, en l'entendant parler ainsi, parut frappé de stupeur.

— Pas de lumière du tout pendant soixante-dix jours ?

Pym le lui confirma.

Au milieu de novembre, le soleil demeura encore légèrement visible pendant quelques minutes, très bas dans le ciel, et Pym entendit Kane annoncer aux autres :

— Demain, il sera parti.

Mais le 16, il s'attarda encore. Deux jours plus tard, ce fut à peine si le bord du disque dépassa l'horizon pendant deux minutes avant de disparaître. Les marins fermèrent les écoutilles de leurs esprits et de leurs émotions pour s'abandonner à l'hibernation, à l'exemple de nombreux autres animaux de l'Arctique.

Ils découvrirent, à leur vive surprise, que même à cette grande distance dans le nord, une sorte de lueur magique apparaissait chaque jour vers midi : leur monde glacé s'éclairait pendant quelques précieuses minutes ; ce n'était pas vraiment la lumière du jour, mais quelque chose de plus merveilleux : une aura argentée, pour leur rappeler que la perte de leur soleil ne serait pas perpétuelle. Bien entendu, quand cette lueur ambiante disparaissait, les vingt-deux heures de noir absolu qui suivaient semblaient plus oppressantes et le froid pénétrant plus douloureux. Mais quand les choses semblèrent au pire, une aurore boréale apparut, et emplit le ciel nocturne de couleurs que ces hommes de Nouvelle-Angleterre n'avaient jamais imaginées. Le matelot Atkins, qui rendait visite de temps en temps à la longue hutte, leur apprit :

— Les Eskimos disent que le Peuple d'En-Haut célèbre une fête et chasse des ours dans le ciel. Ce sont les lumières des chasseurs.

Puis la température tomba à moins cinquante-cinq degrés — selon l'estimation du capitaine Pym, car même l'huile gela comme une pierre. Les hommes oublièrent les lumières du ciel et restèrent blottis autour de leur feu de bois d'épave.

Capitaine avisé, Pym obligeait ses hommes à se lever à ce qui aurait été l'aurore s'il y avait eu du soleil, et il tenait à ce qu'ils mangent tout ce qu'ils pouvaient trouver à des heures fixes. Il demanda à M. Corey d'organiser des tours de garde vingt-quatre heures sur vingt-quatre et de surveiller en particulier la direction de Desolation Point.

— Dans le Pacifique, plus d'un bateau a été détruit par des indigènes qui semblaient amicaux.

Il ordonna des corvées pour maintenir ses hommes occupés et s'ingénia à rendre la longue hutte de plus en plus habitable. Chaque après-midi, deux heures après le déjeuner, il partait sur la glace avec Corey et Kane vérifier l'état de l'*Evening Star*. Ils inspectaient le bordage pour voir si la pression des glaces ne forçait pas trop sur la membrure solide du bateau. La courbure de ses flancs était telle que la glace ne trouvait aucun point d'appui. Lorsque la pression devenait colossale, capable de détruire n'importe quel navire mal construit, la surface glacée glissait sur la courbe du bordage et le bateau se soulevait doucement ; bientôt la quille se trouva à presque un mètre au-dessus du niveau de l'eau avant la prise des glaces. Le bateau, soulevé dans le vide, semblait un vaisseau fantôme dans un rêve gris.

— Il tient bien le coup ! lançait le capitaine Pym chaque jour, en rentrant avec ses compagnons d'inspection.

Mais le moment le plus émouvant survenait à ce qui aurait été le coucher de soleil, heure locale ; dans les ténèbres d'une nuit perpétuelle, Noah Pym rassemblait ses marins et célébrait le service du soir à la lumière d'une lampe à l'huile de baleine.

> *— Mon Dieu, nous Te remercions d'avoir assuré la sécurité de notre bateau un jour de plus. Nous Te remercions pour les minutes presque lumineuses de midi. Nous Te remercions pour la nourriture que nous a donnée Ta mer. Et nous Te demandons de veiller sur nos femmes, nos enfants, nos mères et nos pères à Boston. Nous sommes entre Tes mains, et dans la nuit sombre nous confions nos corps et nos âmes immortelles à Tes soins.*

Après cette prière, souvent animée par des variantes pour attirer l'attention de Dieu sur leurs problèmes quotidiens, Pym demandait à chaque marin sachant lire de prendre la Bible qui l'accompagnait dans tous ses voyages et de lire un texte de son choix, chacun à son tour. Rarement les paroles sublimes du Livre sacré ont retenti avec plus de foi que dans cette longue hutte sur les bords de l'océan Arctique, lorsque les marins lisaient les versets familiers qu'ils avaient appris par cœur pendant l'enfance dans la lointaine Nouvelle-Angleterre. Un soir, quand ce fut le tour de Tom Kane, cet homme normalement violent choisit dans les Actes des Apôtres des versets qui semblaient se référer directement à leur situation et à leur rencontre avec les Eskimos.

> *Mais peu après, une sorte de typhon s'est levé... Et comme le bateau était entraîné et incapable d'affronter le vent, nous nous sommes laissés dériver. Et filant sous une certaine île... à peine avons-nous pu nous rendre maîtres du canot... Mais la quatorzième nuit, ballottés en tous sens... les matelots soupçonnèrent vers le milieu de la nuit l'approche d'une terre... Alors craignant de nous faire échouer sur les récifs, ils ont mouillé quatre ancres de poupe, en souhaitant qu'il fasse jour...*
>
> *Mais quand il a fait jour, ils ne reconnurent pas la terre ; ils aperçurent une baie, avec une plage, et ils délibérèrent d'y échouer le navire, si possible... Ils tombèrent sur un endroit où deux mers se rencontraient et ils ont échoué le bateau... Et c'est ainsi que tous sont parvenus sains et saufs à la terre.*
>
> *Et quand nous fûmes sauvés... les barbares nous ont témoigné une amitié peu commune, car ils nous ont reçus auprès d'un feu qu'ils avaient allumé à cause de la pluie qui tombait, et à cause du froid.*

Le capitaine Pym n'oubliait jamais qu'il continuait d'appartenir à une église de Boston. Il s'estimait, au sens le plus littéral, responsable de la moralité de ses marins, ce qui le plaçait dans des situations parfois difficiles, en particulier quand il accostait avec son baleinier dans une baie des îles. Des filles tentatrices, aux cheveux décorés de fleurs, venaient vers le bateau, le frôlaient sur leurs embarcations, et ses hommes étaient pris de folie. Sans être excessivement prude, il détournait les yeux quand ses marins faisaient quelque incartade, puis lorsqu'il reprenait le large, lors des prières du soir, il leur rappelait leurs devoirs perpétuels. Il savait aussi qu'ils provoqueraient des bagarres quand ils débarquaient dans des ports comme celui qui desservait Canton, mais il se disait : « Ne t'en mêle pas. Laisse les Chinois cabosser les têtes. »

Sa magnanimité avait cependant des limites, en particulier quand il s'agissait de mariage, ou de son équivalent local. Et quand il vit le matelot Atkins sérieusement épris de la sœur de Sopilak, il comprit qu'il ne pourrait pas esquiver le problème moral qui en résulterait. Un matin de décembre où aucune chasse au phoque n'était prévue, il chaussa les raquettes qu'il s'était fabriquées et se dirigea vers Desolation Point. Il chercha la hutte de Sopilak et demanda à parler à Atkins et à la jeune fille avec laquelle il vivait. Trois autres personnes concernées insistèrent pour prendre part à la conversation : Sopilak, sa mère et Nikalouk, la jeune épouse du chasseur. Ils s'assirent en cercle dans la hutte et le capitaine Pym lança la discussion sur les problèmes éternels des rapports entre les hommes et les femmes.

— Atkins, Dieu ne voit pas d'un bon œil les jeunes hommes qui vivent avec les jeunes femmes sans être mariés — au détriment éventuel de ces jeunes femmes quand les bateaux repartent et qu'elles restent en plan.

Le jeune Atkins se trouva alors dans une situation peu enviable : en tant qu'interprète, il dut répéter en eskimo la réprimande que venait de lui lancer son capitaine. Noah Pym, l'un des capitaines les plus remarquables de Nouvelle-Angleterre, avait de si bonnes relations avec ses hommes qu'Atkins se sentit obligé de traduire fidèlement.

Aussitôt, la mère de Sopilak intervint avec véhémence :

— Oui, c'est très bien de faire — elle termina sa phrase par un geste sur lequel nul ne pouvait se méprendre —, mais laisser un bébé avec aucun homme pour le nourrir, ce n'est pas bien.

Pendant presque deux heures, ces six personnes au bord de l'océan pris dans les glaces dont les blocs ne cessaient de craquer pendant qu'ils parlaient, discutèrent d'un problème qui avait troublé les hommes et les femmes depuis l'invention des premiers mots et la constitution de familles pour nourrir et élever les générations suivantes. Les contradictions sont de tous les temps ; les obligations n'ont pas varié en cinquante mille ans ; et les solutions étaient aussi évidentes ce jour-là qu'à l'époque où Ougruk avait cherché refuge dans ces contrées quatorze mille ans auparavant, à la suite de problèmes de famille sur la côte opposée.

La conversation, lancée de manière si maladroite et avec un si grand nombre de participants, arriva à son point de non-retour quand John Atkins, originaire d'une petite ville des environs de Boston, bon protestant et célibataire, se déclara profondément amoureux de la jeune Eskimo Kiinak ; elle-même était si éperdue d'amour pour lui qu'elle allait avoir un enfant de lui vers la Saint-Jean d'été.

Atkins n'eut pas besoin de traduire en anglais l'aveu de la jeune fille, car Kiinak posa l'index sur son ventre en train de gonfler. Aussitôt, sa mère bondit à la porte et se mit à crier dans le noir.

— Cette gueuse va avoir un bébé et elle n'a pas d'homme. Pauvre de nous ! Que se passe-t-il dans le monde !

Ses cris attirèrent trois autres commères de son âge et la hutte de Sopilak s'emplit aussitôt de récriminations, d'invectives et d'attaques contre la jeune fille et son amant ; quand le tapage cessa, le capitaine

Pym découvrit une morale qui le stupéfia : Atkins avait sans doute mal agi en faisant un enfant à cette belle jeune femme de quinze ans, mais rien n'était répréhensible dans tout ce qu'il avait pu faire avec Kiinak pour en arriver à ce malencontreux résultat.

Au plus fort de ce chaos moral si complexe, Pym s'aperçut soudain que l'épouse de Sopilak lui souriait avec indulgence, d'un air de dire : « Nous sommes, vous et moi, au-dessus de toutes ces sottises. » Il rougit jusqu'aux oreilles en constatant qu'il venait de s'établir entre eux une certaine complicité. Nikalouk était grande pour une Eskimo, plus mince que les autres et avec un visage ovale que ne marquait encore aucun tatouage. Ses cheveux d'un noir de jais tombaient juste sur ses sourcils mais elle n'avait pas l'espièglerie de la jeune Kiinak, qui s'était blottie près d'Atkins comme pour le protéger des femmes hostiles qui l'invectivaient.

On sortit bientôt de l'impasse : Atkins se leva soudain et annonça en eskimo qu'il désirait épouser Kiinak ; il l'avait demandée en mariage et elle avait accepté. Les quatre vieilles femmes dansèrent alors de joie, embrassèrent Atkins et le couvrirent de compliments — tandis que le capitaine Pym demeurait abasourdi du résultat imprévu de sa visite à Desolation Point. Nikalouk, toujours en retrait avec le même sourire condescendant, ne fit aucune tentative pour dissiper la confusion ou indiquer à Pym qu'elle réprouvait les tracas provoqués par sa présence et celle d'Atkins.

Comme cette matinée mouvementée s'achevait, Pym annonça à la foule qu'à son avis Atkins devrait retourner à la longue hutte avec lui pour discuter de la situation. Les vieilles femmes craignirent un subterfuge pour empêcher le mariage promis, mais elles durent convenir avec Sopilak, le chef du village, qu'il fallait accorder cette permission. Le matelot Atkins serra tendrement les mains de sa bien-aimée, fixa à ses pieds les skis que Sopilak lui avait confectionnés et suivit son capitaine jusqu'au camp américain.

Pym réunit l'équipage, le mit au courant de ce qui s'était produit au village et attendit ses réactions de surprise. Mais juste au moment où le harponneur Kane allait faire une suggestion, Pym le coupa brusquement :

— Monsieur Corey, je crois que nous avons oublié de remonter l'horloge.

Et quand les deux hommes eurent gravement célébré ce rituel, Pym répéta leur position au bord de l'océan Arctique :

— Cent cinquante-neuf degrés de longitude ouest...

***

Au cours de la réunion publique où l'on discuta du mariage éventuel de John Atkins avec sa jeune Eskimo, la première solution proposée fut extrêmement pratique :

— Si elle est enceinte, trouve un Eskimo pour l'épouser. Donne-lui une hache. Ils font n'importe quoi pour une hache.

Sans laisser au capitaine Pym le temps de s'opposer à une proposition aussi immorale, plusieurs autres marins firent observer que pour un homme civilisé de Boston et un bon chrétien, ramener dans sa famille une sauvage qui n'avait jamais entendu parler de Jésus était impossible. Ce sentiment allait l'emporter quand un commentaire inattendu modifia le cours que prenait le débat.

— Je connais cette fille, grommela le grand Tom Kane. Elle fera une épouse foutrement meilleure que la salope qui m'attend à Boston.

Plusieurs marins indécis regardaient le capitaine Pym au moment où ces paroles retentirent et ils le virent blêmir, le souffle coupé.

— Monsieur Kane, dit-il d'une voix très calme, nous ne sollicitons pas ce genre de commentaire à bord de ce bateau.

— Nous ne sommes pas à bord. Chacun est libre de donner son avis.

Encore plus calmement, le capitaine Pym lança :

— Monsieur Corey, vous m'accompagnerez ainsi que le harponneur Kane pour l'inspection de l'*Evening Star*. Et le matelot Atkins viendra avec nous.

Les quatre hommes traversèrent la glace et, une fois à bord du bateau, le capitaine Pym commença l'inspection quotidienne comme si de rien n'était. La glace qui continuait d'exercer sa pression depuis la pleine mer, avait encore glissé le long de la coque courbe et soulevé le bateau plus haut au lieu de l'écraser contre la côte ; le bordage était solide, le calfatage tenait bon ; quand viendrait le dégel, l'*Evening Star* retomberait doucement dans la mer, prêt pour le voyage à Hawaii.

Mais à la fin de l'inspection, Pym déclara d'un ton désolé :

— Monsieur Kane, votre intervention violente m'a profondément blessé... Nous connaissons vos malheurs à Boston, ajouta-t-il sans laisser au colosse le temps de s'excuser. Et nous vous plaignons en toute sincérité. Mais que devons-nous faire au sujet d'Atkins ?

— Ce qu'a dit Tompkin est très juste, intervint Corey. C'est une sauvage.

Pym n'était pas de cet avis.

— À sa manière, elle est aussi civilisée que vous et moi. La façon dont son frère attrape des ours, des phoques et des morses est aussi efficace que notre façon d'attraper des baleines.

Corey, que cette comparaison justifiée ne réduisit pas au silence, se tourna vers Atkins :

— Tu ne pourrais jamais l'emmener à Boston, voyons ! Jamais on n'y accepterait une sauvage noiraude comme elle.

Et Atkins stupéfia les trois hommes en répondant en toute innocence, comme si cette intrusion dans ses affaires privées ne l'ennuyait nullement :

— Nous n'irons pas à Boston. Nous quitterons le bateau à Hawaii. Ce que j'ai vu là-bas m'a plu... Avec votre permission, capitaine, ajouta-t-il par déférence avant que les trois autres trouvent une réponse.

Le capitaine Pym, dans la cale sombre du baleinier, entouré de tout côté par les tonneaux d'huile précieuse, réfléchit à cette proposition inattendue. Presque comme si la main de Dieu s'était posée sur son bateau, il pouvait d'un seul coup sauver sa conscience chrétienne, aider à sauver l'âme d'une jeune Eskimo et se laver les mains des conséquences en débarquant le couple à Hawaii. Dans la vie d'un navigateur, rares sont les occasions où il peut faire autant de bonnes choses en même temps sans que personne ait à en supporter les conséquences.

— Permission accordée, répondit-il tandis que les bois de son bateau craquaient sous la pression de la glace.

De retour à la longue hutte, il informa l'équipage que, en tant que capitaine, il était légalement autorisé à célébrer le mariage du matelot Atkins et de la belle Eskimo, mais il fit observer que, pour demeurer valide, la cérémonie devait avoir lieu à bord de son bateau. Ensuite, il se rendit au village à skis pour annoncer la nouvelle. Il y aurait une cérémonie, expliqua-t-il à la future épousée, qui comprenait quelques mots d'anglais, et le village entier serait invité. Aussitôt Kiinak courut de hutte en hutte en criant :

— Tout le monde viendra !

À son retour à l'endroit où le capitaine Pym attendait, elle l'embrassa avec flamme, comme Atkins le lui avait enseigné. Abasourdi par cette hardiesse, Pym devint écarlate — puis il vit la jeune Nikalouk, qui lui souriait de nouveau.

Ce mariage à bord de l'*Evening Star,* dont les bois ne cessaient de craquer, fut l'un des moments les plus aimables de la longue histoire du contact des Blancs avec les Eskimos. Les marins de Boston décorèrent le bateau avec tous les ornements qu'ils purent concevoir — en fait, pas grand-chose : ici et là un bibelot gravé à bord dans les moments d'oisiveté, une poupée en peau de phoque bourrée de varech, un étonnant bloc de glace sculpté par le charpentier au marteau et au burin, qui représentait un ours polaire cabré sur ses pattes de derrière. Quand les Eskimos saisirent l'idée de décorer le bateau vide, ils se montrèrent beaucoup plus inventifs que les marins : ils apportèrent sur la glace des sculptures d'ivoire, des défenses de morse entières, couvertes de bas-reliefs, de merveilleux tissages, des objets fabriqués avec des fanons de baleine. Le capitaine Pym, comparant leur décoration à celle des Américains, demanda à son second Corey :

— Eh bien, qui est civilisé ?

Mais l'Irlandais sceptique répondit non sans raison :

— L'un dans l'autre, tout ce qu'ils ont apporté n'aurait aucun sens à Boston.

Le service célébré par le capitaine Pym, en suivant scrupuleusement les indications imprimées aux dernières pages de sa Bible, ne manqua ni de solennité ni d'émotion car il y ajouta arbitrairement une citation des Proverbes, particulièrement adaptée.

> « *Il y a trois choses qui me dépassent,*
> *Quatre que je ne connais pas :*
> *Le chemin que suit l'aigle dans le ciel*
> *Le chemin que suit le serpent dans le rocher*
> *Le chemin que suit le navire au cœur de la mer*
> *Et le chemin que suit l'homme vers la jeune femme.* »

— Au cours de ce voyage, nous avons vu des aigles dans le ciel et des serpents sur la terre. La façon dont notre navire a échappé à la glace dans la mer demeure un vrai mystère, et qui de nous peut comprendre la passion qui a poussé notre homme John Atkins à prendre pour épouse la jolie Kiinak ?

La cérémonie fit beaucoup d'effet sur les Eskimos ; ils ne comprirent rien de sa signification religieuse mais ils virent la gravité et le sérieux de Pym et conclurent qu'il s'agissait bien d'un vrai mariage. À la fin, les femmes âgées qui accompagnaient Kiinak entonnèrent une mélopée rituelle réservée à cette fête, et pendant quelques instants émouvants, dans la pénombre de l'*Evening Star,* les deux cultures se rencontrèrent en une harmonie qui ne se répéterait pas souvent dans les années à venir, et ne serait sans doute jamais dépassée.

Mais de toutes les personnes présentes au cours du modeste festin qui suivit, seule la jeune Kiinak au ventre lourd décela un événement parallèle qui allait avoir des conséquences plus importantes : comme elle observait les autres femmes pendant les réjouissances, elle remarqua l'attitude de sa belle-sœur, et confia à l'oreille de son jeune époux :

— Regarde donc Nikalouk ! Elle est tombée amoureuse de ton capitaine.

Le long hiver sombre toucha à sa fin, le soleil remonta dans le ciel — comme une ombre argentée au début, puis en passant la tête par-dessus l'horizon pendant quelques minutes avant de disparaître en frissonnant. Bientôt Nikalouk fut incapable de dissimuler l'affection troublante qu'elle ressentait pour cet homme étrange, si différent de son mari, le remarquable chasseur Sopilak. Loyale à son époux, elle respectait ses capacités à la tête du village et des chasseurs qui pourvoyaient à la nourriture de tous ; mais elle devinait dans le capitaine Pym des émotions profondes et le sens des responsabilités. N'était-il pas lui aussi en relation avec les esprits qui règnent sur la terre et les mers ? Elle remarqua que ses hommes le respectaient, qu'il prenait les décisions et prononçait les paroles importantes. Non seulement elle admirait ses qualités, mais sa présence même la troublait — obscurément, elle sentait qu'il apportait à ce village solitaire sur les rives d'un océan bloqué par les glaces un message venant d'un autre monde qu'elle ne parvenait pas à visualiser, mais dont elle ressentait intuitivement la puissance et la bonté. Elle connaissait deux hommes appartenant à cet autre monde, Atkins, qui aimait la sœur de son mari, et Noah Pym, le maître du bateau. À leur manière, ils valaient autant que son mari.

Mais ce n'était pas tout : Pym lui tournait la tête et elle se disait qu'elle pourrait coucher avec lui comme Kiinak avec Atkins, et avec les mêmes résultats heureux. Poussée par ces impulsions, elle se mit à fréquenter les endroits où Pym passerait. Dans le village, les commérages allèrent bon train, et même les marins de la longue hutte s'aperçurent que leur capitaine marié, qui suivait la Bible à la lettre et avait trois filles à Boston, avait rendu follement amoureuse de lui une jeune Eskimo, mariée de son côté.

Pym, marin austère qui prenait la vie au sérieux, se trouva en proie à un blizzard d'incertitudes et de confusion : tantôt il refusait de reconnaître que Nikalouk était amoureuse de lui ; tantôt, conscient des complications qui menaçaient, il refusait d'en assumer la responsabilité. Dans les deux cas, il ne faisait pas le moindre geste à l'adresse de Nikalouk et ne lui lançait même pas un regard, absorbé qu'il était par un problème qu'il jugeait beaucoup plus grave.

— Quand pouvons-nous compter sur la fonte des glaces ? demanda-t-il à ses assistants après le Nouvel An.

L'un des hommes, qui avait lu des ouvrages sur le Groenland écrits par des Européens, estimait que la glace ne commencerait pas à fondre avant mai, mais quand Atkins posa la question dans le village, la date qu'on lui donna — début juillet — consterna tout le monde. Pym consulta Sopilak, qui le lui confirma.

Les hommes de l'*Evening Star* se laissèrent alors accabler par le désespoir. En automne, quand la glace les avait bloqués, ils avaient accepté leur emprisonnement en escomptant qu'il s'achèverait à la fin du mois de mars, quand le printemps dégelait les étangs de Nouvelle-Angleterre. Et, au début de l'hiver, ils étaient presque ravis et même fiers de prouver qu'ils avaient la force physique et morale de supporter les effroyables tempêtes. Mais en ces premiers jours de l'année, découvrir que l'été ne reviendrait pas avant six mois leur fut intolérable, et il en résulta des frictions.

Certains songèrent à se réinstaller dans le bateau, mais les Eskimos les mirent en garde.

— Quand la glace fond, il se produit des choses étranges. C'est le plus mauvais moment.

Le capitaine Pym leur ordonna donc de rester à terre et redoubla de minutie au cours de ses inspections quotidiennes. Il traitait toujours avec égards les hommes qui faisaient des difficultés, leur assurait qu'il comprenait leurs angoisses mais ne pourrait tolérer le moindre signe d'insubordination.

Il fut enchanté lorsque les Eskimos organisèrent des expéditions de chasse très loin sur la glace, qui n'était pas près de fondre, car ses hommes les plus aventureux les accompagnaient pour partager les dangers. Lui-même se rendit un jour à l'endroit où un long boulevard d'eau libre avait attiré du nord des lions de mer. Il avait participé à la chasse de deux de ces animaux et aidé les Eskimos à les haler jusqu'au village, sur la glace.

— Si nous nous maintenons actifs, le jour de la libération viendra plus vite, promit-il à ses hommes.

Le jour qui, selon les calculs de Pym, devait être le 24 janvier, il redonna du courage à son équipage en leur assurant que le soleil, encore caché sous l'horizon, retournerait bientôt dans l'hémisphère Nord ; le crépuscule de midi s'allongerait et deviendrait plus clair. Aux marins ne connaissant rien de l'astronomie, il expliqua :

— Oui, le soleil monte vers le nord, et continuera jusqu'à la hauteur du cercle arctique. À ce moment-là, il brillera vingt-quatre heures de suite.

— Dites-lui de se dépêcher, lança l'un des marins.

— Tout se passera selon l'ordre de Dieu, comme la semaille de blé et le retour des oies sauvages. Le soleil doit suivre l'horaire que Dieu lui a donné, répondit le capitaine.

Mais il ajouta ensuite une précision curieuse :

— Les anciens druides, qui ne connaissaient pas Dieu, exprimaient par des prières et des chants la joie que leur inspirait le comportement raisonnable du soleil. Comme les Eskimos sont aussi des gens primitifs, attendons-nous à la même chose.

Mais rien ne l'avait préparé à ce qui se produisit à Desolation Point le jour où le soleil signala que le lendemain à midi il montrerait son visage. Les gens du village furent pris de folie et les enfants crièrent :

— Le soleil revient !

On sortit des tambours et des tambourins, faits de peau de phoque tendue sur des anneaux de bois d'épave, mais le centre de toute l'attention et de l'allégresse était une immense couverture fabriquée des années auparavant avec de la fourrure filée comme de la laine, puis tissée en une toile rêche et colorée avec des teintures recueillies le long de la côté en été ou à partir de sucs tirés de peaux de phoque et de morse.

Dans l'après-midi, Sopilak et deux autres hommes en costume de cérémonie vinrent sur leurs skis annoncer officiellement à la longue hutte que le lendemain à midi quand le soleil réapparaîtrait, les marins étaient invités à sa fête. Gravement, ils s'inclinèrent, comme le capitaine Pym l'avait fait pendant la cérémonie du mariage, à bord du bateau. Au nom des marins, le second Corey, promit de venir, mais quand les Eskimos eurent tourné le dos il s'écria, sans mépris mais avec un certain cynisme :

— Nous verrons bien ce que ces sauvages ont derrière le crâne.

Le 24 janvier, une demi-heure avant midi, il prit la tête de tout l'équipage endimanché avec le capitaine Pym et traversa la neige verglacée jusqu'à Desolation Point.

Dans la pénombre argentée, ils se joignirent aux habitants, tendus par la solennité du moment. Ils avaient tous vécu plusieurs mois sans lumière solaire; les Eskimos, avec une passion contenue, s'étaient tournés vers le sud, où ils avaient vu le soleil apparaître régulièrement les années précédentes — disque hésitant qui apporterait au monde le rajeunissement annuel. Les premiers rayons délicats scintillèrent un instant, une lumière grise se diffusa dans le ciel... Les hommes se mirent à chuchoter puis à crier leur joie incontrôlée : des jets de flammes apparurent, signes avant-coureurs d'une véritable aurore. Les spectateurs à la peau sombre souriaient et même les marins ressentirent une bouffée d'allégresse quand il devint manifeste que le soleil apparaîtrait vraiment. N'avaient-ils pas souffert de cet étrange hiver noir davantage que les Eskimos ? Sous les yeux émerveillés de tous, le soleil lui-même lança un coup d'œil par-dessus le rebord du monde pour voir comment ces étendues glacées avaient subsisté pendant son absence. Aussitôt une femme se mit à psalmodier, et un des marins de Pym s'écria :

— Nom de Dieu ! J'ai bien cru qu'il ne reviendrait jamais !

Les brefs instants de lumière de cette fantastique journée ramenèrent l'espoir : les hommes comprirent que le monde continuerait de tourner comme par le passé, au moins pendant une année de plus. Alors chacun se mit à crier, à chanter, à s'embrasser. Les marins dansèrent la gigue dans leurs lourdes bottes, avec des vieilles femmes qui ne s'attendaient plus à avoir d'aussi fringants cavaliers. Et il y eut des larmes.

Puis il se produisit des choses que les marins n'auraient pas imaginées, et qui n'étaient peut-être jamais arrivées auparavant à Desolation Point, des actes non prémédités qui exprimèrent l'essence de ce moment de gloire où la vie se renouvelait. Sur la plage, où de grands blocs de glace s'élevaient comme la toile de fond d'une tragédie jouée par les dieux du Nord, un groupe de fillettes âgées de huit à neuf ans se mit à danser. Leurs petits pieds chaussés d'énormes mocassins fourrés s'animaient avec une élégance surprenante, leurs corps emmitouflés de fourrures ployaient dans des attitudes insolites, et les marins firent soudain silence, songeant à leurs filles ou à leurs sœurs cadettes qu'ils n'avaient pas vues depuis des années.

Sans fin continua la danse des fillettes, elfes témoignant leur respect à la mer glacée, pieds qui frappaient la neige avec grâce en répétant des pas qui avaient enchanté cette journée et cette côte pendant dix mille années. Cet instant demeura figé dans le souvenir de tous les Américains qui y participèrent, et deux grands matelots, saisis par la beauté soudaine du spectacle restèrent en retrait mais copièrent en dépit de leur maladresse les mouvements des fillettes. Plusieurs vieilles battirent des mains au souvenir des années passées où elles avaient accueilli le retour du soleil avec des danses semblables.

Mais aucune des personnes qui regardait les fillettes ne réagit comme le capitaine Pym. Leurs pas simples et naturels exprimaient bien leur joie de sourire au soleil. Pym songea à ses trois filles et un jugement inattendu se présenta à ses lèvres : « Mes filles n'ont jamais exprimé autant de joie dans leur vie. Chez nous, on dansait si peu. » Les larmes lui montèrent aux yeux, symbole de sa confusion, et il continua de regarder la danse ; il ne pouvait s'associer à elle comme ses marins, mais il en comprenait le sens.

Bientôt, avant que le soleil ne se retire après son bref salut, l'animation grandit entre les huttes : des hommes s'affairaient autour d'un objet que le capitaine Pym ne put voir. L'instant suivant, tous les Eskimos poussèrent des vivats : Sopilak et ses camarades de chasse, tous d'âge adulte, apportaient la grande couverture que Pym avait vue un peu plus tôt sans en deviner l'utilisation. Des rires et des cris la saluèrent au passage, mais aucun Américain ne comprit pourquoi une simple couverture pouvait susciter tout ce tapage. On la déplia à l'endroit où venaient de danser les fillettes. Elle avait la forme d'un cercle, renforcé sur le tour pour permettre de bonnes prises. Presque tous les hommes du village s'avancèrent pour attraper le bord. Sur des signes de Sopilak, ils se mirent à tirer tous ensemble vers l'extérieur, et la couverture forma la peau d'un énorme tambour. Ils la laissèrent se détendre puis la retendirent aussitôt. En suivant les indications rythmiques de Sopilak, la couverture se mit à pulser comme une membrane vivante, tantôt molle, tantôt tendue.

Quand les hommes lui signalèrent qu'ils maîtrisaient le rythme de la couverture, Sopilak se retourna vers la foule et montra du doigt une assez jolie fille de quinze ou seize ans, aux cheveux nattés, qui portait un gros labret dans sa lèvre inférieure et des tatouages remarquables sur tout le visage. Visiblement fière d'avoir été choisie, elle fit un bond en avant et fléchit les genoux. Deux hommes la lancèrent en l'air, sur la couverture tendue pour la recevoir. Les femmes de l'assistance poussèrent des vivats. La jeune fille agita la main pour leur promettre qu'elle ne leur ferait pas honte, et les hommes de Sopilak commencèrent à agiter la couverture en cadence. La fille monta de plus en plus haut, mais comme elle l'avait annoncé aux femmes, elle conserva habilement son équilibre, en retombant toujours sur ses pieds.

Soudain, les hommes tirèrent plus fort sur la couverture, tous en même temps, et la jeune fille fut projetée à près de quatre mètres en l'air. Elle parut demeurer en suspens un instant avant de retomber — bien droite sur ses jambes. Les gens du village applaudirent et plusieurs marins poussèrent des cris de joie, mais la jeune fille, surprise d'être montée si haut et sachant ce qui allait suivre, mordit le bord supérieur de son labret et se prépara pour l'envol suivant.

Cette fois, elle monta beaucoup plus haut et conserva cependant son équilibre. Mais aussitôt après, projetée à une hauteur stupéfiante, elle ne put compenser le mouvement de rotation de son corps rembourré de fourrures. Elle tomba en tas, et lorsque les hommes l'aidèrent à descendre de la couverture, elle s'écroula de rire.

Kiinak serra le bras de son mari :

— Personne n'est jamais monté plus haut que moi, mais c'était l'an dernier.

Atkins, qui ne perdait jamais de vue la grossesse de sa femme, répéta :

— Oui, c'était l'an dernier.

Mais quand deux autres belles filles se furent envolées ainsi vers le ciel, Sopilak quitta sa place près de la couverture et vint se camper devant sa sœur.

— Pour faire un bébé fort, dit-il.

Elle lui donna la main et l'accompagna vers la couverture.

— Attendez ! cria Atkins, terrifié à l'idée de voir sa femme enceinte voler dans les airs et retomber sur la couverture tendue.

Mais Kiinak leva la main droite, pour lui ordonner de rester où il était. Bouleversé comme jamais auparavant, il regarda Sopilak la hisser sur la couverture et reprendre sa place dans le cercle des hommes.

Doucement, comme s'ils berçaient le bébé déjà né, ils lancèrent le rythme de la couverture, en chantant une mélopée, puis sur un signe de tête de Sopilak, ils tirèrent juste ce qu'il fallait et la jeune femme enceinte s'éleva légèrement dans les airs. La couverture amortit habilement son retour et son vol rapide ne lui fit subir aucun choc. Quand elle rejoignit son mari, elle lui dit :

— Pour rendre le bébé brave.

Une très vieille femme, qui avait volé jusqu'au ciel dans sa jeunesse, fut honorée de la même manière, mais l'envolée s'avéra trop modeste pour son goût.

— Plus haut ! cria-t-elle.

— C'est vous qui le demandez, la prévint Sopilak.

Ses hommes tendirent la couverture et lancèrent la vieille dans le vide. Par miracle elle assura son équilibre et retomba debout. Les marins lancèrent des hourras.

Tous les gens du village leur répondirent en écho car Sopilak venait de s'avancer vers son épouse pour l'inviter à sauter sur la couverture. Elle le fit, sans l'aide de personne. Pendant plusieurs années, de seize à dix-neuf ans, Nikalouk était restée la championne du village ; elle volait avec grâce à une hauteur qu'aucune autre jeune fille ne pouvait atteindre, car ce n'était pas seulement les hommes qui déterminaient la hauteur à laquelle s'élèverait la jeune fille sur la couverture ; l'élan de ses jambes, quand elle détendait ses genoux pliés, y contribuait pour beaucoup et Nikalouk était plus hardie que beaucoup, comme si elle avait soif de l'air des hauteurs.

Le rythme s'établit. La couverture battit. La tension monta tandis que Nikalouk se préparait pour son premier saut. Les marins s'avancèrent, car Atkins leur lança :

— C'est la meilleure. Aucune ne va plus haut.

Mais Nikalouk et les hommes de la couverture savaient que pour les trois ou quatre premiers essais, elle ne volerait pas très haut : il fallait qu'ils mettent au point le rythme et calculent au plus juste le moment où tendre la couverture, en synchronisme avec le mouvement des genoux de la jeune femme.

Les quatre premiers bonds furent donc des essais, mais malgré cela, la grâce rare de cette jeune femme féline était si manifeste que les marins se turent pour admirer l'élégance de ses bras, de ses jambes, de son buste et de sa tête pendant l'ascension. Et ses mouvements adorables ne firent plus d'effet sur aucun spectateur que sur le capitaine Pym, qui la regarda voler dans le vide comme s'il la voyait pour la première fois.

Puis, sans avertissement, elle fila vers le ciel à une vitesse, à une hauteur qui le laissa sans voix. À plus de cinq mètres au-dessus des têtes, elle demeura en suspens, immobile, chaque partie de son corps parfaitement alignée, comme une danseuse de ballet — être parfait de beauté et de grâce. Lentement, puis de plus en plus vite, elle commença à descendre dans une attitude donnant l'impression qu'elle toucherait la couverture en déséquilibre. Mais au dernier moment, elle se rétablit et atterrit sur ses pieds au milieu de la couverture, sans sourire à personne, concentrée sur la position de ses genoux pour le vol suivant, qui la projetterait encore plus haut.

En coordination avec les signaux silencieux de son mari, elle ploya les genoux, inspira à fond et prit son essor ainsi qu'un oiseau parti vers de nouvelles altitudes. Détail curieux que remarqua le capitaine Pym : les grosses bottes fourrées et les vêtements lourds semblaient la rendre encore plus gracieuse. Sa maîtrise n'en était que plus impressionnante. Une jeune femme qui volait merveilleusement, et à la même époque il ne devait pas y avoir sur la terre entière plus de douze femmes, de quelque race que ce fût, capables d'égaler son exploit. Aucune n'aurait fait mieux. Très haut dans le ciel, au moment où le soleil faisait ses adieux, elle atteignit le sommet de son art — et elle en eut conscience.

La dernière fois que la couverture se tendit, elle monta plus haut que jamais dans sa vie — non pas parce que son mari tirait particulièrement fort sur la couverture, mais parce qu'elle bande chaque muscle de son corps en un suprême effort, et elle le fit seulement pour charmer le capitaine Pym, qui la regardait bouche bée. Elle parvint à tracer un bel arc dans le ciel, en face du soleil qui se couchait rapidement, et quand elle retourna sur terre ainsi qu'un oiseau fatigué, elle sourit — pour la première fois ce jour-là — et regarda effrontément le capitaine avec un geste de triomphe. Elle avait volé plus haut qu'aucune femme du village ; elle n'avait fait qu'un avec le soleil nouveau-né et la grande banquise dont les jours étaient comptés, maintenant que la Terre avançait vers la chaleur. Lorsqu'on l'aida à descendre de la couverture elle éprouva un tel sentiment de victoire qu'elle ne se dirigea pas vers son mari mais vers Noah Pym. Elle le prit par la main et l'entraîna à l'écart.

La fête du soleil dura vingt-quatre heures, et plusieurs événements au cours de cette fête s'associèrent par la suite à la tradition du village de Desolation Point — certains très précieux, d'autres qu'il aurait mieux valu oublier. La jeune Nikalouk se rendit avec le capitaine de Boston, Noah Pym, dans une hutte où ils firent l'amour toute la nuit. Le matelot Harry Tompkin, un rustre originaire d'un village de la côte non loin de Boston, se glissa dans les cales de l'*Evening Star* et puisa dans un tonneau de rhum de la Jamaïque, embarqué pour raisons médicales et autres urgences. Avec ce délicieux liquide ambré il s'enivra en compagnie de deux camarades, et — plus important pour l'histoire de l'Alaska — partagea avec Sopilak, qui tituba vite sous l'effet fulgurant de l'alcool. Enfin, quand le soleil se leva pour une deuxième aube, confirmant qu'il revenait pour de bon, les vieilles femmes de Desolation donnèrent au capitaine Pym un présent qui devait l'accabler d'un remords indélébile.

Leur amour avait été une merveilleuse expérience ; la belle Eskimo, orgueil de son village, souhaitait comprendre ce que signifiait la venue du bateau de Pym sur ces côtes. Comprenant que Noah Pym était le meilleur homme qu'elle rencontrerait dans sa brève existence, elle l'avait désiré pendant trois mois, puis avait jugé convenable de faire connaître ses désirs lors de la fête du soleil en accomplissant son acte suprême de révérence : le saut impeccable à des hauteurs jamais atteintes.

La hardiesse avec laquelle elle l'avait entraîné dans la pénombre de la hutte n'avait rien de surprenant dans ce village eskimo. Les vieilles commères gardaient l'œil sur les jeunes filles et les forçaient à se marier selon les règles pour que leurs enfants soient protégés et élevés dans la sécurité, mais personne ne supposait que le mariage mît fin aux désirs des gens, et il n'était pas exceptionnel qu'une jeune femme ou un jeune mari se conduise comme Nikalouk. Ces attitudes n'étaient pas condamnées, après ces incartades la vie continuait à peu près comme si de rien n'était et personne ne s'en trouvait plus mal.

Mais lorsque les marins comme ceux de l'*Evening Star* revinrent du pays des Eskimos, ils racontèrent : « Savez-vous qu'un des chasseurs a offert sa femme au capitaine, comme une marque d'hospitalité pour ainsi dire. » Et ainsi naquit la légende qu'offrir son épouse aux voyageurs était une coutume eskimo. Rien n'est plus faux. Simplement des liens d'affection s'établirent entre des voyageurs et des femmes du pays, à Desolation Point ni plus ni moins que dans un village des environs de Madrid, de Paris, de Londres ou de New York. Nikalouk, la danseuse céleste eskimo de Desolation, a eu des sœurs partout sur la Terre, et beaucoup de bonnes choses se sont produites dans le passé parce que ces femmes à l'esprit fort ont voulu connaître le monde avant que le monde les abandonne, ou qu'elles le quittent.

Mais la découverte du rhum par Sopilak fut, elle, une expérience désastreuse. Les Blancs avaient distillé depuis des siècles cette boisson forte, si vivifiante, si libératrice, et ils l'avaient offerte à des gens un peu partout dans le monde. Les Espagnols, les Italiens, les Allemands ou les colons américains étaient capables de boire modérément, de faire la fête et de se réveiller le lendemain matin comme si de rien n'était. Mais d'autres, par exemple les hommes d'Irlande et de Russie ou bien les Indiens de l'Illinois, les Tahitiens que le capitaine Cook respectait tellement quand ils n'étaient pas ivres, et surtout les Eskimos, Aléoutes et Athapascans de l'Alaska, s'avéraient incapables d'accepter de l'alcool un jour et de le refuser le lendemain. Et lorsqu'ils buvaient, l'alcool leur faisait des choses terribles. Le long déclin de Desolation Point commença le matin où Sopilak, le grand chasseur, accepta le rhum de l'irresponsable Harry Tompkin.

Quand Sopilak fit tourner sur sa langue sa première gorgée de rhum, il le trouva trop mordant et trop fort, mais quand il l'eut avalé, sentant son effet jusque dans les profondeurs de son estomac, il en voulut une autre lampée. La chaleur de l'alcool déchaîna alors un indescriptible tourbillon de rêves, de visions et d'illusions de puissance infinie. Une boisson magique, comprit-il dès les premiers instants, et il en voulut sans cesse davantage. Avec le retour du printemps, il devint le prototype de ces milliers d'Alaskans qui, par la suite, hanteraient les plages dans l'attente d'un baleinier de Boston, incapables de se passer d'alcool. Ils avaient appris que ces bateaux apportaient du rhum, et pour eux c'était le plus beau cadeau du monde.

À vrai dire, les bons chrétiens de Boston — dont le frère et l'oncle du capitaine Pym — se livraient à un sale commerce : des tissus aux acheteurs avides des Antilles, des esclaves aux planteurs de Virginie, du rhum aux indigènes d'Hawaii et d'Alaska, les cales pleines d'huile de baleine pour le retour à Boston. Incontestablement, ils créèrent de la richesse — mais les esclaves, les baleines et les Eskimos de Desolation Point en furent détruits.

Le deuxième matin, torturé par des remords comme il n'en avait jamais eu dans sa vie, le capitaine Noah Pym quitta son nid d'amour et ramena Nikalouk dans sa hutte, où elle trouva son mari couché par terre, sous le coup de l'ivresse; Pym, bouleversé, vit deux vieilles femmes le montrer du doigt, ainsi que Sopilak, comme pour le féliciter d'avoir utilisé une sorcellerie puissante capable d'abattre le mari pendant qu'il s'amusait avec sa femme : un bon tour, pensaient-elles, sans songer à critiquer ni le capitaine ni le chasseur eskimo.

Ce fut sur ces entrefaites que Pym reçut le cadeau des femmes du village. Elles apparurent avec dans leurs bras un vêtement auquel elles travaillaient depuis un certain temps. Elles hissèrent Sopilak sur ses pieds, le giflèrent deux ou trois fois pour le réveiller et lui remirent le vêtement. Les hommes s'étaient rassemblés. Sopilak leur sourit d'un air penaud et tendit les bras vers le capitaine Pym. John Atkins, dans la confidence, traduisit :

— Honoré grand capitaine, dont les fusils m'ont sauvé la vie quand nous avons combattu l'ours, et qui a aidé Tayouk et Oglowouk à le tuer quand je n'ai pas pu, notre village t'offre ce présent. Tes hommes ont été bons pour nous. Nous t'honorons.

Il s'inclina et laissa tomber le vêtement. Les marins qui faisaient encore la fête, se turent en voyant la cape magnifique que recevait leur capitaine. D'un blanc pur, lourde, longue : la fourrure de l'ours polaire abattu au cours de leur première chasse.

Tout le monde insista pour qu'il la mette. Gêné et honteux, il laissa Sopilak et Nikalouk draper la cape splendide sur ses épaules indignes. Il la porta sur le chemin du retour à la longue hutte et même pendant l'inspection du bateau. Mais la nuit venue, au moment du service du soir, il la posa, et lorsque les hommes levèrent les yeux vers lui pour prier, il se tourna vers son second, le visage blême, et dit :

— Monsieur Corey, voulez-vous diriger la prière? Je n'en suis pas digne.

Le fait que Pym abandonne à d'autres la prière du soir eut une conséquence positive. Quand vinrent les journées éprouvantes de fin avril, avec de la lumière en permanence mais sans que la mer glacée commence à relâcher son emprise sur l'*Evening Star,* les marins commencèrent à s'agiter, puis se montrèrent carrément agressifs. Des combats à coups de poing survenaient sans raison et lorsque l'intervention rapide de Corey y mettait fin, la tension générale ne diminuait pas pour autant.

Au moment où l'on put croire que de vrais ennuis allaient éclater, un des hommes les plus calmes du bateau s'adressa timidement au capitaine Pym.

— Capitaine, sauf votre respect, j'ai découvert dans la Bible la preuve que Dieu connaît notre situation et a promis de nous sauver.

Pym s'étonna : pourquoi le Seigneur se soucierait-il de ce petit bateau perdu et de son capitaine pécheur?

— Est-ce que je pourrai lire l'Écriture ce soir? demanda le matelot.

— Cela ne dépend plus de moi, dut répondre Pym. Vous devez demander à M. Corey.

Celui-ci acquiesça aussitôt, prêt à tenter tout ce qui avait une chance de calmer les tensions.

Ainsi donc, après le repas du soir, dans une lumière aussi vive qu'à midi, le frêle jeune homme dont la voix tremblait d'émotion lut un passage obscur du livre souvent négligé de Zacharie :

> *Voici que vient le jour du Seigneur où, dans ton sein, on se partagera tes dépouilles.*
> *Et il arrivera qu'en ce jour-là il n'y aura plus de lumière mais de la froidure et du gel.*
> *Ce sera un jour unique — il est connu du Seigneur — il ne sera ni jour ni nuit et au temps du soir il y aura de la lumière.*
> *Et le Seigneur deviendra roi sur toute la terre : en ce jour-là le Seigneur sera unique et unique son nom.*

Refermant la Bible avec révérence, le marin se pencha en avant pour proposer un bref commentaire :

— De toute évidence, cette prophétie se rapporte à nous. Quand nous vendrons notre huile de baleine, nous partagerons les dépouilles. Quand la glace fondra, et elle va fondre, nous serons libérés. Déjà nous avons le jour sans nuit, comme l'a ordonné le Seigneur. Le soir venu il y a de la lumière et le Seigneur notre Dieu règne comme roi sur toute la Terre. Comme il a promis de nous sauver, inutile de montrer autant d'amertume.

Plusieurs marins, dans leur gratitude pour ce qui leur parut une intervention divine, battirent des mains lorsqu'il se tut, mais le capitaine Pym, persuadé qu'il s'était exclu par sa conduite de la générosité divine, frissonna et regarda ses poings fermés. Pourtant le remords ne l'empêcha pas de passer des heures, puis des jours, et enfin des nuits avec Nikalouk. Si bien qu'au moment où la glace commença tout de même à fondre et que l'*Evening Star* reprit lentement sa position naturelle de bateau flottant sur la mer, Nikalouk posa les questions inévitables, dans le jargon que les marins et leurs amies avaient affiné au cours des neuf mois d'isolement forcé.

— Capitaine Pym. Suppose Atkins emmène Kiinak. Pourquoi pas toi ?

— Tu sais que je suis marié et père de famille, lui répondit-il franchement. Et tu as un mari. C'est impossible.

Sans rancœur, mais consciente de la situation et réaliste, elle répliqua :

— Sopilak ? Lui comme vous dites : saoul tout le temps.

Et elle insista pour que Pym l'emmène. Elle ne pouvait en aucune façon se représenter Hawaii où se rendait Atkins, ni Boston, où iraient les autres, mais elle était certaine de pouvoir s'adapter et mener avec Noah une vie agréable. Pour deux raisons majeures, Pym jugea impossible de la laisser venir à Boston : il avait déjà une famille, et même dans le cas contraire, jamais il ne pourrait la montrer là-bas. Personne n'aurait compris.

Il n'eut pas le courage de lui faire part de cette deuxième raison — surtout du fait qu'Atkins avait épousé Kiinak sans hésiter, Boston ou pas. Il repoussa donc à plus tard l'aveu de sa décision définitive d'abandonner la jeune femme quand le bateau repartirait. Mais il ne parvenait pas à se détacher d'elle, pris au piège de la plus grande passion de son existence — celle qui fait découvrir à un homme tout ce qu'impliquent l'amour, les femmes et le destin de la vie. Nikalouk avait déjà marqué Pym d'une empreinte qui ne s'effacerait jamais, ni avec le temps ni par les regrets, et d'une manière perverse il trouvait un plaisir intense à conduire l'expérience jusqu'au bout. Il était amoureux de Nikalouk et quand il était loin d'elle il pouvait se la représenter en train de voler dans le vide, ses lourdes bottes prêtes à atterrir, ses bras et ses cheveux soulevés en une vision merveilleuse que peu d'hommes ont eue de leur femme. C'était une créature du ciel, de la glace et des nuits sans fin, une créature née de l'harmonie paisible de ce village des rives de l'océan Arctique.

— Oh, Nikalouk ! s'écriait-il parfois tout fort lorsqu'il était seul, que va-t-il advenir de nous ?

Il ne se lança pas (comme de nombreux Américains en train d'explorer vers la même époque le monde et des sociétés inconnues) dans des réflexions sentimentales sur la pauvre fille abandonnée sur son île, qui allait pleurer toutes les larmes de son corps pendant que lui-même continuerait de vivre un destin meilleur : en fait la délaissée surmontait très bien sa situation, alors que le voyageur, à son retour à Philadelphie ou Charleston, était sans cesse torturé par ses souvenirs de paradis. Non, Pym considérait Nikalouk comme son égale à tous égards, sauf qu'elle ne pourrait pas vivre dans la chrétienne Boston. M. Corey avait raison : sous trop d'aspects importants aux yeux de la société puritaine de Nouvelle-Angleterre, elle demeurait une « sauvage ».

Mais il continua de porter la cape d'ours polaire, et de se complaire dans sa beauté et dans les souvenirs qu'elle lui rappelait de ses grandes journées de chasse sur la glace. La cape blanche devint son symbole lorsqu'il commença à préparer l'*Evening Star* à reprendre la mer. Un matin, Atkins conduisit sa femme à bord, et quand le capitaine Pym la vit, souriante et impatiente de se lancer dans l'aventure, il en eut le souffle coupé. Comme il aurait préféré se trouver dans la peau du jeune marin et emmener Nikalouk, tellement plus intéressante et passionnée que Kiinak, pour le long voyage jusqu'au terme de sa vie.

Soleil brillant, mer calme. La glace battit en retraite, vaincue par un autre été mais rassemblant déjà ses forces pour un prompt retour automnal. On hissa les voiles. Toute la population de Desolation pataugea dans la boue pour assister au départ. Une matinée de fête, sauf qu'au moment où l'on amena à bord la planche d'embarquement, dernier lien avec une hospitalité remarquable — lard de phoque, danses et femmes amoureuses —, Nikalouk s'élança en courant vers le bateau qui s'éloignait en gémissant :

— Capitaine Pym ! Capitaine Pym !

Son mari se précipita vers elle. Non pour l'invectiver, seulement pour la consoler. Mais il avait bu ce matin-là les dernières rasades du rhum de Harry Tompkin, et il s'écroula dans la boue avant de rattraper sa femme.

À peine la terre avait-elle disparu lors de cette première journée vers le sud et l'île de Lapak, où le baleinier comptait se réapprovisionner au mieux avant la longue traversée jusqu'à Hawaii, que le capitaine Pym, sur sa passerelle, s'écria soudain :

— Monsieur Corey, cet ours blanc m'étrangle !

D'une main qui tremblait de rage, il arracha la belle cape, la jeta par terre et l'envoya dans un coin à coups de pied.

Quand le harponneur Kane eut vent de l'incident, il alla voir le capitaine.

— Moi aussi, j'ai aidé à tuer l'ours. Puis-je avoir la cape ?

Pym, accablé par la culpabilité, se hâta de lui répondre :
— Vous avez le droit de la porter, monsieur Kane. Vous ne l'avez pas couverte de honte.
Et au cours du long voyage glacé jusqu'à l'île de Lapak, Noah Pym continua de ne pas lire les prières du soir, car il se sentait réellement étranglé : l'ours, Sopilak tombé dans la boue, Nikalouk en train de voler de façon sublime, autant d'images qui contribuaient à le déchirer — et plus que toute autre, le souvenir des fillettes que la venue de l'*Evening Star* n'avait pas souillées, en train de danser sur la plage glacée pour célébrer dans la joie le retour du soleil.

***

L'arrêt forcé à Lapak fut bref et horrible. Quand le petit brick entra dans les eaux qu'il connaissait déjà, entre le volcan et l'île, les Aléoutes aux chapeaux élégants s'avancèrent à sa rencontre dans leurs kayaks.
— Le retour au pays ! s'écria le harponneur Kane.
Mais à peine avaient-ils jeté l'ancre que la vue de Kane dans sa magnifique cape blanche provoqua l'envie des deux réprouvés, Innokenti et Zagoskine le chauve.
— Ce bateau doit être bourré de fourrures, murmurèrent-ils à leurs hommes.
Au bout de deux journées passées à épier, tout en ralentissant la livraison de provisions du navire, ils conclurent :
— Bien organisés, seize hommes résolus pourraient s'emparer de ce bateau.
On en discuta en secret avec les hommes les plus déterminés, et Innokenti leur rappela une chose qu'il avait remarquée au moment de l'escale de l'*Evening Star* à Lapak avant de gagner le nord :
— Le capitaine Cook avait des soldats à son bord. Celui-ci n'en a pas.
Et le complot fut lancé.
Personne n'avait encore fait une proposition précise, mais Innokenti, se rappelant le plaisir qu'avait éprouvé le capitaine Pym à discuter avec Trophime Jdanko, encouragea l'Américain à passer du temps dans la cabane du cosaque, ce qui nécessitait bien entendu la présence de l'interprète — le matelot Atkins, suivi comme toujours de sa femme. Les conversations se prolongeaient et Trophime put s'apercevoir que le jeune Américain avait trouvé en Kiinak, la jeune Eskimo, une épouse excellente. Le fait qu'elle attendait un enfant l'intéressait particulièrement.
— Merveilleux qu'un des premiers Américains dans ces parages ait épousé une fille eskimo...
Il revint à plusieurs reprises sur ce thème et finit par exprimer le fond de sa pensée.
— La vie serait beaucoup plus belle sur ces îles si les hommes comme mon fils avaient épousé des femmes aléoutes... Vous commencez une nouvelle race, dit-il au jeune couple en souriant. Que Dieu vous bénisse.
Auprès de Trophime se trouvait un garçon du nom de Kyril, fils d'un brigand russe et d'une Aléoute qu'il avait violée — et tuée par la suite. Le Russe était reparti vers une autre île de l'archipel, vers l'est, en abandonnant son fils. L'enfant s'était réfugié dans la cabane de Jdanko et aidait le vieil homme. Trophime était enchanté de montrer à Kyril qu'un homme comme Atkins jugeait naturel et normal d'épouser une femme eskimo comme Kiinak :

— Que cela te serve de leçon. Pas de bonne vie sans un bon départ.
— Êtes-vous marié ? demanda le capitaine Pym.
— À la femme la plus puissante de Sibérie, répondit fièrement le vieillard. Elle aurait fait une grande tsarine... Et vous ? Avez-vous une famille ?

Le capitaine devint écarlate et ne répondit pas. Mais Trophime n'avait pas besoin de réponse. Il ne pouvait pas deviner le problème, mais il voyait bien qu'il y en avait un.

Tandis que ces conversations se déroulaient dans la cabane, Innokenti et Zagoskine, déjà d'âge mûr sans avoir rien accompli hormis des destructions, combinaient leur attaque de l'*Evening Star* avec leurs complices.

— Demain, quand le capitaine et le jeune couple partiront discuter avec le vieil idiot, deux d'entre vous les bloqueront dans la cabane. Zagoskine et moi, avec trois hommes, monterons à bord comme pour leur apporter des vivres. Zagoskine descendra dans la cale avec un homme, je resterai sur le pont avec deux. Tous les autres arriveront à toute allure dans les kayaks. À ce signal (il poussa un cri en russe), nous prendrons le bateau.
— Et s'ils résistent ? demanda une voix.
— Nous en tuerons autant qu'il faudra.
— Les autres ?
— Ceux de la cabane ? Nous nous en occuperons plus tard. L'important, c'est de s'emparer du bateau, ensuite plus rien ne pourra nous arrêter.

Innokenti et Zagoskine étaient convenus en secret qu'après la prise du bateau ils emmèneraient tous les survivants à l'île voisine d'Adak où ils les abattraient — puis attribueraient le massacre aux Aléoutes.

Le plan, simple et brutal, avait toutes les chances de réussir, sauf qu'au jour prévu le capitaine Pym ne rendit pas visite à Trophime et à Kyril ; il resta à bord du bateau, ainsi qu'Atkins et son épouse. Les conspirateurs étaient tellement certains du succès qu'ils décidèrent d'attaquer malgré tout. À une heure de l'après-midi, les deux chefs montèrent à bord de l'*Evening Star* accompagnés par trois hommes comme prévu. Ils apportaient des quantités de provisions et commencèrent de les embarquer tandis que le reste des complices quittaient le rivage avec d'autres provisions.

Noah Pym, au courant des méthodes appliquées par les indigènes pour s'emparer d'un bateau, ne se trouvait pas sur le pont quand le deuxième groupe voulut monter à bord. Instinctivement, il se précipita vers la porte de sa cabine en criant :
— Monsieur Corey, que se passe-t-il ?

Il se heurta à Zagoskine, qui poussa un cri strident pour signaler que le combat commençait. D'un coup de bâton, le Russe assomma Pym qui s'écroula, le crâne brisé. Il ne perdit pas connaissance, se releva sur un coude et tenta de se défendre, mais la grosse botte de Zagoskine le frappa en plein visage et l'autre Sibérien acheva l'Américain à coups de massue. Il mourut en essayant de sauver son bateau, et avant d'expirer il crut l'avoir perdu. Il ne prononça pas un mot, n'eut même pas le temps de répéter les paroles d'une des prières absentes de ses lèvres depuis si longtemps.

Le jeune Atkins et sa femme, entendant les échos de la lutte dans la cabine du capitaine, se précipitèrent à son secours, juste à temps pour que Zagoskine et son homme les matraquent à mort. Les deux

Sibériens furent alors libres de monter sur le pont aider Innokenti. Ils y trouvèrent une plus grande confusion que prévu, car le second, l'Irlandais Corey à la volonté de fer, supposant Pym assassiné, avait pris en main le salut du bateau. Armé d'un pistolet et d'une épée, il abattit deux assaillants et força leur chef, Innokenti, à battre en retraite. En voyant l'énorme Zagoskine se jeter sur lui, il appela à l'aide, jeta son pistolet vide et se saisit d'un taquet d'amarrage, déterminé à tuer autant de pirates russes que possible avant de leur livrer le bateau.

À cet instant, un colosse en longue cape blanche apparut sur le pont, un long harpon dans chaque main.

— Pym est mort ! cria-t-il. Tuez-les tous !

Sans prendre le temps de bien viser, Kane lança un de ses pieux mortels vers Zagoskine qui s'avançait. Le fer vola dans l'air comme un éclair, frappa le Sibérien juste au-dessus du cœur et l'épingla au mât comme une poupée de son.

Le coup de harpon ne l'avait pas tué. Kane bondit sur lui et de son autre harpon le frappa deux fois, au cou et au visage. Puis, ne parvenant pas à arracher le premier harpon, il l'abandonna, s'empara du gourdin avec lequel Zagoskine avait tué Atkins et sa femme, puis s'élança sur le pont en matraquant avec rage toutes les têtes russes qu'il rencontrait.

Parvenu auprès de Corey, qui se défendait comme un diable avec son taquet d'amarrage, Kane montra du doigt Innokenti et cria à tous les Américains :

— C'est lui ! Tuez ce salopard.

Et sur ces mots il lança le harpon qui lui restait sur l'instigateur de l'attaque. Il le manqua. Comme Corey se jetait sur Innokenti, celui-ci l'esquiva, ce qui lui laissa quelques secondes pour étudier la situation sur le pont. Son plan était en train d'échouer : il vit les Russes morts, son ami Zagoskine embroché au mât, et Kane en train de rassembler les Américains autour du maudit Irlandais. En une fraction de seconde, sa décision fut prise : il plongea par-dessus bord, abandonnant ses hommes, sans se soucier du fait qu'il ne savait pas nager. Avec la puissance surhumaine dont les hommes font souvent preuve en face du désastre, cet étonnant vaurien se débattit dans la mer comme un poisson blessé, parvint à un kayak vide, le pencha sur le côté, enfonça les jambes dans un des trous, le redressa, et, à longs coups de rames habiles, s'enfuit vers la côte. Corey, le voyant sur le point d'échapper à son châtiment, prit un pistolet des mains d'un marin et essaya d'abattre le Russe. Il le manqua.

Lorsque les hommes de Boston eurent jeté par-dessus bord les cadavres de Zagoskine et de ses compagnons de piraterie, Corey lança d'une voix calme, comme si rien d'important ne s'était produit :

— Levez l'ancre, parez la voilure. Monsieur Kane, vous prendrez les fonctions de second. Veuillez me rendre compte de la situation de l'équipage.

La dernière vision qu'offrit aux marchands russes le courageux petit bateau qui avait exploré les mers, chassé les baleines et survécu à la banquise d'un hiver arctique, fut celle d'un équipage en rang, au garde-à-vous le long du plat-bord de bâbord pendant que son nouveau capitaine lisait solennellement un texte de la Bible : un colosse en longue cape blanche souleva trois corps, l'un après l'autre — le capitaine Pym, le matelot Atkins et Kiinak la jeune Eskimo prête à accoucher — puis les fit basculer dans la mer de Béring.

Mais ce ne fut pas tout, car au moment où la cérémonie s'acheva, le nouveau capitaine ordonna que le canon inefficace du bateau soit dévissé de son socle et pointé vers la côte. Un boulet de canon, de peu de poids, ricocha sur les rochers de Lapak et vint rouler, inoffensif, près de la hutte de Trophime Jdanko, qui avait assisté aux événements de la journée dans la honte et l'écœurement.

Cette tentative de piraterie se produisit au printemps 1781 et, s'ajoutant aux risques courus par l'*Evening Star* dans les glaces de Desolation Point, elle découragea tout autre baleinier américain de s'aventurer dans la mer des Tchouktches et dans l'océan Arctique pendant un demi-siècle ; mais en 1843 les vannes s'ouvriraient et quelques années plus tard trois cents baleiniers affronteraient les eaux du Grand Nord.

Quand l'*Evening Star,* premier bâtiment de cette flotte courageuse, eut disparu vers le sud, le cadavre percé et mutilé de Zagoskine vint s'échouer sur la côte et l'on marqua l'endroit en érigeant une stèle. Les marchands de fourrures considérèrent très vite l'affaire de l'*Evening Star* comme un coup risqué qui avait mal tourné.

— Nous avons bien failli nous emparer de ce bateau, déclara Innokenti aux hommes qui serrèrent les rangs autour de lui. Sans ce maudit harponneur...

Il ne tint aucun compte de la remarque amère de Jdanko :

— Pourquoi massacrer ce jeune homme et son épouse ?

Innokenti pensait en effet que ce genre de chose arrive naturellement dans le feu de l'action. Quant au meurtre du capitaine, si aimable pendant ses deux visites, c'était également un de ces hasards de la guerre.

— Mais était-ce la guerre ? demanda son père adoptif.

— Nous sommes en guerre avec tous ceux qui cherchent à nous dépouiller de ces nouvelles terres, lança Innokenti.

Jdanko lui demanda pour quelle raison il soupçonnait ces Américains sans armes de convoiter une île comme Lapak, où le nombre de phoques et de loutres de mer ne cessait de diminuer.

— Oui, cette île est finie, répondit son fils adoptif. Les indigènes ne valent rien. Mais il y en a de meilleures vers l'est.

Se proposait-il donc de continuer dans l'est ses massacres, ses pirateries et ses meurtres ? Ce soupçon décida le vieil homme.

Par une belle journée couverte mais sans pluie ni vent, parfaite pour la chasse aux loutres, Jdanko surprit Innokenti en lui disant :

— Beau temps. Nous avons été ennemis trop longtemps. Maintenant que Zagoskine n'est plus là, voyons si nous pourrons attraper d'autres fourrures.

Ils se dirigèrent vers le kayak où Zagoskine occupait la place arrière pour qu'Innokenti puisse assommer les loutres à l'avant.

— Je ramerai à l'arrière, dit le vieil homme.

Plusieurs Eskimos traînaient sur la plage sans rien faire.

— Venez nous aider à former le cercle, leur cria Innokenti.

Seuls deux d'entre eux répondirent.

Trophime dirigea le bateau vers le large, derrière le Qugang.

— J'ai vu des loutres par là-bas, assura-t-il à son fils.

Ils arrivèrent bientôt à un endroit où les hommes de la plage ne pourraient plus observer aisément les trois minuscules kayaks. Ils trouvèrent en effet des loutres et Innokenti se mit à resserrer le cercle, à la poursuite d'une femelle avec un bébé sur le ventre. La mère, d'une agilité surprenante, esquiva d'un côté puis de l'autre, aidée bien entendu par le nombre insuffisant de bateaux.

Innokenti, mis en rage par les réactions tardives de son père à se régler sur la tactique de la loutre, l'insulta, invectiva les autres rameurs, et les menaça de coups de fouet quand ils rentreraient à la côte.

— Resserrez-vous ! Et foncez sur elle plus vite quand je la chasse vers vous !

Quelques minutes plus tard, comme les chasseurs se trouvaient en fort mauvaise position à cause de la maladresse de Trophime, Innokenti se retourna pour l'insulter de nouveau. Le vieil homme, à l'arrière, donna au kayak une secousse violente qui le fit basculer complètement, et Innokenti tomba à la mer.

Il ne se paniqua pas. En maudissant Trophime plus que jamais, il fit exactement comme lors de son plongeon de l'*Evening Star :* il battit des bras et des jambes en se jetant en avant pour s'accrocher au trou du kayak. Il se serait sûrement sauvé une deuxième fois si, au moment où il tendait le bras, Jdanko ne s'était pas écarté brusquement. Il baissa les yeux vers son fils et le frappa en plein visage avec le plat de sa rame. Puis, comme s'il chassait une mère loutre sans défense, obligée de refaire surface pour respirer, il attendit que la tête d'Innokenti remonte et s'élança vers l'endroit. Le second coup faillit briser le crâne.

Prenant tout son temps, il rama doucement en attendant que la tête ensanglantée remonte ; quand elle le fit, il la repoussa calmement sous l'eau, où il la maintint plusieurs minutes. Puis il se mit à agiter sa rame nerveusement en l'air en criant.

— Au secours ! Innokenti est tombé à la mer.

Le cadavre revint à la côte au bout de plusieurs jours, si gonflé d'eau et décomposé que nul ne put dire ce qui s'était produit pendant la chasse à la loutre. Le jeune Kyril vint dans la cabane de Trophime et après de longs silences pendant lesquels le vieux cosaque songea : « Il a le même âge qu'Innokenti quand je l'ai rencontré, mais quelle différence », le jeune garçon avoua d'une voix hésitante :

— J'ai vu ce qui s'est passé pendant la chasse aux loutres.

Trophime ne répondit pas.

— Personne d'autre ne l'a vu, poursuivit Kyril au bout d'un moment. J'étais à l'avant.

Des larmes montèrent aux yeux du vieux Jdanko. Non par regret, mais en réaction aux grandes contradictions de la vie. Le jeune chasseur ne les remarqua pas car il était lui-même assailli par ses propres doutes — ce vieil homme qu'il aimait avait tué son propre fils —, mais il se ressaisit et dit :

— Il est tombé du kayak parce qu'il s'est retourné trop vite. Il est le seul responsable. Je l'ai vu. Je l'ai dit aux autres.

De nouveau, le silence, pendant lequel chacun savait que l'autre ruminait son mensonge délibéré. Puis, pour absoudre leur culpabilité mutuelle, Kyril ajouta :

— C'était un mauvais homme, Vieux-Père. Tuer cette jeune femme qui nous avait traités si gentiment. Tuer tous ces gens de notre île. Il méritait de mourir, et s'il ne s'était pas noyé tout seul comme il l'a fait, je l'aurais moi-même tué.

Il hésita et le silence devint plus tendu.

— Je ne sais pas comment, mais je l'aurais tué, Vieux-Père.

Jdanko pesa longuement ce qu'il désirait répondre, car chaque mot devait prendre son sens exact. Il passa peut-être une demi-heure à parler de tout et de rien, les yeux fixés sur le volcan, puis il déclara, d'une voix basse :

— Kyril, il est temps que j'emporte nos fourrures à Petropavlovsk. Mme Jdanko doit m'y attendre avec les balles qu'elle a rassemblées elle aussi. Elle aura un bateau pour me conduire à Okhotsk et il faudra que je traverse les mauvaises terres jusqu'à la Lena.

Là, il changea de pronom, mais poursuivit sur le même ton :

— Nous remonterons en chaland jusqu'à Irkoutsk, à la gaffe. Ça, c'est une belle ville, tu peux me croire ! Puis nous partirons en Mongolie vendre nos peaux aux acheteurs chinois. Mais il te faudra faire attention, Kyril, car ils sont capables de te voler une dent de sagesse.

Il se balança un instant, d'avant en arrière sous la lumière froide, puis demanda :

— Ça te plairait ?

— Oh, oui ! s'écria le jeune homme.

— Cela prendra peut-être trois ans, tu sais. Et avec le bateau passoire que nous avons, nous n'atteindrons peut-être jamais le Kamtchatka, mais cela vaut la peine d'essayer. Quand nous retournerons à Lapak, nous abandonnerons cette île de malheur pour nous installer à Kodiak, où l'on me dit que les fourrures sont belles.

Kyril réfléchit un instant, puis demanda :

— Mais si vous désirez aller à Kodiak, pourquoi pas tout de suite ?

— Il faut que j'apprenne à Mme Jdanko la mort de son fils, expliqua Trophime. C'est une femme de valeur et je tiens à ce qu'elle ne l'apprenne que de ma bouche.

— Est-ce qu'elle sait... comment était Innokenti ?

— Je crois que les mères savent toujours.

— Mais comment pouvait-elle continuer de l'aimer ?

— C'est justement le mystère des mères, répondit Trophime.

Et ce vieil homme de soixante-dix-neuf ans, qui aurait dû se retirer depuis longtemps de la vie active, se mit à rêver de mers agitées, de bandits de grand chemin dans des cols sibériens balayés par les tempêtes, de chalands poussés à la gaffe sur la Lena avec des muscles brisés par l'effort, et de marchandages avec les Chinois sur la valeur d'une peau de loutre. Il était impatient d'affronter une fois encore les anciens défis et de mettre à nouveau sa force à l'épreuve, à Kodiak.

Car à ses yeux, le destin d'un explorateur était d'avancer vers l'est, toujours vers l'est et le soleil levant. Adolescent originaire d'un banal village d'Ukraine, au nord de Lvov, il avait pris la route de l'est pour servir le tsar Pierre de Moscou, puis traversé la Sibérie pour rencontrer Mme Poznikov, puis continué aux Aléoutiennes où il avait connu des capitaines d'honneur — Béring, Cook, Pym — et même jusqu'à la côte d'Amérique, où il avait aidé le grand Georg Steller. Et toujours il avait répondu au défi du lendemain, de l'île suivante, de la tempête à venir.

— Je n'ai pas de fils, dit Trophime à mi-voix. Et tu n'as pas de père. Chargeons notre bateau qui fuit et emportons nos fourrures à Irkoutsk. D'accord ?

5

Le duel

En l'année mémorable 1789, qui vit en France le début de la Révolution qui devait libérer le peuple de la tyrannie des rois et dans les anciennes colonies d'Amérique la naissance d'une nouvelle forme de gouvernement garantissant à chacun la liberté, un groupe de marchands de fourrures russes sans honneur commit une grande atrocité contre les Aléoutes de l'île de Lapak.

Deux petits bateaux apparurent dans le port, commandés par des marchands qui firent exécuter sans pitié un ordre cruel :

— Tous les hommes et les enfants mâles de plus de deux ans à bord des bateaux.

Les femmes, bouleversées, accoururent vers la côte.

— Pourquoi ?

— Nous en avons besoin à l'île de Kodiak pour chasser la loutre.

— Pour combien de temps ?

— Qui le sait ? répondirent-ils.

Et quand les bateaux firent voile, l'après-midi même, maris et femmes, chacun de leur côté, éprouvèrent une peur panique qui les avertit : « Nous ne nous reverrons jamais. »

Lorsque les lamentations cessèrent, les femmes durent se résoudre à réorganiser leur vie d'une manière qu'elles n'avaient jamais envisagée. Les îliens vivaient de la mer, mais plus personne ne savait maintenant chasser le phoque, attraper les gros poissons ou poursuivre les grandes baleines qui lançaient leurs jets non loin des côtes au cours de leur migration vers le nord. Les kayaks, les harpons et les longues massues pour assommer les phoques demeuraient sur la plage, mais nul ne savait plus s'en servir.

La situation n'était pas seulement périlleuse mais paradoxale, car les îles Aléoutiennes marquent la ligne de rencontre entre le vaste océan Pacifique et la mer de Béring, et de puissants courants verticaux faisaient constamment remonter de la nourriture à la surface : le plancton abondait, les crevettes devenaient énormes. Les saumons s'en repaissaient, et quand les saumons arrivaient en quantités, les phoques, les morses et les baleines ne jeûnaient pas. La nature répandait de la nourriture en abondance à la surface de la mer, mais seuls des hommes braves et audacieux pouvaient la récolter. Or voici qu'il n'y avait plus d'hommes. Quand les vents de l'Asie se mirent à souffler en tempête, on eût dit qu'ils gémissaient : « Où sont les chasseurs de Lapak ? »

En appliquant cette politique barbare, les Russes auraient dû se rendre compte qu'ils agissaient contre leur propre intérêt à long terme, car ils avaient besoin des Aléoutes pour chasser et pêcher pour leur compte ; s'ils déportaient puis tuaient à la tâche tous les adultes mâles, la population ne pourrait pas se renouveler. Ils encouragèrent cependant ce comportement insensé, persuadés que les Aléoutes étaient moins qu'humains.

Mais les Russes avaient négligé un trait caractéristique de Lapak et des autres îles Aléoutiennes : la longévité y était plus grande que partout dans le monde, et hommes et femmes atteignaient souvent plus de quatre-vingt-dix ans — sans doute à cause d'un régime équilibré, à base de poisson plus que de viande, mais aussi en raison de la pureté de l'air marin, d'une existence rangée, et d'une robustesse naturelle héritée des ancêtres venus d'Asie. Quoi qu'il en fût, en cette année 1789 sur l'île de Lapak, une arrière-grand-mère de quatre-vingt-onze ans, qui avait une petite-fille de quarante ans mère d'une jolie gamine de quatorze ans, décida de ne pas se laisser mourir sans lutter.

La famille et les amies de l'arrière-grand-mère l'appelaient simplement la Vieille, sa petite-fille se nommait Innouwouk et l'enfant de quatorze ans portait le beau nom de Cidaq, qui signifie *jeune animal courant en liberté*. Aucun nom ne pouvait mieux lui convenir, car elle offrait à tout instant une image de mouvement, de vitalité et de grâce. Elle n'était pas grande, ni bien dodue comme certaines jeunes Aléoutes de son âge, mais elle possédait la grosse tête ronde qui trahissait son origine asiatique, le pli mongol des paupières et une peau d'une belle nuance sombre. Au coin gauche de sa lèvre inférieure, elle portait un labret délicat, sculpté dans la défense d'un morse, mais ce qui attirait surtout l'attention, c'était sa longue chevelure noire soyeuse, qui tombait presque jusqu'à ses genoux mais qu'elle coupait en frange droite sur le front, à la hauteur des sourcils ; on pouvait croire qu'elle portait un casque, et elle se cachait derrière ses cheveux quand elle boudait.

Très souvent, car elle aimait la vie sans réserve, son visage rond s'éclairait d'un sourire aussi large que le soleil levant : ses yeux se plissaient, presque clos, ses dents blanches brillaient et elle basculait la tête vers l'arrière en lançant de petits cris de joie. Comme la plupart des femmes aléoutes ou eskimos, elle parlait en serrant les lèvres et sa voix semblait un perpétuel murmure confus, mais lorsqu'elle riait, la tête en arrière, elle devenait Cidaq la petite biche, le jeune saumon bondissant, le baleineau filant à la surface des eaux dans le sillage de sa mère. Un adorable petit animal appartenant à la terre qui la portait.

Et elle allait mourir de faim. Malgré toutes les richesses offertes par les deux mers, elle allait mourir de faim avec son peuple. Mais un après-midi où la Vieille, qui se déplaçait encore sans difficulté, regardait le chenal entre l'île de Lapak et le volcan, une baleine passa, sans hâte, nonchalante, en soufflant de temps en temps. Les battements occasionnels de sa queue ou une pirouette sur le côté révélèrent sa longueur immense. La Vieille se dit : « Un animal comme ça nous suffirait pour très longtemps », et elle décida de faire quelque chose.

Aidée de la canne de bois d'épave qu'elle avait sculptée, elle explora la plage. Elle choisit six des meilleurs kayaks à deux places et demanda à Innouwouk et à Cidaq de l'aider à les séparer des autres. Elle alla trouver les femmes pour savoir combien d'entre elles savaient manœuvrer les kayaks. Aucune. Certaines avaient enfreint le tabou en montant dans ces embarcations fragiles et plusieurs avaient même essayé de ramer, mais aucune n'avait étudié les principes complexes de la chasse aux loutres et aux phoques — et il était impensable qu'elles eussent accompagné leur mari à la poursuite d'une baleine.

La Vieille décida cependant de former une équipe — six bateaux avec douze rameuses — mais elle se heurta à des réticences.

— Et pour quoi faire ? demanda une femme prudente.

— Tuer des baleines, répliqua la Vieille.

La femme et plusieurs autres se mirent à gémir.

— Vous savez bien qu'aucune femme ne peut s'approcher des baleines ni toucher un bateau qui en a poursuivi une ; ni même seulement projeter son ombre sur ce kayak.

La Vieille réfléchit plusieurs jours à ces objections, discuta avec sa petite-fille Innouwouk et admit qu'en temps normal, si les femmes dans l'embarras avaient consulté le chaman, celui-ci les aurait certainement averties que les esprits maudiraient l'île sans rémission si des femmes croisaient la route des baleines le long de la côte, et que toucher un kayak prêt pour la chasse assurerait la fuite de la baleine, peut-être même la mort des chasseurs. Des preuves accumulées en dix mille ans d'expérience se dressaient contre les femmes menacées de Lapak.

Mais au terme du troisième jour de ses réflexions, la Vieille s'entêta dans sa décision, selon un précepte que sa propre grand-mère lui avait enseigné, longtemps avant l'apparition des premiers Russes : « Si tu le peux, tu le dois ! » Autrement dit : quand une chose désirable est possible, il faut toujours faire l'essai. Lorsqu'elle proposa ce principe pratique à Innouwouk, celle-ci, manifestement affolée, lança :

— Mais tout le monde sait que les femmes et les baleines n'ont jamais...

Écœurée, la Vieille se tourna vers Cidaq, qui garda le silence un instant en songeant à l'importance de ce qu'elle allait dire. Lorsqu'elle parla, elle le fit avec fermeté, prête à rompre les vieilles traditions — trait qu'elle conserverait jusqu'à la fin de ses jours.

— Comme il n'y a plus d'hommes, nous devons briser leurs tabous. Je suis sûre que nous pouvons capturer une baleine.

La Vieille, encouragée par cette réponse positive, poursuivit en ces termes :

— Après tout, pour attraper les baleines, les hommes font certaines choses précises. Rien de bien mystérieux. Nous pouvons répéter leurs gestes.

N'était-il pas stupide de croire que les esprits désiraient voir mourir de faim toutes les femmes d'une île, pour la seule raison qu'aucun homme n'était en mesure de chasser les baleines selon la tradition ?

La Vieille rassembla les autres femmes et les harangua avec Innouwouk et Cidaq à ses côtés :

— Nous ne pouvons pas mourir de faim sans réagir. Nous avons des baies, les fruits de mer des lagunes et peut-être quelques saumons à l'automne. Nous attrapons des oiseaux, mais cela ne suffit pas. Nous avons besoin de phoques, et peut-être d'un morse si l'un d'eux passe dans les parages, et il nous faut une baleine.

Elle invita sa petite-fille à exprimer ses appréhensions, et Innouwouk objecta :

— Les esprits ont toujours prévenu les femmes d'éviter tout contact avec les baleines. Je crois que cela demeure leur désir.

Les femmes attachées à la tradition acquiescèrent sans réserve, mais la petite Cidaq s'avança, fit passer ses cheveux d'une épaule sur l'autre et dit :

— Quand il le faut, on le peut. Les esprits comprendront.

Plusieurs jeunes femmes prirent timidement son parti : elle se tourna alors vers sa mère, lui tendit les bras et la supplia :

— Aide-nous.

Et sur un coup de coude impérieux de la Vieille, Innouwouk, indécise et accablée par ses craintes, se joignit à celles qui avaient décidé de prendre la mer dans l'ombre du volcan, pour essayer d'attraper une baleine en dépit du tabou.

Dès cet instant, la vie à Lapak changea du tout au tout. La Vieille, bien déterminée à nourrir son île, convainquit même les plus récalcitrantes : les esprits modifieraient les anciennes règles et prendraient leur parti si elles faisaient l'impossible pour sauver leur vie.

— Songez à ce qui se passe quand une femme enceinte va accoucher et que l'enfant se présente à l'envers. De toute évidence, les esprits voudraient que le bébé meure. Mais Siichak et moi retournons l'enfant, forçons sur le ventre et tout finit bien. Nous l'avons fait bien souvent. Et les esprits en sont contents parce que nous avons corrigé leur erreur à leur place.

Certaines continuèrent de s'insurger, mais l'aïeule furieuse appela Siichak, la sage-femme, qui s'avança timidement. La Vieille saisit la main de sa petite-fille et cria :

— Siichak ! Te rappelles-tu quand Innouwouk était enceinte de Cidaq ? N'avons-nous pas corrigé l'œuvre des esprits et remis l'enfant du bon côté ?

La sage-femme dut avouer que Cidaq serait morte si elle n'était pas intervenue avec l'aïeule. De ce jour, le projet de chasse à la baleine évolua sans opposition déclarée.

La vieille décida dès le départ qu'elle était trop âgée pour lancer un harpon, et lorsqu'elle chercha la personne la mieux qualifiée, elle convint que la seule candidate assez puissante serait sa petite-fille.

— Pouvons-nous te faire confiance ? Feras-tu de ton mieux ? Tu as les bras, auras-tu la volonté ?

— J'essaierai, balbutia Innouwouk sans enthousiasme.

La vieille se dit : « Elle désire échouer. Elle a peur des esprits. »

Les équipages des six kayaks commencèrent leur entraînement sur l'espace calme entre Lapak et le volcan, conseillés par des femmes qui se souvenaient des techniques. L'une savait fixer la pointe de silex au harpon ; une autre fabriquer et gonfler les vessies de peau de phoque qui flotteraient derrière le harpon planté dans la baleine, pour marquer la trace ; d'autres encore se rappelaient ce que leur mari leur avait expliqué de telle ou telle phase de la chasse. Elles ne rassemblèrent pas toutes les connaissances nécessaires, mais suffisamment cependant pour risquer une tentative.

Comme la Vieille l'avait prévu, sa petite-fille ne parvint pas à manipuler avec succès le bâton lance-harpon :

— Je n'arrive pas à tenir le bâton et le harpon en même temps, et quand j'essaie, le harpon ne vole pas comme il devrait.

— Continue d'essayer ! supplia la grand-mère.

Mais ce fut en vain. Les jeunes garçons apprenaient à se servir de cette arme complexe dès qu'ils savaient marcher, et il était absurde de croire qu'une femme sans entraînement pourrait maîtriser le jet en quelques semaines. Les femmes finirent donc par décider de faire avancer leurs canots tout contre la baleine pour permettre à Innouwouk d'enfoncer son harpon directement dans l'énorme corps gris. On a du mal à concevoir une stratégie plus absurde.

Fin août, une fillette de neuf ans qui faisait le guet revint au village en criant :

— Baleine ! Baleine !

Un monstre de plus de quarante tonnes nageait dans le chenal entre les îles. Comment imaginer une poignée de femmes mal entraînées en train de lui livrer bataille dans de frêles esquifs ? Un des équipages s'enfuit. Il restait cinq kayaks et la Vieille se rappelait que son mari avait harponné une baleine à mort avec simplement un autre canot.

Les cinq équipages descendirent donc gravement sur la plage, et personne ne témoigna du moindre enthousiasme. Comme convenu, Cidaq, d'une force peu commune pour ses quatorze ans, prit la place arrière du kayak d'Innouwouk pour conduire sa mère jusqu'à la baleine. Mais lorsqu'elles se rapprochèrent de la bête, les femmes se rendirent compte de sa taille énorme et de leur faiblesse. Toutes perdirent courage, même Cidaq, et pas un seul kayak ne s'approcha suffisamment de la baleine, qui passa son chemin sans rien voir.

— Nous étions comme du menu fretin, avoua Cidaq plus tard à son arrière-grand-mère, déçue. Je voulais pagayer plus près, mais mes bras ont refusé.

Elle enfouit son visage dans ses mains, frissonna, puis lança un coup d'œil à travers sa frange.

— Tu ne peux pas imaginer comme elle était grande. Et comme nous étions minuscules, dit-elle.

— Oh, si ! J'imagine, répondit la Vieille. Et je peux même nous imaginer en train de mourir de faim sur cette île. Toutes. Les yeux qui rentrent dans les orbites. Les joues qui se creusent. Et personne pour nous enterrer.

⁂

Le projet d'attraper une baleine pour Lapak fut sauvé d'une manière curieuse. Lorsque les dix femmes rentrèrent chez elles sans même s'être rapprochées de la baleine, elles furent prises d'une telle honte qu'une des plus jeunes, mariée peu de temps avant l'enlèvement des hommes, s'écria :

— Noroutouk se serait moqué de moi !

Dans le silence qui suivit, chaque femme imagina les railleries dont l'aurait accablée son mari. « Tu parles ! Une bande de bonnes femmes à l'attaque d'une baleine ! » Mais la jeune femme ajouta bientôt :

— Seulement, je crois qu'après m'avoir taquinée Noroutouk m'aurait dit : « À présent, repars et fais les choses comme il faut. »

Plus encore que la détermination de la Vieille, la voix calme des absents que ces femmes avaient aimés enflamma leur cœur et elles refusèrent de s'avouer vaincues.

La Vieille, plus acharnée que jamais, reprit l'entraînement des équipages : la fois suivante, il faudrait qu'elles aillent jusqu'à la tête de la baleine, si énorme qu'elle soit, et qu'elles la ramènent. Le cinquième jour de l'entraînement elle arriva avec un kayak à trois places.

— Quand la baleine viendra, je serai au milieu avec ma rame, Cidaq à l'arrière pour manœuvrer et Innouwouk ici avec son harpon dressé. Nous avons juré d'entrer dans les mâchoires de cette baleine s'il le faut : nous lui planterons notre harpon dans la peau.

Mais Innouwouk aurait-elle assez de courage ?

Il se produisit alors une de ces révélations qui permettent à la race humaine de progresser : pendant son sommeil, Innouwouk rêva, horrifiée, de l'instant où, de son kayak, elle lèverait le harpon pour poignarder la grande baleine. Elle s'éveilla, baignée de sueur, affolée, consciente d'être incapable d'accomplir ce geste. Allongée dans le noir, encore tremblante, elle eut soudain une vision, une sorte de synthèse du cerveau, de l'imagination et du contrôle kinestésique de ses muscles. En un éclair aveuglant, elle comprit le fonctionnement du bâton lance-harpon. À plusieurs reprises elle plaça son bras droit en arrière, sentit bien en place un bâton et un harpon imaginaires, et au moment où elle projetait son bras vers l'avant, les parties de ce merveilleux mécanisme — épaule, bras, poignet, doigts, bâton, harpon, pointe de silex — fonctionnèrent en harmonie. Elle bondit de son lit, courut sur la plage, prit harpon et bâton. À sa première tentative de jet son bras fit voler le harpon, fort et bien. Six fois de suite, elle se prouva qu'elle avait maîtrisé le mystère, puis elle alla réveiller les autres avec des cris de joie.

Dans l'aube naissante, les femmes de Lapak constatèrent la précision des jets d'Innouwouk. Elle comprirent qu'elles avaient de fortes chances de s'emparer de la première baleine qui passerait dans leurs eaux.

Les six équipages étaient déjà sur la plage quand la fillette courut de son poste de guet, sur le détroit, pour annoncer l'arrivée d'une baleine.

— Une petite ! ajouta-t-elle, comprenant que la nouvelle risquait de semer la terreur.

Les femmes s'élancèrent vers leurs kayaks.

Elles étaient de très petite taille, ces femmes assez présomptueuses pour s'attaquer au monstre. Aucune ne mesurait plus d'un mètre cinquante-cinq, et la Vieille qui avait organisé l'assaut n'avait qu'un mètre cinquante et pesait tout juste quarante-cinq kilos — une livre pour chacune de ses quatre-vingt-onze années de vie aventureuse. Cidaq, en la regardant embarquer avec sa rame de bois d'épave, comprit que la frêle aïeule ne ferait sans doute rien pour la vitesse du kayak, mais tout pour le courage des cinq autres équipages. Quant à elle-même, elle était prête à conduire son canot contre la tête de la baleine.

— Cette fois, nous réussirons.

Dans le sillage du kayak de la Vieille, les autres équipages partirent au combat.

La jeune guetteuse ne s'était pas trompée : la baleine pesait seulement dix-neuf tonnes, bien moins que la géante de l'autre sortie. Quand les femmes la virent se diriger vers elles, plus d'une pensa : « Celle-là, peut-être ! » Elles ramèrent avec plus de courage qu'elles croyaient en avoir. Cidaq à l'arrière du kayak pagaya sans dériver, assistée par les conseils de la Vieille, au milieu, qui plongeait sa rame tantôt à gauche tantôt à droite.

— Cramponne-toi ! Tu as prouvé que tu pouvais le faire ! cria-t-elle à Innouwouk perchée à la proue.

Et d'un jet extrêmement puissant pour une femme sans grand

entraînement, elle planta le harpon. Un autre kayak fixa une ligne de sécurité et les vessies filèrent à la mer. Pendant deux journées exaltées de terreur et d'espoir, les six groupes, animés par la volonté indomptable de la Vieille, suivirent la baleine blessée, puis la prirent en remorque et la ramenèrent en triomphe sur la mer de Béring, pour assurer le salut de leur île.

***

En 1790, quand les femmes eurent démontré qu'elles pouvaient survivre une année entière, un petit bateau à la coque délabrée, le *Tsar Ivan,* relâcha à Lapak pour s'approvisionner en eau douce. C'était l'indestructible aventurière Mme Jdanko qui l'avait envoyé de Petropavlovsk et il était plein à craquer de la lie des prisons russes : des rebuts de la société à qui les juges de l'époque donnaient volontiers le choix entre la potence et les Aléoutiennes. Ils avaient choisi ces dernières — l'exil permanent sans espoir de grâce —, mais avec l'intention bien arrêtée de trancher la gorge des représentants du tsar dans ces îles à la première occasion qui se présenterait.

Quand le *Tsar Ivan* jeta l'ancre, l'équipage ignorait que l'île avait été abandonnée par le gouvernement russe. Les femmes, de leur côté, ne savaient trop que faire. Elles espéraient que le bateau ramenait leurs maris, mais, connaissant les Russes, elles craignaient de nouveaux abus. Dès que les marins parlèrent, elles comprirent.

— Aucune femme à bord de ce bateau !

On les avait bel et bien abandonnées à la mort.

Il y avait parmi les criminels un assassin récidiviste du nom de Iermak Roudenko, âgé de trente et un ans, grand, costaud, barbu et presque impossible à discipliner. Sachant qu'il n'avait plus rien à perdre, il se pavanait, le regard menaçant, d'un air de dire : « Ne me touchez pas ! » et les gardes-chiourme le laissaient tranquille. À peine était-il à terre que la Vieille, toujours à l'affût, le remarqua. Avec les quelques mots de russe qu'elle avait retenus, elle se mit à lui parler de choses et d'autres, mais toujours avec une allusion à son arrière-petite-fille Cidaq. L'homme prêta l'oreille, et le lendemain, pendant que les autres embarquaient, l'aïeule parvint à laisser Roudenko et Cidaq ensemble pendant un moment dans sa propre cabane. Puis elle fit au Russe une proposition qui le stupéfia.

— Pourquoi n'emmènes-tu pas Cidaq à Kodiak avec toi ? Elle parle russe. C'est une jeune fille merveilleuse. Et, crois-le ou non, elle a déjà tué sa baleine.

Roudenko trouva la chose si absurde qu'il se mit à poser des questions sur cette prétendue chasse à la baleine par une gamine d'à peine quinze ans. Les femmes le confirmèrent. Pour le prouver, elles montrèrent au Russe la façon dont elles avaient utilisé le squelette de l'animal.

Quand Innouwouk apprit que sa grand-mère se proposait de vendre Cidaq à ce marin grossier, elle protesta énergiquement.

— Mieux vaut vivre en enfer que pas du tout, répliqua la Vieille, intraitable. Je veux que cette enfant connaisse la vie, peu m'importe quel genre de vie.

Elle n'admit aucune réplique, et lorsque Roudenko parut s'intéresser à la proposition, elle prit Cidaq à part.

— Je t'ai tirée dans ce monde par un pied. D'une gifle, j'ai animé tes poumons. Je t'ai aimée sans cesse, plus que mes propres enfants, car tu es un trésor. Tu es l'oiseau blanc qui vient du nord. Tu es le phoque qui plonge pour s'enfuir. Tu es la loutre qui défend son petit. Tu es l'enfant de ces océans. Tu es l'espoir, l'amour, la joie.

Sa voix s'éleva presque en une incantation passionnée.

— Cidaq, je ne peux pas te voir mourir sur cette île abandonnée. Je ne peux pas te voir, toi qui étais faite pour l'amour, réduite à une outre de cuir sans vie comme les momies dans les grottes de la montagne.

Une fois conclues les conditions du marché — les femmes de Lapak reçurent de la pacotille et plusieurs coupons de tissu aux couleurs criardes — la Vieille et Innouwouk vêtirent Cidaq de ses plus belles fourrures, la prévinrent de se méfier des malins esprits et la conduisirent à la côte où le kayak à trois places attendait.

— Nous te conduirons au bateau, dit la Vieille tandis que Cidaq embarquait avec soin le petit baluchon qui contenait ses maigres possessions.

Au dernier moment, une femme que la tribu tenait en peu d'estime courut vers Cidaq avec un labret fort bien gravé, de la même taille que celui qui ornait le coin des lèvres de la jeune fille.

— Je l'ai sculpté dans l'os de la baleine que nous avons attrapée ensemble.

Avant d'embarquer à l'arrière du kayak, Cidaq ôta son labret de morse, couleur d'or, l'offrit à la femme et inséra à sa place le nouveau labret blanc venant de sa baleine.

Avant de s'installer au milieu du kayak, la Vieille provoqua une grande émotion sur la plage, car elle avait demandé à une autre vieille femme d'apporter au départ des objets dont l'apparition inattendue déchira le cœur de chaque femme de la foule. En s'inclinant gravement, la Vieille prit des mains de sa complice trois chapeaux à visière de Lapak, ces coiffures étonnantes que fabriquaient et portaient les chasseurs de cette île. Elle en tendit un aux deux autres membres de sa famille et coiffa le troisième, gris et bleu avec d'élégants plumets de fanons argentés et de moustaches de lions de mer. Ainsi parée, elle ordonna à Cidaq de se diriger vers le *Tsar Ivan.* Lorsque les femmes de la berge virent de nouveau ces chapeaux splendides sur les vagues, elles s'écrièrent :

— Malheur ! Malheur ! Pauvres de nous !

Et leurs larmes formèrent un rideau de brume sur une scène qu'elles ne reverraient jamais : les hommes de Lapak prenant la mer avec leur coiffure de fête.

Sur le pont du bateau, la Vieille prit les mains de Cidaq, sans tenir compte des insultes grivoises que lançaient les marins, le long des plats-bords.

— Ce que nous faisons n'est pas bien, ma fille, dit-elle en serrant les doigts de l'enfant. Les esprits n'en sont pas contents. Mais cela vaut mieux pour toi que de mourir toute seule dans cette île. Dans les jours qui viennent, Cidaq, ne l'oublie jamais. Quoi qu'il arrive, ce sera mieux que ce que tu viens de quitter.

À peine le *Tsar Ivan* avait-il quitté l'ombre du volcan, que la philosophie pragmatique de la Vieille fut mise à l'épreuve. Roudenko, à qui appartenait Cidaq désormais, entraîna la jeune fille dans la cale, lui arracha ses vêtements de peau de loutre et se livra à une série de brutalités. Quand il en eut fini avec elle, il la passa à ses compagnons, des brutes qui abusèrent d'elle, la maintinrent prisonnière dans la cale et ne lui donnèrent à manger qu'après l'avoir forcée à se soumettre à leurs indécences. Comme Roudenko ne se considérait nullement responsable d'elle, Cidaq fut si sauvagement traitée au cours des cinquante-deux jours de la traversée vers Kodiak qu'à plusieurs reprises elle se crut condamnée à finir ses jours avant le terme du voyage, lancée par-dessus bord comme un objet presque sans vie, devenu inutilisable.

Ce fut l'expérience la plus sombre que puisse vivre une jeune fille, car parmi les sept ou huit hommes qui couchèrent avec elle, pas un n'éprouva la moindre affection pour elle, ni un sentiment qui le poussât à la protéger des autres. Ils la traitaient tous comme un objet de mépris, n'appartenant pas au genre humain. Mais elle savait qu'à Lapak sa valeur était appréciée : elle était la première des filles de son âge et l'égale des garçons ; les avanies qu'elle subissait n'étaient que le prix à payer pour fuir une situation encore plus mauvaise. Se rappelant les paroles de son arrière-grand-mère, jamais elle n'envisagea de mettre fin à son épreuve en se jetant elle-même par-dessus bord, même quand les supplices devinrent presque insupportables. Non ! Si cette traversée vers Kodiak constituait sa seule chance de survie, elle la subirait, mais elle prit note des hommes qui l'humiliaient et la frappaient après en avoir fini avec elle, et elle fit vœu que si leur bateau accostait à Kodiak un jour, elle réglerait quelques comptes. Parfois dans le noir, un sourire se peignait sur son visage et du bout de la langue elle touchait le labret neuf : « Si j'ai chassé la baleine, je peux m'occuper de Roudenko. » Elle rêva d'un si grand nombre de vengeances que les craquements du vieux bateau et le comportement indigne de ses passagers cessèrent de l'accabler.

La traversée s'acheva, le *Tsar Ivan* accosta tant bien que mal à Kodiak, et quand on eut débarqué les provisions qu'il apportait à la plus grande joie des Russes affamés installés dans l'île, Cidaq put enfin réunir son misérable baluchon et descendre dans la barque qui la conduirait vers la côte et la vie turbulente de cette colonie. Elle était libre, mais elle ne put se résoudre à quitter ce sinistre bateau et ses sinistres passagers sans un adieu. Quand la barque s'éloigna, elle leva les yeux vers les hommes qui avaient abusé d'elle et qui se moquaient encore d'elle depuis les plats-bords.

— J'espère que vous vous noierez ! lança-t-elle en russe. J'espère que la grande baleine vous entraînera dans les profondeurs.

Et malgré sa rage, elle afficha un sourire fier qui semblait dire : « Prenez garde, mes maîtres ! Nous nous retrouverons un jour ! »

Au premier regard, Cidaq s'aperçut que Kodiak était à la fois semblable à Lapak et très différente. Comme son île natale, elle était dénudée, découpée par de nombreuses baies et entourée de montagnes, mais la ressemblance s'arrêtait là, car Kodiak ne contenait pas de volcan. Surtout, elle offrait une chose que jamais la jeune fille n'avait vue auparavant : dans certains prés poussaient des aulnes — des arbres bas, presque de simples buissons. La façon dont leurs branches et leurs feuilles s'agitaient dans le vent la surprit. Dans quelques endroits bien protégés s'étaient rassemblées des touffes de peupliers dont l'écorce blanche s'écaillait, et tout au bout du village où elle allait vivre, se dressait un magnifique épicéa isolé dont la taille imposante et la couleur éblouissante, d'un bleu tournant au vert, l'émerveillèrent.

— Qu'est-ce que c'est ? demanda-t-elle à une femme qui déchargeait du poisson d'un bateau.
— Un arbre.
— Et qu'est-ce qu'un arbre ?
— C'est ça.
Cidaq resta plantée à regarder l'épicéa.
Baie-des-Trois-Saints, modeste groupe de cabanes grossières blotties sur la grève d'une baie en forme de L renversé, offrait un ancrage sûr pour les bateaux qui se livraient à la traite des fourrures, car le port était protégé par une île assez grande, à quelques centaines de mètres au large. Mais aucun arrière-pays ne permettait un développement ultérieur car la plage était coincée au pied de hautes montagnes.
En deux jours, vivant comme elle pouvait en mendiant de cabane en cabane, Cidaq apprit la différence essentielle entre Lapak et Kodiak : les gens de sa nouvelle patrie se divisaient en quatre groupes distincts. D'abord les Aléoutes comme elle, arrivés là dans les bateaux des Russes — petits par la taille, le nombre et l'importance. Ensuite les indigènes qui habitaient l'île depuis toujours — les Koniags comme on les appelait : grands, difficiles, coléreux et au moins vingt fois plus nombreux que les Aléoutes. Un Aléoute qui avait connu Cidaq à Lapak lui apprit :
— Les Russes nous ont amenés ici parce qu'ils ne parvenaient pas à faire obéir les Koniags.
Un peu plus haut sur l'échelle sociale se plaçaient les marchands de fourrure, des criminels exilés là jusqu'à la fin de leurs jours à moins qu'ils ne trouvent un prétexte valable pour accompagner une cargaison de peaux à Petropavlovsk. Enfin il y avait quelques vrais Russes, en général des fils de familles privilégiées qui séjournaient dans l'île quelques années pour représenter le gouvernement — juste le temps de voler de quoi prendre une retraite dorée dans leurs domaines, près de Saint-Pétersbourg. Ils constituaient l'élite, les trois autres castes suivaient leurs ordres, de temps à autre des vaisseaux de guerre relâchaient à Trois-Saints pour renforcer leur autorité.
Cidaq n'avait pas encore assez d'expérience pour le comprendre, mais les Aléoutes comme elle étaient des esclaves ; il n'y a pas d'autre mot pour les qualifier, car leurs maîtres russes exerçaient sur eux un pouvoir absolu auquel ils ne pouvaient pas échapper — si un Aléoute essayait de fuir, des Koniags hostiles risquaient de le tuer. Sans femmes dans l'île pour partager leur malheur, sans enfants pour les remplacer, les Aléoutes hommes, esclaves sur Kodiak, se trouvaient dans la même situation que les Aléoutes femmes isolées à Lapak : condamnés à des vies courtes et à la mort. L'extinction de leur race serait rapide.
Les marchands de fourrures n'étaient guère mieux lotis car ils avaient un statut de serfs, attachés à cette terre sans une chance d'améliorer leur état, sans la moindre possibilité de fonder un foyer dans la Russie dont ils étaient exilés. Leur seul espoir était de séduire une indigène ou de la voler à son mari, puis d'engendrer avec elle des enfants, susceptibles d'acquérir plus tard la nationalité russe. Mais la plupart demeuraient la propriété de la Compagnie et devaient travailler sans relâche jusqu'à leur mort pour développer les richesses de l'empire.
Ces méthodes cruelles n'avaient rien d'exceptionnel car toute la Russie était gouvernée de cette façon ; les cadres de l'administration qui arrivaient à Kodiak ne voyaient aucun mal dans ces traditions de

servage sans fin : leurs domaines familiaux de la métropole étaient dirigés de la même manière et ils escomptaient que le système continuerait de fonctionner à perpétuité.

La vie à Kodiak était un enfer. Cidaq découvrit vite qu'il n'y avait pas assez à manger, aucun médicament, pas une seule aiguille pour coudre et pas de peaux de phoque à coudre.

À sa surprise, elle constata que les Russes s'étaient adaptés à leur milieu de Kodiak beaucoup moins intelligemment que les Aléoutes autrefois à Lapak. En se cachant dans des familles misérables elle parvint à échapper à l'emprise de l'administration et put observer — toujours au bord de la famine — l'étrange vie de Kodiak dans son déroulement quotidien. Par exemple, elle vit un matin les fonctionnaires russes, assistés par un pitoyable ramassis de soldats, rassembler la plupart des nouveaux marchands de fourrure embarqués sur le *Tsar Ivan* avec elle et, à la pointe de la baïonnette, les forcer, malgré leurs protestations et leurs jurons, à monter dans une flottille de petites barques pour ce qu'un Aléoute, près de Cidaq, qualifia de « la plus dangereuse traversée du monde » — sept cent quatre-vingts milles nautiques jusqu'aux deux îles des Phoques, connues plus tard sous le nom de Pribilof, où l'on trouvait des quantités incroyables de phoques.

— Reviendront-ils ? demanda-t-elle.

— Ils ne reviennent jamais, chuchota l'homme.

Au bout de la file d'embarquement elle reconnut trois des hommes qui avaient abusé d'elle ; elle fut tentée de les héler pour se moquer d'eux mais n'en fit rien, car non loin d'eux, les menottes aux poings, apparut Iermak Roudenko, les cheveux en broussaille comme s'il venait de se battre, les vêtements déchirés, les yeux en feu. Il avait apparemment appris quelle existence l'attendait aux îles des Phoques, sentence sans appel ni sursis, et il avait refusé d'obtempérer.

— Marche droit ! lui lança un des soldats en russe.

Il accompagna son ordre d'un coup de crosse dans les reins et Cidaq se dit : « Ils doivent être contents de le voir enchaîné. » Les soldats amaigris, mal nourris auraient passé un mauvais moment si Roudenko avait eu les mains libres. Mais elle se rappela aussitôt comment il l'avait traitée et sourit à la pensée qu'il allait subir un châtiment semblable.

Un coup de sifflet. Roudenko et les derniers forçats montèrent à bord. La file des onze barques prit la mer pour une traversée qui aurait mis à l'épreuve même un grand bateau bien construit. Cidaq les regarda disparaître, partagée entre l'espoir qu'ils sombrent pour assurer sa vengeance, et le désir qu'ils s'en sortent à cause des pauvres Aléoutes exilés eux aussi à vie dans ces îles complètement isolées.

Elle ne ressentait pas la même ambiguïté quant à sa propre situation : chaque jour où elle survivait, elle se félicitait davantage d'avoir échappé à la terreur solitaire de Lapak. Kodiak était la vie même. Sa population se trouvait sans doute prise dans des tempêtes de haines et de vengeances frustrées, ses dirigeants se désolaient certainement du déclin des loutres de mer et de l'obligation de partir si loin chasser les phoques, mais il y avait de l'énergie dans l'air, et l'enthousiasme d'un monde nouveau en train de se construire. Cidaq aimait cette île, son existence y était sans doute beaucoup plus précaire qu'à Lapak, mais elle avait l'impression de vivre pleinement.

À quinze ans, tout autour d'elle l'intéressait passionnément. Elle constata vite que la situation des Russes laissait à désirer : ils devaient compter avec l'hostilité déclarée des Koniags et les révoltes d'indigènes d'autres îles vers l'est. Par vingtaines, des hommes de Moscou et de Kiev, qui se considéraient supérieurs sur tous les plans à ces îliens mouraient sous les coups de ces prétendus sauvages — qui avaient maîtrisé l'embuscade de nuit et l'attaque surprise en plein jour.

Mais ce qui attristait le plus Cidaq demeurait la dégradation manifeste des Aléoutes, accablés par la malnutrition, la maladie et les abus ; leur taux de mortalité était scandaleux, et les Russes ne paraissaient pas s'en soucier. Tout semblait converger vers une extermination inexorable de son peuple.

Pendant quelque temps, elle vécut avec un Aléoute et une femme indigène de l'île qui s'efforçaient de mener une vie normale — mais ils n'étaient pas mariés car il n'existait pas de communauté aléoute organisée en mesure de célébrer des mariages. L'homme obéissait aux règlements de la Compagnie, prenait la mer chaque jour à la recherche de loutres, chassait avec une compétence remarquable, se conduisait décemment et se contentait des maigres provisions allouées par la Compagnie. Il ne se plaignait à personne et sa femme se montrait également soumise.

Pourtant, de la façon la plus arbitraire et la plus cruelle, le malheur le frappa. On le retira de la chasse à la loutre pour l'envoyer sans le prévenir en exil aux îles des Phoques. L'un des pires marchands du *Tsar Ivan* entra de force dans la cabane une nuit, à la recherche de Cidaq et, ne la trouvant pas, frappa la femme sur la tête, puis la traîna dehors, où quatre de ses compagnons s'enivraient. Ils abusèrent d'elle pendant trois nuits de suite et l'étranglèrent à la fin de la fête. Cidaq réussit à se cacher dans la cabane, toute seule, pendant deux semaines, puis les mêmes marchands s'emparèrent d'elle et la violèrent tous les cinq. Sans doute l'auraient-ils abattue elle aussi au terme de leurs réjouissances s'il n'était arrivé sans tapage, à Trois-Saints, un homme extraordinaire, farouchement déterminé à mettre fin à la mort lente de son peuple.

Il était mystérieusement apparu un matin, silhouette dégingandée sortant de la région forestière du Nord, telle une créature habituée aux bois et aux hautes montagnes. Si les Russes l'avaient vu venir, ils l'auraient sûrement renvoyé, car il semblait trop âgé pour le servage et trop affaibli pour se rendre utile à quoi que ce soit. À plus de soixante ans, l'œil farouche et le poil en broussaille, il s'était chargé d'un improbable ramassis de bricoles dont aucun Russe n'aurait pu deviner l'utilité : un sachet de pierres pareilles à des agates, polies par un long séjour dans un lit de rivière ; un autre sac plein d'ossements ; sept bâtons de longueurs différentes ; six ou sept bouts d'ivoire, la moitié provenant de mammouths éteints depuis longtemps, l'autre moitié de morses abattus dans le Nord ; et une peau de phoque d'assez grande taille qui recouvrait un paquet de forme à peu près carrée d'où il tirait ses pouvoirs peu communs. Ce paquet contenait la momie bien conservée d'une femme morte des millénaires plus tôt et enterrée dans une grotte de l'île de Lapak.

Il se glissa sans bruit vers le nord du village, attiré instinctivement par le grand épicéa dont les larges racines étaient partiellement exposées, par suite de l'érosion. Il posa son précieux baluchon et se mit à creuser parmi les racines, à la manière d'un animal qui fait son terrier. Lorsque les dimensions du trou lui parurent suffisantes, il construisit autour et au-dessus une sorte de hutte et quand elle fut terminée il y prit résidence et installa son paquet à la place d'honneur. Pendant trois jours il ne fit rien, puis il se mit à circuler discrètement parmi les Aléoutes en les informant avec une gravité sépulcrale :

— Je suis venu vous sauver !

C'était le chaman Lounasaq, qui avait vécu sur plusieurs îles mais sans rien accomplir de bien notable ou acquérir de renommée, car il préférait rester à l'écart pour communier avec les esprits qui gouvernent l'humanité, les forêts, les montagnes et les baleines. Simplement, quand on avait besoin de lui, il était là. Il ne s'était jamais marié, le bruit que font les enfants l'indisposait, et il évitait de son mieux tout contact avec les maîtres russes, dont le comportement bizarre le stupéfiait. Il ne parvenait pas à concevoir, par exemple, que des responsables au pouvoir séparent les hommes des femmes — comme l'avaient fait les Russes en s'emparant de tous les hommes de Lapak et en abandonnant les femmes à la mort.

— Comment, demandait-il, produiront-ils de nouveaux rameurs pour leurs bateaux ?

Il ne comprenait pas davantage qu'ils massacrent toutes les loutres dans la mer, alors qu'en se limitant ils pourraient bénéficier d'assez de peaux pour leurs besoins chaque année jusqu'à la fin des temps. Surtout, il n'admettait pas que des hommes adultes débauchent de très jeunes filles — ne faudrait-il pas que ces hommes et ces filles se marient un jour pour pouvoir survivre et donner un sens à leur existence ?

En fait, il avait vu naître de la conduite des Russes sur les îles qu'ils occupaient tellement de mal qu'il avait jugé nécessaire de venir à Kodiak, où se trouvait le quartier général de la Compagnie, pour tenter d'apporter quelque soulagement à son peuple. L'idée de quitter ce monde en les abandonnant à leur triste état actuel lui brisait le cœur. Comme Thomas d'Aquin, Mahomet et saint Augustin, il se sentait contraint de laisser le monde un peu meilleur qu'il ne l'avait trouvé à sa naissance ; il s'installa donc entre les racines du grand arbre qui le protégeait, conscient de sa faiblesse en face des puissants envahisseurs avec leurs bateaux et leurs armes à feu — sauf qu'il détenait un pouvoir que les Russes ne possédaient pas. Dans son baluchon de peau de phoque, il avait la vieille femme, âgée de treize mille ans et plus redoutable chaque année qui passait. Avec son aide, il sauverait les Aléoutes de leurs oppresseurs.

Doucement, comme le vent du sud sans rafales qui souffle parfois du Pacifique, il se mit à fréquenter les petits Aléoutes si servilement soumis aux ordres tyranniques des Russes. À chaque occasion, il leur rappelait qu'il apportait des messages des esprits.

— Ils continuent de gouverner le monde malgré les Russes, et vous devez les écouter car ils vous guideront à travers cette mauvaise passe, exactement comme ils ont guidé vos ancêtres au milieu des tempêtes.

Il laissa entendre qu'entre les racines de l'arbre, dans sa hutte, il avait des instruments magiques qui lui permettaient de communiquer avec ces esprits toujours présents. Bientôt les hommes, par deux ou par trois, vinrent le consulter et cela renforça sa détermination. Toujours il répétait le même message :

— Les esprits savent que vous devez obéir aux Russes, si insensés que paraissent leurs ordres, mais ils veulent aussi que vous vous protégiez. Mettez de côté un peu de nourriture pour les jours où on ne vous en distribuera pas. Mangez un peu d'algues chaque jour, car elles contiennent de la force. Laissez s'échapper les jeunes phoques et les jeunes loutres. Vous pouvez très bien le faire sans que les Russes s'en aperçoivent. Et ne cessez pas d'obéir aux anciennes règles, car elles sont meilleures.

Quand ils tombaient malades, il les aidait : il plaçait le patient sur une natte spéciale et entourait sa tête de coquillages pour que la mer puisse lui parler ; il enfermait ses pieds entre des pierres sacrées pour qu'il demeure stable. Et quand il se trouvait confronté à des problèmes pour lesquels il ne pouvait concevoir aucune réponse, il sortait la momie, créature desséchée dont les yeux enfoncés dans le visage noirci regardaient fixement, conférant assurance et sympathie.

— Elle te dit que tu devras partir aux îles des Phoques, tu ne peux l'éviter. Mais tu trouveras là-bas un ami fidèle qui te soutiendra toute la vie.

Jamais il ne mentait aux hommes envoyés dans les îles ni ne leur promettait qu'ils trouveraient des femmes et auraient des enfants, car il savait que c'était impossible, mais il leur enseignait que des amitiés essentielles existent, et qu'un homme de bon sens doit les rechercher, même lorsqu'il vit par ailleurs dans un état de terreur.

— Tu trouveras un ami, Anasouk, et un genre de travail que personne d'autre ne pourra faire. Les années passeront.

Quand les bateaux appareillaient pour les îles des Phoques, il s'avançait ouvertement sur la plage pour faire ses adieux aux Aléoutes, et au cours de la deuxième moitié de l'année 1790, les responsables russes s'habituèrent à sa silhouette de fantôme, en se demandant parfois d'où il était venu et qui il était au juste. Jamais ils ne soupçonnèrent qu'il était en train de rétablir un fil ténu de décence et d'intégrité dans leur colonie — car tout ce qu'ils pouvaient voir de leur propre peuple, fonctionnaires, soldats et forçats marchands de fourrure, ressemblait de plus en plus à l'enfer.

Naturellement, le chaman Lounasaq fut bientôt au courant d'un des cas de désespoir aléoute les plus tristes, celui de la jeune Cidaq que les criminels se passaient de l'un à l'autre en dépit du règlement de la Compagnie, qui interdisait ces pratiques. Un jour, pendant que le marchand-serf du moment s'était absenté pour décharger un kayak plein de fourrures, le chaman se présenta à la cabane où Cidaq habitait à ce moment-là. Quand il vit ses cheveux souillés, son visage hâve et le labret qui glissait presque de sa lèvre tellement elle s'était émaciée, il lui prit les mains et l'attira vers lui.

— Mon enfant ! Les bons esprits ne t'ont pas abandonnée. Ils m'ont envoyé pour t'aider.

Il insista pour qu'elle l'accompagne sur-le-champ et renonce à la misère morale dans laquelle elle vivait. Défiant le règlement de la Compagnie et l'éventualité que le marchand russe le tabasse à mort pour récupérer sa « femme », il la conduisit à la hutte entre les racines et lui révéla son plus précieux trésor, la momie.

Il plaça Cidaq devant le vieux visage parcheminé et psalmodia :

— Ma fille, cette vieille a connu beaucoup plus de terreurs que tu n'en as vécu. Des volcans dans la nuit, des inondations, la rage du vent, la mort, les épreuves sans fin qui nous assaillent tous. Et elle a continué à lutter.

Il poursuivit ainsi pendant plusieurs minutes, sans se rendre compte que la petite Cidaq avait de plus en plus de mal à se retenir de lui rire au nez. Elle finit par tendre les deux bras et poser un index sur les lèvres du chaman, l'autre sur celles de la momie.

— Chaman, je n'ai pas besoin de ton aide. Regarde ce labret. De l'os de baleine. Une baleine que j'ai aidé à tuer. Le jour viendra où je tuerai tous les Russes qui ont abusé de moi. Je suis comme toi, vieillard, je me bats tous les jours.

Alors, dans la hutte sombre, commença à s'établir le lien entre Cidaq et la momie, parce que la vieille femme de Lapak, morte depuis une éternité, parla à la jeune fille de son île. Oui, la momie *parla*. Au cours de décennies d'entraînement, Lounasaq avait affiné son don naturel de ventriloque et pouvait non seulement parler sans remuer les lèvres, mais imiter des personnages différents : un enfant appelant au secours, un esprit furieux vitupérant un malfaiteur et surtout la momie avec sa vaste accumulation de connaissances.

Pendant leurs nombreuses conversations, les trois personnages parlèrent des tyrans russes, des loutres de mer, des hommes condamnés aux îles des Phoques, et surtout de la vengeance que Cidaq se proposait d'exercer contre ses oppresseurs.

— Je peux attendre. Quatre d'entre eux, dont le pire, sont déjà aux îles des Phoques. Nous ne les reverrons jamais. Il en reste encore trois à Kodiak.

— Que leur feras-tu ? demanda la momie.

— Je suis prête à risquer la mort, mais je les punirai.

— Comment ? voulut savoir l'Ancienne.

— Je pourrais leur couper la gorge pendant leur sommeil, répondit Cidaq.

— Tranche la gorge de l'un, les deux autres trancheront la tienne.

— As-tu déjà eu le même problème ?

— Tout le monde l'a eu, répliqua la momie.

— As-tu obtenu ta vengeance ?

— Oui. Je leur ai survécu. Et j'ai ri sur leurs tombes. Tu me vois : je suis toujours ici. Mais eux ? Disparus. Finis.

La hutte s'emplit du rire de la momie au souvenir de sa vengeance. Personne n'aurait pu se rendre compte que Lounasaq créait ces gloussements dans sa gorge. Puis il cessa soudain d'incarner la momie pour lui répliquer sévèrement, avec son propre timbre de voix :

— Je te rappelle, Ancienne, que le problème de Cidaq n'est pas la vengeance mais la continuation de sa race. Il faut qu'elle trouve un mari, qu'elle ait des enfants.

— Les phoques ont des enfants. Les baleines ont des enfants. Tout le monde peut avoir des enfants, répondit la momie.

— Et toi ? demanda Cidaq.

— Quatre, lui dit l'Ancienne. Et cela n'a rien changé.

De nouveau, Lounasaq intervint :

— Mais tu vivais en sécurité, au milieu de ton peuple.

— Personne n'est jamais en sécurité, répondit la momie. Deux de mes enfants sont morts de faim.

— Comment sont-ils morts alors que tu as survécu ? demanda le chaman.

— Les vieux supportent mieux les chocs. Ils regardent au-delà. Les jeunes les prennent trop au sérieux. Ils se laissent tuer... Tu es trop dur avec cette enfant, lança-t-elle brusquement au chaman. Laisse-la se venger. Vous serez tous les deux étonnés de la forme que prendra sa vengeance.

— Je me vengerai ? lança la jeune fille.

— Oui. Aussi sûr que les Russes vont bientôt venir dans cette hutte pour nous détruire tous les trois. Mais Lounasaq, mon aide, va s'en occuper, et tu seras aidée de plusieurs façons que tu ne peux pas soupçonner. De trois façons, venant de plusieurs directions. Mais pour le moment, il faut me cacher.

À peine la momie était-elle dissimulée que deux marchands-serfs surgirent dans la hutte et se mirent à frapper le chaman avec une telle brutalité que Cidaq le crut mort. Aussitôt, cinq Aléoutes armés de massue s'élancèrent au secours de Lounasaq. Dans l'espace exigu de la petite cabane, ils assommèrent les assaillants. Le premier qui sortit en chancelant, le crâne ouvert, s'effondra au bout de quelques pas et mourut. L'autre prit la fuite en hurlant, poursuivi par deux Aléoutes qui continuaient de lui tabasser le dos.

Par miracle, les autres Aléoutes parvinrent à faire disparaître le cadavre dans un ravin sous un tas de rochers. Le marchand qui survécut à la bastonnade essaya d'incriminer « une bande d'Aléoutes armés de matraques », mais il avait si mauvaise réputation — comme d'ailleurs le mort — que la Compagnie ne regretta guère de rayer ce dernier de ses effectifs et décida quelques jours plus tard d'envoyer le protestataire se plaindre au milieu des phoques. Après avoir assisté à son départ pour les îles, Cidaq retourna, satisfaite, à la case du chaman. Mais à sa vive surprise, la momie fit peu de cas de l'incident.

— Sans conséquence. Ces deux-là ne sont pas une grosse perte, et tu n'en es pas mieux lotie pour ça. L'important c'est que les trois choses que je t'ai promises vont arriver. Prépare-toi. Ta vie est en train de changer. Le monde est en train de changer.

Le chaman fit alors parler la momie d'une voix donnant l'illusion qu'elle se retirait de la hutte. Cidaq la supplia de rester. Elle accepta de s'attarder, et ce fut Lounasaq qui posa la première question.

— Est-ce que ces trois choses m'aideront moi aussi ?

— Aider ! Que signifie *aider ?* lança l'Ancienne d'une voix presque impatiente. Est-ce que la mort d'un de ses oppresseurs et l'exil de l'autre ont *aidé* Cidaq ? Elle n'en tirera profit que si elle fait quelque chose par elle-même.

Avec les années, la momie avait acquis une personnalité bien à elle, et il lui arrivait souvent d'exprimer des opinions contraires à celles du chaman. Comme un étudiant têtu qui se dégage de la tutelle de son maître. Parfois, sur des sujets importants, le chaman et sa momie obstinée se livraient à de vrais débats.

— Mais ces nouvelles choses ne seront-elles pas dangereuses ? demanda le chaman.

Et la momie répliqua de nouveau par une question cinglante :

— Qu'est-ce qui est dangereux en soi... si nous ne le laissons pas devenir dangereux ?

— Pourrai-je utiliser ces nouvelles choses ? Pour aider mon peuple ? demanda Lounasaq.

Il n'obtint pas de réponse, car l'Ancienne savait que la réponse dépendait uniquement du chaman lui-même. Quand Cidaq posa à peu près la même question, la momie soupira et garda le silence, comme perdue dans ses souvenirs, puis soupira de nouveau. Enfin elle parla :

— Au cours de toutes ces années, et j'en ai savouré des milliers, celles dont je me souviens sont celles qui m'ont présenté un défi — un mari que je n'avais jamais apprécié avant de voir sa réaction à l'adversité ; deux fils qui refusaient d'apprendre à chasser mais qui devinrent d'excellents constructeurs de kayaks ; l'hiver où tout le monde tomba malade et où je dus attraper le poisson pour tous avec une autre vieille ; l'année terrible où le volcan de Lapak a explosé en plein océan, recouvrant notre île de deux coudées de cendre : avec mon mari nous avons conduit les survivants à quatre jours de distance, en mer, pour pouvoir respirer ; et la nuit paisible où j'ai tiré des plans pour une vie meilleure.

Elle s'arrêta, parut s'adresser directement à Cidaq puis au chaman qui avait assuré la continuation de son existence dans l'actuel cycle d'années :

— Trois hommes vont venir à Kodiak. Ils apportent le monde et tout ce que signifie le monde. Et vous les recevrez, chacun de vous à sa manière.

Puis, d'une voix beaucoup plus douce, elle parla uniquement à Cidaq :

— As-tu éprouvé de la joie quand tu as vu le Russe tomber mort ?

— Non, avoua Cidaq. Seulement une impression de soulagement. C'était terminé.

— Tu n'as pas bondi d'allégresse ?

— Non. Quelque chose de mal s'était achevé. C'est tout. Cela ne me concernait plus.

— Tu es prête pour ceux qui viennent ! dit-elle, puis elle demanda à son chaman : Qu'as-tu ressenti quand cet homme est mort ?

— J'ai regretté pour lui qu'il ait mené une vie si misérable, répondit Lounasaq en toute sincérité. Pour moi, j'en ai été content car il me reste encore tellement à faire à Kodiak.

— Je suis contente pour vous deux. Vous êtes prêts. Mais personne ne m'a demandé ce que je ressens. Les trois hommes viennent aussi pour moi, avec leurs problèmes.

— Que ressens-tu ? demanda le chaman, car le bien-être de la momie fortifiait toujours le sien.

— Je t'ai déjà répondu, dit-elle. Les bonnes années sont celles où survient un défi. Il y a trop longtemps que rien ne s'est passé sur cette maudite île.

Sur cette note rassurante, elle se retira pour se préparer à un affrontement de plus, forte de ses treize mille ans.

Le premier des trois qui arriva revenait illégalement. Personne à Kodiak ne s'attendait à le revoir, et il survint pour une mission qui stupéfia ceux qu'il rencontra. C'était Iermak Roudenko, le colosse velu qui avait acheté Cidaq ; en fuite des îles des Phoques, il était prêt à tout plutôt que d'y retourner. Quand les responsables de la Compagnie le découvrirent dans la cale d'un bateau, dissimulé entre les balles de fourrures, ils l'arrêtèrent et le conduisirent au bureau du port.

— Vous savez la vie que nous menons là-bas ? demanda-t-il en feignant le remords. Auparavant il n'y avait que des phoques sur les îles. Maintenant, une poignée d'Aléoutes et quelques Russes. Un bateau par an. Presque rien à manger. Personne à qui parler.

— C'est pour ça que nous t'avons envoyé là-bas, coupa un jeune officier qui n'avait jamais connu de privations. Tu t'es montré incorrigible ici. Tu repartiras par le prochain bateau et resteras dans les îles jusqu'à ton dernier jour.

Roudenko blêmit, et toute la rage dont il avait fait preuve quand il faisait la loi parmi les marchands-forçats sur le *Tsar Ivan* et à Kodiak disparut soudain. Jamais il ne supporterait l'isolement désespérant des îles Pribilof pour le reste de sa vie. Il se mit à supplier les hommes dont dépendait son destin.

— Sans cesse la pluie. Pas un seul arbre. En hiver, la glace immobilise tout, et quand le soleil revient il n'y a que des phoques par milliers. Un enfant de six ans pourrait tuer le quota en une semaine. Ensuite, rien.

Toute agressivité semblait bannie de son énorme corps aux muscles puissants et aux épaules lourdes, et à coup sûr son arrogance appartenait au passé. Si on le forçait à s'embarquer dans un petit bateau pour repartir vers ces îles sinistres, il avait décidé de se jeter à l'eau avant d'y arriver ou de se tuer après avoir débarqué. Il ne pourrait jamais se résoudre à gaspiller les années de sa vie pour rien dans ce désert glacé.

— Ne me renvoyez pas !

— Nous t'avons envoyé là-bas parce que nous ne pouvions rien tirer de toi ici, s'obstinèrent les responsables. Il n'y a pas de place pour toi à Kodiak.

Désespéré, à la recherche de n'importe quel prétexte pour se sauver, il formula une requête surprenante. Si peu justifiée qu'elle fût, elle allait engager Roudenko pour le restant de sa vie violente.

— Ma femme est ici ! Vous n'avez pas le droit de séparer un Russe croyant de sa femme.

La nouvelle stupéfia les responsables.

— Qui a vu la femme de ce misérable ? demanda l'un d'eux.

— Pourquoi ne nous a-t-il rien dit plus tôt ? s'étonna un autre.

Le fonctionnaire qui représentait à titre temporaire la direction de la Compagnie ordonna :

— Emmenez-le d'ici. Nous vérifierons son histoire.

L'enquête fut confiée à un jeune officier de marine, l'enseigne Fedor Belov, qui commença à poser des questions tandis que Roudenko demeurait aux fers. Belov apprit qu'effectivement Roudenko avait acheté une jeune Aléoute dans l'île de Lapak. Bien qu'il l'eût traitée fort mal, on pouvait le considérer à certains égards comme son mari. Lorsque Belov rendit compte de ses recherches, ses supérieurs furent ennuyés. Le directeur temporaire fit observer :

— La tsarine nous a ordonné d'aider les Russes à fonder des familles dans ces îles, et elle a même précisé que si de jeunes indigènes se convertissaient au christianisme, il fallait encourager les Russes à les épouser.

Et comme la tsarine en question n'était autre que la Grande Catherine, l'Autocrate des Autocrates, qui possédait des antennes partout, mieux valait appliquer un oukase auquel elle tenait...

On renvoya donc l'enseigne Belov enquêter, cette fois, sur l'épouse supposée de Roudenko. Où se trouvait-elle ? Était-elle chrétienne ? Pouvait-on envisager de célébrer un mariage officiel — avec le prêtre orthodoxe de Kodiak, désœuvré et ivre presque à toute heure du jour ? Belov s'attaqua d'abord à ce dernier problème. Le père Piotr, au bout du rouleau à soixante-sept ans, avait lancé de nombreuses suppliques infructueuses pour retourner en Russie. Quand Belov le trouva, il était prêt à se soumettre à n'importe quelle requête de la Compagnie qui assurait ses repas et son logement.

— Oui, oui ! Notre tsarine adorée, que Dieu la garde, nous en a donné l'instruction ainsi que notre vénéré évêque d'Irkoutsk, que Dieu le garde, un saint homme...

L'allusion à l'évêque orienta ses pensées vers le septième appel qu'il était en train de rédiger à ce saint, pour solliciter qu'on le dégage de ses pénibles devoirs à Kodiak. Ayant complètement perdu le fil, le regard vide au milieu de son visage blanc envahi par la barbe, il demanda humblement :

— Que voulez-vous de moi, jeune homme ?

— Vous vous rappelez le marchand Iermak Roudenko ?

— Non.

— Grande taille, très difficile.

— Oui, oui.

— Il a acheté une jeune fille à Lapak. Une Aléoute, bien entendu.

— Les marins font ça.

— Il est resté presque un an aux îles des Phoques.

— Oui, oui, un vaurien.

— Accepterez-vous de marier ce Roudenko à la jeune Aléoute ?

— Bien sûr. La tsarine l'a ordonné — oui, la tsarine.

— Mais seulement si la jeune fille devient chrétienne. Accepterez-vous de la baptiser ?

— Oui, c'est pour cela qu'on m'a envoyé ici. Sauver des âmes. Convertir les païens à l'amour de Jésus-Christ.

— En avez-vous déjà baptisé ?

— Pas beaucoup. Ils sont tellement obstinés !

— Mais vous baptiserez et marierez celle-là ?

— Oui. La tsarine l'a ordonné. J'ai vu l'ordre, envoyé par notre saint évêque d'Irkoutsk.

L'enseigne Belov se rendit compte que le pauvre vieux savait à peine ce qu'il faisait ou aurait dû faire. En toutes ses années de séjour dans les îles, il n'avait converti presque personne, en avait marié encore moins, et n'avait appris aucune des langues indigènes. Il représentait sous son plus mauvais jour « l'effort civilisateur » de la Russie, et c'était dans l'énorme vide laissé par cette absence de zèle missionnaire que des chamans comme Lounasaq avaient pu se glisser.

— J'enverrai personnellement votre supplique à l'évêque d'Irkoutsk, promit Belov. Mais préparez-vous à célébrer ce mariage.

— Merci, merci d'envoyer la lettre.

— Mais ce mariage ?

— Vous savez ce qu'a dit la tsarine, que le ciel protège Son Altesse impériale...

L'enseigne Belov signala donc aux autorités que le père Piotr était prêt à baptiser et à marier l'indigène à Roudenko, selon les ordres de la tsarine. On lui demanda s'il avait vu cette jeune personne et s'il la jugeait digne de devenir russe.

— Pas encore, répondit Belov, mais on m'a affirmé qu'elle est à Trois-Saints, et je vais m'en occuper avec diligence.

Il apprit qu'elle se nommait Cidaq et qu'elle habitait — si l'on pouvait appliquer ce mot — dans une cabane dont l'ancien occupant avait été tué on ne savait trop comment ; les détails étaient brumeux. À sa vive surprise, le jeune officier trouva une adolescente réservée de quinze ou seize ans, exceptionnellement propre pour une Aléoute, pas enceinte et possédant un vocabulaire russe suffisant. Comprenant que sa présence la terrifiait mais sans se douter qu'elle craignait d'être impliquée dans le meurtre du marchand, affaire déjà classée par les autorités, il s'efforça de la mettre à l'aise.

— Je vous apporte de bonnes nouvelles. D'excellentes nouvelles.

Elle respira à fond, incapable d'imaginer ce que ce serait.

— Un grand honneur va vous être décerné.

Il se pencha en avant et elle fit de même, l'oreille tendue.

— Votre mari désire vous épouser légalement. Église russe. Prêtre. Baptême.

Il s'arrêta puis ajouta d'un ton pompeux :

— Nationalité russe à part entière.

Sans bouger, il lui sourit. Et il fut soulagé de voir un immense sourire illuminer le visage plat de l'indigène. Il lui prit la main et, enflammé par sa propre joie, s'écria :

— Je vous l'avais bien dit. Une grande nouvelle !

— Mon mari ? demanda Cidaq.

— Oui. Iermak Roudenko. Il est revenu des îles des Phoques.

Ainsi débuta la manœuvre qui allait permettre à Cidaq de se venger de Roudenko, car, avec la ruse d'un petit animal matois, la jeune Aléoute dissimula toute réaction susceptible de trahir la répugnance qu'elle ressentait pour Roudenko. Dans le silence qui suivit, elle imagina vingt façons de faire payer cet homme horrible ; mais comprenant qu'elle devait en apprendre davantage avant de passer à la phase suivante, elle feignit d'être enchantée d'avoir de ses nouvelles.

— Où est mon mari ? Quand pourrai-je le voir ?

— Pas si vite ! Il est ici, à Trois-Saints... Et la Compagnie promet que si vous l'épousez dans les règles, il pourra rester dans l'île, annonça-t-il gravement, comme s'il offrait une récompense suprême.

— Magnifique ! s'écria-t-elle.

Et l'enseigne Belov ajouta la condition qui allait permettre à Cidaq de compliquer les choses.

— Bien entendu, il faudra vous convertir au christianisme pour que le mariage puisse se faire normalement à l'église.

— Sinon, on va le renvoyer là-bas ? demanda-t-elle en feignant d'être horrifiée à cette idée.

— Ils décideront peut-être de le fusiller.

— Parce qu'il est revenu ici sans permission !

— Oui. Il brûlait de vous revoir.

— Chrétienne ? Mariage ? C'est tout ce qu'il faudra ?

— Oui, et le père Piotr est prêt à s'occuper de votre conversion et de votre mariage.

Le visage rond de Cidaq s'éclaira d'une gratitude feinte. Elle sourit à l'enseigne Belov, le remercia de ces nouvelles réjouissantes et demanda comme une jeune femme profondément amoureuse :

— Quand pourrai-je voir maître Iermak ?

— Tout de suite.

Trois-Saints n'avait pas de prison — rien de surprenant car on n'y trouvait pas non plus les autres institutions d'une société organisée —, mais il y avait dans les bureaux de la Compagnie une pièce sans fenêtre pourvue d'une porte renforcée. Quand les verrous furent tirés, le jeune officier conduisit Cidaq dans la pièce noire où son mari supposé se trouvait enchaîné.

— Iermak ! s'écria-t-elle avec une joie qui enchanta le prisonnier sans même l'étonner.

Il comprenait qu'il prenait un risque en comptant sur cette jeune fille pour obtenir sa liberté, mais dans son arrogance il croyait que la chance éblouissante de devenir l'épouse légale d'un Russe aveuglerait Cidaq et l'inciterait à lui pardonner tout ce qu'il lui avait fait endurer dans le passé.

— Iermak ! répéta-t-elle comme une épouse amoureuse.

S'écartant de l'enseigne Belov, elle courut vers son persécuteur, lui prit les mains que retenaient les menottes, les embrassa, puis enfouit son visage souriant dans la barbe du colosse, et l'embrassa de nouveau. Belov, témoin de cette réunion émouvante d'un marchand de fourrures russe et d'une fille des îles qui l'adorait, renifla dans son mouchoir et partit informer les autorités que le mariage pourrait avoir lieu.

Dès que Cidaq fut seule, elle se rendit en toute hâte dans la hutte du chaman.

— Lounasaq ! Il faut que je parle à ta momie.

Il ouvrit le sac de peau de phoque, et Cidaq révéla en riant l'occasion surprenante qui s'offrait à elle.

— Si je l'épouse, il reste ici. Si je refuse, il repart chez ses phoques.

— Remarquable ! dit la momie. Tu l'as vu ?

— Oui. Les menottes aux poings. Gardé par un soldat armé.

— Qu'as-tu ressenti en le voyant ?

— Je l'ai vu avec mes mains autour de son cou. Étranglé !

— Et que vas-tu faire ?

Depuis qu'elle avait revu le visage haï de Roudenko, elle avait mis au point une stratégie tortueuse.

— Je ferai croire à tout le monde que je suis heureuse. Je leur ferai croire que je vais l'épouser. Je parlerai de notre vie ensemble à Trois-Saints...

— Et tu savoureras chaque minute, pas vrai ? demanda l'Ancienne.

— Oui, et au dernier moment, je dirai non. Et je le regarderai repartir dans sa prison éternelle parmi les phoques.

La momie, une femme pratique pendant sa vie — ce qui expliquait sa longue continuité après la mort —, demanda :

— Mais quelle raison donneras-tu... pour changer d'avis ?

Cidaq prononça alors les paroles qui allaient créer les complications les plus insensées :

— Je dirai que je ne peux pas renoncer à mon ancienne religion pour devenir chrétienne.

Cette déclaration frivole laissa Lounasaq sans voix, car la religion, l'essence même de sa vie, se trouvait maintenant mise en cause. Se sentant menacé, le chaman écarta la momie desséchée, la rangea dans son linceul de peau de phoque et prit lui-même la parole :

— Envisagerais-tu de te faire chrétienne ?

— Non. C'est eux qui l'ont dit. Il faut que j'entre dans leur église pour pouvoir épouser Roudenko.

— Mais tu n'y songeais pas ?

Continuant son petit jeu, elle répondit en ne plaisantant qu'à moitié :

— Oh, si c'était un Russe convenable... Comme l'enseigne Belov, par exemple...

Gravement, le chaman fit asseoir Cidaq sur un tabouret, et se plaça en face d'elle.

— Mon enfant, n'as-tu pas vu le christianisme russe ? Qu'a-t-il fait pour ton peuple ? Nous a-t-il apporté le bonheur que leurs prêtres promettent ? Les maisons chaudes ? La nourriture ? Nous aiment-ils comme leur Livre affirme qu'ils le devraient ? Nous respectent-ils ? Nous laissent-ils entrer dans leurs demeures ? Nous ont-ils accordé de nouvelles libertés ou ont-ils sauvegardé les anciennes que nous nous étions assurées ? Leur dieu nous a-t-il donné une seule bonne chose ?... Une seule ? Réfléchis... Et de combien de bonnes choses nous ont-ils privés ?

Depuis son sac, la momie gémit à cet exposé exact de l'œuvre chrétienne accomplie par les Russes. Fort de cet encouragement, le chaman poursuivit — et ses mèches hirsutes tremblaient à chaque nouvel argument.

— N'avons-nous pas connu le bonheur autrefois, dans nos îles, avec nos esprits ? Ils faisaient nager notre nourriture le long de nos plages, nous protégeaient dans nos kayaks, veillaient sur la naissance d'enfants en bonne santé, ramenaient le soleil chaque printemps, assuraient l'harmonie de notre existence, nous permettaient de vivre dans de beaux villages où les jeunes jouaient au soleil et où les vieillards mouraient en paix.

Cette vision du paradis aléoute perdu l'anima au point que sa voix s'éleva en une complainte passionnée.

— Cidaq ! Cidaq ! Tu as survécu à des tribulations difficiles. Les esprits t'ont sauvée pour une noble mission. Ne songe pas, en ces temps de crise, à embrasser leurs ignobles façons de vivre. Cidaq, reste avec ton peuple. Aide-le à retrouver sa dignité. Aide-le à choisir sa voie en ces années d'épreuve. Aide-moi à aider ton peuple.

Quand il s'arrêta, il tremblait, car ses « esprits », les forces qui animaient les vents et enflammaient le soleil, lui avaient accordé d'entrevoir l'avenir : il avait vu que son peuple serait voué à une extinction rapide et douloureuse s'il abandonnait son ancienne existence. Il avait vu l'alcool terrasser les hommes jusqu'à l'inconscience, et des jeunes femmes pleines de vie comme Cidaq débauchées puis rejetées ; mais surtout, il avait vu le déclin sans rémission et la disparition finale de tout ce qui avait embelli la vie à Attu, à Kiska, à Lapak et à Unalaska. Tout serait ravalé dans la poussière, puis même les esprits qui avaient présidé à cette existence-là disparaîtraient.

Un univers, un univers entier qui avait connu des épisodes de grandeur, comme quand deux hommes seuls sur la vaste mer, protégés seulement par un kayak en peau de phoque dont n'importe quel poisson bien décidé pouvait percer les flancs, se lançaient à l'attaque d'une baleine — cent vingt-cinq kilos à eux deux, contre quarante tonnes pour elle — et la combattaient victorieusement. Cet univers, tout ce qu'il comprenait, se trouvait en danger d'extinction, et Lounasaq se sentait responsable de sa sauvegarde.

— Cidaq, supplia-t-il doucement, la voix nouée par l'angoisse, ne méprise pas les anciennes façons de vivre, bien éprouvées, qui t'ont protégée, en faveur d'un nouveau mode de vie détestable, qui promet une belle existence mais ne donne que la mort.

Ces paroles eurent sur Cidaq un effet déterminant ; comme en transe, elle regarda le chaman sortir de ses sacs les symboles vénérés qui avaient orienté jusqu'ici sa vie de jeune fille : les os, les morceaux de bois, les galets polis, l'ivoire recueilli au prix de tant de souffrances dans l'océan. Il les plaça autour d'elle selon des formes auxquelles elle était habituée, puis se mit à psalmodier des mots et des phrases qu'elle ne comprenait pas, mais tellement chargés de pouvoir que les esprits-qui-gouvernent-la-vie vinrent dans la hutte et parlèrent à Cidaq comme dans son enfance.

— Cidak, ne nous abandonne pas ! Cidaq, les autres promettent du bien-être mais ne tiennent jamais parole quand il s'agit de notre peuple. Cidaq, accroche-toi aux façons de faire qui ont permis à ton arrière-grand-mère de vivre si longtemps, avec tant de courage. Cidaq, ne reporte pas ton allégeance sur les nouveaux dieux inconnus qui se vantent beaucoup mais n'ont aucun pouvoir. Cidaq ! Cidaq !

Son nom résonna en écho aux quatre coins de la hutte et elle crut s'évanouir. Mais du sac de la momie montèrent alors ces paroles de réconfort :

— Chaque chose en son temps, Cidaq. Souris à Roudenko. Incite-le à espérer. Puis renvoie-le dans son exil avec les phoques. Ensuite nous nous occuperons de ce qui tourmente notre chaman, car cela me tourmente aussi.

La fille au visage rond et au sourire de printemps secoua énergiquement la tête comme pour chasser les ombres et voir clair dans les tâches qui l'attendaient, puis elle promit à son chaman :

— Je ne les laisserai pas me faire chrétienne. En tout cas une vraie chrétienne.

Elle sortit de la hutte en souriant car elle imaginait la tête de Roudenko quand il apprendrait qu'elle refusait de l'épouser, et devinerait qu'elle s'était jouée de lui pour le renvoyer à ses phoques.

***

La momie avait prédit l'arrivée de trois hommes à Kodiak, avec des messages d'angoisse ou d'espoir. Roudenko était le premier, il n'apportait rien de positif. Mais un deuxième allait venir, plein d'idées créatrices, et ce n'était pas trop tôt.

En 1790, la colonisation russe de ces territoires était tombée au niveau le plus bas auquel soit parvenue une nation européenne qui prétendait apporter sa civilisation à un pays récemment découvert. L'Espagne, le Portugal, la France et l'Angleterre s'étaient beaucoup mieux comportées, et il faudrait attendre les agissements atroces de la Belgique au Congo pour voir une nation agir presque aussi mal que les Russes dans les Aléoutiennes. Ils détruisirent les systèmes raisonnables selon lesquels les îliens se gouvernaient. Ils pillèrent les ressources vivrières au point d'affamer les populations. Ils exterminèrent presque totalement les loutres de mer, et une richesse qui aurait pu s'exploiter indéfiniment faillit disparaître. Plus grave encore, ils sapèrent les anciennes croyances religieuses sans les remplacer par une foi praticable. De vieux prêtres ivrognes comme le père Piotr à Trois-Saints convertirent au christianisme moins de dix Aléoutes en dix-neuf ans, et même à ces bonnes âmes, ils n'apportèrent aucun réconfort spirituel, aucune amélioration matérielle. La situation était si mauvaise qu'un observateur impartial a pu conclure à bon droit : « Tout ce que les Russes ont touché a été souillé. » Mais un vent de réforme allait souffler, venu d'Irkoutsk.

Au cours de l'hiver 1726, où ils avaient été immobilisés par les neiges sur la route du Kamtchatka, Vitus Béring et son assistant Trophime Jdanko avaient fait un détour par la capitale régionale d'Irkoutsk, non loin de la frontière mongole, pour consulter le voïvode Grigori Voronov, dont la fille Marina, capable et volontaire, avait fait sur eux une impression très favorable. Cette Marina avait épousé le marchand de fourrures sibérien Ivan Poznikov, puis après la mort de ce dernier aux mains de brigands sur la piste de Iakoutsk, le cosaque Jdanko. Lorsqu'elle s'était offerte à Jdanko, elle lui avait dit : « Tout ce qui est bien en Sibérie vient d'Irkoutsk », et c'était encore vrai.

Entre-temps, la ville s'était développée, pour devenir non seulement la capitale administrative et commerciale de la Russie orientale, mais le centre duquel émanaient les idées nouvelles qui enrichissent la société. Or le foyer de ces activités dynamiques n'était autre que l'Église orthodoxe, dont l'évêque local résolut d'animer d'une ardeur religieuse nouvelle la région la plus orientale et la plus retardataire de son ministère : Kodiak.

Quand Béring et Jdanko avaient rencontré Marina Voronova à Irkoutsk, ils ignoraient que son jeune frère Ignaci était resté à Moscou quand son père était venu prendre le poste de gouverneur en Sibérie. Ignaci avait eu un fils, Luka, qui avait eu lui-même en 1766 un fils du nom de Vassili, attiré par la vie religieuse dès son plus jeune âge. À la fin de ses études, ce Vassili voulut entrer au séminaire d'Irkoutsk et en 1790, âgé de vingt-quatre ans, il fut ordonné prêtre. Mais il s'ensuivit de violentes querelles au sein de la famille Voronov et la grand-tante Marina Jdanko de Petropavlovsk, âgée de quatre-vingt-un ans, traversa presque la moitié du continent jusqu'à Irkoutsk pour faire connaître ses opinions passionnées — à l'irritation de plus d'un.

Le problème qui se posait à la famille était fort curieux. Dans l'Église orthodoxe russe, au moment de l'ordination, les prêtres devaient faire un choix difficile qui déterminerait leur avenir et les limites de leur carrière. Le jeune homme au cœur enflammé de zèle devait opter soit pour le clergé « noir », soit pour le clergé « blanc ». Le prêtre blanc choisissait d'être le représentant du Christ et de l'Église, d'être au service de ses semblables et de porter la bonne parole dans une paroisse. Détail significatif, il n'était pas seulement autorisé mais encouragé à se marier avant de devenir prêtre, et quand il fondait sa famille dans la communauté, il était lié à elle. Le prêtre blanc, accomplissait avec sa famille une majeure part des bonnes œuvres de l'Église. Luka Voronov, le père de Vassili, était un prêtre blanc de la région d'Irkoutsk et son fils, élevé dans cette tradition, avait pu se convaincre de ses mérites.

Mais d'autres jeunes prêtres, poussés soit par l'ambition, soit par un désir sincère de voir leur Église bien administrée, préféraient devenir moines, membres du clergé « noir ». Il leur serait interdit de se marier, mais la direction de leur Église leur serait confiée. Tout jeune homme qui aspirait à devenir métropolite en Russie ou même dans une grande province comme Irkoutsk devait choisir le noir, faire vœu de chasteté et s'en tenir à ces décisions toute sa vie — sinon il se retrouverait rigoureusement exclu de tout poste important dans la hiérarchie. C'était une règle de fer, qui n'admettait aucune exception : « Les dignitaires de l'Église ne viennent que du noir. »

Les inclinations du jeune Vassili le portaient à suivre les traces de son père, car aucun prêtre de la région d'Irkoutsk n'était plus respecté que Luka Voronov, même pas l'évêque — bien entendu, un « noir ». Fortement encouragé par son père, Vassili aurait donc suivi son exemple si la grand-tante Marina n'avait pas exprimé furieusement un avis contraire.

— Mon enfant, tu te condamnerais à ne jamais prendre la tête de notre Église. Ne songe pas un seul instant à choisir le blanc. Ta naissance te destine à un rôle de chef, peut-être même de chef suprême.

Son neveu Luka, le père du jeune prêtre, réagit énergiquement à ce conseil, qu'il jugeait visionnaire.

— Ma chère tante Marina, vous savez très bien que la hiérarchie de notre Église ne se recrute pas parmi nos prêtres de Sibérie ! Vassili ne l'ignore pas.

— Une minute ! Attends donc ! Tu as suivi la voie du sacrifice, Luka, et tourné le dos à l'avancement, ce que je n'ai jamais compris ; mais ce n'est pas une raison pour que ton fils fasse de même avec les dons qu'il a. Regarde-le ! Dieu ne l'a-t-il pas désigné Lui-même pour une place de chef ?

La famille se tourna vers Vassili, imposant dans son habit de séminariste, blond, grand, tout droit, beau d'allure et révérend dans ses manières : oui, c'était un jeune homme capable de s'élever dans la hiérarchie ecclésiastique, un homme destiné à la grandeur, comme sa grand-tante l'avait observé à juste titre. Mais son père concevait pour lui une voie plus noble que celle de l'avancement : il voyait en lui un jeune homme né pour servir — peut-être simple prêtre dans un rôle plus important, peut-être archiprêtre, mais toujours au service des nobles responsabilités de sa religion, exactement comme lui-même, Luka, l'avait toujours servie. Le jeune séminariste possédait cette pointe de grâce qui ennoblit les hommes, où que le hasard les place dans la vie ; il avait reçu la vocation, l'appel du destin, aussi exigeant et cinglant que le cri insolent d'un sergent par un matin glacé, l'appel de l'œuvre du Seigneur, et il était prêt à Le suivre en toutes circonstances.

Il allait donc annoncer sa préférence pour le « blanc » quand sa grand-tante Marina étonna sa famille.

— Connaissant l'importance de cette réunion, j'ai pris sur moi de consulter l'évêque, et j'ai sollicité sa présence pour nous guider dans nos décisions. Luka, va voir si sa voiture est arrivée.

Peu après, l'évêque en personne parut, et s'inclina devant la grande dame dont les donations importantes lui avaient souvent permis de mener à bien les œuvres de l'Église, notamment dans les îles.

— Madame Jdanko, votre présence à Irkoutsk est une bénédiction.

— Comme celle de mon père avant moi, répondit-elle sans la moindre gêne... Et comme celle de Luka, à sa manière, ajouta-t-elle avec un peu de retard.

Ne voulant pas gaspiller le temps de l'évêque en mondanités, elle enchaîna aussitôt :

— Vassili pense que pour servir le Seigneur il doit choisir le blanc.

— À son âge, j'ai choisi le noir.

— N'avez-vous pas accompli l'œuvre de Dieu de façon aussi efficace ?

— Sauvegarder la santé de l'Église est peut-être le plus urgent désir du Seigneur.

Marina ne cria pas victoire, mais elle n'était pas prête à se contenter de paroles en l'air.

— Monseigneur, répondez-moi en toute franchise, si ce jeune homme choisit le noir, envisagerez-vous pour lui un poste aux Aléoutiennes ?

À cette impertinence, les membres de la famille demeurèrent sans voix : on ne se mêlait pas ainsi de la politique de l'Église. Mais la vieille dame savait qu'il ne lui restait plus beaucoup d'années à vivre, et il y avait encore tant à faire dans les îles que son défunt mari avait tellement aimées. Cette attaque de front de la vieille dame ne surprit pas l'évêque, car ses bienfaisances passées l'autorisaient sans doute à intervenir, surtout au sujet d'un membre de sa famille. Il demanda un peu plus de thé, prit sa tasse entre le pouce et l'index, grignota une friandise et dit :

— Madame Jdanko, vous savez à quel point je suis inquiet pour la situation de notre Église dans les îles. La tsarine a chargé mes épaules d'une lourde responsabilité : répandre la sainte parole dans ces contrées lointaines et réunir ces sauvages à la famille du Christ.

Il regarda tour à tour les personnes rassemblées autour de lui, prit une gorgée de thé du bout des lèvres, reposa sa tasse, et déclara, d'une voix chagrine :

— J'ai échoué. J'ai envoyé là-bas un prêtre après l'autre, des hommes valables en leur temps mais peut-être trop âgés ; les flammes de l'ambition et du zèle étaient déjà étouffées en eux. Ils ont gaspillé leur vie et les fonds de l'Église. Ils boivent, se disputent avec les responsables de la Compagnie, négligent leurs ouailles — les îliens — et ne ramènent aucune âme à Jésus-Christ.

— Vous exprimez exactement ma pensée ! s'écria la vieille dame, toujours prête au combat, avec une intensité qui n'avait jamais diminué depuis sa jeunesse dans cette même ville. Nous avons besoin de vrais hommes dans les îles. Pour y établir la civilisation. Je veux dire si nous voulons conserver ce nouvel empire et non l'abandonner comme des poltrons aux Anglais ou aux Espagnols — ou même à ces maudits Américains dont les bateaux commencent à se glisser dans des eaux qui nous appartiennent.

Elle était manifestement prête à partir pour les îles sur-le-champ, que ce soit comme gouverneur, amiral, général ou comme chef de l'Église locale.

— J'ai réfléchi à la suggestion que vous m'avez faite l'autre jour, madame Jdanko. Oui, si ce jeune homme choisit le noir, il le fera avec ma bénédiction. Il a un grand avenir dans cette Église. Et il ne saurait faire un meilleur début que dans les Aléoutiennes, où il pourra lancer une nouvelle civilisation. Si vous réussissez là-bas, jeune homme, vos chances de servir l'Église seront sans limites.

Puis, en s'inclinant vers Marina, il ajouta une note pratique :

— Ce qu'il nous faut à la tête de l'église de Kodiak, ce n'est pas un jeune homme qui épousera une fille de là-bas et finira dans l'ivrognerie comme ses prédécesseurs, mais quelqu'un qui épousera l'Église et construira un bel édifice puissant.

Encouragé par ces paroles, Vassili Voronov, le jeune homme le plus prometteur qui fût jamais sorti du séminaire d'Irkoutsk, choisit le noir, fit vœu de célibat, s'engagea au service du Seigneur et se consacra à la résurrection de son Église orthodoxe, peu brillante, des Aléoutiennes.

***

Marina Jdanko, à plus de quatre-vingts ans, possédait encore une énergie démoniaque : à peine eut-elle terminé de donner ses instructions à son petit-neveu Vassili sur la façon dont il lui fallait orienter sa vie religieuse qu'elle se tourna avec la même vigueur vers l'organisation de ses propres affaires. Comme elle se trouvait déjà à Irkoutsk, siège de la Compagnie dont elle était l'un des membres influents, elle se crut obligée de lancer certains changements dans la direction. Elle entra en coup de vent dans la salle du conseil d'administration et jeta, à la surprise de tous :

— Je veux qu'on envoie un vrai patron pour organiser nos intérêts aux Aléoutiennes.

— Mais nous avons déjà un directeur, protestèrent les hommes.

— Je veux un homme qui agisse, au lieu de geindre.

Ils lui demandèrent si elle avait quelqu'un en vue.

— Absolument, répliqua-t-elle.

Il y avait alors à Irkoutsk un homme d'affaires peu ordinaire, répondant au nom d'Alexandre Baranov, tout juste âgé de quarante ans et ancien combattant des violentes guerres commerciales de Sibérie. Marina l'avait vu à plusieurs reprises passer dans les rues, la tête penchée comme s'il calculait un de ses coups de maître. Ce qu'on racontait de lui l'avait intriguée.

— Basse naissance, pas de famille du tout. Marié, mais personne ne voit jamais sa femme ; quand il est parti en Sibérie, elle lui a promis : « Je te rejoins bientôt », mais elle ne l'a jamais fait. Il est allé partout. Honnête comme le soleil levant, mais toujours ruiné par un désastre auquel il ne pouvait rien.

— Vraiment honnête ? demanda-t-elle.

— On ne trouve pas mieux.

— Mais on m'a parlé d'une usine de verre...

À ces mots, elle apprit la plus invraisemblable des histoires.

— J'étais avec lui quand c'est arrivé. Nous prenions une bière et la serveuse, une vraie paysanne, a lâché une chope, qui s'est brisée. Vous savez que dans une ville de la frontière, comme Irkoutsk, les verres coûtent très cher, et le patron s'est mis à tabasser la pauvre fille pour sa maladresse. Nous nous sommes insurgés contre la brutalité du bonhomme. Mais Baranov a pris les morceaux de verre dans sa main et au bout d'un moment il a déclaré : « Nous devrions fabriquer notre verre ici, à Irkoutsk. Au lieu de le transporter de Moscou. » Et vous savez ce qu'il a fait ?

— Aucune idée, répondit Marina.

Un autre homme le lui expliqua :

— Il a commandé en Allemagne un livre sur la fabrication du verre, puis il s'est fait enseigner l'allemand par un marchand pour pouvoir déchiffrer son livre, et sans aucune expérience pratique, sans avoir vu souffler un seul morceau de verre, il a lancé sa verrerie.

— Et il a échoué, comme pour ses autres rêves.

— Pas du tout ! Il a fait du verre splendide. Vous avez bu dans un de ses verres au dîner.

— Que s'est-il passé ?

— Les grandes usines de l'Ouest ont inondé le marché avec leurs produits et baissé leurs prix.

Marina demanda si cette concurrence avait mis Baranov sur la touche, et les hommes voulurent tous lui répondre en même temps.

— Pas Baranov ! Il a regardé le verre importé, il a dit : « Il est meilleur que le mien » et il a fermé son usine. Il est devenu l'agent des autres.

— J'aimerais rencontrer un homme qui possède autant de bon sens, dit Marina.

On le fit venir. Elle vit apparaître un petit bonhomme rondelet, débraillé, aussi chauve qu'un iceberg, les mains toujours croisées sur son bedon comme s'il se préparait à s'incliner devant un supérieur.

Mais ses yeux vifs, mobiles, trahissaient son désir d'étudier toute proposition qu'on lui présenterait.

— Vous connaissez le marché des fourrures ? demanda Marina.

Pendant une demi-heure, il évoqua la situation dans les Aléoutiennes, à Irkoutsk et en Chine, puis suggéra un moyen de faire parvenir les fourrures plus rapidement à Saint-Pétersbourg en prenant un autre itinéraire.

La question suivante de la vieille dame — « Gagnez-vous beaucoup comme représentant en verrerie ? » — fournit à Baranov l'occasion d'un des cours sur les possibilités de développement des Aléoutiennes avec de l'imagination et un petit capital.

En moins d'une heure, elle comprit que personne mieux que lui ne pourrait représenter la Russie et la Compagnie aux Aléoutiennes.

— Tenez-vous prêt, monsieur Baranov, le temps que je règle quelques détails.

Et après son départ elle le recommanda chaudement aux directeurs de la Compagnie.

— L'homme dont nous avons besoin dans les îles est Alexandre Baranov.

Ils protestèrent que toutes ses entreprises avaient échoué.

— Mais il est honnête. Et je prétends qu'il a de l'imagination... de la force de caractère... et du bon sens.

— Il a tout de même échoué. Pourquoi ?

— Parce qu'il n'avait pas derrière lui un vieux cheval comme moi pour déterminer une politique, et de brillants jeunes gens comme vous pour lui fournir les fonds.

Jamais l'on n'avait mieux exprimé, ni à Irkoutsk ni à Saint-Pétersbourg, les besoins de la Russie pour mener à bien son aventure dans ces îles d'Amérique, et les directeurs le reconnurent.

— Baranov n'est-il pas trop vieux ? objecta un des plus prudents.

— J'ai deux fois son âge ! railla Marina. Et je partirais à Kodiak demain s'il le fallait.

— Faites-le donc venir, concédèrent les hommes à regret.

En quelques minutes, sous les questions adroites de Marina, Baranov démontra qu'il avait une vision très claire des possibilités d'avenir. Elle le complimenta pour sa perspicacité.

— Merci, monsieur Baranov. Vous semblez posséder trois attributs que nous recherchons : de l'énergie à revendre, un enthousiasme sans bornes et une vision de ce que peut accomplir la Russie dans ces îles.

— Je l'espère, répondit-il en s'inclinant modestement.

Les directeurs sentirent que la vieille dame voulait leur forcer la main en cette affaire. Furieux de son intrusion, ils cherchèrent à exposer les carences du candidat de Marina.

— Monsieur Baranov, vous comprenez certainement que la Compagnie a deux obligations. Elle doit rapporter de l'argent à ses directeurs, ici à Irkoutsk. Et elle doit représenter les désirs de la tsarine à Saint-Pétersbourg.

Baranov acquiesça avec enthousiasme, mais l'un des directeurs fit observer d'un ton acide :

— Mais rien de ce que vous avez tenté n'a rapporté un sou.

Sans la moindre gêne, le marchand bedonnant sourit.

— J'ai toujours fait un bon départ. Ensuite l'argent a manqué. Cette fois, mes idées seront aussi bonnes, et votre mission consistera à me fournir les fonds.

— Mais pourrez-vous contenter la tsarine ?
Avec la simplicité des gens de commerce, il répondit :
— Quand on gagne de l'argent on rend tout le monde heureux.
— Bien dit ! s'écria Marina. Il faudrait en faire la devise de notre compagnie.
Mais les directeurs soulevèrent une objection plus subtile.
— Si vous devenez notre représentant aux Aléoutiennes, comme Mme Jdanko semble le recommander, vous ne serez qu'un marchand comme les autres, Alexandre Baranov, et vous devrez, pour votre protection, obtenir l'appui d'un officier de marine d'origine noble.
Le silence se fit, puis un homme plus âgé remarqua :
— Vous savez sans doute qu'il n'existe sur cette Terre rien de plus méprisant qu'un officier de la marine russe baissant le nez vers un marchand.
Un autre directeur acquiesça, et tous se penchèrent en avant quand il demanda :
— Monsieur Baranov, vous sentez-vous de taille à manœuvrer un officier de marine ?
Avec une élégante simplicité, caractéristique de cet homme hors du commun, il répondit :
— Je n'ai jamais éprouvé de vanité. J'ai toujours accordé volontiers aux autres les droits dont ils estiment normal de se prévaloir. Mais je ne me suis jamais laissé détourner de la tâche à accomplir... Je ne suis qu'un marchand, ajouta-t-il en regardant chaque directeur tour à tour, et la noblesse se situe hors de mon atteinte. Mais j'ai une chose que tous ces officiers de l'aristocratie ne posséderont jamais.
— Laquelle ?
Dans le silence de ce bureau d'Irkoutsk, Baranov le rêveur impénitent donna sa réponse :
— Je sais que la Russie impériale doit se servir des îles Aléoutiennes comme d'une échelle pour une vaste occupation russe de l'Amérique du Nord. Je sais que les réserves de loutres de mer commencent à s'épuiser et qu'il faudra trouver d'autres sources de richesse.
— Par exemple ? demanda l'un des directeurs.
Sans la moindre hésitation, cet amusant petit bonhomme à l'esprit vif et incisif révéla sa vision :
— Le commerce.
— Avec qui ? lança quelqu'un.
— Avec tout le monde. Avec la Compagnie de la baie de Hudson à Nootka Sound, avec les Espagnols en Californie, avec Hawaii. Et de ce côté-ci de l'océan, avec le Japon et la Chine. Avec les bateaux des États-Unis qui commencent à envahir nos eaux.
— Vous semblez prêt à avaler le Pacifique tout entier ! lança un des directeurs.
— Pas moi, la Russie. Je vois une expansion constante de notre empire dans toutes les directions.
Sa vision était si grandiose, si éblouissante que le lendemain les directeurs, effrayés par tout ce que cela impliquait, firent venir un haut fonctionnaire représentant la tsarine et les éléments les plus responsables de son gouvernement.
— Monsieur Baranov, on m'apprend que vous avez des visions de conquête.
— Je songe à l'avenir de la Russie.
— Mais avez-vous une idée précise de la politique actuelle ? Non ?

Permettez-moi de vous l'expliquer et je le ferai sans ambages ni détours. Notre politique consiste à nous défendre à tout prix des dangers en Europe. Cela signifie que dans le Pacifique nous ne devons inquiéter ni offenser personne. Si vous devenez notre homme dans les Aléoutiennes, vous ne devrez offenser ni l'Angleterre en Amérique du Nord, ni l'Espagne en Californie, ni le Japon, ni la Chine, ni même Hawaii. Parce que le destin de la Russie se jouera seulement en Europe. Vous m'avez compris ?

Même si la Russie se souciait temporairement davantage de l'Europe, Baranov était certain que ses intérêts à long terme se trouvaient dans le Pacifique : dans l'avenir, une tête de pont puissante en Amérique du Nord prendrait une importance capitale. Mais il savait aussi que, simple marchand, il ne disposait ni des pouvoirs ni du prestige nécessaires pour mener à bien ses grands desseins. Il décida donc de s'incliner :

— Je comprends mes ordres. Si je suis nommé, je dois m'occuper des îles et ne toucher à rien d'autre.

Et il reçut alors sa première leçon de diplomatie impériale, car l'officier baissa la voix, regarda machinalement par-dessus son épaule, et poursuivit :

— Voyons, monsieur Baranov, personne ne vous a dit ça. Pas du tout. Si vous êtes envoyé à Kodiak, il vous faudra faire des essais dans toutes les directions. Un fort ici, quand les indigènes le permettront. Du commerce avec Hawaii, si c'est praticable. De l'exploration en Californie quand les Espagnols tourneront le dos. Et avant tout, nous assurer une bonne base en Amérique du Nord.

Dans le silence qui suivit, Baranov ne s'écria pas, triomphant : « C'est bien ce que je disais ! » Au contraire, il s'inclina devant le haut fonctionnaire, puis devant chacun des directeurs.

— Excellence, dit-il, vous êtes un homme sage et prudent. Vous m'avez révélé des horizons que je n'avais pas entrevus.

Et le représentant de la tsarine sourit — comme un soleil d'hiver au nord de la Sibérie.

Peu d'hommes d'imagination ont reçu dans l'histoire une mission aussi bien taillée à la mesure de leurs talents que celle d'Alexandre Baranov. Marchand, roturier, sans prestige social, il allait s'opposer d'égal à égal avec des officiers de marine hautains, issus de l'aristocratie. Dans un marché des fourrures en perte de vitesse, il allait gagner de l'argent. Dans un océan où il ne pouvait faire aucun mouvement à visage découvert, il allait étendre l'influence russe dans toutes les directions. Malgré le fardeau d'une épouse qui n'était jamais près de lui, il civiliserait et éduquerait les îles primitives des mers septentrionales. Il s'inclina une deuxième fois devant les hommes qui allaient le charger de cette mission impossible, et dit avec une dignité paisible :

— Je ferai de mon mieux.

Le lendemain il apprit qu'il aurait de l'aide, car, au cours d'un déjeuner organisé par Mme Jdanko, il fit la connaissance de l'évêque d'Irkoutsk.

— La tsarine n'ignore pas que le bon renom international de la Russie dépendra de notre succès à établir une Église chrétienne parmi les indigènes. Or, en toute franchise, nous n'avons pas accompli grand-chose. Si la tsarine apprend à quel point nous avons manqué à nos devoirs, la Compagnie perdra son contrôle sur l'Amérique russe, et vous ne verrez plus jamais une seule fourrure entre vos mains.

Il dévisagea Baranov d'un œil noir, comme s'il le tenait pour responsable des erreurs passées, puis tonna :

— Nous espérons que vous réparerez tout cela.

— Je n'y parviendrai pas tout seul, répliqua cet homme pratique. Et cela ne pourra sans doute jamais se faire avec le genre de prêtre que vous envoyez en Sibérie orientale.

L'évêque se rendit à ces évidences.

— Pour corriger les défaillances passées de mon Église, j'enverrai avec vous un prêtre d'une dévotion sincère et qui promet beaucoup, le neveu de Mme Jdanko, Vassili Voronov.

Marina sonna, et un serviteur fit entrer dans la pièce le jeune homme qui portait déjà la soutane noire d'un prêtre marié à son Église. Telle fut la première rencontre de ces deux conspirateurs, le jeune religieux déterminé à sauver des âmes et l'homme d'affaires énergique rongé par le désir d'élargir la puissance russe. Aucun des deux ne devina, sur le moment, l'importance que prendrait l'autre dans sa vie, mais chacun comprit qu'une association venait de naître, dont les objectifs étaient : évangéliser, civiliser, explorer, amasser de l'argent et étendre l'influence russe au cœur de l'Amérique du Nord.

Le père Vassili Voronov qui quitta Irkoutsk plusieurs mois avant que Baranov ait pu régler ses affaires, ne se trouvait pas à Kodiak depuis vingt-quatre heures, en 1791, lorsqu'il rencontra l'homme avec lequel il lui faudrait lutter pour le salut spirituel de l'Amérique russe. Comme il explorait sa paroisse en se promenant, il aperçut qui se dirigeait vers lui un grand Aléoute dégingandé, d'allure malpropre et au regard hanté, qui semblait se déplacer sans but. Il n'avait aucun lien apparent avec la Compagnie, et ne devait même pas avoir de toit si l'on en croyait son air débraillé. Vassili ne rencontrait normalement ce genre de personne que lorsqu'il distribuait des aumônes ou rendait visite à la famille d'un mort. Mais le vieillard avait un regard si pénétrant et s'intéressait si manifestement au nouveau prêtre que Vassili se sentit contraint d'en apprendre plus long sur lui.

Il s'inclina gravement, politesse qui ne lui fut pas rendue, puis se hâta d'aller interroger un homme de la Compagnie.

— Cet Aléoute à l'air étrange ne serait-il pas un chaman ?

— Possible, répondit le Russe.

Vassili n'obtint aucune preuve convaincante avant de rencontrer l'enseigne Belov.

— Oui, c'est un chaman connu. Il vit dans une sorte de trou, entre les racines du grand épicéa.

Convaincu d'être sur la piste du diable, Vassili sollicita une entrevue avec le directeur par intérim, qui écouta respectueusement le jeune prêtre le mettre en garde contre « la présence de l'Antéchrist au milieu de nous » et convint que Voronov « devait tenir ce vieux-là à l'œil ». Mais le directeur attira aussitôt l'attention du prêtre sur un problème plus urgent :

— Vous arrivez au bon moment. Une conversion vous attend. Parmi ces Aléoutes, justement.

— Je vais aller le voir tout de suite, répondit Vassili.

— La voir, corrigea le directeur. C'est une jeune fille qui désire se joindre à notre Église.

Quand le jeune prêtre étudia la situation, il découvrit vite qu'il s'agissait d'une conversion à laquelle de curieuses conditions étaient liées. Dès l'instant où il rencontra Cidaq pour discuter du sens de son baptême, il la trouva étrangement ambivalente. Devenir chrétienne l'intéressait manifestement, car cela lui permettrait d'accéder au monde privilégié des Russes, mais elle ne témoignait pas de l'intensité émotionnelle des convertis sincères, et ce dualisme paraissait troublant. Même après trois longues discussions, où la jeune fille cherchait passionnément dans les yeux du prêtre la source d'une illumination, Vassili ne découvrit pas qu'elle lui jouait la comédie. S'il avait appris qu'elle s'intéressait au christianisme seulement comme une arme pour se venger de son « futur mari », il en aurait été suffoqué.

Cependant, en toute innocence, le père Vassili poursuivit son instruction religieuse, et les beautés du christianisme étaient si réelles pour lui que Cidaq, en dépit de son mépris du début, se mit à écouter. Les récits de l'amour de Jésus pour les petits enfants la touchèrent particulièrement car les Aléoutes adoraient les enfants et n'en avaient plus. Deux fois quand le prêtre aborda ce sujet, elle sentit les larmes lui monter aux yeux, et Vassili le remarqua.

Ne se doutant pas que dans cette joute théologique avec le père Vassili elle affrontait un adversaire beaucoup plus dangereux que l'enseigne Belov ou le vieux père Piotr, Cidaq céda de plus en plus à la séduction du témoignage chrétien sur la rédemption, complètement différent des enseignements du chaman et de la momie ; pour ces derniers, il y avait le bien et le mal, la récompense et le châtiment, sans ambiguïté dans les dichotomies. L'idée que dans la vie un être humain puisse pécher, se repentir et obtenir son salut avec le péché totalement effacé parut à la fois neuve et déroutante pour la jeune Aléoute. Après quelques questions préliminaires qui révélèrent son intérêt sincère et offrirent à Vassili l'occasion de développer avec enthousiasme ce principe cardinal, Cidaq aborda sans s'en rendre compte le problème qui devait la plonger dans les mystères profonds et très beaux du christianisme.

— Vous voulez dire qu'un homme peut se racheter même s'il a fait des choses vraiment affreuses ?

— Oui, répliqua Vassili d'une voix passionnée. C'est exactement cet homme-là que Jésus est venu sauver ici-bas.

— Il est également venu aux Aléoutiennes ?

— Il est venu partout. Il est venu spécialement pour te sauver.

— Mais cet homme...

Elle hésita, renonça, et se figea pendant un moment, les yeux tournés vers le grand épicéa, par la fenêtre. Puis elle dit à voix basse :

— Ce n'est qu'un homme, celui-là. Il m'a fait des choses horribles, et maintenant il voudrait m'épouser !

Vassili s'écarta brusquement, comme si la foudre venait de le frapper, car il avait cru Cidaq âgée de treize ou quatorze ans, et dans la société qu'il avait connue à Irkoutsk les gamines de cet âge ne se mariaient pas.

— Quel âge as-tu ? demanda-t-il stupéfait.

— Seize ans.

À ces mots il la regarda comme s'il la voyait pour la première fois. Une révélation si surprenante qu'il essaya de classer tout ce que cela impliquait.

— Tu as seize ans ?

— Oui.
— Et un homme veut t'épouser ?
— Oui.
— Et il a fait des choses horribles ?
— Oui.
— Qu'a-t-il fait aux gens ?
— Pas aux gens. À moi, répondit-elle d'une voix contenue.
Jusqu'ici Vassili avait vu en Cidaq une enfant intriguée par l'arrivée d'idées chrétiennes élaborées dans sa communauté primitive ; découvrir qu'elle était en âge de se marier et troublée par les problèmes liés au mariage ne laissa pas de bouleverser Vassili. Il l'aurait été davantage s'il avait compris qu'elle essayait de résoudre, à sa manière simple et instinctive, le plus profond des problèmes philosophiques et moraux : rien de moins que la nature du bien et du mal.
Il maintint la discussion au seul niveau duquel il était conscient :
— Mais qu'a-t-il donc pu te faire ?
L'innocence de la question toucha tellement Cidaq que, dans sa sympathie pour lui, elle se rendit compte qu'elle devait être beaucoup mieux informée que lui.
— Des choses laides, répondit-elle, persuadée que de toute manière il ne comprendrait pas.
Mais Vassili insista, sans se douter qu'il allait faire détonner une bombe qui le blesserait gravement.
— De quelle manière t'a-t-il fait du mal ? Il a volé ? Il a menti ?
Un sourire vague éclaira le visage de la jeune Aléoute ; elle regarda droit dans les yeux ce jeune homme si sérieux qui essayait de l'entraîner dans sa religion, et reconnut sa bonté, son désir sincère d'aider : n'était-il pas grand temps qu'il comprenne certains aspects de l'existence dont il ne semblait pas au courant ? Calmement, sans émotion, elle lui parla du dépeuplement de Lapak et des femmes abandonnées dans l'île à une mort certaine. À la stupéfaction qui se peignit sur les traits du prêtre, elle s'aperçut qu'il ne croyait pas à une telle brutalité de la part de son peuple.
Puis elle reprit son récit :
— On m'a donc vendue à cet homme sur le *Tsar Ivan* et il m'a gardée dans la cale, sans rien à manger ou presque ; quand il a eu terminé avec moi, il m'a prêtée à ses amis, et il n'y a plus eu de jours et de nuits.
Vassili ferma les yeux et essaya de se boucher les oreilles, mais elle continua le récit de son existence à Kodiak.
— Cet homme a été envoyé aux îles des Phoques et j'ai été libérée de lui, mais d'autres comme lui m'ont trouvée ici, à Trois-Saints, et ils m'auraient tuée si le chaman ne m'avait pas accordé son aide. Nous avons tué le pire de ceux qui ont abusé de moi.
Les précisions tombaient si vite que Vassili n'arrivait pas à les assimiler.
— Que veux-tu dire par *abusé* ?
— Tout.
— Mais quand tu dis *tué*... Voyons ! Tu n'as tout de même pas assassiné quelqu'un ?
— Pas exactement.
Il soupira, soulagé, puis se retrouva le souffle coupé lorsqu'elle ajouta :
— Le chaman a appelé. Cinq Aléoutes sont venus avec deux gour-

dins, ils ont battu l'homme à mort et nous avons caché son corps sous des rochers.

Vassili se pencha en arrière, joignit nerveusement les mains, sans détacher les yeux de la jeune fille. L'horreur physique de son récit passa, mais le choc psychologique resta.

— Tu as dit deux fois que tu es allée voir le chaman. Tu veux dire le vieil homme bizarre qui vit entre les racines de l'arbre ?

— C'est lui qui garde nos esprits, répondit Cidaq. Les esprits et lui m'ont sauvé la vie.

C'en était trop.

— Cidaq, ce ne sont pas les esprits du chaman qui règnent sur le monde, mais le Seigneur Dieu. Tant que ton peuple et toi ne le reconnaîtrez pas, tu ne pourras pas être sauvée.

— Mais Lounasaq m'a sauvée, et il a pu le faire seulement parce que la momie nous a avertis que les hommes venaient nous tuer.

— La momie ?

— Oui. Elle vit dans un sac de peau de phoque et elle est très vieille. Des milliers d'années, a-t-elle dit.

— A-t-elle *dit* ? répéta le prêtre, incrédule.

— Oui. Elle nous parle de beaucoup de choses.

— *Nous* ? À qui parle-t-elle ?

— À Lounasaq et à moi.

— C'est une illusion, mon enfant. Ne sais-tu pas que certains sorciers peuvent projeter leur voix ? Faire parler les choses, même de vieilles momies ? Le Seigneur m'a envoyé ici pour mettre fin au règne des sorciers et des chamans, pour vous apporter à tous le salut de Jésus-Christ.

Il s'arrêta, reprit sa place à côté d'elle et regarda de nouveau ses yeux sombres.

— On m'a dit que tu désirais te joindre à Son troupeau.

Elle ne comprit pas la métaphore.

— À quoi ?

— On m'a dit que tu voulais devenir chrétienne, traduisit-il.

— C'est vrai.

— Pourquoi.

— Parce que si je ne le fais pas, je ne pourrai pas épouser Roudenko. C'est l'homme mauvais dont je vous ai parlé.

De nouveau, le prêtre cessa de comprendre, mais ses questions patientes lui permirent de découvrir la vérité.

— Tu te convertis seulement pour pouvoir te marier ?

— Oui.

— Mais pourquoi veux-tu épouser un homme qui t'a traitée ainsi ?

Et comme c'était une jeune fille sincère, sans la moindre duplicité quand elle ne jouait pas la comédie, elle lui avoua :

— J'en ai discuté avec le chaman et l'Ancienne. Ils m'ont approuvée quand je leur ai dit que j'allais me moquer de vous, les Russes, en vous faisant croire que je devenais chrétienne pour pouvoir épouser Roudenko.

Vassili, complètement perdu, n'arrivait pas à croire qu'elle eût conçu une tactique si tortueuse, et voulut en savoir la raison :

— Mais qu'espérais-tu gagner par cette supercherie ?

Elle dut avouer la vérité.

— Quand le cœur de ce méchant homme aurait été comblé de joie à la pensée de rester ici, je l'aurais regardé dans les yeux, et je lui aurais lancé : « Ce n'était qu'un jeu. Je l'ai fait pour te tourmenter. Je ne t'épouserai jamais. Retourne à tes phoques... pour la fin de tes jours. »

Vassili cessa complètement de la voir sous les traits d'une fillette innocente de treize ans. La voix grave de Cidaq évoqua soudain le cri farouche d'un passé ancien où des esprits horribles hantaient la terre et ravageaient les âmes. Apprendre qu'une telle dureté de cœur pouvait exister chez une jeune fille comme Cidaq fit trembler les bases de sa vision du monde.

Il ne pouvait pas concevoir les horreurs qu'elle avait endurées dans la cale du *Tsar Ivan,* et quant au meurtre qui l'avait délivrée du même sort à terre, il l'avait aussitôt classé comme une de ces infractions à la paix, fréquentes parmi les marins. Mais l'intention de Cidaq d'utiliser le christianisme pour se venger lui fit horreur, et la découverte que son chaman l'avait encouragée dans cette perversité renforça sa résolution d'éliminer le chamanisme de Kodiak. Désormais, ce serait un combat à mort.

Mais il fallait d'abord qu'il s'occupe des besoins spirituels de cette enfant. La pureté de son âme, pourrie mais maintenue intacte par la foi simple et rustique de ses parents, lui permit de voir Cidaq telle qu'elle était : mi-enfant, mi-femme, courageuse et sincère. Curieusement, ce qui lui était arrivé ne l'avait pas corrompue. Elle avait l'esprit pur comme lui, mais se trouvait en danger mortel à cause de ses relations avec un chaman.

Repoussant à plus tard ses autres obligations, il consacra son énergie spirituelle considérable au salut de son âme. Par de longues prières, des exhortations et le récit de nobles passages de la Bible, il lui exposa un christianisme idéal. Ayant découvert que l'amour du Christ pour les enfants l'avait touchée, il insista sur cet aspect ; et comme elle avait été contrainte à pécher, il mit l'accent sur le dogme de la rédemption. Il ne s'agissait plus du salut de Roudenko : le Christ pourrait racheter Cidaq.

Après cinq journées entières de pressions incessantes, Cidaq céda. Sans conviction mais désireuse de faire plaisir au jeune prêtre, elle déclara :

— Je me sens appelée à Jésus-Christ.

Il l'interpréta comme une conviction sincère et cria à tous les vents :

— Cidaq est sauvée !

Il annonça aux directeurs de la Compagnie, aux marins et aux Aléoutes (qui ne pouvaient pas le comprendre) que l'enfant Cidaq était enfin sauvée — sur quoi le marchand qui avait failli mourir de ses mains grommela :

— Ce n'est pas une enfant !

Le dimanche suivant, après le service dans son église rustique du bout du monde, le père Vassili proclama devant sa minuscule congrégation que Cidaq avait choisi de marcher sous la bannière du Christ, et que selon la loi de l'empire, elle prendrait un honnête nom russe.

— Désormais elle ne portera plus l'affreux nom païen de Cidaq mais son beau nom chrétien : Sofia Kouchovskaia. Sofia signifie sagesse et Kouchovskaia est le nom d'une bonne chrétienne d'Irkoutsk.

Il embrassa sa convertie sur les deux joues et déclara :

— Tu n'es plus Cidaq. Tu es Sofia Kouchovskaia. Ta vie commence.

⁂

Avec la naïveté renversante qui caractérise de nombreux dévots, le père Vassili se fixa une ligne d'action théologique qui lui paraissait parfaite, rationnelle et même inévitable. Sofia, devenue chrétienne, serait capable par son amour et sa foi de racheter la brebis égarée Roudenko. Ensemble, ils entreraient dans une nouvelle vie, pour le plus grand honneur de la Russie et la dignité de Kodiak.

Il désirait tellement croire que Roudenko était une simple répétition du fils prodigue de la Bible! Peut-être avait-il trop bu, subi de mauvaises influences... Et comme il n'imaginait pas qu'un homme puisse être mauvais par nature, le jeune prêtre se donna pour tâche suivante de le convertir comme il avait converti Sofia. N'ayant jamais rencontré le criminel, il demanda à l'enseigne Belov de le conduire dans la pièce noire où Roudenko demeurait encore enfermé.

— Méfiez-vous de celui-là, le prévint le jeune officier. Il a tué trois hommes en Sibérie.

— C'est justement ce genre d'homme que Jésus recherche, répondit Vassili.

Roudenko, toujours les menottes aux poignets, avait sa place retenue sur le bateau suivant qui partirait aux îles Pribilof, mais il était persuadé que la jeune fille achetée à Lapak assurerait son salut. Jaugeant le père Vassili comme un de ces prêtres innocents à qui l'on peut faire gober n'importe quoi, il comprit qu'il avait intérêt à se mettre dans ses bonnes grâces, et offrit le spectacle d'un homme accablé de remords.

— Oui, la jeune femme que vous appelez maintenant Sofia est mon épouse. Je l'ai achetée, mais j'éprouve une affection sincère pour elle. C'est une brave fille.

— Mais, le comportement coupable dans la cale du bateau?

— Vous connaissez les marins, mon père. Je n'ai pas pu les retenir.

— Et le même comportement ici, à Trois-Saints?

— Vous savez sans doute que l'un d'eux a été tué par les Aléoutes. C'est lui qui a tout fait. Moi? Mon père et ma mère avaient la foi. Moi aussi. J'aime Sofia et je ne suis pas surpris d'apprendre qu'elle s'est jointe à notre Église. J'espère que vous bénirez notre union.

Il en avait les larmes aux yeux.

Vassili, touché par la transformation apparente du détenu, estima que le seul point restant à éclaircir concernait les meurtres de Sibérie. Roudenko se hâta de se justifier.

— Une erreur judiciaire. Deux autres types avaient fait le coup. Le juge s'est laissé influencer. J'ai toujours été honnête. Jamais volé un kopeck. Cette déportation aux Aléoutiennes est injustifiée!

Et pour exprimer son amour profond pour son épouse, sa voix se fit encore plus onctueuse.

— Mon seul but est de commencer une nouvelle vie avec la jeune fille que vous appelez Sofia. Dites-lui que je l'aime encore.

Il exprima ses sentiments avec un tel étalage de ferveur religieuse que Vassili dut réprimer un sourire. Il savait bien que Roudenko avait commis les meurtres, mais il était prêt à admettre son désir de commencer une vie meilleure. Tout ce que Vassili avait appris sur la volonté de Dieu et de Son Fils Jésus le poussait à croire en la vertu du repentir, et le lendemain, quand il revint discuter avec l'ancien criminel, il demanda qu'on lui enlève les menottes pour qu'ils puissent parler d'homme à homme. À la fin du dialogue, il partit convaincu qu'une illumination avait modifié le cœur de Roudenko...

Désireux de sauver ce que le prophète Amos a appelé « un brandon arraché au foyer », Vassili déclara à Sofia :

— La volonté de Dieu sera exaucée si tu l'épouses et fondes avec lui un foyer chrétien.

En disant ceci, il ne voyait pas en elle un être humain individuel ayant des aspirations personnelles, mais une sorte d'agent mécanique du Bien. Sans doute aurait-il été fort surpris si on lui en avait fait la remarque, car cette conclusion impersonnelle ne découlait pas d'un enchaînement complexe de raisons théologiques, simplement des leçons que ses parents lui avaient inculquées : « Même le plus endurci des pécheurs peut être racheté », « Dieu ne demande qu'à pardonner », « Il appartient à la femme d'assurer le salut de l'homme », « La femme doit être le phare de l'homme dans la nuit sombre »...

— Tu es le phare de Roudenko dans la nuit sombre, annonça Vassili à Sofia quand il lui exposa ses plans.

— Ah bon ? demanda-t-elle.

— Dieu, qui t'a prise maintenant sous Son aile, aime tous les hommes et toutes les femmes sur cette Terre. Nous sommes Ses enfants et Il désire que nous soyons tous sauvés. Je t'accorde volontiers que ton mari a eu un passé mouvementé, mais il s'est réformé et désire commencer une nouvelle vie, en suivant la voie du Christ. Pour le faire, il a besoin de ton aide.

— Celui-là ? Je ne veux pas l'aider. Qu'il retourne à ses phoques !

— Sofia ! Sa voix crie au secours dans la nuit...

— Moi aussi j'ai crié dans la nuit. Et pleuré de vraies larmes. Mais il ne m'a pas porté secours.

— Dieu veut que tu accomplisses ta promesse... Que tu l'épouses... que tu le sauves... que tu l'entraînes vers la lumière éternelle.

— Il m'a laissée, lui, dans l'obscurité éternelle. C'est non !

La suggestion était si répugnante, si contraire au bon sens, que Sofia-Cidaq ne permit pas à Vassili d'insister. Elle le quitta brusquement et partit ouvertement vers la hutte de Lounasaq, ne sachant pas qu'en adoptant la foi chrétienne elle s'était engagée à renoncer à toute autre croyance, et notamment au chamanisme. Instinctivement, elle s'adressa à ce qui avait été la source de son instruction spirituelle.

— Apporte la momie ! Je veux parler à une femme au courant de toutes ces choses...

Quand la momie apparut, Cidaq lança :

— Ils m'ont fait changer de nom pour que je puisse être une bonne Russe. Sofia Kouchovskaia.

La momie éclata de rire.

— Tu ne pourras jamais être une Sofia. Tu es pour toujours Cidaq.

— Et ils disent que je dois épouser Roudenko... Pour le sauver... Parce que leur Dieu le veut.

La momie aspira l'air si vite entre ses dents qu'elle siffla.

— Suppose que tu gâches ta vie pour sauver la sienne, quel résultat ?

— C'est ce qu'ils appellent le salut, répondit Cidaq. Le sien, pas le mien.

Le chaman condamna sans rémission tout ce que défendait le prêtre.

— Toujours les intérêts des Russes d'abord. On sacrifie la petite Aléoute pour le bonheur d'un Russe. Quel genre de dieu peut donner un avis de ce genre ?

Mais ces altercations révélèrent à Cidaq les motifs profonds du chaman. Elle se dit : il a peur du prêtre, il sait que la nouvelle religion est puissante ; mais un chaman doit sans doute savoir ce qui est le mieux pour les Aléoutes... Elle écouta donc Lounasaq avec respect jusqu'à la fin.

— Ils nous écrasent peu à peu, ces Russes. La Compagnie fait de nous des esclaves, et des prêtres veillent à ce que tout se passe selon la volonté de leurs esprits. Chaque jour, Cidaq, nous tombons plus bas.

Puis il se produisit une chose surprenante. À force d'utiliser la momie, le chaman avait doté cette relique ancienne d'un caractère et d'un esprit bien à elle. Quand Lounasaq faisait semblant d'être la vieille femme, il devenait vieille femme, car il connaissait bien la façon dont les femmes pensent et s'expriment.

— Dans les îles, dit la momie, les femmes servaient leurs hommes, fabriquaient leurs habits, ramassaient le poisson et les baies, chantaient quand les hommes partaient à la chasse à la baleine... Mais jamais je n'ai senti que nous étions inférieures, seulement différentes, dotées de capacités différentes. Quel homme, dans quelle île, a pu mettre au monde un enfant ? Mais cette nouvelle foi... C'est horrible ! Sacrifier une fille comme toi à une brute comme Roudenko pour améliorer son sort à lui...

Elle surprit Cidaq par un éclat de rire.

— Une fois, nous avons eu un homme comme ton Roudenko. Il menaçait tout le monde. Battait sa femme et ses enfants. Un jour il a causé la mort d'un bon pêcheur en ne restant pas à sa place.

— Qu'avez-vous fait ? demanda le chaman.

— Une femme de notre village attrapait plus de poisson que les autres et cousait les meilleurs pantalons de peau de phoque. Un matin, elle nous a dit : « Quand les kayaks rentreront ce soir, joignez-vous à moi, vous trois, quand j'irai décharger son poisson. Et pendant qu'il sera encore dans le canot, regardez bien. »

— Que s'est-il passé ? demanda Cidaq.

— Il est arrivé. Nous sommes entrées dans l'eau pour prendre son poisson. Sur le signal de la femme, je l'ai aidée à l'arracher au kayak. Les deux autres se sont jointes à nous et nous l'avons maintenu sous les vagues. Parfois, c'est la seule façon, ajouta-t-elle sans méchanceté.

— Les autres pêcheurs ont dû vous voir. Qu'ont-ils fait ?

— Ils ont détourné les yeux. Ils savaient que nous faisions leur travail à leur place.

— Et que dois-je faire ? demanda Cidaq.

— Nous traversons une époque troublée, mon enfant, répondit la vieille femme.

Mais elle s'aperçut que cette réponse ne pouvait suffire et elle ajouta :

— Un jour, quand les kayaks rentreront dans la brume, tu découvriras ce qui doit être fait.

— Dois-je les laisser me marier à ce type-là ?

Elle ne voyait rien de mal à solliciter un conseil moral auprès du chaman et de sa momie, car elle se sentait toujours membre de leur monde. Elle comptait sur le nouveau prêtre pour la guider dans les questions éthérées, mais sur son vieux chaman pour les affaires pratiques.

Le chaman, voyant là une chance de renforcer son emprise sur la jeune femme sauta sur sa question.

— Non ! Cidaq, ils se servent de toi à leurs propres fins. C'est la corruption, la destruction des Aléoutes.

Il se battait pour protéger l'univers aléoute : la mer et ses tempêtes, les morses et les saumons bondissant dans les torrents, et il s'écria :

— Ce n'est pas Roudenko qu'il faudrait noyer au crépuscule, mais le prêtre qui donne ce genre de conseils. Il est venu ici pour nous détruire.

La momie, en revanche, donna un autre conseil.

— Attends, Cidaq. Vois ce qui arrive. Au cours de mes longues années, j'ai constaté que de nombreux problèmes se résolvent par l'attente. On se demande si l'enfant sera fille ou garçon : il suffit d'attendre neuf lunes pour le voir.

Et Cidaq, en sortant de la hutte, comprit que le chaman parlait seulement pour cette année-là avec sa constellation de contradictions, alors que la momie tenait compte de tous les étés et de tous les hivers à venir. Mais l'association des deux opinions avait beaucoup plus de sens à ses yeux que le conseil du père Vassili.

***

Le retour effronté de Sofia dans la hutte du chaman et à une religion qu'elle avait en principe répudiée mit en garde le père Vassili : l'issue du combat pour l'âme de cette jeune femme demeurait douteuse. Elle était baptisée et techniquement chrétienne, mais sa foi semblait si vacillante qu'il décida de prendre des mesures spectaculaires pour achever sa conversion. Il l'invita dans le bâtiment de bois d'épave qu'il appelait son église, la fit asseoir sur une chaise fabriquée de ses mains, et lui dit :

— Sofia, je connais l'attrait des anciennes façons de vivre. Quand Jésus-Christ a apporté sa nouvelle foi aux Juifs et aux Romains...

Elle ne comprit pas un seul mot de la suite.

— Ce n'est pas moi qui ai apporté la vraie religion à Kodiak, conclut-il, c'est Dieu lui-même. Il a dit : « Il est temps que les bons Aléoutes soient sauvés. » Je ne suis pas venu ici, c'est Dieu qui m'a envoyé. Il ne m'a pas envoyé dans cette île. Il m'a envoyé à toi. Dieu a envie de te prendre dans Son sein, Sofia Kouchovskaia. Et même si tu n'as pas envie d'écouter ce que je dis, tu ne peux pas refuser d'entendre la parole de Dieu.

— Comment peut-Il me demander d'épouser Roudenko ?

— Parce que vous êtes tous les deux Ses enfants. Il vous aime de la même manière et Il désire que Sa fille sauve Son fils Iermak.

Pendant plus d'une heure il la supplia d'embrasser le christianisme sans réserve, de renoncer au chamanisme, de se soumettre à la miséricorde de Dieu et à la bienveillance de Son Fils Jésus. Elle mit fin à ces tentatives de persuasion en lui lançant l'argument qu'elle avait entendu dans la hutte.

— Votre Dieu ne se soucie pas de la femme, de moi. Uniquement de l'homme, Roudenko.

Vassili recula comme s'il avait reçu une gifle, car dans ce refus brutal de cette indigène des îles, il entendait l'une des récriminations permanentes contre la foi orthodoxe russe et d'autres version de la chrétienté : une religion d'hommes établie pour sauvegarder et enraciner seulement les intérêts des hommes — et il s'aperçut qu'il avait enseigné à cette jeune femme intelligente à peine la moitié des fondements de sa foi. Humblement, il lui prit les deux mains et avoua :

— J'ai honte, je ne t'ai pas fait part de la beauté de ma religion.

Cherchant le moyen le plus clair d'expliquer cet aspect de sa foi qu'il avait passé sous silence, il balbutia :

— Dieu aime particulièrement les femmes, car ce sont elles qui font avancer la vie.

Cette nouvelle notion, développée habilement par le jeune prêtre plein de flamme, fit beaucoup d'effet à Sofia clouée sur sa chaise en une sorte de transe tandis que Vassili allait chercher sur l'autel les symboles vénérés qui exprimaient sa religion : le Christ, crucifié, une Madone à l'Enfant sculptée par un paysan d'Irkoutsk, une icône rouge et or représentant une sainte et une croix d'ivoire. Il les posa devant elle presque du même geste que Lounasaq lorsqu'il montrait ses propres icônes, et il essaya de trouver les mots et les phrases les mieux à même de traduire le message unique du christianisme.

— Sofia, Dieu nous a offert le salut par la Vierge Marie. Elle te protège ainsi que toutes les femmes. Ses saints les plus vénérés sont des femmes qui ont eu des visions et aidé leurs semblables. Dieu parle par ces femmes, et elles te supplient de ne pas refuser le salut qu'elles représentent. Abandonne l'ancienne voie du mal et embrasse les voies de Dieu et de Jésus-Christ. Sofia, ils t'appellent.

Le nouveau nom de Cidaq parut retentir de tous les coins de la modeste chapelle et elle crut s'évanouir. Puis tombèrent les paroles décisives :

— De même que Dieu m'a envoyé à Kodiak pour sauver ton âme, de même tu as été envoyée ici pour sauver celle de Roudenko. Ton devoir est clair. Tu es l'instrument élu de la grâce de Dieu. De même qu'Il n'a pas pu sauver le monde sans l'aide de Marie, de même Il ne peut sauver Roudenko sans ton aide.

En entendant ces mots, Sofia comprit toute la portée du nouveau christianisme. Jusque-là, la religion ne semblait concerner que les hommes et leur bien-être, mais ces nouvelles définitions prouvaient qu'il existait également une place pour elle, et en cet instant de révélation, elle perçut une vision entièrement différente de ce que pouvait être une vie humaine. Jésus devint réel, fils de Marie par la grâce de Dieu, et par l'intercession de Marie les femmes pouvaient atteindre à ce qui leur avait été longtemps dénié. Les saintes étaient une réalité ; la croix était du bois d'épave tangible venu sur l'île où ces saintes vivaient ; mais au-dessus de tous les autres mystères et des précieux symboles de la nouvelle religion, s'élevait le merveilleux message de rédemption, de pardon des offenses et d'amour. Le père Vassili avait apporté à Kodiak une nouvelle vision de l'univers, et Sofia Kouchovskaia en prit enfin une conscience claire.

— Je donne ma vie à Jésus, dit-elle avec une douce simplicité.

Cette fois elle le pensait. Sa conversion était achevée.

Comme c'était une jeune femme intègre, dès qu'elle quitta la chapelle, elle se rendit tout droit à la hutte du chaman, où elle attendit que Lounasaq sorte sa momie.

— J'ai eu une vision des nouveaux dieux. Je suis re-née aujourd'hui Sofia Kouchovskaia, et je suis venue te remercier les larmes aux yeux, pour l'amour et l'assistance que tu m'as apportés avant que je trouve la lumière.

Une longue plainte emplit la hutte, émanant à la fois de Lounasaq — conscient d'avoir perdu une des batailles capitales de sa vie — et de la momie — certaine depuis de nombreuses saisons que les changements survenus sur ses îles n'auguraient rien de bon.

— Cidaq, tu es comme le jeune morse qui trébuche sur de la glace dangereuse. Attention !

Ce rappel incidentel du sens de son nom aléoute — petit animal courant en liberté — fit mesurer à la jeune femme l'immense perte qu'elle était en train de subir.

— Oui, c'est certain, je trébucherai, murmura-t-elle. Et ton réconfort me manquera. Mais des vents nouveaux soufflent sur la glace, et je dois les écouter.

— Cidaq ! Cidaq ! cria la momie d'une voix éplorée.

Jamais plus cette enfant des îles n'entendrait prononcer ce nom précieux. Elle s'agenouilla devant le chaman pour le remercier de ses conseils, puis devant la momie dont le soutien pratique avait tellement compté pour elle en ces temps de crise.

— J'ai l'impression de perdre la grand-mère de ma grand-mère. Tu me manqueras.

Désireux de conserver des relations avec cette jeune fille de valeur, le chaman fit répondre sa momie, sans la moindre trace d'anxiété :

— Oh, mais tu peux toujours revenir me parler.

La réponse fut déchirante.

— Non. Je ne peux pas. Car je suis maintenant une autre personne. Je suis Sofia.

Sur ces mots, elle s'inclina de nouveau devant ces forces ancestrales de sa vie, puis les quitta avec des larmes dans les yeux — apparemment pour toujours. Quand la hutte fut vide de sa présence, le vieux chaman et l'Ancienne gardèrent le silence pendant plusieurs minutes, puis s'éleva du sac de peau un cri d'angoisse mortelle, comme si survenait la fin d'une vie en même temps que la fin d'une idée :

— Cidaq ! Cidaq !

Mais celle à qui appartenait autrefois ce nom ne l'entendrait plus.

Ce fut un mariage que n'oublieraient jamais ceux qui y assistèrent. Iermak Roudenko, énorme et sinistre, semblait très pâle après sa longue détention. Voûté, le front bas, aigri par le traitement qu'il avait reçu mais soulagé d'avoir échappé à un retour chez les phoques, il n'avait rien du jeune époux idéal car il n'avait pas changé depuis son arrestation : un assassin endurci de voyageurs sans défense. Quel contraste avec Sofia Kouchovskaia, jeune, exubérante, ne gardant pas la moindre trace des mauvais traitements infligés naguère par son « futur » ! Avec ses cheveux défaits dans son dos et coupés bien droit sur le devant, presque à la hauteur de ses cils, c'était l'image même de la jeune épouse émue par ce qui lui arrivait et pas du tout certaine de l'avenir.

Tous les invités étaient russes ou métis. Aucun Aléoute n'assistait à la cérémonie, car les responsables de l'île considéraient que le jour des noces marquait l'entrée officielle de la jeune indigène dans la société russe. Finis, pour elle, les mauvais jours du paganisme ; l'aube radieuse de la foi orthodoxe se levait. Et l'on supposait qu'elle témoignerait de la reconnaissance pour cette amélioration de son statut.

Même Roudenko subit une métamorphose. Il n'était plus seulement un forçat brutal parmi d'autres, déporté aux Aléoutiennes, ni un évadé des îles des Phoques : il devenait l'instrument d'une grande mission de la tsarine — la conversion au christianisme d'une âme païenne aléoute. Purifié par cette nouvelle responsabilité, il se conduisit en vrai colon russe.

Quant au père Vassili, quelle émotion ! Sofia était sa première Aléoute convertie, et le premier membre de la communauté aléoute dont l'entrée dans le christianisme pouvait être prise au sérieux. Mais à ses yeux, Sofia représentait bien plus que le changement en train de balayer les îles : un être humain admirable, une femme sortie triomphante de malheurs capables de détruire un être de moindre trempe, et dotée d'une perception vive de ce qui était en train de survenir à son peuple. En sauvant cette jeune femme, se disait Vassili en s'avançant vers le dais sous lequel il se tiendrait pour lire le service des noces, la Russie gagnait une perle. Et dans sa soutane noire, il les maria.

Les marins russes chantèrent et dansèrent, les responsables prononcèrent des discours pour féliciter Sofia Roudenko de son entrée dans leur société, et Iermak de sa sortie de prison. Mais le troisième jour, ces réjouissances furent un instant ternies par l'intrusion soudaine du vieux chaman dépenaillé, qui quitta sa hutte, pénétra dans la propriété de la Compagnie et d'une voix qui tremblait invectiva le père Vassili pour avoir célébré un mariage aussi infâme.

— En arrière, vieux fou ! le prévint un des gardes.

Sans effet, car le chaman continua de lancer ses accusations insultantes. Roudenko, irrité par cette interruption de la fête dont il était le personnage central, se jeta sur Lounasaq en hurlant :

— Fous le camp !

Le vieillard braqua un long index vers le nouveau marié et cria en russe :

— Assassin ! Débaucheur de femmes ! Porc !

Saisi de rage, Roudenko serra les poings et frappa. Lounasaq chancela, essaya de retrouver son équilibre en se raccrochant à son agresseur, reçut deux autres coups sur la tête et s'écroula dans la poussière.

Sofia s'élança. Elle écarta son mari, s'agenouilla près de son ancien conseiller spirituel, et lui donna plusieurs claques douces sur le visage pour lui faire reprendre conscience. Puis, tournant le dos aux invités de sa noce, elle voulut le ramener dans sa hutte. À la surprise de la jeune femme, le père Vassili intervint ; il soutint de son bras le corps tremblant de son adversaire et l'entraîna. En voyant les deux hommes s'éloigner, Sofia comprit qu'elle devait les rejoindre et s'élança à son tour. Mais Roudenko, furieux de ce qui s'était passé et de la participation de sa femme, l'accrocha par le bras, la fit tourner sur elle-même et la frappa en plein visage avec une telle violence qu'elle s'effondra elle aussi. Sans l'intervention de l'enseigne Belov, Roudenko lui aurait sans doute lancé des coups de pied. Mais le marin aida Sofia à se relever et épousseta sa robe. Du sang perlait à son menton, où le poing de Roudenko avait coupé la peau enfermant son labret d'ivoire. Il continua de couler.

⁂

Iermak Roudenko ne fut pas puni pour avoir battu sa femme et blessé le chaman, parce que la plupart des Russes tenaient les Aléoutes pour moins qu'humains, tout juste dignes de corrections brutales. Dans l'île sans loi de Kodiak, l'opinion commune des Russes soutenait que les femmes indigènes, aléoutes ou métis, tiraient profit d'une correction justifiée de temps en temps. Quant au châtiment subi par le chaman, n'était-ce pas un service rendu à toute la communauté russe ? Mais quand le père Vassili apprit ce que Roudenko avait fait pendant qu'il aidait le chaman à regagner sa case, et quand il vit pendant les prières les blessures de Sofia, il barra la route à Iermak sans même s'arrêter pour consoler la jeune épouse.

— J'ai vu ce que vous avez fait à Sofia. Que cela ne se reproduise pas.

— Occupez-vous de vos affaires, Robe-noire !

— Ce sont mes affaires. L'humanité est mon affaire.

Le prêtre semblait ridicule en face du colosse, et les deux hommes le savaient. De sa grosse patte, sans prendre la peine de fermer le poing, Roudenko repoussa Vassili. Le prêtre se prit les pieds dans sa soutane et tomba. Plusieurs furent témoins de l'accident, car ce n'était qu'un accident : Roudenko n'avait pas frappé Vassili. Mais ils l'interprétèrent comme une correction infligée par le bravache à un prêtre qui voulait fourrer son nez partout. Voyant que Vassili avait peur de riposter, ils se mirent à le dénigrer et bientôt tout le monde pensa : « Nous étions bien mieux lotis avec ce vieil ivrogne de père Piotr, qui savait au moins ne pas se mêler de nos affaires. »

Quelques jours plus tard, Sofia se présenta à la prière avec l'œil gauche au beurre noir, et le père Vassili comprit qu'il ne pouvait plus reculer. À la fin du service il s'avança vers Roudenko, et lança d'une voix assez forte pour que les autres l'entendent :

— Si vous maltraitez encore votre femme, vous serez châtié.

Ceux qui entendirent ne purent s'empêcher de sourire, car Vassili n'avait ni la force de châtier Roudenko ni assez d'autorité pour le faire punir par les responsables. Cette impuissance du prêtre indiquait le niveau bien bas auquel était tombée la Compagnie.

Mais cette situation allait évoluer. Le troisième visiteur allait enfin débarquer à Kodiak et son arrivée changerait tout. Vers la fin de juin 1791, un marin qui observait la baie depuis les hauteurs de Trois-Saints remarqua un petit voilier qui semblait rafistolé avec des bouts de bois et des vieilles peaux de phoque. Manifestement mal conçu pour naviguer en haute mer ou même pour traverser un lac, il s'efforçait d'atteindre la terre avant de se désintégrer et le marin se demanda s'il valait mieux descendre sur la côte pour essayer de le sauver, ou courir chercher des secours.

Choisissant cette dernière option, il se précipita vers la ville en criant :

— Un bateau arrive ! Des hommes à bord.

Il s'assura qu'on l'avait entendu et repartit vers la côte où il essaya de haler le bateau entre les rochers. Les marins à bord, presque morts d'épuisement, les barbes blanchies par le sel, s'avérèrent incapables de l'aider. Il saisit le plat-bord pour immobiliser la barque, mais recula d'horreur : sur le plancher gisait le cadavre d'un homme chauve, trop vieux pour ce genre d'aventure.

Le premier homme de Kodiak qui parvint près du bateau fut le père Vassili. Se retournant vers ceux qui le suivaient, il cria :

— Vite. Ces gens sont à la mort !

Et pendant que les autres accouraient, il se mit à administrer les derniers sacrements au cadavre du fond du bateau. Mais en entendant sa voix, l'homme gémit, ouvrit les yeux, et s'écria, ravi :

— Père Vassili !

Le prêtre sursauta, se pencha plus près :

— Alexandre Baranov ! Quelle étrange façon de prendre votre poste !

On transporta à terre les hommes épuisés, on leur donna des boissons chaudes, et Baranov, miraculeusement ressuscité, surprit tout le monde, ses marins et ses sauveteurs : il épousseta ses vêtements boueux, lissa d'un geste les rares mèches qu'il lui restait, et prit le commandement de l'assemblée improvisée sur les rives de la baie. Son rapport fut bref, et comme tous avaient navigué sur des bateaux russes, personne ne s'en étonna.

> *Je suis Alexandre Baranov, marchand d'Irkoutsk et directeur de toutes les affaires de la Compagnie dans les territoires russes d'Amérique. Je suis parti d'Okhotsk en août dernier et j'aurais dû arriver ici en novembre. Vous devinez ce qui s'est passé. Notre navire a fait eau, notre capitaine était un ivrogne et le navigateur nous a fait faire naufrage sur des écueils à sept cents milles de l'endroit où nous aurions dû nous trouver. Du même coup le bateau s'est éventré.*
>
> *Nous avons passé un hiver épouvantable dans une île déserte, sans nourriture, sans outils et sans cartes. Nous avons survécu uniquement parce que l'un des hommes, Kyril Jdanko, le fils de notre directrice de Petropavlovsk, avait l'expérience des îles et beaucoup de courage. C'est lui qui a construit ce bateau et l'a piloté jusqu'à Kodiak. Je le nomme mon assistant à partir de ce jour.*
>
> *Si le père Vassili, mon ami d'Irkoutsk, veut bien nous conduire dans son église, nous rendrons grâce à Dieu de nous avoir sauvés.*

Mais quand le cortège parvint au misérable hangar qui servait d'église au prêtre, Baranov fit part de sa première décision — et les gens de l'île comprirent qu'un homme qui savait ce qu'il voulait était arrivé parmi eux.

— Je ne rendrai pas grâce dans cette porcherie. Elle est indigne de la présence de Dieu, de l'œuvre d'un prêtre et de la personne d'un directeur de la Compagnie.

Ce fut sous le ciel, près de la baie, qu'il inclina sa tête chauve, croisa les bras sur sa poitrine et adressa sa reconnaissance fervente à Dieu pour les miracles qui l'avaient sauvé des capitaines ivrognes, des navigateurs stupides et de la famine hivernale. À la fin de la prière, qu'il prononça lui-même, il prit Kyril Jdanko par le bras et lui dit :

— Il s'en est fallu d'un cheveu, petit !

Avant le coucher du soleil, le même jour, il lança ce qui parut deux instructions contradictoires. À Jdanko :

— Prépare sans délai les plans pour installer notre capitale en un lieu plus propice.

Et au père Vassili :

— Nous commencerons la construction d'une vraie église pour vous dès demain.

Jdanko, sachant qu'il serait chargé du travail, protesta :

— Mais si nous quittons Trois-Saints, pourquoi ne pas attendre d'être installés ailleurs pour construire l'église ?

— Parce que ma mission la plus urgente est d'apporter à notre Église un soutien sans réserve. Je veux des conversions. Je veux avant tout une église propre et belle, car elle représente l'âme de la Russie.

Mais quand Jdanko discuta en détail cette décision qu'il jugeait ridicule, il s'aperçut que ce que désirait en fait Baranov, c'était un bâtiment — n'importe quel bâtiment — surmonté par le bulbe rassurant qui couronne les églises russes.

— Enfin, monsieur, nous ne trouverons jamais à Kodiak un homme capable de construire un clocher en forme de bulbe.

— Il y en a un.

— Qui ?

— Moi. Si j'ai pu apprendre à fabriquer du verre, je serai bien capable de poser un bulbe sur une Église !

Et le troisième jour de sa résidence à Trois-Saints, ce petit bonhomme énergique repéra un bâtiment qui, une fois son toit enlevé, pourrait supporter le clocher qu'il se flattait, lui Baranov, de construire. Il réunit les bûcherons qui lui fourniraient le bois, les scieurs capables de tailler des planches courbes, se mit en quête de clous et réquisitionna tous les marteaux. Bientôt s'éleva dans l'air frais, près des peupliers, un beau clocher à bulbe qu'il voulut peindre en bleu. Mais il n'y avait à Kodiak que de la peinture marron, et il dut s'en contenter.

Le jour de la consécration, il révéla sa stratégie :

— Je veux que chaque planche soit numérotée, dans l'ordre, parce que le jour où nous nous installerons ailleurs, nous emporterons notre dôme avec nous, car je le trouve beau.

L'incident du dôme convainquit les habitants de Kodiak que ce petit homme dynamique, pareil à un gnome, si différent des habituels directeurs de poste en pays perdu, avait résolu de faire de l'Amérique russe un centre important de commerce et d'influence. L'éventail de ses intérêts s'étendait à tous les aspects de la vie de la colonie. Par exemple lorsque la jolie Sofia parut à l'Église avec un œil poché, il convoqua le père Vassili :

— Qu'est-il arrivé à cette petite ?

— Son mari la bat.

— Son mari ! On dirait une gamine. Qui est ce mari ?

— Un marchand de fourrures.

— J'aurais dû m'en douter. Faites-le venir.

Et quand Roudenko eut pris une attitude respectueuse, le nouveau directeur lui lança :

— De quel droit frappes-tu ton épouse ?

— Elle...

— Elle quoi ? rugit le petit bonhomme en s'avançant tout près de lui. Qu'on aille me chercher Jdanko, ajouta-t-il sans laisser à Roudenko le temps de répondre.

Le métis entra. Fils adoptif de la puissante Mme Jdanko et futur gouverneur des Aléoutiennes, il ne s'en laissait conter par personne. Baranov lui donna un ordre simple.

— Si ce porc bat sa femme encore une fois, une balle dans la tête.

Puis, se tournant vers Roudenko avec mépris :

— Il paraît que tu bouscules aussi les prêtres, hein ? Kyril, si jamais il touche au père Vassili ou le menace en quelque manière, une balle dans la tête.

L'ordre, une forme brutale d'ordre, s'établit ainsi dans le village dissolu de Trois-Saints, et un semblant de paix régna dans le foyer Roudenko. Encouragée par Baranov, la nouvelle religion s'épanouit au détriment de l'ancienne, qui s'enfonça dans les ombres. Le directeur ne songeait cependant qu'à déplacer Trois-Saints sur un site plus favorable, de l'autre côté de Kodiak. À peine eut-il terminé les premières études que Roudenko, calmé par les menaces de mort, se présenta pour essayer d'obtenir les faveurs du nouveau maître.

— Monsieur le directeur, avez-vous déjà chassé le grand ours de Kodiak ?

Baranov répondit qu'il ne connaissait même pas l'existence de cet animal, et Roudenko lui offrit ses services de guide, pour la belle région boisée au nord de Trois-Saints, où les montagnes s'élèvent de la mer à une altitude de quinze cents mètres et se couvrent de neige. On organisa un groupe de six hommes, et pendant l'expédition, Roudenko se montra tellement à son avantage, s'occupant de tout avec une diligence exemplaire, que Baranov en fut impressionné. Il conclut qu'il avait dû voir le marchand de fourrures sous un mauvais jour lors de leur première rencontre. Le troisième soir, il dit à Roudenko :

— Quand vous vous conduisez bien, vous pouvez devenir admirable.

Et Roudenko répondit :

— Sous votre nouveau règlement, je me conduis toujours bien.

Lorsqu'ils décelèrent les signes de la présence d'un de ces ours monstrueux de Kodiak dans un secteur de collines couvertes d'épicéas, Roudenko prit le commandement. Il envoya quatre pisteurs expérimentés dans diverses directions pour encercler l'animal, que nul n'avait encore aperçu. Puis chacun s'avança vers le centre de la zone ainsi délimitée. Roudenko chuchota ses instructions à Baranov, précisant que ce serait une bête énorme.

— Restez derrière moi, monsieur le directeur. Ces ours sont terrifiants.

De son bras gauche, il écarta Baranov, et ce fut une chance, car au même instant, un chasseur du côté opposé du cercle fit involontairement du bruit : l'ours, alerté, se mit à courir droit sur eux.

Il sortit d'un groupe d'arbres serré, s'arrêta et se cabra pour étudier le terrain devant lui. Baranov resta sans voix car il était immense, armé de griffes meurtrières. Instinctivement Baranov s'élança vers un arbre derrière lequel se cacher, mais le plus proche était encore trop loin pour qu'il l'atteigne avant que l'ours ne le renverse d'un coup de patte. Les quelques pas que fit le directeur lui sauvèrent cependant la vie, car les griffes redoutables ne pénétrèrent que le dos de sa parka, aussitôt déchirée avec une facilité déconcertante. Baranov était si lent et l'ours si rapide qu'un autre coup de patte aurait sans doute tué l'homme. Mais Roudenko se jeta entre eux, braqua son fusil vers le haut et tira une balle qui traversa la gorge de l'animal et atteignit son cerveau. L'ours chancela sur le côté, lutta pendant presque une minute pour maintenir son équilibre, puis s'effondra dans la neige. Baranov, encore tremblant, mesura la bête morte avec l'aide de Roudenko : ils découvrirent que, debout sur ses pattes, il dépassait trois mètres trente.

— Comment peuvent-ils devenir si énormes ? demanda Baranov.

— Kodiak est une île, expliqua Roudenko. Davantage de baies sucrées que vous n'en avez jamais vu. Beaucoup d'herbe aussi, et rien pour inquiéter les ours. Alors ils mangent et grandissent, mangent et grandissent.

Baranov ordonna de dépecer l'ours pour envoyer à Trois-Saints les parties comestibles, puis il garda la peau pour l'installer dans son bureau. Ce fut cet énorme ours empaillé, menaçant depuis son recoin, qui sauva bientôt la vie de Roudenko. Ayant gagné les bonnes grâces du nouveau directeur, il crut bien à tort que ceci lui restituait le droit de battre sa femme — étant Aléoute, elle ne méritait pas mieux. Au cours d'une scène révoltante, il l'accusa d'une faute triviale, qu'elle nia. Comme elle s'enfermait dans un silence moqueur, il fut pris de rage et la gifla.

Des enfants coururent à la hutte du grand arbre prévenir le chaman. Il ne posa qu'une question :

— Est-ce qu'elle saigne ?

— Oui, partout sur la bouche.

Il décida d'intervenir, car si les directeurs russes avaient des preuves visibles du comportement de Roudenko et refusaient de le sanctionner, il agirait lui-même. Il fit donc ses adieux à la momie et partit pour ce qui s'annonçait à ses yeux comme son dernier acte de chaman — un acte auquel il se sentait contraint.

Amaigri, échevelé, légèrement voûté, vieillard consumé par la détermination de sauver sa religion (la seule vraie) et de combattre les mauvaises influences qui paralysaient son peuple, il se dirigea hardiment vers la cabane de Roudenko, et cria :

— Roudenko, les esprits te lancent leur malédiction ! Plus jamais tu ne verras ta femme ! Plus jamais tu ne lui manqueras de respect !

Dans la cabane, Roudenko partageait avec deux compagnons une sorte de bière fermentée, à base d'airelles, d'aiguilles fraîches d'épicéa et d'algues de mer. Le bruit devant la porte les dérangea, surtout quand Roudenko entendit des paroles qui le menaçaient. Il se dirigea vers la porte de bois d'épave mal ajustée, reconnut la silhouette pitoyable du chaman et lui lança d'un air dégoûté :

— Fous le camp ! Laisse les gens honnêtes boire en paix !

— Roudenko, tu es maudit ! Un grand malheur va t'arriver !

— Arrête de miauler ou je t'étripe.

— Roudenko, plus jamais tu ne battras ta femme. Plus jamais...

Depuis la porte Roudenko sauta sur le chaman, et ses deux acolytes sortirent à leur tour en titubant, ravis à la perspective de tabasser le vieil insolent ou même de le tuer. Mais Roudenko ne songeait qu'à effrayer le chaman pour le chasser dans sa hutte.

— Ne le touchez pas ! cria-t-il.

Mais ses amis avaient déjà frappé si fort que le vieillard chancela, essaya de retrouver son équilibre, puis se retourna et gagna tant bien que mal sa hutte, où il s'effondra entre les racines.

Le père Vassili apprit aussitôt ce qui s'était passé. Il s'était opposé à tout ce que faisait le sorcier, mais la charité chrétienne l'obligeait à aider cet homme qui s'était efforcé de créer un lien au sein de sa communauté avant l'arrivée de Jésus. Il se précipita vers la hutte et pénétra pour la première fois dans le monde sombre du chaman.

L'obscurité, le sol de terre humide, les sacs et les paquets entassés ici et là... Il frémit, mais l'état du vieillard l'inquiéta davantage. Il s'était replié sur lui-même, les cheveux sur les yeux. Du sang coulait de son visage hâve. Prenant la tête du chaman dans ses bras, Vassili murmura :

— Vieillard ! Écoute-moi. Tout ira bien.

Pendant longtemps, il ne reçut pas de réponse et put craindre que son adversaire fût mort. Mais peu à peu le vieux lutteur recouvra l'énergie qui lui avait permis de livrer son combat largement inégal contre l'occupation russe et les assauts du christianisme. Quand il ouvrit enfin les yeux et reconnut son sauveteur, il les referma et tomba dans un état de stupeur, comme privé de vie.

Le père Vassili resta auprès de lui presque tout l'après-midi. Vers le coucher du soleil, il envoya des enfants chercher Sofia Roudenko. Lorsqu'elle apparut sur le seuil de la hutte, angoissée par ce qu'elle découvrait, il lui dit simplement :

— Il a été frappé. Il a besoin de soins.

Puis, avec un regard craintif sur cet endroit sale et sans ordre, il demanda, incrédule :

— Sofia, comment avez-vous pu croire qu'il y avait une illumination en ce lieu ?

Sans attendre de réponse, il la quitta, sans se rendre compte qu'il avait assisté à la mort de l'ancienne religion du chamanisme, vaincue par le christianisme.

Malheureusement, les enfants qui étaient allés chercher Sofia se trouvaient près de la maison quand Roudenko rentra.

— Où est ma femme ? cria-t-il.

— Chez le chaman.

Cela le mit dans une telle fureur qu'il cria à ses deux compagnons de beuverie :

— Finissons-en tout de suite avec ce vieux fou.

Ils se dirigèrent vers la hutte entre les racines, où ils trouvèrent Sofia qui soignait le vieillard. Roudenko la frappa au visage avant de la jeter dehors, puis les trois brutes remirent le chaman sur ses pieds. Il bascula en avant. Roudenko le redressa d'un crochet au menton. Il s'écroula et quelques coups de pied l'achevèrent. Ainsi les chrétiens russes terminèrent-ils leur débat avec une religion païenne destinée à disparaître.

Le meurtre du chaman provoqua une certaine confusion pour les deux administrateurs de Kodiak. Le père Vassili, en apprenant le décès, se rendit auprès du corps et s'occupa de tout comme si la hutte représentait une annexe de son église — et en un sens, elle l'était. Sans éprouver le moindre sentiment de triomphe à la défaite de son rival, il alluma un cierge à côté du cadavre, regarda, écœuré, le sang qui tachait la terre et sentit des larmes de compassion emplir ses yeux lorsque des marins emportèrent enfin le corps. Mais quand il se releva après avoir prié pour l'âme de son adversaire, égaré mais courageux et noble, il le fit avec une détermination renouvelée de mettre fin à cette plaie du chamanisme. Avec le zèle des jeunes gens persuadés qu'ils font le bien, il rassembla le ramassis ridicule de bouts de bois sculptés, de fragments d'ivoire polis et de galets avec lesquels le chaman supposait qu'il parlait aux esprits. Il entassa tous ces déchets à l'endroit où gisait le corps, éparpilla dessus des aiguilles sèches d'épicéa et y mit le feu avec son cierge.

Lorsque le tas s'embrasa, des gens se précipitèrent.

— Père Vassili ! Sortez vite !

Mais au moment de sortir, il aperçut dans un coin sombre un sac de peau de phoque. Il l'ouvrit : il ne contenait qu'une sorte de substance sombre, ressemblant à du cuir fripé. À moitié étouffé par les fumées nocives des symboles en train de brûler, il murmura :

— Ce doit être la momie dont Sofia parlait.

Il déchira le sac et se trouva face à face avec cette vieille femme têtue, âgée de treize mille ans.

En frissonnant à la pensée de l'hérésie qu'elle représentait, il allait la jeter dans le feu quand Sofia s'élança dans la hutte. Comprenant ce qui se passait, elle cria :

— Non ! Non !

C'était trop tard. Elle vit, horrifiée, les flammes dévorer la vieille femme dont l'esprit avait refusé de mourir.

— Qu'avez-vous fait ? lança-t-elle.

Comme le prêtre sortait de la hutte, elle le suivit dans la nuit en l'invectivant. Aussitôt son mari, scandalisé, la réduisit au silence d'une gifle. Elle se laissa tomber par terre, sans quitter des yeux la hutte en flammes, puis s'évanouit, terrassée par les grandes contradictions de sa vie.

Le père Vassili s'avança. Deux Aléoutes la soulevèrent.

Au même instant, le directeur Baranov arriva sur les lieux. La nouvelle du meurtre du chaman l'inquiéta, car il craignait des complications. Comme beaucoup de Russes, il n'éprouvait pour les chamans que du mépris, mais il reconnaissait qu'ils jouaient un rôle positif pour le maintien de l'ordre parmi les Aléoutes.

— Qui a fait ça ? demanda-t-il.

Puis il vit le visage meurtri de Sofia Roudenko que soutenaient deux Aléoutes.

— Roudenko, répondit Kyril Jdanko. Les deux. Il a tué le chaman et battu sa femme.

Sans même en attendre l'ordre, il arrêta le criminel, qui venait de commettre son quatrième meurtre.

Le chasseur barbu fut conduit dans le bureau provisoire du directeur pour recevoir son châtiment. Baranov le toisa et se souvint de sa menace : une balle dans la tête s'il battait encore sa femme. En plus, la brute avait tué un homme, il avait donc deux raisons d'agir. Mais quand il se tourna vers Roudenko, il vit dans l'angle derrière le colosse l'énorme silhouette de l'ours de Kodiak, et il se rappela qu'il devait la vie à la bravoure de ce renégat. Avec une moue de dégoût, il rendit son verdict :

— Roudenko, vous êtes une honte pour la Russie et l'humanité. Vous n'avez aucun droit de vivre, sauf un : vous m'avez sauvé la vie quand cet ours m'a attaqué, je ne peux donc pas vous exécuter comme je vous en avais menacé. À la place, votre mariage à Sofia Kouchovskaia est annulé, car il n'aurait même pas dû avoir lieu. Et vous serez reconduit aux îles des Phoques, le seul endroit au monde où j'imagine que Dieu pourra vous accepter.

Refusant d'écouter les promesses passionnées de se réformer que lui adressait Roudenko, Baranov ordonna à Jdanko :

— Sous bonne garde jusqu'au prochain bateau vers le nord.

Avec un regard de répugnance pour la brute, il partit consoler Sofia en lui annonçant la dissolution de son mariage.

Mais il n'avait pas tenu compte du prêtre, le père Vassili, dont il avait connu les parents à Irkoutsk et qu'il respectait pour sa piété.

— J'ai annulé le mariage entre Sofia Kouchovskaia et Iermak Roudenko, dit-il à Vassili. Vous n'auriez jamais dû les marier.

Mais le prêtre lui répliqua d'une voix ferme, d'abord en citant l'Évangile selon saint Marc :

— Ce que Dieu a uni, l'homme ne peut le séparer.

Puis, par un dicton souvent répété dans les campagnes sibériennes :

— Le tonnerre et l'éclair ne sépareront pas l'homme et son épouse, même si Dieu lui-même envoie le tonnerre.

— Je ne voulais pas dire que j'avais annulé le mariage, s'excusa Baranov. Vous avez célébré la cérémonie, j'ai pensé que vous l'annuleriez.

Mais Baranov sous-estimait le zèle avec lequel le jeune prêtre adhérait aux enseignements de son Évangile.

— Un vœu est un engagement solennel pris devant Dieu. Je n'ai aucun pouvoir pour l'annuler.

— Vous voulez dire, cette belle enfant... avec son mari banni aux îles des Phoques... du fait qu'elle est chrétienne devra vivre toute seule... le reste de sa vie.

Dans sa réponse, le père Vassili révéla l'intransigeance de son christianisme : quand des problèmes pratiques de la vie humaine — en ce cas le bonheur d'une enfant innocente comme Sofia Kouchovskaia — entraient en conflit avec l'enseignement de l'Évangile, c'était l'enfant qu'il fallait sacrifier.

— Je vous accorde que Sofia a connu de grands malheurs dans sa vie, les tribulations de Job. Et maintenant, nous lui imposons une nouvelle épreuve. Voyez-vous, Dieu désigne certains d'entre nous pour supporter Son joug de sorte que d'autres puissent apprécier Sa grâce infinie. Telle est la mission de Sofia.

— Mais enfin, gâcher sa vie...

Le prêtre demeura intraitable.

— Telle est la croix qu'elle doit porter.

Et rien ne pourrait ébranler ce jugement cruel.

Le peuple de Kodiak — Russes et Aléoutes — aurait pu croire que, des deux religions, celle du père Vassili avait triomphé. Il avait vaincu le chaman décédé et éliminé l'influence pernicieuse de sa momie rebelle, dont il avait jeté les cendres dans une tombe, comme il convient. Il avait obtenu pour son culte une église à clocher en forme de bulbe, symbole de la supériorité de la religion russe. Mais toute personne qui aurait jugé sur ces apparences aurait négligé un facteur essentiel : le pouvoir de résistance des îles Aléoutiennes.

Le désastre peut facilement s'expliquer par la science, mais pour les Aléoutes ce fut de toute évidence la revanche exercée sur le père Vassili par Lounasaq et la momie détruite.

Un violent tremblement de terre, à trente mille mètres au-dessous de la surface de l'océan Pacifique, provoqua l'effondrement d'une énorme falaise sous-marine à cinq mille mètres sous la surface. La chute de plus de quatre milliards de mètres cubes de boue et de rochers créa un tsunami monstrueux en direction de l'est : une gigantesque poussée latérale de l'eau dans le fond de l'océan, qui provoqua une vague visible d'à peine soixante centimètres en surface, mais qui se dirigea vers Kodiak, chargée d'une puissance effrayante, à la vitesse de quatre cent vingt kilomètres-heure.

À l'entrée de Baie-des-Trois-Saints, elle ne se présenta pas comme un raz de marée engloutissant tout. Les premières vagues entrèrent doucement, mais les vagues suivantes continuèrent de pousser, à une vitesse si grande et en exerçant une pression si intense que le niveau de l'eau monta progressivement de trois mètres, puis de six, et enfin de plus de dix-sept mètres. Pendant neuf minutes impressionnantes, les eaux restèrent à cette hauteur. Puis elles se retirèrent dans la baie avec une violence telle que tout fut emporté.

Le père Vassili, qui grimpait sur les rochers pour sauver les précieuses icônes de son église au dôme neuf, se retourna pour souffler, et le spectacle qu'il vit l'incita à remettre en question la justice du Dieu qu'il servait. Les tourbillons furieux arrachèrent l'église chrétienne de ses fondations, la ballottèrent de-ci, de-là, et la réduisirent en miettes contre un promontoire de rochers, mais ne touchèrent pas au grand épicéa solitaire qui avait servi de temple au chaman.

Trois-Saints, coincée contre la baie, aurait perdu de nombreuses vies si le jeune Jdanko n'avait pas signalé le danger dès les premiers signes annonciateurs.

— C'est terrible ! Je l'ai vu une fois à Lapak.

Il libéra le prisonnier Iermak Roudenko pour qu'il aide les gens à monter dans les hauteurs. Le puissant forçat traîna d'abord le père Vassili, puis le directeur Baranov, sur des rochers qui resteraient probablement au-dessus des flots. Quand il redescendit dans le village une troisième fois pour sauver d'autres gens, une vague survint, renversa tout et l'engloutit en se retirant.

Le grand raz de marée de 1792 résolut les problèmes d'un Russe de Trois-Saints, mais souleva bien des difficultés pour un autre. Le directeur Baranov avait décidé dès son arrivée que le site avait été mal choisi. Un ancrage vers le nord serait plus avantageux. Le site qu'il avait sélectionné sept mois avant le *tsunami* exprimait bien son état d'esprit. Spirituellement et émotionnellement, Trois-Saints restait tournée vers la Russie et le passé ; au contraire, la ville nouvelle de Kodiak regarderait vers l'est et l'avenir : le défi que posait l'Amérique du Nord. Trois-Saints conservait un cordon ombilical avec la vieille Sibérie, Kodiak voulait se lier au nouvel Alaska.

Un jour où Baranov et Jdanko travaillaient sur les plans de la nouvelle capitale, le directeur demanda à Kyril :

— Êtes-vous vraiment le fils de Mme Jdanko, de Petropavlovsk ?

— Adopté.

— Votre père était le marchand dont on parle ?

— Mon père de naissance devait être un Russe condamné à Lapak. Mais mon vrai père est Jdanko.

— Que lui est-il arrivé ?

— Il avait quatre-vingt-trois ans. Nous sommes rentrés des marchés aux fourrures. À pied de Iakoutsk à Okhotsk...

— Je l'ai fait, moi aussi.

— Il était épuisé, presque mort de fatigue. Je le voyais bien, et quand nous sommes arrivés à Petropavlovsk, je lui ai dit : « Père, reposons-nous », mais il voulait tant voir Kodiak !... Il voulait organiser le commerce des peaux ici. Et nous sommes repartis. Il avait alors quatre-vingt-cinq ans.

— Que s'est-il passé ?

— Il est mort pendant la traversée. Nous l'avons lesté avec les rochers du ballast, et nous l'avons jeté dans la mer de Béring. Non loin du volcan qui garde l'île de Lapak. Quand j'étais enfant, je m'asseyais souvent à ses côtés pour le regarder luire dans le crépuscule.

Baranov s'arrêta de travailler, toucha du bois et dit avec ferveur :

— Par la grâce de Dieu, j'espère voir ma quatre-vingt-cinquième année. Nous pourrions ensemble bâtir tant de choses...

Le deuxième homme dont la vie se trouva profondément modifiée par le *tsunami* fut le père Vassili. Le jour de deuil où il enterra les seize victimes de la catastrophe, au moment de prier pour l'âme envolée de Iermak Roudenko, il balbutia quelques mots et se tut, car il ne pouvait en toute décence présenter la vie de cet homme brutal sous un jour favorable, en face de tant de personnes au courant de la vérité. Mais même s'il avait été capable de faire passer sa charité avant la réalité, il en aurait été retenu par la présence de Sofia Kouchovskaia, impassible de l'autre côté de la tombe, en train de regarder fixement la terre qui roulait sur son infâme mari.

En un instant, le jeune prêtre crut voir sur le visage de cette jeune femme courageuse toutes les épreuves traversées : l'abandon à Lapak, l'évasion horrible dans la cale du bateau, les coups et les abus, sa fidélité à une religion ancienne et son adoption de la nouvelle. Une jeune femme au caractère de cristal que rien n'avait réussi à souiller — le meilleur exemple d'une ancienne société en train de mourir pour faire place à une nouvelle. Il vit sa mâchoire ferme, les yeux noirs intelligents, le petit corps résistant et, enfin, quand la tombe fut comblée, le sourire irrépressible — non de triomphe sur le mal, mais du plaisir de mettre fin à un épisode. Il put presque l'entendre soupirer tandis qu'elle regardait autour d'elle comme pour demander : « À présent, quoi ? »

Le lendemain des obsèques, Baranov fit venir le père Vassili dans les ruines de son bureau et le chargea d'une mission surprenante.

— Je me considère comme responsable de tous les êtres humains de ces îles. Russes, métis, Aléoutes, Koniags : pour moi, aucune différence.

— De même pour moi, monsieur le directeur.

— Mais j'ai l'intention d'agir à ce sujet. Combien d'enfants le raz de marée a-t-il laissés sans parents ?

— Quatorze ou quinze, au moins.

— Organisez un orphelinat pour eux. Cet après-midi.

— Mais je n'ai pas de fonds. L'évêque m'avait promis...

— Je sais, mon père. L'évêque promet et rien n'arrive jamais. De même pour moi avec la Compagnie. « Vous aurez tout ce qu'il vous faudra, Baranov », mais l'argent ne vient jamais.

— Comment voulez-vous que...

— Je paierai. Pour l'honneur de la Russie. Ces messieurs qui dirigent la Compagnie ne se soucient peut-être pas de l'honneur de la Russie, mais le marchand qui dirige le comptoir de Kodiak s'en inquiète.

Il prit sur son maigre salaire l'argent nécessaire à l'orphelinat.

— Qui le dirigera ? demanda le prêtre.

Mais à peine la question était-elle posée qu'il se souvint de l'émotion de Sofia, pendant sa conversion, lorsqu'il lui parlait de l'amour du Christ pour les enfants.

— Sofia Roudenko serait parfaite, dit-il aussitôt.

— Voyons, c'est elle-même une enfant. Elle n'a pas quinze ans.

— Dix-sept.

— Je ne peux pas le croire.

Il envoya quelqu'un la chercher.

— Quel âge as-tu donc, mon enfant ? lui demanda-t-il carrément.

— Dix-sept ans.

— Te crois-tu capable de diriger un orphelinat ?

— Qu'est-ce que c'est ? demanda-t-elle.
On le lui expliqua.
— Le père Vassili m'a appris que Jésus a dit : « Laissez venir à moi les petits enfants. » Les enfants font ma joie.
Ainsi fut établi l'orphelinat de Kodiak, avec l'argent de Baranov et l'amour de Sofia.
Baranov, soucieux de voir réussir tout ce qu'il lançait, ordonna au prêtre :
— Veillez à ce qu'elle prenne un bon départ.
Le père Vassili enseigna à la jeune femme les rudiments de son nouveau travail et prêcha la nouvelle religion aux enfants. Très vite, il constata l'enthousiasme avec lequel Sofia devenait une mère pour les tout-petits, une grande sœur pour les garçons et les fillettes plus âgés. Elle exerçait une telle influence sur les jeunes qu'un vieil Aléoute dit à Baranov :
— Si elle était un homme, ce serait notre nouveau chaman.
Mais Sofia savait que ce n'était pas exact. En effet un chaman réel avait débarqué dans les décombres de Trois-Saints pour tenter de détourner les Aléoutes du christianisme, mais sa magie semblait à présent bien médiocre, comparée aux miracles spirituels accomplis par Sofia dans son orphelinat et par le père Vassili dans son église improvisée. Le chaman était reparti sans avoir rien réalisé.
Depuis que Sofia travaillait à l'orphelinat, Vassili avait souvent l'occasion de l'observer. La nouvelle vie qu'elle menait l'avait mûrie, et pour bien des raisons le jeune prêtre se sentait attiré vers elle. Elle était sérieuse mais toujours prête à sourire avec chaleur. Elle était travailleuse mais toujours prête à chahuter avec les filles et les garçons. Surtout, elle rendait tout le monde heureux par sa présence. Et, comme il arrive souvent, au seuil des vingt ans, elle devint encore plus belle, plus femme. Grandie de près de trois centimètres, le visage moins arrondi, le labret d'os de baleine légèrement moins visible, c'était ce qu'un capitaine de bateau appela lors d'une escale : « Un beau morceau. » Si bien qu'un soir, en quittant la chaleur et l'animation de l'orphelinat pour gagner sous les étoiles le sinistre appentis qui lui servait d'église, Vassili leva les yeux vers le sapin du chaman et s'écria à voix haute :
— Je n'étais pas destiné au noir. Je suis amoureux d'elle depuis le jour où j'ai débarqué dans cette île.
Il considéra, à juste raison, que c'était une évolution inévitable de la situation, nullement choquante comme elle l'aurait été s'il avait appartenu au clergé catholique romain, où le célibat est un acte de foi et une consécration. Dans le christianisme orthodoxe, plus de la moitié des prêtres étaient blancs, comme d'ailleurs son propre père, et mariés avec l'encouragement de leurs évêques. Car bien que noir et professant le célibat, le haut clergé prêchait : « Le mariage est la condition normale de l'homme. » Passer du noir au blanc impliquait seulement un changement d'orientation, non de foi.
Mais même une modification de statut si limitée n'était pas facile à accomplir, et le jour où Trois-Saints se vida, avec tous les employés de la Compagnie qui partaient à Kodiak, Vassili parla à Baranov, en train d'emballer dans une petite caisse le peu de possessions qu'il avait pu accumuler dans la colonie.
— Monsieur le directeur, je demande une faveur.
— Accordée. Aucun directeur n'a eu un meilleur prêtre

— J'aimerais que vous écriviez à mon évêque, à Irkoutsk.
— Il ne vous enverra pas un kopeck. Il faudra vous débrouiller.
— Je voudrais qu'il me libère de mes vœux.
— Mon Dieu ! Vous quitteriez l'Église ? Mais vos parents...
— Non ! Non ! je veux cesser d'être noir. Je désire être blanc.
Baranov s'assit lourdement sur sa caisse et regarda le jeune prêtre. Après un long silence, d'une voix si basse que Vassili pouvait à peine l'entendre, il dit :
— Je vous ai observé, père Vassili, et je connais votre problème. Je le connais, parce que je suis tombé amoureux d'une femme de l'île, comme vous. Et je vais la prendre pour femme.
Choqué par cet aveu, le jeune homme réagit sur le ton monitoire des prêtres.
— Alexandre Andreievitch, c'est une chose horrible à dire. Vous avez une femme en Russie.
— Exact. Et elle promet de venir me rejoindre un de ces jours. Seulement elle me le promet depuis vingt-trois ans...
— Alexandre Andreievitch, si vous vous rendez coupable de bigamie, je serai obligé de le signaler à Saint-Pétersbourg.
— Oh, je ne vais pas l'épouser, père Vassili. Simplement la prendre pour femme jusqu'à ce que ma vraie femme vienne... Ce qui sera jamais, ajouta-t-il à voix basse, et je ne peux pas vivre seul.
Vassili, qui était venu le consulter sur son propre problème, se trouva impliqué dans celui de Baranov.
— C'est une femme merveilleuse, père Vassili. Elle parle russe, a d'excellents parents, tient la maison propre et sait coudre. Elle promet de prendre le prénom d'Anna et d'aller régulièrement à notre église.
Il leva les yeux. Son visage rond rayonnait.
— Ai-je votre bénédiction ?
Le jeune prêtre ne pouvait accepter en aucune manière un traitement aussi cavalier du vœu de mariage, mais, d'un autre côté, il avait besoin d'une lettre de Baranov à l'évêque pour démêler ses propres affaires. Il temporisa.
— Écrirez-vous à mon évêque ?
Cette digression fit comprendre à Baranov que le père Vassili ne le dénoncerait pas publiquement s'il prenait une concubine.
— Après tout, monsieur le directeur, je ne quitte pas l'Église. Je désire seulement passer du noir au blanc.
— Pour épouser Sofia.
— Oui.
— J'écrirai. Si j'étais plus jeune, je l'aurais épousée moi-même.
Mais il éclata aussitôt d'un rire si irrévérencieux que Vassili rougit, persuadé que Baranov se moquait de lui. C'était le cas, mais pas du tout comme Vassili le craignait.
— Vous vous rappelez votre réponse quand j'ai voulu annuler le mariage de Sofia avec Roudenko ?... « Un vœu est un engagement solennel pris sous le regard de Dieu. Je n'ai aucun moyen de l'annuler », fit-il en imitant la voix du jeune prêtre. Mon jeune ami, vous me semblez bien impatient de faire annuler vos propres vœux.
Vassili rougit de nouveau, si fort que Baranov claqua des doigts comme s'il venait de faire une découverte.
— Vous ne l'avez pas encore demandée en mariage, je parie.
Vassili dut l'avouer.
— Venez ! s'écria Baranov. Nous allons le faire sur-le-champ.

Sur ses petites jambes arquées, il courut vers l'orphelinat et fit appeler la jeune directrice, fort étonnée. Il prit la main de Vassili et dit :

— Sofia, je me considère comme votre père et, à ce titre, je dois vous informer que ce jeune individu vous a demandée en mariage.

Sofia ne rougit pas, ou, si elle le fit, cela ne se vit pas sur sa peau dorée ; elle s'inclina, et garda la tête baissée jusqu'à ce que le prêtre lui dise doucement :

— Je me suis efforcé de sauver votre âme, Sofia, mais aussi de vous sauver. Voulez-vous m'épouser ?

Elle connaissait très bien le sens de la soutane noire, et elle tendit la main pour saisir la manche entre ses doigts.

— Et cela ?

— Je l'ai rejetée comme vous avez jeté votre robe de peau de phoque en devenant chrétienne.

— J'en serai très fière, répondit-elle.

Comme deux ou trois ans s'écoulaient parfois entre le départ d'un bateau de Kodiak et son retour, la demande de Vassili ne pouvait recevoir une prompte réponse. Et même s'il obtenait la permission de passer du noir au blanc, trois ans pouvaient encore passer avant l'arrivée d'un prêtre pour célébrer le mariage. Baranov fit donc une proposition pratique :

— Je vais vivre avec Anna comme si j'étais marié. Faites de même avec Sofia... Jusqu'à ce qu'un prêtre vienne régulariser les choses.

— Jamais je ne pourrai, répondit Vassili.

Mais Baranov lui cita la théologie en vigueur dans les lointaines Aléoutiennes :

— « Dieu est haut, la tsarine est loin. Mais nous sommes à Kodiak, faisons donc ce qu'il faut. »

De cette manière peu orthodoxe, les deux chefs de l'Amérique russe, le directeur vieillissant et le jeune prêtre, prirent pour femmes des îliennes, Cidaq Sofia Kouchovskaia Roudenko Voronova deviendrait la mère du Voronov qui s'illustrerait bientôt en Amérique russe et réaliserait les rêves de Baranov. Quant à l'excellente Anna Baranova, elle resterait pendant des années la maîtresse du directeur et donnerait naissance à deux excellents enfants, dont une fille destinée à épouser plus tard un gouverneur russe. À la nouvelle du décès de l'authentique Mme Baranov — qui ne devait jamais voir la Sibérie ou les îles, Anna deviendrait l'épouse légale de Baranov. Il la présentait à tous comme « la fille de l'ancien roi de Kinaï », et les visiteurs n'auraient aucun mal à accepter cette légende, parce que Anna avait une allure vraiment royale.

Le christianisme l'emporta dans sa lutte prolongée contre le chamanisme, mais ce fut une victoire meurtrière. En effet en 1741, l'année où les hommes de Vitus Béring débarquèrent pour la première fois dans les Aléoutiennes, les îles contenaient dix-huit mille cinq cents hommes et femmes en parfaite santé, qui s'étaient magistralement adaptés à leur milieu — terres sans arbres mais mers très riches. Quand les Russes repartirent, la population totale s'élevait à moins de mille deux cents personnes. Quatre-vingt-quatorze pour cent avaient disparu : morts de faim, noyés, réduits à l'esclavage, assassinés ou simplement jetés dans la mer de Béring. Et les rares survivants, comme Cidaq, ne purent échapper à la mort qu'en se mêlant à la civilisation victorieuse.

6

Des mondes perdus

Dans l'ombre du magnifique volcan qui gardait le goulet de Sitka, le Grand Toyon se mourait. Pendant trente années, il avait dominé la multitude d'îles montagneuses que comprenait son domaine et avait fait régner l'ordre parmi les Indiens Tlingits, fiers et souvent prêts à se mutiner car ils renâclaient à se soumettre à l'autorité de quiconque. Une sacrée bande, ces Tlingits ! Ils ne ressemblaient en rien aux placides Eskimos du Grand Nord ou aux doux Aléoutes de l'archipel. Ils adoraient la guerre, réduisaient leurs ennemis à l'esclavage dès qu'ils en avaient l'occasion, et ne craignaient personne. Si bien qu'à la mort du Grand Toyon, lorsque s'effrita le pouvoir qu'il avait si habilement accumulé, les Tlingits s'attendirent à une période de confusion, de guerre et de mort violente, avant que le toyon suivant se proclame et établisse son autorité.

Quand le puissant esclave connu sous le nom de Cœur-de-Corbeau se rendit compte que son maître se mourait, il fut pris de panique. En effet, les qualités mêmes qui avaient fait de lui le premier esclave du toyon — sa bravoure à la guerre, sa fidélité à son maître — allaient le condamner à mort, car à la mort d'un toyon, la coutume des Tlingits voulait que l'on tue presque au même instant ses trois meilleurs esclaves, pour servir le maître dans le monde au-delà des montagnes. Et comme Cœur-de-Corbeau n'avait pas son pareil parmi les esclaves du toyon, il recevrait l'honneur d'être le premier à avoir la nuque posée sur le billot de cérémonie pendant qu'une petite bûche ronde, tenue par quatre hommes, appuierait sur sa gorge jusqu'à ce que sa vie s'échappe — cette forme d'étranglement lui laisserait un corps intact pour servir son maître dans le monde à venir.

Jamais il n'avait eu peur auparavant. Il était tellement grand ! Son histoire se réduisait à une lutte constante et inégale ; dans la vallée du continent que son clan occupait, il avait été l'un des principaux défenseurs lors des tentatives d'invasion par des ennemis venus des hautes terres de l'Est. On l'appela le champion, car la protection et la liberté des Tlingits de la vallée dépendaient de lui. Même quand les Tlingits plus puissants de l'île Sitka débarquèrent de leurs canots avec le Grand Toyon à leur tête et balayèrent toute résistance devant eux, Cœur-de-Corbeau et ses neuf compagnons les arrêtèrent. Il fallut deux douzaines d'envahisseurs et quatre jours de combats acharnés pour faire céder les hommes de Cœur-de-Corbeau. Trois de ses compagnons étaient morts au cours de la bataille et il aurait péri lui aussi si le toyon en personne n'avait pas ordonné :

— Gardez-moi celui-là !

On l'avait immobilisé dans un réseau de lianes habilement lancé, puis on l'avait traîné devant le chef victorieux.

— Ton nom.

— Seit-yeil-teix, avait-il répondu d'un ton rogue.

Ces trois mots tlingits signifient respectivement épicéa, corbeau et cœur. Apprenant que son impétueux prisonnier était un Corbeau, le toyon sourit, car il était lui-même un Aigle. Cela impliquait bien entendu une rivalité naturelle contre les Corbeaux, mais il devait reconnaître qu'un guerrier, si c'était un bon Corbeau, pouvait s'avérer exceptionnellement intelligent et redoutable.

— Comment as-tu gagné ton nom ? demanda-t-il.

— En essayant de sauter d'un rocher à un autre, je suis tombé dans le torrent. Trempé et furieux j'ai essayé de nouveau. Je suis encore tombé. Encore plus furieux, j'ai essayé encore. Juste au même moment, un corbeau a essayé de détacher quelque chose d'un branche d'épicéa. Il a glissé en arrière et essayé de nouveau. Et mon père a crié : « Tu es le corbeau. »

— La troisième fois, as-tu réussi ton saut ?

— Non. Et le corbeau a échoué lui aussi. Quand j'ai grandi, j'ai sauté. Le nom m'est resté.

À cause de son obstination exceptionnelle, il avait rendu de précieux services à sa tribu quand elle se trouvait confrontée à des situations inhabituelles : batailles contre d'autres clans en guerre, construction d'une maison, la décoration avec les totems corrects quand elle était terminée. C'était cette audace qui avait provoqué sa capture, car au moment de l'attaque du Grand Toyon, Cœur-de-Corbeau avait dirigé toutes les sorties défensives de son clan ; comme il courait toujours à l'avant de ses hommes, les gens de Sitka avaient pu facilement l'encercler.

Et maintenant, le toyon allait rendre son dernier soupir, qui condamnait Cœur-de-Corbeau à une mort inévitable... L'esclave prit la décision la plus téméraire de sa vie : il se glissa hors de la grande maison de bois et de branches entrelacées dans laquelle le toyon avait vécu depuis qu'il avait conquis le pouvoir, traversa avec précaution l'espace marqué par les six grands poteaux-totems et se dirigea vers la forêt dense, du côté du sud. Comme il cherchait à s'enfoncer au plus profond des bois, il en fut empêché par l'arrivée bruyante de seize pleureurs venant de cette direction. Il sauta sans bruit derrière un grand épicéa et les écouta se lamenter de la mort prochaine de leur chef. Ils passèrent. Aussitôt Cœur-de-Corbeau s'élança sur le sentier qu'ils avaient suivi et fila vers la sécurité des grands arbres et des vallons secrets qu'ils dissimulaient. Dès qu'il se sentit sauvé au milieu des sapins, il se mit à courir avec une énergie presque démoniaque, car son plan exigeait qu'il soit le plus loin possible à la mort du vieillard.

Il raisonnait ainsi : « S'ils ne peuvent pas me trouver à ce moment-là, ils ne pourront pas me tuer. Bien sûr, s'ils m'attrapent plus tard, ils me tueront pour m'être enfui. Mais il me reste une chance. Si je peux trouver un bateau américain et monter à bord, je leur raconterai que j'ai été retenu par les marchandages, et il faudra bien qu'ils me croient. » Cette tactique n'était ni insensée ni sans fondement, car il faisait partie des Tlingits ayant appris assez d'anglais rudimentaire pour négocier des trocs avec les Américains, dont les bateaux relâchaient fréquemment dans le goulet de Sitka.

Et pendant sa course, il se mit donc à appeler en silence un de ces bateaux auxquels il avait apporté de la viande de cerf et de l'eau douce lorsque les Américains étaient passés, en quête de fourrures.

— *White Dove,* vole vers moi ! *J. B. Benton,* aide-moi ! *Evening Star,* brille pour guider mes pas !

Mais la brume pour laquelle Sitka était célèbre tomba comme une couverture de duvet, grise, épaisse, à quelques dizaines de centimètres du sol et de la surface de la baie. Elle devint vite impénétrable, et Cœur-de-Corbeau perdit toute chance de sauver sa vie en montant sur un navire marchand. Pendant trois jours de torture, il se cacha parmi les épicéas, le long de la baie, espérant, mais en vain, que le brouillard se lève.

Le soir du troisième jour, l'estomac déchiré par la faim, il entendit un son étouffé qui le galvanisa. On eût dit un coup de canon, et il savait que les marins tiraient ainsi pour créer des échos leur permettant de déduire la distance approximative entre le bateau et le danger que représentait une côte rocheuse. Mais le bruit ne se répéta pas comme il aurait dû en pareil cas ; le premier coup s'était peut-être avéré suffisamment efficace pour qu'on en évite un deuxième... Bercé par cet espoir, l'esclave en fuite s'endormit à l'abri d'un épicéa abattu par la foudre.

Au petit jour, le cri rauque d'un corbeau l'éveilla : c'était le meilleur signe possible que puisse envoyer l'autre monde, car tous les Tlingits, depuis les origines, s'étaient divisés en deux fractions — deux moyetés — l'Aigle et le Corbeau. Tous les êtres humains sur terre appartenaient à l'une ou à l'autre. Cœur-de-Corbeau était bien entendu un Corbeau, ce qui signifiait qu'il devait défendre cette moyeté dans les jeux entre les deux clans et dans les affrontements plus sérieux comme la mise en place de poteaux-totems pour la place commune du village ou l'approvisionnement en poisson. En tant que Corbeau, il devait absolument épouser une Aigle, condition établie des millénaires plus tôt pour sauvegarder la pureté de la race, mais l'enfant d'un homme Corbeau et d'une femme Aigle était un Aigle — il se consacrait donc à ce clan-là.

Les Tlingits croyaient, et Cœur-de-Corbeau souscrivait à cette croyance, que les Aigles pouvaient s'avérer plus puissants mais que les Corbeaux demeuraient de loin les plus sages, les plus intelligents et les plus habiles à utiliser la nature ou à obtenir des avantages sur leurs adversaires sans avoir recours au combat. On savait que l'humanité avait reçu les dons de l'eau, du feu et des animaux pour se nourrir grâce à la ruse de Premier-Corbeau, qui avait subtilisé ces faveurs des Premiers Protecteurs au profit de l'humanité. Cœur-de-Corbeau avait appris de la bouche du frère de sa mère :

— Toutes les bonnes choses étaient cachées, et nous vivions dans les ténèbres, le froid et la faim, jusqu'au jour où Premier-Corbeau, voyant notre triste sort, joua un tour aux autres pour que nous puissions profiter de ces bonnes choses.

Et quand le corbeau croassa à l'aurore, Cœur-de-Corbeau comprit qu'il s'agissait d'un signal : un vaisseau sauveteur devait se trouver dans la baie. Il courut au bord de l'eau, espérant voir le navire qui avait tiré le coup de canon la veille, si tel était bien le bruit qu'il avait entendu. Mais il ne vit rien à travers le brouillard, et dans sa déception, il sentit la barre de bois sur sa gorge. Inconsolable, à moitié mort de faim, il s'adossa à un épicéa, tourné vers la baie invisible encore ensevelie dans le linceul gris, et il supplia une dernière fois, en silence, les bateaux américains de se montrer :

— *Nathanael Parker,* aide-moi. *Jared Harper,* approche-toi pour me sauver la vie.

Le silence. Puis un bruit de fer contre du bois, et l'arrivée d'une brise parfumée qui déchira un peu le brouillard. Enfin, mystérieusement, comme si une main puissante écartait un rideau, il vit apparaître la forme d'un navire, aussitôt dissimulée par une autre nappe de brume mouvante. Mais le bateau était là ! Dans son désespoir, sans tenir compte du danger auquel il s'exposait en signalant sa position aux émissaires qui devaient le rechercher, il courut vers la grève, dans l'eau jusqu'au genou et cria en anglais :

— Bateau ! bateau ! Des peaux ! Des fourrures !

Si un cri pouvait attirer les Américains (à supposer que ce fussent des Américains) vers la côte, c'était bien la promesse de peaux de loutre. Mais il n'y eut aucune réponse. Cœur-de-Corbeau s'avança dans l'eau, dans laquelle il ne savait pas nager, et cria de nouveau :

— Bons Américains ! Peaux de loutre !

De nouveau, pas de réponse. Mais une bouffée de vent plus violente balaya le brouillard et, à moins de deux cents mètres de la côte, miraculeusement intact au milieu de la douzaine d'îles couvertes d'arbres qui protégeaient le goulet de Sitka, apparut l'*Evening Star* de Boston, avec lequel le Tlingit fugitif avait déjà fait commerce dans le passé.

— Capitaine Corey ! cria-t-il en agitant les bras.

Le tapage qu'il fit attira l'attention d'un des marins du brick. Un officier pointa sa longue-vue et signala à la passerelle :

— Un indigène fait des signaux, capitaine !

On mit une chaloupe à la mer et quatre marins ramèrent vers la côte, non sans méfiance. Quand Cœur-de-Corbeau, ravi d'être sauvé, voulut s'avancer dans le ressac à leur rencontre, il se trouva avec deux fusils braqués sur sa poitrine.

— Ne bouge pas, ou on tire !

Le capitaine Miles Corey de l'*Evening Star,* cinquante-trois ans et vétéran du Pacifique, avait vu trop de commandants perdre leur bateau dans des circonstances semblables. Ne voulant prendre aucun risque, il avait prévenu les marins de la chaloupe :

— C'est un Indien isolé. Mais il y en a peut-être cinquante à l'affût sous les arbres.

— Ne bouge pas ou nous tirons ! répétèrent les marins.

Le fugitif se figea, dans l'eau jusqu'à la taille, et l'un des quatre marins s'écria :

— Mon Dieu, c'est Cœur-de-Corbeau !

Il tendit son aviron pour aider le Tlingit à embarquer.

Le capitaine Corey et Kane, son second, organisèrent une réception pour leur vieil ami, avec qui ils avaient déjà commercé, et ils l'écoutèrent raconter la triste aventure qui l'avait conduit à s'enfuir tout seul dans la forêt.

— Et on t'aurait tué ? demanda le capitaine. Simplement parce que le vieux bonhomme est mort ?

Dans son anglais malhabile, Cœur-de-Corbeau implora :

— Vous dire moi sur bateau quatre jours, oui ? Vous dire trop brouillard, oui ? Quatre jours.

— Pourquoi quatre jours ? demanda Kane.

Cœur-de-Corbeau se tourna vers lui pour s'expliquer. Les deux hommes avaient à peu près la même corpulence — deux braillards musclés et sans peur — et Kane, l'ancien harponneur, se sentit attiré par le Tlingit.

— Moi, supposé tué trois jours. Supposé la fuite, attrapé maintenant et tué. Mais resté sur bateau, l'échange avec vous...

Il leva les mains comme s'il brisait des liens, pour indiquer qu'il serait épargné sous ce prétexte.

Le brouillard omniprésent de Sitka retomba sur l'*Evening Star*, si épais cette fois que l'on cessa de voir les bouts des deux mâts depuis le pont. Corey et Kane rassurèrent l'esclave en danger.

— Nous resterons sans doute dans cette purée pendant deux autres jours. Tu es en sécurité.

En l'honneur du Tlingit, ils ouvrirent une bouteille de bon rhum de la Jamaïque, et dans le goulet de Sitka, protégés par le volcan et le cercle de montagnes invisibles, ils firent la fête. Quand Cœur-de-Corbeau sentit le liquide ambré exciter sa gorge, il se détendit et parla aux Américains des nombreuses peaux qu'il avait aidé à rassembler pour eux. Ils furent si enchantés de son intelligence qu'ils lui montrèrent les marchandises qu'ils avaient apportées de Boston pour enrichir les Tlingits.

— Des tonneaux de rhum, dit le capitaine Corey en montrant les dix-huit fûts rangés sous le pont. Et cela, que crois-tu que ce soit ?

Cœur-de-Corbeau, avec son anneau de cuivre passé dans le septum de son nez, regarda la douzaine de caisses carrées, en bois.

— Moi pas savoir.

Corey ordonna alors à un marin d'arracher les clous.

— Et ne les jette pas ! recommanda-t-il.

Sous le couvercle, au milieu de chiffons imbibés d'huile, se trouvaient neuf beaux fusils. Et au-dessous d'eux, en rangées identiques, vingt-sept autres. Ces douze caisses, préparées selon les règles par les armuriers de Boston, contenaient quatre cent trente-deux fusils à canon long. Et les tonneaux entassés derrière représentaient une provision de poudre suffisante pour deux ans. Dans d'autres caisses, du plomb pour les balles, et des moules dans lesquels les fabriquer.

Cœur-de-Corbeau, certain que nul n'ordonnerait qu'on le tue s'il apportait une telle puissance à ses maîtres, sourit de toutes ses dents, saisit les mains du capitaine Corey et le remercia avec effusion des fantastiques bienfaits qu'apportaient les Bostoniens aux Tlingits : du rhum et des fusils.

Branche mineure des puissants Athapascans qui peuplaient l'intérieur de l'Alaska, le nord du Canada et une grande partie de l'ouest des Etats-Unis, les Tlingits constituaient un groupe d'environ douze mille Indiens très particuliers qui étaient descendus loin dans le sud jusqu'au futur Canada, puis étaient remontés en Alaska, amenant leur langue et leurs coutumes. Divisés en plusieurs clans, ils occupaient la côte méridionale de l'Alaska, notamment les grandes îles du large, et s'étaient établis principalement sur les excellentes terres entourant le goulet de Sitka, dans l'île du même nom.

Le peuple du toyon défunt avait choisi comme centre un promontoire bien visible dans le goulet, sur lequel s'élevait une petite colline d'où l'on dominait tout. Un site parfait, entouré par au moins une douzaine de monts escarpés formant un demi-cercle vers l'est, avec le cône majestueux du volcan servant de balise vers l'ouest. Mais, comme l'avait appris le Russe Baranov la première fois où il avait vu le goulet quelques années auparavant, l'un de ses traits les plus marquants était le chapelet d'îles — certaines pas plus grandes qu'une table à thé, d'autres de dimensions considérables — qui parsemaient la surface des eaux et brisaient les houles de tempête qui sans cela auraient déferlé du fond du Pacifique.

Quand le brouillard se leva enfin, le capitaine Corey, non sans précaution, pilota son *Evening Star* entre les îles jusqu'à deux cents mètres à peine du pied de la colline et tira un coup de canon pour informer les Indiens qu'il était prêt à négocier leurs fourrures. Ce n'était jamais sans risque pour les Américains. Depuis l'embuscade du capitaine Cook aux îles Hawaii, les capitaines et les équipages restaient sur les bateaux et invitaient les indigènes à monter à bord avec leurs marchandises. Des marins armés de fusils montaient la garde. Mais à Sitka, comme les Tlingits semblaient préoccupés par l'enterrement de leur Grand Toyon, les Américains mirent une chaloupe à la mer et, avec Cœur-de-Corbeau à la proue, ramèrent vers la côte sans tenir compte des traditions.

Au début, les Tlingits en deuil leur firent signe de s'éloigner, mais quand ceux qui dirigeaient la cérémonie virent au milieu des visiteurs l'esclave Cœur-de-Corbeau, ils annoncèrent qu'ils le recherchaient depuis cinq jours pour le mettre à mort avec deux autres esclaves, afin de fournir au toyon des serviteurs dans l'autre monde. Comprenant que les Tlingits étaient déterminés à leur arracher Cœur-de-Corbeau et à le tuer, le capitaine Corey et Kane, son second, déclarèrent qu'ils ne le toléreraient pas. Mais ils n'avaient que quatre marins dans leur chaloupe et eux-mêmes n'étaient pas armés. Aussi n'essayèrent-ils pas de protester davantage. Un peu honteux, ils abandonnèrent donc ce garçon plein de bonté qui leur avait confié sa vie, et ne s'opposèrent pas davantage aux Anciens qui se saisirent de Cœur-de-Corbeau et l'entraînèrent vers le billot de cérémonie.

Mais un homme important dans l'histoire des Tlingits intervint : le jeune chef courageux Kot-le-an, grand, nerveux, la trentaine, vêtu d'une chemise et d'un pantalon taillés dans des peaux de qualité, drapé dans une tunique blanche de peau de daim décorée. Autour du cou il portait un collier de coquillages, et sur la tête la remarquable coiffure des Tlingits : une sorte d'entonnoir retourné duquel retombaient six belles plumes. Comme Cœur-de-Corbeau, Kot-le-an avait un mince anneau de cuivre dans le nez, mais une moustache noire tombante et un bouc taillé avec soin rehaussaient sa peau d'un rouge foncé. Par sa taille, sa minceur et sa mine il différait visiblement des autres Indiens et sa voix, sa détermination et son impatience d'agir témoignaient d'une force morale incontestée — c'était le chef militaire reconnu et le principal collaborateur du toyon.

Les six Américains n'avaient pas rencontré Kot-le-an au cours de leurs précédentes escales à Sitka, car il se livrait alors à des expéditions punitives contre de turbulents voisins, mais, même s'il avait été présent, ils ne l'auraient peut-être pas vu car le commerce des peaux était une tâche trop basse pour lui. C'était un guerrier, et ce fut à ce titre qu'il intervint pour éviter l'exécution de Cœur-de-Corbeau. En des paroles que les Américains ne comprirent pas et que personne ne leur traduisit, car c'était toujours Cœur-de-Corbeau qui leur servait d'interprète, le jeune chef exprima une opinion qui s'avérerait bientôt prophétique :

— Un de ces jours, il nous faudra protéger nos terres soit des Américains comme ceux-ci, soit des Russes de Baranov qui rassemblent leurs forces à Kodiak. En tant que votre chef dans les combats, j'aurai besoin d'hommes comme Cœur-de-Corbeau. Je ne peux pas vous laisser le tuer.

— Mais le Grand Toyon a également besoin de lui, s'écrièrent plusieurs vieillards. Il serait indécent de l'envoyer sans...

Kot-le-an, qui méprisait les discours et les palabres, inclina simplement la tête en direction des Anciens, puis saisit Cœur-de-Corbeau par la main comme si de rien n'était et l'arracha à la fois aux Américains et aux ordonnateurs des obsèques.

— J'ai besoin de cet homme pour les prochains combats.

Et de cette manière inattendue, le grand esclave tlingit eut la vie sauve.

Peu après, les Américains horrifiés virent deux jeunes esclaves adolescents traînés de la colline jusqu'à la grève où on leur maintint la tête sous l'eau pendant qu'on les étranglait. Leurs cadavres intacts furent aussitôt remontés sur la colline et placés cérémonieusement à côté du corps du Grand Toyon défunt. Puis, quatre Tlingits comptant parmi les plus robustes saisirent l'esclave choisi pour remplacer Cœur-de-Corbeau ; ils l'allongèrent sur le bloc de bois des sacrifices, posèrent sur son cou une barre de bois et appuyèrent jusqu'à ce que le corps cesse de se tordre. Tristement, comme s'ils déploraient la perte d'un ami, ils placèrent ce troisième cadavre en travers des pieds du Toyon puis firent signe aux Indiens rassemblés que l'enterrement de leur chef pouvait commencer.

Après la cérémonie des funérailles, on procéda à la négociation des peaux rassemblées par les Tlingits. Sur les dix-huit tonneaux de rhum du bateau, dix furent échangés contre des peaux de phoque, par l'entremise de Cœur-de-Corbeau. Aucune peau de loutre de mer — la fourrure que convoitaient la Chine, la Russie et la Californie — n'avait été présentée et il semblait bien que l'*Evening Star* devrait repartir sans échanger les fusils convoités par les Tlingits. Mais au moment où le capitaine Corey allait lancer l'ordre de lever l'ancre, Cœur-de-Corbeau et Kot-le-an abordèrent le bateau américain avec une petite barque de bois construite depuis peu selon le modèle des chaloupes. Une fois à bord de l'*Evening Star,* Cœur-de-Corbeau montra au jeune chef qui lui avait sauvé la vie les douze caisses de fusils.

— Les voici. Les armes dont vous avez besoin.

Kot-le-an repéra aussitôt la caisse dont on avait enlevé le couvercle pour montrer les armes à Cœur-de-Corbeau. Il écarta les planches déclouées, vit les beaux canons bleutés et les crosses cirées. C'étaient de magnifiques objets, mais c'étaient surtout des armes capables de protéger les Tlingits contre d'éventuels envahisseurs, et ils prenaient aux yeux du jeune chef une importance capitale.

— Je les veux tous, dit Kot-le-an.

Cœur-de-Corbeau traduisit et le capitaine Corey répliqua :

— Nous ne les échangeons que contre des peaux de loutre.

Kot-le-an ne put maîtriser sa rage. Il tapa du pied avec ses mocassins et cria :

— Dis-lui que nous avons assez d'hommes pour nous emparer de ces armes !

Mais sans laisser à Cœur-de-Corbeau le temps de parler, Corey prit Kot-le-an par le bras et le fit pivoter vers les quatre canons de bâbord pointés droits sur les maisons indiennes de la colline, puis vers les quatre canons de tribord, capables de pivoter eux aussi.

— Dis-lui que nous en avons aussi un à l'avant et un à l'arrière, dix en tout, lança-t-il à Cœur-de-Corbeau.

La traduction n'était pas nécessaire, car Kot-le-an connaissait les effets des canons. L'année précédente, un bateau anglais, à la suite d'une dispute avec des Tlingits du continent, avait perdu un marin dans une échauffourée. Par représailles les Anglais avaient bombardé le village coupable jusqu'à ce qu'une seule maison reste debout, et Kot-le-an savait que les baleiniers américains se montraient encore plus acharnés dans leurs vengeances. Capitulant devant la force supérieure du capitaine Corey, il lança à Cœur-de-Corbeau :

— Dis-lui que dans cinq jours il aura ses peaux de loutre.

À ces mots, Corey s'inclina, comme si Kot-le-an était l'ambassadeur d'une puissance souveraine. Et quand les Tlingits se retirèrent, Kane, le second, les rassura :

— Nous attendrons cinq jours.

Dans l'heure qui suivit, les Américains virent de nombreux petits bateaux partir du goulet de Sitka pour aller visiter des villages lointains, et dans les jours qui suivirent ils les regardèrent revenir, beaucoup plus bas sur l'eau qu'ils n'étaient au départ.

— Nous allons avoir des loutres, promit Corey à ses hommes.

Mais quand il se prépara à quitter le bateau, il ordonna à Kane :

— Quand Kot-le-an pourra nous voir, vous pointerez la moitié de nos canons vers la colline et la moitié sur la plage où il sera. Et que les hommes soient prêts.

En voyant ces manœuvres, Kot-le-an comprit qu'aucune attaque surprise de sa part ne pouvait réussir. Mais il savait aussi que les Américains, venus de Boston aussi loin, ne pouvaient pas rentrer avec des cales vides. Ils avaient autant besoin des fourrures que lui-même des fusils. Et la négociation se ferait sur ces bases pragmatiques.

Lorsque Corey descendit à terre et vit la quantité énorme de peaux réunies en si peu de temps sur l'ordre d'un chef, il se dit que la loutre de mer avait peut-être disparu des Aléoutiennes, des Pribilov et de Kodiak, mais qu'elle nageait encore vigoureusement dans ces eaux du Sud. Au bout de deux heures d'examen minutieux des peaux, il conclut qu'il retirerait un excellent profit s'il les échangeait contre ses douze caisses de fusils. Il décida de conclure le marché.

— Dis à Kot-le-an que je lui donnerai tous les fusils. Tu les as vus : quatre cent trente-deux. Mais je veux toutes ces peaux et cette quantité en plus.

Il sépara du lot environ le tiers des peaux, indiqua qu'il n'en démordrait pas et s'écarta pour laisser à Kot-le-an le temps de digérer cette nouvelle exigence.

En tant que guerrier, le jeune chef n'aimait pas les marchandages, il était davantage habitué à commander. Mais son inquiétude pour l'avenir était très forte, et il lui fallait les armes que transportait l'*Evening Star*. Il donna à ses hommes un ordre à voix basse, et ceux-ci écartèrent un bateau échoué, révélant une cachette contenant à peu près la moitié des peaux de loutre que Corey exigeait en plus. D'un geste de mépris, le jeune chef se mit à lancer les peaux à coups de pied vers le premier tas, et quand il en eut dispersé ainsi une douzaine, il grogna à Cœur-de-Corbeau :

— Dis-lui qu'il peut les prendre toutes.

Quand fut embarquée dans la cale de l'*Evening Star* la précieuse cargaison — vingt ou trente fois le prix coûtant des fusils — Kot-le-an et Corey se saluèrent et, dans un geste de cérémonie que le Tlingit avait appris des capitaines anglais, il tendit sa main droite, que Corey serra. Mais l'Américain était tellement surpris par le geste et tellement enchanté du résultat que dans l'euphorie du moment, il se tourna vers Cœur-de-Corbeau.

— Dis à Kot-le-an que puisqu'il nous a donné des fourrures en plus, nous lui donnerons du plomb et de la poudre en supplément.

Il ordonna à ses marins d'apporter un gros lingot de plomb et un demi-baril de poudre.

La négociation s'acheva à la satisfaction de tous. L'*Evening Star* quitta Sitka avec une fortune en peaux de loutre que Corey vendrait à Canton pour deux fois plus qu'il ne l'escomptait. Et deux jours plus tard la sagesse dont avait fait preuve Kot-le-an en acceptant ce marché inégal se trouva confirmée. Une petite flotte de bateaux russes et de kayaks aléoutes entra dans la baie, passa insolemment au pied de la colline où les Tlingits maintenaient leur quartier général, et poursuivit son chemin pendant une douzaine de kilomètres vers le nord avant de s'arrêter en un endroit complètement entouré de montagnes protectrices, où tous se mirent à débarquer le matériel nécessaire à la construction d'un fort important.

La flottille, sous les ordres de l'administrateur général Alexandre Baranov, n'était pas négligeable, car elle conduisait à Sitka cent hommes russes, quelques femmes et neuf cents Aléoutes, dans le but avoué d'établir en ce lieu la capitale de l'Amérique russe, à partir de laquelle on pourrait développer une colonie russe sur les territoires continentaux au nord de la Californie. Le 8 juillet 1799, Baranov conduisit ses hommes à terre et son collaborateur direct Kyril Jdanko planta un drapeau russe dans le sol argileux, près d'une rivière au cours paisible. Puis Baranov demanda au père Vassili Voronov, qui l'accompagnait pour devenir le mentor spirituel de la nouvelle capitale, d'offrir des remerciements à Dieu. En effet, malgré les graves difficultés de la longue traversée depuis Kodiak — des vingtaines d'Aléoutes étaient morts en mangeant des poissons avariés et plusieurs centaines avaient péri en mer à cause du mauvais temps —, les Russes eux-mêmes étaient arrivés sains et saufs, et rien d'autre ne comptait. Une fois les prières dites, le petit bonhomme bedonnant, fer de lance de l'impérialisme russe, essuya son crâne chauve et proclama :

— À l'heure où le vieux siècle touche à sa fin et où va commencer une nouvelle ère pleine de promesses, appliquons toutes nos énergies à la construction d'une noble capitale pour la gloire de ce qui sera la grande Amérique russe.

Sur ces mots, d'une voix tonnante, il baptisa le futur fort « redoute Saint-Michel ». L'âge d'or de Sitka commençait.

***

Lorsque Kot-le-an et Cœur-de-Corbeau virent la flotte russe se glisser devant leur colline, au sud de la baie, leur première impulsion fut de réunir toutes les troupes tlingits pour tenter de repousser les envahisseurs et les empêcher de débarquer, quelles que fussent leurs intentions. Mais quand Kot-le-an prit les premières mesures pour mettre ce plan à exécution, il s'établit entre eux une curieuse relation, qui allait orienter le reste de la vie de Cœur-de-Corbeau.

— Dis-moi ce que je dois faire, déclara-t-il à Kot-le-an.

Il était prêt à exécuter n'importe quel ordre, sans tenir compte du danger pour lui-même.

— Je suis déjà mort, dit-il. La barre est sur ma gorge. Je ne respire que par ton bon plaisir.

— Soit, dit le jeune chef. D'abord, va reconnaître leurs positions et leur force.

Et Cœur-de-Corbeau, sous le couvert des bois, parcourut les treize kilomètres jusqu'à la redoute Saint-Michel et se posta de façon à observer le potentiel russe : « Trois navires, moins forts que l'*Evening Star* mais avec beaucoup, beaucoup plus d'hommes que les Américains ; environ mille hommes, dont un seul sur dix est russe ; les autres, que peuvent-ils être ? » Le Tlingit étudia avec soin ces non-Russes. Ce ne pouvaient être ni des Tlingits ni des hommes de clans associés aux Tlingits : ils étaient de plus petite taille et plus sombres de peau. Ils avaient des os dans le nez et certains portaient d'étranges chapeaux. Il remarqua deux facteurs à leur avantage : ils savaient construire des bateaux et aucun Tlingit ne maniait la pagaie avec autant d'habileté qu'eux. Il comprit que dans un combat sur l'eau, ces petits bonshommes seraient redoutables ; avec huit ou neuf cents de ces combattants pour soutenir les trois gros navires, les Russes pourraient se défendre âprement.

Il conclut que ce devaient être des Koniags ; le bruit avait couru récemment dans les îles que ces hommes de Kodiak faisaient de courageux guerriers, à éviter autant que possible. Mais avant d'en rendre compte à Kot-le-an, il voulut s'assurer des faits, et par une nuit sans lune, il rampa près de l'endroit où l'on creusait les fondations du fort et attendit dans le noir que l'un des terrassiers fasse un tour.

Un bond, sa grosse main sur le visage de l'homme, et il l'entraîna sous les arbres, où il le bâillonna avec une poignée d'aiguilles d'épicéa et le ligota avec des courroies de nerf. Il resta assis sur le ventre de son prisonnier jusqu'au lever du jour, puis il le chargea sur l'épaule comme un ballot de fourrures et repartit vers la colline de Sitka. D'autres Tlingits, qui connaissaient les langues de la mer de Béring, reconnurent dans cet homme un Aléoute. Au cours de l'interrogatoire, ils apprirent que, né sur l'île de Lapak, il avait été amené à Kodiak comme esclave. Il révéla en outre que tous les non-Russes de la redoute étaient des Aléoutes.

— Et vous êtes contents de travailler ici ? lui demanda-t-on.

— C'est mieux que les îles des Phoques.

Kot-le-an et Cœur-de-Corbeau vérifièrent les dires du prisonnier et décidèrent qu'une attaque en force avait de grandes chances de chasser les Russes.

— Si tous les autres étaient de Kodiak, ce serait difficile. Mais nous savons que les Aléoutes ne peuvent pas nous résister au combat.

L'attaque aurait donc eu lieu. Mais, à la stupéfaction de Kot-le-an, le nouveau toyon, sans même en discuter avec les guerriers de sa tribu, non seulement accepta un traité de paix avec les Russes, mais leur vendit des terres autour du fort en construction.

Furieux de cette reddition sans condition devant ce qu'il concevait à bon droit comme une menace mortelle pour les aspirations des Tlingits, Kot-le-an réunit tous ceux qu'écœurait cette invitation qui permettrait aux Russes d'intervenir dans leur ancienne façon de vivre, et les harangua en ces termes :

— Le jour où les Russes auront établi leur fort dans cette baie, nous serons condamnés, nous, les Tlingits. Je connais ces gens par ce que l'on dit d'eux. Jamais ils ne renonceront, et avant peu ils exigeront cette colline et cette partie de la baie. Ils convoiteront l'île, le volcan, nos sources chaudes et nos réserves. Toutes les loutres leur appartiendront. Pour chaque bateau américain qui viendra commercer avec nous et nous apporter ce dont nous avons besoin, six des leurs arriveront, et pas pour faire du commerce ! Avec leurs armes, ils nous voleront tout ce que nous possédons. Si nous leur permettons de rester sans opposition, le destin qui nous est réservé ne peut me satisfaire. Nos totems seront brisés et nos canots chassés de la baie. Nous ne serons plus les maîtres de nos terres, car les Russes nous étoufferont partout, et pour tout ce que nous désirerons faire. Je sens la main redoutable des Russes nous écraser comme la barre sur la gorge de l'esclave condamné. J'entends nos enfants parler leur langue et non la nôtre, et je peux sentir leur chaman s'avancer parmi nous ; nos âmes seront condamnées à errer à jamais dans les forêts et leurs gémissements n'auront pas de fin. Je vois ces îles changées, les mers sans vie, les cieux en colère. Je vois d'étranges ordres imposés, de nouvelles contraintes, un mode de vie totalement différent. Et par-dessus tout, je vois la mort des Tlingits, la mort de tout ce pourquoi nous nous sommes battus pendant des années.

Ses paroles étaient si puissantes et si précises dans leur vision de l'avenir qu'en l'écoutant plus d'un prit peur. Sans doute aurait-il embrigadé des centaines de Tlingits pour éliminer les Russes et leurs alliés aléoutes si le chef des Russes, le petit Baranov, n'avait pas prévu un soulèvement de ce genre. Un jour d'août, comme l'été s'achevait, ce Russe habile, qui savait veiller à sa sécurité, prit son plus gros navire et le fit conduire dans la baie du village tlingit. Les marins le portèrent à terre sur leurs épaules au milieu du ressac. Le soleil se mit à briller de tous ses feux et il gravit pour la première fois la colline par une des plus belles journées qu'offre cette région de l'Alaska.

« C'est un présage », se dit-il — comme s'il prévoyait qu'il passerait les années de gloire de sa vie en haut de cette colline parmi tant d'autres. À son arrivée au sommet, lorsque le nouveau toyon s'avança pour le saluer, le Russe s'arrêta, regarda en tous sens et vit, comme en une révélation, l'incroyable majesté de ce lieu.

Vers l'ouest s'étendait l'océan Pacifique, visible au-delà des cent îles, la grande route du retour à Kodiak, puis vers les Aléoutiennes lointaines, le Kamtchatka et les remparts de la Russie. Vers le sud, un escadron de montagnes défilant en rangs serrés jusqu'au bout de l'horizon, vertes puis bleues, puis d'un gris brumeux, enfin presque blanches au loin. Vers l'est, tout près, s'élevait la gloire de Sitka, les montagnes qui trempaient leurs pieds dans la mer, immenses et puissantes, mais cependant accueillantes, avec leur beau manteau de verdure. Des montagnes d'une infinie variété, de couleurs changeantes, d'une altitude surprenante aussi près de la mer. Et vers le nord, où son fort commençait à s'élever, le splendide goulet parsemé d'îles entouré par ses montagnes, parfois aussi pointues que des aiguilles sculptées dans de l'os de baleine, parfois paisibles et arrondies.

La riche variété de ce paysage vu de la colline l'enchanta tellement qu'il fut tenté de crier son émerveillement. Mais sa ruse de marchand russe le prévint de ne pas révéler ses sentiments, de peur que ses hôtes tlingits ne devinent son intérêt pour leur paradis. Il baissa la tête, croisa les bras sur son ventre à son habitude, et dit simplement :

— Grand et puissant toyon, en reconnaissance de vos nombreuses gentillesses et de votre aide pour la construction de notre petit fort dans votre baie, je vous apporte quelques modestes présents.

Il fit signe aux marins qui l'accompagnaient, et l'on déroula des ballots contenant des perles, du cuivre, du tissu et des bouteilles. Quand il eut distribué sa pacotille, il demanda à ses hommes d'apporter la pièce de résistance — selon ses propres termes — et ils lui donnèrent un mousquet rouillé, d'un modèle dépassé, qu'il tendit gravement au toyon, en demandant à un des marins de donner de la poudre et des balles, puis de faire une démonstration de la vieille arme.

Le marin mit tout en place et montra au toyon comment épauler le fusil, lui mit l'index sur la détente et le fit tirer. Il y eut un éclair de feu pendant que la poudre en excès se consumait, puis une faible détonation au bout du fusil, et un bruissement de feuilles tandis que la balle traversait sans faire aucun mal la cime des arbres, plus bas sur la colline. Le toyon, qui tirait au fusil pour la première fois de sa vie, parut tout excité, mais Kot-le-an et Cœur-de-Corbeau sourirent avec indulgence — ils avaient presque cinq cents fusils de première qualité dans une cachette.

Ce fut pourtant le rusé Baranov qui parut triompher, car en échange de ces cadeaux impressionnants, offerts de si bonne grâce, il reçut en prêt quinze Tlingits, qui s'installeraient au fort pour enseigner aux Aléoutes à attraper et faire sécher la multitude de saumons qui commençaient à pulluler dans le petit torrent, au nord du fort. Kot-le-an, furieux de voir son toyon capituler si facilement devant les flatteries des étrangers, obtint cependant un avantage : il infiltra dans ce groupe de travailleurs temporaires son homme, Cœur-de-Corbeau, si bien qu'en retournant au fort avec ses experts en saumon, Baranov emmenait aussi un espion doté de capacités exceptionnelles d'observation et de déduction.

Au fort, Cœur-de-Corbeau se conduisit comme les autres Tlingits : dans l'eau jusqu'aux genoux à l'embouchure de la rivière, il plongeait une épuisette en roseau au milieu de la multitude de saumons gras, de soixante-cinq centimètres de long, qui revenaient dans leur torrent natal pour frayer et donner naissance à une nouvelle génération. Ils abandonnaient les eaux salées bien alignés les uns derrière les autres, sur cinquante ou soixante files de front. À n'importe quel endroit de l'embouchure de la rivière, pendant ces quelques journées, des milliers de poissons passaient, attirés seulement par leur besoin de retourner dans l'eau douce où ils étaient nés des années plus tôt pour y pondre les œufs qui renouvelleraient leur espèce.

Un aveugle avec un filet déchiré aurait attrapé des poissons pendant ces journées-là. Cœur-de-Corbeau et ses compagnons en lancèrent à terre des milliers, puis ils montrèrent aux Russes comment repérer les femelles avec de la laitance, comment éviscérer le poisson et le préparer pour le faire sécher au soleil. Baranov, en voyant s'entasser ces quantités incroyables de nourriture, assura à ses Russes :

— Cet hiver, personne ne mourra de faim.

Dans la soirée, après leur travail, les Tlingits étaient abandonnés à eux-mêmes. Cœur-de-Corbeau en profitait pour mémoriser les détails du fort en construction. Il vit que le promontoire se trouvait divisé en deux moitiés : la première, vers la terre, se composait d'un fortin défendu par des pièces d'artillerie fixes et pourvu de meurtrières pour tirer au fusil ; l'autre moitié, ramassis de petits bâtiments en dehors du fortin principal, n'était pas protégée. Il en conclut que ces hangars et ces granges seraient sacrifiés en cas d'attaque et que tous les défenseurs se retireraient dans la forteresse qui possédait vers l'arrière, à l'opposé de la mer, une vaste cour carrée entourée de murs de soixante centimètres d'épaisseur. Envahir cette forteresse et s'emparer d'elle ne serait pas facile.

Mais plus il étudiait la redoute et plus il se rendait compte qu'un assaut déterminé, en prenant d'abord les bâtiments extérieurs sans les détruire puis en assiégeant le fortin, pourrait réussir si l'on trouvait un moyen de battre en brèche l'immense cour de l'arrière : les attaquants pourraient alors harceler la redoute centrale en profitant de la protection des bâtiments construits par les Russes eux-mêmes. Avec le temps, ils seraient obligés de se rendre. La redoute Saint-Michel pouvait être prise si les attaquants avaient à leur tête un homme comme Kot-le-an et comptaient dans leurs rangs des guerriers résolus comme Cœur-de-Corbeau.

Fin septembre, à la fin de la saison du saumon, on renvoya les Tlingits sur leur colline. On n'en aurait pas besoin l'année suivante, car les Russes et les Aléoutes avaient appris tout ce qu'il fallait savoir pour attraper et conserver les précieux poissons. Quatorze Tlingits quittèrent la redoute avec seulement les souvenirs d'un séjour assez agréable, mais Cœur-de-Corbeau ramenait des plans complets pour capturer le fort, et dès qu'il retrouva Kot-le-an, il dessina avec lui des diagrammes des installations russes et mit au point des tactiques pour les détruire.

Pendant le reste de l'année 1799, les hésitations de leur toyon empêchèrent ces jeunes guerriers impétueux de mettre leur plan à exécution. Le chef de la tribu semblait paralysé par la puissance des Russes et l'intelligence d'Alexandre Baranov, capable de deviner et de devancer toutes les manœuvres des Tlingits. Chaque fois que les Indiens de la colline semblaient sur le point de devenir rétifs, il désamorçait l'hostilité en leur offrant des présents d'une générosité surprenante. Un jour où plusieurs centaines d'entre eux menaçaient de se rebeller sérieusement, il s'avança hardiment au milieu d'eux en leur conseillant de reprendre leur bon sens.

— C'est un brave, avaient conclu les Tlingits.

Et les manœuvres habiles de Baranov avaient donc neutralisé Kot-le-an et Cœur-de-Corbeau — qui le considéraient cependant plus que jamais comme leur ennemi.

Au cours de l'été 1800, à la fin de la première année du séjour des Russes à la redoute Saint-Michel, Cœur-de-Corbeau put constater que la forteresse était achevée, plus tôt que prévu. A la surprise générale,

Baranov chargea aussitôt un de ses bateaux de peaux venant des eaux de Sitka, hissa les voiles et repartit pour Kodiak, où sa femme Anna et son fils Antipatr l'attendaient dans la grande maison de rondins qui était le cœur de l'Amérique russe. Il comptait ramener de Kodiak des provisions venues de Russie continentale, mais dès qu'il accosta il apprit la désolante nouvelle :

— Aucun bateau n'est arrivé depuis quatre ans. Nous mourons de faim.

Et il détourna son attention de l'avant-poste de Sitka pour s'attaquer au problème qui le tourmenterait pendant toute sa vie en Alaska : « Comment accroître la puissance de la colonie si la métropole ignore et néglige mes requêtes ? »

Baranov retenu à Kodiak, le nouvel établissement de Sitka se trouvait complètement isolé, et pendant l'été 1801 Kot-le-an et Cœur-de-Corbeau se dirent que les Russes seraient bientôt trop affaiblis pour se défendre. Mais au moment même où les Tlingits préparaient leur attaque, l'*Evening Star* de Boston apparut dans le goulet, à son retour de Canton. Au cours de ses précédentes visites, il avait toujours jeté l'ancre près de la colline pour négocier avec les Tlingits, mais cette fois il passa sans s'arrêter, comme si seul le fort russe comptait désormais. Bouillant de colère, Kot-le-an dut s'abaisser à prendre un bateau et à suivre le navire américain comme s'il convoitait ses faveurs, puis à attendre dans le goulet que les Américains aient achevé leur négoce avec les Russes.

— Je suis devenu un étranger dans mon propre pays ! s'écria le jeune chef à l'adresse de Cœur-de-Corbeau.

Et celui-ci profita de leur oisiveté forcée pour répéter à Kot-le-an les manœuvres nécessaires à la prise de la redoute, le jour de l'attaque. Car l'attaque aurait lieu, ni l'un ni l'autre n'en doutaient.

Elle ne se produisit pas en 1801 parce que les provisions fournies par l'*Evening Star* consolidèrent la position des quatre cent cinquante Russes de la colonie. Le moment aurait été mal choisi. Cependant, en sortant de la baie, l'*Evening Star* s'arrêta tout de même au quartier général des Tlingits; le capitaine Corey et Kane, son second, prouvèrent leur amitié fidèle pour les Indiens en leur montrant, dans un coin de la cale qu'ils avaient dissimulé aux Russes, les marchandises que convoitaient le plus les Tlingits : des tonneaux de rhum et des caisses plates contenant d'autres fusils, fabriqués en Angleterre et envoyés en Chine.

— Nous avons gardé le meilleur pour la fin, assura Corey aux Indiens.

Comme la fois précédente, Cœur-de-Corbeau fit le tour des petits hameaux disséminés sur le littoral et ramena une quantité encore surprenante de peaux de loutre de mer. Quand le marché fut conclu, Corey et Kane rencontrèrent Kot-le-an sur la colline et, tout en partageant une bouteille de rhum — les Américains ne buvaient jamais beaucoup mais abreuvaient généreusement les Tlingits —, Corey remarqua :

— Ne serait-il pas plus rationnel de réunir les deux groupes ? Les Russes et les Tlingits travailleraient ensemble et...

— À Boston, coupa Kot-le-an avec une acuité d'esprit surprenante est-ce que vous travaillez ensemble, avec vos Tlingits ?

— Non. Ce ne serait pas possible.

— Ici non plus, ce n'est pas possible.

Corey, se souvenant du grand nombre de fusils qu'il avait vendus à ces Tlingits batailleurs, se retourna vers son second. D'un geste si léger que seul Kane le remarqua, il haussa l'épaule droite d'un air de dire : « Ce qui se passera est leur affaire, pas la nôtre. » Cet après-midi-là, il fit ses derniers calculs sur sa cargaison d'huile de baleine et de peaux de loutre, leva l'ancre et mit le cap sur Boston, qu'il n'avait pas vu depuis six ans.

Après le départ des Américains, Kot-le-an dit à Cœur-de-Corbeau :

— Nous attendrons. Si tu veux construire ta maison au sud, près du torrent aux saumons, fais-le maintenant.

Cette invitation, lancée d'un ton banal, représentait un grand tournant dans la vie de l'esclave, car elle l'affranchissait de sa servitude. En effet, si un Tlingit était libre de bâtir une maison à lui, il était également libre de prendre une femme pour l'aider à occuper cette maison. Or depuis quelque temps, Cœur-de-Corbeau regardait avec de plus en plus d'intérêt une jeune Tlingit qui portait le nom adorable de Kakiena, nom dont le sens s'était perdu mais qui avait appartenu à son arrière-grand-mère. Outre un visage aimable et ouvert qui trahissait une bonté naturelle, elle avait une noblesse d'allure qui semblait prévenir le monde : « Je fais les choses à ma manière. » Fille d'un pêcheur expérimenté, âgée de seize ans, elle avait échappé pour une raison ou une autre au tatouage et à l'insertion de labrets dans la lèvre inférieure. En ces premières années du nouveau siècle, c'était le type même de la jeune fille pleine d'assurance mais réservée qui épousait volontiers un Russe en exil pour constituer avec lui un pont entre le passé et le présent, entre les Tlingits et les Russes.

Mais dès son enfance elle avait senti que ce ne serait pas possible, car elle était farouchement attachée au mode de vie des Tlingits. Elle trouvait la distance spirituelle entre le village tlingit et le fort russe trop grande pour être enjambée dans l'honneur. Il aurait fallu que la femme tlingit renonce à son identité, et Kakiena s'y refusait. Depuis plusieurs mois ses parents commençaient à se demander : « Que va-t-il advenir de notre fille ? », comme si elle seule n'était pas responsable de son salut. Ils se félicitèrent de voir plusieurs Tlingits et plusieurs Russes lui témoigner de l'intérêt, et, au cours de la dernière visite de l'*Evening Star*, ils s'étaient aperçus que Kane, le second, avait plusieurs fois essayé d'attirer la jeune fille dans son lit. Elle l'avait repoussé, de même que les jeunes coqs du village, pour la bonne raison que depuis l'âge de quatorze ans elle avait reconnu en l'esclave Cœur-de-Corbeau le jeune homme le plus accompli de la région. Elle avait été témoin de son courage et de sa fermeté, de sa loyauté à Kot-le-an, de ses capacités à négocier avec les Américains et surtout de ses manières douces, car elle retrouvait sur le visage de l'esclave le même calme noble qu'elle avait découvert sur le sien lorsqu'on lui avait permis d'emprunter un des miroirs magiques apportés par le capitaine Corey.

Ainsi donc, en ce paisible été 1801, Cœur-de-Corbeau se donna trois tâches, qui allaient mobiliser toute son énergie : obtenir Kakiena pour femme ; construire une maison sur les rives du torrent aux saumons, parmi les grands épicéas ; et sculpter un poteau-totem pareil à ceux qui ornaient son village natal du Sud avant sa capture et sa servitude.

Les diverses tribus de Tlingits étaient si différentes de nature qu'elles ne paraissaient pas appartenir à la même famille. Les Tlingits de Yakutat, vers le nord, presque sauvages, ne songeaient qu'à la guerre, aux razzias et à tuer des prisonniers. Les pareils de Kot-le-an, sur la colline dominant le goulet de Sitka, assez agressifs pour défendre leur territoire, s'avéraient cependant assez doux pour apprécier les bienfaits de la paix, s'ils pouvaient l'obtenir à leurs conditions. Ceux du Sud, où Cœur-de-Corbeau avait vécu, habitaient sur les frontières du peuple Haïda, branche distincte des Athapascans qui parlaient une autre langue. Ils avaient pris à ces Haïdas l'habitude remarquable de sculpter pour chaque village et chaque grande maison un poteau-totem de cèdre rouge, haut, imposant, très coloré et relatant les événements importants survenus à ce village ou à cette demeure. Le peuple de Kot-le-an sculptait rarement des totems, et les Yakutats y mettaient le feu quand ils s'emparaient d'un village, mais Cœur-de-Corbeau, qui vivait par nécessité sur un territoire étranger, ne se sentait pas à l'aise dans une maison que ne protégeait pas son totem.

Avec l'ardeur qui le caractérisait, il lança ses trois entreprises en même temps. Il demanda à Kot-le-an de l'accompagner à la hutte de pêcheurs où vivait Kakiena et il demanda solennellement à son père :

— Puis-je avoir l'honneur de prendre votre fille pour femme ?

— On peut lui faire confiance, assura aussitôt Kot-le-an.

— Mais c'est un esclave, protesta le pêcheur.

— Il ne l'est plus. L'honneur a effacé cela.

Le mariage fut conclu.

L'après-midi même, sur les rives du torrent aux saumons, à moins de deux kilomètres à l'est de la colline, dans le cœur d'un noble bosquet d'épicéas, Cœur-de-Corbeau et Kakiena se mirent à abattre les troncs qui constitueraient leur maison, et en début de soirée, après avoir piqueté le plan, ils halèrent sur la berge le poteau de cèdre dans lequel le jeune homme sculpterait son totem. Le lendemain, avec l'aide de Kot-le-an lui-même et de trois de ses hommes, Cœur-de-Corbeau plaça le tronc sur les supports qui isoleraient le bois du sol pendant que l'Indien sculpterait — cette tâche occuperait ses moments de liberté pendant presque un an.

Il ne sculptait le totem que sur une face, et il grava dans le bois une composition personnelle d'images précieuses qui résumaient l'histoire de son peuple : les oiseaux, les poissons, les grands ours, les bateaux qui sillonnaient les eaux, les esprits qui ordonnaient la vie. Mais il ne les représentait pas au hasard ; soumis aux mêmes principes qui avaient guidé la main de Praxitèle et de Michel-Ange, il suivait des normes traditionnelles pour associer entre elles les formes et les couleurs. Sa maîtrise était telle que le totem, à mesure qu'il se dégagerait du bois brut, ne serait pas simplement un poteau décoré devant une maison mais une œuvre d'art, puissante et élaborée, magnifique dans son aspect définitif. Kakiena et lui en furent enchantés quand vint le moment de le planter. Ce jour-là, le toyon, Kot-le-an et le chaman vinrent au sud pour honorer et bénir le totem quand il s'éleva dans les airs — signe que dans cette maison vivait une famille tlingit qui prenait la vie au sérieux.

Marié, avec une maison aux trois quarts construite et un beau totem en place, Cœur-de-Corbeau était en plein travail en juin 1802 lorsque Kot-le-an et deux de ses hommes apparurent au torrent des saumons avec des nouvelles réjouissantes.

— Jamais les Russes n'ont été plus faibles. C'est le moment de les détruire.

Cœur-de-Corbeau partit en mission d'espionnage et, depuis un fourré à l'est de la redoute Saint-Michel, il observa plusieurs faits déterminants : Baranov, le dangereux adversaire, n'avait pas reparu ; son homme de confiance, Kyril Jdanko, n'était pas présent non plus ; un grand nombre d'Aléoutes étaient repartis à Kodiak et la population du fort s'élevait au total à environ cinquante Russes et pas plus de deux cents Aléoutes. Leur défaite semblait certaine. Le nombre de petits bâtiments non protégés près de la côte avait augmenté mais le grand fort lui-même et sa place entourée de palissades n'avaient pas été renforcés.

Cœur-de-Corbeau alla rendre compte à Kot-le-an et à ses hommes.

— Il faut suivre le plan que nous avions prévu. Attaquer par bateau du côté de la baie et sur terre à partir de la forêt. Prendre d'abord les petits bâtiments et s'y enfermer, puis assaillir la redoute.

— La première partie sera facile ? demanda Kot-le-an.

Cœur-de-Corbeau hocha la tête.

— Mais la deuxième ?

L'espion répondit en toute sincérité.

— Très difficile.

Quand la flottille des Tlingits quitta la partie méridionale du goulet à la fin de juin vers onze heures du soir, le soleil venait à peine de se coucher, et lorsque les bateaux se dirigèrent vers le nord, en coordonnant leur avancée avec celle des guerriers qui s'infiltraient dans la forêt, le fort se découpa sur la clarté argentée d'une nuit d'été en Alaska, où les ténèbres ne tombent jamais. En silence, les deux détachements convergèrent et à quatre heures du matin, juste au retour du soleil, ils se jetèrent sur le camp russe, occupèrent aussitôt tous les bâtiments sans protection et pénétrèrent dans la cour des palissades. Puis, en suivant la tactique mise au point par l'espion Cœur-de-Corbeau deux ans auparavant, les Tlingits attaquèrent les endroits les plus faibles, pénétrèrent, mirent le feu aux bâtiments russes et tranchèrent la gorge des défenseurs qui fuyaient pour échapper aux flammes. Les Russes et les Aléoutes périrent, sauf ceux qui, par bonheur, étaient sortis pour pêcher ou pour chasser des animaux à fourrure.

Quand le carnage fut terminé, Kot-le-an, son instigateur, s'écria debout au milieu des cadavres :

— Que cela serve d'avertissement aux Russes ! Ils ne peuvent pas venir impunément voler la terre des Tlingits !

Après avoir incendié les bateaux russes, grands et petits, les Indiens victorieux revinrent en triomphe sur leur colline, conquérants du goulet de Sitka, protecteurs des droits des Tlingits.

***

Quoique étonné de la facilité avec laquelle il avait éliminé les Russes, Kot-le-an ne supposa pas un seul instant qu'un homme aussi déterminé que Baranov se laisserait humilier ainsi sans réagir. Il n'avait aucune idée de la forme que prendraient les représailles des Russes, mais, certain qu'ils se manifesteraient, il prit des précautions exceptionnelles. Il se rendit à l'endroit où Cœur-de-Corbeau et sa femme étaient encore en train d'aménager leur maison et annonça sans ambage :

— C'est le meilleur site de l'île. Notre fort doit s'élever ici.

Cœur-de-Corbeau, qui avait consacré une énergie considérable à la construction de sa maison et à la sculpture de son totem, voulut protester, mais Kakiena l'en empêcha. Elle s'interposa avec une hardiesse qui surprit les deux hommes.

— Kot-le-an, dit-elle, nous ne connaîtrons aucun repos tant que nous n'aurons pas chassé les Russes de notre pays. Prends notre maison.

Quand les Tlingits arrivèrent pour transformer la maison en quartier général, elle travailla avec eux. Plus tard, ce fut elle qui suggéra de clôturer tous les abords avec une haute palissade épaisse hérissée de piquets pointus, et elle participa également à sa construction.

Le fort terminé — un groupe de petits bâtiments solides protégés par la palissade — se trouvait près du torrent aux saumons vers l'est et non loin du goulet vers le sud. À l'opposé, il était protégé par une vaste forêt dense dont les vieux arbres tombés en travers, constituaient un fourré impénétrable. À la fin des travaux, Kot-le-an expliqua à son peuple :

— Nous ne pouvons pas défendre la colline dominant la baie. Les bateaux russes avanceraient dans le goulet pour nous bombarder avec leurs canons. Mais à l'endroit où se trouve notre nouveau fort, ils ne pourront pas parvenir assez près pour nous atteindre.

— Quand déménageons-nous ? demandèrent des femmes.

— Pas avant l'arrivée des Russes... S'ils reviennent un jour.

En entendant ces paroles, Cœur-de-Corbeau se dit : « Kot-le-an a raison. Un homme comme Baranov reviendra. Il s'y sentira obligé. »

Ainsi, le rêve de Cœur-de-Corbeau et de Kakiena s'évapora en préparatifs militaires. Leur maison était construite, mais comme un quartier général. Le totem se trouvait à sa place, mais devant une version tlingit de la redoute russe, non devant leur foyer.

— Pourrons-nous la défendre contre les Russes ? demanda Kakiena.

Son mari ne répondit pas directement :

— Nous l'avons construite solidement. Tu l'as vu toi-même.

— Mais les Russes ne pourront-ils pas s'en emparer ? Comme tu t'es emparé de leur fort ?

— Nous aurons la réponse un de ces jours !

Une attente nerveuse, passive, commença. Puis, en septembre 1804, des bateaux russes pleins à craquer de soldats apparurent dans le goulet de Sitka. D'abord la *Neva,* venue de Saint-Pétersbourg, puis le *Vermak,* la *Katarina* et l'*Alexandre.* Trois cent cinquante kayaks de deux hommes réussirent également la redoutable traversée de l'immense golfe séparant Kodiak de Sitka. Vers la fin du mois, le goulet abritait cent cinquante Russes et plus de huit cents Aléoutes, tous bien armés et impatients de venger la destruction de la redoute Saint-Michel, deux ans plus tôt. Comme les Russes supposaient qu'il leur faudrait prendre d'assaut la colline occupée par les Tlingits dans le passé, Baranov ordonna à ses bateaux, le soir du 28 septembre, de se rapprocher de la colline qu'il avait l'intention de mitrailler avec son artillerie dès le point du jour.

Mais lorsque l'aurore se leva le lendemain matin et que les Russes s'élancèrent sur la colline derrière Baranov, toujours en tête dans les combats, ils trouvèrent un fort désert. Tous les Tlingits s'étaient repliés dans leur nouvelle forteresse, à deux kilomètres vers l'est, derrière des murs de défense de cinquante centimètres d'épaisseur et avec un totem pour protéger l'entrée principale. Baranov annonça qu'il venait de remporter une première victoire, désigna une garnison pour le fortin inoccupé et y fit monter sept canons, qu'il mit en position de façon à commander tous les accès.

— J'ignore où sont les Tlingits, déclara-t-il à ses hommes, mais ils n'occuperont plus jamais cette colline.

Il veillerait à faire respecter cette décision jusqu'à la fin de sa vie.

Les Tlingits, en sécurité dans leur nouvelle forteresse et certains de pouvoir la défendre contre toute attaque russe, rirent en apprenant comment Baranov avait pris d'assaut un fort vide. Mais ils devinrent plus sombres quand leurs espions leur annoncèrent :

— Ils commencent à débarquer les hommes des quatre vaisseaux de guerre ancrés au pied de la colline.

Kot-le-an ne s'en effraya pas, mais il voulut savoir quel mal pourraient faire les canons de ces quatre bateaux. Il envoya donc Cœur-de-Corbeau parlementer avec Baranov pour définir dans quelles conditions les deux groupes pourraient partager cette belle baie et les richesses qu'elle dispensait.

Accompagné d'un jeune guerrier qui portait un drapeau blanc au bout d'un grand piquet, Cœur-de-Corbeau s'engagea sur le sentier qui traversait la forêt, prêt à exposer aux Russes les conditions souhaitées par Kot-le-an. Mais à son arrivée au fort, les Russes l'éconduisirent brusquement, avec des paroles de mépris.

— Notre commandant ne traite pas avec des subalternes. Si ton chef veut s'entretenir avec nous, qu'il vienne en personne.

Humilié et furieux, Cœur-de-Corbeau retourna sur-le-champ auprès de Kot-le-an et lui suggéra de suspendre toute négociation. Mais pendant l'absence de Cœur-de-Corbeau, le jeune chef s'était convaincu qu'un partage pacifique valait mieux qu'une guerre ouverte. Et le lendemain matin, Cœur-de-Corbeau, accompagné par un émissaire spécial, repartit vers la colline, mais cette fois par la mer, dans un canot de cérémonie. Cœur-de-Corbeau fit accoster le canot à un débarcadère et l'émissaire se mit à psalmodier un message de paix en termes fleuris :

— Puissants Russes, les valeureux Tlingits recherchent votre amitié. Vous avez pris notre terre pour votre redoute, nous avons repris votre redoute pour notre terre. Nous sommes quittes, pied à pied, main à main, vivons donc en paix.

Sur ces paroles, l'émissaire se jeta hors du canot, resta dans l'eau jusqu'aux narines, et adressa des regards suppliants aux sentinelles russes. D'un coup de sifflet on appela des officiers. Deux jeunes gens descendirent de la colline et ne purent se retenir de rire en voyant l'émissaire dans l'eau. Voyant que Cœur-de-Corbeau était revenu, ils lancèrent le même message méprisant :

— Si ton chef a quelque chose à dire, qu'il vienne en personne.

Ils allaient se retirer, mais Cœur-de-Corbeau déplia sous leurs yeux une peau de loutre, la plus grande et la plus soyeuse que cette région eût jamais produite. Et il cria en anglais :

— Voici notre présent au grand Baranov !

Le cadeau était si remarquable que les officiers l'invitèrent à monter jusqu'au fort, où Baranov accepta la fourrure avec grâce et donna en échange un complet de drap.

En tlingit, l'ancien esclave devenu un homme de grande dignité, déclara :

— Grand Baranov, nous désirons la paix.

Le Russe formula alors ses exigences :

— Vous devez me laisser deux otages. Vous devez confirmer que cette colline nous appartiendra, ainsi que les territoires environnants dont j'aurai besoin pour établir notre quartier général. Et vous devrez vivre en paix dans cette région en faisant commerce avec nous.

Cœur-de-Corbeau se fit répéter deux fois ces conditions, puis demanda :

— Vous voulez toutes ces terres ?
Baranov acquiesça.
— Et vous voulez que nous vivions soumis à vos ordres ?
De nouveau, le Russe acquiesça.
Cœur-de-Corbeau se dressa de toute sa hauteur et dit :
— Je parle au nom de notre chef Kot-le-an et de notre toyon. Jamais nous n'accepterons ces conditions.
Baranov ne fléchit pas. Il lança un regard interrogateur au capitaine Lisianski, de la *Neva,* qui inclina la tête, puis répondit sans hausser la voix :
— Tu diras à Kot-le-an que nous lancerons notre attaque demain à l'aube.
Le temps que Cœur-de-Corbeau revienne à son canot où l'attendait l'émissaire, les soldats russes et des centaines de guerrtiers aléoutes se dirigeaient déjà vers les quatre vaisseaux et les kayaks.

***

Le 1er octobre 1804, les quatre vaisseaux étaient prêts à appareiller pour la courte traversée vers le fort des Tlingits qu'ils se proposaient de bombarder, mais un calme plat, désolant, régnait sur le goulet, et la grande *Neva,* dont dépendait le succès des Russes, ne put bouger. Le capitaine Lisianski, qui la commandait, marin déterminé et plein de ressources, résolut la question en faisant aligner plus de cent kayaks qui tirèrent lentement le lourd navire avec des cordages attachés à l'arrière. Kot-le-an, témoin de cet effort herculéen, murmura à Cœur-de-Corbeau :
— Ils veulent vraiment se battre !
Et il renforça son dispositif.
L'efficacité du capitaine Lisianski allait être en partie amoindrie par le fait que Baranov, à cinquante-sept ans, devenu obèse, se prenait pour un génie militaire capable de commander au combat un détachement d'environ la moitié des effectifs. Ses hommes l'avaient surnommé le « général-en-chef » et il croyait que son expérience des bagarres de Sibérie et des escarmouches mineures des îles suffisait pour faire de lui un tacticien ; il lançait ses ordres comme un vieux grognard aguerri aux combats. Mais si bouffon qu'il parût à certains, sa vaillance et son désir de vengeance contre ces Tlingits qui avaient détruit sa redoute galvanisaient ses hommes, prêts à le suivre n'importe où.
Avant de lancer l'assaut, se souvenant de récits de batailles qu'il avait lus, Baranov se crut tenu par l'honneur d'offrir à son ennemi une dernière chance de se rendre. Il envoya donc trois Russes avec un drapeau blanc. Aux abords du fort tlingit, celui qui commandait la délégation cria d'une voix forte :
— Vous connaissez nos conditions. Donnez-nous les terres. Des otages. Et restez ici pour commercer en paix avec nous.
De l'intérieur du fort partit un éclat de rire puis une salve de mousqueterie qui crépita dans les arbres au-dessus des têtes des négociateurs. Ceux-ci, affolés à l'idée que les coups de feu suivants seraient peut-être dirigés vers eux, filèrent à la *Neva* sans demander leur reste et relatèrent à Baranov l'accueil qu'ils avaient reçu. Il ne se lança pas dans de grands discours.
— Prenons leur fort, dit-il simplement à son entourage.
Comme prévu depuis la veille, le capitaine Lisianski lança quatre

chaloupes fortement armées pour détruire tous les canots tlingits qui restaient sur la plage. La bataille avait commencé.

Baranov, vêtu d'une sorte d'armure de cuir et de bois, l'épée haute, débarqua dans le ressac à la tête de ses hommes, déterminé à attaquer les murs du fort et à exiger la reddition, avec l'appui de ses trois petits canons portatifs. Il s'arrêta pour écouter les bruits des Tlingits dans le fort, n'entendit rien et s'écria :

— Ils l'ont abandonné, comme celui de la colline !

Avec un héroïsme de paysan téméraire, il entraîna ses hommes à découvert vers les murs.

Mais dès qu'ils parvinrent à bonne portée, de ces murs jaillit le feu d'excellents fusils de Boston, et l'effet sur les assaillants fut catastrophique, car la volée inattendue en frappa un grand nombre de plein fouet.

Les Russes battirent aussitôt en retraite dans le désordre et les Tlingits s'élancèrent de leur portail central, gardé par le totem, pour tomber sur les hommes désorganisés qu'ils tuèrent et blessèrent sans avoir à craindre de riposte. Si le capitaine Lisianski ne s'était pas porté aussitôt au secours de Baranov, le massacre aurait été général. Cette première bataille, nettement gagnée par les Tlingits, fut un vrai désastre pour le général en chef Baranov.

De retour à bord de la *Neva* avec une blessure grave au bras, il dut s'aliter, sur l'ordre du médecin.

— Trois de mes hommes morts, quatorze Russes blessés et un nombre incalculable d'Aléoutes qui ont filé comme des lapins au premier coup de fusil, constata Lisianski lorsqu'il voulut faire le bilan de l'échauffourée. Mais nous avons remporté une victoire : Baranov est juste assez gravement blessé pour ne plus prendre la tête des troupes. Organisons le siège et faisons sauter ce fort.

Avant même le début de la canonnade, tout le monde comprit que la bataille serait sans merci, comme l'assaut précédent sur la redoute Saint-Michel, où tous les Russes présents avaient été massacrés. En effet six guerriers tlingits s'avancèrent sur la plage presque à portée de fusil de leurs ennemis, en brandissant leurs lances sur la pointe desquelles était empalé le cadavre d'un Russe. Sur un coup de sifflet de leur chef, les Tlingits poussèrent brusquement leurs lances vers le haut et elles s'enfoncèrent dans le corps jusqu'à ce qu'apparaissent les pointes de métal, rougies par le sang. Puis, sur un autre signal, ils firent basculer le corps dans la baie.

Quelques minutes plus tard, la canonnade commença, et lorsque le bruit courut sur le pont de la *Neva* qu'un quatrième Russe était mort de ses blessures, le feu s'intensifia. Le bombardement continua pendant deux jours, puis une sortie en force, conduite par Lisianski couvrit le secteur devant le fort et tua tous les Tlingits sur son passage. Cette sortie leur permit de voir que la grande palissade de bois construite par Kot-le-an et Cœur-de-Corbeau avait une épaisseur suffisante pour résister aux plus gros boulets de canon.

— Nous ne vaincrons pas en essayant de détruire cette palissade, déclara Lisianski.

Il en rendit compte à Baranov et ils décidèrent ensemble de pointer leurs canons comme des mortiers, de façon que les boulets destructeurs pleuvent sur l'intérieur du fort.

Lisianski, en les voyant tomber ainsi avec une précision remarquable, assura à Baranov :

— Ils ne pourront pas le supporter longtemps.
Le petit marchand bedonnant répondit par un sourire sans joie.

Au cours des premières journées du siège, l'allégresse avait régné à l'intérieur du fort, car les Tlingits qui le défendaient avaient remporté trois victoires : la palissade avait résisté au feu russe, ils avaient repoussé la première attaque terrestre en infligeant de lourdes pertes à l'ennemi, et sans souffrir de représailles ils avaient nargué les Russes sur la côte, en transperçant le cadavre puis en le jetant dans les vagues.

— Nous les tiendrons en échec ! cria Kot-le-an au lendemain de ces premiers succès.

Mais quand la canonnade commença pour de bon, avec les Russes qui tiraient par-dessus les murs, les faveurs de la guerre changèrent vite de camp. À l'intérieur de la palissade, une quinzaine de bâtiments distincts se serraient autour de la maison construite par Cœur-de-Corbeau et Kakiena. Une malchance inouïe voulut que les boulets russes frappent ces bâtiments de bois, qui s'éventrèrent en tuant ou blessant grièvement leurs occupants. Les enfants se mirent à hurler et la destruction continua. Trois boulets frappèrent coup sur coup la maison de Cœur-de-Corbeau. Les cendres du foyer, dispersées, amorcèrent un incendie qui consuma rapidement le bâtiment entier. Quand il vit les flammes faire rage, Cœur-de-Corbeau eut le pressentiment qu'il assistait à la fin de tout ce que les Tlingits avaient aimé dans le passé, car cette maison demeurait le symbole de son affranchissement et de son intégration dans la plus forte des tribus tlingits.

Mais, sachant qu'il ne devait laisser transparaître son appréhension ni devant Kakiena ni devant Kot-le-an, il fit le tour des défenseurs du fort avec des paroles d'encouragement :

— Ils vont cesser. Ils comprendront qu'ils ne peuvent pas nous vaincre et ils s'en iront.

Mais tandis qu'il prononçait ces paroles, pendant le troisième jour du bombardement, un cri l'interrompit. Un cri de Kakiena. Supposant qu'un boulet l'avait touchée, il se précipita. Debout dans les décombres, la bouche ouverte mais incapable de parler, elle regardait le ciel. Cœur-de-Corbeau vit alors ce qui avait provoqué son cri : un boulet tiré par la *Neva* avait touché le totem, qui s'était brisé. La partie supérieure, avec le corbeau si minutieusement sculpté, avait disparu : il ne restait qu'un moignon déchiqueté, encore haut mais décapité pour toujours. Se rappelant les légendes de son peuple et leurs esprits, qu'il avait gravés avec amour dans le poteau, Cœur-de-Corbeau se sentit perdu ; mais il refusa de laisser paraître sa détresse devant la disparition d'un autre élément de sa vie auquel il tenait et qu'il avait espéré défendre. Et le bombardement continua.

Le sixième jour, quand la lumière déclina, Kot-le-an s'avança vers Cœur-de-Corbeau avec un message que ce dernier ne s'attendait pas à recevoir :

— Ami fidèle, prends le drapeau blanc et va les voir.

— Pour leur demander quoi ?

— La paix.

— À quelles conditions ?

— Celles qu'ils proposeront.

Pendant plusieurs minutes, tandis que Kot-le-an réunissait une délégation de six hommes pour escorter son émissaire, Cœur-de-Corbeau, au milieu des décombres, crut que le sol tremblait sous ses pieds. Un rêve prenait fin, un monde allait se perdre — et on l'avait choisi pour effectuer la reddition. Mais au moment de prendre entre ses mains le signal de la soumission, tout son corps se révolta. Ses yeux refusèrent de voir, ses pieds de bouger et son esprit d'accepter le devoir horrible. Il cria dans le vent :

— Je ne peux pas.

Ce fut Kakiena qui le persuada :

— Il le faut. Regarde !

Elle lui montra les maisons détruites, les rangées de cadavres encore sans sépulture, les signes universels de défaite.

— Il le faut, répéta-t-elle doucement.

Stupéfait d'entendre sa femme, si inflexible, prononcer ces paroles, il se tourna vers elle et vit sur ses lèvres un sourire amer.

— Cette fois, nous avons perdu. Sauvons ce que nous pouvons. La prochaine fois, quand ils tourneront le dos, nous les écraserons.

Lorsqu'il franchit le portail à la tête de la délégation, elle l'accompagna jusqu'à la plage, où il cria en anglais aux Russes qui avaient interrompu le bombardement en apercevant le drapeau blanc :

— Baranov, c'est toi qui gagnes. Discutons.

Un porte-voix de cuivre amplifia la réponse, en russe.

— Va te coucher. Plus de bombardement. Nous viendrons demain.

À ces mots, qui marquaient la fin du siège — et pour les Tlingits la fin de leurs espoirs de conserver Sitka —, Kakiena lança une plainte stridente, que les Russes à portée de voix interprétèrent comme une lamentation des Tlingits sur leurs espérances perdues. S'ils avaient compris les paroles, ils auraient été stupéfaits.

— Hélas, pauvre de moi, les vagues ont quitté notre rivage et il ne reste plus que les rochers. Mais pareils aux rochers, nous durerons, et dans les années à venir nous reviendrons ainsi que des vagues pour étouffer les Russes.

Les marins ennemis écoutèrent dans la nuit tombante une voix tlingit, puis une autre, se joindre à la supposée lamentation, jusqu'à ce que tout le rivage retentisse de ce qu'ils prenaient pour de la douleur mais qui constituait, sur l'initiative de Kakiena, une promesse solennelle de vengeance.

Lorsque Cœur-de-Corbeau et la délégation retournèrent au fort, le silence les accueillit. La canonnade avait cessé mais les Tlingits ne bougeaient plus. Ils avaient formé spontanément des groupes pour discuter des mesures à prendre. Pourtant, quand Cœur-de-Corbeau passa d'un rassemblement à l'autre, il ne trouva que consternation et absence de plan pour l'avenir. Puis, vers minuit, Kot-le-an et le toyon prirent le commandement. Leurs directives furent brèves et brutales :

— Nous traverserons les montagnes et quitterons cette île pour toujours.

Ces paroles fatidiques firent le tour du fort, et tout le monde en mesura la portée car traverser l'île de Sitka, où que ce fût, serait une entreprise difficile, étant donné l'absence de pistes dans ces montagnes déchiquetées. Mais les Tlingits avaient décidé de fuir, et au cours des quatre heures qui suivirent minuit, le fort détruit fut en proie à un ouragan d'activités.

Seuls Cœur-de-Corbeau et Kakiena avaient vécu sur ce beau site entre le torrent aux saumons et la baie, et ils furent donc les seuls à emporter des souvenirs de ces lieux — lui, un fragment du totem ; elle, une écuelle de bois brisée — mais tous ceux qui se préparaient à fuir gardaient en mémoire leur existence heureuse sur la belle colline dominant le goulet et ils avaient tous le cœur gros.

Vers l'aurore, deux groupes furent chargés de corvées particulièrement désespérantes. Des hommes désignés sillonnèrent le fort pour tuer tous les chiens, surtout ceux qui s'étaient attachés à une famille précise, car il était impossible de les emmener pour ce voyage. Plus d'un éprouva du chagrin quand mourut un compagnon qui avait bondi de joie à la voix d'un enfant. Mais cette tristesse fut vite oubliée lorsque peu après, une équipe comparable de femmes, sous la conduite de Kakiena, passa dans les rangs de la foule rassemblée et tua tous les bébés tlingits trop jeunes pour marcher.

Le 7 octobre, tôt dans la matinée, les brumes se levèrent et un beau soleil d'automne apparut. Des marins de la *Neva* et des trois autres navires formèrent les rangs sur la plage derrière le général en chef Baranov, et prirent le départ de leur marche triomphale pour recevoir la reddition des Tlingits. Mais lorsqu'ils se rapprochèrent du fort, ils ne virent personne, n'entendirent aucun bruit. Non sans hésitation, ils s'avancèrent. Un vol de corbeaux s'éleva dans les airs en croassant, et un marin superstitieux grommela :

— Ils dévorent les morts.

Baranov fut le premier à dépasser le portail de guingois, qu'un boulet avait à moitié arraché, et il eut sous les yeux toute la désolation : le sol jonché de chiens morts et de minuscules cadavres humains. Ce fut un instant d'épouvantable victoire, accentué par l'apparition soudaine, sur le seuil d'une maison éventrée, de deux vieilles femmes trop âgées pour voyager, qui gardaient un enfant de six ans infirme d'une jambe.

— Où ont-ils disparu ? lança Baranov aux femmes.

Elles indiquèrent la direction du nord.

— À travers ces montagnes ? demanda l'interprète.

Elles répondirent « oui ».

Au même moment, Kot-le-an, Cœur-de-Corbeau et le toyon qui avait perdu son royaume, conduisaient leur peuple à travers un pays au relief violent, couvert d'immenses épicéas dont les troncs étaient aussi droits qu'un trait tiré dans du sable. La marche s'avérait si difficile qu'ils ne couvriraient pas plus d'une dizaine de kilomètres ce jour-là, et plusieurs semaines pénibles s'écouleraient avant qu'ils atteignent le nord de l'île. Quand ils y parviendraient, ils s'arrêteraient pour construire des canots capables de leur faire traverser le détroit du Péril, puis il leur faudrait trouver un refuge quelconque dans l'île inhospitalière de Chichagof, infiniment plus sauvage et stérile que le goulet de Sitka.

Mais ils ne renoncèrent pas, et quand ils atteignirent enfin le rivage nord de leur île, certains pleurèrent en apercevant les montagnes de leur nouveau pays, de l'autre côté du détroit, car ils savaient qu'ils perdaient beaucoup au change. Cependant Cœur-de-Corbeau, qui avait déjà été dépouillé de tout une fois au cours de sa vie agitée, dit à Kakiena :

— Je crois que nous pourrons nous établir là-bas.

Au même instant un poisson sauta dans les eaux du détroit et l'ancien esclave annonça :

— C'est bon signe.

*
**

Suivirent alors les quinze années remarquables, de 1804 à 1818, qui confirmèrent la réputation d'Alexandre Baranov comme père et principal inspirateur du fragile empire russe d'Amérique du Nord. Âgé de cinquante-sept ans au début de ce déchaînement d'énergies, il fit preuve de l'enthousiasme d'un gamin chassant son premier cerf, de la sagesse d'un Périclès pour la construction d'une nouvelle ville, et de la patience d'un Job des îles.

Comme constructeur, il s'avéra infatigable. Dès que le dernier bout de bois du fort tlingit fut consumé, y compris le poteau-totem brisé, il remit tous ses hommes au travail sur la colline, où il se fit construire une petite maison modeste avec vue sur le goulet, le volcan et les montagnes environnantes. De son vivant, cette maison serait reconstruite en une demeure plus imposante, avec plusieurs chambres, et après sa mort elle serait encore agrandie aux dimensions d'une résidence grandiose de trois étages contenant même un théâtre. Jamais il ne l'occuperait ni ne la verrait, mais elle porterait toujours le nom de Château Baranov et constituerait le siège du gouvernement de l'Amérique russe.

Au pied de la colline, il délimita une vaste surface comprenant un grand lac, et la fit clôturer par une haute palissade de bois ; ce serait la ville russe. Mais un curieux problème se posa, car Baranov appela sa colonie Novo-Arkhangelsk, alors que les capitaines de bateaux de toutes les nations, les Tlingits et les Aléoutes qui connaissaient ce site, continuèrent de l'appeler Sitka, le nom ancien qui devait lui rester jusqu'à nos jours. La belle cité allait donc porter indifféremment les deux noms, mais elle ne devait obéir qu'à une seule règle : « Aucun Tlingit à l'intérieur de la palissade. »

Pourtant, à peine avait-il proclamé cette loi, que Baranov tirait déjà des plans pour le jour où les Indiens reviendraient l'aider à construire une Novo-Arkhangelsk plus vaste. Il fit déboiser un immense espace près de la palissade et expliqua aux gens de la ville :

— Il faut le réserver aux Tlingits, quand ils commenceront à revenir. Ce sont des gens raisonnables. Ils s'apercevront que nous avons besoin d'eux et découvriront qu'ils peuvent vivre mieux en partageant cet endroit avec nous qu'en se cachant dans le désert, où ils végètent en ce moment.

Une fois cette décision prise — « Les Russes à l'intérieur des murs, les Tlingits au-dehors » —, Baranov consacra son énergie à la construction d'une grande ville, et avec l'aide de Kyril Jdanko, il fit édifier en un temps très court une caserne pour ses soldats, une école qu'il paya sur son maigre salaire comme jadis l'orphelinat de Kodiak, une bibliothèque, une salle des fêtes avec dans un angle un précieux piano importé de Saint-Pétersbourg pour les danses, et une véritable scène de théâtre pour les pièces en un acte qu'il encourageait ses hommes et leurs femmes à interpréter ; plus une douzaine d'autres bâtiments de service : chantiers pour la réparation de bateaux relâchant à Novo-Arkhangelsk et ateliers pour la révision de leurs instruments de navigation et de leurs canons.

Une fois ces premières nécessités assurées, il fit venir le père Vassili.

— Nous nous sommes assuré un bon départ, mon père. Il est temps de construire une église.

Et avec un zèle redoublé, il lança la construction de la cathédrale

Saint-Michel, qu'il se plaisait à appeler « notre cathédrale ». Construite avec les restes d'un bateau abandonné, c'était un édifice de bois plus grand que tous les autres bâtiments existants, et quand ses étages inférieurs furent terminés, Baranov en personne supervisa la mise en place d'un clocher à bulbe. Le jour de la consécration solennelle, tandis qu'un chœur chantait des cantiques en slavon, il put en toute sincérité proclamer aux paroissiens :

— Maintenant que notre belle cathédrale s'élève vers le ciel, Novo-Arkhangelsk devient russe à jamais, et à jamais le centre de nos espoirs.

Quelques semaines après la consécration, il reçut une confirmation de ses rêves, qui l'emplit d'une joie profonde : un de ses collaborateurs s'élança vers la colline en criant :

— Excellence ! Regardez !

Il s'avança sur la terrasse entourant sa maison : une vingtaine d'Indiens lançaient des regards hésitants vers la palissade dans l'espoir d'obtenir la permission de construire des maisons sur l'espace que leur avait réservé Baranov.

L'arrivée de ces anciens ennemis surprit sans doute les sentinelles russes, mais non Baranov. Il les attendait, espérait leur venue.

— Apportez de quoi manger ! cria-t-il en dévalant la colline. Des vieilles couvertures ! Un manteau et des clous.

Les bras débordant de ces cadeaux, il se dirigea vers les Tlingits et les força à prendre ce qu'il leur tendait. Un vieil homme qui parlait quelques mots de russe dit :

— Nous revenons. C'est mieux ici.

Baranov crut qu'il allait pleurer de joie.

Toutefois, cet instant d'exaltation fut vite noyé au milieu des humiliations qui allaient obscurcir les dernières années de sa vie. En un sens ce fut lui-même qui les provoqua, car plus Novo-Arkhangelsk prenait de l'importance, plus le gouvernement russe envoyait de vaisseaux de guerre dans l'île. Et cela signifiait qu'inévitablement des officiers de la Marine russe apparaîtraient dans leurs uniformes tirés à quatre épingles pour inspecter « ce que faisait par là-bas ce marchand Baranov ». On l'en avait prévenu au cours d'une mémorable réunion à Irkoutsk des années auparavant quand on l'interrogeait sur ses capacités à défendre les intérêts de la Compagnie : « Il n'existe rien au monde de plus insolent qu'un officier de la Marine russe. »

Celui que le tsar Alexandre Ier choisit en 1810 pour sillonner le Pacifique sur le vaisseau *Moscovie* et tourmenter les responsables locaux de Kodiak et de Novo-Arkhangelsk — surtout ce dernier — était un jeune dandy de vingt-cinq ans, le lieutenant Vladimir Ermelov, véritable caricature du jeune aristocrate russe prêt à se battre en duel s'il se sentait blessé dans son honneur. Grand, mince, moustachu, visage de faucon et allure sévère, il considérait les simples matelots, les serviteurs, la plupart des femmes et tous les marchands comme indignes de son intérêt et même de toute politesse élémentaire. Brave au combat, assez bon marin, toujours prêt à justifier ses décisions à la pointe de l'épée ou un pistolet à la main, il semait la terreur sur tous les bateaux qu'il commandait. Dès qu'il débarquait, éblouissant dans son uniforme blanc, il devenait le point de mire de tous les regards.

Le lieutenant Ermelov, rejeton d'une noble famille qui avait fourni aux souverains russes certains de leurs conseillers les plus obstinés et les moins efficaces, avait épousé la petite-fille d'un vrai grand-duc, qui lui avait donné des quartiers de noblesse incontestables, et lorsqu'elle voyageait à bord du bateau de son mari, ils se prenaient tous les deux pour les représentants personnels du tsar. Tout seul, Ermelov s'avérait redoutable ; mais avec le soutien de son arrogante épouse, il devenait, selon l'expression d'un jeune officier, « littéralement imbuvable ».

Quand Ermelov quitta Saint-Pétersbourg à bord du *Moscovie,* il ne savait presque rien d'Alexandre Baranov et de ses travaux au fin fond des possessions russes de l'Est, mais pendant sa longue traversée autour du monde, il relâcha dans de nombreux ports et au cours de conversations avec des capitaines russes, anglais ou américains qui avaient fait escale à Kodiak ou à Sitka, il entendit d'étranges récits sur cet homme hors du commun, parvenu par hasard (semblait-il) à une position éminente dans les Aléoutiennes, « ces maudites îles des fourrures ensevelies dans le brouillard, ou bien à Kodiak, qui ne vaut guère mieux ». Plus il en entendait, plus il se demandait pourquoi le gouvernement impérial avait confié à un homme de cet acabit une région dont l'importance ne cessait de croître.

Mme Ermelov, que l'on appelait « Princesse » avant son mariage avec Vladimir et qui avait encore le droit d'utiliser ce titre, fut particulièrement irritée par ce qu'elle ne cessait d'entendre sur « ce maudit Baranov », et quand le *Moscovie* quitta Hawaii en 1811, la cale était pleine de ragots sur « ce fou de Russe, à Novo-Arkhangelsk, comme il appelle maintenant son île ». Les Ermelov, avant même de le connaître, étaient écœurés par cet homme qu'ils tenaient tous les deux pour un parvenu — Ermelov pour des raisons politiques, sa femme du fait de sa naissance.

— Vladimir, je connais à Pétersbourg une bonne douzaine de jeunes gens de qualité, dignes d'un poste de gouverneur. N'est-il pas irritant de voir leur place prise par un pitre comme ce Baranov ?

Et son irritation se manifesta dans sa première lettre envoyée en russe de Novo-Arkhangelsk et adressée à sa mère la princesse Tcherkanski, fille d'un grand-duc et parfaitement au fait des impératifs de la bonne société.

Chère maman,

Nous sommes arrivés en Amerika et je peux vous faire le bilan de toute l'expérience en vous racontant en deux mots ce qui s'est passé à notre débarquement. De la mer, nous avons reconnu le splendide volcan qui ressemble tellement aux gravures que nous avons du Fuji-Yama au Japon, et peu après l'avoir dépassé, nous avons aperçu la petite éminence sur laquelle s'élève notre capitale de l'Est. Le site semble prometteur, et si la construction et la décoration des bâtiments qui le couronnent étaient convenables, le temps en ferait sans doute une capitale acceptable. Hélas, bien que toute la région ne soit que montagnes, il n'existe aucune pierre de construction. Alors, les bâtiments bas, dont aucun architecte ou artiste n'a tracé les plans, sont en bois mal équarri, mal assemblé et même pas peint. Ce qu'ils appellent leur cathédrale vous ferait mourir de rire : un tas de bois grossier, laid, sans harmonie, couronné par une construction désopilante qui passe ici pour un dôme en forme de bulbe — forme si belle quand elle est bien construite mais si lamentable lorsque les diverses pièces qui la composent ne sont pas bien équilibrées.

Mais cette « cathédrale » demeure une œuvre d'art, comparée à ce que les indigènes appellent fièrement leur « château » sur la colline. Sans peinture, sans plan et en un sens inachevé, le bâtiment en question n'est qu'un ramassis de granges accolées l'une à l'autre au petit bonheur, sans aucune possibilité d'amélioration ultérieure. Même une équipe de nos meilleurs architectes de Pétersbourg ne pourrait sauver cet édifice, et je suis certaine qu'il empirera à chaque rajout qu'on lui fera. Je dois cependant avouer que par beau temps — et il y a quelques journées claires bien que ce soit souvent pluie, pluie, pluie —, la campagne environnant la colline peut paraître suprêmement belle, comme les magnifiques paysages de lacs que nous avons vus en Italie. De toutes parts, des montagnes d'une altitude surprenante tombent directement dans l'eau, pour former une sorte de cocon rocheux tapissé d'arbres, dans lequel s'élève Novo-Arkhangelsk. Et avec ce volcan en sentinelle, vous avez un décor digne d'un maître architecte.

Sur la place, nous avons Alexandre Baranov : un misérable marchand qui s'efforce non sans ridicule de jouer au gentilhomme. Je ne vous dirai qu'une chose sur cet imbécile incompétent. Quand on nous a présentés à lui, Volodia et moi — car nous ne l'avions jamais vu — nous avons vu s'avancer, en s'inclinant très bas comme il convient, un petit bonhomme boulot avec une petite panse ronde, dans un costume coupé par un tailleur local (car rien ne tombait droit). Lorsqu'il se rapprocha, je n'en crus pas mes yeux et Volodia me chuchota, presque assez fort pour qu'on l'entende : « Mon Dieu, est-ce une perruque ? »

C'en était une sans l'être. Elle devait être faite de poils, mais de quel animal ? Je préfère ne pas deviner, car cela ne ressemblait à aucune fourrure que j'avais pu voir et je suis certaine que ce n'étaient pas des cheveux humains — à moins de provenir de quelque sauvage décapité. Et de toute évidence, c'était destiné à servir de perruque, car c'était sur sa tête, entièrement chauve comme je le découvris plus tard. Mais rien de commun avec le genre de perruques que les gentilshommes et les hauts dignitaires portent parfois avec tellement de distinction en Europe — Oncle Vania, par exemple. Non, c'était une espèce de tapis, avec une couleur écœurante, d'une matière qui ne convenait pas et sans la moindre forme. Vraiment désolant.

Mais j'en reviens au plus incroyable. Pour maintenir l'objet sur sa tête, M. Baranov se sert de deux cordons, comme en utilisent les paysannes françaises pour attacher leurs bonnets lorsqu'elles traient les vaches, et il avait noué ces cordons sous son menton en un nœud papillon assez gros pour lui servir de cravate. Plus tard, quand ce petit bonhomme pansu à l'absurde perruque reçut, à côté de mon cher Volodia, le plus désespérant ramassis d'invités qui soit dans toute la Russie — pas un seul gentilhomme dans le tas —, la comparaison était si ridicule que j'ai failli pleurer de honte en songeant à la dignité de la Russie. Le monstre coiffé de sa perruque-bonnet de nuit, à côté de Volodia, droit, impeccable, plus digne que jamais dans son uniforme blanc avec les épaulettes d'or que lui a offertes Oncle Vania.

Plus tôt nous quitterons Novo-Arkhangelsk, mieux ce sera pour moi. Comme si ce que je viens de vous dire ne suffisait pas, je découvre à présent que cet écœurant Baranov a une femme ! Une indigène qu'il a affublée du titre ridicule de Princesse de Kenaï — Dieu seul sait où se trouve cet endroit —, mais quand j'ai protesté contre cette insulte à la dignité russe, mon informateur m'a rappelé que le prêtre local, un certain Voronov, avait lui aussi une épouse indigène. Pauvre Mère Russie, que lui arrive-t-il donc pour qu'elle veille aussi mal sur ses enfants ?

Avec mes plus tendres pensées, votre fille toujours aimante,

Natacha.

Le *Moscovie* resta à Novo-Arkhangelsk pendant neuf mois pénibles et, jour après jour, le lieutenant Ermelov et sa princesse se montrèrent plus ouvertement méprisants à l'égard de Baranov. Ils le ridiculisaient devant ses hommes et le critiquaient à chaque mesure qu'il prenait pour améliorer sa capitale.

— Cet homme est une vraie cruche ! fit observer la princesse à haute voix au cours d'une réception.

Et dans ses rapports fréquents à Saint-Pétersbourg, son mari décrivait sans cesse la bêtise de Baranov, sa mauvaise gestion et son incapacité à comprendre la position de la Russie dans le monde. Plus gravement, dans trois lettres différentes, Ermelov amorça des calomnies sur l'utilisation faite par Baranov des fonds du gouvernement, accusations qui devaient hanter ce dernier durant les années à venir.

Quand on considère les sommes que notre gouvernement a dû débourser pour Novo-Arkhangelsk et qu'on voit le peu qui a été accompli, on ne peut éviter de se demander si ce petit marchand véreux n'en a pas détourné une bonne part à son profit.

Baranov pouvait tolérer les attaques contre sa personne, car on l'avait prévenu qu'il fallait s'y attendre de la part de tout officier de marine appartenant à la noblesse. Mais lorsque les Ermelov se mirent à décharger leur bile sur le père Vassili, Baranov dut intervenir :

— Très estimée princesse, je suis obligé de protester. Il n'existe pas en Russie orientale un seul homme d'église meilleur que Vassili Voronov, et dans cette évaluation je n'exclus nullement Son Éminence l'Évêque d'Irkoutsk dont la piété est renommée dans toute la Sibérie.

— Pieux ? Certainement, accorda-t-elle. Mais n'est-il pas offensant que le personnage le plus important de l'Église dans une région aussi vaste ait pour épouse une espèce de sauvage mal dégrossie ? Une honte !

En d'autres circonstances, pour éviter d'exciter l'animosité des Ermelov, Baranov aurait laissé passer cette condamnation sans réagir. Mais au cours des années, il était devenu un défenseur acharné de Sofia Voronova, en qui il voyait le type même de la femme aléoute responsable, dont le mariage avec un envahisseur russe formerait la base d'une nouvelle race mêlée, aléoute-russe, capable de peupler et plus tard de gouverner l'empire américain de la Russie. Comme pour confirmer la justesse des prédictions de Baranov, Sofia avait donné naissance à un beau petit garçon, Arkadi. Mais une des raisons de la prédilection de Baranov pour cette adorable femme toujours souriante, c'était qu'il se retrouvait de nouveau sans épouse. Pour des raisons qu'il ne parvenait pas à comprendre, sa femme indigène, Anna, se comportait exactement comme jadis son épouse russe : elle refusait de quitter le confort de Kodiak pour l'accompagner dans ce qu'elle considérait comme une résidence moins désirable. Privé d'épouse pour la deuxième fois, il avait emmené à Sitka ses deux enfants sang-mêlé, à qui il servait à la fois de père et de mère, résigné au fait qu'il semblait incapable de retenir une femme.

Mais dans sa solitude, il éprouvait de plus en plus de plaisir à observer la réussite conjugale des Voronov. En découvrant la plénitude que ces deux êtres s'apportaient mutuellement, il éprouvait la satisfaction affective qui lui était refusée dans son propre foyer. En vérité, Vassili Voronov était bien l'homme qu'il fallait dans un endroit comme Novo-Arkhangelsk. Courageux, loyal envers le gouverneur civil et fidèle à la loi de Jésus-Christ sur terre, il parcourait son immense paroisse comme les premiers disciples, et partout où il s'arrêtait pour apporter sa consolation, la présence du christianisme devenait presque tangible. Les premiers marchands de fourrures russes avaient couvert de honte l'image de l'impérialisme russe, mais le père Vassili effaça cette tache en apportant dans les îles amour et compréhension.

Son épouse aléoute l'assistait dans ses œuvres. Elle continua d'organiser et d'animer des crèches et des orphelinats, et finit par représenter une sorte de pont entre les Aléoutes païens et le christianisme russe de son mari. Baranov la considérait comme une femme de pasteur idéale et soutenait ses efforts ; il était devenu une sorte de père pour elle, et n'était pas disposé à la laisser calomnier par la princesse Ermelov.

— Je vous demande pardon, princesse, répliqua-t-il à la dernière de ses diatribes, mais à ce que j'ai pu voir, Mme Voronov, que vous traitez de sauvage, est une vraie chrétienne et un joyau de notre couronne d'Amérique du Nord.

La princesse, habituée à ne recevoir aucune rebuffade de quiconque, baissa son nez patricien vers ce chauve ridicule — Baranov ne portait sa perruque que pour les grandes occasions — et répondit d'un air altier, comme si elle congédiait un paysan :

— Monsieur Baranov, j'ai vu à Novo-Arkhangelsk des centaines d'Aléoutes, et ce sont tous des sauvages, la femme du prêtre comme les autres.

Pleinement conscient du tour dangereux que prenait la conversation, Baranov releva son double menton.

— Je vois dans ces Aléoutes, dit-il, l'avenir de l'Amérique russe, et aucun d'eux n'est plus prometteur que l'épouse du père Voronov.

Suffoquée par cette réfutation grossière, la princesse lança :

— Retenez mes paroles, vous la verrez retomber dans l'ornière de sa race. Elle se fait passer pour chrétienne uniquement pour abuser des hommes faciles à duper, comme vous.

Dès qu'elle eut retrouvé son mari, elle laissa éclater sa rage.

— Baranov m'a parlé grossièrement quand je lui ai reproché de défendre cette misérable Aléoute qui s'est liée au prêtre. Je veux que vous informiez Pétersbourg que ce Voronov se donne en spectacle avec cette petite sauvage.

Vladimir Ermelov avait appris — sagesse que les hommes mariés n'acquièrent jamais sans douleur — à ne jamais s'opposer à sa femme autoritaire, surtout du fait qu'elle avait des relations personnelles avec la famille du tsar. Mais il décida, pour une fois, sans rien en dire, de ne tenir aucun compte des fulminations de la princesse contre Sofia Voronova. En effet il avait chanté les louanges du père Vassili dans ses dépêches, en des déclarations qui devaient paver la voie à d'extraordinaires événements ultérieurs.

> *Autant Baranov paraît inefficace — et j'ai rapporté uniquement ses erreurs et ses défauts les plus criants —, autant son prêtre, Vassili Voronov, est un homme d'Église exceptionnel. Par la perfection de son attitude et de ses réalisations, il atteint presque à la sainteté et je le recommande à l'attention de Votre Excellence, non seulement à cause de sa perfection religieuse, mais parce qu'il représente la Russie avec honneur. Je n'ai pu déceler en lui qu'un seul inconvénient : il est marié à une Aléoute à la peau nettement sombre, mais s'il devait être promu à un poste supérieur, je suppose qu'on pourrait le libérer de ce boulet.*

Ainsi donc, tandis que la princesse tempêtait contre Baranov et Sofia, le lieutenant Ermelov renchérissait en ce qui concernait l'homme, mais gardait le silence concernant la femme. Avec une obstination incroyable il ne cessait de saper l'autorité de Baranov dans la colonie, et il déclarait volontiers à sa femme et à qui voulait l'entendre :

— Vous imaginez un bateau de guerre commandé par des paysans ? Croyez-moi : on ne peut pas gouverner une colonie avec des marchands. Le monde a besoin de gentilshommes.

Au moment où le *Moscovie* se préparait à quitter Novo-Arkhangelsk pour la traversée de retour, des documents qui arrivèrent parurent confirmer l'opinion et les attitudes d'Ermelov. Une note reprochait à Baranov sa mauvaise gestion des fonds de la Compagnie et sa lenteur à faire régner l'ordre dans son vaste domaine, qui s'étendait de l'île Attu, à l'ouest, au Canada dans l'est ; et une autre note informait le lieutenant Vladimir Ermelov que le tsar avait autorisé sa promotion au grade de capitaine-lieutenant.

Baranov, mortifié par l'injustice de ces critiques, prit conseil auprès du père Vassili, à qui il exposa sa situation impossible :

— J'espérais que le premier bateau m'apporterait les fonds nécessaires à l'action, et peut-être l'annonce que mes efforts étaient enfin reconnus — un titre par exemple ; rien de bien ronflant, vous comprenez, simplement ceci ou cela de troisième classe, mais avec un ruban confirmant mon appartenance à la petite noblesse...

À ces mots, il s'effondra, profondément déçu, et dut pendant quelques instants refouler des larmes.

— Voyons, voyons, Alexandre Andreievitch, murmura le prêtre. Dieu voit l'œuvre méritoire que vous accomplissez. Il voit votre charité pour les enfants, l'amour avec lequel vous entraînez les Aléoutes au sein de Son Eglise.

Baranov renifla, s'essuya les yeux et demanda :

— Mais pourquoi le gouvernement ne peut-il le voir ?

Voronov lui donna une réponse sans doute aussi vieille que le monde :

— Les faveurs ne sont pas dispensées avec raison.

Baranov réfléchit un instant puis éclata de rire et se moucha.

— Exact, Vassili, dit-il. Vous êtes dix fois meilleur chrétien que l'évêque d'Irkoutsk, mais qui s'en aperçoit ?

Oubliant ses jérémiades, il prit les deux mains du prêtre et lui déclara d'un ton grave :

— Père Vassili, je suis un vieil homme, et très fatigué. Le travail incessant vous ronge l'âme. Voici vingt ans que je supplie Pétersbourg d'envoyer un remplaçant, mais personne n'est venu. Ceux du bateau, dans le port, condamnent ce que j'ai accompli mais n'apportent aucun argent pour m'aider à mieux faire, ni aucun homme jeune pour prendre ma place.

Songeant à ses déceptions profondes et non plus aux blessures passagères de sa vanité, il ne put se maîtriser plus longtemps et des larmes brûlantes coulèrent sur ses joues. Au terme d'une longue vie, épuisé et usé, il n'avait abouti qu'à l'échec. Il se pencha vers son prêtre, les épaules tremblantes, la tête baissée.

— Père Vassili, priez pour moi. Je suis perdu. Je ne sais que faire.

Mais une humiliation encore plus grande lui était réservée. Quand Ermelov apprit sa promotion, son épouse organisa une soirée de gala pour tous les bateaux de la baie, les maisons de la colline et même les Aléoutes de l'intérieur des murs et les Tlingits du dehors. La princesse s'arrangea pour que les fonds de la marine paient les festivités sur les bateaux, alors que les fêtes à terre seraient imputées aux caisses vides de Baranov. Apprenant cette duplicité, ce dernier cria au scandale.

— Je n'ai plus d'argent. Je n'ai plus rien.

Mais les réjouissances commencèrent, Baranov constata la joie des marins et des Indiens, et il se laissa aller lui aussi à l'atmosphère de fête. Au moment le plus solennel, quand le capitaine-lieutenant Ermelov, aussi raide et sévère qu'un harpon de hêtre, s'avança pour recevoir le serment d'allégeance du père Vassili, Baranov le félicita avec une générosité sincère, tout en se sachant cent fois plus compétent en matière de politique et de commerce qu'Ermelov ne l'était sur la passerelle d'un bateau.

Un homme de moindre trempe aurait été paralysé par la situation incroyable dans laquelle se trouvait à présent Baranov : non seulement on l'accusait de voler des fonds de la Compagnie alors que la Compagnie ne lui envoyait rien, mais on lui reprochait de détourner cet argent de la Compagnie pour son usage personnel, alors qu'il dépensait son argent personnel à des œuvres que la Compagnie aurait dû financer, comme les soins aux veuves et aux orphelins ! C'était insensé, mais il refusa de se laisser troubler et se réconforta par un dicton russe et une visite consolatrice dans le Sud. Le dicton en question expliquait et pardonnait tout : « C'est la Russie ! » Quant au voyage, il calma des blessures douloureuses.

À vingt-cinq kilomètres au sud de Novo-Arkhangelsk, perdu dans un désert d'îles et entouré de montagnes s'élevant à la verticale des flots, se trouvait un miracle de la nature : une source à l'odeur âcre de soufre sortait du sol en bouillonnant avec un débit assez important, qui permettait de s'y baigner. Pendant mille ans et plus, les Tlingits avaient apprécié cette source. Ils avaient creusé des troncs d'épicéas pour faire des canalisations qui amenaient les eaux de la source et celles d'un ruisseau voisin jusqu'à une fosse creusée dans la terre et pavée de pierres plates. Un système ingénieux permettait aux Tlingits de détourner l'arrivée d'eau froide quand l'eau brûlante de la source était à bonne température.

L'endroit, caché dans les arbres, protégé par les montagnes, ne manquait pas d'agrément, et pendant qu'on prenait son bain, le regard se perdait sur l'étendue de l'océan Pacifique. Souvent, dans leur exil lointain, Kot-le-an et Cœur-de-Corbeau se plaignaient :

— Si seulement nous pouvions retourner aux bains chauds !

L'une des premières décisions des Russes après la prise de la colline avait été de construire près de la source sulfureuse un véritable établissement de bains, avec deux vrais tuyaux pour faire venir les deux sortes d'eau. Bientôt, ils eurent une station thermale comparable à celles de la métropole et dès que Baranov eut pacifié la région, il se rendit régulièrement aux bains. Ermelov lui lançait-il des insultes ? Baranov filait aux bains chauds. Le remplaçant tardait-il à venir ? Il partait faire un traitement de soufre. Et allongé dans la baignoire, tout en manœuvrant les deux robinets avec ses orteils, tandis que l'eau brûlante colorait sa peau comme un pétale de soie, il oubliait les attaques dont il était victime, visualisant dans le calme les grandes choses qu'il lui restait à accomplir.

Donc, le jour de bonheur où le *Moscovie* appareilla enfin de Novo-Arkhangelsk pour ramener en Russie le capitaine-lieutenant Ermelov, Baranov alla sur le rivage faire ses adieux avec l'enthousiasme soumis d'un subalterne, mais, dès que le bateau fut hors de vue, il appela un de ses collaborateurs.

— Partons aux bains. Je veux me laver de cet odieux personnage.

Et quand il fut plongé dans les eaux thérapeutiques, il formula les principes remarquables qui devaient faire de son séjour dans l'Est une période si productive et si remarquable pour les historiens ultérieurs.

Pendant son retour par mer à Novo-Arkhangelsk, son crâne rond et luisant était plein à craquer d'idées nouvelles, et il fut enchanté de voir qu'un autre bateau étranger avait jeté l'ancre pendant son absence. Quand il fut assez près pour pouvoir lire les lettres peintes sur la poupe — *Evening Star,* Boston —, il sourit en songeant que le capitaine Corey devait apporter dans sa cale des marchandises dont on avait grand besoin, comme des vivres et des clous, et certaines dont on aurait préféré se passer, comme du rhum et des fusils.

Soulagé de voir un navire américain sans histoire remplacer le déplaisant *Moscovie,* Baranov accueillit chaleureusement le capitaine Corey et Kane, son second. Puis il les invita chez lui sur la colline et apprit de leur bouche les derniers détails sur les triomphes de Napoléon en Europe. Avec la générosité caractéristique de tous ses actes, et qui expliquait l'incohérence de ses comptes — si incohérence il y avait —, il s'écria, en présence des Américains et du père Vassili, invité lui aussi au dîner :

— Je comprends, maintenant ! La Russie a tellement peur de Napoléon que le tsar n'a pas le temps de s'occuper de nous, dans notre coin perdu. Ni les moyens d'envoyer l'argent promis.

Mais au cours de cette première soirée, des questions difficiles qui se posaient entre l'Amérique et la Russie commencèrent à faire surface.

— Capitaine Corey, dit Baranov avec une franchise spontanée, cette ville est ravie de vous revoir dans ces eaux, mais nous comptons que vous ne vendrez pas du rhum et des fusils aux Tlingits.

Corey répondit d'un haussement d'épaules, d'un air de dire : « Gouverneur, les Américains vendent ce qu'ils peuvent », et Baranov, ne se trompant pas sur le sens de cette réaction, continua d'une voix amicale mais ferme :

— Capitaine, j'ai donné des instructions pour faire cesser votre commerce de rhum et de fusils. Ce commerce détruit nos indigènes, et les rend impropres à toute activité utile.

— Mais notre pays tient beaucoup à son droit de commercer n'importe où en mer, et avec les marchandises de son choix, répliqua Corey avec la même fermeté.

— Ici, capitaine, vous n'êtes pas en mer, mais en territoire russe, au même titre qu'à Okhotsk ou à Petropavlovsk.

— Je ne le pense pas, dit Corey sans élever le ton. À l'endroit où nous nous trouvons ce soir, sans doute. Le goulet de Sitka est russe. (Comme la plupart des étrangers, il continuait de parler du goulet de Sitka, jamais de Novo-Arkhangelsk, ce qui irrita davantage Baranov.) Mais les eaux environnantes sont des mers libres et je les considérerai comme telles.

— J'ai reçu l'ordre de vous empêcher de le faire, répliqua le Russe d'une voix égale.

Miles Corey, de petite taille lui aussi, mais farouchement résolu, avait passé sa vie à se battre sur les mers et dans les ports ; les menaces russes ne le troublèrent donc pas davantage que celles des Tahitiens ou des Fidjiens dans le passé.

— Nous respecterons sans conteste votre prééminence ici, à Sitka, mais ce que nous ferons dans les eaux internationales ne vous regarde pas.

— Vous avez donc l'intention de céder votre rhum et vos fusils à vos indigènes ? demanda Baranov.

— Certainement, répondit l'Américain avec une politesse sûre de son bon droit.

Fait curieux, dont débattront encore longtemps les historiens et les moralistes, les deux nations anglo-saxonnes qui prétendaient suivre les commandements les plus nobles de la religion et du droit public — l'Angleterre et les États-Unis d'Amérique — se croyaient à l'époque parfaitement justifiées sur le plan moral de faire commerce comme elles l'entendaient avec ce qu'elles appelaient « les pays arriérés du monde. » Au nom de ce prétendu droit inaliénable, l'Angleterre s'estimait autorisée à forcer les Chinois à acheter de l'opium ; tandis que l'Amérique s'arrogeait le droit de vendre du rhum et des armes à tous les indigènes du monde — y compris, il faut le reconnaître, à ses propres Indiens hostiles de l'Ouest.

Donc, quand Alexandre Baranov, le valeureux petit marchand, décida de mettre fin à ce commerce sur son territoire, des hommes comme le capitaine Corey et son second, Kane, répliquèrent fermement que les droits des hommes libres les autorisaient à commercer avec des indigènes dépendant des Russes comme ils le désiraient et sans craindre de représailles.

— C'est simple, gouverneur Baranov, expliqua Corey. Nous partons dans le nord, loin de Sitka, nous échangeons nos marchandises contre des peaux et personne ne s'en trouve plus mal.

— Sauf les indigènes, qui restent ivres tout le temps. Et sauf nous, Russes, qui devons dépenser des sommes considérables pour nous protéger de tous ceux à qui vous vendez vos fusils.

Il montra la palissade, qu'il fallait entretenir à grand prix.

Le problème ne fut pas résolu cette fois-là. La « moralité supérieure » des Américains l'emporta et l'*Evening Star* se prépara à faire voile vers le nord pour troquer sa cargaison contre des peaux de loutres de mer — déjà beaucoup plus rares. Cependant, au cours de leur dernière nuit à terre, eut lieu une conversation qui devait avoir des conséquences profondes sur le développement de cette partie du monde : comme le capitaine Corey discutait avec les Voronov de l'histoire des Tlingits et des Aléoutes, Baranov et l'ancien harponneur Tom Kane, assis à l'écart, baissèrent les yeux vers le beau port d'un gris argenté.

— Monsieur Kane, dit alors le Russe, Novo-Arkhangelsk ne sera jamais la ville de premier ordre que je projette tant que nous n'aurons pas notre chantier naval. Dites-moi, est-ce si difficile de construire un bateau ?

— Je n'en ai jamais construit.

— Mais vous avez navigué.

— Construire et naviguer font deux paires de manches.

— Mais est-ce qu'un homme comme vous, qui connaîtrait bien les bateaux, pourrait en construire un ?

— Si j'avais les livres qu'il faut... Oui, je suppose.

— Vous lisez l'allemand ?

— À quinze ans, je ne lisais même pas l'anglais.

— Mais vous avez appris ?

— Tout seul.

— Moi aussi, dit Baranov. Un jour, j'ai voulu lancer une verrerie. J'ai fait venir un livre d'Allemagne et j'ai appris la langue tout seul.

— La verrerie était bonne ?

— Passable. Regardez...

Il lui montra un ouvrage allemand sur la construction navale, plus détaillé que celui dont Vitus Béring s'était servi un siècle plus tôt.

Kane feuilleta le volume, examina plusieurs dessins et le rendit.

— Une verrerie peut marcher en étant seulement passable. Pas un bateau.

Il repoussa donc l'invitation tacite de Baranov, mais sans condamner la vision pénétrante du Russe sur ce que Sitka pourrait devenir, et lorsqu'il l'interrogea à ce sujet, des flots brûlants d'idées, de projets jaillirent comme d'un volcan.

— Je veux construire des bateaux ici. Par vingtaines. Et installer une colonie en Californie, où les Espagnols ne font rien. Je crois que nous devrions amorcer des échanges avec la Chine. Et avec un capitaine comme vous à la tête d'un bateau lui appartenant, Hawaii s'ouvrirait au commerce et peut-être même à un peuplement.

Il prit Kane par le bras et lui demanda :

— Qu'est-ce que vous pensez d'Hawaii ?

Et dans les brumes du Pacifique Nord, Kane se trouva tenté de révéler son admiration, sa passion même pour ces îles célestes.

— Quelqu'un s'emparera bientôt de ces îles, ajouta-t-il avec enthousiasme. Si ce n'est pas la Russie, ce sera l'Angleterre ou l'Amérique.

Baranov se fit plus pressant.

— Monsieur Kane, un homme de votre âge... Quel âge avez-vous ? Plus de cinquante ? Vous devriez être capitaine à part entière.

Kane lui adressa un sourire amer.

— Notre premier capitaine, un brave homme du nom de Pym, m'avait promis que je serais capitaine un jour. Mais il s'est fait tuer dans l'île de Lapak et je suis resté avec le capitaine Corey, pensant qu'il me donnerait la même promotion. Rien ne s'est passé. Et puis je me suis dit qu'un de ces jours il prendrait sa retraite ou casserait sa pipe. Mais regardez-le : à soixante ans passés, il est plus costaud que jamais. L'autre jour, il m'a dit qu'il avait décidé de ne pas mourir. Mais je continue quand même...

Il s'arrêta, éclata de rire et reconnut :

— C'est un excellent capitaine et je ne suis pas malheureux.

L'*Evening Star* troqua quelques marchandises avec les gens de Baranov, leva l'ancre et fit voile vers l'île voisine du Nord, pour entrer en contact avec Kot-le-an et Cœur-de-Corbeau, à qui ils fournirent de nombreux fusils et des tonneaux de rhum pour leurs hommes. Mais au moment d'appareiller vers Yakutat, où d'autres Tlingits convoitaient des armes pour attaquer la tribu de Kot-le-an — car les Tlingits n'aimaient rien de mieux qu'une bonne bataille de temps en temps entre eux si aucun Russe ne se trouvait à portée — le second Kane resta à terre avec Cœur-de-Corbeau. Quand Corey envoya une chaloupe pour le chercher, Kane dit aux marins :

— Je reste ici. Annoncez-lui la nouvelle.

Et le ton de l'ancien harponneur était si résolu que personne n'osa relever son défi.

— Mais vos affaires ? lança une voix.

— Il n'y a pas d'affaires. J'ai tout emporté.

Deux jours plus tard, avec Cœur-de-Corbeau, il partit en kayak à Sitka. Kane informa Baranov qu'il était revenu pour fonder un chantier naval, et Cœur-de-Corbeau profita de l'occasion pour inspecter les défenses russes en prévision d'une nouvelle attaque de ses Tlingits.

Quand Tom Kane, de Boston, avec un manuel de construction navale allemand dont il ne comprit jamais les mots mais dont il suivit scrupuleusement les dessins, eut terminé la construction de quatre bateaux, baptisés respectivement *Sitka, Otkrietie, Tchirikov* et *Lapak*, son employeur, Baranov, fut prêt à lancer l'expédition qu'il envisageait depuis longtemps. Il désigna un groupe de jeunes gens prometteurs, leur donna deux bateaux et les envoya occuper un beau site au nord de San Francisco. Les Espagnols se soucièrent si peu de cette invasion de leur territoire qu'ils laissèrent les Russes installer une importante tête de pont.

Cette partie du monde se trouva alors dans une situation remarquable : avant même que l'on songe à établir des villes comme Chicago ou Denver, alors que San Francisco avait à peine quelques vingtaines d'habitants et Los Angeles pas un, Sitka était une cité prospère et animée de mille personnes, possédant bibliothèque, école, chantier naval, hôpital, capitainerie du port, gouvernement civil et garnison navale. En outre, elle contrôlait un comptoir bien établi en Californie, et, sous la direction prudente de Baranov, semblait destinée à gouverner toute la côte ouest du Pacifique jusqu'à San Francisco et probablement au-delà.

De ces bases solides, Baranov décida de se lancer dans le Pacifique central, et lorsque Kane eut terminé la construction, on lui donna le commandement du *Lapak* et l'ordre d'établir de bonnes relations avec le roi Kamehameha à Honolulu. Comme Kane et le roi se connaissaient déjà et s'appréciaient mutuellement, l'influence russe à Hawaii prit vite une telle ampleur que d'autres nations songèrent à prendre des mesures pour la limiter. Mais l'astuce de Baranov renforça les liens d'amitié entre Hawaii et Sitka, et pendant de longues années les îles d'or parurent destinées à tomber aux mains des Russes.

Cependant, Baranov n'avait pas la vie facile. Au bord de l'épuisement, il supplia Pétersbourg de lui accorder trois faveurs : de l'argent pour terminer sa capitale bien-aimée, Novo-Arkhangelsk ; un remplaçant pour prendre en main l'administration ; et, au terme d'une des carrières les plus productives des services publics de Russie, un peu de reconnaissance — une médaille, un ruban, un titre, si médiocre soit-il, qui l'élèverait au-dessus de la catégorie méprisée des marchands et lui permettrait de croire, si peu que ce fût, qu'il avait mérité des lettres de noblesse par son énergie et son imagination.

L'argent ne vint jamais. Mais le gouvernement lointain, reconnaissant enfin que Baranov se faisait vieux, nomma un remplaçant pour assumer les responsabilités du gouvernement — un homme capable, Ivan Koch, qui avait obtenu d'excellentes références à Okhotsk. Baranov, ravi par la perspective d'avoir du temps libre pour se consacrer à ce qui l'intéressait vraiment et connaissant les qualités humaines de Koch, envoya à celui-ci une lettre de félicitations. Koch ne la reçut jamais, car pendant son escale à Petropavlovsk, sur le trajet de son nouveau poste, il mourut subitement.

De nouveau, Baranov assiégea Saint-Pétersbourg de requêtes pour qu'on lui envoie un successeur. Cette fois, on désigna un homme beaucoup plus jeune avec des références parfaites, et on l'envoya à Novo-Arkhangelsk à bord de la *Neva*, navire de confiance qui connaissait bien les eaux du Pacifique Est. De la terrasse de sa maison, Baranov fut ravi de voir la *Neva* s'avancer dans la baie. Mais au large du volcan Edgecumb, une tempête se leva soudain et le bateau sombra en vue de la terre, vouant à la mort presque tout le monde à bord, y compris le nouveau gouverneur.

La déception fut amère et aggravée par le retour du célèbre *Moscovie*, sous les ordres de l'ennemi avoué de Baranov, Vladimir Ermelov. Comme son épouse la princesse ne l'accompagnait pas cette fois, il arriva de fort mauvaise humeur. Entre autres instructions secrètes, il avait reçu l'ordre de vérifier les rumeurs qu'il avait répandues lui-même lors de son escale précédente.

> *Vous enquêterez, aussi judicieusement et secrètement que possible, sur la gestion financière de l'administrateur principal Baranov, dont on nous a signalé certains détournements de fonds de la Compagnie à son usage personnel. Si, au cours de vos enquêtes, vous le trouvez coupable de malversations, vous avez le pouvoir par les présentes, de le faire arrêter et incarcérer en attendant son retour à Saint-Pétersbourg, où il sera jugé. En son absence, vous exercerez les responsabilités d'administrateur principal.*

Mais la complexité impénétrable du gouvernement en Russie se manifesta en l'occurrence car, dans le même courrier, adressée non à Ermelov mais à Baranov, arriva une missive qui emplit ce dernier de joie. Elle provenait manifestement d'une autre branche du gouvernement, car elle disait :

Qu'il soit porté à la connaissance de tous :
Nous conférons audit Alexandre Andreievitch Baranov le titre de Conseiller de Collège dans le service civil, équivalant dans la Table des Rangs, au grade de colonel dans l'infanterie, de capitaine de premier rang dans la marine et de protoprêtre dans l'Église. Il recevra de tous le titre d'Excellence.

Alexandre Ier

Selon la tradition, l'honneur et le privilège d'annoncer au monde que l'administrateur principal Baranov serait dorénavant Son Excellence le conseiller collégial Alexandre Andreievitch Baranov revenait de droit à l'officier présent le plus élevé en grade, et celui-ci n'était autre que le capitaine-lieutenant Vladimir Ermelov, commandant le *Moscovie*, vaisseau de guerre de Sa Majesté le tsar. Par un beau matin clair, qui allait faire monter la bile dans la gorge du jeune aristocrate, il dut prendre place sur la colline pour décerner à Baranov — coiffé de son incroyable perruque nouée sous le menton — le grand honneur décerné par le tsar. Les lèvres pincées et d'un ton si bas que presque personne ne put l'entendre, Ermelov lut de mauvaise grâce les mots qui élevaient Baranov dans les rangs de la noblesse. Il appartenait alors à l'officier de marine de passer autour du cou de l'ancien marchand le ruban auquel était fixée la médaille miroitante qu'il était désormais autorisé à porter. Puis vint le pire, car la coutume exigeait qu'Ermelov donne l'accolade au récipiendaire. Il posa le premier baiser avec une répugnance visible, et, en se penchant pour donner le second, il grommela d'une voix soudain si forte que tout le monde l'entendit :

— Pour l'amour de Dieu, enlevez cette perruque !

Deux semaines plus tard, alors qu'Ermelov se trouvait plongé dans les registres plus ou moins falsifiés de la Compagnie, il dut remplir une obligation encore plus déplaisante, car l'un de ses jeunes officiers, héritier d'une des plus nobles familles de Russie, lui adressa une requête qui le frappa de stupeur.

— Respecté capitaine-lieutenant Ermelov, avec votre permission je désire épouser une jeune fille de cette île. Elle a une réputation sans tache, et selon la coutume je vous supplie de me représenter quand je demanderai sa main à son père. Me ferez-vous cet honneur ?

Ermelov, se sentant responsable de la protection des familles nobles de Russie, voulut empêcher un de ces mariages précipités qui portaient tort à l'aristocratie. Il essaya de gagner du temps. Dressé sur ses ergots, il prit son air le plus sévère et demanda à l'ardent jeune homme :

— Vous vous rappelez sans doute la position éminente que votre famille occupe en Russie.

— Oui.

— Et vous savez que vous ne devez pas salir cette réputation impeccable par un mariage inconvenant ?

— Bien entendu. Mes parents seraient atterrés si je me conduisais mal.

— Ne jugera-t-on pas à la cour qu'il est imprudent que vous épousiez une misérable gamine de Novo-Arkhangelsk ? Une sang-mêlé, je suppose ?

— Je n'y songerais pas. Non, cette jeune personne est la fille d'une princesse. Elle est adorable et elle brillera même dans les cercles les plus élevés de la cour.

— Une princesse ? Je croyais que Novo-Arkhangelsk n'avait pas vu d'autre princesse que ma femme. Et elle n'y est plus... (Il toussa.) Qui est donc cette perle ?

— Irina, la fille de Baranov.

La toux d'Ermelov se changea en quinte qui faillit l'étouffer, puis il s'exclama :

— Vous croyez donc ces sottises ? La femme de Baranov serait la fille de je ne sais quel roi de Dieu sait où ?

— Oui, Excellence, je le crois. Baranov m'a montré un document signé par le tsar lui-même, qui valide son deuxième mariage, et un autre document qui confirme sa nouvelle épouse dans son titre de princesse de Kenaï.

— Pourquoi n'ai-je jamais entendu parler de cet oukase ? tempêta Ermelov.

— Il est arrivé ici après votre retour en Russie, expliqua le jeune prétendant, qui avait emprunté les précieux documents pour les montrer à son supérieur.

À regret, Ermelov dut en reconnaître la validité. Et par une splendide journée d'été où le soleil se reflétait sur les cimes des montagnes, le capitaine-lieutenant Ermelov, dans son plus bel uniforme de cérémonie, accompagna son subalterne sur la colline, où les attendait Son Excellence Baranov avec sa perruque sur les oreilles et sa médaille sur la poitrine.

— Votre Excellence, commença Ermelov — et les mots lui collaient à la gorge —, Votre Excellence, mon éminent officier que voici, jeune homme d'une excellente famille qui bénéficie de la considération du tsar, sollicite la permission d'épouser votre fille Irina, descendante en ligne directe des rois de Kenaï.

Baranov s'inclina devant cet homme, qui n'était plus d'un rang supérieur au sien, mais d'un lignage plus ancien et donc en droit de recevoir un certain respect, et répondit d'une voix égale :

— Vous faites un grand honneur à notre humble maison. La permission est accordée.

Les trois hommes passèrent sur un balcon et regardèrent vers l'ouest le volcan près duquel la *Neva* avait coulé, vers le nord l'endroit où s'élevait Redoute-Saint-Michel avant que Kot-le-an et Cœur-de-Corbeau la détruisent, puis vers les montagnes où le même Cœur-de-Corbeau préparait sa revanche.

*
**

Avec sa fille mariée à un aristocrate et ses propres lettres de noblesses confirmées par la médaille à son cou — il la portait en toute circonstance, même quand il prenait une bière en fin de journée —, Baranov aurait dû se trouver au comble du bonheur, respecté à Novo-Arkhangelsk, apprécié dans les bureaux de la Compagnie à Irkoutsk, et estimé à Saint-Pétersbourg pour sa sagacité à régler les problèmes dans le Pacifique. Mais les mois passèrent et tout le monde apprit que le capitaine-lieutenant Ermelov vérifiait les registres de la Compagnie pour prouver que le vieux bonhomme était un voleur. Le scandale éclata et Baranov se replia sur lui-même.

Âgé maintenant de soixante-dix ans, il avait résidé dans les îles sans interruption pendant vingt-six années épuisantes, et sa santé n'avait jamais été bonne depuis le jour de son arrivée à Baie-des-Trois-Saints, presque mort au fond d'un bateau de fortune. Quatre ou cinq fois par la suite, il avait failli expirer, mais il avait continué de lutter et de l'emporter sur des adversaires capables de terrasser un homme de moindre envergure. Il avait fait régner l'ordre parmi les chasseurs et les marchands de fourrures, utilisé au mieux les capacités des Aléoutes et conquis les Tlingits belliqueux. Sur une île montagneuse aux confins de l'Amérique du Nord, il avait construit une capitale digne d'un vaste territoire et, surtout, il avait défendu les veuves et soigné les orphelins avec son propre argent. Il ne pouvait pas supporter l'idée de finir ses jours accusé de malversations mesquines et il envisagea deux fois de se suicider. S'il ne s'y résolut pas, ce fut seulement à cause de la loyauté indéfectible de ses fidèles amis : le père Vassili et son épouse, ainsi que son adjoint, Kyril Jdanko. En cette dernière période, celui-ci assura sa défense et apparut bientôt aux yeux de tous comme l'homme le plus capable de mener à bonne fin les grands desseins du gouverneur.

Lorsque les rumeurs qui accusaient Baranov de détournements s'aggravèrent, il parut de moins en moins souvent en public, et de façon furtive, comme s'il sentait qu'autour de lui dans la colonie chacun se demandait quand on le jetterait aux fers à bord du *Moscovie* pour le ramener à Saint-Pétersbourg en disgrâce. Le capitaine-lieutenant Ermelov ne fit rien pour dissiper ces rumeurs; au contraire il les encouragea, en attendant le jour où il pourrait annoncer à l'homme venu de Russie pour remplacer Baranov :

— Je crois que nous avons une accusation solide contre lui. Je vais l'embarquer pour Saint-Pétersbourg sur-le-champ.

Mais, sur ces entrefaites, un bateau américain relâcha dans le goulet de Sitka et se mit à troquer ouvertement son rhum et ses fusils, puisque Baranov n'avait plus l'énergie de lutter contre ce trafic honteux. Ensuite, le bateau remonta au nord vers le village reculé où Kot-le-an et son bras droit Cœur-de-Corbeau continuaient de réunir des armes en prévision du jour où ils pourraient de nouveau attaquer les Russes. Mais en apprenant de la bouche des Américains que leur vieil ennemi Baranov allait être renvoyé en Russie en disgrâce, ils décidèrent qu'ils avaient un dernier compte à régler avec cet homme : dès que le bateau fut reparti, ces deux Tlingits qui avaient combattu Baranov avec tant d'acharnement montèrent dans un canot et se mirent à pagayer vers le sud pour une dernière rencontre avec leur adversaire.

On les repéra de loin dès qu'ils entrèrent dans le goulet jonché d'îlots, et tandis qu'ils se glissaient résolument entre les myriades d'îles, le bruit courut d'un bout à l'autre de la capitale que les Tlingits en costume de guerre se dirigeaient vers la colline. Tout le monde se précipita vers la mer pour voir les deux guerriers, très dignes, avancer jusqu'au débarcadère. Quand ils furent assez près pour qu'on les reconnaisse, un cri de surprise retentit dans la foule rassemblée :

— Kot-le-an est revenu ! Avec Cœur-de-Corbeau !

Baranov en personne descendit les quatre-vingts marches qui séparaient sa maison de la plage. Sans voir les bonnes gens qui s'écartaient à son passage pour le calomnier dans son dos, il descendit directement vers l'endroit où le canot était halé à terre.

Dès que Cœur-de-Corbeau sortit du ressac, il s'arrêta, leva la main droite et se lança dans un discours de dix minutes, proclamé d'une voix grave comme un roulement de tonnerre. En voici l'essentiel :

— Chef-guerrier Baranov, constructeur de forts et destructeur de forts, tes deux ennemis qui ont détruit ton fort du nord et perdu leur fort d'ici te saluent. Dans nos combats, tu as été un toyon. Tu t'es bien battu. Quand tu as gagné, tu t'es conduit avec générosité. Tu as offert une belle vie à ceux de notre peuple qui se sont installés au-delà de ta palissade. Administrateur Baranov, nous te rendons hommage.

Sur ces mots, les deux guerriers, encore solides et puissants, s'avancèrent pour embrasser leur vieil ennemi. Après les avoir accueillis avec chaleur, Baranov leur proposa :

— Montons ensemble sur la colline.

Et sous le porche de sa maison, ces trois hommes braves condamnés à l'échec parcoururent des yeux le théâtre sur lequel ils avaient joué leur tragédie.

— Là-bas, le fort dont nous vous avons chassés, déclara Cœur-de-Corbeau, en expliquant comment il avait inspecté les défenses tout en faisant fumer des saumons.

— Par ici, dans le creux, le fort que tous les Tlingits croyaient imprenable, dit Baranov.

Et Kot-le-an les surprit tous les deux en avouant :

— Mon cœur s'est brisé quand votre canon a fauché notre totem, car j'ai compris alors que nous avions perdu.

Ils partagèrent le plus triste revers qu'un vieil homme connaisse : la perte de ses rêves. Et le crépuscule tomba dans une atmosphère de tristesse, que Baranov allégea cependant quelque peu quand il les quitta un moment pour aller chercher le plus surprenant des présents.

Il se retira dans sa chambre, coiffa sa perruque comme l'exigeait la cérémonie, plaça autour de son cou la médaille qui proclamait sa noblesse, et prit dans un coffre de bois un objet volumineux auquel il accordait beaucoup de prix. C'était l'armure de bois et de cuir qu'il portait lorsqu'il s'était lancé à l'attaque du fort tlingit. Il le posa sur ses deux bras et s'avança vers Kot-le-an.

— Valeureux chef..., commença-t-il mais sa voix se brisa.

Pendant quelques instants, il demeura immobile dans la pénombre en essayant de réprimer ses larmes. Comme ses épaules tremblaient, sa perruque se mit à tressauter, et il parut plus ridicule qu'un général en chef ne le serait jamais. Il se ressaisit vite mais n'osa plus ouvrir la bouche : en silence, avec un grand amour pour ces hommes qui s'étaient montrés si courageux, il leur tendit son armure — tout en ayant de bonnes raisons de croire que dans un avenir prochain, après son départ, ils se jetteraient de nouveau sur sa ville et tenteraient de détruire les Russes.

En disgrâce et menacé de prison à son arrivée à Saint-Pétersbourg — mais le père Vassili Voronov avait décidé de se rendre dans la capitale à ses propres frais pour défendre son ami des accusations insensées lancées contre lui —, Baranov quitta le goulet de Sitka, prisonnier à bord d'un vaisseau de guerre russe. Il traversa le Pacifique jusqu'à Hawaii, l'archipel merveilleux qu'il avait presque annexé à l'empire russe, puis continua contre toute attente jusqu'au port de Batavia, dans l'île de Java — l'un des avant-postes du Pacifique les plus torrides et les plus malsains, où on l'enferma dans la cale du bateau jusqu'à ce que ce corps affaibli s'effondre.

Il mourut le 16 avril 1819 près du détroit qui sépare Java de Sumatra. Presque aussitôt, les marins le lestèrent de gueuses, fixèrent sa précieuse médaille autour de son cou et le poussèrent dans l'océan.

Trois hommes d'envergure s'étaient attaqués à l'océan Pacifique, et tous trois avaient succombé dans l'entreprise. En 1741, Vitus Béring, décédé du scorbut dans une île perdue de la mer qui porterait son nom. En 1779, James Cook, assassiné sur une plage reculée d'Hawaii. En 1819, Alexandre Baranov, mort d'épuisement et de fièvres près du détroit de la Sonde. Ils avaient aimé le grand océan, l'avaient conquis en partie, avaient été détruits par lui, puis confiés dans la mort à la vaste mer consolatrice.

Baranov n'était pas un grand homme, et parfois même pas un homme bon — ne réduisit-il pas les Aléoutes à l'esclavage ? —, mais c'était un homme d'honneur et dans l'Alaska, qu'il a contribué à créer, son souvenir sera toujours vénéré.

⁂

En 1829, dix ans après le décès de Baranov, le vieux vaisseau de guerre *Moscovie* entra dans le goulet de Sitka avec, parmi les passagers de Saint-Pétersbourg, un jeune diplômé de l'université à l'œil vif qui retournait dans son île natale au terme d'études dans lesquelles il s'était distingué. À cette époque, Kyril Jdanko, un ami du père de ce jeune homme, occupait le poste d'administrateur en chef par intérim, nomination remarquable car c'était le premier métis promu à une charge de cette importance.

Le jeune étudiant qui rentrait n'était autre qu'Arkadi Voronov, métis lui-même, fils du prêtre russe et de l'Aléoute convertie Sofia Kouchovskaia. Âgé de vingt-huit ans, il arrivait avec le titre de directeur-adjoint des affaires commerciales et un attachement passionné à une jeune femme rencontrée au cours d'une visite à Moscou. Après avoir salué ses parents avec la tendresse qui avait toujours marqué leurs relations, il présenta ses respects à l'administrateur en chef Jdanko puis s'enferma dans sa chambre du presbytère proche de la cathédrale Saint-Michel, petite église de bois au gros clocher à bulbe et au nom prétentieux. Là, dès que ses bagages furent rangés, il écrivit à sa bien-aimée, à Moscou :

Ma Praskovia chérie,

Le voyage s'est avéré plus simple que prévu. Cinq mois tranquilles, avec une escale au Cap et une autre à Hawaii, où je m'attendais à retrouver de nombreux amis de l'époque de Baranov. Hélas, ce sont maintenant nos ennemis à cause des erreurs commises par d'autres, et nous avons probablement perdu nos chances de faire de ces îles une partie de notre empire.

Le goulet de Sitka est aussi beau que dans mon souvenir, et j'attends avec impatience le jour où vous serez ici, à mes côtés, pour admirer la majesté des îles, des montagnes et du splendide volcan. Je vous supplie, convainquez vos parents que le voyage ne comporte aucun risque et n'est pas vraiment très long. Vous viendrez vivre ici, car la ville va devenir importante.

J'ai donné à votre portrait, dans son cadre d'ivoire, la place d'honneur sur ma table. C'est la première chose que j'ai déballée, et je vais aller de ce pas au bureau de la Compagnie pour obtenir des données précises sur Novo-Arkhangelsk. Cela rassurera vos parents : il s'agit d'une vraie ville, et non d'un simple avant-poste dans le désert. Je reprendrai cette lettre avant de me coucher.

Lorsque le jeune Voronov quitta la cathédrale et gravit la colline jusqu'aux bâtiments administratifs où Jdanko l'attendait pour le mettre au courant de ses devoirs, il vit autour de lui les signes d'une ville animée — non pas une vaste cité, comme il aurait aimé en convaincre Praskovia, mais un comptoir colonial propre dont la richesse ne dépendait plus uniquement des fourrures. Il aperçut d'un côté le grand moulin à vent qui faisait tourner les meules du meunier et de l'autre les fumées des feux sur lesquels on extrayait la graisse de différents animaux marins pour fabriquer du savon. Il y avait une longue promenade où les cordiers tordaient leurs câbles, une forge qui produisait de l'outillage, un dinandier capable de faire ses propres rivets, une fonderie pour le bronze et toutes sortes de charpentiers, de voiliers et de vitriers.

Ce qui le surprit le plus fut la petite boutique de l'horloger, qui fabriquait et réglait des pendules, et l'atelier d'un réparateur de compas et autres instruments de marine. Il y avait un tailleur, trois couturières, deux médecins et trois prêtres. La ville disposait aussi d'une école, d'un hôpital, d'un endroit public où l'on pouvait dîner, d'un orphelinat dirigé par sa propre mère et d'une bibliothèque.

Il s'arrêta à l'angle de la rue principale et d'une autre, perpendiculaire à la baie, pour demander à un homme qui portait des planches :

— La ville est toujours aussi animée ?

— Vous devriez la voir quand un bateau américain fait escale..., répondit l'autre.

Jdanko lui apprit les faits essentiels sur son nouveau poste :

— Je suis fier d'avoir pour bras droit le fils de deux personnes qui ont joué dans ma vie un rôle si important. Arkadi, votre père et votre mère sont des êtres remarquables et j'espère que vous vous en souviendrez. Mais vous m'avez demandé des faits, les voici : population à l'intérieur de la palissade, neuf cent quatre-vingt-trois personnes. Dont trois cent trente-deux Russes autorisés à retourner dans la métropole avec leurs cent trente-six femmes et enfants. Plus cent trente-cinq métis sans droit de retour. À l'orphelinat, quarante-deux enfants, une quantité excessive mais nous avons beaucoup d'accidents et de parents qui prennent la fuite. Quant au reste, nous avons à l'intérieur des murs trois cent trente-huit Aléoutes qui nous aident pour la chasse aux loutres de mer et aux phoques. Total : neuf cent quatre-vingt-trois.

— Et les Tlingits vivent encore à l'extérieur de la palissade ? demanda Arkadi.

— Ils ont intérêt ! répliqua Jdanko d'un ton sombre.

Puis il résuma l'expérience des Russes avec ce peuple courageux et intraitable.

— Les Tlingits sont différents. On ne pacifie jamais un groupe de Tlingits. Ils aiment leur terre et sont toujours prêts à se battre pour elle.

— Vous croyez que les murs sont encore nécessaires ?

— Absolument. On ne peut jamais savoir quand ces gens-là vont tenter encore une fois de nous chasser de cette île. Voyez donc notre artillerie...

Arkadi remarqua alors que sur les douze canons de la colline, trois étaient pointés vers la baie pour la protéger de tout bateau hostile, et les neuf autres directement sur le village tlingit, de l'autre côté de la palissade.

Mais ce qui le rassura davantage que les canons, ce fut l'énergie avec laquelle Russes, métis et Aléoutes s'attaquaient aux problèmes de la vie quotidienne. Plusieurs métis éduqués comme lui-même, ou dignes de confiance comme Jdanko, dirigeaient les affaires de la Compagnie, et des employés russes comme M. Malakov tenaient les comptes, mais la plupart des gens de la rue géraient les affaires que l'on s'attend à trouver dans n'importe quel port en pleine prospérité. Le métis moyen exerçait un métier manuel et la plupart des Aléoutes sortaient régulièrement en mer dans leurs kayaks.

Arkadi n'eut pas le temps de terminer sa lettre ce soir-là, car l'administrateur en chef Jdanko et son épouse métisse l'invitèrent sur la colline, où seize Russes, tous convaincus d'être capables de gouverner la colonie mieux que le métis, se réunirent avec leurs épouses pour souhaiter au jeune Voronov la bienvenue à son nouveau poste. Arkadi fut émerveillé par le beau bâtiment neuf qui remplaçait la maison où il s'était rendu parfois du temps de Baranov : une demeure vraiment splendide, de plusieurs étages, avec des meubles importés et une bien meilleure vue sur le goulet de Sitka depuis qu'on avait coupé un rideau d'arbres.

— Tout le monde continue de l'appeler le Château Baranov, expliqua Jdanko, parce que nous sentons encore la présence de son esprit dans ces murs.

Ce fut une soirée de gala, il y avait deux pianos, un couple joua des pièces à quatre mains, puis accompagna le baryton et chef comptable Malakov dans ses interprétations d'une qualité surprenante : d'abord une sélection d'arias de Mozart puis un pot-pourri fulgurant de chansons populaires russes, auxquelles les invités se joignirent, et enfin, avec beaucoup d'émotion, *Stenka Razine,* dont les accents évocateurs rappelèrent à tout le monde la lointaine Russie.

Le lendemain soir, après une journée passée à inspecter la palissade et à observer le système complexe de chicanes qu'un nombre limité de Tlingits étaient autorisés à franchir pour commercer avec la ville, Arkadi trouva enfin le temps d'achever sa lettre.

J'ai vu maintenant Novo-Arkhangelsk sous toutes ses coutures, et je vous supplie, Praskovia, d'obtenir la permission de vos parents de venir ici par le premier bateau, car c'est une petite ville parfaitement achevée. Nous avons un bon hôpital, des médecins formés à Moscou, et même un homme qui soigne les dents. Les maisons sont de bois, je l'avoue, mais chaque année la ville s'agrandit et l'administrateur en chef espère qu'elle atteindra bientôt les deux mille habitants. Bien entendu, elle les a déjà en comptant les Tlingits qui vivent en dehors des murs.

Et il faut que j'ajoute une chose — non sans une grande fierté. Mon père et ma mère occupent une place particulièrement respectée dans cette partie de la Russie. Mon père est connu pour sa piété d'un bout à l'autre des îles et les indigènes l'adorent parce qu'il a pris la peine d'apprendre leur langue et qu'il les aide dans leur façon de vivre sans les importuner pour qu'ils deviennent chrétiens. Pour tout dire, on le considère comme un saint vivant.

Et ma mère est son égale. Comme je l'ai appris sans ambiguïté à vos parents, elle est aléoute de naissance, mais je la crois à présent meilleure chrétienne que mon père lui-même. Son visage irradie de bonté et son âme de sainteté.

Vous vous rappelez quel effet les traditions remarquables de votre famille Kostilevski ont eu sur moi. Je vous ai bien souvent répété que vous pouvez être fière de votre héritage, mais j'éprouve le même sentiment au sujet de mon père et de ma mère, car ils ont fondé une nouvelle lignée de noblesse pour l'Amérique russe.

Un fait extrêmement important, Praskovia : quand vous quitterez Moscou pour venir ici, il ne faudra pas considérer que vous partez en exil au bout de la terre. Bien des gens s'en vont d'ici vers la métropole. Irkoutsk est une ville splendide où ma famille a occupé des postes importants, dans le gouvernement et dans l'Église. Hawaii est magnifique avec ses mille fleurs. Et certains voyageurs reviennent en Europe par l'Amérique, ce qui prend longtemps si l'on contourne le cap Horn mais constitue, m'a-t-on dit, une expérience sans équivalent.

Je peux vous assurer que si nous établissons des comptoirs sur le continent d'Amérique du Nord, comme Baranov l'a conseillé à Jdanko, nous pourrons jouer vous et moi un rôle important dans cette Nouvelle Russie. Mon cœur bat d'enthousiasme à cette possibilité.

Avec tout mon amour,

Arkadi.

Ironie du sort, cette lettre allait provoquer la crise finale qui déchirerait la famille Voronov. Quand les parents de Praskovia en prirent connaissance, le paragraphe éloquent dans lequel Arkadi parlait des réalisations de son père à Kodiak et à Sitka les frappa tellement que Kostilevski le montra aux autorités ecclésiastiques de Moscou. Ce texte, recopié avec l'alinéa suivant concernant l'épouse du père Vassili, Sofia, fut envoyé sur-le-champ aux autorités de Saint-Pétersbourg, qui demandèrent naturellement au capitaine-lieutenant Vladimir Ermelov son opinion sur le prêtre Voronov, de Novo-Arkhangelsk.

— Un des meilleurs qui soient, répondit sans réserve l'officier de marine.

Et il indiqua aux responsables de l'Église les noms de plusieurs Moscovites connaissant bien les territoires de l'Est. Ceux-ci attestèrent tous que Vassili Voronov, prêtre blanc de l'éminente famille Voronov d'Irkoutsk, était l'un des hommes de Dieu les plus remarquables que l'Église orthodoxe ait produits depuis longtemps. Et dans les discussions qui suivirent, les paroles même d'Arkadi furent répétées à l'envi : « On le considère comme un saint vivant. »

Si improbable que cela parût à l'époque et que cela paraisse encore aujourd'hui, les dirigeants de l'Église, sous l'impulsion du tsar Nicolas Ier, qui désirait ranimer l'ardeur spirituelle de l'orthodoxie russe, décidèrent que Saint-Pétersbourg avait besoin d'un homme énergique et pieux, arrivant avec une réputation de sainteté d'une contrée non contaminée par la politique ecclésiastique. Pour quantité de raisons complexes, leur attention se fixa sur le père Vassili Voronov, qui avait accompli des prodiges dans les îles, et plus ils sollicitèrent de références, plus ils se persuadèrent que ce serait la solution de leurs problèmes. Mais à peine eurent-ils annoncé leur décision au tsar, qui les en félicita, qu'une question épineuse se posa.

— Il est bien entendu, fit remarquer le métropolite, que si le père Vassili accepte notre invite à venir à Saint-Pétersbourg pour me succéder, il devra renoncer au blanc et passer au noir.

— Aucune difficulté, Éminence. Quand il a pris les ordres à Irkoutsk, il l'a fait en noir.

— Pourquoi a-t-il changé ? Pour se marier ?

— Oui. Dans sa première paroisse, la grande île qu'ils appellent Kodiak...

— Je me souviens. Vous m'en avez parlé la semaine dernière, n'est-ce pas ?

— Vous étiez très occupé ce jour-là, Éminence. Il était tombé amoureux d'une Aléoute.

— Oui.

Il réfléchit quelques instants, en songeant à sa propre jeunesse, et s'efforça d'imaginer ces frontières lointaines dont il ne savait rien.

— Ces Aléoutes... Ce sont des païens, n'est-ce pas ?

— Cette femme l'était, mais elle s'est révélée très remarquable. Plus chrétienne que les chrétiens, paraît-il. La charité même avec les enfants.

— C'est toujours bon signe, répondit-il.

Mais il était le gardien spirituel de son Église depuis très longtemps et il mit aussitôt le doigt sur le vrai problème.

— Si elle est aussi sainte que vous l'affirmez et si son mari doit renoncer au blanc pour prendre le noir, ne va-t-on pas pousser des hauts cris contre lui et contre nous en le voyant abandonner son épouse pour ses vieux jours ? Quel âge a-t-elle ?

Personne ne le savait exactement, mais un prêtre qui était passé à Novo-Arkhangelsk se risqua à une conjecture :

— Nous savons que le père Vassili a soixante-trois ans. Elle doit avoir autour de cinquante-cinq ans. Je l'ai vue plusieurs fois. Elle paraissait cet âge.

Il s'arrêta, mais avant que quiconque reprenne la parole, il ajouta :

— Une belle femme, vous savez. Un peu petite.

Le métropolite, désireux de maintenir la discussion sur le thème principal, demanda :

— Est-ce que Voronov acceptera de divorcer pour reprendre le noir ?

Un vieil évêque répondit :

— Pour diriger l'Église du Christ, un homme est prêt à faire n'importe quoi.

Le métropolite lui adressa un regard dur.

— Vous ne le croirez peut-être pas, Hilarion, mais il existe bien des choses que je n'aurais pas faites pour revêtir cette robe.

Puis, aux autres :

— Qu'en pensez-vous ? Prendra-t-il le noir ?

— J'en suis convaincu, dit un prêtre qui avait servi à Irkoutsk. Servir la cause du Seigneur devrait le tenter. Et ce serait pour lui une occasion de faire le bien à laquelle on ne saurait renoncer à la légère.

— Si vous songez au pouvoir que cela représente, dites-le carrément, lança le métropolite.
— Soit, je songe au pouvoir.
— Mais ce Voronov aspire-t-il au pouvoir ? demanda le métropolite.
— Il ne l'a jamais recherché ni ne l'a jamais évité, répondit un de ses jeunes collaborateurs d'un ton ferme. Cet homme est un vrai saint, je vous l'assure.
— Bonté divine ! grommela le métropolite. Dans la même famille, sur une île du bout du monde dont je n'avais jamais entendu le nom, nous avons un saint et une sainte ! Incroyable.
Tous les conseillers lui confirmèrent que c'était bien le cas, et il leur posa alors la question la plus délicate :
— Si nous l'attirons à Saint-Pétersbourg en lui faisant miroiter notre appât, le laissera-t-elle partir ?
Le prêtre qui l'avait vue dans son orphelinat répondit :
— Elle comprendrait, s'il était appelé à la gloire. Il a rompu ses vœux pour l'épouser. Je suis sûre qu'elle lui conseillerait de faire de même avec son mariage pour épouser maintenant l'Église.
Sur cette assurance, les autorités de Saint-Pétersbourg parvinrent à la décision extraordinaire, applaudie par le tsar, de confier la position la plus élevée dans l'Église orthodoxe au saint prêtre de la paroisse la plus éloignée de la capitale : le père Vassili Voronov de la cathédrale Saint-Michel de Novo-Arkhangelsk. Cependant le métropolite, enchanté d'avoir un successeur désigné, mais peu pressé de voir cet homme arriver à Saint-Pétersbourg, suggéra :
— Nommons-le évêque d'Irkoutsk cette année et métropolite l'an prochain, quand je serai trop âgé pour assumer ma tâche.
Même ces énergiques hommes d'Église qui désiraient un nouveau chef convinrent qu'il serait plus sage d'offrir au père Vassili une promotion en deux temps. Malgré sa hâte de voir un saint à la tête de son Église, le tsar céda à cette stratégie, mais, pour se protéger, annonça publiquement que le vieux métropolite de l'Église orthodoxe prendrait sa retraite l'année suivante.
Ce fut de cette manière étrange et tortueuse que Vassili apprit sous le sceau du secret que s'il reprenait le noir — auquel il avait renoncé trente-six ans plus tôt —, il serait aussitôt nommé évêque d'Irkoutsk, la ville dont sa famille était originaire, avec, selon toute vraisemblance, une promotion rapide à Saint-Pétersbourg par la suite. L'officier de marine qui lui communiqua ces précisions ajouta, comme le lui avait demandé le tsar en personne :
— Mais bien entendu, ceci nécessitera un divorce. Et si votre épouse, membre d'un peuple que la Russie s'efforce de gagner au christianisme, s'y opposait...
Il haussa les épaules.
Lorsque le père Vassili étudia les documents confidentiels qui confirmaient cette proposition extraordinaire, il eut deux réactions, qu'il ne pouvait formuler qu'à lui-même : « Je n'en suis pas digne, mais si dans sa sagesse l'Église m'appelle, comment pourrais-je refuser ? » Puis, aussitôt après : « Mais quelle sera la place de Sofia dans tout cela ? » Sans même discuter de ce problème profond avec son fils, il quitta sa cathédrale et se mit à marcher à grands pas d'un angle de la palissade à l'autre, devant les entrepôts qu'il avait aidé à construire puis devant les magasins que Kyril Jdanko avait aidé à ouvrir, enfin vers l'endroit où les Tlingits se rassemblaient de l'autre côté du mur,

avant de retourner vers l'église qui n'aurait jamais vu le jour sans son dur labeur et le dur labeur de sa femme. Chaque fois que le nom ou l'image de Sofia refaisaient surface, il comprenait davantage la cruauté du choix qu'on lui offrait.

Pendant trois jours, il fut incapable d'aborder le sujet avec elle, et il s'en garda bien pour une excellente raison : il était certain que si elle apprenait ses chances de partir à Irkoutsk et peut-être ensuite dans la capitale, elle l'encouragerait à changer de couleur et à accepter l'occasion, même s'il devait pour cela l'abandonner à Sitka. Or il ne voulait pas, en toute honnêteté, la placer dans une position où elle serait contrainte de faire elle-même le choix. Non, il déciderait tout seul ce qui était juste, puis lui présenterait son opinion et l'encouragerait à s'y opposer si elle le jugeait nécessaire.

Certain que ni l'un ni l'autre n'agirait par égoïsme ou dans la précipitation, il passa le plus clair de la quatrième journée en prières, prononcées avec la simplicité qui le caractérisait en toute circonstance :

— Père céleste, depuis les jours de mon enfance j'ai su que je désirais vivre ma vie à Ton service. Je m'y suis efforcé humblement, et dans ma jeunesse j'ai prononcé mes vœux sans même envisager un autre choix. Mais moins de trois ans plus tard, j'ai modifié ces vœux pour épouser une jeune indigène.

» Comme Tu le sais si bien, elle m'a apporté une vision nouvelle de ce que peuvent être Ton Église et sa mission. Elle a été la sainte et moi le serviteur. Je ne saurais rien faire dont elle puisse souffrir. Or voici qu'on m'appelle à un service plus élevé au sein de Ton Église, mais pour l'accepter je dois de nouveau réviser mes vœux et commettre des torts graves envers mon épouse.

» Que dois-je faire ?

Ce soir-là, pour la cinquième fois, il se coucha avec le poids de cet extraordinaire problème et, comme les nuits précédentes, il ne cessa de s'agiter sans pouvoir fermer l'œil. Vers l'aube cependant, un profond sommeil réparateur le terrassa, dont il ne s'éveilla qu'à dix heures. Son épouse, qui avait senti sa tension depuis l'arrivée du dernier bateau de Russie, le laissa dormir paisiblement. À son réveil, elle attendait à son chevet avec un grand verre de thé et des paroles de réconfort.

— Vassili, un problème complexe te tourmentait, mais je vois sur ton visage que Dieu l'a résolu pendant ton sommeil.

Il accepta le thé qu'elle lui tendait, posa les pieds par terre, but une longue gorgée en silence puis parla.

— Sofia, le tsar et l'Église désirent que je parte à Irkoutsk comme évêque, puis ils comptent me demander de prendre la tête de l'Église, à Saint-Pétersbourg.

Sans hésitation, car il parlait du fond d'une vaste réserve de foi, il enchaîna :

— Ceci signifierait que...

Sofia termina la phrase à sa place :

— ... que tu reprendrais le noir.

— Oui, dit-il. Et après avoir consulté Dieu, j'ai décidé...

— Vassili, tu as commencé ta vie en noir. Serait-ce donc un si grand changement que tu en perdrais le sommeil ?

— Mais cela supposerait...

Ces deux êtres qui s'aimaient, dont chacun avait modelé sa vie sur celle de l'autre en franchissant des obstacles qui en auraient arrêté plus d'un de moindre envergure, se regardèrent : une petite Aléoute d'à peine un mètre cinquante, sombre de peau, portant un labret d'os de baleine dans la lèvre; et un grand Russe en chemise de nuit, aux cheveux et à la barbe blanche, visiblement perplexe. Pendant un instant douloureux, ni l'un ni l'autre ne surent que dire. Mais ensuite Sofia prit le verre de thé des mains de Vassili et posa sa petite main dans celle de son époux. Avec l'accent étrange et charmant qu'elle conservait quand elle parlait russe — à cause de son éducation aléoute et du labret —, elle lui annonça :

— Vassili, avec Arkadi ici pour me protéger et bientôt peut-être son épouse pour m'aider, je n'ai aucune crainte, aucun besoin. Fais ce que Dieu ordonne.

— La nuit dernière, quand minuit a sonné au Château, j'ai compris que je devais aller à Irkoutsk.

Puis il baissa la voix, serra les mains de Sofia plus fort et ajouta :

— Que Dieu me pardonne les torts que je vais commettre envers toi.

Une fois la décision prise, aucun des Voronov ne la remit en cause ni ne la soumit à des critiques ou des récriminations. Le jour même, avant midi, ils demandaient à leur fils de les accompagner au Château, où ils sollicitèrent une entrevue avec Jdanko. Lorsqu'ils furent assis tous les quatre dans les fauteuils de la véranda ouverte sur la baie et les montagnes, le père Vassili expliqua sans émotion apparente :

— J'ai été choisi comme évêque d'Irkoutsk. Cela signifie que je dois reprendre le noir que je portais dans ma jeunesse. Il faut donc dissoudre mon mariage avec Sofia Kouchovskaia.

Laissant à cette nouvelle surprenante le temps de faire son effet, il prit les mains de Jdanko et d'Arkadi, puis leur dit :

— C'est à vous deux que je confie cette femme merveilleuse.

Pendant la demi-heure qui suivit, il ne reprit pas la parole.

Les autres discutèrent d'une quantité de questions évidentes : Qui allait le remplacer à la cathédrale? Où habiterait Sofia? Quelles seraient les responsabilités de Jdanko et d'Arkadi? Que ferait Jdanko quand s'achèverait son intérim d'administrateur en chef? La palissade était-elle assez forte pour résister à une attaque des Tlingits, menace qui planait en permanence sur la ville? Mais quand ils eurent terminé, une fois l'avenir de Sofia déterminé dans les limites de la raison, le père Vassili s'effondra, enfouit son visage dans ses mains et pleura. Il quittait un paradis qu'il avait contribué à créer et dont il avait défini, illustré et défendu les valeurs spirituelles. Il avait fondé un monde et se trouvait sur le point de l'abandonner.

C'était un vieillard aux cheveux blancs, un peu voûté, aux mouvements un peu ralentis. Il parlait avec davantage de prudence et avait tendance à réfléchir sur ses défaites plutôt que sur ses triomphes. Ses yeux avaient constaté bien des folies dans le monde; il était prêt à pardonner, mais il savait aussi qu'il lui restait beaucoup à faire. En deux mots, il était plus près de Dieu que jamais et il se croyait prêt à ce qui l'attendait parce qu'il avait appris à accomplir l'œuvre de Dieu dans toutes les situations où il s'était trouvé.

Le bateau qui avait apporté la nouvelle de sa nomination à l'épiscopat avait besoin de onze jours pour terminer son chargement dans le goulet de Sitka, et le père Vassili s'occupa de tous les détails relatifs à son départ. Mais la dernière journée, quand tout le monde apprit que le bateau appareillerait à huit heures le lendemain matin, il dut affronter le fait que dans quelques heures il dirait adieu à son épouse pour toujours. Avec le coucher du soleil et la menace des longues heures de la nuit, cela lui devint de plus en plus douloureux. Il s'assit avec Sofia dans la pièce principale de la modeste maison proche de la cathédrale et murmura :

— Je ne peux plus me rappeler la première fois que je t'ai vue. Je sais que c'était à Trois-Saints et qu'il était question du vieux chaman d'une manière ou d'une autre.

Il hésita puis sourit au souvenir du long duel avec cet homme passionné.

— Je m'en rends compte aujourd'hui, la seule différence réelle entre nous, c'était que mes parents m'avaient ouvert à Dieu et à Jésus, alors que les siens n'avaient pas eu l'occasion de le faire.

Sofia hocha la tête. Vassili reprit :

— C'était un têtu. J'espère que je pourrai défendre mes croyances aiussi vaillamment qu'il a défendu les siennes.

Ils évoquèrent la façon tragique dont tant d'Aléoutes avaient péri sous l'occupation russe, puis Vassili avoua en toute sincérité :

— Des mois passent, Sofia, sans que je songe une seule fois que tu es aléoute.

— J'y songe chaque jour, répondit-elle très vite. Je pleure le monde que nous avons perdu et parfois, la nuit, je vois les femmes abandonnées à Lapak, trop vieilles et trop faibles pour sortir en mer chasser leur dernière baleine. Mon cœur se brise.

Puis ils parlèrent des beaux jours qu'ils avaient vécus, de la naissance d'Arkadi, de la consécration de l'Église, et Vassili se mit à rire.

— Je vais avoir une vraie cathédrale, à présent. Peut-être même un monument splendide. Mais ce ne pourra jamais être une maison de Dieu plus sainte que celle de Novo-Arkhangelsk bâtie de tes mains et des miennes.

Ces pensées leur rappelèrent Baranov, dont l'acharnement avait permis la construction de leur petite ville florissante.

— Il la considérait comme le Paris de l'Est, dit Vassili.

Puis le silence se fit dans la pièce assombrie. Un saint homme abandonnait son épouse, encore plus sainte que lui, la quittait pour le reste de la vie. Elle n'y était pour rien — et il n'y avait rien à dire.

Quand Praskovia Kostilevskaia, fille de l'éminente famille Kostilevski de Moscou, arriva à Novo-Arkhangelsk, les hommes qui travaillaient le long des quais s'arrêtèrent pour la regarder passer, car on voyait rarement dans cette ville du bout du monde une jeune femme d'une élégance et d'une beauté aussi saisissantes. Beaucoup plus grande que les femmes aléoutes ou que la moyenne des métis, elle avait la peau nettement plus blanche, car c'était une de ces Russes possédant une forte proportion de sang germanique — ce qui expliquait ses yeux bleus et ses cheveux platine. Son sourire chaleureux s'accompagnait d'une allure indéniablement patricienne, et elle donnait une impression générale de compétence et de confiance en soi.

Lorsqu'on apprit qu'il s'agissait de la jeune femme venue de l'autre bout du monde pour épouser Arkadi Voronov, les cyniques s'écrièrent :

— Mais c'est un sang-mêlé! Jamais il ne pourra garder une femme comme ça.

Conformément aux prescriptions de la religion, son mariage avec

Arkadi ne devait être célébré que trois semaines plus tard, et cela permit à la jeune fille de douter des avantages de Novo-Arkhangelsk, car elle découvrit le climat typique de cette région de l'Alaska : le courant chaud originaire du Japon qui traverse le Pacifique Nord passe si près de la côte qu'il produit de lourds nuages obscurcissant pendant des jours et des jours les montagnes qui les retiennent. Au terme de la dix-neuvième journée de pluie ininterrompue, Praskovia perdit patience et écrivit à sa famille, en saupoudrant son texte (comme la plupart des femmes russes cultivées) de nombreux mots français pour mieux exprimer ses émotions :

Chères maman et sœur,

Me voici depuis dix-neuf jours sur cette île trempée par la pluie *et je n'ai rien vu que brumes, brouillards, nuages bas, et l'aspect le plus* sinistre *de la nature dont un* être humain *ait été le témoin. Tout le monde ici m'assure qu'au moment où le soleil réapparaîtra je verrai autour de nous* une glorieuse couronne de montagnes, *avec un beau volcan vers l'ouest.*

Bien sûr, je suis prête à croire que tous les gens d'ici *ne sont pas de* fieffés menteurs, *je suppose donc que ces montagnes existent, mais je découvre qu'il faut accepter leur réalité* comme un article de foi, *car le visiteur les voit rarement. Une* chère dame, *dans l'espoir de remonter* mon moral fléchissant, *m'a assuré hier : « Il se passe rarement un mois entier sans que les nuages se lèvent au moins un jour. » Et c'est* sur cette espérance *que je me coucherai ce soir en priant que demain soit cette journée sur trente.*

La présence d'Arkadi est encore plus merveilleuse *que nous le pensions à Moscou, et je suis* divinement heureuse. *Nous avons acheté une petite maison de bois près du* château, *et avec de l'imagination et un peu d'ingéniosité nous en ferons notre* palais secret, *parce que, de l'extérieur, elle n'a pas beaucoup* d'allure. *J'ignore si la nouvelle concernant le père d'Arkadi s'est répandue à Moscou, mais il a été ordonné évêque d'Irkoutsk, et selon toute vraisemblance, il deviendra avant la fin de l'année métropolite de toutes les Russies. Vous verrez donc le père dans votre ville pendant que je serai avec le fils dans la mienne.*

Maintenant, la meilleure nouvelle de toutes *: Arkadi a été nommé adjoint principal pendant le passage des pouvoirs de l'administrateur temporaire à l'administrateur en titre. Ensuite, il restera* le bras droit *avant de devenir administrateur en chef lui-même. Pour le moment sa mère habite avec nous ; c'est une merveilleuse Aléoute* pas plus haute que trois pommes *avec une sorte de pendant d'oreille en ivoire fixé dans un trou au coin de sa lèvre inférieure. Elle sourit* comme un ange, *ne me laisse faire aucun travail, et me répète en bon russe : « Profitez de votre mari tant que vous êtes jeune, car les années passent trop vite. » Dans une prochaine lettre, je vous expliquerai ce qui est arrivé à son mariage, mais vous pouvez sans doute l'*imaginer par vous-mêmes.

Sofia Voronova, pour ainsi dire veuve avant la mort de son époux, apprit vite que sa future belle-fille se plaignait du temps de Sitka — elle préférait le nom tlingit de la ville — et craignit que cette jeune femme de haute naissance ne s'avère pas une bonne épouse pour son fils. Elle observa donc attentivement les mouvements de Praskovia au sein de la colonie. Elle sait ce qu'elle fait, se dit Sofia ; et en voyant Praskovia franchir les portes pour parler à une femme tlingit du marché, elle pensa : Elle n'a pas froid aux yeux. Pourtant, intuitivement, cette Aléoute déjà âgée et témoin de si dramatiques tournants de la vie humaine redoutait qu'une femme de la ville jeune et jolie comme Praskovia fasse mener à son mari une vie difficile. Elle attendit le mariage imminent avec un certain émoi.

Mais deux jours avant la noce, comme si cette poupée intelligente des cercles mondains de Moscou avait deviné les craintes de Sofia, Praskovia lui rendit visite.

— Mère Voronova, lui dit-elle, je sais que je dois vous paraître étrange, et je ne changerai sans doute pas votre opinion. Mais je sais aussi une chose : Arkadi ne serait pas un homme si excellent si quelqu'un ne s'était pas occupé de lui, ne lui avait pas enseigné les bonnes manières et la façon de traiter une épouse. Ce quelqu'un, je suis sûre que c'était vous et je vous en remercie.

Ensuite, à la vive surprise de Sofia car les femmes russes de Sitka n'avaient jamais montré tant d'audace, Praskovia demanda :

— Comment appelez-vous cette chose que vous portez dans la lèvre ?

— Un labret, répondit Sofia, sensible à cette franchise.

— Soit, mais... qu'est-ce qu'un labret ? lança la jeune femme avec un sourire effronté.

Sofia le lui expliqua, mais Praskovia voulut en savoir davantage :

— Je suppose que celui-ci est très spécial. Pourriez-vous...

Elle laissa sa question en suspens, et Sofia la regarda longuement en se demandant : « Si je lui parle, comprendra-t-elle ? » Puis elle décida que peu importait si cette jeune étrangère comprenait ou non ; elle allait devenir l'épouse de son fils et plus elle en saurait sur les origines d'Arkadi, mieux ce serait. D'une voix douce, elle se mit donc à raconter la vie dans l'île de Lapak, la condamnation à mort de son peuple, puis la façon dont elle avait tué la baleine avec sa mère et son arrière-grand-mère.

— Une femme du village a fait ce labret dans l'os de la baleine que nous avions ramenée ; elle me l'a donné lorsque j'ai quitté l'île.

Voyant Praskovia comme pétrifiée par ce récit, elle ajouta :

— De toutes les femmes de Lapak, je suis la seule qui se soit sauvée, et je porterai ce labret jusqu'à ma mort, par amour pour mon peuple.

Praskovia garda le silence un long moment, les mains sur son visage, puis elle se leva enfin et sortit sans un mot. Mais le lendemain elle revint, plus gaie et rieuse que jamais, pour confier à Sofia :

— En Russie, l'épousée porte un objet que sa mère portait elle-même à son mariage. Je regrette de ne pas pouvoir porter votre labret, même seulement un jour...

Les deux femmes s'embrassèrent, certaines qu'il ne s'élèverait jamais la moindre difficulté entre elles.

Bientôt, pour les habitants de Novo-Arkhangelsk, l'expression « les Voronov » désigna le jeune administrateur et sa charmante épouse. On oublia presque les anciens possesseurs de ce nom. Personne ne parlait non plus très souvent de Baranov, et quand Kyril Jdanko fut remplacé par un administrateur en chef résident venu de Russie, un homme de petite noblesse, son nom disparut à son tour des conversations. Une nouvelle génération s'imposait à la tête de ce qui devenait une nouvelle ville. Et quand disparut à son tour le dernier des pionniers de la première heure — Tom Kane, l'Américain des chantiers de construction navale —, l'arrivée d'un bateau à vapeur en provenance de San Francisco marqua le début d'une nouvelle ère sur les mers.

À peine Arkadi Voronov occupait-il son poste de directeur général des affaires de la Compagnie que ses capacités de chef furent mises à l'épreuve : dans les îles du Nord, sous l'impulsion d'un nouveau toyon, les Tlingits décidèrent que le temps était venu d'une nouvelle tentative de reprendre la Colline du Château, abattre la palissade et rendre ce territoire à ses premiers possesseurs, les Indiens. Après des préparatifs minutieux et l'accumulation de nombreuses armes, ils commencèrent à s'infiltrer discrètement vers le sud, si bien qu'une véritable armée se trouva bientôt rassemblée dans les vallées à l'est de la colonie russe.

Depuis la mort de l'héroïque Kot-le-an, ils avaient à leur tête le vieux et valeureux guerrier Cœur-de-Corbeau, toujours soutenu ardemment par son épouse implacable, Kakiena, et leur fils maintenant âgé de vingt ans, surnommé Grande-Oreille à cause de la façon spectaculaire dont ces appendices s'étaient développés. À eux trois, ils formaient un fer de lance redoutable : Kakiena poussait ses hommes et leur assurait la nourriture et des refuges lorsqu'ils se rétablissaient de leurs blessures ou préparaient les plans de nouvelles attaques.

Cœur-de-Corbeau décida de placer ses meilleurs hommes près de la porte de la palissade où les femmes tlingits entraient avec leurs marchandises pour le marché. Au moment convenu, lui-même, Grande-Oreille et six autres braves entreraient de force et arracheraient les gonds de la porte. Aussitôt une centaine de guerriers se précipiteraient à l'intérieur. Ce qui se produirait ensuite dépendrait du succès de la première vague, mais tous étaient prêts à accepter de lourdes pertes au début de l'attaque pour pouvoir écraser les Russes.

À six heures du matin, les hommes dissimulés dans les épicéas au nord de la Colline du Château entendirent le son des clairons de l'appel. À huit heures, ils virent deux soldats russes ordonner à une demi-douzaine d'Aléoutes d'ouvrir les portes de la palissade. Une femme tlingit entra avec un panier de palourdes, une autre avec des algues. Au moment où la troisième s'avança avec son poisson, Cœur-de-Corbeau, son fils et leurs compagnons s'élancèrent dans l'enceinte et abattirent un des soldats russes. L'autre s'enfuit. Aussitôt la bataille pour Novo-Arkhangelsk se déchaîna et les Tlingits parurent sur le point de remporter une victoire retentissante.

Mais Arkadi Voronov, qui commandait les Russes du haut de la colline, était un de ces jeunes chefs que n'effraient pas les décisions rapides. Dès qu'il vit la porte abattue, il comprit qu'il devait supprimer sur-le-champ cette menace. Sans même envisager les conséquences pour ses propres hommes ou pour l'ennemi, il cria à ses artilleurs de faire feu. Deux boulets de fonte d'une puissance colossale s'enfoncèrent dans la masse de gens en train de se battre près de la brèche. Quinze Tlingits moururent, ainsi que sept métis — cinq hommes et deux femmes —, venus là pour marchander avec les Tlingits pacifiés.

Voyant certains de ses meilleurs hommes déchiquetés par les boulets de canon, Cœur-de-Corbeau fut saisi de rage, mais, comprenant aussitôt que les neufs gros canons des murs de Château allaient tirer, il cria à ses hommes :

— Allez les prendre !

Pendant trois heures entières, les Tlingits restèrent à l'intérieur des murs et saccagèrent tout ce qui tombait à leur portée quand ils étaient à l'abri des canons. Et quand les Russes contre-attaquèrent, ils se défendirent en se repliant dans les maisons et sous les porches. Ce fut une bataille cruelle, qui se serait poursuivie jusqu'à la tombée de la nuit si Voronov n'avait pas pris des mesures extrêmes. Se faufilant d'un poste à l'autre il ordonna à ses hommes :

— Attaquez-les. Ne les laissez pas s'échapper par la porte. Mais quand vous entendrez le clairon, décrochez vite, parce que je ferai donner l'artillerie.

Puis il remonta sur la colline jusqu'aux murailles du château, où il braqua six de ses pièces sur le cœur des combats — les abords de la porte où Russes et Tlingits se mêlaient en une masse confuse.

— Clairon ! cria-t-il.

À l'instant suivant les Russes s'enfuirent, à l'exception d'un jeune homme qui trébucha et s'écroula au milieu des Tlingits. Pendant une fraction de seconde, Arkadi envisagea de ne pas tirer pour laisser une chance au Russe, mais il vit les Tlingits commencer à se regrouper...

— Feu !

Six boulets s'abattirent sur la masse des Indiens.

Cœur-de-Corbeau, prévenu par la sonnerie de clairon, échappa à la canonnade mais lorsqu'il s'élança vers le mur pour suivre son fils d'un bond de géant, Voronov ordonna à ses artilleurs de tirer une deuxième salve et un des énormes boulets frappa le chef tlingit dans le dos, lui écrasant les os et le projetant contre la palissade qu'il était sur le point de franchir. Il parut un instant comme cloué au bois par sa propre chair, ses propres os et ses vêtements en lambeaux. Puis une rafale de balles de fusils tirées des fenêtres d'une maison voisine coupa son corps en deux.

Ainsi s'acheva l'attaque de 1836, et avec elle les derniers espoirs des Tlingits... pour cette génération-là. Sur les quatre cent soixante-sept hommes de Cœur-de-Corbeau, un tiers avaient été massacrés à l'intérieur de l'enceinte et il avait péri avec eux. Jamais plus les collines vertes couvertes d'épicéas, si belles sous la neige ou sous le soleil, ne connaîtraient un Tlingit de sa trempe.

Kakiena, sa veuve, conduirait son fils dans un nouveau refuge, sur une île plus lointaine que Chichagof ; jamais ce fils n'oublierait la bataille et il ne cesserait plus de penser au jour où il prendrait la tête d'une expédition vengeresse. Les Tlingits de la race de Kot-le-an ou Cœur-de-Corbeau ne pourraient jamais accepter la défaite ; Grande-Oreille, en train de ruminer dans son île, était l'un d'eux.

Sofia Voronova, la mère du jeune commandant, avait observé la bataille depuis le château. Au début, elle se sentit fière de la façon virile dont son fils se conduisait. Mais quand, une fois la victoire assurée, les gros canons continuèrent de tirer sur des maisons à l'extérieur de la palissade, « pour donner une bonne leçon aux Tlingits », elle vit mourir des gens pacifiques qui avaient choisi de vivre auprès des Russes.

— Arrêtez ! cria-t-elle en se précipitant vers les artilleurs.

Son cri était si différent de ceux que proféraient son fils et Praskovia en cet instant de victoire qu'ils en furent stupéfaits. Se détournant un instant du massacre, ils la regardèrent, médusés, et s'aperçurent qu'elle les dévisageait comme si elle ne les avait jamais vus auparavant. À cet instant, une muraille aussi haute que le Denali s'éleva entre eux.

Dès que les canons se furent tus, elle se détourna de son fils et descendit vers le champ de bataille. Elle soigna les blessés qui jonchaient le sol des deux côtés de la palissade, consola ceux qui avaient perdu un enfant ou un ami. Elle découvrit alors qu'elle ne s'identifiait pas avec les vainqueurs russes mais avec les Tlingits meurtris, comme si ces derniers méritaient son aide et les autres non.

Quand les Tlingits la convainquirent qu'ils avaient été aussi surpris que les Russes par l'attaque des hommes de Cœur-de-Corbeau, elle ressentit un sursaut de chagrin pour ces gens désemparés : après avoir abandonné une vie de grande liberté pour s'installer de façon sédentaire près de ce que son mari appelait « la civilisation chrétienne », voici qu'ils se retrouvaient pris au piège d'une guerre dont ils n'étaient nullement responsables mais dont ils souffriraient le plus. Se rappelant sa propre enfance, où s'étaient produites des injustices semblables, elle en conclut que ce genre de chose ne pouvait manquer de se produire quand des modes de vie différents entraient en collision, et elle ne cessa d'aller et venir entre les Tlingits de l'extérieur et les Russes de l'intérieur en assurant à chacun que la vie pourrait continuer comme dans le passé, parce que nul n'était coupable.

Elle ne convainquit presque personne : son fils lui répondit que les Russes seraient peut-être obligés d'expulser complètement les Tlingits; et les gens de l'extérieur la menacèrent de quitter Novo-Arkhangelsk pour se joindre aux rebelles et tenter un nouvel assaut. Refusant d'accepter cette désillusion, elle se rappela qu'à Kodiak elle avait contribué au rapprochement des Aléoutes et des Russes. Elle ne renonça pas à associer ces deux groupes obstinés en un tout acceptable; progressivement ce fut sa vision de l'avenir qui triompha.

— Va leur dire que nous désirons qu'ils restent, lui dit son fils un matin. Demain, à l'ouverture des portes, ils pourront nous apporter leurs marchandises comme d'habitude.

— Vous avez besoin d'eux, n'est-ce pas?

— Oui. Et ils ont besoin de nous.

Dans la soirée, elle se rendit auprès des Tlingits, encore pleins d'appréhension.

— Les portes se rouvriront demain. Apportez vos produits et votre poisson comme avant.

— Pouvons-nous leur faire confiance? demanda un homme qui avait perdu son fils dans la bataille.

— Il le faut, répliqua-t-elle.

Rassurés, ils l'entourèrent et lui posèrent des questions amicales.

— Étiez-vous une Aléoute avant l'arrivée des Russes dans votre île? demanda l'un d'eux.

— Je suis toujours une Aléoute.

— Mais vous n'apparteniez pas à leur Église, à l'époque?

Elle leur répondit que non.

— Et maintenant, vous allez avec eux? s'étonna une femme curieuse.

Sofia leur expliqua qu'elle avait été l'épouse du barbu de grande taille qui prêchait dans la cathédrale.

— Est-ce que votre nouvelle religion... commença une femme, mais elle ne sut pas terminer sa question.

— Est-ce qu'il y a un dieu, comme ils le prétendent ? lança l'homme.

Sofia resta longtemps avec les Tlingits ce soir-là, pour leur parler de la beauté qu'elle avait découverte dans le christianisme, de son amour pour les enfants, du rôle miséricordieux joué par la Vierge Marie et de la promesse de la vie éternelle accordée par Dieu. Elle s'exprima avec une telle conviction que pour la première fois, en ces heures de détresse, certains Tlingits trouvèrent sa religion plus douce et meilleure que la leur. À la vérité même si cette religion l'avait durement traitée elle-même vers la fin de sa vie en lui prenant son mari, le message du Christ avait illuminé toutes ses années adultes, qui semblent compter davantage que les autres.

Sofia put aider ainsi les Tlingits à trouver un équilibre entre l'ancien et le nouveau, mais elle s'avéra incapable de faire de même pour elle. La nuit, dans les ténèbres de sa chambre, elle éprouvait un profond désir d'être au milieu des gens de son enfance. Parfois son esprit s'envolait et elle se croyait revenue à Lapak, ou dans le kayak avec sa mère et sa grand-mère en train de chasser la baleine. Sa nostalgie du passé devint si insistante qu'un matin elle franchit la grille pour discuter avec deux Tlingits qu'elle connaissait bien depuis le lendemain de la bataille.

— Pouvez-vous me conduire aux bains chauds ? demanda-t-elle en tendant le bras vers l'endroit agréable où elle était allée si souvent chercher du repos et de la détente avec son mari, Baranov et Jdanko.

— Les Russes vous y emmèneront, protestèrent les deux hommes, craignant que tout acte inhabituel de leur part ne soit interprété comme une reprise des hostilités.

Elle balaya leurs appréhensions.

— Non, je veux être avec mon peuple.

Et par ces paroles se trouva prise la dernière décision importante de sa vie.

Elle n'était pas russe ; elle n'appartenait pas au monde russe ; elle demeurait ce qu'elle avait toujours été : une Aléoute au courage fabuleux, une Indienne comme les Tlingits, la cousine de leurs chefs Kot-le-an et Cœur-de-Corbeau. Si elle se rendait aux sources que les Indiens utilisaient depuis mille ans, elle désirait le faire en compagnie de ces vaillants Tlingits des îles de la côte.

Mais pour protéger ces hommes qui allaient l'emmener dans le Sud, elle demanda à plusieurs femmes :

— Après notre départ, allez aux portes et demandez Voronov. Vous lui direz : « Votre mère est allée aux sources chaudes. Elle va bien et elle reviendra à la tombée de la nuit. Ou peut-être dans la matinée. »

Et elle partit pour une des plus belles régions de Sitka.

Ils se faufilèrent entre les myriades d'îlots en gardant le volcan à l'ouest, le long de chenaux étroits, avec les montagnes qui les protégeaient vers l'est et le Pacifique placide qui leur souriait au-delà des petites îles. Une traversée aussi merveilleuse ce jour-là que lors de sa première visite aux sources avec son mari et Baranov. Elle se surprit en train de songer : « Je voudrais ne jamais arriver. » Puis, désir plus douloureux : « Quand nous arriverons, si seulement Vassili, Baranov et Jdanko m'attendaient... » Perdue dans ces pensées, elle baissa la tête, sans voir la ceinture de montagnes qui l'accueillait aux sources anciennes.

Quand les deux Tlingits la déposèrent sur la grève, elle leur dit :

— Je ne resterai pas longtemps.

Puis elle ajouta, pleine d'espoir :

— Je suis très fatiguée, vous savez. Les sources vont sans doute m'aider.

Lentement, elle gravit la pente douce jusqu'à l'endroit où les eaux chaudes, sulfureuses sortaient de terre en bouillonnant. En entrant dans le petit bâtiment de bois construit par l'infatigable Baranov, elle ôta ses vêtements, impatiente de se plonger dans les eaux apaisantes. Au début elle les trouva presque trop chaudes, mais dès qu'elle se fut habituée à la chaleur, elle y prit un plaisir sans réserve.

Au bout d'un certain temps, dans l'eau jusqu'au menton et enivrée par l'odeur du soufre, elle s'abandonna à une sorte de monde onirique, dans lequel elle entendit une voix du passé lui chuchoter son vrai nom :

— Cidaq !

Stupéfaite, elle ouvrit les yeux, regarda autour d'elle. Personne d'autre dans les bains...

Elle retomba dans sa somnolence et, de nouveau, une voix d'ombre descendit du plafond voûté.

— Cidaq !

Elle s'éveilla, aspergea son visage d'eau et sourit au souvenir du jour où son mari et Baranov l'avaient conduite dans la case sous le grand arbre de Trois-Saints pour la convaincre que le rusé chaman Lounasaq utilisait ses dons de ventriloque pour faire parler sa momie.

— C'était une supercherie, Sofia, lui avait expliqué Baranov. Je ne sais pas le faire très bien. Manque d'entraînement. Mais regardez mes lèvres.

Et il l'avait fort étonnée en proférant sans remuer les lèvres une cascade de mots qui semblaient provenir d'une racine qu'il ne cessait de taper sur un bâton.

Comme ils avaient ri ensemble ce jour-là ! Les deux hommes sans se moquer de sa croyance aux esprits ; elle qui exultait de la découverte de sa nouvelle foi. Elle rit de nouveau à la pensée de la supercherie du chaman. Mais aussitôt, enfoncée dans l'eau brûlante jusqu'aux lèvres et entraînée à la dérive par ses pensées, elle voulut communiquer de nouveau avec l'Ancienne de Lapak, et elle se mit à articuler des mots dans une sorte de brume hypnotique, parlant tantôt pour elle-même et tantôt pour la momie.

— As-tu appris qu'ils m'ont pris mon mari ?

— Le jeune Voronov ?

— Il n'est plus si jeune !... Métropolite de toutes les Russies, ce n'est pas rien, ajouta-t-elle fièrement.

— Et il est parti. Et Lounasaq est parti. Mais tu as eu une belle vie à Kodiak et à Sitka, pas vrai ?

La momie utilisait les noms anciens de ces îles, pas les nouveaux noms russes.

— Oui, mais au début, quand je songeais que je vous avais perdus, Lounasaq et toi, je ne pouvais pas être heureuse.

— Est-ce que ça compte vraiment ? Crois-tu que nous n'avons pas souffert, lui et moi, de t'avoir perdue pendant quelque temps ?

— Je ne suis pas malheureuse dans ma nouvelle religion.

— Qui prétend que tu l'es ?

— Tu viens de me dire que vous aviez souffert de m'avoir perdue.
— Comme amie. Je ne me soucie pas de la façon dont tu pries. Ce qui compte vraiment, dans le passé le plus lointain et dans tous les jours à venir...
L'espace des bains s'emplit de la voix de l'Ancienne :
— ... c'est de vivre avec cette Terre comme l'épouse avec l'époux. Reconnaître la baleine comme une sœur. Éprouver de la joie aux cabrioles de la mère loutre et de son bébé. Trouver un refuge dans la tempête et un endroit où profiter du soleil. Et traiter les enfants avec respect et amour car avec le passage des ans ils deviennent nous-mêmes.
— J'ai essayé de faire ces choses, répondit Cidaq, et l'Ancienne en convint.
— Oui, tu as essayé, fillette, comme moi-même et ton arrière-grand-mère avant toi. Et maintenant, tu es très fatiguée de tes efforts, n'est-ce pas ?
— Oui, avoua Cidaq.
Et l'Ancienne demanda à mi-voix :
— Est-ce que c'est vraiment important ?
Puis elle disparut.
Dans le silence qui suivit, Cidaq se pencha en arrière et laissa l'eau devenir de plus en plus chaude et sulfureuse. Les yeux tournés vers le haut, elle songea : « La religion de l'Ancienne participe de la terre, de la mer, des tempêtes et elle est nécessaire à une belle vie ; la religion de Voronov participe des cieux, des étoiles, des lumières du Nord, et elle est nécessaire elle aussi. »
Des images de ses deux vies emplirent les murs des bains : le grand tsunami qui abattait l'église de Vassili mais laissait debout le grand épicéa du chaman ; des ombres sur le crucifix de Vassili au crépuscule ; la première baleine, énorme, qui avait terrifié à son passage les femmes de Lapak ; l'essaim d'enfants dont elle s'était occupée après le tsunami ; Baranov avec sa perruque de travers ; la joie avec laquelle Praskovia Kostilevskaia, d'une noble famille de Moscou, avait débarqué à Novo-Arkhangelsk pour épouser Arkadi ; et, dominant tout le reste, le volcan blanc majestueux qui dressait son cône parfait dans le soleil couchant.
Quelle bénédiction d'avoir pu partager à égalité ces deux mondes ! Elle avait sans doute perdu les deux puisqu'elle refusait maintenant la voie russe, mais elle conservait cependant le meilleur de l'un et de l'autre, ce qui l'emplissait de reconnaissance. La chaleur augmenta ; les images devinrent un kaléidoscope des années 1775 à 1837 ; et la voix ne retentit plus car sa dernière question avait tout résumé : « Est-ce que c'est vraiment important ? »
Oui, c'est important ! conclut Cidaq. Extrêmement important. Mais il ne faut pas prendre cela trop au sérieux.
Après avoir attendu plus de deux heures sur la plage, un des bateliers tlingits lança :
— Je me demande si rien n'est arrivé à la vieille dame.
Il insista pour que son ami l'accompagne sur la colline, afin d'avoir un témoin en cas d'accident. Ils trouvèrent Sofia qui flottait à la surface de l'eau, le visage tourné vers le bas, et le plus prudent des deux se mit à gémir.
— Je savais que nous aurions des ennuis.
Ils enveloppèrent Sofia dans ses vêtements, descendirent la colline, la calèrent au centre du canot et prirent le chemin du retour.

Arrivés près du débarcadère, au pied du château, ils agitèrent leurs pagaies et les gens du rivage aperçurent seulement deux hommes, un à l'arrière et l'autre à l'avant, avec l'ancienne femme de leur prêtre assise au milieu. Mais quand le canot se rapprocha de la côte, ils comprirent qu'elle était morte et plusieurs hommes coururent vers le château en criant :

— Voronov !

*
**

Dans les années qui suivirent la mort de Sofia Voronova, la petite ville prospère de Novo-Arkhangelsk découvrit — comme plus d'une colonie dans le passé — que son destin dépendait d'événements se déroulant fort loin, et sur lesquels elle ne pouvait exercer aucun contrôle. En 1848, on découvrit de l'or en Californie ; en 1854, une guerre éclata en Crimée, opposant d'un côté la Turquie, la France et l'Angleterre, de l'autre la Russie ; enfin, en 1861, une guerre civile encore plus sanglante éclata aux États-Unis entre le Nord et le Sud.

L'or de Californie enflamma des gens dans toutes les parties du monde, en envoya tout un ramassis à San Francisco et modifia le jeu des alliances dans le Pacifique oriental. Les conséquences pour Novo-Arkhangelsk furent totalement inattendues : l'administrateur en chef envoya son assistant à Hawaii et en Californie pour évaluer l'impact de cet afflux d'Américains dans l'ouest des États-Unis, dans l'optique des intérêts russes. Arkadi Voronov confia ses enfants aux soins de deux nourrices aléoutes et invita sa femme à l'accompagner. Sous les palmiers, dans la ville accueillante d'Honolulu, ils entendirent pour la première fois une rumeur qui les étonna. Un capitaine anglais, de retour d'une traversée à Singapour, Sydney et Tahiti, demanda tout naturellement, comme si tous les Russes étaient au courant de l'affaire :

— Dites donc, que déciderez-vous de faire si le marché est conclu ?

— Quel marché ? demanda Voronov, son intérêt piqué par la perspective d'une négociation commerciale entre la Grande-Bretagne et la Russie.

— Je veux dire : si la Russie accepte de vendre votre Alaska aux Yankees...

Arkadi, stupéfait, se pencha en arrière et lança un regard consterné à Praskovia.

— Mais nous n'en avons jamais entendu parler !

— Oh, vous n'entendrez que ça si vous descendez au port.

— Les Anglais sont intéressés ? demanda Voronov pertinemment.

— Oh, rien de bien précis, vous comprenez, répondit le capitaine. Les gens de tous les pays en discutent.

— Même les Russes ? insista Voronov.

— Surtout les Russes, répliqua l'Anglais sans ambiguïté. En général ce sont eux qui abordent le sujet.

— Je ne cherche pas à me faire valoir, dit Voronov à mi-voix, mais je suis depuis plusieurs années le bras droit de l'administrateur de Novo-Arkhangelsk et mon père avait une grande influence spirituelle dans les îles, avant sa promotion. Je peux vous assurer qu'aucun d'entre nous n'a l'intention de brader ce qui est en train de devenir un joyau de la couronne russe.

— On m'a dit que c'était splendide, le goulet de Sitka, se hâta de répondre l'Anglais.

À Honolulu, les Voronov n'apprirent rien de plus sur la vente éventuelle des possessions russes d'Amérique, et après avoir organisé la livraison régulière à Novo-Arkhangelsk de fruits et de bœuf d'Hawaii, le jeune couple partit pour San Francisco. Le troisième jour de leur arrivée dans la magnifique baie, un capitaine russe se fit conduire en chaloupe jusqu'au bateau d'Arkadi. À peine s'était-il présenté qu'il demandait des détails sur la vente de l'Alaska.

— Il n'en est pas question, assura Voronov au marin inquiet, mais il se corrigea aussitôt : En tout cas en Alaska, et je pense que nous serions les premiers informés, non ?

On abandonna donc le sujet. Le lendemain, Voronov descendit à terre pour visiter la ville en pleine expansion ; épuisé par la chaleur humide, il alla s'asseoir dans un café des quais où se réunissaient les marins et entendit un des garçons lancer :

— Ce qu'il nous faudrait, ici, c'est de la glace des montagnes, là-haut.

— Il n'y en a pas de glace, là-haut, expliqua un ancien habitant des Rocheuses. Il tombe de la neige, mais elle ne se transforme pas en glace compacte.

— Dommage, répliqua le garçon en sueur. Et il ajouta des paroles qui devaient valoir à Voronov une réputation accrue dans la colonie russe : Dans ce cas, quelqu'un devrait apporter de la glace du Nord...

Ce soir-là dans son bateau, Arkadi dit à sa femme :

— J'ai entendu cet après-midi une idée très étrange.

— Nous allons vraiment vendre l'Alaska ?

— Non, on n'en parle plus. Mais un homme dans le bar... Il faisait très chaud, nous transpirions tous... Il a dit : « Quelqu'un devrait apporter de la glace du Nord. »

Praskovia, qui s'éventait avec une feuille de palmier tressée ramenée d'Honolulu, regarda fixement son mari, puis s'écria :

— Arkadi ! C'est faisable. Nous avons les bateaux, et Dieu sait que nous avons la glace !

À leur retour à Novo-Arkhangelsk, au début d'octobre, ils se dirigèrent aussitôt vers le lac assez vaste qui se trouvait à l'intérieur de la palissade et posèrent des dizaines de questions. La glace se formait fin novembre, en couche très épaisse, et durait jusqu'au milieu de mars.

— Si on la protégeait au mieux, demanda-t-il aux hommes qui le conseillaient, combien de temps resterait-elle glacée pendant l'été ?

— Regardez donc !

Sur les montagnes qui entouraient le goulet, dans des recoins à l'abri du soleil et même dans des gorges où des avalanches s'étaient entassées, des quantités de neige n'avaient pas fondu de tout l'été.

— Si on l'emballe bien et si on la met dans un hangar à l'abri du soleil, on peut garder de la glace jusqu'en juillet.

— Pourriez-vous faire de même à bord d'un bateau ?

— Mieux. Ce sera plus facile de la protéger du vent et du soleil.

Arkadi passa trois journées enthousiastes à discuter de ce projet insensé avec tous les hommes compétents qu'il put trouver, et le quatrième jour il ordonna au capitaine d'un bateau en partance vers San Francisco :

— Annoncez-leur que, le 15 décembre de cette année, j'enverrai une cargaison de la meilleure glace qu'ils aient jamais vue. Trouvez un acheteur.

Le froid survint très tôt cette année-là. Quand la glace fut assez épaisse sur le lac, il mit au point, avec des ouvriers aléoutes habiles, un système pour couper de parfaits rectangles de glace, avec des arêtes bien droites — un mètre vingt de long, soixante centimètres de large, vingt centimètres d'épaisseur. Ils ne cherchèrent pas à scier la glace mais fabriquèrent une sorte d'appareil à rainurer attelé. La pointe de gauche servait de traceur pour maintenir les traits droits, et la pointe de droite, en métal tranchant, griffait la glace en une longue ligne ininterrompue. Puis on repassait dans l'autre sens, la pointe traceuse suivait la ligne déjà marquée, tandis que le tranchant creusait un trait parallèle, à soixante centimètres du premier. Ensuite, on plaçait l'appareil de façon à tracer des traits perpendiculaires pour terminer les contours des rectangles.

Enfin, des hommes équipés de gros troncs d'épicéa se déplaçaient le long des rectangles dessinés et laissaient tomber lourdement les troncs pour briser la glace en beaux pains bleutés, aussitôt transportés dans le port et entassés dans le bateau qui attendait. Une fois la cale pleine, les blocs de glace étaient si serrés les uns contre les autres que l'air ne pouvait pas passer entre eux. On posait par-dessus de grosses nattes puis des branches de sapin pour les isoler de l'air qui s'infiltrerait à travers le pont. Pour seulement trente-deux dollars la tonne, de la glace parfaite de Novo-Arkhangelsk pouvait être livrée à San Francisco.

Avec trois semaines d'avance sur la date prévue, la première cargaison de glace de Voronov partit dans le Sud, où elle se vendit au prix stupéfiant de soixante-quinze dollars la tonne. Arkadi avait lancé un commerce qui, au moins pendant les mois glacés, promettait de meilleurs bénéfices que celui des peaux. Avec les profits réalisés, le jeune et énergique administrateur adjoint lança le programme de construction qui devait faire de Novo-Arkhangelsk la ville la plus brillante du Pacifique Nord. Il renforça la palissade, améliora la cathédrale de son père, aménagea mieux le port, et édifia une quantité de bâtiments neufs : des magasins, un observatoire astronomique, une nouvelle bibliothèque, une église luthérienne avec un jeu d'orgues, et à l'étage supérieur du château, très agrandi, un théâtre qui pourrait recevoir les chorales et les orchestres des bateaux qui relâchaient dans le port.

Quand tout ceci fut terminé, Novo-Arkhangelsk abritait une population de deux mille personnes, sans compter les neuf cents Tlingits toujours maintenus hors les murs. Comme le fit observer Voronov au cours d'un dîner donné au château à l'intention des notables locaux :

— Envisager la vente de cet endroit à quiconque serait absurde.

Mais en 1856 la guerre de Crimée imposa un tel fardeau à l'économie russe et constitua une telle menace pour la sécurité de l'Europe qu'aux niveaux les plus élevés du gouvernement on commença à envisager sérieusement de débarrasser l'empire de ses possessions orientales les plus lointaines. Tandis qu'à Novo-Arkhangelsk Arkadi Voronov exposait les raisons les plus convaincantes de conserver des endroits aussi prometteurs que Kodiak et Novo-Arkhangelsk, à Saint-Pétersbourg Vladimir Ermelov, le vieil adversaire de Baranov devenu amiral et bénéficiant d'une réputation aussi indiscutée qu'imméritée, pulvérisa l'argumentation d'Arkadi à coups de documents officiels précis et pertinents :

Même si notre position actuelle en Crimée n'était pas si périlleuse, et même si la situation en Amérique du Nord était plus stable et prévisible, Son Impériale Majesté agirait sage-

ment en se débarrassant du fardeau qu'imposent nos territoires de l'Est. L'ensemble des terres appelées Alaska *dans la langue vernaculaire devraient être vendues si possible, ou abandonnées faute de preneur. Quatre faits fondamentaux dictent cette solution, la seule réalisable.*

En premier lieu, l'Alaska se trouve à une distance impossible de la vraie Russie, à des mois d'Okhotsk, à des semaines de Petropavlovsk. Toute communication par terre est impossible, même d'une région de l'Akaska à l'autre, et par bateau les traversées sont dangereuses, coûteuses et fort longues. Envoyer un messager de Saint-Pétersbourg à un endroit comme Novo-Arkhangelsk, puis attendre son retour avec une réponse peut prendre plus d'une année, sans aucune possibilité d'accélérer le processus.

En second lieu, avec la fin du commerce des peaux de loutre de mer, car cet animal est presque éteint, il n'existe aucun moyen rationnel de gagner de l'argent en Alaska. Il n'existe aucune ressource naturelle en dehors des arbres, et la Finlande, tout près de nous, possède beaucoup mieux. Aucune réserve de minerais, aucun commerce actuel, aucun indigène capable de fabriquer quoi que ce soit pour le commerce dans l'avenir. Ce sera toujours une possession déficitaire et s'en débarrasser économisera de l'argent.

Troisièmement, la situation en Amérique du Nord demeure chaotique. L'avenir des territoires canadiens et des États-Unis est précaire, car il faut s'attendre à voir le Mexique lancer une guerre pour récupérer les territoires qu'on lui a volés. Pour nous, rester en Alaska, c'est s'exposer à des ennuis de toutes sortes.

Enfin, et j'ai gardé en dernier la plus importante des raisons, même si les États-Unis semblent sur le point de se diviser, certains signes indiquent que leurs citoyens ont l'intention de s'emparer de toute l'Amérique du Nord, du pôle Nord à Panama. Si nous conservons des possessions dans cette région sur laquelle ils ont jeté leur dévolu, nous nous trouverons tôt ou tard en conflit nous aussi avec cette puissance montante. Les États-Unis n'en sont peut-être pas encore conscients, mais leurs citoyens les plus éclairés convoitent déjà l'Alaska, et dans les années qui viennent ce désir augmentera.

Mon conseil le plus fervent : que la Russie se débarrasse sans délai de cette possession de toute façon condamnée.

Il est possible qu'une partie de ce rapport soit parvenue par des moyens clandestins entre les mains du président James Buchanan, ancien ministre des Affaires étrangères et admirateur de la Russie depuis son séjour dans ce pays comme ambassadeur en 1831. Quoi qu'il en soit, quand la guerre de Crimée toucha à sa fin, de nombreux Américains haut placés savaient que la Russie envisageait la vente de l'Alaska aux États-Unis.

Et l'un des plus curieux épisodes de l'histoire mondiale se produisit alors, presque par hasard. Sur les champs de bataille montagneux de Crimée, les soldats de nombreux pays européens s'associèrent pour combattre la Russie, qui leur résista toute seule. Coup sur coup, inférieurs en nombre et moins bien commandés, les Russes furent vaincus sur le champ de bataille, mais sur le terrain de l'opinion mondiale, ils conservèrent un défenseur et un ami indéfectible : les États-Unis. À chaque moment critique, pour des raisons qui n'ont jamais été expliquées, l'Amérique prit le parti de la Russie et le proclama hautement. Elle s'efforça d'empêcher la formation d'une coalition encore plus puissante contre le tsar. Elle envoya de nombreuses lettres qui affirmaient son soutien moral et elle ne fit rien pour gêner la Russie au sujet de la vente éventuelle de l'Alaska. De toutes les nations impliquées dans la guerre de Crimée, même de loin, les deux qui constituèrent l'alliance la plus solide et la plus chaleureuse furent la Russie et les États-Unis.

À la fin de cette guerre, tous ceux qui, en Russie, désiraient se débarrasser de ce qu'ils considéraient comme un fardeau, se tournèrent donc naturellement vers les États-Unis ; et pendant la période de discussions sérieuses, personne en Russie n'éleva la voix contre les États-Unis en tant qu'acheteur éventuel. En temps normal, il est fort probable que le président Buchanan aurait conclu l'achat entre 1857, le début de sa législature, et 1861, année où elle s'acheva par la guerre de Sécession.

Cette guerre civile horrible, qui allait coûter tant de vies et désorganiser l'économie, interdit alors tout esprit d'aventure en politique étrangère — et par conséquent l'achat d'une partie du monde inconnue. La guerre traîna en longueur ; tout l'argent disponible y passa ; et pendant deux années de désespoir on put croire que l'Union volerait en éclats. Il n'existait plus personne au pouvoir pour discuter d'un achat avec la Russie.

Mais le deuxième acte de ce fort curieux épisode se produisit alors. En effet, au moment où le destin de l'Union semblait le plus précaire, avec tous les pays d'Europe prêts à se jeter sur ses restes, la Russie envoya sa flotte de guerre dans les eaux américaines, avec la promesse implicite qu'elle aiderait à défendre les Nordistes contre toute incursion des puissances européennes, en particulier de la Grande-Bretagne et de la France. Des vaisseaux russes s'installèrent dans le port de New York, d'autres dans celui de San Francisco. Ils attendirent là sans une seule proclamation fracassante, à l'ancre mais prêts à intervenir. Cette flotte fut pour le Nord en 1863 l'équivalent des lettres d'amitié envoyées aux Russes en 1856. Aucune assistance militaire mais un soutien peut-être aussi important : la certitude qu'aux jours les plus sombres on n'est pas seul contre tous.

Quand la guerre de Sécession s'acheva, au printemps 1865, les deux nations qui s'étaient soutenues mutuellement en ces périodes de crise se trouvaient prêtes à effectuer la vente discutée pendant tant d'années. Fait significatif, chaque pays croyait rendre service à l'autre. Les États-Unis croyaient la Russie obligée de vendre et à la recherche d'un acquéreur ; quant à la Russie, elle avait l'impression que tout le monde à Washington ne songeait qu'à avaler l'Alaska. Comme les deux amis étaient mal informés !

***

Pendant la guerre de Crimée, puis la guerre de Sécession, Arkadi Voronov, dans la force de l'âge, continua de vivre et de travailler à Novo-Arkhangelsk avec sa charmante épouse Praskovia comme si l'avenir de leur province de Russie était gravé dans le marbre. Ils rénovèrent le château et s'installèrent dans une des ailes ; ils développèrent les échanges commerciaux avec les pays du Pacifique central et occidental, notamment Hawaii et la Chine ; ils améliorèrent presque tous les aspects de la vie coloniale.

Ce fut Praskovia qui eut l'idée d'envoyer des jeunes métis pleins d'avenir à Saint-Pétersbourg pour leur éducation. Plusieurs déjà étaient revenus avec des diplômes de médecins, professeurs ou administrateurs. Inspirée par l'œuvre de son saint beau-père, elle avait imploré les monastères de la Russie entière de contribuer au trésor d'icônes, de statues et de brocarts qui ornaient maintenant la cathédrale, devenue l'une des plus riches, artistiquement, à l'est de Moscou.

Comme pour renforcer l'attrait de l'Alaska, Saint-Pétersbourg envoya pour gouverner la colonie un jeune prince ambitieux, le prince Dimitri Maksoutov, dont le titre remontait à l'époque où les Tatars d'Asie centrale avaient envahi la Russie et marqué son peuple du sceau asiatique qui le distinguerait désormais des autres Européens. C'était un bel homme compétent qui avait épousé pendant son service aux ordres du tsar une jolie femme dont le père enseignait les mathématiques à l'Académie navale. Après lui avoir donné trois enfants, cette femme était morte prématurément, si bien qu'à son arrivée en Alaska le prince était accompagné d'une deuxième épouse, jeune et charmante, du nom de Maria, fille du gouverneur général d'Irkoutsk, et au courant des affaires de la région. Ce devait être une princesse idéale pour ce poste frontière, car elle s'intéressa à tout et tint une cour à laquelle chacun, à Sitka, se sentit honoré de participer.

Le premier jour dans leur nouvelle résidence, le prince Dimitri confia ses plans à Maria :

— Nous resterons ici dix ou quinze ans. Nous ferons de cet endroit une capitale à tous les sens de ce mot. Puis, nous rentrerons à Pétersbourg avec un titre de plus et une promotion.

Très vite, le couple comprit que pour réaliser son ambition, il lui faudrait le soutien d'un collaborateur local de confiance. Et ils ne mirent pas longtemps à trouver la seule personnalité qualifiée pour leur apporter cette aide.

— Ce Voronov, dit le prince à sa femme. Exceptionnel.

— N'est-ce pas un métis ?

— Oui, mais son père a été choisi comme métropolite par le tsar Nicolas lui-même.

— Sa mère ? N'était-ce pas une indigène ?

— Une sainte, paraît-il. Vous devriez vous informer à ce propos.

La princesse le fit. Tous ceux qu'elle interrogea au sujet de Sofia Voronova lui confirmèrent que c'était réellement une sainte, et Maria Maksoutova soutint donc Arkadi sans réserve. Ce fut elle qui invita les Voronov à la résidence, puis s'occupa de Praskovia pour permettre à leur maris respectifs d'avoir une conversation sérieuse.

Elle eut lieu autour d'une table chargée d'une collection de cartes, et les premières remarques du prince montrèrent qu'il avait l'intention de donner aux traits tracés sur ces cartes davantage de réalité qu'ils n'en avaient eue jusque-là.

— Voronov, je suis presque physiquement blessé chaque fois que j'entends l'expression que vous utilisez dans vos dépêches récentes.

— Laquelle, Excellence ? demanda Voronov avec une simplicité désarmante.

Plus âgé que le prince et possédant une réputation sans tache, il ne se laissait nullement impressionner par le nouveau gouverneur.

— « L'empire insulaire de la Russie dans l'Est. »

— Je vous prie de m'excuser, mais je ne comprends pas vos objections.

— Insulaire, voyons ! Insulaire ! Si Pétersbourg nous considère comme un groupe d'îles, ils verront les choses en petit. Mais l'Alaska est vaste, peut-être aussi immense que la Sibérie entière.

D'un geste large il désigna le continent inconnu, puis posa la main sur l'une des cartes et lança :

— Voronov, je veux que vous exploriez ce pays, pour informer Pétersbourg de l'étendue réelle de nos possessions.

— Excellence, répondit Voronov, je suis déjà allé à l'endroit même que vous venez de montrer.

Il montra à son tour les terres inhospitalières où s'élèverait un jour la future capitale de Juneau.

— Cela ressemble beaucoup à notre site de Novo-Arkhangelsk : une côte étroite coincée entre la mer et des montagnes qui s'enfoncent dans ce qui est probablement le Canada.

— Nous avons bâti une assez belle ville ici, non ? lança Maksoutov avec un geste d'impatience. Pourquoi ne ferions-nous pas de même là-bas ?

L'index sur la carte, Voronov précisa la différence.

— Excellence, le pays derrière notre ville est un beau terrain boisé. Là-bas, ce n'est qu'un vaste champ de glaces, gelé d'un bout à l'autre de l'année. Les glaciers plongent dans la mer.

Pendant un instant, dans le confort du château, le prince Maksoutov perçut l'austère réalité du pays qu'on l'avait envoyé gouverner. Dans des livres anglais et allemands, il avait vu des gravures démontrant la puissance destructrice des glaciers, mais il n'avait jamais songé que d'immenses glaciers existaient à moins de deux cents kilomètres de l'endroit où il se trouvait à présent. Cette nouvelle ne le découragea pourtant pas ; il n'avait pas fait son chemin dans le gouvernement seulement parce qu'il était prince, mais à cause de son obstination. Abandonnant aussitôt son idée de bâtir une ville sur le continent, il posa hardiment la main vers le nord, à l'endroit où un cartographe russe enthousiaste — regroupant des éléments d'information envoyés à Saint-Pétersbourg par des capitaines de bateau, des marchands de fourrures et des missionnaires — avait tracé, tel qu'il l'imaginait, le cours d'un grand fleuve mystérieux : le Yukon. Le prince et Voronov étudièrent la curieuses étendue de côte, longue de plus de cent cinquante kilomètres, où le Yukon se divisait en un dédale d'embouchures dont certaines se terminaient en culs-de-sac. Qu'il arrive du fleuve ou de la mer, un voyageur connaissant mal les lieux n'avait aucun moyen de déterminer le bon itinéraire. Envoyer un homme, si intelligent ou brave soit-il, dans cet affreux labyrinthe de fleuves, de chenaux et de marais revenait à le condamner à une année d'errance dans la boue. Mais Maksoutov était têtu.

— Voronov, je veux que vous remontiez le Yukon. Vous dresserez des cartes. Vous parlerez avec nos hommes, si vous pouvez les trouver. Et vous nous direz ce que nous possédons.

Arkadi avait hérité de ses ancêtres orthodoxes beaucoup de courage et le sens du sacrifice pour les tâches requises par sa position. Il répondit à son supérieur, tout en indiquant sur la carte une immense région glacée :

— Je comprends la nécessité d'apprendre ce qui se passe par là-bas. Mais je me demande si le meilleur moyen d'y parvenir est bien l'embouchure, ou plutôt *les embouchures* du Yukon.

— Et quel autre endroit ? demanda le prince.

— Regardez, Excellence. Supposons que je franchisse le dédale des embouchures — et qui sait si je pourrai trouver la bonne entrée ? — que se passera-t-il ensuite ?

Sous le regard attentif de Maksoutov, Voronov suivit du doigt l'immense arc de cercle que parcourt le Yukon vers le sud à partir de son delta.

— Un homme peut perdre une année à se frayer un chemin au milieu de ces marécages.

— Sans doute, convint le prince, puis il fit claquer son poing droit dans sa paume gauche. Bon Dieu, Voronov, je sais que des prêtres ont remonté le Yukon jusqu'à une mission du nom de...

Il ne parvint pas à se souvenir du nom de l'endroit, mais il se rappelait qu'un prêtre récemment arrivé à la cathédrale avait fait le genre de voyage qu'il proposait à Voronov. On envoya un planton aléoute chercher cet homme.

En attendant son retour, Voronov assura au prince :

— J'ai envie de partir. J'ai envie de voir le Yukon. Mais je préfère le faire avec ordre et méthode.

— Je n'entends pas qu'il en soit autrement, dit Maksoutov.

Puis le prêtre — un homme en haillons, d'une maigreur incroyable, avec une barbe en broussaille, des yeux humides et un âge incertain sans doute situé entre quarante-sept et soixante-sept ans — parut devant ces deux administrateurs et se confondit aussitôt en excuses. Pour quelle raison, personne ne put le deviner. Coupant court au verbiage, le prince demanda d'un ton sec :

— Votre nom ?

— Père Fedor Afanasi, répondit l'homme, qui tremblait.

— Est-il exact que vous êtes allé dans le bassin supérieur du Yukon ?

— Pendant neuf ans.

— Quel âge avez-vous ?

— Trente-six ans.

Et cet aveu tout simple apprit au prince et à Voronov une chose essentielle sur le grand fleuve de l'Alaska : il faisait vieillir très vite les hommes.

Baissant la voix et adoptant un ton plus amical, Maksoutov demanda :

— Vous connaissez donc bien la région ?

— J'y ai parcouru à pied des centaines de kilomètres.

— Mais enfin, vous n'avez pas remonte ou descendu le Yukon à pied. C'est un fleuve.

— Il est gelé la majeure partie de l'année.

— Comment cela ?

— De septembre à juillet.

— Jusqu'où avez-vous remonté le fleuve ? demanda le nouveau gouverneur.

— Sur huit cents kilomètres. Nulato. Les soldats russes ne sont jamais allés plus loin.

Il hésita, puis ajouta la nouvelle la moins agréable :

— Vous savez, ce n'est que l'entrée de notre territoire. Nulato se trouve relativement près de l'embouchure.

Voronov baissa la tête, fort surpris, puis demanda :
— Comment pourrais-je me rendre à Nulato ?
Ce qui se passa ensuite l'étonna autant que le prince : le prêtre s'avança vers la table des cartes, qu'il feuilleta jusqu'à ce qu'il en trouve une représentant l'ensemble du Pacifique Nord.
— Le plus simple, c'est de descendre de Novo-Arkhangelsk à San Francisco...
Cela semblait si absurde que les deux administrateurs protestèrent.
— Mais nous voulons partir vers le Yukon, au nord, par ici, lancèrent-ils en montrant sur la carte que le goulet de Sitka se trouvait au sud-est du Yukon.
— Bien sûr, répondit le père Fedor, seulement aucun bateau ne part dans cette direction. Donc d'abord au sud jusqu'à San Francisco, environ vingt-huit jours de traversée. Puis à travers l'océan jusqu'à Petropavlovsk.
— Nous ne voulons pas aller en Sibérie ! s'écria le prince. Au Yukon.
— Il n'y a pas d'autre moyen de s'y rendre. Environ un mois de plus en mer.
Voronov, qui notait les durées sur une feuille, remarqua qu'après deux mois de voyage il lui resterait encore un océan et un continent à traverser avant d'atteindre son but.
— De Petropavlovsk, poursuivit le prêtre, vous traverserez jusqu'à ce petit port-là, balayé par les tempêtes, Saint-Michael. Peut-être une dizaine de jours.
— Mais ce n'est pas du tout près du Yukon, protesta Voronov, et le prêtre rentra la tête dans les épaules.
— Je le sais bien. Une fois, je suis resté coincé là-bas pendant deux mois.
— Pourquoi ?
— Les gros navires ne peuvent pas naviguer dans le Yukon. Il faut attendre à Saint-Michael qu'une barque de peau vous fasse traverser la baie et entrer dans le fleuve... Plus d'un bateau a chaviré pendant la traversée, ajouta-t-il en montrant le passage dangereux sur la carte.
— Mais maintenant, au bout de trois mois, nous voici tout de même sur le fleuve ? demanda Voronov, la bouche de plus en plus sèche.
— Absolument. Et avec un peu de chance et deux mois d'efforts à la rame et à la gaffe, vous arriverez peut-être à Nulato avant que le Yukon ne soit pris par les glaces.
— Quel mois sommes-nous ? demanda Voronov.
— Tout doit être calculé en fonction du Yukon, répondit le prêtre. Il ne dégèle que peu de temps. Donc, si vous quittez Novo-Arkhangelsk fin mai, vous arriverez sans doute à Saint-Michael fin juin, juste avant le dégel. Cela devrait vous permettre de parvenir à Nulato avant les glaces.
— Vous voulez dire qu'il me faudra rester à Nulato tout l'hiver ? Jusqu'à ce que la glace fonde de nouveau ?
— Oui.
Quand Voronov totalisa le temps qu'il lui faudrait pour aller de Novo-Arkhangelsk à Nulato, puis pour revenir, il arriva au résultat d'un an et demi. Un an et demi, simplement pour se rendre d'une base d'Alaska à une autre. Le prince Maksoutov en était consterné.
Mais aussitôt le père Fedor fit briller une faible lueur d'espoir.
— Une fois, j'ai suivi un autre itinéraire, dit-il.

— J'aimerais le connaître ! s'écria Voronov, et le prêtre se pencha de nouveau sur les cartes.

— Le départ reste le même : San Francisco, Petropavlovsk, Saint-Michael. Mais ensuite, au lieu de partir vers le sud en barque jusqu'au Yukon, vous remontez au nord jusqu'à un endroit du nom d'Unalakleet.

Sur la carte, c'était un cul-de-sac, ne débouchant sur aucune rivière, sur aucune route, et à une centaine de kilomètres du Yukon, dont le cours à cet endroit était presque nord-sud. Le père Fedor rassura Voronov et le prince.

— Il existe une piste dans les montagnes, très élevées à certains endroits. La piste croise le Yukon par ici

— Comment suivre cette piste ? demanda Voronov.

— À pied.

— Et en arrivant au Yukon ?

— Vous serez tout un groupe, bien entendu. C'est forcé, sinon les Indiens vous tueraient.

— Ils sont comme les Tlingits ? demanda Voronov.

— Pis.

De son doigt maigre, il indiqua plusieurs postes russes où des Eskimos et des Athapascans avaient soit assassiné quelqu'un, soit incendié des bâtiments.

— La plupart du temps, ils font les deux. Ici, à Saint-Michael, de nombreux morts. À Nulato, où vous voulez aller, trois incendies et autant de meurtres. Vers l'embouchure du Yukon, à cet endroit minuscule : deux incendies, six morts.

Voronov se racla la gorge et dit :

— De Saint-Michael à Nulato par votre piste des montagnes, combien de jours ?

Le prêtre essaya de se rappeler son propre voyage, car il avait suivi la piste dans les deux sens.

— J'ai quitté Saint-Michael le 1er juillet, le meilleur moment de l'année mis à part les moustiques, et je suis arrivé à Nulato le 4 août.

Voronov pesta, mais le prêtre ajouta :

— Mais si vous êtes prêt à confier votre vie à un traîneau de chiens, vous ne serez pas obligé de rester neuf mois à Nulato. Vous pourrez louer un traîneau, les Indiens en ont et adorent voyager. Vous pouvez descendre ainsi le Yukon glacé, traverser le col jusqu'à Unalakleet et continuer jusqu'à Saint-Michael.

Le prince Maksoutov, de plus en plus affolé par les difficultés qu'impliquait l'exploration de son domaine, trancha un nœud gordien.

— Arkadi, supposons que je détourne un de nos navires directement sur Petropavlovsk, en sautant San Francisco. Puis je réquisitionne là-bas un bateau plus petit pour naviguer directement jusqu'à cet... Unalakleet. Traversée des montagnes en traîneau à chiens, visite d'inspection rapide à Nulato et retour sur le Yukon glacé, avec le bateau qui vous attendrait à l'embouchure du fleuve... Combien de temps ?

Voronov griffonna de nouveaux chiffres, s'accorda le bénéfice du plus bref des délais à chaque point d'escale, puis annonça avec un certain plaisir :

— Dans l'hypothèse d'aucun retard, environ cent cinquante jours. Avec les problèmes habituels, deux cents jours.

Mais le père Fedor élimina ces plans en quelques mots.
— Bien entendu, quand vous arriverez à la côte, la mer sera gelée elle aussi, comme le fleuve.
— Jusqu'à quelle date ? demanda Voronov.
— À peu près la même. Glace compacte jusqu'en juillet. Parfois, rarement, jusqu'au milieu de juin.
— Nous ferons tout ce que la glace permettra d'entreprendre. Préparez vos bagages, déclara le prince Maksoutov, plus résolu que jamais à obtenir un rapport sur ses possessions.
Arkadi s'inclina, mais avant de partir il fit soudain une proposition fort raisonnable :
— Père Fedor, vous connaissez la région. Voulez-vous m'accompagner pour me montrer le chemin ?
— Je serais tellement heureux de revoir mes fidèles ! s'écria le prêtre avec enthousiasme. J'ai vécu au milieu d'eux neuf ans, vous comprenez.
Il sourit au prince comme si le Yukon de ses souvenirs était une terre de vacances où l'on se prélassait au soleil.
Le voyage fut donc décidé. Le prince Maksoutov, tenant toutes les promesses qu'il avait faites, détourna un bateau de belle allure vers Petropavlovsk, avec une lettre au commandant de la place qui requérait d'envoyer rapidement Voronov de l'autre côté de la mer de Béring, au port de Saint-Michael. Or, au moment du départ, Maksoutov et Voronov se trouvèrent confrontés à un problème que ni l'un ni l'autre n'avaient prévu : Praskovia Voronova annonça qu'elle accompagnerait son mari à Nulato. Ceci provoqua une tempête. La perspective d'amener son épouse, intelligente et énergique, enchantait Arkadi mais le prince y mit le holà.
— Le Yukon n'est pas un endroit pour une femme !
Et l'on en restait là. Jusqu'à ce qu'un conseil enthousiaste vînt d'une source inattendue. Le père Fedor, mis au courant des discussions, annonça d'une voix qui lui parut pleine d'audace :
— Une femme au Yukon ? Splendide. Tous les hommes seront enchantés, et moi aussi.
— Mais pourquoi, au nom de Dieu ? cria Maksoutov.
— Précisément ! répondit le prêtre. C'est au nom de Dieu que je présente cette suggestion. Cela permettrait aux femmes des Athapascans de voir comment vit une femme chrétienne... De quoi elle a l'air, ajouta-t-il en rougissant.
Et l'on convint que Praskovia se joindrait à l'expédition.

Novo-Arkhangelsk — Petropavlovsk — Saint-Michael — Unalakleet : une expédition sur deux continents, à travers une demi-douzaine de cultures. Les voyageurs passèrent devant d'immenses glaciers, une vingtaine de volcans, des baleines et des morses, des sternes et des macareux, puis parvinrent enfin sur une côte sinistre et dénudée où le père Fedor passa trois journées affolantes à trouver une équipe d'indigènes qui leur serviraient de porteurs pour franchir les hauteurs jusqu'au Yukon. En traversant ce pays désert mais passionnant, marqué par des montagnes basses, les Voronov prirent conscience de l'immensité de l'Alaska continental et de la férocité de ses moustiques, qui se jetaient parfois sur les voyageurs comme un vol de goélands sur un poisson mort.

— Que peut-on faire contre cette vermine? demanda Praskovia au désespoir.

— Rien! répondit le prêtre. Dans six semaines ils disparaîtront. Si nous étions en septembre, vous ne seriez pas importunée du tout.

Au bout de quelques jours sur la piste, un des Indiens qui parlait russe annonça :

— Demain peut-être, le Yukon.

Et les Voronov se levèrent tôt pour découvrir ce grand fleuve dont le nom fascinait les géographes et tous ceux qui s'interrogeaient sur la nature de la Terre.

— C'est un mot magique, dit Arkadi au prêtre pendant leur petit déjeuner de saumon fumé.

Le père Fedor le corrigea :

— C'est un mot violent. Un fleuve qui ne vous permet jamais de voyager sans peine.

Mais aucun récit ne pouvait décourager Voronov. Après le petit déjeuner, il prit la tête de la colonne avec Praskovia et, au terme d'une ascension difficile, parvint à un belvédère d'où ils purent admirer la large vallée qui s'ouvrait à leurs pieds. Les brumes qui la dissimulent parfois s'étaient déchirées et les deux Voronov purent apercevoir clairement le grand fleuve puissant, deux fois plus large qu'ils ne s'y attendaient, beaucoup plus clair de couleur à cause des énormes quantités de sable et d'alluvions que les eaux charriaient des montagnes lointaines.

— Comme il est grand! cria Arkadi au père Fedor tandis que le prêtre les rattrapait en soufflant.

Mais quand ce dernier vit son vieil ami redouté, il répondit tout simplement :

— En période de crue, je l'ai vu s'étendre de cette colline-ci à celle-là. Et à la fin du printemps, pendant la débâcle, des blocs de glace de la taille d'une maison flottent en plein milieu : que Dieu garde alors tout ce qui croise leur chemin!

Arkadi et Praskovia restèrent sur la colline jusqu'à ce que le reste du groupe soit passé, et se demandèrent de quoi avait l'air le fleuve deux mille kilomètres en amont, à l'endroit où les Canadiens, peuple mystérieux que les Russes ne voyaient jamais, avaient installé leurs avant-postes. Le Yukon les tenait sous son charme : sa puissance turbulente et son débit incessant les fascinaient. C'était le messager de terres glacées, le symbole de l'Alaska.

— Venez, dit le père Fedor. Vous le verrez bien assez avant de repartir.

Cette prévision se révéla exacte dès que la colonne parvint au niveau de l'eau et se mit à remonter la rive droite, car de petits ruisseaux descendant du nord pour se jeter dans le grand fleuve leur bloquaient constamment le passage; il fallait patauger dans l'eau pour les traverser et comme il en apparaissait un nouveau chaque demi-heure, les Voronov restèrent avec les pieds trempés pendant presque toute cette première journée. À la tombée du jour, ils arrivèrent près du village de Kaltag, petit mais important, où les chiens se mirent à aboyer tandis que les enfants criaient :

— Père Fedor! Il revient!

Dans l'animation qui suivit, les Voronov découvrirent un aspect complètement différent de ce que pouvait être la vie dans le centre de l'Alaska, car les indigènes qui les entourèrent appartenaient à une ethnie différente, celle des Athapascans, plus grands et plus robustes, installés en Alaska longtemps avant les Eskimos et les Aléoutes. Ancêtres des Tlingits, ils étaient aussi belliqueux que ces derniers, mais dès qu'ils reconnurent leur ancien prêtre, le père Fedor, ils se précipitèrent vers lui en criant et le couvrirent de présents et de témoignages de leur affection. Pendant deux journées passionnantes, les deux voyageurs restèrent dans le village, et les Voronov se firent une idée de la vie d'un missionnaire sur la frontière.

Arkadi eut alors l'occasion de vérifier la sagesse de l'étrange déclaration du père Fedor quand le prince Maksoutov s'était opposé à la participation de Praskovia à l'expédition : « Il faut que les Athapascanes puissent voir comment vit une femme chrétienne. » En effet, les femmes de Kaltag suivirent Praskovia partout où elle allait, émerveillées par son allure et toujours prêtes à rire avec elle. Celles qui parlaient russe posaient d'innombrables questions ; elles voulaient savoir :

— Vos cheveux sont vrais ? Pourquoi sont-ils si différents des nôtres ?

Et comme elle répondit aimablement même à leurs questions les plus personnelles, les Athapascanes comprirent qu'elle les respectait et les considérait comme ses égales. Cette gentillesse les encourageait même à poser davantage de questions.

Arkadi, témoin de cette attitude, observa : « Elle adore ce village et ce fleuve ! » Et il aima Praskovia davantage du fait qu'elle regardait et acceptait l'Alaska tel qu'il était. Quand il lui parla après une de ses rencontres avec les femmes, elle s'écria :

— Oui, j'aime vraiment ce pays étrange. Je crois que je comprends maintenant l'Alaska.

Le matin du troisième jour, lorsqu'ils se préparèrent à repartir, Praskovia remarqua, avec son œil exercé de femme, qu'une jeune Athapascane, qui n'était plus une fillette sans être tout à fait une femme, s'intéressait particulièrement au prêtre, lui apportait les meilleurs morceaux de nourriture et le protégeait des agaceries des enfants. Praskovia observa la jeune femme, nota sa belle allure, la teinte douce de sa peau et ses cheveux joliment nattés. Elle se dit : Ce sera une bonne mère et la gardienne d'un foyer.

Et au moment de quitter le village, elle décida de parler au père Fedor.

— Cette jeune fille, celle qui sourit, ferait une bonne épouse.

Le prêtre rougit, regarda l'Athapascane que lui désignait Praskovia, et répondit comme s'il la voyait pour la première fois.

— Oui. Oui, il est temps qu'elle se trouve un mari.

Il s'inclina devant Praskovia comme pour la remercier de sa suggestion raisonnable.

Le voyage jusqu'à Nulato, en remontant le Yukon, leur prit trois jours — trois journées que les Voronov n'oublieraient jamais : plus ils avançaient vers le nord, plus le fleuve s'élargissait. Il atteignit bientôt deux kilomètres et demi d'une rive à l'autre : une énorme étendue d'eau qui courait sans répit vers l'océan lointain, situé à près de huit cents kilomètres de distance si l'on comptait tous les méandres. Au milieu du fleuve, dont l'eau glissait de part et d'autre du bateau avec une détermination violente, les Voronov avaient l'impression de pénétrer au cœur d'un grand continent, sentiment totalement différent de ce qu'ils avaient éprouvé auparavant dans leur région plus clémente, où prédominaient les îles et les bras de mer.

— Regardez ces champs vides ! s'écria Praskovia en montrant les terres qui des rives du fleuve semblaient s'étendre jusqu'à l'infini.

— Le mot « champ », répondit son mari d'un ton songeur, évoque une idée d'ordre, comme si quelqu'un avait clôturé des terres pour les cultiver. Ici, les terres s'étendent sans limites.

C'était la vérité. Et pour ainsi dire aucun homme ne les avait jamais foulées. C'est en contemplant cette immensité impressionnante que les Voronov commencèrent à comprendre le pays qu'ils administraient. Sur de vastes espaces, pas un arbre, par une colline, pas un animal en mouvement. Même pas de neige, uniquement le vide sans bornes, si désolé et hostile que Praskovia murmura :

— Je parie qu'il n'y a même pas de moustiques.

— Tu veux y aller toute seule ? Pour vérifier ta théorie ? demanda Arkadi en riant.

— Non ! Oh, non ! s'écria-t-elle.

Mais ce fut justement le vide saisissant de cette remontée du Yukon qui enchanta les Voronov.

— Rien de commun avec un jardin le long de la Neva, dit Arkadi, devançant les sentiments des milliers d'hommes venus de tous les coins du monde qui allaient bientôt affluer dans les espaces vides de l'Alaska.

Ils déploreraient la désolation, les difficultés du voyage, l'horreur de vivre à moins quinze degrés ; mais ils exulteraient eux aussi à l'idée de conquérir ce pays gigantesque et hostile en dépit de toutes les épreuves. Cinquante ans plus tard, au terme de leur existence, ils placeraient encore au-dessus de tous leurs autres exploits le fait d'avoir « remonté le Yukon ».

Vers la fin de leur troisième journée sur le fleuve, les Voronov virent au détour d'un méandre un spectacle qui leur arracha des cris de joie : le petit fort de Nulato, avec ses deux tours de bois qui défiaient le monde, et un drapeau russe qui claquait sur un mât central. Lorsqu'ils se rapprochèrent, des hommes sur la berge tirèrent des salves de bienvenue avec des fusils rouillés et un vieux canon.

— Voici l'avant-poste extrême de l'empire ! s'écria Arkadi, terriblement ému. Mon Dieu, je suis si content que nous y soyons parvenus.

La garnison — une vingtaine de marchands et de soldats russes — fut aussi ravie que la population de Kaltag de revoir son vieil ami le père Fedor. Tout le monde courut sur la berge pour l'embrasser et découvrit avec stupéfaction qu'une femme (d'ailleurs fort jolie) avait remonté le Yukon. Quand Praskovia essaya de débarquer, quatre hommes lui offrirent leur aide et la soulevèrent dans les airs : au milieu des cris, en imitant des sonneries de clairon, ils la transportèrent jusqu'au fort tandis que son mari, derrière le groupe, informait le commandant de la garnison de sa position officielle dans le gouvernement et de sa mission dans le fort.

C'était un fortin grossier de la frontière, perché très en retrait de la rive droite du Yukon, mais situé de façon à commander de vastes étendues du fleuve dans toutes les directions. Construit de façon classique — quatre bâtiments ronds édifiés en carré autour d'une cour centrale assez vaste —, il était dominé par les deux tours robustes et protégé par une double palissade qui entourait l'ensemble. Il avait été pris trois fois dans le passé, avec des pertes considérables pour les Russes, et à l'avenir ce ne serait pas un objectif facile, car un guetteur montait la garde dans chaque tour pendant la journée et deux soldats pendant la nuit.

Les samovars versèrent l'eau brûlante pour le thé, on but les verres de bienvenue et les membres de la garnison racontèrent leurs expériences avec les Athapascans des environs, très redoutables à les entendre. Puis l'officier, jeune lieutenant dynamique rasé de près qui répondait au nom de Greko, fit signe à un de ses hommes. Celui-ci s'avança en rougissant, s'inclina devant les Voronov et dit :

— Éminents visiteurs, votre présence est un honneur pour cet humble fort du bout du monde. En témoignage de notre respect, le lieutenant Greko et ses hommes vous ont préparé quelque chose de spécial.

Et à ces mots il fut pris d'un fou rire qui déconcerta les éminents visiteurs. Mais aussitôt Greko enchaîna :

— C'est ce vaurien qui en a eu l'idée. Pas moi, dit-il en pinçant le bras d'un jeune homme. Allons, Pekarski, explique-leur ce que tu as fait avec tes camarades.

Pekarski porta la main à sa bouche pour arrêter son fou rire, se redressa, se mordit la lèvre inférieure et annonça en français, comme un maître d'hôtel :

— *Par ici, messieurs-dames...*

Mais son français provoqua de telles convulsions de rire que le lieutenant Greko dut prendre le relais :

— Ces hommes vous ont fait un grand honneur, Excellence. Je suis fier d'eux.

Il précéda les visiteurs vers la place carrée où des soldats, qui couvaient des yeux la belle dame de Moscou, les suivirent en se poussant du coude. Les cheveux blonds de Praskovia luisaient dans le noir. Ils se rendirent vers un bâtiment bas devant lequel on avait entassé des bûches coupées en amont et descendues sur le fleuve.

— *Voilà* ! s'écria le jeune officier en ouvrant la porte.

Les Voronov entrèrent dans un bain russe typique, aux murs épais, avec un vestibule où l'on se déshabillait, une très petite pièce presque remplie de bûches et une salle de bains entourée de bancs bas tournés vers de grosses pierres chauffées à blanc par du bois entassé au-dessous. Il y avait également six seaux contenant l'eau que l'on jetterait sur les pierres pour provoquer des nuages de vapeur : quelques minutes après le début d'un bain on était enveloppé d'une vapeur qui vous nettoyait et vous détendait.

— Nous ne pourrions pas tenir un fort à cet endroit sans ce bain, expliqua Greko.

Puis il s'inclina devant ses hôtes distingués et s'en alla.

La perspective d'un bon bain de vapeur était si alléchante que les deux Voronov rivalisèrent à qui serait le premier prêt. Praskovia gagna, car elle n'avait pas de grandes bottes à délacer.

— Le paradis au terme d'un voyage arctique ! s'écria-t-elle.

Mais son mari répondit avec sa précision habituelle, si souvent agaçante :

— Nous sommes à cent quatre-vingt-treize kilomètres au sud du cercle arctique. J'ai vérifié.

— Pour moi, c'est assez arctique comme ça ! répondit-elle tandis que la vapeur commençait à s'élever. J'ai senti que le fleuve était prêt à geler.

Et sans transition, elle éclata en sanglots.

— Ma chérie ?...

— C'était tellement merveilleux, Arkadi. Nous avons passé toutes ces années sur le goulet de Sitka avec notre beau volcan en croyant que c'était l'Alaska... Je suis si contente que tu m'aies emmenée.

Puis elle prit la main de son mari.

— Quand nous étions au milieu du fleuve, j'ai eu l'impression que nous avancions dans l'éternité. Mais ensuite, j'ai vu les soldats s'élancer pour embrasser le père Fedor, et je me suis aperçue que des gens vivaient ici. L'éternité se trouve donc plus loin.

Ses larmes s'arrêtèrent et elle ajouta :

— Beaucoup plus loin, je crois.

Elle ne s'était pas trompée sur la venue de l'hiver. Ils explorèrent cette partie du Yukon, remontèrent à une trentaine de kilomètres vers l'est jusqu'au confluent d'une large rivière venue du nord, et rencontrèrent les membres de plusieurs tribus d'Athapascans qui faisaient commerce avec le fort.

— Je crois que nous sommes prêts à repartir vers l'aval, annonça Arkadi un matin.

Il supposait qu'il serait beaucoup plus rapide de dériver dans le courant que de remonter le fleuve à la gaffe sur huit cents kilomètres, mais le lieutenant Greko le détrompa.

— Vous auriez eu raison au début de l'été. Une balade facile. Agréable, même. Mais nous voici en automne.

— Si nous partions tout de suite ?

— Parfait. Le fleuve est dégagé et le restera un certain temps. Mais à l'embouchure il gèle plus tôt. Les vents froids d'Asie soufflent d'abord là-bas.

Il laissa à Arkadi le temps de digérer ces faits, puis ajouta :

— Excellence, si vous partez d'ici maintenant avec madame, vous risquez d'être pris par les glaces à mi-chemin. Et vous resteriez bloqués huit mois d'hiver arctique sans aucune chance de vous en tirer.

Arkadi appela Praskovia pour qu'elle entende elle aussi les avertissements de Greko, et avant même qu'il en ait fini, elle proposa :

— Nous resterons jusqu'à ce que le fleuve soit pris par les glaces. Puis nous repartirons par où nous sommes venus.

Greko bondit sur l'occasion.

— Très bien ! Vous êtes les bienvenus ici et cela nous laissera le temps de vous trouver un excellent équipage de chiens pour le retour.

Et les Voronov — le fils du métropolite de toutes les Russies et la fille d'une famille éminente de Moscou — se préparèrent à vivre les premiers jours d'un véritable hiver d'Alaska. Ils regardèrent, fascinés, le thermomètre commencer sa descente tantôt régulière, tantôt vertigineuse. Un matin, Praskovia réveilla son mari en le secouant brutalement.

— Le Yukon est en train de geler !

Ils passèrent toute la journée à regarder la glace se former le long des rives, puis se briser, se reformer, disparaître. Ce jour-là, le fleuve ne prendrait pas.

Mais trois jours plus tard, au milieu d'octobre, le thermomètre tomba soudain à moins trente et le fleuve puissant cessa de lutter. De la glace se mit à courir d'une rive à l'autre, comme animée d'une volonté propre. Deux jours plus tard, le fleuve était pris.

Puis, pendant plusieurs journées, on essaya de vérifier l'épaisseur de la glace. Le lieutenant Greko expliqua que même par les froids les plus vifs le fond du Yukon ne gelait jamais.

— Le courant de l'eau et la protection de la neige en surface empêchent le froid de pénétrer jusqu'au fond. Même au milieu de janvier l'eau continue de couler par-dessous.

Quand les équipages de chiens arrivèrent, Praskovia prit beaucoup de plaisir à faire leur connaissance : de gros malamutes brun-gris, des chiens d'Eskimos blancs, des bâtards au corps puissant et à l'énergie inépuisable, et une autre espèce, que les Russes appelaient « huskies ». Elle n'avait jamais vu de chiens semblables à ceux-là en Russie. Certains grondaient en montrant les dents dès qu'elle s'avançait, d'autres voyaient aussitôt en elle une amie et appréciaient ses attentions. Mais aucun ne devenait familier et Praskovia n'essaya pas de se les attacher. C'étaient des animaux nobles, élevés dans un but précis, et sans eux la vie dans l'Arctique aurait été beaucoup plus difficile.

Elle s'aperçut qu'elle aimait le froid extrême, mais un soir où le thermomètre à mercure descendit à moins quarante, la violence de l'atmosphère la saisit. L'air glacé pénétrait dans ses poumons comme pour les geler. On se sentait bien pendant un moment et à l'instant suivant on s'apercevait qu'on avait le visage glacé. Praskovia se rendit compte que le thermomètre à mercure ne marquait plus la température au-dessous de moins quarante; elle demanda à Greko la température réelle, il consulta son thermomètre à alcool :

— Moins quarante-sept.

— Mais pourquoi n'a-t-on pas l'impression d'un froid aussi intense ? demanda-t-elle.

— C'est l'absence de vent. Et d'humidité. Simplement le froid absolu qui écrase tout.

Il n'écrasa pas Praskovia. Chaque jour elle marchait autour du fort et ne rentrait qu'épuisée, quand elle sentait le froid s'attaquer à ses os.

— Si je restais dehors, demanda-t-elle à Greko, dans combien de temps serais-je gelée ?

Il appela un soldat qui lui montra ses oreilles rongées et une grosse cicatrice blanche sur sa joue droite.

— Combien de temps a-t-il fallu ? demanda Greko.

— Une vingtaine de minutes, par un froid comme celui-ci.

— Et les dégâts sont définitifs ? demanda Praskovia.

— Les oreilles ne repousseront pas, répondit l'homme. La joue s'arrangera. Il ne restera sans doute qu'une tache marron.

Cette nuit-là au cœur de l'Alaska, elle vécut les heures les plus passionnantes de tout le voyage, car, au-dessus du fort de Nulato où vingt-deux Russes se protégeaient de leur mieux contre la violence du froid, une aurore boréale se mit à danser dans le ciel. Les Voronov accompagnèrent le lieutenant Greko au centre de la place glacée, à l'abri des baraquements et de la palissade double, et ils observèrent longtemps le flux et le reflux des lumières colorées qui gambadaient dans le ciel sombre de minuit.

— Quelle température ? demanda Praskovia.

— Sans doute moins cinquante.

Les Voronov rentrèrent le cou dans leurs fourrures, mais refusèrent de regagner leur lit tant que ce magnifique spectacle emplissait les cieux.

Plus tard, en buvant du thé arrosé d'une précieuse eau-de-vie, Praskovia dit à Greko :

— Nous avons vu l'Alaska. Sans votre aide, nous n'aurions jamais su que ces beautés existaient.

— Il y en a trois fois plus qu'aucun de nous ne pourra jamais en contempler, répondit-il.

Et ils décidèrent que le surlendemain ils pourraient commencer sans risque leur voyage de retour vers le goulet de Sitka.

Il y eut un brusque changement de plan au cours de ce retour, mais comme on put le corriger il n'eut que des conséquences heureuses. À leur arrivée au village de Kaltag ils auraient dû quitter le fleuve glacé pour prendre la piste d'Unalakleet dans les collines, mais le père Fedor annonça d'un ton gêné :

— Je reste ici. Ils ont besoin d'un prêtre.

Arkadi dut consentir, si désolé qu'il fût par la perspective de continuer le dangereux voyage sans l'aide du père Fedor, car il avait vu combien ce prêtre maigre comme un épouvantail était adapté à la vie au Yukon.

— Acceptez-vous d'expliquer ma décision aux autorités ecclésiastiques de la capitale ? demanda Fedor.

— Je vois bien que ce village a besoin de vous, répondit Arkadi.

Il allait remercier le prêtre de toute l'aide qu'il leur avait apportée, mais Praskovia ne lui en laissa pas le temps : elle s'avança en tenant par la main la belle Indienne qu'elle avait remarquée lors de leur visite précédente.

— Vous êtes un homme bon et juste, mon père, lança-t-elle au prêtre. Mais vous serez deux fois plus efficace avec une épouse.

Et elle plaça la main de la jeune fille dans celle du père Fedor.

Quand tout le monde, y compris les enfants, réalisa que le père Fedor allait se marier et rester dans le village, la jeune fiancée déclara :

— Il ne faut pas laisser le couple russe traverser les montagnes tout seul.

Avec l'aide de son père, elle réunit un groupe d'hommes et de traîneaux à chiens pour escorter les Voronov à travers les étendues de neige et de glace jusqu'au port où ils attendraient le dégel pour reprendre la mer vers Novo-Arkhangelsk.

Au moment où leur bateau entra dans le goulet de Sitka, les Voronov virent descendre du château, au pas de course et d'une allure qui manquait vraiment de dignité pour un noble administrateur en chef, la silhouette agitée du prince Maksoutov. Dès qu'il aperçut le couple, il leur cria :

— Dirigez-vous vers ce bateau anglais !

Comme ils viraient de bord pour rejoindre le steamer, ils virent Maksoutov sauter dans une barque que deux marins amenèrent à la rame jusqu'au bâtiment britannique.

Les Voronov montèrent à bord du vaisseau en visite et attendirent Maksoutov près du bastingage. Lorsqu'il apparut, il avait le visage couleur de cendre.

— Je veux que vous entendiez vous-mêmes la nouvelle qu'ils ont apportée ! s'écria-t-il.

Il se dirigea à grands pas vers la cabine du capitaine, un Écossais jovial et bon vivant qui lança sans façons :

— Capitaine MacRae, de Glasgow.

Le prince Maksoutov, nerveux, se hâta de présenter ses deux invités, puis enchaîna :

— Racontez-leur ce que vous m'avez appris.

— L'histoire est tellement bizarre que j'aimerais faire venir le jeune Henderson. C'est bien lui qui l'a entendue le premier et qui l'a vérifiée quand je l'ai apprise moi-même d'une autre source.

Les Voronov attendirent donc l'arrivée de Henderson sans rien savoir de ce qui s'était passé pendant leur longue absence. Sans doute une nouvelle guerre entre l'Angleterre et la Russie, se dit Arkadi, mais quand Henderson se présenta à son capitaine, les deux Anglais racontèrent une histoire fort différente.

— Il semble bien, commença le capitaine MacRae, et cela nous a été confirmé catégoriquement par les Américains de San Francisco et notre consul ici, que la Russie ait vendu l'Alaska — le pays, la Compagnie, les bâtiments, les bateaux, tout — aux Américains.

— Vendu ? murmura Voronov, stupéfait.

Praskovia et lui avaient entendu des rumeurs à ce sujet il y avait fort longtemps, mais c'était à une époque où la Russie, acculée par la guerre de Crimée, avait désespérément besoin d'argent. Vendre en ce moment semblait de la démence. Sa femme et lui venaient juste de se faire une idée réelle de la grandeur et des promesses de l'Alaska et ils ne pouvaient imaginer que la Russie abandonnât ce trésor. L'esprit agile d'Arkadi sauta d'une possibilité à l'autre. Puis il posa une question presque insultante :

— Prince Maksoutov, comment savoir si ces deux hommes ne nous racontent pas ceci pour nous placer dans une position compromettante ? Par exemple si nos deux pays venaient d'entrer en guerre ?

En voyant le prince blêmir, il prit conscience de l'inconvenance de sa question et se tourna vers les deux officiers britanniques pour leur présenter des excuses.

— Pas du tout ! s'écria MacRae dont le visage rond ne se rembrunit nullement. Ce monsieur a raison. Nous vous avons seulement répété des bruits qui couraient à San Francisco, je vous l'ai bien précisé. Il paraît que la nouvelle est certaine, mais cela restera des rumeurs tant que votre administration ne l'aura pas confirmée officiellement.

Il invita les Russes à rester à bord et demanda qu'on servît à boire à tout le monde. Les Voronov semblaient pétrifiés, mais MacRae lança d'un ton presque jovial :

— Henderson s'est remarquablement comporté en Crimée. Il m'a dit que vous saviez drôlement bien vous servir de votre artillerie lourde.

Pendant quelque temps ils discutèrent de la bataille de Balaklava comme s'il s'agissait d'un match de cricket joué dans un passé lointain et qui n'avait laissé aucune rancœur. Cette parenthèse agréable refermée, Voronov s'adressa à Henderson :

— Voudriez-vous me dire, ainsi qu'à ma femme, ce qui s'est passé au juste ?

Le jeune officier raconta qu'à San Francisco, dans un bar du port où il se trouvait avec des officiers d'un autre bateau anglais et d'un bateau français, un homme d'affaires américain les avait interpellés.

— Qui de vous s'en va à Sitka ? Vous savez, je suppose, que l'île appartient à l'Amérique, à présent ?

Henderson, dont le bateau allait appareiller pour l'Alaska, avait voulu en savoir davantage, et au cours de la discussion générale qui suivit, plusieurs Américains intervinrent. Deux d'entre eux étaient très bien informés.

Henderson s'était hâté de remonter à bord pour prévenir le capitaine MacRae, qui ne crut pas un mot de l'histoire mais interrogea tout de même le consul britannique. Celui-ci ne savait encore rien d'officiel sur la transaction, mais un courrier de Washington lui avait signalé que certains hommes politiques américains n'avaient pas démenti l'achat — au prix de sept millions deux cent mille dollars.

— Bon Dieu ! s'écria Voronov. Combien cela fait-il de roubles ?

— Un peu moins de deux roubles par dollar ! Soit entre onze et douze millions de roubles.

— Bon Dieu ! répéta Voronov. Le Yukon à lui seul vaut bien davantage.

— Vous êtes allés au Yukon ? demanda MacRae.

— Nous l'avons remonté, répondit Praskovia. C'est un trésor. Je refuse de croire qu'il a été vendu.

MacRae, sensible à la situation difficile de ces Russes si éloignés de leur pays, les invita à déjeuner et fit de son mieux pour les rassurer. Il leur demanda ce qu'ils allaient faire si les bruits se confirmaient. Le prince Maksoutov répondit comme il fallait s'y attendre de la part d'un diplomate :

— Je suis un représentant officiel du gouvernement. Je resterai à mon poste pour que la passation de pouvoirs s'effectue dans l'ordre, je saluerai notre drapeau quand il descendra du mât puis je rentrerai dans mon pays.

— Vous ne protesterez pas contre cette décision ?

— Au cours des trois dernières années, j'ai conseillé plusieurs fois à Saint-Pétersbourg de conserver l'Alaska. Si, comme vous le suggérez, une décision opposée a été prise, je n'ai plus rien à dire.

— Mais vous ne resterez pas ici, dans le goulet de Sitka ?

— Sous l'autorité des Américains ? Ce n'est pas pensable.

Comprenant à quel point sa remarque pouvait paraître insultante pour ces officiers appartenant à un pays tiers, il ajouta aussitôt :

— Je ne pourrais jamais vivre sous un autre régime que le mien, même pas sous le vôtre, messieurs les Anglais.

— Je ferais de même, répondit MacRae, qui comprenait parfaitement ses sentiments.

Mais Praskovia n'était pas du même avis.

— Quitter ce pays magnifique ? Jamais.

— Vous renonceriez à la nationalité russe ?

Arkadi, voulant devancer une réponse que sa femme regretterait peut-être plus tard, intervint :

— Comment prédire ce qui se passera ? Si l'Amérique a acheté l'Alaska, elle voudra peut-être nous en chasser. Votre question est donc prématurée.

— Pas du tout ! s'exclama Praskovia, têtue. L'Amérique a besoin d'hommes et de femmes. Il y a tant d'espaces vides. Et il y a eu tellement de morts pendant leur guerre civile. On nous suppliera de rester.

Elle regarda les autres tour à tour, puis ajouta :

— Les Voronov resteront. Nous sommes ici chez nous.

Après avoir lancé ce défi, le feu qui l'animait parut se calmer et elle se tourna vers le prince Maksoutov :

— Vous avez fait une chose affreuse, monsieur, en nous envoyant à Nulato. Vous nous avez permis de voir l'Alaska, et nous en sommes tombés amoureux. Nous resterons pour accélérer son développement, et peu m'importe à qui le pays appartiendra.

— Bravo ! s'écria MacRae. Je porte un toast à vos futurs voyages.

Praskovia essaya de répondre à ces vœux par un sourire, mais échoua lamentablement, enfouit son visage entre ses mains et pleura.

⁂

Le transfert de l'Alaska de la Russie aux États-Unis constitue l'un des incidents les plus incroyables de l'histoire, car en 1867 la Russie était impatiente de s'en débarrasser mais l'Amérique, en train de se relever de la guerre civile et plongée dans la crise de la destitution du président Johnson, refusait de l'accepter à quelque condition que ce fût.

Dans cette impasse, un homme extraordinaire accapara le devant de la scène. Ce n'était pas un Russe — détail qui deviendrait important plus d'un siècle plus tard — mais un prétendu baron d'origine douteuse, à moitié autrichien à moitié italien, un homme plein de charme choisi en 1841 pour représenter la Russie aux États-Unis à titre temporaire, mais qui sut prolonger son accréditation jusqu'en 1868. Édouard de Stoeckl, qui étalait des quartiers de noblesse sans que personne ne sût ni quand ni comment ni où il avait acquis son titre, devint un ami si ardent de l'Amérique qu'il épousa une héritière américaine et voulut servir d'entremetteur entre la Russie, qu'il appelait sa patrie, et les États-Unis, sa résidence d'adoption.

La tâche était fort difficile : au moment où les États-Unis semblaient prêts à accepter l'Alaska, l'idée de vendre perdit ses partisans en Russie ; et plus tard, quand la Russie désira effectuer la vente, même si une poignée d'hommes politiques américains influents, avec à leur tête le ministre des Affaires étrangères William Seward de New York, comprirent l'intérêt que représenterait l'Alaska en tant que bastion américain dans l'Arctique, les hommes d'affaires obtus du Sénat, de la Chambre et du grand public s'opposèrent à l'achat avec le poids de tout leur mépris. Selon leurs expressions les plus aimables, l'Alaska devint « la glacière de Seward » ou encore sa « petite folie ». Certains critiques accusèrent Seward d'être à la solde des Russes ; d'autres accusèrent Stoeckl d'acheter des voix à la Chambre. Un satiriste prétendit que l'Alaska contenait seulement des ours blancs et des Eskimos, et plus d'un affirma que jamais l'Amérique ne devrait accepter ces terres glacées, même si la Russie voulait les donner.

On prétendait que l'Alaska ne possédait pas la moindre richesse, pas même des rennes, alors qu'ils abondaient dans le Nord, et les « experts » affirmaient qu'une région aussi nordique ne pouvait avoir aucun minerai, aucun gisement de valeur. On ne cessait de dénigrer ce pays inconnu, qui faisait sans doute peur, et tous ces brocards paraîtraient comiques s'ils n'avaient pas influencé la pensée et le comportement de l'Amérique, puis condamné l'Alaska à des décennies d'abandon.

Mais un homme ingénieux comme le baron de Stoeckl ne se laissait pas facilement détourner de son objectif principal, et avec l'appui inébranlable d'un homme d'État aussi éminent que Seward, l'achat fut voté avec une majorité d'une voix. Oui, à une voix près, les États-Unis faillirent perdre l'une de leurs acquisitions les plus précieuses pour l'avenir — mais bien entendu, vu depuis les étendues glacées de Fort-Nulato en 1867 avec le thermomètre à moins quarante degrés et sous la menace d'une attaque d'Athapascans hostiles, l'achat de ces terres à plus de sept millions de dollars pouvait paraître une mauvaise affaire.

Et la comédie s'aggrava, tourna au burlesque. Le Sénat des États-Unis avait acheté le pays, mais la Chambre des représentants refusa de dégager les crédits pour effectuer le paiement. Pendant de longs mois, la vente demeura donc en suspens. Enfin, après un vote favorable, tout fut remis en question quand on découvrit dans les comptes du baron de Stoeckl un trou de cent vingt-cinq mille dollars qu'il se refusait à expliquer. Soupçonné d'avoir soudoyé des membres du Congrès pour qu'ils votent en faveur d'un pays manifestement sans valeur, le baron attendit que la vente soit ratifiée puis fila sans bruit du pays après avoir réalisé l'ambition de sa vie.

Un membre du Congrès qui possédait visiblement un sens très particulier de l'histoire, de l'économie et de la géopolitique a pu dire de toute l'affaire :

— Si nous étions si désireux de montrer à la Russie notre reconnaissance pour son aide pendant la guerre de Sécession, pourquoi ne lui avons-nous pas simplement donné les sept millions en lui disant de garder sa maudite colonie ? Elle ne nous servira jamais à rien.

Donc, la vente fut réalisée et la comédie se déplaça à San Francisco, où un général nordiste enthousiaste du nom de Jefferson C. Davis (aucun rapport avec le président de la Confédération) apprit le même jour que l'Alaska appartenait à l'Amérique et qu'il allait régner — lui, Davis — sur les icebergs, les ours blancs et les Indiens. Après la guerre, il avait contribué à chasser les Indiens des grandes plaines, et il accepta sa nomination en Alaska, persuadé que son devoir là-bas serait le même : chasser les Indiens.

Le 18 septembre 1867, le vapeur *John L. Stevens* appareilla de San Francisco avec à son bord les deux cent cinquante soldats qui devaient gouverner l'Alaska pendant les décennies suivantes. L'un de ceux qui partirent ce jour-là a laissé un récit désolant :

> *Quand nous nous sommes dirigés en tenue de combat vers le bateau qui nous attendait, aucune jeune fille n'était au coin de la rue pour nous lancer des roses. Aucune foule enthousiaste ne s'était réunie pour nous acclamer. L'achat de l'Alaska avait tellement écœuré les gens qu'à notre passage on nous témoignait seulement du mépris. Un homme me cria : « Rendez-le à la Russie. »*
>
> *Quand le* Stevens *arriva à Sitka, ce fut une sacrée pagaille. Les Russes suivent un calendrier en retard de onze jours sur le nôtre, et rien ne concordait. En plus, l'Alaska est à la date de Moscou, un jour avant le nôtre. Imaginez donc ! De toute manière, à notre arrivée, le commandant russe a déclaré : « Vous êtes en avance. C'est encore la Russie et aucun soldat ne peut débarquer avant la venue des commissaires américains. »*
>
> *Pauvres de nous, il nous a fallu rester dix jours dans la cale puante à regarder un volcan, côté bâbord — encore sous mes yeux en ce moment. Je n'aime pas les volcans. Et certainement pas l'Alaska.*

Le bateau des commissaires américains entra enfin dans le goulet, et les soldats eurent la permission de débarquer ; ils n'étaient pas contents et ne cessaient de protester, mais ils participèrent aussitôt aux formalités de la passation des pouvoirs qui, à la surprise générale, se fit l'après-midi même.

Tout se passa mal. Le prince Maksoutov aurait pu organiser très bien la cérémonie mais il en fut empêché par la présence d'un petit fonctionnaire prétentieux envoyé de Russie pour représenter le tsar, et Arkadi Voronov, l'homme qui connaissait mieux que quiconque les possessions russes d'Amérique, ne fut pas autorisé à y prendre part. Il y eut cependant un certain décorum, apprécié par les rares personnes qui montèrent les quatre-vingts marches du Château Baranov, où le drapeau russe claquait en haut d'un mât de trente mètres, taillé dans un épicéa de Sitka. Les canons de la baie tirèrent des salves, on ramena les couleurs et on hissa le nouveau drapeau, mais un incident ridicule gâcha le rituel, comme l'expliqua Praskovia Voronova dans une lettre à sa famille :

Bien que nous ayons déjà signifié notre intention de devenir américains, Arkadi, vous vous en doutez, tint à ce que la cérémonie d'adieux des Russes se passe dans la dignité, comme il sied à l'honneur d'un grand empire. Il a fait répéter à nos soldats russes, avec beaucoup de soin, les gestes du rappel des couleurs. Je les ai moi-même aidés à raccommoder les uniformes et j'ai vérifié que les chaussures étaient bien cirées. Je dois dire que nos soldats étaient vraiment impeccables quand nous avons terminé, Arkadi et moi.

Hélas, en vain. Au moment où l'un de nos hommes de confiance voulut tirer sur la corde pour ramener notre glorieux drapeau, un coup de vent l'enroula autour du mât où il demeura bloqué, et rien ne put le déloger. Le malheureux garçon, la corde à la main, se tourna vers Arkadi qui lui fit signe de tirer d'un coup sec. Il obéit, mais ne réussit qu'à déchirer l'étamine du drapeau et à resserrer davantage le tissu autour du mât. De toute évidence, jamais on ne ramènerait les couleurs en tirant sur cette corde, et je faillis pousser des vivats. N'était-ce pas un présage favorable ? La vente ne prendrait pas effet.

Aussitôt, Arkadi me quitta en jurant dans sa barbe et je l'entendis lancer à deux hommes : « Débrouillez-vous pour le descendre, et tout de suite ! » Mais ils ne surent comment s'y prendre et je dois avouer dans l'humiliation que ce fut un marin américain qui trouva la solution. À l'instant suivant, un de leurs hommes grimpait au mât comme un singe. Il détacha notre drapeau et, dans sa hâte, il le déchira davantage.

Enfin libre, le drapeau tomba ignominieusement sur la tête de nos hommes, qui ne parvinrent pas à l'attraper, puis il s'empêtra dans leurs baïonnettes. J'en fus mortifiée. Arkadi continuait de jurer — ce qui lui arrive rarement — et le prince Maksoutov regardait droit devant lui comme s'il n'y avait ni drapeau ni mât. Quant à sa charmante épouse, elle s'évanouit.

Je pleurais. Arkadi et moi avons résolu de rester ici, à Sitka, comme on appelle maintenant Novo-Arkhangelsk, et à devenir les meilleurs citoyens qu'il se pourra pour notre nouveau pays. Arkadi reste parce que sa mère et son père étaient attachés à ces îles, et je reste parce que j'ai appris à aimer l'Alaska et son potentiel énorme. Quand vous viendrez nous voir l'an prochain, je crois que vous verrez une ville deux fois plus grande et deux fois plus prospère, car on nous assure que l'Amérique va déverser ici des millions de dollars pour faire de ces terres un très grand pays.

Praskovia et les autres Russes qui choisirent la nationalité américaine avaient annoncé leur décision sans tarder, car dans les jours précédant la passation des pouvoirs, le prince Maksoutov avait réuni les chefs de famille pour leur expliquer en termes élogieux les accords russo-américains. Dans son uniforme blanc et empesé d'officier, le sourire aux lèvres, il paraissait manifestement fier du travail de son comité.

— Les deux pays méritent des félicitations pour les règles excellentes dont ils sont convenus. De la grande diplomatie, vraiment.

Le jeune Maxime Loujine, professeur au collège de la ville, demanda des détails.

— J'ai contribué à la rédaction du règlement, expliqua patiemment Maksoutov, et je peux donc vous assurer que vous serez totalement protégés, quel que soit votre choix.

— Par exemple ? insista Loujine.

— Si vous voulez retourner en Russie, vous en avez la possibilité pendant trois ans. Nous fournirons le transport gratuit jusqu'à votre région d'origine. Si vous décidez de rester ici et de devenir américains, votre nouveau gouvernement vous promet la nationalité de plein droit, sans réserve malgré votre origine russe, et une liberté totale de religion.

Il sourit à ces gens qui lui faisaient confiance, et leur déclara en toute sincérité :

— Il est rare que la vie offre à un homme deux options aussi excellentes l'une que l'autre. Choisissez selon votre désir. Vous ne pouvez pas vous tromper.

Et donc, quand ils assistèrent à la cérémonie de passation des pouvoirs, les Voronov le firent en tant que citoyens américains, mais la transition allait s'avérer brutale, car à peine le drapeau américain fut-il hissé en haut du mât le premier jour, que le général Davis lança un ordre stupéfiant :

— Que tous les Russes de la colline évacuent leurs logements avant la nuit.

Un major ordonna à ses soldats d'occuper les bâtiments.

Arkadi se dirigea vers lui et lui expliqua d'une voix calme et respectueuse :

— Ma femme et moi avons opté pour la nationalité américaine. Notre maison se trouve là-haut.

— Vous êtes russe, non ? grogna le major. Dehors avant le coucher du soleil. Je m'installe chez vous.

Quand Voronov, blême d'indignation, apprit la nouvelle à sa femme, elle éclata de rire.

— Le prince et la princesse ont été délogés eux aussi. Le général Davis leur prend leur résidence.

— Je ne peux pas le croire.

— Regarde donc les domestiques.

Arkadi constata qu'ils transportaient les biens des Maksoutov vers le bas de la colline.

Les Voronov déménagèrent dans une petite maison proche de la cathédrale, tandis que leurs amis russes se trouvaient placés devant des choix douloureux. Ceux qui avaient apprécié la vie de Sitka avaient envie de rester, prêts à confier leur destin à la générosité américaine, comme les Voronov ; mais leurs amis de Russie exerçaient de fortes pressions pour les faire revenir et la plupart décidèrent de prendre le premier vapeur à destination de Petropavlovsk.

— Qu'adviendra-t-il d'eux à leur retour en Russie ? demanda Praskovia.

— Je préfère ne pas y songer, répondit Arkadi.

Des voisins désemparés, incapables de décider par eux-mêmes, venaient parfois demander conseil à Arkadi et en général il leur conseillait de partir. Si le mari et la femme n'étaient pas du même avis, il leur suggérait invariablement de retourner en Russie.

Le fait de recommander le retour en Russie à tous ceux qui avaient des doutes eut sur Arkadi un effet surprenant. Dès le début il s'était montré fermement résolu à rester en Alaska, mais en se projetant constamment lui-même dans l'esprit et la situation d'autrui, il découvrit toute l'insécurité inhérente à son propre choix. Un soir où il revenait avec Praskovia d'une réunion avec les Maksoutov, prêts à rentrer dans leur pays natal et peut-être même impatients de le faire, Arkadi lança sans préambule :

— Praska, avons-nous vraiment raison de rester ?

Elle temporisa, pour connaître toute l'étendue de ses doutes.

— Que veux-tu dire, Arkadi ?

— C'est une décision effrayante, vraiment, qui engage le reste de notre vie. Nous ne connaissons plus la Russie, nous l'avons quittée depuis si longtemps. Et nous ne connaissons pas l'Amérique, car nous ne pouvons pas prévoir son comportement dans dix ans... ni même dans les jours qui viennent, d'ailleurs. Ce général Davis ! Je me demande s'il a la moindre idée de ce qu'est l'Alaska. Et je me demande même s'il est intelligent.

— Ses premières décisions ne me plaisent guère, avoua Praskovia, mais il s'améliorera.

Elle encouragea son mari à étaler toutes ses craintes et en les examinant elle s'aperçut qu'il s'agissait seulement d'hésitations naturelles pour des personnes de leur âge au moment de prendre une décision de cette gravité.

— Continue. Que redoutes-tu le plus ?

— C'est le plus grand choix que nous ferons jamais. En fait, pas pour moi. Je n'ai jamais été attaché à la Russie, tu le sais. Je suis né dans les îles. Mais toi...

Il la regarda avec cette grande capacité d'amour qui caractérisait tous les Voronov. Son arrière-grand-père et son grand-père à Irkoutsk avaient adoré leurs épouses. Son père Vassili, dans les îles, avait partagé avec sa femme aléoute un amour comme peu d'hommes en ressentent. Il en était de même pour lui. Dès l'instant où il avait vu Praskovia quand il faisait ses études dans la capitale, il n'avait aimé qu'elle. À présent, il craignait d'agir comme son père lorsque celui-ci avait abandonné Sofia Kouchovskaia pour accepter une promotion éblouissante dans la hiérarchie de l'Église. Il pensait davantage à lui-même qu'à sa femme.

Très doucement, il dit :

— Je suis un homme des îles et je te contrains à un choix cruel.

Elle ne rit pas, ni ne sourit à cet aveu ingénu ; elle le prit par le bras pour le conduire vers la cathédrale. Ils s'assirent sur les chaises grossières du fond du sanctuaire, parmi les ombres, et ce fut là que Praskovia lui fit part de sa vision de l'avenir.

— Arkadi, tu as soixante-six ans. J'en ai cinquante-huit. Combien d'années risquons-nous sur ce pari ? Pas beaucoup. Si nous commettons une erreur, nous n'aurons pas gaspillé toute une vie.

Sans lui laisser le temps de répondre, elle ajouta avec force :

— À Nulato, nous avons vu ensemble couler le Yukon, nous avons senti le froid immense, nous avons appris à connaître les chiens de traîneau, nous avons été témoins de l'accueil réservé au père Fedor dans les villages...

Elle sourit et lui prit la main.

— C'est à ce moment-là que j'ai fait mon choix, que l'Alaska reste russe ou non. J'y suis chez moi. Je veux être ici pour assister à la conclusion de notre grande aventure.

Puis elle ajouta sans le laisser répondre :

— Arkadi, je crois vraiment que si tu décidais de rentrer en Russie, je resterais ici toute seule... Et puis tu sais, ajouta-t-elle en confidence, je préfère vraiment le nom américain de Sitka au nom russe de Novo-Arkhangelsk, mais ne le dis pas au prince.

Après cette conversation, Arkadi cessa de conseiller quiconque, et ne précisa pas ce que feraient Praskovia et lui après le départ du bateau qui emporterait le prince Maksoutov et son épouse. Les Voronov achetèrent une maison plus vaste que quittait une famille, et ils y rassemblèrent tous les objets qui prendraient pour eux une valeur particulière quand Sitka deviendrait une ville totalement américaine.

— Ce sera une nouvelle vie merveilleuse, assurait Praskovia.

Mais Arkadi, témoin chaque jour de l'incapacité des Américains à gouverner leur nouveau territoire, voyait ses appréhensions confirmées.

Quelques jours avant Noël, en cette année décisive de 1867, les Maksoutov donnèrent un dîner d'adieu pour quelques amis chers qui avaient décidé de devenir américains après avoir travaillé dur pour la Russie.

— Je ne peux pas contester votre décision, dit le prince aimablement, mais je prie pour que vous serviez votre nouvelle patrie dans l'honneur.

Il expliqua qu'il devait rester deux semaines de plus pour terminer la passation de pouvoirs mais que sa femme partirait le lendemain. La nature joua alors un de ses mauvais tours. Pendant ces semaines de départ le brouillard habituel de Sitka avait imposé une humeur sombre, propice aux adieux, mais le dernier jour les brumes se levèrent et révélèrent Sitka dans sa grandeur et son éclat : le beau volcan, le cirque des montagnes couvertes de neige, la myriade d'îles verdoyantes, la coupole de la cathédrale orthodoxe, la beauté ordonnée du port le plus accueillant de l'Amérique russe.

— Oh, Praska ! s'écria la princesse en embrassant son amie. Nous abandonnons la plus jolie ville de l'empire russe.

Ce fut dans l'amertume qu'elle s'en alla.

Deux semaines plus tard, les Voronov organisèrent une garde d'honneur pour le prince Maksoutov. Il descendit avec dignité de la colline vers l'endroit où une barque l'attendait pour le conduire à bord de son vaisseau.

— Je laisse l'Alaska entre vos mains, Voronov, dit-il. Vous le connaissez mieux que quiconque.

En haut de la colline, le général Davis, seul maître du Château Baranov, ordonna que l'on tire une salve. Les montagnes et les vallées de Sitka renvoyèrent l'écho des canons et l'empire russe en Alaska prit fin.

⁂

Les États-Unis prirent possession de l'Alaska le 18 octobre 1867 et au début de janvier 1868 les Voronov et les Loujine comprirent que ne serait instaurée aucune forme rationnelle de gouvernement — pas même une forme dérisoire. Le général Davis et ses soldats détenaient en principe le pouvoir, mais ils n'étaient pas les seuls en cause.

La faute en revenait au Congrès américain. Se rappelant les discours irresponsables qui s'opposaient à l'achat de l'Alaska, les hommes de Washington jugeaient la région sans valeur et sa population sans intérêt. Si incroyable que cela parût aux historiens par la suite, l'Amérique refusa d'accorder à l'Alaska une forme quelconque de gouvernement et d'administration. Elle refusa même de lui donner un nom convenable. En 1867, on l'appela district militaire d'Alaska ; en 1868, département d'Alaska ; en 1877, district douanier d'Alaska ; et en 1884, simplement district d'Alaska. Depuis le premier jour, on aurait dû l'appeler territoire d'Alaska, mais cela aurait impliqué un passage ultérieur au statut d'État, et des orateurs s'opposèrent systématiquement à cette suggestion : « Cette glacière n'aura jamais assez d'habitants pour accéder au statut d'État. » L'Alaska ne bénéficia donc pas d'une évolution progressive, comparable à celle de l'ouest de l'Amérique, où le territoire sans structure, mais avec des juges et des shérifs élus, commençait par organiser sa législature et se donner un gouvernement puis devenait un État à part entière.

Pourquoi refusa-t-on à cette région ces droits élémentaires ? Parce que des hommes d'affaires, des tenanciers de saloons, des trappeurs, des mineurs et des pêcheurs voulurent conserver les mains libres pour s'approprier les richesses de l'Alaska, et craignirent que toute forme de gouvernement local indépendant décrète des lois pour limiter leur pillage. Dès lors, l'Alaska fut et resterait le point aveugle de l'Amérique. Quoi qu'il se passerait là-haut — richesses découvertes et victoires remportées — le peuple américain et son gouvernement n'en croiraient rien. Pendant des générations, ce trésor demeurerait à la dérive sur ses mers glacées, pareil à un vaisseau abandonné dont le bordage est en train de pourrir lentement.

À la mi-janvier, Arkadi Voronov commença à craindre qu'une sorte de paralysie n'étouffe Sitka et le reste de l'Alaska, mais il ne comprit la profondeur du mal qu'après une discussion avec le jeune professeur Maxime Loujine.

— Arkadi, vous ne vous rendez pas compte de la situation. Un homme d'affaires est arrivé de Californie avec les soldats. Il désire s'installer ici pour ouvrir une sorte de comptoir, mais il ne peut pas acheter de terrain pour sa maison et ses bureaux, parce qu'il n'y a aucune réglementation concernant les terres. Et il ne peut pas lancer son affaire, parce qu'il n'y a aucune législation commerciale. S'il s'installe ici, il ne pourra même pas léguer ses biens à ses enfants, parce qu'il n'existe aucun bureau pour légaliser les testaments et les faire appliquer.

Les deux Russes voulurent connaître les autres obstacles au développement.

— On ne peut pas s'adresser à un shérif pour défendre ses droits, leur dit-on, parce qu'il n'y a ni shérif, ni prison, ni tribunaux auxquels demander réparation — ce qui est normal puisqu'il n'y a pas de juges.

Les deux hommes se rendirent sur la colline pour informer le général Davis des craintes qu'éprouvaient les Russes pour leur sécurité, au milieu de ce chaos. Lors de l'entrevue dans ses quartiers, ce qui les frappa, ce fut sa belle prestance militaire. De grande taille, mince, très droit, il se donnait des airs de souverain avec sa grosse barbe noire, sa volumineuse moustache et les boucles romantiques qui dissimulaient presque son front. Mais dès qu'il ouvrit la bouche, l'illusion s'effrita.

— J'aimerais beaucoup appliquer la loi, mais il n'y a pas de loi. Et je ne saurais faire aucune conjecture à ce sujet car nul ne sait ce que décidera le Congrès.

Ils lui demandèrent quelle forme prendrait le nouveau gouvernement.

— Légalement, je crois que nous sommes un district douanier. En principe, quand un représentant des Douanes arrivera, ce sera lui le responsable.

Malgré leur insistance, ils ne purent tirer du général aucune explication rationnelle et ils se retirèrent troublés et découragés. Le départ de plus de la moitié des Russes sur le premier bateau à destination de la Sibérie ne les étonna donc nullement. Quand il s'aperçut de cet exode massif, le général Davis essaya de les inciter à rester mais ce fut en vain : lassés par les tergiversations des Américains, ils firent la sourde oreille.

Voronov et Loujine, mieux à même que Davis de juger la qualité des gens qui désertaient Sitka, se consolèrent et consolèrent leurs épouses en songeant : « Ceux qui restent comme nous auront davantage de travail et davantage d'occasions... » Tous les quatre avaient résolu de devenir les meilleurs citoyens américains qui soient.

Le reste de l'histoire russe de l'Alaska peut se raconter vite — mais non sans tristesse. Après le départ du premier contingent d'émigrés, les soldats américains indisciplinés, sans aucune mission précise à accomplir et sans chef pour maintenir l'autorité, commencèrent à mal se comporter, et ce qui se passa révolta Voronov comme tous les autres Russes qui étaient restés.

Des femmes aléoutes qui travaillaient comme servantes dans des familles russes allèrent faire le ménage des casernements réquisitionnés pour les soldats. Avant la fin de la première semaine, on signala trois viols particulièrement odieux. Comme aucune sanction ne fut prise pour mettre les hommes au pas, ils sortirent de la palissade et violèrent deux femmes tlingits. Aussitôt les maris tuèrent un soldat en représailles — mais ce n'était pas un des coupables des viols.

On régla la question en versant aux maris offensés vingt-cinq dollars américains et en envoyant à la mère du soldat abattu une médaille et une citation attestant que son fils était mort courageusement au champ d'honneur.

Ensuite les violences s'étendirent aux familles russes, qui commencèrent à se barricader chez elles. Deux hommes se plaignirent amèrement au général Davis, mais il ne fit rien.

— Ces folies vont cesser, assura Voronov à sa femme.

Il n'en fut rien. Une bande de soldats ivres se rendit dans un village voisin, où ils agressèrent trois femmes. Les Tlingits répliquèrent par une série de raids que le général Davis interpréta comme une dangereuse insurrection contre l'autorité américaine. Il envoya une canonnière vers le village coupable, dont il ordonna la destruction. De nombreux Tlingits périrent.

Il en résulta une rupture des relations entre les forces d'occupation et les Tlingits, et la ville ne reçut presque plus d'aliments frais. Les esprits s'échauffèrent et un après-midi, en rentrant d'une visite à des voisins russes désemparés, Praskovia vit une chose qui l'incita à prévenir aussitôt son mari.

Quand les Voronov et les Loujine arrivèrent sur le parvis de leur cathédrale, ils découvrirent que, à l'intérieur du sanctuaire, l'iconostase et le chœur avaient été saccagés ; on avait barbouillé les murs de peinture. Il faudrait des milliers de roubles pour tout restaurer, et même à ce prix les icônes ne pourraient être remplacées. Quand le général Davis apprit ce sacrilège, il haussa les épaules et disculpa complètement ses hommes :

— Ce sont sans doute des Tlingits en colère, qui se sont infiltrés dans notre dos.

Ce soir-là, les Russes qui possédaient une certaine expérience dans l'administration ou le commerce se réunirent chez les Voronov pour discuter des mesures à prendre pour protéger leurs droits et peut-être leur vie. On convint que puisque le général Davis était incapable de tenir ses soldats, la seule solution était de faire appel au capitaine du premier bateau étranger qui relâcherait à Sitka. Arkadi se porta volontaire pour cette mission.

Ce fut un bateau français. Son capitaine écouta les doléances de Voronov et s'insurgea :

— Aucun général qui se respecte ne permet à ses soldats de violer impunément.

Il se rendit sur-le-champ au château pour présenter une protestation dans les règles. Cette intervention révolta Davis, et son assistant remarqua le nom de Voronov dans la plaidoirie du Français. Le général avertit le marin que, s'il insistait sur cette voie, « les canons du fort répondraient à sa place ».

Le soir même, peut-être par hasard, peut-être à dessein, trois soldats se rendirent chez Voronov que l'on savait absent et tentèrent de violer Praskovia. Elle les repoussa avec la dernière énergie et s'enfuit en criant. Mais à peine eut-elle franchi la porte que l'un des hommes la rattrapa, la traîna à l'intérieur et se mit à déchirer ses vêtements.

Des voisins prévinrent Voronov, qui rentra chez lui en courant, à temps pour trouver sa femme presque nue dans leur chambre, en train de se défendre griffes et dents contre les trois hommes qui riaient de façon démoniaque. Quand ils virent trois Russes apparaître derrière le mari fou de rage, les Américains battirent en retraite par la fenêtre qu'ils brisèrent, ainsi que tout ce qui leur tomba sous la main.

Les autres Russes voulurent poursuivre les soldats, mais Voronov s'y opposa. Il rassembla les vêtements de sa femme, l'aida à se rhabiller puis rangea dans des sacs tout ce qu'ils purent sauver du désastre. Au cœur de la nuit, il conduisit Praskovia, les Loujine et leurs enfants sur la grève, où il essaya, mais en vain, d'attirer l'attention du bateau français. Ôtant ses chaussures et son cafetan, il entra dans l'eau glacée et nagea vers le large. En arrivant près du bateau, il cria :

— Capitaine Rulon, nous vous demandons asile !

Ainsi, dans les ténèbres, les Voronov et les Loujine quittèrent à leur tour Sitka.

7

Des géants dans le chaos

La mauvaise administration des Américains eut à Sitka des conséquences désastreuses. Ce port splendide, qui recevait chaque année la visite de plus de deux cents bateaux battant pavillon de tous les pays, n'attira plus que dix-neuf malheureux rafiots ayant peu de chose à offrir et encore moins d'argent pour acheter les produits locaux.

La population de la ville, naguère l'une des plus belles d'Amérique du Nord, tomba de plus de deux mille à moins de trois cents âmes. Comme la main-d'œuvre qualifiée était repartie en Russie, les recettes annuelles de l'hôtel des Douanes déclinèrent de cent mille dollars par an pendant les grandes heures de la souveraineté russe à vingt et un mille dollars sous les Américains, puis à la somme ridicule de quatre cent quarante-neuf dollars vingt-huit *cents*.

Chaque année, constatant cette débâcle, les chefs tlingits se montrèrent plus hardis, ressortirent des repaires dans lesquels ils s'étaient retirés sous la pression des Russes, et se rapprochèrent de l'endroit où se trouvait jadis la palissade protectrice, disparue faute d'entretien. Sitka allait avoir des ennuis.

Mais la carence du pouvoir eut un impact encore plus destructeur sur les autres parties de l'Alaska, comme va le démontrer une série d'incidents.

Lorsque le consortium de riches propriétaires terriens de New Bedford apprit que le capitaine Schransky désirait baptiser *Erebus* leur brick neuf, ils se plaignirent que ce nom, évoquant les enfers païens, n'était pas digne d'un baleinier appartenant à des chrétiens vivant dans la crainte de Dieu. Il leur répliqua sèchement :

— Aucun nom ne saurait mieux convenir, car il naviguera dans l'enfer blanc de la glace et de la neige arctiques.

Mais quand il voulut peindre le bateau tout en noir, comme un corbillard, ils s'y opposèrent.

— Nos ancêtres ont parfois donné leur vie pour défendre les bateaux de Nouvelle-Angleterre contre des pirates. Aucun de nos bateaux ne naviguera sous cette couleur affreuse.

Le capitaine Emil Schransky, un mètre quatre-vingt-douze, cheveux et barbe d'un blond scandinave, ne voulut pas démordre du noir.

— Ce sera un bateau de l'enfer et il devra gagner son argent dans les eaux de l'enfer, donnons-lui la couleur qui convient à cet usage...

On trouva un compromis : on le peignit d'un bleu si foncé que de loin il semblait vraiment noir; et ce fut sous cette couleur lugubre que l'*Erebus* appareilla pour le redoutable cap Horn et les eaux du vaste Pacifique. De là, il partirait chasser la baleine franche dans la mer de Béring et organiser des expéditions contre les phoques à fourrure des îles Pribilov et contre les morses de la mer des Tchouktches. Il livrerait l'huile des baleines à Hawaii, il vendrait les peaux de phoque et les défenses de morse en Chine, et entre ces randonnées commerciales, l'*Erebus* sillonnerait le Pacifique en quête de n'importe quel fret profitable. Le sinistre vaisseau commandé par le dangereux capitaine aux cheveux et à la barbe filasses ne se lancerait jamais carrément dans la piraterie, mais Schransky était prêt à le faire à la moindre occasion s'il était sûr de ne pas se faire prendre.

Il avait quarante-cinq ans quand il avait pris le commandement de l'*Erebus* et c'était un géant à tous égards. Né en Allemagne dans une famille mi-prussienne mi-russe, chassé de son foyer agité à l'âge de onze ans, il s'était embarqué sur un vaisseau au long cours de Hambourg. Formé à l'école cruelle du gaillard d'avant, il était devenu dès ses quatorze ans un bagarreur redoutable qui s'attaquait volontiers à des jeunes marins âgés de quatre à cinq ans de plus que lui. Il crevait les yeux, brisait les genoux, déboîtait les bras : une vraie terreur; mais après vingt-deux ans, quand il eut atteint sa taille adulte, il n'eut plus guère l'occasion de se servir de ses poings. Cela ne lui aurait pas déplu, mais il aimait aussi poser la main à plat sur la poitrine de ses adversaires et les pousser simplement dehors, en économisant ses poings meurtriers pour de vrais ennemis qu'il se sentait obligé d'abattre avant qu'ils ne l'écrasent.

Pris de rage, il devenait un adversaire terrible : cent vingt-quatre kilos de fureur incarnée, des bras comme les ailes d'un moulin, des pieds qui ruaient et sa grande barbe blanche volant au vent lorsqu'il se jetait sur qui l'avait mis en rogne. À ces moments-là, il frappait avec l'intention de tuer, et bien qu'il n'eût encore jamais abattu un marin américain avec ses poings, deux hommes qui avaient navigué avec lui, l'un du Maine et l'autre du Maryland, ne s'étaient jamais rétablis de la correction qu'il leur avait infligée. L'homme du Maine était mort cinq mois plus tard à Lahaïna; celui du Maryland vivait encore sur les quais de Santiago, le cerveau lésé et le bras gauche inutilisable. D'autres, moins sévèrement punis, s'étaient rétablis avec un bras légèrement tordu par suite des fractures ou sans dents de devant.

Il était énorme, avec une puissance énorme et des enthousiasmes énormes, mais c'était son dynamisme inépuisable qui avait fait de lui un peu plus qu'un simple marin germano-russe aux appétits de Gargantua. Chaque bateau dont il prenait le commandement devenait son bateau, et les armateurs n'étaient pas les bienvenus à bord. Il était impensable que l'un d'eux l'accompagne au cours d'une traversée, ou d'une escale à une autre. Il naviguait pour gagner de l'argent et il avait un flair rare pour en trouver partout où il y en avait. (Il avait un jour gagné une petite fortune avec du bois de santal que d'autres capitaines n'avaient pas su exploiter.) Il méprisait toutes les formes d'autorité, toutes les contraintes et tous les règlements. Ses bateaux ne revenaient à leur port d'attache que tous les quatre ou cinq ans, parce que cela lui permettait d'éviter les armateurs; et dès qu'il contournait le cap Horn — car il évitait le cap de Bonne-Espérance, qu'il appelait « l'itinéraire des garçons laitiers » —, il semblait respirer beaucoup mieux : il avalait à grandes lampées l'air salé du Pacifique, qu'il appelait parfois « l'océan de la liberté » car il pouvait le sillonner du Chili à la Chine sans la moindre surveillance.

Mais c'était après l'archipel des Aléoutiennes, quand il s'engageait dans la mer de Béring, qu'il devenait vraiment lui-même. Avant 1867, date du passage sous contrôle américain de l'Alaska et des mers environnantes, il avait fait la nique aux maîtres russes de la mer de Béring et déjoué toutes leurs tentatives de lui interdire les Pribilov, où il se rabattait à l'improviste pour récupérer une cargaison entière de peaux de phoques. Il aimait aussi longer la côte sibérienne au nord de Petropavlovsk pour faire commerce avec des indigènes que les Russes eux-mêmes avaient peur d'approcher. Ou bien il se jetait sur la côte occidentale d'Alaska à la poursuite de baleines franches qu'il semblait capable d'attraper alors que les Eskimos de la région n'en trouvaient pas. Parfois, il passait une année entière dans la mer de Béring et ses abords à moissonner ses richesses, qu'il gardait à demi gelées jusqu'au jour où il décidait de faire voile vers Lahaïna ou Canton.

Il tenait honnêtement ses livres et envoyait souvent des sommes énormes à ses armateurs de New Bedford, par l'entremise d'un bateau concurrent qui repartait en Nouvelle-Angleterre. Et quand il annonçait qu'il rentrait, de nombreux capitaines le suppliaient d'emporter leurs gains, car on le savait digne de confiance.

— Il ne suit que sa propre loi et il détruit ses ennemis, mais je ne confierais ma cargaison et mon argent à personne plus volontiers qu'au capitaine Emil, disaient les marins de Boston.

Les Russes avant 1867 et les autorités américaines ensuite n'éprouvaient pas pour Schransky la même considération; pour eux, c'était un vautour, un resquilleur, un voleur de la nuit, un pirate des phoques, le fléau de la mer de Béring. Il semblait envoyé par une puissance du mal pour sillonner l'Arctique car il possédait un sixième sens pour fuir ces eaux redoutables avant que les glaces ne s'emparent de son bateau et ne l'immobilisent pour huit ou neuf mois. Certains capitaines imprudents se laissaient parfois prendre par l'hiver, mais lui non. Le meilleur portrait qui existe de lui a été tracé par un Eskimo de Desolation Point en voyant l'*Erebus* quitter cet ancrage du Grand Nord juste avant l'arrivée des glaces :

— Le capitaine Schransky, c'est un ours blanc en manteau noir. La glace le prévient : « J'arrive », et il s'en va.

Dans ce monde violent, il aurait passé pour un capitaine idéal sans trois vilains défauts qui le distinguaient de tous les autres marins du même acabit. Il était connu pour sa pingrerie; il ne donnait à ses marins que de maigres rations à bord et les encourageait à se gaver à leurs propres frais quand ils faisaient escale dans les ports d'Hawaii. Mais ses hommes supportaient volontiers ces vaches maigres, car il se montrait généreux pour le partage des bénéfices avec l'équipage.

Deuxième défaut, il méprisait les grands animaux de mer dont dépendait sa prospérité. Il les chassait sans égard ni pitié et il lui arrivait de blesser et de perdre par noyade deux baleines ou deux morses pour chaque animal qu'il hissait à son bord. Si un marin protestait contre ce gâchis arrogant, il grognait :

— Les mers sont inépuisables. On ne manquera jamais de baleines ou de quoi que ce soit.

Et pendant la longue saison de chasse de 1873, il appliqua cette ligne de conduite de façon horrible.

L'*Erebus* traversa l'arc protecteur des Aléoutiennes — cet instant est toujours magnifique — et à peine était-il depuis deux jours dans la mer de Béring qu'un des hommes signala un groupe de neuf magnifiques baleines franches, immenses créatures aux mouvements lents qui se dirigeaient vers le nord et les eaux plus froides où elles se plaisaient. Autrefois, ces nobles animaux sillonnaient les mers nordiques par centaines de milliers; il n'y en avait même plus dix mille, et la manière abusive dont chassait le capitaine Schransky en était la raison.

Les chasseurs de l'*Erebus* possédaient deux avantages énormes; les longs harpons qu'ils utilisaient avaient une « tête mobile » : le barbillon restait plaqué contre la tige quand le harpon s'enfonçait dans le flanc de la baleine, mais aussitôt après, il s'ouvrait à angle presque droit et l'animal ne parvenait pas à le déloger; en outre, les marins fixaient à l'autre bout du harpon des vessies de phoque gonflées qui empêchaient la baleine atteinte de plonger, et ralentissaient sa nage. Quand une baleine avait dans ses flancs quatre ou cinq harpons de l'*Erebus* avec leurs vessies à la traîne, elle était condamnée.

Mais si elle parvenait à nager trop loin du bateau, le capitaine Schransky la laissait partir; il ne voulait pas perdre de temps à la poursuivre.

— Terminé! Occupez-vous d'une autre.

Ainsi, au cours de leur attaque des neuf baleines du groupe, ses hommes en tuèrent trois, mais n'en capturèrent qu'une; les deux autres s'enfuirent et moururent au loin. Mais celle qu'ils prirent leur donna des quantités d'huile; surtout, elle avait de très longs fanons — bandes de substance osseuse qui permettent à la baleine de filtrer le plancton dans l'énorme quantité d'eau de mer qui passe par sa bouche béante.

— Ramassez tous les fanons! cria Schransky à ses hommes qui dépeçaient l'animal.

Il savait que dans les magasins de mode de Paris et de Londres ces « baleines » jouaient un rôle essentiel. Il pouvait très bien se permettre de laisser fuir les deux baleines blessées, car à elle seule la baleine capturée lui rapporterait plus de sept mille dollars.

Il chassait le morse avec une brutalité égale : trois animaux énormes abattus à coups de fusils pour récupérer l'ivoire de deux et parfois d'un seul. Mais c'était avec les phoques qu'il se montrait le plus impitoyable. Esquivant les patrouilles américaines avec les mêmes ruses que naguère les canonnières russes, il se glissait jusqu'aux Pribilov, deux îles remarquables où la plupart des phoques du monde venaient mettre bas leurs petits. À la première occasion, il débarquait sur Saint Paul, l'île du Nord, et ses hommes armés de massues se mêlaient aux animaux sans défense et les assommaient à grands coups sur le crâne. Ce n'était pas difficile, parce que environ six cent mille phoques s'entassaient sur cette île, et un peu moins sur Saint George, au sud : le massacre pouvait continuer jusqu'à ce que les bras des hommes épuisés ne puissent plus tenir leurs matraques ensanglantées.

À l'époque des Russes, deux millions de phoques venaient aux Pribilov. Comprenant qu'ils disposaient là d'une richesse presque inépuisable, ils avaient limité la chasse de façon à conserver dans son intégralité l'immense troupeau. Mais quand plus rien ne s'opposa à des rapaces comme Schransky, les phoques des Pribilov se trouvèrent menacés d'extinction.

Cependant, le véritable massacre, celui auquel toutes les nations maritimes du monde s'opposèrent pour s'efforcer de l'abolir, était la chasse aux phoques en haute mer. Schransky y prenait un plaisir particulier car elle lui rapportait beaucoup. Cette chasse pélagique consistait à poursuivre les phoques, des femelles pleines pour la plupart, lorsqu'ils se trouvaient en pleine mer, sans défense aucune. On les massacrait sans peine, puis on les éventrait pour recueillir les petits à moitié formés, dont la peau était particulièrement appréciée en Chine. Cette chasse soulevait le cœur de nombreux marins contraints de la pratiquer, mais elle était très rémunératrice et si un capitaine n'avait aucune conscience et disposait d'un bateau assez rapide pour éviter les patrouilleurs russes, anglais ou américains, les campagnes de chasse pélagique pouvaient rapporter un magot.

Le capitaine Schransky passait pour le « roi de la chasse pélagique », et cette année-là il avait décidé de retourner à Canton avec ses cales pleines de peaux de premier choix et il maintenait donc deux vigies à l'avant pour repérer les endroits où passeraient des phoques.

— Cinq phoques par bâbord ! cria l'un des hommes.

Il se dirigea vers le banc, on lança des chaloupes, les hommes ramèrent au milieu des animaux sans défense et se mirent à les poignarder et à les assommer. Comme les phoques ne pouvaient pas rester immergés indéfiniment, et comme une barque à quatre rameurs pouvait les rattraper dès qu'ils refaisaient surface pour respirer, le massacre n'avait pas de fin.

Les femelles pleines étaient plus vulnérables ; leur mortalité s'élevait à plus de quatre-vingt-dix pour cent partout où les bateaux passaient. Parfois la mer de Béring était rouge de leur sang. Mais, encore une fois, quatre-vingts pour cent de tous les phoques massacrés se perdaient ; ils coulaient pour rien au fond de la mer...

Le troisième défaut du capitaine Schransky était le plus grave, car ses conséquences néfastes se prolongeraient longtemps après qu'il aurait quitté ces eaux. Tempérant lui-même, il ne permettait à personne de s'enivrer à bord de son bateau, mais il s'était vite aperçu qu'il pouvait faire d'énormes bénéfices en remplissant ses cales, à New Bedford, avec des fûts de rhum et de mélasse, qu'il vendait à des indigènes n'ayant pour ainsi dire aucune expérience de l'alcool. Les conséquences sur les régions de la mer de Béring furent désastreuses ; les indigènes acquirent une telle passion pour le rhum et le tord-boyaux « *hoochinoo* » qu'ils distillaient à partir de la mélasse (le nom dérive de celui de la première tribu qui en fabriqua, et fut vite abrégé en « *hooch* ») que des villages entiers disparurent parfois de la carte : les hommes, les femmes et les enfants s'étaient détruits par la boisson.

Toute personne douée de bon sens dans le monde arctique s'opposait à ce trafic : les Russes l'avaient interdit depuis longtemps et ils exerçaient des contrôles de police stricts le long de leurs côtes ; les missionnaires prêchaient contre l'alcool et les moralistes de Nouvelle-Angleterre déploraient les transactions détestables auxquelles se livraient les équipages de leurs bateaux. Mais pour des capitaines comme Schransky, l'appât des profits énormes issus de ce commerce était irrésistible et, peu à peu, village par village, en Sibérie et en Alaska, les indigènes furent corrompus.

Au moment du changement de nationalité de 1867, les capitaines russes endurcis qui maintenaient un semblant d'ordre dans la mer de Béring confièrent cette responsabilité aux marins mal entraînés des patrouilles de police du Trésor, dont les navires peu maniables, le *Rush* et le *Corwin,* s'avérèrent incapables de mettre à la raison des bateaux comme l'*Erebus.* Et pendant près de huit ans, de 1867 à 1875, le capitaine Schransky domina sans obstacle les eaux septentrionales, massacra autant de phoques qu'il désirait et vendit du *hooch* partout où il jetait l'ancre. Véritable dictateur des océans, il ne se soumettait qu'à sa propre loi.

Cette année-là, en 1875, âgé seulement de quarante-huit ans, à l'ancre au large du cap Krigugon, sur la péninsule sibérienne des Tchouktches, il esquissa en ces termes l'avenir tel qu'il le concevait : « Encore trois retours à New Bedford, soit dix-huit ans ; j'aurai alors soixante-six ans. Un grand voyage final... tous les phoques des Pribilov... tout le rhum que pourra contenir le bateau. Puis j'achèterai une maison au bord de la mer... peut-être à New Bedford, peut-être à côté de Hambourg. » Au cours de ses réflexions, jamais il ne lui venait à l'esprit que puisse survenir dans ces eaux un homme presque aussi grand, presque aussi brave, presque aussi bon dans les bagarres et, à cause de son passé exceptionnel, beaucoup plus déterminé que lui.

Pendant la saison 1875 de chasse à la baleine, si le capitaine Schransky avait par hasard relâché au petit port de Desolation Point du côté Alaska de la mer des Tchouktches, il aurait probablement empêché un meurtre, mais l'été touchait à sa fin et il n'avait nul besoin des produits qu'offrait Desolation. Surtout, sa boussole-thermomètre-sextant intérieure le prévint que le gel allait débuter plus tôt que les années précédentes, où il s'était arrêté là-haut. Il évita donc la mer des Tchouktches et se hâta de gagner le sud.

Lorsqu'il disparut, en emmenant le dernier groupe de Blancs que verrait la région pendant près d'une année, l'Eskimo Agoulaak jugea le moment propice pour lancer des représailles et commença à tirer des plans pour se débarrasser du père Fedor, prêtre orthodoxe venu du Yukon à Desolation pour fonder une mission en 1868.

Les Eskimos de Desolation appréciaient le missionnaire, car c'était un homme généreux et compréhensif qui vivait à la manière des Eskimos. Il s'était installé avec sa femme et son jeune fils dans une hutte creusée dans la terre et recouverte de bois, jusqu'à ce qu'ils aient réuni assez de bois d'épave pour construire une « cabane convenable » — c'est-à-dire un appentis avec un mur solide face à la mer glacée et aux grandes rafales d'air froid venant de Sibérie, un âtre grossier surmonté d'une cheminée rudimentaire, et tout le côté sud plus ou moins ouvert à tous les éléments, quoique protégé en partie par trois peaux de caribou servant de rabat. Pour entrer, on les écartait l'une après l'autre.

La cabane était chaude, bien isolée, avec des paquets de mousse enfoncés dans les fissures ; elle constituait le centre des assemblées spontanées qui prenaient une place si importante dans la vie eskimo. Les jeunes du village s'y retrouvaient pour se faire la cour et les vieux Eskimos s'asseyaient le long de ses murs chauds pour écouter un des leurs raconter les aventures héroïques du temps passé. C'était une existence agréable, et quand la femme du père Fedor accoucha d'un autre enfant, une fille, toute la petite cabane résonna de chants joyeux, car le prêtre et son épouse jouaient un rôle central dans la communauté.

Si ce prêtre, âgé de quarante-sept ans et qui n'avait jamais regardé l'épouse d'un autre, était devenu la cible du meurtrier en puissance Agoulaak, quelle force du mal s'était donc abattue sur Desolation Point pour placer ce jeune Eskimo tourmenté sous son charme maléfique ? On aurait eu du mal à convaincre Agoulaak qu'aucune force ne l'avait assailli, car les preuves du contraire lui paraissaient accablantes. Au cours de ses deux dernières chasses au morse, très loin sur la banquise, dès qu'il avait eu un animal sous son pouvoir magique, il l'avait perdu au moment décisif : quelqu'un avait donc signalé sa présence au morse. « Je n'ai pas entendu la voix, mais je sais que l'on a chuchoté. » Le printemps précédent, quand les caribous étaient descendus du nord-est, comme souvent au cours de leurs déplacements dans le nord, il avait suivi le troupeau comme d'habitude, choisi un endroit où devaient passer normalement les plus grands animaux, avait vu les bêtes magnifiques s'avancer presque à portée de ses épieux puis rebrousser chemin. Au cours d'une chasse récente où il s'était armé du fusil acheté à l'*Erebus* à l'occasion d'une escale datant de deux ans, il s'était produit presque la même chose : les caribous étaient apparus à l'horizon en grande quantité, avaient longé le vallon qu'ils suivaient toujours, puis s'étaient détournés quand quelqu'un ou quelque chose les avait prévenus de la présence d'Agoulaak à l'affût.

À partir d'une série de défaites sans précédent comme celles-ci, Agoulaak n'avait eu aucun mal à déduire qu'un habitant de Desolation Point lui avait jeté un sort. Et comme il n'y avait alors dans la région aucun chaman dont les incantations auraient résolu le mystère, Agoulaak avait laissé macérer ses délires torturés. Or plus il ruminait sur la magie lancée contre lui, plus il lui semblait évident que le seul responsable devait être le nouveau venu : le père Fedor.

Tout d'abord, c'était un Russe, ce qui lui conférait en soi des pouvoirs inhabituels. Ensuite il était prêtre, ce qui impliquait des incantations, de l'encens brûlé, et un comportement susceptible d'éveiller les soupçons. Surtout, il était marié à une Athapascane, et Agoulaak était persuadé que le prêtre l'avait épousée dans le but précis de l'infiltrer dans la communauté eskimo de Desolation pour provoquer sa perte. Dans son enfance, Agoulaak avait entendu des centaines de contes où les Athapascans lançaient des sorts aux Eskimos, et les événements récents dans lesquels il se trouvait impliqué démontraient qu'une force maléfique s'exerçait dans le village et sur les terrains de chasse.

Pleinement convaincu que l'épouse indienne du père Fedor, qui avait adopté le prénom biblique d'Esther, manigançait contre lui, Agoulaak opéra un curieux transfert de culpabilité : en tant qu'Eskimo Inupiat qui se respectait, formé aux rigueurs de la chasse et de la guerre, il n'était pas question qu'il déverse sa colère sur une femme, si maléfique que fussent ses charmes ; mais il pouvait très bien frapper l'homme mal avisé qui avait introduit cette femme dans la communauté. Sa fureur vengeresse se concentra donc sur le prêtre, et plus il ressassait les torts dont ce Blanc était coupable envers lui, plus son amertume augmentait.

Et puisque le père Fedor était manifestement la cause agissante de tout le mal qui lui était advenu, Agoulaak décida qu'il fallait le détruire. Après ce verdict, jamais il ne revint en arrière : son seul problème fut de déterminer quand et comment.

C'était un être rusé, doté de talents de chasseur assez remarquables quand aucune force du mal ne s'interposait; il ne conçut pas une machination subtile capable d'abuser les autres habitants du village, car tout le monde devait savoir qu'il avait, lui, Agoulaak, purifié la communauté de son agent maléfique, mais il fallait qu'il trouve pour son acte un moment et une situation appropriés, où les pouvoirs incontestables du prêtre seraient en porte-à-faux où peut-être totalement neutralisés. Cela exigeait un certain art.

L'esprit tordu d'Agoulaak lui suggéra plusieurs méthodes qu'il écarta, puis une manœuvre qui, à la réflexion, lui parut vraiment brillante : il prit son fusil, le chargea à bloc, se dirigea vers la cabane dans laquelle les fidèles se réunissaient le mercredi soir, puis attendit que le père Fedor apparaisse à la fin du service, entouré de six paroissiens. Agoulaak s'avança à deux mètres cinquante de son ennemi, braqua soudain son fusil, visa avec soin, et devant six témoins tira une balle dans la poitrine du prêtre. La mort fut immédiate, comme put le constater Agoulaak, car il resta sur les lieux du meurtre et sourit paisiblement aux témoins.

L'absurdité de l'Alaska au cours de ces années sans loi se manifesta pleinement à cette occasion : il n'y avait dans toute la région aucun organisme du gouvernement en mesure d'envoyer un homme à Desolation Point pour appréhender l'assassin et le faire comparaître dans un palais de justice devant un jury légalement constitué. Les gens qui vivaient à Desolation ou dans les environs ne se sentaient nullement qualifiés pour arrêter Agoulaak, et encore moins pour le juger. Quant à l'enfermer en prison pour empêcher un autre scandale, il n'en était pas question : la plus proche se trouvait à presque deux mille kilomètres. Ainsi, ce fou demeura en liberté, et les habitants de la région prirent des précautions pour empêcher qu'il les attaque de nouveau tout en priant que l'année suivante, au dégel, un bateau américain relâche dans leur baie avec à son bord un officier capable d'exercer une autorité gouvernementale rudimentaire.

Cette incapacité de régler des problèmes de société ordinaires fit peser un fardeau particulièrement lourd sur la veuve du père Fedor, car elle était désormais une Athapascane intruse au milieu d'une communauté d'Eskimos Inupiats — avec deux enfants, un garçon, Dimitri, âgé de neuf ans, et une fillette, Lena, âgée de deux ans. Chrétienne orthodoxe russe, elle continua d'offrir sa cabane pour des services religieux improvisés, mais cela ne fit qu'aggraver les soupçons et l'animosité d'Agoulaak. Des voisins la prévinrent des menaces que le fou lançait contre elle au cours de ses errances aux abords du village, mais elle ne pouvait rien faire pour se protéger de lui.

Son fils avait cependant accès au fusil russe de son père et était assez grand pour comprendre le danger que représentait Agoulaak. Un jour d'hiver où l'aurore grisâtre dura environ une heure vers midi, l'enfant vit Agoulaak se diriger vers la cabane de sa mère. Dimitri bondit soudain devant le fou, braqua son fusil contre sa poitrine et cria :

— Agoulaak ! Un pas de plus vers ma mère, et je te tue !

Le fou, persuadé que l'esprit du prêtre mort était revenu sur terre dans la personne de son fils, eut une peur bleue de l'enfant et s'enfuit.

On le vit par la suite errer aux abords du village et dormir parfois à l'abri de telle ou telle cabane. S'il parlait aux habitants de Desolation Point, c'était toujours pour les mettre en garde contre le fantôme du père Fedor revenu chercher vengeance, mais il semblait incapable de comprendre que, si c'était exact, il serait le premier menacé. Jamais il ne s'était vraiment rendu compte qu'il avait assassiné le prêtre, mais il continuait d'être terrifié par le petit Dimitri, qui apparaissait rarement en public sans son fusil.

Ainsi vivaient les villages reculés de l'Alaska en l'absence de gouvernement.

***

Tel un corbeau noir sillonnant les mers du Grand Nord à l'affût du dernier désastre dont il pourrait se repaître, l'*Erebus* longea la côte de Sibérie à la recherche d'un village tchouktche qu'il pourrait dépouiller des fourrures trappées par les habitants au cours de l'hiver précédent. Mais les Sibériens, habitués aux manières brutales du capitaine Schransky, demeuraient dans leurs cabanes et dissimulaient leurs richesses jusqu'au départ de son sinistre navire.

Déçu par cette partie de son expédition, il poursuivit vers le nord jusqu'à la pointe où l'Asie touche presque l'Amérique, puis mit le cap à l'est, vers la grande île bien peuplée de Saint-Laurent, dont trois villages du Nord lui avaient fourni jadis d'excellentes fourrures. Mais il ne se dirigeait pas vers ces villages sans réticences, car depuis quelques années les habitants avaient pris conscience de la valeur de leurs peaux et réclamaient en échange des prix élevés : du tissu pour leurs épouses, des scies et des marteaux pour eux.

Déterminé à mettre un terme à ce commerce sophistiqué, le capitaine Schransky avait décidé, longtemps avant d'apercevoir les côtes de Saint-Laurent, d'utiliser cette fois une tactique moins onéreuse. Quand il jeta l'ancre au large de Kookoolik, le principal village de la côte nord, il n'emporta pas à terre la quincaillerie et les tissus habituels, mais un baril de rhum, et il montra aux gens de Saint-Laurent comment on procéderait aux échanges dans l'avenir.

Il distribua l'alcool généreusement pour se concilier les indigènes, on chanta et on dansa très avant dans la nuit et à l'aube toute la population gisait sans connaissance, hommes et femmes. Des aventures rapides unirent les marins aux jeunes filles du village pendant que les prétendants habituels de celles-ci étaient ivres morts, mais le résultat essentiel de la fête fut que les îliens, assoiffés d'alcool, apportèrent leurs précieuses réserves de peaux de phoque et de défenses d'ivoire, qu'ils troquèrent contre du rhum à un prix ridiculement bas.

En trois semaines, Schransky dépouilla Kookoolik de tous ses trésors. Il apporta alors à terre deux tonneaux de mélasse brune des Antilles. Les îliens goûtèrent le liquide doux-amer et déclarèrent qu'ils n'en voulaient pas — ils préféraient le rhum. Schransky les initia alors à un nouveau plaisir qui assurerait vite la destruction de leur village : il apprit à deux hommes âgés à transformer la mélasse en rhum. Quand les premières gouttes distillées tombèrent de l'alambic, les îliens furent perdus.

À la saison où ils auraient dû sortir en mer pour chasser les phoques et accumuler les peaux et la viande, ils se prélassèrent sur la plage ; et pendant les mois les plus pénibles où ils auraient dû poursuivre les morses pour leurs défenses et la viande qui les nourrissait pendant l'hiver, ils demeurèrent ivres, heureux et insouciants de l'avenir. Jamais Kookoolik n'avait connu un bonheur aussi débridé que pendant le long été où les îliens apprirent à boire du rhum et à en fabriquer avec leurs précieux tonneaux de mélasse. Bien entendu, quand l'*Erebus* fit voile, tous les biens du village partirent dans ses cales et une vieille femme qui n'aimait pas le goût du rhum demandait déjà, mais en vain :

— Quand irez-vous en mer attraper la viande dont nous aurons besoin cet hiver ?

Personne ne prêta la moindre attention au problème qu'elle posait, et à sa solution.

Quand l'*Erebus* fit escale au village de Sevak, à l'extrémité orientale de l'île, les marins tombèrent sur une population qui aimait danser. Dès qu'on leur offrit du rhum et le secret fascinant de sa fabrication, le village retentit des vieux chants eskimos, tandis que les gens se livraient à l'une des formes de danse les plus curieuses du monde : hommes et femmes se tenaient avec les pieds fermement plantés au sol, comme bloqués dans de la lave solidifiée, pendant que leurs genoux, leur ventre, leur buste, leurs bras et leurs têtes se tordaient en rythme en des contorsions qu'aucun être humain ordinaire ne saurait imaginer. Pour le reste du monde, danser signifie sauter de manière artistique mais pour ces Eskimos, le sens était inversé : bouger son corps artistiquement sans remuer les pieds.

Au début, les marins trouvèrent monotone la danse de Sevak, mais après l'avoir regardée plusieurs soirs, les plus audacieux s'avancèrent, prirent le rythme de la mélopée et demeurèrent les pieds vissés au sol tout en se contorsionnant d'une manière dont ils n'avaient jamais rêvé. Plusieurs vieilles femmes à l'esprit joyeux vinrent danser avec eux. Et à l'aurore, pendant ce bel été, les danseurs s'écroulèrent ivres morts pendant que morses et baleines passaient devant leurs îles sans êtres molestés.

À toutes ces fêtes de l'île Saint-Laurent pendant cet été irréel, présida la haute silhouette austère du capitaine Schransky, debout à l'écart mais ne perdant rien de ces débauches, comme s'il prenait un plaisir pervers à suivre pas à pas la dégradation des îliens : « Tiens, une fille s'en va avec Adams. Tiens, cette vieille commence à chanceler. Tiens, l'homme à la dent cassée vient de s'écrouler. » Tel un dieu viking détaché de tout, il observait les déportements de ses créatures et prenait un amusement sardonique à leur autodestruction.

Dans le troisième village, Chibukak, à la pointe extrême de l'île, il parvint à obtenir un maximum de peaux avec un minimum de rhum, car au large de ce cap, les phoques et les morses semblaient plus faciles à chasser. Les villageois avaient accumulé d'importantes réserves de fourrures qu'ils auraient normalement vendues aux bateaux d'aventuriers venant de Sibérie. Mais comme depuis cent ans les Russes avaient interdit d'apporter la moindre goutte d'alcool en Alaska, ils ne pouvaient pas offrir à Chibukak la même monnaie d'échange que le capitaine Schransky.

Les conséquences furent encore plus tragiques que dans les deux premiers villages, car les richesses de la mer étaient là si abondantes que des pêcheurs prudents pouvaient emmagasiner des réserves suffisantes en quelques semaines de travail, fin juillet et début août. Cette année-là, ces précieuses journées se passèrent en festivités, chants et badinages amoureux. Aucune vieille femme sage ne prévint les hommes de la voie dangereuse dans laquelle ils s'engageaient, car les femmes restèrent ivres elles aussi d'une fête à l'autre. Quand l'*Erebus* appareilla enfin, la population souriante de Chibukak s'aligna sur la grève pour faire ses adieux à ses bons amis américains — qui emportaient vers le sud leurs fourrures de phoque et leurs défenses de morse.

Au moment où l'*Erebus* allait quitter Saint-Laurent, le capitaine Schransky remarqua sur la côte méridionale le minuscule village de Powooiliak et se dit qu'en raison de son isolement il n'avait peut-être jamais reçu la visite d'un seul marchand sibérien. Si c'était le cas, la population aurait accumulé des quantités d'ivoire. Il décida d'aller voir, mais un changement soudain du temps le prévint que la glace ne tarderait pas à prendre, et il abandonna l'ivoire de Powooiliak pour gagner les eaux méridionales de la mer de Béring.

Par une journée du début de l'automne, il se trouva soudain au milieu d'une vaste migration de phoques partis des Pribilov vers des eaux plus chaudes où ils hiverneraient. Schransky savait que chasser les phoques dans ces circonstances était interdit, mais la tentation d'emplir ses cales de fourrures avant de partir pour Canton était trop forte. Il ordonna à ses hommes d'attaquer les animaux, particulièrement vulnérables en haute mer. Ce n'était pas à proprement parler de la « chasse pélagique », car en automne les femelles n'étaient pas pleines, mais tous les pays voisins des itinéraires de migration des phoques l'avaient interdite. Comme il était peu probable qu'un patrouilleur s'avance dans ces eaux à cette saison-là, le massacre continua.

Or il s'en trouvait pourtant un, par hasard, non par dessein : un cotre lent et mal adapté du service des Douanes, le *Rush*, qui rentrait à son port d'attache à la suite d'une avarie dans le secteur des Pribilov. Quand le capitaine du *Rush* vit l'*Erebus* en train de détruire les phoques, il tira un coup de semonce pour prévenir le coupable de sa présence. Mais que pouvait-il faire d'autre ? Il s'avança vers le braconnier à sa petite vitesse et l'*Erebus* s'éloigna insolemment à la même allure. La plaisanterie dura une matinée entière.

Puis, toutes voiles dehors, l'*Erebus* prit de la vitesse, vira de bord pour passer avec une arrogance insultante sous le nez du *Rush* et mit le cap vers la Chine avec ses richesses. L'*Erebus* était vraiment le maître de ces mers et il se comportait selon les désirs du capitaine Schransky, en dépit de tous les patrouilleurs américains.

Au cours des derniers jours du printemps 1877, les Indiens tlingits rassemblés à l'extérieur de la palissade qui protégeait Sitka observèrent de près les événements qui survinrent dans leur capitale. Ils s'aperçurent, stupéfaits, que le vapeur *California* avait jeté l'ancre dans le goulet pour embarquer l'ensemble de la garnison militaire. Les soldats montèrent à bord le 14 juin et quittèrent l'Alaska pour ne plus revenir le matin du 15.

— Qui prendra leur place ? demanda un Tlingit à ses compagnons.

Personne ne le savait. Et à la suite de cette débandade, trois Tlingits avisés, qui auraient porté jadis le titre de guerriers, s'emparèrent d'une barque dans le dos des Américains et, par une nuit argentée où le soleil disparaissait à peine quelques heures, quittèrent Sitka et mirent le cap vers le nord et un labyrinthe de détroits enchanteurs. Du détroit du Péril, ils passèrent au détroit de Chatham, qui coupait en deux cette partie de l'Alaska. À l'extrémité nord de l'île de l'Amirauté, à l'est, ils obliquèrent vers le sud dans le magnifique couloir où s'élèverait un jour la capitale de Juneau. Ensuite, prenant à gauche vers le Canada, ils entrèrent dans un des plus merveilleux détroits de la région, le fjord de Taku, sur lequel débouchait à gauche, dissimulé parmi les glaciers, un beau torrent de montagne, la rivière des Pléiades. À l'embouchure de ce torrent s'élevait une cabane, construite bien des années plus tôt. Les trois Tlingits étaient venus demander conseil au redoutable occupant de cette demeure rustique.

— Salut, Grande-Oreille ! crièrent-ils en s'avançant.

Ils savaient par expérience que l'homme avait tendance à tirer sur les intrus.

— Ivan Grande-Oreille, nous venons de Sitka.

Ils répétèrent leur appel, puis un grand Tlingit sexagénaire aux membres osseux, très droit sous sa crinière de cheveux blancs, parut à la porte de la cabane, regarda vers la berge, et reconnut des hommes qu'il avait côtoyés quarante ans auparavant lorsqu'ils guerroyaient ensemble contre les Russes, en des combats qu'en général les Tlingits perdaient.

Il s'avança vers l'eau, salua ses anciens compagnons, puis leur demanda carrément :

— Qu'est-ce qui vous amène ?

Quand il entendit leur réponse, ses narines palpitèrent.

— Les Américains de Sitka. Ils s'affaiblissent chaque jour davantage. C'est le moment, Grande-Oreille...

— Venez, on en discutera.

Ils lui expliquèrent le chaos dans lequel sombrait l'occupation américaine. Il ne desserra pas les lèvres avant la fin de leur triste litanie, mais il prit sa décision sur-le-champ.

— Il est temps d'attaquer.

— C'est aussi ce que je me suis dit, répondit un des messagers. Nous pouvons sans aucun doute vaincre les imbéciles qui occupent maintenant la colline, mais une chose m'inquiète : ils risquent de faire venir d'autres soldats.

Grande-Oreille répondit avec sagesse.

— Pas de grande bataille avec des cris de guerre. Une pression lente, jour après jour, pour briser leur moral. Puis nous reprendrons nos anciens droits.

Comme un Kot-le-an de l'ère nouvelle, il exprimait la sagesse de sa tribu. N'avait-il pas passé sa vie entière à ressasser la manière injuste dont son peuple avait perdu ses terres magnifiques de Sitka ? L'affaiblissement de l'autorité américaine enflammait son ardeur, mais sans lui monter à la tête.

— Une grande bataille ferait l'objet de grandes nouvelles, des bateaux garnis de soldats arriveraient aussitôt du sud. Mais si nous augmentons les pressions chaque jour, en arrachant des avantages, personne ne sonnera l'alarme.

Une folie commise par le nouveau responsable incompétent du Trésor américain à Sitka lui confirma l'efficacité de cette stratégie. Un Tlingit qui habitait un village de l'île Douglas survint au fjord de Taku dans son canoë avec des nouvelles désolantes.

— Des ennuis dans notre village. Quatre mineurs blancs ont essayé d'abuser de nos femmes. Nous les avons défendues. Maintenant le vaisseau de guerre arrive de Sitka pour nous punir parce que ces hommes ont prétendu que nous avions attaqué.

Le mot tlingit *vaisseau de guerre* ne permettait pas d'inférer quoi que ce soit sur la taille du bâtiment — le bateau annoncé pouvait être un énorme cuirassé ou une corvette — mais impliquait l'idée de puissance militaire. Ivan Grande-Oreille, obligé d'adopter un prénom russe en

1861 alors même que la puissance du tsar commençait déjà de faner, voulut voir de ses yeux si la puissance américaine se trouvait elle aussi sur le déclin. Il partit donc avec ses visiteurs dans deux canoës, en longeant les côtes sans bruit pour que le « vaisseau de guerre » ne le remarque pas.

Accompagnés par le messager du village sur le point d'être attaqué, ils se glissèrent hors du fjord de Taku et se cachèrent à l'entrée du détroit. Un petit vapeur américain s'avança dans les eaux silencieuses, repéra un village — pas le bon — et se mit à le bombarder, mais de façon si inefficace qu'à la première salve, complètement ratée, les habitants s'enfuirent dans la forêt environnante. De leur abri, ils virent la quatrième salve atteindre enfin les cabanes vides, qui s'effondrèrent. Le bateau triomphant patrouilla le long de la côte pendant une heure, sans qu'un seul soldat ait le courage de descendre à terre constater les dégâts, puis, avec une salve finale qui ricocha simplement entre les arbres, les Américains se retirèrent pour annoncer au monde une nouvelle victoire.

Après le départ du bateau, Grande-Oreille et ses compagnons, dont le messager du village qui aurait dû recevoir les obus, traversèrent le détroit jusqu'aux décombres et expliquèrent aux villageois déconcertés qui ressortaient de la forêt :

— Ils se sont trompés de village.

Grande-Oreille recruta aussitôt dans ce village et dans l'autre, plusieurs guerriers tlingits persuadés que le moment était venu d'attaquer les incapables au pouvoir à Sitka. Pendant les semaines qui suivirent, des hommes du fjord de Taku commencèrent à s'infiltrer discrètement dans la capitale.

Si Arkadi avait encore habité Sitka, il se serait aperçu de l'arrivée des Tlingits la première semaine, mais les responsables américains ne prirent pas conscience de l'ennemi qui les entourait et prenait des forces chaque mois.

Ce fut alors la période la plus sombre de l'occupation américaine de l'Alaska. La présence de l'armée, si futile qu'elle eût été, si absurde que parût son commandant, le général Davis, aux citoyens qu'il gouvernait, constituait néanmoins un semblant d'autorité. Et sur cent décisions typiques prises après 1867, quatre-vingt-dix s'étaient avérées positives ou neutres. Supprimer ce symbole inadapté du gouvernement, c'était provoquer la catastrophe.

Tout d'abord, les signes extérieurs de l'autorité disparurent des rues de Sitka. La police (une poignée de gendarmes) n'exerça plus aucun contrôle. Les installations portuaires se dégradèrent à tel point que les rares bateaux faisant escale se hâtaient de repartir, en se promettant de ne jamais revenir dans un endroit si mal administré. Les revenus douaniers ne cessèrent donc pas de diminuer. La contrebande devint endémique. Le rhum, le whisky et la mélasse coulèrent sans obstacle dans les villages. Les mineurs et les pêcheurs firent ce qui leur chantait, sans tenir compte des quelques règlements qui subsistaient, et décimèrent toutes les richesses des environs de Sitka. Les bateaux étrangers se jetèrent sur des colonies de phoques en principes protégées ; les morses, les baleines et les loutres de mer joueuses, qui commençaient de revenir en nombre, se trouvèrent menacés d'extinction.

Mais la menace la plus grave se fit jour quand des Tlingits comme Ivan Grande-Oreille commencèrent à se rabattre des districts extérieurs vers la capitale, où ils joignirent leurs forces à celles des Indiens hostiles de Sitka. Leur comportement de plus en plus agressif terrorisa les citoyens blancs. Il ne se produisait ni meurtres ni incendies; simplement, des Tlingits réapparaissaient dans des endroits d'où Baranov les avait expulsés. Et pour le Blanc moyen qui ne savait rien du passé, l'apparition soudaine d'un colosse indien comme Ivan Grande-Oreille semblait le présage affolant d'événements néfastes.

Grande-Oreille exprimait très bien ce que désiraient les Tlingits :

— Nous voulons être libres de vivre où il nous plaît et à la manière d'autrefois. Nous voulons que le nouveau gouvernement respecte nos lois tribales et nos coutumes.

Comme aucune autorité en place n'était en mesure d'accéder à ces exigences raisonnables, il lui restait à les imposer en infiltrant ses hommes dans la vie quotidienne de Sitka; mais, bien entendu, les habitants de la ville se sentirent en droit de résister.

Il y avait à ce moment-là à Sitka une famille originaire de l'Oregon appelée Caldwell — le mari, la femme, le fils Tom, âgé de dix-sept ans et la fille Betts, âgée de quinze ans. Ils étaient venus dans le Nord, en espérant que le père pourrait ouvrir dans la capitale un cabinet d'avocat. Caldwell s'était bien préparé pour exercer cette fonction dans une communauté de la Frontière. Il avait emporté trois caisses de livres de droit, dont les ouvrages relatifs aux territoires et aux nouveaux États, car il supposait que l'Alaska passerait par ces phases normales dans un proche avenir. Le peu d'intérêt de la petite capitale pour le droit et les tribunaux le déçut profondément; et quant à trouver un bureau pour exercer sa profession, il n'existait aucun moyen légal d'acheter de la terre pour en construire un, et il n'y avait aucun bâtiment vacant que l'on puisse acheter avec l'assurance d'obtenir un titre de propriété en bonne et due forme.

— Que puis-je faire ? demanda-t-il, de plus en plus frustré.

— Je crois que votre femme pourrait obtenir une place d'institutrice à la nouvelle école, lui répondit un homme installé à Sitka depuis l'époque des Russes.

— S'il y a un travail qui se présente, c'est moi qui le prendrai, déclara M. Caldwell, dégoûté. Mais où trouverai-je un endroit pour vivre ?

— Il y a une grande maison en bas de la rue. Occupée autrefois par une famille russe. Des gens remarquables, repartis en Sibérie...

— Nous n'avons pas envie d'acheter une aussi grande maison, protesta M. Caldwell.

— Tant mieux, répliqua l'homme, car elle n'est pas à vendre : elle appartient à une Aléoute très gentille, mariée à un pêcheur tlingit, qui prend des pensionnaires.

Le même jour, les Caldwell reçurent la bonne nouvelle qu'ils pouvaient louer des chambres dans la vieille Maison russe, comme on l'appelait encore, et la mauvaise nouvelle que le poste de maîtresse d'école ne serait accordé qu'à une femme. Mme Caldwell devint donc institutrice dans une école qui n'avait aucune ressource apparente puisqu'il n'existait aucun impôt et aucun service capable d'en fixer. Et son mari, avec l'astuce d'un homme qui avait voulu quitter l'Oregon déjà colonisé pour l'aventure de la Frontière en Alaska, imagina cinq ou six moyens de gagner un peu d'argent — en dehors de son métier d'avocat. Il fit des écritures pour des habitants qui devaient envoyer des rapports dans des bureaux des États-Unis. Il servit d'agent pour les rares vapeurs qui relâchaient dans le port. Il travailla au dépôt de charbon quand ces mêmes bateaux venaient garnir leurs cales de combustible avant de poursuivre vers le nord. Et il ne se croyait pas indigne de petits emplois de journalier ou de bricoleur. Ni sa femme ni lui n'avaient de salaire fixe, mais avec ce qu'ils gagnaient, plus un peu d'argent qu'obtenait leur fils, aussi adaptable que son père, les Caldwell survécurent. Quand le père recevait de petites commissions de mineurs et de pêcheurs, c'était presque la prospérité.

Caldwell écoutait bien entendu tous les bruits qui couraient et les rapports officiels concernant la mise en place à Sitka d'un système judiciaire et d'un gouvernement normal qui permettrait à un avocat de gagner convenablement sa vie.

— Ce jour-là, Nora, personne en Alaska ne connaîtra mieux que moi les tenants et les aboutissants du système : commerce, douanes, importation de produits, direction des mines et des pêcheries. La situation sera normalisée, et Carl Caldwell et sa famille tiendront le haut du pavé.

Bien entendu, au cours des tristes années 1877 et 1878, tous ses espoirs d'une action de la part de Washington furent déçus. Ce ne fut pas l'ordre, mais le désordre qui s'installa en Alaska. Caldwell commença à prendre conscience du danger le jour où sa femme rentra de l'école avec une nouvelle troublante.

— Un de nos enfants qui joue avec des Aléoutes a parlé d'un guerrier tlingit célèbre qui a combattu les Russes plusieurs fois...

— Eh bien ?

— Il est revenu à Sitka.

— Qu'est-ce que cela signifie ?

— Je l'ai demandé à ma collègue. Elle m'a répondu que son frère l'avait vu aux abords de la ville. Il s'appelle Ivan Grande-Oreille. Un guerrier célèbre..., comme disait l'enfant.

— Jamais entendu ce nom-là, dit M. Caldwell.

Mais les jours suivants il s'informa discrètement. Ivan Grande-Oreille, si c'était vraiment lui, s'était battu contre les Russes et s'était enfui dans un exil volontaire vers l'est.

— S'il est revenu, déclara un Blanc d'un certain âge, nous allons avoir des ennuis. J'étais ici quand il guerroyait contre les Russes. Il ne gagnait jamais, mais il ne s'avouait jamais battu.

Caldwell demanda à quoi ressemblait Grande-Oreille, et un autre homme répondit, avec dans la voix une frayeur manifeste.

— Je crois l'avoir vu l'autre jour. Très grand, costaud, la soixantaine. Des cheveux blancs. La peau sombre, même pour un Tlingit.

Vers la même époque, Caldwell remarqua que le couple aléoute-tlingit qui dirigeait la Maison russe où il logeait avec sa famille commençait à se montrer distant. Ils cessèrent de bavarder avec leurs pensionnaires, et quand Carl tenta de découvrir la raison de ce changement — les avocats adorent le travail de détective —, il s'aperçut que les propriétaires de la maison recevaient des hôtes mystérieux pendant la nuit. Les plus âgés organisèrent un tour de garde, et le fils aperçut quatre Tlingits qui se glissaient par la porte de derrière.

— L'un d'eux était-il très grand, âgé, avec des cheveux blancs ? chuchota Carl.

— Oui. Il est entré avec les autres.

Carl fit jurer le secret à son fils.

— C'est peut-être très important. N'en parle à personne.

Il ne se recoucha pas, pour surveiller la porte de derrière. À l'aurore, son attente fut récompensée : il entrevit le grand Tlingit qui devait être Grande-Oreille.

Au cours des semaines suivantes les quatre Caldwell, car Betts se joignit à l'enquête, réunirent des preuves accablantes d'une conspiration de la communauté aléoute-tlingit, dans laquelle étaient impliqués Grande-Oreille et plusieurs dizaines d'Indiens venus de villages lointains. Après avoir formulé sa théorie, la famille recueillit une quantité troublante de faits qui la confirmaient : autres réunions secrètes dans la maison, Tlingits que personne ne connaissait en ville en train d'épier dans les quartiers, une arme volée ici et là, une arrogance subtile parmi les indigènes naguère serviles.

— Avec l'armée partie et rien pour la remplacer, les Tlingits s'enhardissent, dit Carl Caldwell. Nous allons avoir des ennuis.

— Si les bruits que j'ai entendus sont exacts, précisa sa femme, ils sont en assez grand nombre pour nous massacrer.

— Les hommes des quais m'ont signalé un autre vol de fusils, leur apprit Tom.

Et Betts rapporta que des enfants tlingits s'étaient mis à bousculer les petits Blancs dans les rues.

— Bon Dieu ! explosa Caldwell. Si nous sentons cette menace, pourquoi les autorités ne voient-elles rien ?

Mais qui étaient ces autorités ? On convint que Carl devait aller leur confier ses soupçons sur un soulèvement imminent des Indiens, mais il n'existait en réalité personne avec qui il puisse avoir un entretien sérieux. Le petit bateau des douanes qui s'était trompé de village, près de la crique de Taku se trouvait encore à l'ancre dans le port, mais son capitaine, ridiculisé par ce bombardement malencontreux, n'avait nullement l'intention de se signaler de nouveau en prêtant foi aux soupçons insensés d'un hurluberlu qui habitait la ville depuis un an.

Dès que Caldwell aborda le sujet, le capitaine l'arrêta avec un surprenant discours :

— Vous étiez à Sitka du temps du général Davis ? Non ? Eh bien, les gens de par ici ne l'appréciaient pas beaucoup. Mais quand il est parti, on l'a nommé sur la frontière de l'Oregon et de la Californie, où les Indiens Modoc faisaient des leurs. Un Indien du nom de Captain Jack, un vrai sale type, s'était présenté sous couvert du drapeau blanc et avait tué le général américain à bout portant, un nommé Canby. Davis l'a remplacé, a capturé Captain Jack et l'a pendu. À la fin de l'affaire Modoc, il a reçu une citation et il a passé le reste de son temps sous l'uniforme à chasser les Indiens, qu'il n'aime pas. Un vrai héros.

Caldwell n'était pas venu parler d'un général qu'il n'avait jamais vu, mais dès qu'il essayait d'orienter la conversation vers la crise imminente dont il voyait si précisément les signes avant-coureurs, il se heurtait à une fin de non-recevoir. Il quitta le bateau des douanes sans le moindre espoir.

— Ils ne m'ont même pas écouté, avoua-t-il à sa femme.

Cette nuit-là, quand Ivan Grande-Oreille et cinq de ses lieutenants se réunirent dans la Maison russe, Caldwell parvint à surprendre une partie de leurs délibérations tumultueuses, mais comme ils parlaient en tlingit, il ne comprit rien — sauf l'esprit des paroles, mais l'animosité des voix ne prêtait guère à confusion.

Cependant, à plusieurs reprises dans la discussion des Indiens sur la tactique à utiliser et le meilleur moment à choisir, les hommes prononcèrent quelques mots en anglais, qui confirmèrent Caldwell dans ses soupçons, si besoin était : *munitions, bateau dans le port, avant l'aurore trois hommes en courant.* et d'autres expressions de caractère nettement militaire. Au petit jour, quand il en eut assez entendu, il convoqua lui aussi son état-major pour discuter des mesures à prendre.

— Si les États-Unis sont incapables de nous protéger, s'il n'y a ici aucun gouvernement prêt à prendre des décisions, nous n'avons qu'une seule possibilité : confier notre sort aux Canadiens.

Les trois autres en convinrent volontiers. Mais comment lancer aux Canadiens un appel au secours ?

Tom avait conservé une carte de l'Alaska et des environs, offerte par la compagnie maritime qui avait assuré leur transport. Si imparfaite qu'elle fût, cela lui permit de calculer la distance de Sitka au port de Prince Rupert, sur l'île du même nom : environ deux cent quatre-vingts milles nautiques.

— Trois hommes avec un canoë peuvent y parvenir en quatre jours, s'ils ont de bons bras.

— Aimerais-tu être l'un d'eux ? demanda Carl Caldwell.

— Et comment ! s'écria le jeune homme.

La question suivante fut d'un autre ordre :

— Nora, si Tom et moi partons vers le sud pour réclamer de l'aide, pourras-tu assurer ta protection et celle de Betts jusqu'à notre retour ?... Avec toutes ces manœuvres dans votre dos, ajouta-t-il en se tournant vers l'arrière de la maison.

— Nous nous réfugierons à l'Église, répondit-elle calmement. Les autres femmes et leurs maris assureront notre sécurité.

Elle se tourna vers sa fille, et Betts acquiesça.

Comme l'avait suggéré Tom, franchir presque trois cents milles à la rame, dont la première moitié en haute mer, exigeait au moins trois hommes.

— Nous devons trouver un compagnon avant de nous embarquer, convint Carl Caldwell.

Dans les jours suivants, il essaya de découvrir, sur les visages des Blancs de Sitka, qui aurait assez de courage pour tenter l'entreprise. Son choix se limita bientôt à deux hommes, dont le comportement lui fit une excellente impression. Le premier, plus âgé, s'appelait Tompkins et s'occupait à des travaux divers comme Caldwell ; le second, beaucoup plus jeune et nommé Alcott, travaillait comme débardeur sur les quais.

Il décida d'aborder Tompkins en premier et ce fut une excellente intuition car celui-ci s'écria aussitôt :

— Oui, cela saute aux yeux. Nous allons avoir des ennuis.

Mais quand Caldwell sollicita son aide pour gagner le Canada, Tompkins se déroba :

— Trop loin. De toute façon, jamais ils n'aideront des Américains. Ils voudraient l'Alaska pour eux.

Caldwell renonça donc à obtenir son aide.

Mais, l'après-midi même, un groupe d'Indiens venus du Nord entra en ville et provoqua des incidents dans le centre de Sitka. Les Blancs, surtout les nouveaux venus, en conçurent une telle frayeur qu'il se produisit une panique générale. Très vite, d'autres Indiens associés à Grande-Oreille, mirent au pas le groupe indiscipliné, ce qui calma aussitôt les esprits : le soulèvement général que beaucoup de Blancs commençaient maintenant à craindre ne se produisit donc pas.

L'incident suffit cependant à convaincre Tompkins, qui modifia sa décision.

— Il faut partir au Canada demander de l'aide.

Or, entre-temps, Caldwell était entré en rapport avec Alcott sur les quais, où le jeune homme intelligent avait réuni lui aussi des preuves décisives.

— Tout va exploser dans peu de temps. Le Canada ? Je n'y avais pas songé, mais qui d'autre pourrait nous aider par ici ?

Il insista pour participer à l'expédition, dont le nombre se trouva porté à quatre.

Les Blancs mirent autant de ruse à sortir de Sitka qu'Ivan Grande-Oreille à y entrer. Ils attendirent une de ces aubes grises et brumeuses où toute chose, à Sitka, même les hautes montagnes, semble revêtue de manteaux d'argent qui la rendent invisible, et se glissèrent dans le goulet à l'insu des Tlingits. Pendant le premier tronçon du voyage, ils se faufilèrent entre les îles protectrices, puis mirent le cap au sud pour la première traversée périlleuse en haute mer, où déferlaient des vagues d'une hauteur effrayante. Ce fut un voyage héroïque, muscles épuisés et ventres crispés, mais ils atteignirent sains et saufs l'archipel désert qui protège le bras de mer jusqu'à Prince Rupert. Une dernière traversée en pleine mer, puis les messagers à bout de forces entrèrent dans le port canadien.

Par l'un de ces heureux concours de circonstances qui contribuent à écrire l'histoire, et qui s'avèrent parfois ausi déterminants que les calculs les plus sages, les quatre hommes de Sitka trouvèrent à leur arrivée dans le port de Prince Rupert le vaisseau de guerre canadien *Osprey*, de taille moyenne. Il avait été envoyé dans ces confins de la Colombie britannique pour protéger les comptoirs de la Compagnie de la baie de Hudson le long de ces côtes occidentales. Comme Prince Rupert se trouve au fin fond du Canada, les responsables en poste avaient l'habitude de prendre des décisions de leur propre chef, sans attendre l'approbation de la lointaine capitale.

— Vous dites que les Indiens vont s'emparer de Sitka ? Et pourquoi votre gouvernement ne prend-il aucune mesure ? Il n'y a pas de gouvernement ? Incroyable.

Ainsi donc, les messagers de Sitka durent d'abord convaincre les Canadiens que la situation là-bas était vraiment aussi mauvaise qu'ils le prétendaient, mais Carl Caldwell savait se montrer convaincant, et en moins d'une heure, il démontra aux hommes de l'*Osprey* que, sans leur aide, une véritable tragédie allait détruire Sitka. À la tombée de la nuit, le petit vapeur appareilla vers le nord pour protéger des intérêts américains.

***

Est-ce qu'en cette fin du mois de février 1879 Sitka se trouvait vraiment dans une situation aussi périlleuse que l'estimait la délégation de Caldwell ? Probablement pas. Les chefs tlingits responsables, comme Ivan Grande-Oreille n'avaient nullement l'intention de massacrer les habitants dans leur lit. Ce qu'ils désiraient, c'était le juste droit de posséder des terres, un approvisionnement régulier en vivres, outillage et tissus, un système rationnel de contrôle de la pêche au saumon, et une participation équitable à l'institution des lois. Ils étaient prêts à se battre contre toute force militaire qu'on leur opposerait, et des hommes comme Grande-Oreille accepteraient volontiers de mourir pour défendre leurs opinions ; mais, en ces journées tendues où l'*Osprey* s'avançait en toute hâte vers le nord pour une révolution sanglante, les Tlingits n'avaient en fait aucun projet d'insurrection. N'importe quel gouvernement responsable siégeant à Sitka aurait pu parlementer avec les Tlingits, résoudre à l'amiable leurs sujets d'inquiétude et éviter des troubles graves. Mais bien entendu, il n'y avait pas de gouvernement.

L'*Osprey* entra dans le goulet de Sitka le 1er mars 1879 et sa démonstration de force, canons braqués et soldats en uniforme qui débarquèrent sur la côte, calma toute éventualité de révolte tlingit, si improbable qu'elle fût. Il n'y eut aucune victime. Mme Caldwell et sa fille n'eurent nul besoin de se réfugier dans la vieille église russe. Et les Tlingits qui se réunissaient à l'arrière de leur maison se dispersèrent peu à peu. Les guerriers des régions lointaines, comme Ivan Grande-Oreille, retournèrent tristement dans leurs demeures isolées, convaincus que la justice leur serait encore refusée pendant des décennies.

Ainsi naquit la légende du vaisseau de guerre canadien qui sauva l'Alaska pour les États-Unis, à une époque où aucun département du gouvernement américain n'avait le courage de prendre ses responsabilités. Caldwell, dans un grand élan de reconnaissance émue à l'égard de l'*Osprey*, contribua lui-même à lancer ce mythe :

— Nous venons de vivre une journée sombre de l'histoire de l'Amérique. Même le général Davis, dont on a tant ri, n'aurait pas toléré une honte pareille.

En avril, quand un bateau américain arriva enfin, les Canadiens se retirèrent courtoisement, accompagnés par la reconnaissance de toute la population blanche.

Plus tard arriva à Sitka un certain commandant Beardslee, calme et efficace, et la passerelle de son bateau, le *Jamestown*, devint la capitale de l'Alaska. Beardslee lança des ordres, réglementa toute chose, même quand il n'y entendait rien. Par bonheur, il suivit souvent les conseils de l'avocat Caldwell, et promulgua de nombreuses mesures de bon sens conçues par ce dernier, à qui il confia les pouvoirs d'un juge dans un tribunal improvisé.

Ce n'était pas un bon système de gouvernement, Beardslee et Caldwell le savaient, mais il n'y en avait aucun autre possible... et pendant deux années ces deux hommes bien intentionnés gouvernèrent tant bien que mal l'Alaska, mais sans croire que cela pourrait durer.

— Quelle honte ! tempêta Beardslee un jour où rien ne semblait fonctionner, et le juge Caldwell en convint.

Ils ne se prenaient trop au sérieux ni l'un ni l'autre, car à cette époque Sitka ne comptait plus que cent soixante Blancs et métis, plus une centaine d'Indiens. Et dans l'Alaska entier, en comptant tout le monde, il n'y avait guère que trente-trois mille personnes.

Le cours implacable de l'histoire et la nature des êtres humains qui la font évoluer interdisaient que se prolonge une situation comme celle de l'Alaska après 1867. Le chaos engendre soit la révolution (comme faillit le faire le soulèvement des Tlingits), soit l'intervention d'une puissance étrangère (comme le Canada dans ce cas), soit l'arrivée d'un géant de l'envergure d'Abraham Lincoln ou d'Otto von Bismarck pour prendre les choses en main et remettre le pays sur ses rails. En ces moments décisifs, l'Alaska eut la chance d'accueillir sur ses côtes deux géants au caractère fort différent mais prêts à prendre leurs responsabilités. À eux deux, ils instaurèrent un semblant de gouvernement dans cette région abandonnée.

Le premier, marin irascible aux sourcils noirs qui portait le nom bien irlandais de Michael Healy, avait un vocabulaire grossier, une soif insatiable et une tendance héréditaire à se servir de ses poings en toute circonstance. Colosse d'un mètre quatre-vingt-huit, ce n'était pas le genre d'homme prédestiné à devenir un leader respecté, mais ce fut pourtant ce qui se passa dans les mers glacées du Grand Nord. Né en Georgie, il détestait le froid, mais, de tous les marins au long cours de son temps, il maîtrisa mieux que quiconque les mers de l'Arctique et il disciplina les côtes sauvages de Sibérie et d'Alaska.

Officier subalterne au cours de l'incident humiliant de 1876 où le *Rush,* cotre mal adapté des douaniers, avait essayé en vain d'arraisonner l'*Erebus* en train de chasser le phoque illégalement, il resterait toujours fidèle au serment qu'il avait prononcé en voyant l'insolent capitaine aux cheveux blancs de ce bateau-pirate lui filer sous le nez avec un sourire insultant :

— Je coincerai ce salopard !

Le reste de ce qu'il jura de faire à l'Allemand le jour où il l'attraperait ne saurait être imprimé. Furieux de voir un vaisseau américain officiel, un bateau de guerre, nargué de cette manière, ils se retira dans sa cabine, sortit de sa cachette son alcool de contrebande, et se saoula à mort. Plus tard dans la nuit, quand il retrouva un peu ses facultés, il lança au perroquet qui l'accompagnait dans ses traversées :

— Par tous les saints, nous mettrons le grappin sur ce salaud prétentieux. Un jour il se laissera prendre par les glaces et ne pourra plus nous échapper...

Son poing serré martela le vide.

Sur les petits cotres des Douanes, Healy monta en grade, reçut louange sur louange de ses supérieurs et humiliation sur humiliation de la part de l'*Erebus.* Il ne perdit pas ces quasi-batailles par son incompétence ou son manque de courage mais uniquement parce qu'il commandait un bateau moins rapide. Un jour, sur la passerelle du *Corwin,* le meilleur des deux cotres, il surprit l'*Erebus* en train de chasser le phoque illégalement dans les Pribilov.

— Nous le tenons, matelots ! Hissez tout.

Mais, comme si des vents divins venaient à son aide, le grand navire bleu étala ses voiles carrées et s'enfuit sous le nez du cotre. Impossible de le poursuivre, et le bateau du gouvernement dut renoncer tandis que le capitaine Schransky, debout sur la passerelle de son beau vaisseau, se moquait encore une fois de la déconfiture d'Healy.

L'Irlandais grossier et ami de la bouteille ne parvint jamais à imposer la loi au pirate, mais ses patrouilles dans les océans du Nord n'étaient pourtant pas infructueuses. Accompagnons-le au cours d'une de ses expéditions de la fin des années soixante-dix.

Au début du printemps, à bord du *Corwin,* il quitte San Francisco avec l'équipage au complet et doté de pouvoirs considérables, car il est le principal représentant de l'Amérique en Alaska et dans les eaux environnantes. À Sitka, où il relâche avant de continuer vers le nord, il reçoit les plaintes de la population et convoque sur sa passerelle des vauriens accusés de vendre du *Hooch* aux Indiens ; il leur applique des amendes et fait faire des reçus en double qui témoigneront de l'exactitude de ses comptes.

De Sitka, il effectue en sens inverse la traversée historique qui avait valu l'immortalité à Baranov et franchit l'immense baie du Pacifique jusqu'à Kodiak.

Dans cette île, une délégation d'Aléoutes d'autrefois et de nouveaux venus américains attendaient sa décision sur une question de droits de pêche qui montait les deux groupes l'un contre l'autre. Il descendit à terre avec un comptable du bateau, écouta patiemment les arguments de chacune des parties, puis surprit tout le monde par sa réponse :

— Réfléchissons davantage à cette affaire.

Il invita tout le monde à bord et offrit un banquet pris sur les réserves du *Corwin*. Bien entendu, aucun alcool ne fut servi, puisque la première mission du *Corwin* et de tout autre cotre consistait à éliminer la vente illégale d'alcool aux indigènes — mais Healy se glissa dans sa cabine pour avaler en douce une bonne lampée de sa gnôle personnelle. À la fin du banquet, il conduisit les chefs des deux factions, sept hommes en tout, jusqu'au bastingage du cotre.

— Les Aléoutes ont des droits anciens qu'il faut respecter, leur dit-il. Mais les nouveaux venus ont des droits eux aussi. Ne pouvez-vous donc partager l'océan raisonnablement entre vous ? Par exemple ainsi...

Et il rendit son verdict, digne du meilleur juge. Les adversaires l'acceptèrent, car à Kodiak comme partout ailleurs dans ces eaux, « il n'y avait pas mieux que la parole du Captain Mike ».

De Kodiak, il mit le cap à l'ouest vers les Aléoutiennes. À Unalaska, il apprit de six naufragés audacieux, qui avaient énormément souffert avant d'arriver dans ce port, que vingt de leurs camarades se trouvaient encore bloqués sur la côte nord de la grande île d'Unimak, plus à l'est. Healy revint donc sur ses pas pour sauver les hommes, les ramena à Unalaska et, sur les deniers de l'Etat, paya le transport des vingt-six marins jusqu'à Kodiak d'où ils gagneraient San Francisco.

D'Unalaska, il passa dans la mer de Béring — il préférait ses eaux à celles du Pacifique, car c'était en un sens *sa* mer — pour se rendre dans une de ses villes préférées, Petropavlovsk, à l'extrémité méridionale de la péninsule du Kamtchatka. Dans ce beau port protégé par les terres, il rencontra de vieux amis qui lui apprirent ce qui se passait sur la côte sibérienne, où des guerres tribales menaçaient d'éclater. Comme les officiers russes le considéraient comme un membre de leur police maritime, les dernières nuits à terre ne s'achevaient pas sans tapage et sans beuveries, mais Mike Healy remontait toujours à bord du *Corwin* à temps pour pouvoir appareiller à l'aube vers le nord.

Son escale suivante, au cap Navarin, très loin de Petropavlosk, prit cette année-là une importance particulière et en prendrait davantage dans les années suivantes. Il mit en panne non loin de la côte inhospitalière et tira une salve qui attira vers le *Corwin* dix ou quinze canoës, à un endroit où seul le silence aurait normalement dû répondre. Mais Healy avait hissé le drapeau américain, et des hommes et des femmes qui avaient sauvé plusieurs années auparavant des marins américains naufragés, montèrent le long du bordage du *Corwin* pour accueillir ces autres Américains. Quand tous furent à bord, Healy les fit s'aligner comme s'il s'agissait de dignitaires représentant un potentat étranger, puis tira une autre salve et demanda à son clairon de sonner le rassemblement. En mauvais russe, que seuls deux ou trois Sibériens auraient pu comprendre s'il avait été meilleur, car ces gens parlaient seulement la langue des Tchouktches, Healy déclara, avec l'émotion sincère qui l'animait toujours dans ces circonstances solennelles :

— Le Grand Souverain de Washington sait toujours quand des hommes de bonne volonté aident des Américains en danger. Vous êtes sortis en mer pour sauver nos marins du bateau *Altoona* en perdition, et vous les avez gardés dans vos yourtes pendant plus d'un an. Vous les avez remis en bonne santé au vaisseau de sauvetage envoyé par les Russes, et le Grand Souverain de Washington m'a dit de venir ici vous en remercier.

Puis il demanda aux membres du groupe de passer devant lui : chacun reçut un cadeau de valeur — une scie, une boîte à outils, le tissu de trois robes, une parka, une batterie de casseroles, et une coiffure de cérémonie à plumes pour le chef. Chaque cadeau avait été choisi personnellement par le capitaine Healy, et les indigènes les reçurent de ses mains. Quand la distribution s'acheva, il grommela à son second :

— La prochaine fois qu'un bateau américain fera naufrage sur ces côtes, les marins seront bien reçus.

Mais le résultat durable de cette visite de politesse survint par hasard. Les Sibériens, enchantés par ce geste de gratitude à leur égard, voulurent à toute force emmener le capitaine Healy à terre avec eux. Dans leur village, sa curiosité insatiable le poussa à leur demander :

— Comment pouvez-vous vivre aussi bien dans un pays aussi pauvre ?

Il planta l'index dans la couche de gras qui recouvrait ces gens, en excellente santé.

— Le renne, lui expliquèrent-ils.

Ils lui montrèrent du doigt une colline lointaine où un jeune berger gardait un troupeau de rennes en liberté, en train de paître la mousse de la toundra. Ils envoyèrent deux autres gamins, un pour remplacer le berger, l'autre pour le ramener au village. À l'arrivée de l'adolescent, Healy lui donna la ceinture de son propre pantalon et déclara que le Grand Souverain de Washington la lui offrait pour son comportement courageux, trois ans auparavant.

Du cap Navarin, Healy continua le long de la côte sibérienne, dépassa l'île Saint-Laurent et les Diomède puis entra dans la mer des Tchouktches. Il s'arrêta dans un village isolé dont les habitants avaient troqué leurs produits avec lui dans le passé. Ils avaient eux aussi des difficultés et ils les lui exposèrent. Les sourcils froncés, il écouta ces paroles dont il ne comprenait absolument rien ; mais un marin de langue russe finit par trouver un Sibérien qui en connaissait quelques mots, et l'on put comprendre le problème et lui trouver une solution raisonnable. Healy rendit son jugement et régla la question, en tout cas pour le moment. À leur retour à bord du *Corwin*, son interprète lui avoua :

— Les Russes de Petropavlovsk auraient peur de venir ici écouter ce genre de plaintes.

— Mais c'est mon océan, répliqua Healy, sûr de son fait. Et ce sont mes hommes.

De Sibérie, il traversa la mer des Tchouktches jusqu'à un ancrage qu'il connaissait bien : Desolation Point, où il apprit, consterné et écœuré, l'assassinat du bon père Fedor par un dément qui errait encore en liberté parce qu'il n'y avait pas de prison où l'incarcérer. On s'empara de l'homme pour le faire comparaître devant le capitaine du *Corwin.* Quelques questions suffirent à convaincre Healy que le pauvre garçon était irresponsable. On le mit aux fers — tous les cotres avaient une cellule. Puis Healy descendit à terre rendre visite à Mme Afanasi et ses deux enfants. Il apprit vite que Dimitri avait protégé sa mère du fou avec son fusil russe.

— J'ai à bord du bateau une médaille pour un garçon courageux comme toi, lui dit-il.

Avant le départ du bateau vers le sud, Dimitri l'accosta avec son canoë et le capitaine Healy, en fouillant dans la « caisse aux cadeaux », trouva une médaille qu'il avait achetée sur les quais de San Francisco. Elle représentait un aigle. Il l'épingla sur la tunique du jeune homme et lui dit de sa voix grave des grandes occasions :

— À un vrai héros.

Son escale suivante au cours de cette patrouille-là devait être Point Hope, où les vents du nord ne cessent jamais de souffler. Sa vigie repéra un groupe de Blancs blottis entre les dunes de sable. On mit des chaloupes à la mer, et les marins qui se rendirent à terre découvrirent une chose si horrible qu'à leur retour à bord, le capitaine changea de couleur et tonna :

— Pas un mot de ça. Aucune mention dans le journal de bord. Nous ne nous sommes pas arrêtés ici.

Mais il s'élança aussitôt dans la chaloupe, gagna la grève, rassembla les naufragés en les traitant aussi gentiment que s'ils étaient ses propres enfants, et les ramena sains et saufs à bord de son bateau. Puis il se retira dans le sanctuaire de sa cabine, où son second le trouva qui caressait son perroquet en murmurant :

— Qui sait ? Qui sait ?

— Nous savons de quoi il retourne ! lança le second saisi de colère. Ce sont des cannibales. Ils ont mangé la chair de leurs camarades, et si j'ai bien compris ils en ont probablement aidé plusieurs à mourir avant de les manger.

— Qui sait ? répéta Healy à mi-voix.

La rage du second parut augmenter.

— Nous le savons tous. Henderson le sait. Stallings le sait. Ce sont des maudits cannibales et nous n'en voulons pas à bord de ce bateau.

Mike Healy lança un regard presque douloureux à son vertueux lieutenant et lui demanda :

— Qui sait ce que nous aurions fait, vous et moi, à leur place ? Qui le sait, nom de Dieu ?

Pendant le reste du voyage, jusqu'au moment où on les remit à d'autres autorités, les marins naufragés mangèrent séparément, ostracisés par les autres hommes, mais le capitaine Healy s'assit plusieurs fois avec eux, les fit parler de la perte de leur baleinier dans la banquise, et écouta attentivement leur récit : le bordage qui craquait et s'éventrait sous la pression croissante, incessante des glaces... Avant l'escale suivante, il fit venir son second.

— Je veux vous dicter une note pour le journal de bord : « À Point Hope nous avons sauvé six marins naufragés du baleinier *Cassiopée,* de New Bedford, perdu dans les glaces. »

— C'est tout ? Pas de dates ? Pas d'explication ?

— C'est tout ! rugit Healy.

Et quand la note fut recopiée, il la signa.

Il relâcha ensuite au cap Prince-de-Galles, endroit qui prendrait beaucoup d'importance pour lui dans l'avenir et qui exerçait déjà une grande influence. Quand on l'escorta à terre en chaloupe, il trouva un groupe d'Eskimos sur le point de mourir de faim parce que les chasses au phoque et à la baleine avaient été catastrophiques. Il n'y avait rien d'autre à manger. Ce fut là qu'après avoir nourri les indigènes émaciés il déclara pour la première fois à ses officiers :

— N'est-ce pas ridicule ? De l'autre côté, au cap Navarin, les Eskimos avaient des bourrelets de graisse, dans un pays pas plus riche que celui-ci — et ce doit être le même peuple, si l'on remonte assez loin dans le temps. La seule différence, c'est le renne...

Ainsi naquit sa grande idée :

— Pourquoi n'apporterions-nous pas de ce côté une centaine ou un millier de rennes ? Nos Eskimos vivraient alors comme des rois.

Du cap Prince-de-Galles, il descendit jusqu'à l'embouchure du Yukon. Il envoya deux chaloupes remonter le fleuve sur une cinquantaine de kilomètres, avec un officier chargé de distribuer des médicaments et des nouvelles. Quand celui-ci lui raconta ce qu'il avait vu de la vie le long du grand fleuve, il s'écria :

— J'aimerais le remonter sur deux mille kilomètres.

De retour dans la mer de Béring, il mit le cap à l'ouest pour un grand détour jusqu'à l'île Saint-Laurent. Quand il mouilla l'ancre au large du village de Sevak, à l'est, il s'attendait à être accueilli par de nombreux canoës, car les indigènes connaissaient bien le *Corwin*. Or il ne remarqua aucun signe de vie. Il sauta dans la chaloupe et avant même de débarquer à terre découvrit la raison de son étonnement et en conçut une amertume inexprimable : tous les habitants de Sevak, jusqu'au dernier, étaient morts.

Il parcourut le village avec ses hommes pour découvrir ce qui s'était passé. Un des marins lui fit observer qu'on ne voyait traîner aucun os de phoque, de morse ou de baleine.

— Ils n'avaient rien à manger, capitaine. Ils sont morts de faim. Mais pourquoi ?...

Il ne résolut pas le mystère à Sevak, ni même à Kookoolik, naguère beaucoup plus peuplé. Tous les habitants étaient également morts ; de nouveau aucun os de phoque ou de morse, mais des tonneaux révélateurs : on avait apporté du rhum et distillé de la mélasse. La vérité éclata enfin quand le *Corwin* arriva à Chibukak, où deux indigènes du village de Powooiliak, sur la côte sud (le village où le capitaine Schransky n'avait pas pu s'arrêter à cause du changement de temps), erraient au milieu des ruines.

— Beaucoup de rhum, dirent-ils. Beaucoup de mélasse. Tout juillet, tout août, des danses et l'amour sur la plage. Aucun homme n'est parti en oumiak chasser les baleines. Ensuite ils sont venus chez nous, nous supplier de leur donner à manger. Mais nous n'avions rien de trop pour partager. Ils sont tous morts.

— Qui a fait ça ? hurla Healy au milieu des cadavres desséchés.

— Le grand bateau noir. Le capitaine très grand aux cheveux blancs. Il leur a appris la mélasse et il a emporté tout leur ivoire.

Healy ne demanda pas à ses hommes d'enterrer les corps ; il y en avait trop. La majeure partie de la population de l'île avait été effacée de la Terre, et l'homme qui en était responsable semblait hors d'atteinte de la loi, seul maître d'un empire s'étendant du pôle Nord à Tahiti en passant par Lahaïna dans l'archipel d'Hawaii et par Canton, sur la rivière des Perles. Il devenait vraiment urgent d'arrêter cet homme, car il déshonorait la société.

Mais Healy avec son *Corwin* n'était pas de taille à lutter contre l'*Erebus* de Schransky. Vers la fin de cette patrouille annuelle sur son domaine, Healy aperçut l'*Erebus* vers l'ouest, en train de tuer des phoques en plein océan. Sans tenir compte des différences entre les deux bateaux, il s'élança vers lui, comme s'il espérait éperonner le pirate. Mais Schransky l'évita facilement, tira plus à l'ouest et lança à son second :

— Jamais l'*Erebus* ne se laissera arraisonner par un maudit nègre.

Car le capitaine Michael Healy, seigneur et protecteur des mers arctiques, était un Américain noir. Dans sa jeunesse, pour faire son chemin dans la hiérarchie des douanes, il avait appris à porter un chapeau pour couvrir son front sombre et s'était fait pousser une grosse moustache qui dissimulait ses lèvres. Bien des personnes le fréquentaient un certain temps avant de s'apercevoir qu'il était noir.

Son père, Michael Morris Healy, propriétaire irlandais d'une plantation de Georgie, avait pris pour épouse une merveilleuse esclave du nom d'Elisa. Ils avaient eu ensemble dix enfants d'une beauté et d'une intelligence si extraordinaires que Healy avait décidé :

— Ce serait un crime d'élever dans l'esclavage des enfants comme les nôtres.

Car tel aurait été leur statut s'ils étaient devenus adultes en Georgie. Au prix d'un effort fantastique, Healy et son épouse réalisèrent l'impossible : ils firent sortir leurs dix enfants clandestinement de Georgie et les inscrivirent dans des écoles quakers et catholiques du Nord.

Quatre garçons se firent un nom : l'un devint un évêque éminent de l'Église catholique ; un autre, un docteur respecté en droit canon ; Patrick le troisième, grâce à ses talents académiques hors du commun, assura la présidence de l'université de Georgetown et passa pendant vingt ans, à la fin du dix-neuvième siècle, pour l'un des plus remarquables pédagogues d'Amérique ; enfin le quatrième fils, Michael, s'enfuit de sa pension et prit la mer, pour devenir l'un des capitaines les plus honorés du service des cotres du Trésor public.

Trois filles Healy se firent religieuses, et l'une d'elles termina sa carrière comme mère supérieure d'un grand couvent. On peut se demander d'où ces extraordinaires enfants noirs tenaient leurs talents exceptionnels, reconnus par de nombreux Blancs, dans des disciplines diverses. Sans aucun doute, ils avaient pu hériter de leur père courageux la force de caractère dont ils firent preuve ; mais rien, ou presque rien dans les antécédents de cet Irlandais ne pouvait expliquer leur supériorité intellectuelle. Peut-être la devaient-ils à l'étonnante esclave Elisa. Quoi qu'il en fût, ils constituèrent à l'époque le groupe de frères et sœurs le plus remarquable d'Amérique, comparable seulement à la famille Adams du Massachusetts — mais il ne faut pas oublier que les enfants Adams avaient bénéficié de tous les avantages possibles depuis l'enfance, et n'avaient jamais craint d'être stigmatisés comme esclaves. La contribution des dix Healy à l'Amérique reste sans équivalent, mais aucun des frères et sœurs ne parvint à la même célébrité que Mike.

Ses exploits dans les mers nordiques devinrent légendaires et les journaux se plurent à déclamer sur son héroïsme. Un groupe de baleiniers imprudents s'attardait trop au large de Desolation Point et se trouvait pris par les glaces, menacé de mourir de faim — Mike Healy, sur un de ses frêles cotres, se faufilait au milieu d'icebergs capables d'écraser un bateau dix fois plus gros et découvrait miraculeusement un chenal jusqu'aux marins bloqués. Une tragédie frappait tel ou tel village isolé de la côte sibérienne — Mike Healy l'intrépide arrivait sur les lieux pour sauver les Russes. Un baleinier coulait à pic pendant une tempête de la mer de Béring — qui sauvait les naufragés six mois plus tard, sinon Mike Healy, poussé par une intuition vers l'île déserte des Aléoutiennes où les malheureux s'étaient réfugiés ? Et tous ceux qu'il sauvait dans ces coins perdus de l'Arctique chantaient bien entendu ses louanges à leur retour dans la civilisation.

Sa popularité s'étendit d'un bout à l'autre du pays, et dans une petite ville de l'Ouest, quand un journaliste demanda à un Canadien le nom du président des États-Unis, celui-ci répondit sans hésiter :

— Mike Healy. Il dirige tout.

Mais tous les gens au fait des choses de la mer n'étaient pas dupes de l'adulation du public ignorant pour son héros. Ils savaient que Healy était rongé de dépit parce qu'il s'avérait incapable de chasser Emil Schransky des mers dont il assurait la protection. Chaque fois que se réunissaient des hommes qui connaissaient bien les océans, ils palabraient sur l'impunité dont bénéficiait le capitaine allemand dans les îles des Phoques, sur les libertés qu'il prenait pour chasser en pleine mer, et sur ses abus flagrants avec l'alcool, le rhum et la mélasse qui décimaient les villages indigènes. Même la catastrophe de l'île Saint-Laurent, bien connue de tous les marins, n'avait pas empêché Schransky de continuer ailleurs, puis de filer à Hawaii ou en Chine avec son butin de pirate corrompu. Oui, Schransky constituait une plaie dans le flanc de Mike Healy, et tous les défenseurs de l'Irlandais noir offraient la même excuse :

— Si seulement il avait un bateau aussi rapide que celui de Schransky, le duel serait à armes égales. Dans les conditions actuelles, il n'a aucune chance.

Et à cause de ce déséquilibre des forces, l'image du grand capitaine aux cheveux blancs et à la barbe blanche continua de hanter l'ancien esclave de Georgie.

***

De l'aide allait venir, mais par des voies si tortueuses que personne n'aurait pu le prévoir. Dundee, sur la côte est de l'Écosse, n'était nullement réputée pour son industrie navale, mais en 1873 un établissement de cette petite ville connu pour la construction de bateaux inhabituels sur commande, reçut l'ordre de mettre en chantier un bateau capable de résister à la banquise au large du Labrador et du Groenland. L'année suivante vit le lancement d'un bâtiment massif et robuste qui deviendrait l'un des plus grands « petits bateaux » de l'histoire, avant de sombrer quatre-vingt-neuf années plus tard — quatre-vingt-neuf années de violence. On le baptisa *Bear,* l'Ours : soixante mètres cinquante de l'étrave à l'étambot, neuf mètres cinq au maître-bau, dix-sept cents tonneaux de déplacement. Sa construction constituait une merveille d'éclectisme : coque en chêne de la Baltique, membrure en chêne d'Écosse plus lourd, ponts en teck de Birmanie, étrave et flancs renforcés en bois de fer d'Australie, fonds en pin jaune d'Amérique, ferrures forgées en Suède, instruments de navigation provenant de sept pays maritimes différents, d'Europe et d'Amérique du Nord.

Le *Bear* était un trois-mâts gréé en goélette — de grandes voiles carrées sur le mât de misaine, de petites voiles auriques faciles à manier sur le grand mât et l'artimon — mais ce qui lui fournissait sa puissance et lui donnait un air de centrale électrique, c'était une énorme machine à vapeur installée à l'avant du grand mât et associée à une grosse cheminée trapue qui se dressait juste au milieu du bateau. Quand ils le livrèrent à ses futurs propriétaires pour les champs de glace de l'Atlantique Nord, ses constructeurs promirent :

— Les voiles carrées vous donneront de la vitesse, les voiles auriques une grande rapidité de manœuvre, et le moteur vous permettra de fendre la banquise. Mais le vrai secret du *Bear ?* Regardez l'étrave !

Elle était de triple épaisseur, renforcée par du chêne et du bois de fer, capable (selon les architectes de marine qui l'avaient conçue) « de se frayer un chemin à travers n'importe quelle glace ».

Ainsi débuta la carrière maritime du *Bear,* pour des traversées banales au début. Mais il se trouva bientôt impliqué dans une opération de sauvetage, et connut alors la gloire des manchettes de journaux dans le monde entier : l'explorateur américain de l'Arctique, Adolphus Greely, s'était lancé courageusement dans les eaux de l'Atlantique Nord, avait perdu son bateau sous la pression de la banquise, puis dix-neuf de ses hommes dans une tentative pour retourner à pied vers la civilisation. Après l'échec de tous les bateaux de sauvetage classiques, le gouvernement américain avait acheté le *Bear* pour la somme énorme de cent mille dollars, et l'avait envoyé aussitôt sur les lieux supposés de la catastrophe.

Cette mission marqua l'arrivée dans l'Arctique d'un bateau de genre complètement différent ; sa construction renforcée lui permettait de se frayer un chemin à travers des couches de glace qu'aucun autre bateau n'aurait pu briser. Le *Bear* sauva Greely et six autres survivants. Aussitôt après, tandis que le monde entier applaudissait l'exploit, un fonctionnaire obscur eut l'idée remarquable de détacher le bâtiment au service des garde-côtes de l'Alaska, où il serait le plus utile.

Il passa le cap Horn en novembre 1885 et arriva à San Francisco après seulement quatre-vingt-sept jours de mer. Par un pur hasard, au moment où le *Bear* accosta, le capitaine Mike Healy se trouvait libre pour un nouveau commandement. Par pur hasard, on lui donna ce vaisseau estimé, déjà aussi réputé que lui. Ce fut entre l'homme et la machine un mariage remarquable. Il mit en place ses affaires dans la cabine du capitaine, installa un perchoir pour son perroquet et une cachette pour sa gnôle, puis se sentit chez lui. Un peu plus tard, après avoir examiné l'étrave avec son bois de fer d'une épaisseur surprenante, il osa renouveler son serment antérieur :

— Nous allons chasser ce salopard de nos mers.

En 1886, Healy conduisit son nouveau bâtiment dans le Nord, jusqu'à Barrow bloqué par les glaces, tout en haut du continent. Il traversa des banquises où aucun navire ordinaire ne se serait risqué et la chance naviguait déjà à son bord car il sauva trois groupes de marins dont les bateaux avaient été écrasés par les glaces. Lorsqu'il les ramena à San Francisco, les naufragés partagèrent leurs louanges entre Healy et le *Bear*, et la légende du bateau embellit.

— Il peut passer partout. Il sauvera des milliers de vies dans le Grand Nord. Et avec Healy à la barre, les mers seront enfin sûres.

Sur le chemin de Barrow et au retour, le *Bear* passa en vue de l'île Saint-Laurent et le souvenir des trois villages morts vint tourmenter l'âme de Mike Healy. L'idée que l'*Erebus* sillonnait encore ces eaux et défiait impunément la loi le mettait en fureur. A maintes reprises, quand il jetait l'ancre au large d'un village sur la côte de l'Alaska, c'était pour découvrir que Schransky l'avait devancé avec sa cargaison de rhum et de mélasse, contre laquelle il avait obtenu l'ivoire et les peaux de deux ou trois ans de chasse.

Incapable de punir le maraudeur ou même de l'attraper, il dut rentrer à San Francisco toujours aussi écœuré et rendre compte que « le brick *Erebus* de New Bedford, capitaine Schransky, a continué de vendre du rhum aux indigènes, de chasser le phoque en haute mer et de braconner sur les lieux où les femelles mettent bas. La patrouille n'est pas parvenue à l'appréhender ». Même avec son bateau plus puissant, Healy n'avait pas pu arrêter Schransky.

***

Mais quand un grand homme — et Mike Healy en était un — se lance dans un combat courageux, un autre grand homme se joint souvent à lui pour lui apporter son aide, et ces héros qui ne se connaissaient pas six mois plus tôt accomplissent à eux deux des miracles. Or par un après-midi brumeux de février un deuxième géant quittait la région montagneuse de Deadhorse, dans le Montana pour l'Alaska.

Il s'appelait Sheldon Jackson. On l'avait prévenu au village précédent qu'un blizzard s'annonçait mais il avait continué sa route seul. À quarante-trois ans, il portait toute sa barbe et une grosse moustache pour donner un air plus sérieux à son petit visage — question qui lui tenait très à cœur, car il désirait donner bonne impression aux inconnus en dépit de son allure de nain. On discute encore de sa taille exacte car ses détracteurs, une bande fort nombreuse, ont prétendu qu'il faisait moins d'un mètre cinquante-deux, ce qui était ridicule. Quant à lui, il prétendait mesurer un mètre soixante-deux, chiffre aussi absurde. Comme il portait des chaussures à talons compensés, il paraissait environ un mètre cinquante-sept. Quelle que fût sa taille exacte, il avait souvent l'air d'une demi-portion au milieu d'hommes nettement plus grands que lui.

Il avançait donc, sans aucune inquiétude, au milieu de la neige qui commençait à tomber, persuadé qu'il atteindrait sa destination avant la nuit. Dieu m'appelle là-bas, se répétait-il, et cela suffisait à alimenter son énergie, car c'était un missionnaire de l'Église presbytérienne, absolument convaincu que Dieu le destinait à une grande œuvre, et de plus en plus persuadé qu'il réaliserait ses miracles de conversion hors des États-Unis.

Ainsi donc quand il arriva ce jour-là en haut d'une colline de laquelle il comptait bien voir la « ville » de Deadhorse — trois cent quatre-vingt-un habitants — et n'aperçut pas la moindre lumière mais une autre colline plus haute que la précédente, il rajusta simplement son lourd baluchon, redressa ses frêles épaules et lança d'une voix forte :

— Alors, Dieu, tu l'as cachée de l'autre côté de celle-là !

Et il dévala au milieu de la neige tourbillonnante en s'arrêtant de temps en temps pour nettoyer ses lunettes cerclées de fer.

Le creux était assez profond, mais il l'interpréta comme une protection placée par Dieu autour de sa ville, et son enthousiasme ne faiblit absolument pas quand il parvint en bas et se mit à monter : il ne pouvait pas concevoir que Deadhorse ne fût pas de l'autre côté de la crête. Pendant l'ascension, la neige s'épaissit beaucoup mais cela ne le troubla guère. Il se dit : « Je me félicite d'être presque arrivé, car la tempête pourrait bien s'aggraver », et il continua de grimper, aussi ferme dans sa foi que lorsqu'il prêchait dans les montagnes du Colorado ou sur les plateaux de l'Arizona.

Près de la crête, une rafale de neige portée par un vent violent qui glissait sur la cime lui arracha les pieds du sol pendant un instant et il glissa vers l'arrière. Très vite il se rattrapa, remonta jusqu'à la crête et vit au-dessous de lui, comme il s'y attendait, les lumières scintillantes de Deadhorse.

Mais un problème plus grave se posa, car au lieu d'une ville de trois cent quatre-vingt-un habitants, il ne trouva qu'un hameau de huit maisons éparses. Les presbytériens à qui il avait parlé lors de son arrêt précédent l'avaient honteusement trompé — mais comme c'étaient des presbytériens il ne pouvait pas penser du mal d'eux : « Peut-être ne sont-ils jamais venus ici eux-mêmes », se dit-il.

Il avait dans sa poche le nom de l'homme à qui on l'envoyait, Otto Trumbauer — un nom apparemment plus luthérien que presbytérien. Mais dans la première maison où il s'arrêta pour s'enquérir des Trumbauer, on lui répondit :

— Vous devez être le missionnaire dont ils ont annoncé la venue. Trumbauer vous attend. Il habite à deux maisons d'ici.

Sheldon Jackson frappa et la porte s'ouvrit avec un cri de joie :

— Révérend ! Nous vous avons attendu pour dîner.

On l'entraîna dans la pièce chaude.

Mme Trumbauer, quadragénaire de forte carrure, referma la porte en lançant :

— Vous tombez à pic. Posez votre baluchon et enlevez votre manteau.

Un fils de vingt ans et une jeune femme mince qui semblait son épouse aidèrent Jackson à se débarrasser de ses gros vêtements et lui trouvèrent une place à la table servie.

Dès le début du dîner, il apprit la mauvaise nouvelle, car le père lui annonça :

— Il a dû se produire une erreur. Nous ne sommes que huit familles ici : deux catholiques, deux athées et sur les quatre autres, seulement trois s'intéresseront à l'établissement d'une église presbytérienne.

Jackson fit à peine la grimace.

— Jésus n'avait que douze disciples. L'Église avance avec les soldats qu'elle a, et vous me semblez déjà deux combattants de premier ordre.

Il tint à ce que les deux autres familles presbytériennes soient invitées le soir même, et la première assemblée de l'Église presbytérienne de Deadhorse se tint pendant qu'un blizzard amoncelait la neige devant la porte.

Les hommes adultes, à qui incomberait la corvée de construire l'église, si petite qu'elle fût, ne se montrèrent guère enthousiastes, mais Jackson demeura intraitable : on l'avait envoyé à Deadhorse pour fonder une Église presbytérienne, et il n'était pas question qu'il se dérobe.

— Je dois avoir organisé déjà plus de soixante congrégations, et j'ai participé à la construction d'au moins trente-six églises à l'ouest du Mississippi. On m'a chargé maintenant de tous les États du Nord, à l'ouest de l'Iowa. Votre belle ville est un endroit idéal pour une église qui rayonnera sur toute la région et lui conférera son unité.

Pendant les semaines qui suivirent, l'énergie physique et morale de ce petit bonhomme étonna les Trumbauer, père et fils. N'avait-il pas franchi les montagnes à pied pour venir vivre avec eux pendant la construction de leur église ? Il travaillait autant que le plus fort des hommes présents, et le dimanche il prêchait des sermons inspirés qui duraient plus d'une heure, bien que la congrégation entière se réduisît à trois familles. Mais la situation changea vite lorsqu'il rendit visite aux deux familles athées. Il leur déclara tout de go qu'ils n'étaient pas athées mais agnostiques.

— Venez donc avec nous le dimanche, demanda-t-il. Vous n'êtes pas obligés de croire, seulement d'écouter le message.

Et sur un ton qu'il croyait plein d'humour, il ajouta :

— Nous ne faisons pas la quête.

Son invitation était si sincère qu'une des familles passa chez les Trumbauer écouter le sermon du dimanche suivant. Il portait sur l'œuvre missionnaire, et pendant le repas en commun qui suivit, il révéla la source de son énergie surprenante :

— Au cours de ma première année d'université, au Collège de l'Union, dans l'Est, j'ai entendu un appel : « Sheldon, il y a des gens par-delà les mers qui ne connaissent pas la parole de Dieu, va leur apporter ma sainte parole. »

— Vous n'êtes pas allé là-bas. Vous avez prêché en Arizona et au Colorado.

— Après mes études à la faculté de théologie de Princeton, je suis passé devant une commission des missions à l'étranger, et les responsables m'ont dit : « Vous êtes trop frêle et faible pour partir dans des pays lointains. » Ils m'ont donc envoyé au Colorado, au Wyoming et en Utah construire des églises et des églises. Maintenant, je suis dans une région parmi les plus difficiles qui soient, le Montana et l'Idaho.

Un jeune homme lui demanda :

— Que voulez-vous dire par « j'ai entendu un appel » ?

— Parfois, répondit Jackson avec une vigueur étonnante, quand vous êtes seul dans une pièce ou en train de prier, Jésus-Christ vient en personne et vous dit d'une voix si pure qu'on dirait une cloche : « Sheldon, j'ai besoin de toi pour mon travail. » Aussitôt après, vos pieds se tournent dans cette direction et vous ne pouvez plus faire demi-tour.

Personne ne parla, et il poursuivit :

— Cette même voix m'a appelé à Deadhorse, où Jésus-Christ voulait que l'on construise une de Ses églises, et avec votre aide, cette église sera construite.

Il se montrait trop modeste, car sa participation au petit bâtiment de rondins fut déterminante. Il travaillait neuf à dix heures par jour aux tâches les plus difficiles, et parfois les femmes riaient de le voir descendre le chemin en tenant le bout d'un tronc tandis qu'un jeune colosse portait non sans mal l'autre bout. Avec un marteau, il était très habile, mais il avait besoin d'une des échelles improvisées. Le dimanche, il était toujours prêt pour son sermon, et si ceux qu'il prononça à Deadhorse avaient été réunis en recueil, ils auraient fourni un exposé de la philosophie profonde de l'effort missionnaire. Mais ce qui stupéfia le plus les familles du village, ce fut qu'outre son labeur de la journée et ses sermons du dimanche le petit bonhomme passait la plupart de ses soirées, après dîner, à rédiger de longs articles pour un journal religieux qu'il avait lancé à Denver et dont il se sentait encore responsable. Quand les travaux de l'église de rondins touchèrent à leur fin, les Trumbauer et leurs amis presbytériens reconnurent en Jackson un véritable homme de Dieu, un chrétien sans défaut, et ils furent enchantés de l'avoir côtoyé. Lorsque vint le moment de son départ pour une ville de l'Idaho qui avait besoin d'une église, Mme Trumbauer déclara :

— Je n'ai jamais eu à la maison un homme qui m'ait donné moins de travail, même pas mon père ou mon mari. Sheldon Jackson est un saint... Ne devrions-nous pas tout lui dire ? ajouta-t-elle. S'il l'apprend plus tard, cela risque de lui briser le cœur.

Les familles se réunirent dans une autre maison pour discuter et conclurent que pour concilier l'honneur et l'esprit pratique, mieux valait d'abord terminer l'église, organiser une grande cérémonie de consécration, puis tout avouer au pasteur. Le plan fut adopté et suivi.

Quand approcha le jour de la consécration de l'église au service de Jésus-Christ, Jackson se rendit humblement chez les familles non religieuses et les supplia de participer à la cérémonie.

— Nous l'avons construite pour le bien de la communauté entière, pas seulement pour quelques presbytériens.

Puis, ravalant sa fierté et ses convictions, car il livrait une guerre incessante contre les catholiques et les mormons, il alla chez les catholiques et les invita aussi à la fête, en avançant les mêmes arguments :

— Je vais consacrer une église. Vous aiderez la communauté à faire un pas en avant.

Il se montra si convaincant que le jeudi suivant — jour qu'il avait choisi spécialement pour que les agnostiques et les catholiques se sentent libres de participer, ce qu'ils firent, il prêcha un sermon qui était une merveille de générosité et de dévotion. Il fit taire toutes ses exhortations habituelles et, à l'entendre ce jour-là, l'Église presbytérienne n'avait aucun adversaire au monde, et ne s'opposait à aucun autre culte chrétien. En toute sincérité, il désirait que son Église constitue une force positive dans une communauté qu'il imaginait sur le point de se développer.

Pendant les festivités, il passa d'une famille à l'autre sans exception, et leur assura qu'avec la consécration de cette église une nouvelle époque commençait à Deadhorse. Sa propre rhétorique le convainquit à tel point qu'en voyant les pleurs dans les yeux de plusieurs femmes presbytériennes il supposa qu'il s'agissait de larmes de joie provoquées par le triomphe du christianisme.

Il n'en était rien, mais les trois familles avaient décidé d'attendre que Jackson soit prêt à partir en Idaho pour lui révéler la douloureuse vérité. Un soir où, dans la salle à manger des Trumbauer, il rédigeait un compte rendu pour sa publication de Denver — justement sur le triomphe du message de Jésus-Christ dans la ville de Deadhorse (Montana) qu'il refusait obstinément d'appeler « village » — Otto Trumbauer se racla la gorge et l'appela.

— Révérend Jackson...

Le petit bonhomme leva les yeux. Toute la famille Trumbauer s'était alignée devant lui. De toute évidence, un problème grave troublait ces braves gens. Jamais il n'aurait deviné lequel.

— Révérend Jackson, nous avons tenté l'impossible pour éviter ça, mais il n'y a pas d'autre solution. Nous allons retourner en Iowa avec les Lambert. Nos familles ont là-bas des fermes sur lesquelles nous pourrons travailler. Nous pourrons gagner notre vie. Ici, nous n'y parvenons pas.

Jackson lâcha son crayon, essuya méticuleusement ses verres et se fit confirmer la surprenante nouvelle.

— En Iowa ? Vous allez partir d'ici ?

— Nous y sommes contraints. Il n'y a aucun avenir pour nos enfants à Deadhorse. Ni pour nous.

Pour la première fois depuis qu'il s'était trouvé pris dans le blizzard, Sheldon Jackson sentit que ses épaules s'affaissaient. Mais il se redressa aussitôt.

— Mais si vous saviez que vous alliez partir, pourquoi ?...

— Pourquoi sommes-nous restés pour construire l'église ?

M. Trumbauer acheva la question, mais sa femme ne lui laissa pas donner la réponse.

— Nous en avons discuté avec toutes les familles, et nous avons conclu que vous étiez un véritable homme de Dieu, envoyé à nous pour une mission spéciale.

Elle éclata en sanglots et son mari poursuivit :

— Nous avons décidé de construire l'église et de la laisser comme un phare dans le désert.

Jackson se raidit, quitta la table, et serra la main de chaque Trumbauer tour à tour.

— Vous ne vous êtes pas trompés dans votre choix. Dieu nous conduit toujours sur la bonne voie ! J'ai bâti dans les montagnes du Colorado six églises qui n'ont pas tenu. Mais elles demeurent, comme vous l'avez dit, des phares dans le désert, pour rappeler à tous ceux qui viendront plus tard la présence et les efforts de bons chrétiens.

Puis son optimisme indomptable reprit le dessus :

— Mais cette ville ne deviendra jamais un désert ! Je vois une expansion, des familles venues des deux Dakota, et à leur arrivée votre église les attendra, car aucune agglomération ne saurait être une ville sans une église en son centre.

Il quitta Deadhorse dans un état d'euphorie, brave petit bonhomme sous son gros baluchon, lunettes cerclées de fer toujours couvertes de brume ou de poussière, avec la conviction enracinée dans le roc que l'œuvre de ses mains était ordonnée par Dieu et surveillée par Son Fils Jésus-Christ. Et pourtant, le jugement exprimé par Mme Trumbauer à son départ — « Révérend Jackson, vous êtes un saint sans défaut » — était loin de la vérité, car il y avait dans sa nature une autre facette qui n'avait pas eu l'occasion de se révéler pendant son séjour à Deadhorse.

***

Le jour de neige où Sheldon Jackson quitta Deadhorse, Montana, pour prendre la piste de l'Ouest, le consistoire qui dirigeait les missions presbytériennes se réunit dans une retraite champêtre dominant l'Hudson, dans l'État de New York. Un grand pasteur affligé, mais manifestement soucieux de se montrer équitable, lança la discussion de l'après-midi avec une nouvelle qui mit mal à l'aise tous les participants.

— En tant que président, j'ai le devoir de me montrer scrupuleusement juste dans toutes mes paroles, mais je suis obligé de vous signaler que notre cher ami, le respecté Sheldon Jackson a de nouveau fait des siennes. Nous ne savons ni où il est ni ce qu'il fait. Quand nous l'avons éloigné du Colorado où, comme vous le savez, il n'en faisait qu'à sa tête, il a obéi pendant quelque temps à nos ordres et s'est mis à développer la région que nous lui avions désignée.

— Laquelle ? demanda un pasteur.

— Les États et les Territoires du Nord, à l'ouest du Mississippi, à l'exception du Dakota, de l'Oregon et du Washington.

— Un secteur très vaste, même pour Jackson. Où devrait-il être ?

— Nous lui avions assigné le Montana. Mais nous n'avons aucune idée de l'endroit où il se trouve.

— N'est-il pas grand temps de discipliner ce jeune homme ? lança un pasteur impatient, de soixante ans passés.

— Il n'est pas si jeune, vous savez. Il a plus de la quarantaine.

— Raison de plus. Il devrait savoir se tenir.

— Il ne faut pas trop y compter, répondit le président en prenant une feuille de notes. Mais avant que nous prenions une décision concernant ce petit ouragan, j'aimerais vous soumettre huit aspects de son comportement, car il agit toujours de même, et les trois premiers traits en question constituent les plus belles qualités dont puisse se targuer un missionnaire.

« *Tout d'abord,* c'est un missionnaire de naissance. Dès ses premiers jours au College de l'Union, il a reçu du Christ une vocation spéciale. Et même s'il lui est arrivé de douter de votre vocation ou de la mienne, il ne met jamais en question l'authenticité de la sienne. Il est donc par définition un meilleur missionnaire que vous et moi ; et il ne se gêne pas pour le faire remarquer.

« *En second lieu,* c'est un presbytérien dévot depuis l'enfance. Il croit sans conteste possible que notre religion est la meilleure du monde, il n'est jamais touché par les doutes qui assaillent parfois le reste d'entre nous, les grands conflits intérieurs sur la nature de Dieu et les voies du Salut. John Knox et Jean Calvin ont tout réglé pour lui !

Les pasteurs discutèrent de ce deuxième point pendant un certain temps, puis l'un d'eux observa :

— Il a une foi si ferme... Je crois que je l'envie.

— Vous vous trompez peut-être de mot, Charles, lui fit observer un de ses collègues de New York. Sa foi n'est peut-être pas si *ferme* que ça, mais *simple.* Il sait pour quoi et contre quoi il est.

— Par exemple ? demanda Charles.

— Il est pour Jésus-Christ et contre les catholiques, les mormons et les démocrates.

Charles ne rit pas de la réponse.

— J'aimerais savoir ne serait-ce que dix choses de façon certaine... sans questions ni doutes. Jackson en sait dix mille.

— Et il est convaincu que ni vous ni moi n'en savons même trois, répliqua son interlocuteur.

Le président continua :

— De cette conviction solide comme le roc vient la *troisième* qualité de Jackson, que vous avez tous notée : son don remarquable de persuader les autres de l'écouter attentivement. Avec sa petite taille, son côté agressif et son idée fixe, on s'attendrait à ce que les gens se détournent de lui, or c'est justement l'inverse. Il les attire comme le miel appâte les mouches, et ils l'écoutent discuter des principes fondamentaux de la religion et en particulier de l'œuvre missionnaire.

La discussion s'arrêta et les membres de la commission réfléchirent aux qualités de leur collègue difficile ; tous lui concédaient de la piété, du dévouement et une capacité surprenante à collaborer avec les autres observances protestantes ; mais la plupart avaient senti la morsure de sa langue de vipère et après quelques hochements de tête approbateurs, l'analyse se poursuivit.

— *Quatrièmement* — et autant admettre ce défaut au départ car il explique dans un large mesure les problèmes que nous avons eus avec Jackson et ceux que nous aurons à l'avenir — pour un chrétien pieux ayant consacré sa vie à l'œuvre missionnaire, il fait preuve d'une tendance singulière à sauter à la gorge de toute personne qu'il tient pour ennemie. Et pour cette raison, sur cent personnes qui le connaissent, au Colorado, à Washington ou dans l'Église en général, cinquante le vénèrent comme un saint, et cinquante le considèrent comme un serpent.

Ceci provoqua une consultation à main levée parmi les pasteurs présents. Résultats : trois « saint » et quatorze « serpent », la plupart de ces derniers prêts à raconter comment Jackson s'était disputé avec eux pour des vétilles. Mais ces mêmes hommes admirent volontiers la remarque d'un vieux pasteur sagace qui souligna la place particulière occupée par Jackson dans le clergé presbytérien :

— C'est notre général d'avant-garde dans la lutte contre les ténèbres. Il est le seul entre tous nos missionnaires qui place nos efforts dans ce domaine sur le même plan que ceux des baptistes et des méthodistes. Qu'il vous plaise ou non, c'est notre homme.

— J'en venais, justement à ce point, répondit le président, qui avait déjà pris la défense de Jackson à plusieurs reprises. Car il a ses vertus.

« *Cinquièmement,* très tôt dans sa vie, pour des raisons difficiles à expliquer, il a acquis la conviction que s'il désirait obtenir quelque chose, il devait s'adresser directement au sommet. L'un de vous l'a-t-il accompagné à Washington quand il désire quelque chose d'important ? Il force les portes de tous les bureaux — membres de la Chambre, sénateurs, ministres. Même celui du président. Un jour, après avoir lancé des remontrances à un sénateur, il m'a déclaré : “ Ce sont de braves gens, mais il faut les guider. ” Et il est prêt à offrir ses conseils à tout moment, n'importe où, sur n'importe quel sujet. Je me suis souvent demandé comment un homme de si petite taille et si insignifiant pouvait intimider un sénateur d'un mètre quatre-vingt-cinq, mais il en est capable.

Plusieurs hommes confirmèrent le pouvoir extraordinaire que Jackson exerçait à Washington :

— Il représente la voix de la moralité, et plus précisément de la moralité presbytérienne. Ce n'est pas rien.

Le président en vint alors à l'un des talents essentiels de Sheldon Jackson.

— *Sixièmement,* son efficacité repose sur sa capacité de convaincre un grand nombre de femmes de notre Église de soutenir le programme qu'il a décidé de lancer. Aussitôt, elles écrivent des lettres à Washington et surtout donnent d'importantes sommes pour ses projets. Songez par exemple à cet extraordinaire journal religieux qu'il publie encore à Denver alors qu'il a quitté la ville depuis des années. Dans la mesure où il peut compter sur ces femmes et sur leurs fonds, il échappe à notre autorité.

Un pasteur coléreux, qui avait souvent essuyé les attaques et les vitupérations de Jackson, intervint :

— Dans le Maine, je l'ai vu s'adresser à un groupe de femmes qu'il voyait pour la première fois, et il a utilisé les méthodes d'approche dont il avait constaté l'efficacité dans des États de l'Ouest comme le Colorado et l'Iowa. Il les a d'abord mises en garde contre les dangers de l'Église catholique, mais elles avaient déjà entendu trop souvent ce genre de discours dans le Massachusetts et le Maine. Voyant qu'il n'aboutissait à rien, il est passé à une attaque en règle de l'Église mormone de l'Utah. Mais la plupart de ces femmes n'avaient jamais entendu parler des mormons et son sermon tomba à plat. Visiblement troublé, il se lança soudain dans un plaidoyer déchirant, savez-vous sur quoi ? Tout à trac, sans aucune transition, il fit un tableau bouleversant du sort de jeunes filles eskimos de l'Alaska, séduites à l'âge de treize ans par d'ignobles chercheurs d'or. Son récit était si criant de vérité et si émouvant que j'en eus moi aussi les larmes aux yeux. Or il n'est jamais allé en Alaska et ne connaît rien sur l'Alaska. Mais il a convaincu ces excellentes presbytériennes que si elles ne participaient pas généreusement à l'œuvre missionnaire qu'il projetait en Alaska...

— Qui a dit que nous l'enverrions en Alaska ? coupa un pasteur agacé.

— Lui-même. En fait, il n'a pas vraiment affirmé que nous l'enverrions. Il a dit qu'il y allait.

Le président parcourut le groupe d'un œil presque agressif et demanda :

— Quelqu'un dans cette assemblée lui a-t-il parlé de l'Alaska ?

— C'est le dernier endroit sur Terre dont nous souhaitons qu'il se mêle, répondit un des ecclésiastiques. L'Alaska dépend du territoire de l'Oregon. Dites à Jackson de s'occuper de ce qui le regarde.

— Amen, murmurèrent plusieurs autres.

Le président voulut donc reprendre son acte d'accusation, mais au moment où il abordait le point suivant, un rire l'interrompit. Il venait d'un des membres les plus âgés du groupe.

— Ai-je dit une sottise ? demanda le président.

— Mon Dieu, non ! répondit le vieillard. Je me rappelais seulement que je faisais partie du comité qui a étudié la candidature Jackson, il y a une vingtaine d'années, quand il a sollicité un poste de missionnaire à l'étranger. C'est moi qui lui ai lu notre décision : « Vous êtes trop fragile pour les difficultés d'une mission étrangère. »

L'erreur grossière de jugement frappa l'assemblée et d'autres rires fusèrent.

— *Septièmement,* reprit le président, il a fait preuve d'un appétit insatiable pour la publicité. Dès le début, il a compris le pouvoir dont pouvait bénéficier un homme, en particulier un ministre de Dieu, si la presse le considérait comme un agent du Bien. Il a vu très vite que cette célébrité le protégerait d'institutions comme la nôtre, lorsqu'elles se refuseraient à cautionner ses projets les plus scandaleux. Et jamais il n'a abandonné au hasard la bonne publicité ; vous le savez, il a lancé ou fait lancer quatre ou cinq journaux ou périodiques religieux qui chantent les louanges de ses bonnes œuvres dans leurs colonnes, c'est toujours lui qui accomplit les choses, et non les missionnaires appliqués qui ne font aucun bruit. Depuis qu'il a reçu un doctorat à titre honorifique de cette petite université de l'Indiana — et j'ai de bonnes raisons de croire qu'il a poussé à la roue pour obtenir ce titre, il se fait toujours appeler Dr Sheldon Jackson dans ses journaux et les neuf dixièmes des gens qui travaillent auprès de lui sont convaincus qu'on lui a réellement décerné un doctorat en théologie.

Les membres du conseil discutèrent de ce talent particulier du petit homme à assurer sa promotion. Ils évoquèrent divers articles élogieux et l'on sentit dans leur voix percer une certaine envie. Puis la réunion s'acheva sur un commentaire presque hors du sujet :

— *Huitième point,* Jackson a toujours été un ardent républicain, persuadé que Dieu sourit à notre pays quand la population élit un gouvernement républicain. Une élection gagnée par les démocrates déchaînerait sur les États-Unis toutes les forces du mal. Cette passion politique proclamée aide l'Église presbytérienne chaque fois que les républicains sont au pouvoir, comme c'est le cas depuis longtemps, mais risque de nous porter tort si les démocrates l'emportent.

Dans la discussion qui suivit, on convint que les presbytériens laisseraient encore Jackson intervenir à Washington, car il y avait peu de chance que les démocrates prennent le pouvoir dans un avenir prévisible. Mais tous adoptèrent sans réserve la résolution suivante :

> *Décision : le révérend Sheldon Jackson sera félicité pour ses nouveaux succès au Dakota, mais averti solennellement qu'il doit à l'avenir tenir ce bureau informé de tous ses déplacements avant de les entreprendre. Précisément, il lui est interdit de se rendre en Oregon ou en Alaska puisque cette région relève de l'Église d'Oregon.*

Mais avant même que cet avertissement sévère soit remis à un secrétaire pour transmission à Jackson, un messager arriva avec une note des dirigeants désespérés de l'Église presbytérienne d'Oregon.

> *Le révérend Sheldon Jackson est arrivé au milieu de nous à l'improviste et a mis tout le monde en fureur. Après nous avoir créé de gros ennuis, il est parti pour Seattle et l'Alaska. Nous l'avons averti que cette dernière région dépendait de l'Oregon, mais il nous a répliqué carrément que sa mission comprenait tous les territoires à l'ouest du Mississippi jusqu'à l'océan Pacifique, et qu'il était grand temps de s'occuper de l'Alaska. Nous l'avons informé que notre Église avait déjà envoyé les missionnaires à Wrangell, mais il a répondu : « Je pensais à un vrai missionnaire », et il est parti vers le nord en bateau.*

Ainsi, de manière soudaine et sans aucune autorisation, Jackson s'en fut apporter la parole de Dieu et le salut de Jésus-Christ dans les ténèbres de l'Alaska. Fait curieux, pendant les sept premières années décisives de sa mission, il ne reçut pas un sou d'aide de l'Église presbytérienne, excédée par l'insolence de son comportement. Il finança les énormes dépenses de son œuvre en Alaska, un des efforts missionnaires les plus réussis en Amérique, uniquement avec des fonds envoyés par des femmes à sa dévotion, à qui il rendait visite chaque hiver au cours de tournées d'exhortations. A l'époque même où il accomplissait des miracles dans le Grand Nord, il passait la moitié de l'année à sillonner divers États pour implorer l'aide de ces femmes ou à sermonner le Congrès de Washington pour qu'il vote de meilleures lois et davantage d'argent en faveur de l'Alaska.

Il devint l'ami personnel de presque tous les hommes politiques destinés à des promotions spectaculaires, surtout les républicains ou les presbytériens, et il s'attacha très vite aux basques du sénateur Benjamin Harrison de l'Indiana, qui était l'un et l'autre; quand Harrison deviendrait président, il solliciterait souvent les conseils de Jackson sur l'action à entreprendre en Alaska. Avec son mètre cinquante-deux et ses jambes courtes de gamin, ce ministre de l'Église presbytérienne s'était transformé en géant.

⁂

Quand le Dr Jackson arriva en Alaska — illégalement, prétendirent ses adversaires — il appliqua sa prodigieuse ingéniosité et remporta deux succès éclatants : il persuada ses amis du Congrès de lui accorder le titre ronflant d'agent général pour l'éducation en Alaska. Cette fonction n'impliquait aucun salaire et, pendant les premières années, aucune subvention de l'État; mais elle lui permit d'imprimer des cartes de visite impressionnantes avec lesquelles il intimidait tous ceux qui s'opposaient à ses projets. Ensuite il obtint du Trésor public le passage gratuit sur tous les bateaux des Douanes se rendant dans un lieu qu'il désirait visiter dans l'exécution de ses devoirs. Avec ces garanties dans sa poche et le soutien financier ininterrompu des clubs de femmes aux États-Unis, il était prêt à se lancer dans la grande œuvre de sa vie : la civilisation et l'éducation de l'Alaska.

Au cours de ces premières années, Jackson mena une vie affolante. Pendant les mois de printemps et d'été, il sautait sur le premier cotre des Douanes qui se présentait pour explorer les mers arctiques, livrer bataille contre l'alcool, arrêter les malfaiteurs, aider à appliquer la loi, visiter la Sibérie, préparer le développement de l'Alaska, et, avec son propre argent, fournir de nombreux services que le gouvernement aurait dû financer. Ensuite, pendant les six mois d'automne et d'hiver, il retournait à Washington, New York ou Boston pour influencer l'opinion sur l'avenir de l'Alaska. Au cours d'une année, il parcourut soixante mille cinq cents kilomètres, et un de ses collègues calcula que pendant la même période il avait dû faire au moins deux cents causeries sur l'éducation en Alaska :

— Dès qu'il trouve un public de six personnes, Sheldon se lance dans un sermon.

Mais chaque fois qu'il se croyait sur le point de réaliser une amélioration, il se heurtait au fait que les États-Unis refusaient encore de donner à l'Alaska un système de gouvernement et un budget convenables. Aussitôt, il revenait tempêter à Washington, lançait feu et flammes, bombardait le Congrès. Ce fut à cette occasion qu'avec son intuition habituelle il se lia avec Benjamin Harrison, sénateur d'Indiana plein de promesses et petit-fils du neuvième président. Le sénateur écouta Jackson réclamer des lois qui permettraient à l'Alaska de se gouverner, se convainquit de la droiture de Jackson et commença en 1883 de presser le Sénat d'adopter une constitution quelconque. En 1884, poussé par Jackson, le sénateur Harrison fit adopter par le Congrès une loi organique qui accordait à l'Alaska une sorte de gouvernement civil avec un juge, un procureur, un greffier et un « marshal » — officier de police doté de quatre adjoints pour faire régner la loi et l'ordre dans une région de plus d'un million trois cent mille kilomètres carrés. C'était lamentablement insuffisant, mais tout de même un pas dans la bonne direction.

Jackson espérait bien entendu obtenir pour l'Alaska un statut de territoire autonome, mais le Congrès refusa de l'accorder, car cela aurait impliqué le passage tôt ou tard au statut d'État à part entière, comme dans toutes les régions en pleine évolution du reste des États-Unis. Les législateurs trouvèrent la suggestion absurde et ne s'en cachèrent pas :

— Ce trou à glace n'aura jamais assez de monde pour devenir un État.

— L'autonomie politique ? Mais enfin, il y a tout juste mille neuf cents personnes — je veux dire des Blancs, bien entendu.

— Puisque l'armée ne le gouverne plus, il faut le confier à la marine.

Mais même Jackson ne s'était pas rendu compte du défaut majeur, presque fatal, que comportait le décret qu'il avait contribué à faire voter, avec le sénateur Harrison. Il ne resta cependant pas longtemps dans le noir, car dès son retour à Sitka ce printemps-là, à peine était-il chez lui depuis deux heures que Carl Caldwell, furieux, vint lui rendre visite. L'ancien avocat de l'Oregon était devenu un des citoyens éminents de l'Alaska.

— Qu'avez-vous laissé faire au Congrès, Jackson ?

— Nous n'avons pas « laissé faire ». Nous avons poussé à la roue, Harrison et moi.

— Mais cette affaire d'Oregon ? Tout est réduit à rien.

— Une minute, répondit Jackson sur la défensive. Le Congrès a refusé de nous accorder un statut de territoire. Nous n'avons pas pu obtenir mieux : nous serons gouvernés selon les mêmes lois locales que l'Oregon.

À ces mots, Caldwell bondit de son siège :

— S'il s'agissait des lois de l'Oregon, tout irait pour le mieux. Mais vous nous avez donné les lois anciennes du territoire. L'Oregon est devenu État en 1859. Vous nous ramenez en arrière, à l'Oregon de 1858.

Quand il détailla les restrictions monstrueuses que cela impliquait pour l'Alaska, Jackson demeura sans voix.

— Nous ne pourrons pas avoir de jury pour nos tribunaux d'Alaska, signala Caldwell, parce que la loi territoriale précise que, pour être éligibles, les membres du jury doivent payer des impôts.

— Une mesure raisonnable, observa Jackson. Un jury doit se composer d'hommes responsables.

— Mais nous n'avons pas d'impôts en Alaska ! Donc pas de jury... La plupart des meilleures lois du territoire d'Oregon s'appliquent à l'administration des comtés, mais comme nous n'avons pas de comtés, nous ne pourrons pas appliquer ces lois.

— C'est ridicule, balbutia le missionnaire qui était à l'origine de la loi, mais Caldwell n'avait pas fini de lui assener ses critiques :

— Personne ne peut encore acheter de terres ici, parce que le code de l'Oregon ne comprend aucune mesure agraire. Pis encore, pour la même raison, nous ne pourrons pas appliquer ici le grand Homestead

Act, qui a permis la colonisation de l'Ouest et la répartition de terres gratuites. Mais au lieu de nous être favorable, cette loi nous étouffe, parce que nous n'aurons aucune législature locale comme l'Oregon à cette époque-là.

Caldwell continua, montrant parfois à Jackson tel point ou tel article de ce code complètement désuet, et lorsqu'il se tut enfin, Jackson comprit qu'avec son aide et sa bénédiction le Congrès avait placé l'Alaska dans une camisole de force. Il s'aperçut qu'il lui faudrait de nouveau livrer bataille sur bataille, et le soir même il commença de submerger le Congrès de nouvelles lettres de recommandation et ses clubs de femmes de nouveaux appels de fonds, car lorsqu'il partait en bataille, il n'était question ni de trêve ni de reddition.

Mais il mesura l'étendue réelle du péril seulement après l'arrivée à Sitka des nouveaux fonctionnaires autorisés par la loi organique de 1884, parce que le président Chester Arthur, sous la pression accablante des solliciteurs, avait nommé des incapables comptant parmi les éléments les plus méprisables de l'administration. Et à peine furent-ils en place qu'ils résolurent de se débarrasser du petit missionnaire gênant dont se plaignaient sans cesse les mineurs, les pêcheurs et les trafiquants de rhum.

Le chef de la cabale contre Jackson fut le procureur général, un ivrogne notoire. Le marshal se comporta un peu mieux, mais le juge fédéral, qui détenait des pouvoirs énormes, s'avéra un vrai désastre. Ward McAllister Jr., neveu incompétent de l'homme du même nom qui servait alors d'arbitre à la bonne société de New York, avait obtenu la nomination à ce poste très bien payé grâce au piston politique de ses amis, bien que ses compétences fussent absolument nulles.

À peine cette bande était-elle en place que, de connivence avec le procureur général et le juge McAllister, elle manigança l'arrestation de Jackson. On attendit qu'un groupe important de citoyens vienne sur les quais assister au départ d'un vapeur sur lequel devait embarquer Jackson, et au dernier moment, l'adjoint du marshal Sullivan monta à bord avec des menottes pour arrêter le petit missionnaire et le traîner en prison.

Dans les semaines qui suivirent, Jackson subit des avanies qu'il n'aurait jamais imaginées, mais il fut sauvé par la plus improbable des justices. Le président Arthur, responsable de ces nominations honteuses, quitta la Maison-Blanche et peu de temps après un démocrate réformateur, Grover Cleveland, accéda à la présidence. Il annula les nominations et désigna des hommes normaux, qui servirent très bien l'Alaska. Une des premières décisions de la nouvelle équipe fut le retrait de l'inculpation de Sheldon Jackson — qui continua cependant de croire qu'une administration républicaine servait mieux les intérêts de la nation.

Ce fut vers cette époque que Jackson participa à l'une des décisions les plus sages de l'histoire de l'Alaska, et qui fut rarement appliquée dans d'autres régions en cours de colonisation. En liaison avec les responsables des autres églises américaines, il proposa la divison de l'Alaska en une douzaine de sphères d'influence religieuse : chacune deviendrait la « réserve de chasse » d'un culte particulier et les missionnaires des autres sectes s'abstiendraient de faire des prosélytes dans ses limites. La proposition de Sheldon Jackson constituait en fait une grande trêve religieuse et comme sa réputation d'intégrité était reconnue de tous, les dirigeants des autres groupes acceptèrent son initiative.

Il l'expliqua clairement à la population de Sitka :

— Parce que les presbytériens ont été les premiers arrivés ici, nous garderons Sitka. Mais comme c'est le district le plus facile, nous nous chargerons également du plus difficile : Barrow, à l'extrême nord... Ce serea la mission la plus septentrionale du monde, ajouta-t-il modestement.

Lorsqu'il exposa les autres conditions de l'accord, on eût dit un disciple de Jésus, dans les Actes des Apôtres, en train de répartir les responsabilités missionnaires de l'Église chrétienne naissante.

— Nos bons amis les baptistes prendront Kodiak et la région voisine. Les Aléoutiennes, où il y a beaucoup de travail à faire, ont été attribuées aux méthodistes. L'Église épiscopalienne reprendra l'œuvre déjà accomplie depuis des dizaines d'années par sa proche parente l'Église anglicane du Canada dans la haute vallée du Yukon. Les congrégationnistes ont accepté une région très difficile, le cap Prince-de-Galles. Et une très belle Église que vous ne connaissez peut-être pas, les Frères moraves allemands de Pennsylvanie, apportera la parole de Dieu le long du fleuve Kuskokwim.

Dans une vague d'enthousiasme, d'autres Églises se portèrent volontaires dans le cadre de cet accord généreux. Toujours en première ligne dans ce genre de mission, les quakers de Philadelphie reçurent en partage Kotzebue et une région minière proche de Juneau; les évangélistes suédois obtinrent Unalakleet; et les catholiques romains s'installèrent sur la vaste région de l'embouchure du Yukon jadis évangélisée par les missionnaires russes orthodoxes. Ce fut un exemple extraordinaire d'œcuménisme au meilleur sens du mot, et Jackson en avait été l'initiateur.

Mais entre les accords verbaux, si nobles qu'ils soient, et les réalisations concrètes, la distance est parfois très grande, et des années s'écoulèrent avant qu'une seule des grandes Églises américaines tienne sa promesse. Il n'y eut ni mission baptiste, ni mission méthodiste, ni mission quaker. Désespéré, car il voyait mourir les indigènes de l'Alaska à qui l'on refusait la parole de Dieu, Jackson supplia les grandes Églises de lancer un programme. Sans résultat. Il se rendit à Philadelphie auprès des quakers, qu'il croyait persuader de partir dans le Nord, mais il n'aboutit à rien et, moralement déçu, il passa une nuit étouffante d'août 1883 dans la ville quaker à rédiger une épître à l'Église morave dont le consistoire se trouvait non loin, à Bethlehem. Il les implora de continuer en Alaska l'œuvre salutaire qu'ils avaient lancée en faveur des Eskimos du Labrador. De nouveau, il ne reçut pour ses efforts que le silence.

Mais sa lettre dut faire un certain effet sur les Allemands rigoristes de Bethlehem car l'hiver suivant, pendant son séjour aux États-Unis, alors qu'il n'y comptait même plus, on l'invita à venir présenter aux Frères moraves de Bethlehem son opinion sur les besoins de l'Alaska. Il prit aussitôt le train à Philadelphie et, dans l'adorable et pittoresque vieille ville allemande, il prononça une de ses exhortations inspirées.

— L'Église morave, dit-il à l'assistance, s'est toujours trouvée au premier rang des actions missionnaires. C'est votre vocation, votre âme. Aujourd'hui, l'appel de Dieu retentit de nouveau : « Les Eskimos de l'Alaska désirent entendre Ma parole. » Oserez-vous dire non ?

Les bourgeois pompeux qui présidaient aux destinées de l'Église acceptèrent ce soir-là d'envoyer une mission d'études sur le Kuskokwim à la fin de l'année 1885. Cinq jeunes paysans dévots — trois hommes et deux épouses — partirent donc vers ce grand jumeau de

Yukon et virent à quel point les populations de ses rives manquaient de médicaments, d'éducation, de christianisme. N'était-ce pas le christianisme qui assurait la prospérité des Blancs ? Ils écrivirent à Bethlehem : « On a besoin de nous. » Bientôt arriva en Alaska l'un des groupes les plus remarquables de missionnaires religieux, et le blocage d'indifférence se brisa. Très vite, les quakers puis les baptistes et les méthodistes occupèrent les régions qui leur étaient assignées. Et l'Aslaska se trouva parsemé de ces missions, souvent situées dans des endroits fort reculés, mais qui réaliseraient avec le temps la civilisation du Grand Pays.

⁂

Un jour où Jackson se trouvait à Sitka, le nouveau bâtiment des Douanes apparut dans le goulet ; avant même que le *Bear* eût jeté l'ancre, Jackson avait pris la décision qui allait déterminer dans une large mesure l'histoire de l'Alaska : « Il faut que je parte sur ce bateau-là. » À midi, il présenta son autorisation de passage au second, qui regarda de très haut cet étrange petit bonhomme.

— Ça relève du capitaine, répondit-il.

Pour la première fois, le missionnaire entra dans la cabine de Mike Healy, qui s'était mis à boire comme un trou dès l'arrivée du *Bear* à Sitka. Il était assis dans son fauteuil, avec son perroquet sur l'épaule. Irrité par cette intrusion imprévue, il lâcha une bordée de ses jurons les plus violents, regarda Jackson en lançant des flammes et termina par :

— Qu'est-ce que vous voulez, nom de Dieu ?

Si cet assaut avait affolé le petit missionnaire, aucune relation n'aurait pu s'établir entre les deux hommes, mais Jackson ne craignait vraiment rien : il se campa sur ses talons et cria de sa voix la plus énergique :

— Capitaine Healy ! Je suis un homme d'Église et je ne permettrai pas que l'on profane le nom du Seigneur en ma présence. En outre, monsieur, je suis également venu en Alaska pour mettre fin au trafic de l'alcool, et je m'aperçois que vous êtes ivre.

Abasourdi par ce petit coq de combat, Healy commença :

— Vous avez raison, révérend...

Mais son perroquet l'interrompit par une nouvelle bordée de jurons de son propre choix — sur quoi Healy le gifla avec une violence telle que la moitié de ses plumes parurent s'envoler quand il se réfugia sur son perchoir.

— Ta gueule, toi ! lança le marin ; puis il se tourna vers son visiteur. Qu'est-ce que raconte votre bout de papier ?

— Il m'a été remis par le Trésor et il m'accorde un passage gratuit sur votre bateau pour me permettre d'exercer mes devoirs.

— Et quels sont vos devoirs ?

— Apporter la parole de Dieu aux Eskimos. L'éducation des enfants d'Alaska. Et la suppression du trafic d'alcool.

À la vive surprise de Jackson, Mike Healy, dont l'éducation avait sauvé la vie, se leva sur ses jambes chancelantes, saisit la main du missionnaire et lui promit un soutien qui durerait vingt ans.

— Je suis du même bord, révérend. Pour tout. L'éducation sauve les âmes et l'alcool est le fléau des indigènes d'Alaska.

— Vous me paraissez victime de ce fléau vous aussi, capitaine.

— Dans ma vie privée seulement. En tant que capitaine de ce bateau, l'un de mes principaux devoirs consiste à supprimer le trafic du *hooch*.

— Et qu'est-ce que le *hooch* ?

— La gnôle, le tord-boyau. Ça tue les Eskimos. Des villages entiers ont été effacés.

Il se laissa retomber dans son fauteuil, prit un verre que Jackson n'avait pas remarqué et le vida d'un trait. Puis il leva les yeux avec un sourire complice et lança :

— Amenez votre saint-frusquin à bord. Nous partons à quatre heures pour Kodiak et la Sibérie.

Ainsi commença l'association de ces deux hommes invraisemblables.

Healy, un mètre quatre-vingt-huit, avait cinq ans de moins que Jackson pour l'âge et vingt ans de plus pour la force. Jackson, trente centimètres de moins, avait le haut du crâne à la hauteur de la pomme d'Adam du capitaine. Healy, catholique romain pratiquant, avait des frères et des sœurs qui occupaient des postes élevés dans son Église ; Jackson, presbytérien dévot, vitupérait les catholiques autant que John Knox avant lui. Healy, noir de Georgie, aurait dû légalement être esclave ; Jackson, produit du ferment social et religieux qui avait balayé les régions rurales du nord de l'État de New York — Elizabeth Cady Stanton, Lucretia Mott et Joseph Smith, à qui furent révélés les secrets de Mormon, sont de la même origine —, croyait que les Nègres, les Indiens et les Eskimos méritaient l'amour de Dieu, mais sûrement pas l'égalité sociale avec les Blancs. Healy se livrait volontiers aux blasphèmes et à la gnôle ; Jackson estimait de son devoir de morigéner les mécréants et de les sauver de leur folie. Il y avait entre eux des différences fantastiques et ils n'hésitaient jamais à les étaler.

Mais ils partageaient trois certitudes qui l'emportaient sur leurs points de désaccord : ils croyaient l'un et l'autre que, pour gouverner l'Alaska, il fallait trouver des hommes de bien désireux d'en faire l'effort ; ils étaient prêts à se porter volontaires pour cette tâche ; et ils tenaient tous les deux à ce que justice soit rendue aux indigènes.

Leur première traversée ensemble scella leur amitié, car, à chaque difficulté rencontrée, ils semblaient percevoir instantanément les implications morales de la situation. Si surprenant que cela paraisse, chacun approuvait ce que l'autre recommandait. Désormais, ce n'était plus le capitaine Healy d'un minable bateau des Douanes qui dispensait une justice approximative le long des côtes arctiques : le noble vaisseau *Bear* entrait dans les ports sous le panache de fumée de sa cheminée, avec à son bord un éminent capitaine aidé par un non moins éminent (quoique peut-être frauduleux) docteur en théologie. Ils formaient une association impressionnante : deux géants dans une région infestée de nains. Dès la première visite du *Bear* à un nouveau village, l'autorité de Healy et de Jackson s'imposait.

Lors de cette traversée, ils redressèrent des torts à Kodiak, fournirent des provisions à la garnison russe de Petropavlovsk, rendirent et firent appliquer une série de jugements sur la côte sibérienne puis passèrent au cap Navarin, dont les habitants se précipitèrent dans leurs canoës dès qu'ils apprirent le retour du capitaine Healy, car ils se rappelaient ses présents généreux lors de son précédent voyage. Healy conduisit Jackson à terre pour lui montrer les troupeaux de rennes qui permettaient aux Sibériens de vivre grassement ; mais le missionnaire ne comprit pas sur-le-champ l'importance de cette visite, car il n'avait pas encore vu des Eskimos d'Alaska mourir de faim par manque de nourriture en hiver.

— Des rennes ! s'écria Healy. On en charge le *Bear* et par bon vent, on les débarque deux jours plus tard en Alaska.

— Est-ce réalisable ?

— Nous pourrions le faire tout de suite si nous avions l'autorisation. Et l'argent pour payer à ces gens les bêtes qu'ils ont en trop.

Les deux Américains se passionnèrent tellement à la perspective d'utiliser l'expérience sibérienne pour sauver des vies en Alaska qu'ils réunirent les éleveurs de rennes du cap Navarin pour leur exposer leur idée de transport de bétail à travers le détroit de Béring. Quand Healy leur précisa ce qu'ils recevraient en échange, les Sibériens se montrèrent tellement enthousiastes que le capitaine dit à Jackson :

— À votre retour à Washington, essayez d'obtenir des fonds.

— Mais ces rennes sont-ils nécessaires ?

— Vous le verrez vous-même.

Ils traversèrent la mer des Tchouktches et firent escale dans une série de villages — Barrow, Desolation, Point Hope, cap Prince-de-Galles ; Jackson constata alors les conséquences désastreuses du manque de nourriture à certains moments de l'année.

— Capitaine Healy, nous devons vous et moi apporter deux choses à ces Eskimos pour les sauver : une mission avec une école, et des rennes.

Sur le trajet du retour, le *Bear* fit un détour vers l'île Saint-Laurent, où Healy montra à son ami missionnaire la dévastation due au rhum et à la mélasse apportés par l'*Erebus*. La vue des squelettes qui jonchaient encore les rues des villages bouleversa Jackson ; ce soir-là, quand le robuste *Bear* s'éloigna vers le sud dans la mer de Béring, le petit missionnaire alla voir Healy dans sa cabine.

— Capitaine, vous avez découvert la mort de ces villages et vous en connaissez la raison. Comment se fait-il que vous continuiez de boire ?

— Je ne suis pas parfait, répondit Healy. Et si vous étiez parfait, vous n'auriez pas tellement de gens en pétard contre vous... Je veux dire, furieux de votre attitude.

— Des ivrognes, des mineurs sans conscience, la racaille de Sitka. Les avoir pour ennemis me plaît, capitaine.

— Non. Je parle de gens comme il faut. Oh, j'ai appris pas mal de choses sur votre compte, à Seattle, avant de vous rencontrer.

— Dieu m'a envoyé sur terre pour accomplir Sa volonté, et je dois le faire à ma manière.

— Qui sait qui m'a envoyé sur terre ? Mais j'y suis pour commander un bateau, et je le fais à ma manière.

Et ces deux hommes imparfaits, qui auraient tous les deux des ennemis tant qu'ils demeureraient en Alaska, retournèrent vers le sud avec des images plus précises de ce qu'ils espéraient réaliser : évangéliser les Eskimos, imposer l'ordre aux océans, transporter des rennes de Sibérie en Alaska, et puis éduquer, éduquer, éduquer. Sur ce dernier point, ils étaient parfaitement d'accord, comme le prouveraient les événements remarquables de leur deuxième voyage ensemble.

À peine avaient-ils navigué quelques jours sous les étoiles froides d'octobre que Jackson demanda :

— Capitaine, vous n'avez jamais parlé de l'*Erebus* avant notre arrivée à Saint-Laurent, mais il vous ronge l'esprit, n'est-ce pas ?

— Oui.

— Voulez-vous m'en parler ?

Au milieu d'un torrent de blasphèmes, Healy raconta sa longue lutte contre ce vaisseau renégat et la manière impitoyable dont il bafouait les lois destinées à protéger non seulement les Eskimos, mais les morses et les phoques.

— Il se met à l'affût dès le printemps, en dépit des règlements de toutes les nations, et il attend les femelles pleines incapables de s'enfuir qui nagent vers le nord pour mettre bas. Il les massacre à coups de fusil et les éventre pour prendre les petits dont il vend la fourrure douce en Chine.

— Il faut le détruire, répondit Jackson.

— Avec ce bateau sous mes ordres, j'en ai la possibilité, répondit Jackson.

Et il battit en retraite dans sa cabine, où il se saoula.

Pendant la fin du voyage, Jackson demeura beaucoup sur le pont, emmitouflé dans les vêtements de peau de phoque qu'il avait acquis en Sibérie. Quand des marins lui demandaient ce qu'il faisait, il répondait de façon évasive, car il n'osait pas avouer la vérité : il désirait repérer l'*Erebus*, qu'il n'avait jamais vu, mais qu'il détestait déjà. Un jour, en fin d'après-midi, il aperçut un bateau noir, lui sembla-t-il, très loin vers l'ouest, et il courut informer le capitaine Healy.

— C'est ce salopard ! s'écria Healy. Regardez avec la longue vue : les cheveux blancs...

Emil Schransky, sur la passerelle de son bateau pirate, avait repéré le *Bear* longtemps avant que le *Bear* ne l'aperçoive. Il avait appris que le capitaine Healy disposait d'un nouveau bâtiment, mais il ne crut rien de ce qu'on lui raconta sur ses performances, car il méprisait l'homme qui le commandait.

— Aucun fichu Nègre ne pourra jamais me rattraper.

Mais au moment où, comme dans le passé, il déploya ses grandes voiles noires pour jouer au chat et à la souris avec Healy, il comprit qu'il avait à ses trousses un bateau fort différent des anciens cotres lents. Il vit la cheminée cracher un nuage noir et les immenses voiles carrées s'ouvrir pour recevoir le vent. Plus effrayant encore, il observa la redoutable proue renforcée de chêne et de bois de fer.

Il cria :

— Préparez le bateau pour la fuite.

C'était trop tard. Au moment même où ses marins étalaient insolemment le dernier carré de toile, ils s'aperçurent, consternés, que le *Bear*, devançant leur manœuvre, avait viré de bord sur place et se dirigeait droit sur eux.

— Il essaie de nous éperonner ! cria Schransky sans dissimuler ses craintes.

Il ne se trompait pas : Mike Healy, le capitaine noir méprisé, allait projeter sa proue meurtrière dans les flancs de l'*Erebus*.

— Barre à bâbord ! hurla Schransky à son timonier. L'homme essaya de placer le bateau noir parallèlement à la direction suivie par le *Bear* pour que ce dernier glisse à côté sans lui faire de mal, comme dans les duels d'autrefois.

Mais cette fois Healy, en plus de ses anciennes ruses, possédait un bateau puissant pour les exécuter. Il lança à son timonier des ordres précis, et le *Bear* percuta avec un bruit de tonnerre le bordage fragile de l'*Erebus*. Continuant d'avancer, propulsée par le moteur, la proue éventra les entrailles de son grand ennemi noir.

Très calme, Mike Healy, vaincu tant de rencontres précédentes, lança les ordres qu'il avait si souvent répétés dans sa tête.

— Canonniers, à vos pièces. Parez à mitrailler le pont ! Matelots, à l'abordage.

Et Schransky, stupéfait, paralysé par cette combinaison bateau supérieur-marin supérieur, dut rendre le commandement de son bâtiment tandis que l'équipage victorieux du *Bear* envahissait son bord.

Healy quitta le *Bear* pour passer à bord de l'*Erebus,* salua son capitaine comme l'exigeait la loi de la mer, puis, sans cesser de sourire à Schransky mais avec son revolver prêt à tirer, il envoya ses hommes fouiller les cales du bateau capturé. Ses humiliations précédentes se trouvaient merveilleusement vengées, et Schransky le savait aussi bien que lui-même.

Ses officiers trouvèrent des tonneaux pleins de rhum et de mélasse ; d'autres tombèrent sur les réserves de peaux de phoque.

— Lancez tout par-dessus bord ! ordonna Healy.

Et les hommes de Schransky regardèrent dans un silence consterné les tonneaux apportés sur le pont et leur contenu vidé par les sabords. Ce fut ensuite le tour des peaux de phoques chassés illégalement, qui auraient valu une fortune à Canton : elles s'enfoncèrent dans les eaux sombres de la mer de Béring.

Quand ce fut fait, Sheldon Jackson se sentit libre de quitter le *Bear* pour passer sur l'*Erebus.* En le voyant arriver, accoutré de peaux de phoque, le capitaine Schransky tonna :

— Qui diable est ce petit bonhomme ?

— Celui qui nous a conduits ici, celui qui vous a repéré le premier

— Lancez-le par-dessus bord lui aussi ! gronda Schransky.

Mais Healy lui signifia alors son ultimatum :

— Regardez bien mon bateau, Schransky ! L'étrave qui a fendu votre bordage, le moteur... Une ère nouvelle vient de commencer en Alaska, Schransky. Si jamais je vous revois dans la mer de Béring, je vous rattraperai, je vous éperonnerai, et je vous enverrai par le fond avec tous vos hommes.

Inflexible dans la nuit tombante, Healy s'apprêta à donner les ordres qui feraient reculer le *Bear* du trou béant dans les flancs de l'*Erebus.* Il avait cinq centimètres de moins que l'Allemand et paraissait beaucoup plus sombre, mais il parlait avec une autorité tard venue dans sa vie, après de nombreuses défaites. Il était enfin le maître de la mer de Béring et il entendait le rester. Quand il retourna sur son bateau, il laissa Jackson à bord de l'*Erebus,* car le petit missionnaire désirait sermonner sur plus d'un point le grand capitaine blond — notamment à propos des villages détruits de l'île Saint-Laurent. Il ouvrit donc la bouche pour se mettre à prêcher, mais quand il leva les yeux vers la tête de mammouth du colosse, tellement plus grand et plus fort que lui, il préféra opter pour le silence, sauta d'un pied agile sur les bois brisés et rentra dans sa cabine sans un mot.

*
**

Ce fut le deuxième voyage de Jackson avec Healy qui fit passer les missions de simples cabanes au toit de boue au stade de véritables églises et écoles. En effet, le jour où le *Bear* quitta le goulet de Sitka, avec sa cheminée qui lançait des étincelles vers le ciel, dans tous les coins disponibles du pont s'entassaient du bois de construction, des portes préfabriquées, des solives de toit. Et le bateau des Douanes traînait à sa suite un vieux schooner bourré de bois.

Cette année-là, le *Bear* ne s'arrêta pas dans des ports faciles, comme Kodiak et Dutch Harbor, mais traversa la mer de Béring au milieu de tempêtes pour une première escale au cap Prince-de-Galles, où, depuis deux ans, deux missionnaires congrégationnistes essayaient de survivre dans une cabane creusée dans la terre. Le *Bear* jeta l'ancre le jour de la fête nationale et les deux jeunes missionnaires, surpris, virent trois chaloupes chargées de bois et de marins se détacher du navire. Les marins déchargèrent le bois de construction sur la grève mais ne s'en tinrent pas là : l'après-midi même ils entreprirent la construction d'une église et d'une école.

Vers le soir, comme pour célébrer la fête, le schooner en retard rejoignit le *Bear* avec le reste du bois et le lendemain matin, le capitaine Healy en personne se joignit au groupe de travail pendant que le Dr Jackson courait en tous sens et participait au creusement des tranchées de fondation pour les murs. Tous les hommes à bord du *Bear,* hormis le maître-coq, travaillèrent à cette église de mission et, au bout de huit jours, ils offrirent aux missionnaires émerveillés un centre à partir duquel ils pourraient évangéliser la région.

Le *Bear* continua sa tournée jusqu'à Point Hope, l'un des villages les plus isolés du monde, et les marins qui descendirent à terre pour travailler aux bâtiments de la mission firent la connaissance des moustiques d'Alaska. Ils se présentent en trois versions, chacune plus féroce que l'autre, et chaque espèce vit pendant environ trois semaines à la fin du printemps et au début de l'été : elles se succèdent, l'air de dire : « Les petits d'abord, pour faire enrager les gens, puis les moyens, et, trois semaines plus tard, les géants. » Ce sont des ennemis implacables, capables de pénétrer dans n'importe quel interstice des vêtements pour mordre avec rage. Ils peuvent rendre certains hommes fous.

— Que faites-vous quand ces trucs-là vous piquent ? demanda un marin à l'un des missionnaires isolés.

— Nous remercions le ciel qu'ils durent seulement neuf semaines.

— Je veux retourner au cap Galles et à la civilisation, gémit le marin.

Le deuxième jour à l'ancre, Healy et Jackson se rendirent à terre avec les marins et une autre église solide s'éleva bientôt à Point Hope, en dépit des moustiques. Mais ils avaient gardé le bois le plus solide pour l'escale suivante, au bout du monde : Barrow, où l'océan Arctique entasse ses glaces pendant neuf mois de l'année et où le soleil disparaît complètement pendant trois mois et presque complètement pendant cinq mois. Les marins trouvèrent là-bas un missionnaire qui tentait de réaliser dans le coin reculé de la terre la même conception de la civilisation Jackson : la marche du progrès grâce à la parole de Dieu.

L'intervention énergique du capitaine Healy permit de réserver dans un bâtiment du gouvernement un espace qui servirait d'école missionnaire à titre temporaire en attendant que les marins puissent construire un bâtiment assez solide pour résister aux rigueurs du climat de Barrow. À cette époque-là, aucun édifice ne s'élevait à plus d'un mètre ou un mètre vingt du sol. Healy et ses hommes mirent donc un soin particulier à la construction de cette mission presbytérienne qui devait supporter les outrages de l'Arctique pendant plusieurs décennies. Après onze journées de travail, ils remirent au jeune missionnaire un chef-d'œuvre d'architecture rurale : une église qui illuminerait le petit village où accostaient les baleiniers en juin — et où ils restaient bloqués par les glaces meurtrières s'ils s'attardaient trop en octobre.

Peu après avoir quitté Barrow et salué d'un coup de canon l'église neuve qui se dressait au-dessus des cabanes du village ainsi qu'un beau volcan, le *Bear* se rapprocha de la côte pour mouiller l'ancre au large du petit village balayé par le vent de Desolation Point. Les habitants se rassemblèrent sur la plage pour accueillir le capitaine qui avait toujours contribué à leur sécurité et à leur prospérité dans le passé.

Healy les salua tous. Remarquant l'absence de l'un d'eux, il demanda :

— Où est Dimitri ?

— C'est le père Dimitri à présent, répondit un des hommes. Et le voici qui vient.

Le long de la côte, au nord du village, arrivait en effet un oumiak contenant un jeune homme et une passagère. Quand l'embarcation se rapprocha, Healy reconnut l'homme : c'était le gamin qui plusieurs années auparavant avait protégé sa mère du fou Agoulaak. Âgé de vingt-trois ans, il s'était ordonné missionnaire lui-même et il occupait à Desolation la même position éminente que son père avant l'assassinat.

Quand Jackson se présenta à lui, le jeune homme lui expliqua qu'il se jugeait responsable de l'Église orthodoxe russe à laquelle appartenait son père. Et on assista alors à ce qu'on peut considérer un des exemples les plus honteux du comportement dictatorial de Jackson dans les régions reculées.

— Nous vous avons apporté une église, une vraie, annonça-t-il à Dimitri et à sa mère. Les marins en commenceront la construction dès demain, mais ce sera une église presbytérienne, il vous faudra donc devenir missionnaire presbytérien.

— Nous sommes russes, répliqua la veuve du père Fedor, mort en martyr.

Jackson balaya l'objection :

— Vous êtes américains et il n'y a pas de place pour une église russe dans notre société.

Apprenant que Dimitri, qui était pour tous le père Dimitri et que tout le monde révérait à Desolation, enseignait l'alphabet cyrillique aux enfants du village, il dit à l'équipage du *Bear* :

— La religion qu'il ne faut pas, dans la langue qu'il ne faut pas.

Aussitôt il lança une campagne implacable pour convaincre Dimitri de se convertir au presbytarianisme — et quand ceci échoua, il lança pour l'y contraindre :

— N'oubliez pas, Dimitri, que c'est aux presbytériens qu'a été accordée la responsabilité d'évangéliser cette région de l'Alaska.

Dimitri refusa d'apostasier, soutenu en cela par sa mère bien que celle-ci fût née de parents athapascans qui observaient maintenant le culte méthodiste. Jackson, de plus en plus désagréable, le menaça de lui retirer l'église et l'école que les marins finissaient de construire :

— Nous n'avons pas apporté tous ces bois de construction pour bâtir une église à des Russes. C'est une église américaine, et elle doit avoir un missionnaire américain.

Comprenant que son obstination allait probablement priver le village d'un bâtiment si nécessaire, Dimitri, consterné, consulta sa mère. Elle prit dans sa petite réserve de trésors qu'elle conservait enveloppés dans un chiffon derrière un poteau de leur case creusée dans la terre la médaille que le capitaine Healy avait remise à son fils des années auparavant :

— Il te l'a donnée parce que tu t'étais montré courageux. Montre encore ton courage : ne laisse pas ce petit bonhomme te contraindre à répudier la religion de ton père.

Sur son insistance, Dimitri attendit que le révérend Jackson soit occupé à tracer au sol le plan de l'école. Malgré ses menaces, il se préparait à la construire, persuadé que Dimitri comprendrait enfin tous les avantages dont il bénéficierait et ferait bénéficier le village s'il acceptait de se convertir. S'assurant que Jackson ne le verrait pas, Dimitri sauta dans l'oumiak dont il se servait à l'arrivée du *Bear* et gagna le bateau au mouillage. Il sollicita un entretien avec le capitaine et on le conduisit à la cabine de Healy, où il reçut un choc : d'abord le perroquet ; puis le capitaine lui-même, qui avait l'air ivre. Mais quand Healy, bon catholique, apprit ce que son ami le petit missionnaire presbytérien avait en tête — la conversion d'un bon catholique (orthodoxe) russe —, les vapeurs de l'alcool se dissipèrent aussitôt. Il sauta dans l'oumiak de Dimitri et ordonna au jeune prêtre de le conduire à terre.

Dès qu'il accosta, il s'élança sur le chantier de l'école, saisit Jackson au collet par sa veste de peau de phoque et cria :

— Sheldon, nom de Dieu, que voulez-vous faire à ce garçon ?

Il y eut une tentative confuse d'explication, une accusation d'enlèvement par Mme Afanasi accourue à la rescousse, et une gêne extrême de la part de Dimitri, qui ne désirait nullement provoquer un incident de cette amplitude.

Le débat entre Jackson et Healy continua pendant deux jours de colère. Le missionnaire prétendait que s'il fournissait le bois de construction, il avait le droit d'imposer le culte qui serait célébré dans le bâtiment ; et le capitaine répliquait que, ce bois étant arrivé sur un bateau qu'il commandait, il avait le privilège de formuler les règles de son utilisation. Malheureusement, Healy n'avait pas une connaissance assez précise du canon de l'Église orthodoxe russe. Or le deuxième jour il apprit que Dimitri était sur le point d'épouser une jeune Eskimo du village, aussi païenne que ses ancêtres, et sa résolution en fut sérieusement ébranlée. Ses frères qui occupaient des postes élevés dans ce qu'il appelait la « vraie » Église catholique ne couraient pas les jupons ; et ses sœurs religieuses ne cherchaient pas à se marier. Il se dit qu'une Église autorisant ses prêtres à prendre femme devait être franchement mauvaise.

Il se sentit néanmoins obligé de défendre n'importe quelle Église non protestante, et il le fit avec énergie. Mais c'était la première fois qu'il discutait de religion avec un cyclone comme Sheldon Jackson : quand l'église et l'école furent terminées, le petit missionnaire les consacra au culte presbytérien et le père Dimitri s'embarqua sur le *Bear* à destination de Seattle, où les presbytériens de la ville le convertiraient en révérend Afanasi, premier Eskimo Inupiat qui porterait cet illustre titre.

Mais, au cours de la traversée vers le sud, le capitaine Healy se montra si convaincant dans ses discussions avec le jeune homme et défendit l'universalité du catholicisme avec une telle ferveur, qu'il faillit persuader Dimitri de quitter le *Bear* à Kodiak pour revenir à Desolation sur un autre bateau et transformer le bâtiment neuf en église catholique. Mais la question du mariage de Dimitri se posa de nouveau et Healy, complètement saoul ce jour-là, cessa d'essayer de comprendre ce qui se passait. Jackson, qui s'y attendait, intervint aussitôt, isola Dimitri du capitaine et l'obligea à rester à bord du *Bear*, qui le conduisit à Seattle, où les bons presbytériens de la ville se chargèrent de lui.

Ce fut de cette manière que Desolation Point devint le centre actif du culte presbytérien dans le Grand Nord.

⁂

Au cours d'une des dernières patrouilles de Sheldon Jackson, le *Bear* resta en mer plus de six mois et le missionnaire remarqua que deux jeunes officiers montraient des signes d'irritation, contrariés de rester si longtemps loin de leur port d'attache et de servir sous un capitaine noir. Vers la fin de la construction de l'école du cap Prince-de-Galles, il surprit une de leurs récriminations :

— N'as-tu pas remarqué que le révérend Jackson favorise toujours les écoles presbytériennes alors qu'il devrait répartir l'argent et les matériaux de construction impartialement ? Les baptistes et les méthodistes sont condamnés à la portion congrue, mais c'est bien normal puisqu'il est presbytérien lui-même et drôlement acharné.

Quand le *Bear* accosta à Desolation Point, l'autre officier lança :

— J'aimerais bien voir les comptes des fonds de Jackson. Il a donné au jeune pasteur d'ici trois fois plus d'argent qu'ailleurs, et quand je lui en ai demandé la raison, il m'a répondu : « C'est mon église. » Qu'entendait-il par là ? Il ne me l'a pas expliqué et je n'ai pas posé la question.

Ensuite le *Bear* fit un long détour jusqu'au cap Navarin dans le but ridicule d'embarquer des rennes de Sibérie pour les acclimater en Alaska où ils nourriraient les Eskimos prêts à mourir de faim. Les officiers exprimèrent alors ouvertement leur mécontentement.

— Pourquoi faisons-nous ça ? demanda l'un d'eux.

— Pour permettre à des bonnes gens de rester en vie, répliqua le capitaine.

L'autre officier déclara :

— Si Dieu avait voulu que les Eskimos de l'Alaska se nourrissent de rennes, il leur en aurait mis de notre côté du détroit de Béring.

— Le docteur Jackson vous répondrait que nous allons réparer les oublis du Seigneur, répondit Healy sans la moindre rancœur.

Mais les jeunes officiers eurent de bonnes raisons de se plaindre. En effet quand le *Bear* revint chez les indigènes à qui ils avaient généreusement remis des cadeaux, pour les remercier de leur assistance à des naufragés américains, ceux-là même qui leur avaient promis de leur vendre des rennes pour aider les Eskimos d'Alaska refusèrent de se séparer d'un seul animal de leurs troupeaux. Les officiers, de plus en plus furieux, durent longer sur l'ordre de Healy près de deux mille kilomètres de côtes sibériennes en suppliant en vain les Asiatiques têtus de leur céder des rennes. Et ils remarquèrent que Jackson était aussi inefficace que leur capitaine pour acheter du bétail. À la fin de cette patrouille vaine, l'un des jeunes gens écrivit à son père :

Cette traversée a été un gâchis honteux du temps et de l'argent de l'État. Je commence à croire que Jackson et Healy comptent vendre les rennes pour leur compte s'ils parviennent à en obtenir. Le gouvernement des États-Unis ferait bien d'ouvrir une enquête sur ce scandale.

Malgré leurs efforts acharnés, les deux complices dans cette tentative humanitaire ne purent acquérir un seul renne au cap Navarin. Ils durent remonter vers le nord jusqu'au cap Dejnev, où la côte sibérienne tourne brusquement vers l'est et l'Amérique. Un village de la région leur céda dix-neuf têtes de leur précieux bétail, mais le même officier écrivit :

Au prix de prières véhémentes, indignes de représentants de notre grande démocratie, ils achetèrent enfin dix-neuf animaux, mais pour une somme démesurée. Toute cette affaire sent mauvais.

Au cours de la traversée de la mer houleuse des Tchouktches, trois rennes moururent, mais seize survécurent et devinrent la base d'un troupeau dans les Aléoutiennes. D'autres animaux suivraient par la suite le même chemin.

Si le capitaine Healy passa en cour martiale à son retour, ce fut en partie par sa propre faute, car après avoir débarqué les rennes, il aurait dû rentrer directement à son port d'attache de San Francisco pour accorder à son équipage épuisé une permission à terre. Mais il était tellement passionné par la mer de Béring qu'il décida de lancer une dernière reconnaissance rapide vers le nord — Jackson ferait au total trente-deux voyages différents au pays des Tchouktches. Ce fut au cours de cette sortie qu'il repéra le baleinier américain *Adam Foster* en train de chasser des phoques en haute mer. Il se dirigea vers lui à toute vapeur et, toutes voiles dehors, se rangea le long du bateau coupable et ordonna à ses hommes de monter à bord du baleinier. Une trentaine de gaillards obéirent puis Jackson et Healy sautèrent sur le bateau capturé.

Mais les chasseurs de phoques, qui comptaient gagner beaucoup d'argent s'ils parvenaient à livrer leur cargaison illégale à Hawaii ou en Chine, se défendirent âprement. Healy reçut une blessure à l'épaule gauche et une estafilade sanglante à la joue. Enragé par ce qu'il considérait comme un acte de guerre, il ordonna à ses hommes de terrasser les agresseurs. Quand ce fut fait, il se calma, mais ordonna trois représailles :

— Le rhum et la mélasse, par les sabords. Toutes les peaux à la mer. Réunissez les six meneurs et les hommes qui m'ont agressé, et à la vergue.

Jackson ne comprit pas ce que ce dernier mot impliquait, mais les jeunes officiers le savaient et l'un d'eux s'approcha du missionnaire et lui chuchota.

— Oh ! Pas ça ! Ce sont des Américains !

Il protestait ainsi, persuadé que le pasteur se rangerait de son côté contre le capitaine Healy et son comportement d'ivrogne blasphémateur. Il découvrit bientôt qu'il se trompait lourdement. Jackson n'était pas son homme ; il soutiendrait Healy.

Et, sous les yeux horrifiés des jeunes officiers, les neufs marins passèrent à la vergue : on leur ligota les poignets dans le dos puis on fixa une corde aux liens et on passa la corde sur une vergue. Ensuite, des marins du *Bear* hissèrent les coupables de sorte que la pointe de leurs orteils effleure à peine le pont. On les maintint ainsi, dans des souffrances atroces, pendant sept minutes. Puis on les laissa tomber sur le pont. Plusieurs étaient sans connaissance.

Healy s'avança vers eux et dit :

— On ne prend jamais les armes contre un bateau du gouvernement des États-Unis.

L'un des officiers murmura à Jackson :

— Mais ils n'ont pas pris les armes !

Le missionnaire, convaincu que tout délit méritait châtiment, défendit Healy :

— Les hommes punis vendaient du rhum et chassaient des femelles pleines.

À leur retour à bord du *Bear*, deux choses se produisirent. Mike Healy, agité par la douleur de ses blessures et l'émotion de l'abordage d'un navire en pleine mer, s'enivra ; et l'un des officiers s'accrocha avec Sheldon Jackson dans une discussion passionnée des événements de l'après-midi.

— Aucun capitaine n'a le droit d'arraisonner un autre bateau, de monter à son bord et de passer à la vergue neuf de ses marins.

— Le capitaine Healy a reçu l'ordre précis de le faire. Il doit mettre fin à la chasse illégale des phoques. Et punir les hommes et les bateaux qui vendent de l'alcool aux indigènes.

— Mais sûrement pas hisser des hommes à une vergue, les poignets ligotés dans le dos. Révérend Jackson, c'est inhumain !

— C'est la loi de la mer. Depuis toujours. À la place de la pendaison. Estimez-vous heureux qu'il ne leur ait pas donné la grande cale.

Consterné de voir un pasteur approuver ce comportement, l'officier lança une phrase qu'il aurait regrettée plus tard s'il avait été plus sensible :

— Vous ne parlez vraiment pas en chrétien ! Défendre un homme comme Healy...

Jackson se leva de la couchette sur laquelle il était assis, se dressa de toute sa petite taille et fixa le jeune insolent dans les yeux :

— Michael Healy dans la mer de Béring me fait songer à saint Pierre sur le lac de Tibériade. Je suis certain que le pêcheur Pierre était un marin de sac et de corde, mais le Christ l'a choisi comme apôtre et a fondé sur lui sa première Église. L'Église d'Alaska dépend des actes du capitaine Healy.

Cette comparaison parut si détestable à l'officier qu'il s'écria :

— Comment pouvez-vous dire une chose pareille d'un homme qui blasphème et s'enivre tout le temps ?

— Je suis persuadé que saint Pierre jurait et buvait aussi à bord de son bateau ! lança Jackson.

Le jeune officier quitta la cabine en claquant la porte.

Plus tard ce soir-là, quand Healy se fut plus ou moins rétabli de sa saoulerie, Jackson se rendit auprès de lui, laissa le perroquet se poser sur son épaule gauche et annonça :

— Michael, je crois que nous nous sommes fait des ennemis irréductibles de vos deux jeunes officiers. Ils ne peuvent pas comprendre pourquoi vous ne vous comportez pas comme un capitaine de roman et ils estiment que je devrais ressembler davantage aux pasteurs qu'ils ont rencontrés aux États-Unis.

— Ils sont jeunes, Sheldon. Ils n'ont jamais pourchassé l'*Erebus* d'un bout à l'autre de la mer de Béring.

— Ils croient que je devrais vous condamner parce que vous blasphémez et buvez trop.

— Je le crois moi aussi, Sheldon ! Et d'ailleurs je pense aussi que vous avez oublié vos devoirs de ministre de Dieu quand vous avez obligé le père Dimitri à devenir presbytérien pour conserver l'église que vous lui donniez.

Pour mettre fin à ces pensées lugubres, Healy claqua des doigts.

— Ils voudraient que nous soyons des dieux ! dit-il. Mais nous ne sommes que des hommes.

Les deux réprouvés discutèrent longtemps dans la nuit froide, et s'interrogèrent sur ce que les deux jeunes officiers devaient comploter.

Ils le découvrirent vite. En effet, quand le *Bear* repassa à Kodiak avec trois prisonniers embarqués aux Pribilov, les officiers envoyèrent au Bureau central des Douanes de San Francisco un télégramme qui portait des accusations graves contre leur commandant :

> *Michael Healy, capitaine du patrouilleur des douanes* Bear, *est resté constamment ivre pendant son service, sans souci de ses responsabilités ; il a à maintes reprises utilisé un langage vulgaire et insultant envers ses officiers et ses hommes ; et il s'est comporté avec une cruauté extrême à l'égard de neuf marins américains du baleinier* Adam Foster. *En tant qu'officiers sous ses ordres, nous réclamons qu'il soit déféré en cour martiale.*

Tandis que le *Bear* continuait sa patrouille au large des côtes sibériennes, l'*Adam Foster* était retourné à San Francisco et ses marins avaient fourni à la presse locale un récit épouvantable de leur confrontation avec le *Bear*, accusant le capitaine Healy d'avoir passé, sans raison valable, neuf marins américains à la vergue.

Le scandale éclata aussitôt, et une puissance plus redoutable que le capitaine de l'*Adam Foster* se lança dans la guérilla contre Mike Healy. Mme Danforth Weigle, présidente de l'Union des femmes chrétiennes en faveur de la tempérance dans la région de San Francisco, recherchait depuis quelque temps une affaire exemplaire de capitaine de bateau qui insultait ses hommes sous l'influence de l'alcool. Dès qu'elle lut les articles fleuris sur le comportement de Mike Healy, elle déposa une plainte en bonne et due forme contre lui, appuyée par tout son comité : elle réclama qu'il soit rappelé au port, jugé en cour martiale et chassé de son poste. Aussitôt, tous les envieux trouvèrent que ce marin nègre se prenait vraiment pour plus qu'il n'était, et s'unirent pour exiger son passage en justice et son renvoi.

S'inclinant devant les protestations du public, et notamment les pressions exercées par la Ligue de tempérance, les supérieurs de Healy lui câblèrent à Kodiak de rentrer aussitôt à San Francisco pour se défendre en cour martiale des accusations lancées contre lui : ivresse pendant le service, comportement grossier et abusif envers ses subordonnés et, dans le cas des neuf marins américains, application de châtiments cruels depuis longtemps bannis dans les marines des pays civilisés.

Il avait quitté Kodiak longtemps avant l'arrivée du télégramme et il passa l'été à sillonner les confins des mers septentrionales. À la fin de la saison, comme il rentrait vers le sud il apprit les dépositions qui l'incriminaient et en discuta avec le révérend Jackson.

— Ils ont l'intention de me couler, Sheldon. Le capitaine de l'*Adam Foster* qui dépose une plainte ! J'aurais dû le faire pendre à sa vergue.

Ce fut Jackson qui devina la véritable nature du danger que représentait ce passage en cour martiale.

— Les femmes, Michael. De tous vos ennemis, ce seront les plus puissants. Je vous le dis par expérience : les femmes décident toujours en dernier ressort.

— Est-ce que je peux compter sur votre appui ?

— Sans réserve. Mais je suis inquiet.

— Vous viendrez à San Francisco ? Déposer en ma faveur ?

— Vous êtes le meilleur capitaine qui ait jamais navigué dans la mer de Béring, Russe ou Américain.

— James Cook est venu par ici lui aussi, vous savez.

— Je n'avais pas inclus les Anglais.

Ils convinrent donc de faire bloc contre les forces considérables liguées pour perdre Healy, mais jamais Jackson n'eut l'occasion de fournir le témoignage qu'il avait promis. En effet, quand le *Bear* relâcha à Sitka, l'indomptable petit missionnaire dut affronter lui aussi une sorte de cour martiale; Washington avait envoyé dans l'île un contrôleur spécial, doté des pleins pouvoirs, pour enquêter sur les nombreuses accusations de malversations lancées contre lui. On ne le jeta pas en prison cette fois-là, mais il ne pourrait pas se rendre à San Francisco pour témoigner en faveur de son ami, car il devait sauver son propre cou.

Le passage de Michael Healy en cour martiale fut particulièrement lamentable. Cinq officiers supérieurs des forces armées du pays siégèrent en jugement d'un héros populaire aigri, et les mêmes journaux qui avaient monté sa réputation en épingle en le présentant comme le sauveur du Grand Nord parurent se complaire à l'humilier en le traitant de tyran, de brute, de salopard mal embouché et d'ivrogne. Cette attitude, d'ailleurs, se comprend un peu, car dès le premier jour du procès, les preuves contre le marin parurent irréfutables. Des jeunes marins à l'allure impeccable déposèrent l'un après l'autre : alors qu'ils n'avaient rien fait de mal, « simplement essayé de défendre notre bateau, comme vous auriez fait vous-mêmes, il est monté à bord, il nous a insultés et fait passer à la vergue ». Ils expliquèrent avec force détails horribles le sens de cette expression, et l'un d'eux montra à la cour les cicatrices qu'il gardait de cette épreuve de sept minutes : les liens lui avaient déchiré la peau des poignets. Des traces que rien n'effacerait.

Ensuite, Mme Danforth Weigle enfonça les clous dans le cercueil de Michael Healy. Elle rêvait depuis longtemps de ce procès qui marquerait le triomphe de sa Ligue de tempérance, dans la lutte pour la suppression de l'alcool à bord des bateaux. Femme de belle allure, à la voix grave et cultivée, ce n'était pas du tout une de ces viragos toujours en croisade. Son témoignage bref et précis fit beaucoup d'effet.

— Les marins américains sont depuis trop longtemps les victimes de brutes ivrognes qui tyrannisent leurs hommes dès qu'ils quittent le port et échappent à la juridiction des tribunaux. Aucun cas plus sauvage que celui du capitaine Michael Healy n'a été porté à notre connaissance, et nous demandons qu'il soit jeté en prison pour ses crimes et renvoyé de son poste dans l'administration des États-Unis.

Elle demanda que l'on entende comme témoins les membres de son comité spécialisés dans les aspects juridiques du problème, et ces dames finirent d'exécuter l'officier de marine noir. Quand l'accusation en eut terminé, la plupart des observateurs dans la salle d'audience bondée supposèrent que le sort de Healy était réglé. Les articles publiés dans les journaux ressemblaient à des notices nécrologiques et déploraient la fin lamentable d'une carrière qui avait eu ses moments de noblesse, notamment quand le *Bear*, au cours de plusieurs missions de sauvetage, avait sauvé de nombreux marins dont les bateaux étaient bloqués dans la banquise.

Mais les traditions de la mer ont la vie dure, et quand le procureur eut fini, commença un étrange défilé de marins ordinaires, qui vinrent témoigner spontanément en faveur d'un capitaine à qui ils devaient la vie. De jeunes officiers qui avaient servi sous ses ordres racontèrent que sa volonté indomptable avait sauvé plusieurs fois le *Bear* alors que la banquise semblait prête à l'écraser. Un représentant de l'empire russe déclara à la cour que les officiers responsables de Petropavlovsk considéraient Mike Healy et le *Bear* comme leur bras droit le long de la côte sibérienne et il y eut un instant d'émotion dramatique quand un naufragé de Point Hope monta à la barre.

— Nous avons perdu notre bateau en octobre, quand la glace est venue soudain. Neuf d'entre nous ont pu gagner la côte. Le reste est par le fond.

— Avez-vous pu emporter à terre des provisions du bateau ?

— Pas beaucoup.

— Combien de temps êtes-vous restés bloqués ?

— Jusqu'en juin de l'année suivante.

— Comment avez-vous survécu ?

— Nous avons construit des abris contre le vent. Avec du bois d'épave.

— Je veux dire : qu'avez-vous mangé ?

— Nous avons tué deux caribous. Nous nous sommes rationnés. Nous avons mangé la couenne du lard. Tout.

Il se tut, se détourna des juges et chercha des yeux son sauveur, Michael Healy.

— Ensuite, il est arrivé avec le *Bear*.

— Continuez.

D'une voix très basse, qui ne parvint pas jusqu'au fond de la salle, il dit :

— Il a compris aussitôt. En avril et en mai il n'y a pas de caribous, et nous n'avions plus de provisions. Il a compris que nous avions été obligés de manger les cadavres de nos morts.

Ces derniers mots se perdirent dans un murmure, et la cour demanda au marin de les répéter, mais un homme du premier rang dit à voix haute :

— Des cannibales !

Et toute la salle réagit. Quand l'ordre fut rétabli, le marin poursuivit :

— Le capitaine Healy savait ce que nous avions fait... ce que nous avions été forcés de faire... et il nous a pris sous son aile comme si nous étions ses enfants. Pas de sermon, pas de morale. Je me rappelle exactement ses paroles : « Nous sommes tous des hommes de la mer. Nous creusons un sillon difficile. »

La salle garda le silence pendant que le marin se retirait, et à la fin des dépositions de la défense, le tribunal semblait beaucoup moins certain de la culpabilité de Healy que la veille. Sans doute la cour l'aurait-elle cependant reconnu coupable, au moins sur plusieurs chefs d'accusation, si un incident n'était pas venu troubler les débats.

À l'arrière de la foule, un des officiers de police cria soudain :

— Vous ne pouvez pas entrer là !

Et une voix rauque répliqua :

— Essayez de nous en empêcher.

Un colosse d'un mètre quatre-vingt-treize, dont la tête s'ornait d'une énorme masse de poils couleur de neige — cheveux et barbe — pénétra dans la salle d'audience, suivi par deux officiers et un simple matelot.

— Pour qui vous prenez-vous donc ? lança le président de la cour martiale.

— Capitaine Emil Schransky, de l'*Erebus,* New Bedford, répondit l'intrus.

Comme des questions de marine étaient en jugement, il sollicitait l'autorisation de témoigner.

— Votre témoignage sera-t-il en relation directe avec l'affaire ? demanda l'officier qui présidait.

— Absolument.

On lui permit de venir à la barre. Sans même un regard pour son vieil ennemi, il commença, d'une voix contenue :

— S'il y a dans la salle un journaliste de San Francisco, il pourra vérifier que depuis plus de dix ans, Mike Healy, l'accusé, et moi, nous nous sommes affrontés d'un bout à l'autre de la mer de Béring. Il était pour les Eskimos ; moi, je m'en fichais. Il était contre la chasse des phoques en haute mer ; moi, c'était ma mine d'or. Il combattait tous ceux qui apportaient du rhum et de la mélasse aux Eskimos ; moi, non. Pendant des années je lui ai fait la nique, parce que j'avais un meilleur bateau. Puis on lui a confié le *Bear* avec sa machine à vapeur, et il m'a battu. Il a failli me couler. Il m'a menacé de mort si je revenais trafiquer sur sa mer. Je me suis dit : « Schransky, quand tu avais le meilleur bateau, tu as fait ce qu'il te plaisait. À présent, il a le meilleur bateau et il fera ce qu'il lui plaira. »

— Ensuite ?

— Je me suis dit : « Laissons-le régenter la mer de Béring à sa guise. Le Pacifique est grand. » Je suis parti.

— Pourquoi vous êtes-vous présenté ici aujourd'hui ?

— Parce que nous avons lu, mes hommes et moi, ce que vous étiez en train de faire à Mike Healy. Nous avons lu les jérémiades des hommes de l'*Adam Foster*. L'*Adam Foster* ! un bateau lamentable. Vraiment, un bateau comme ça n'a pas le droit de porter des accusations contre qui que ce soit. Mes hommes ne perdraient même pas le temps de cracher sur l'*Adam Foster*.

Les trois marins qui l'accompagnaient acquiescèrent.

— Quant à ces bonnes femmes qui l'accusent de boire... Qu'a-t-il fait lorsqu'il a arraisonné l'*Erebus* ? Il a vidé tout notre rhum et notre mélasse par les sabords. Demandez donc à l'*Adam Foster* ce qu'il a fait quand il les a capturés. Je parie qu'il a commencé par jeter leur rhum à la mer. Healy a tout fait pour protéger les Eskimos de l'alcool.

Et il termina sa déposition par une déclaration surprenante.

— Je me suis battu contre Healy pendant dix ans, et j'avais toujours un meilleur bateau que lui. Mais il m'attaquait sans cesse avec une fureur de tigre, parce qu'il représente les meilleures traditions de la mer. Même un bateau remarquable comme le *Bear* ne serait bon à rien sans un commandant comme Healy. Ce maudit Nègre au perroquet m'a chassé des mers arctiques, et il fallait avoir de sacrées qualités pour y parvenir. Si nous nous retrouvions face à face en mer nous lutterions de nouveau, et l'homme au meilleur bateau gagnerait.

De la barre des témoins, il salua son ennemi de longue date, puis se retira au fond de la salle, suivi par ses hommes.

Les juges quittèrent la salle, puis revinrent après la plus brève délibération possible pour rendre leur verdict :

— Les citoyens qui ont lancé des accusations contre le capitaine Michael Healy ne l'ont pas fait à la légère. Ses actes leur ont semblé regrettables. Mais la mer est gouvernée par de nobles traditions accumulées pendant des siècles grâce aux expériences de nombreux pays. Si ces lois de la mer ne sont pas imposées par des capitaines comme Michael Healy, aucun bateau ne pourra naviguer en sécurité. Cette cour le déclare non coupable sur tous les chefs d'accusation.

Le public, aux deux tiers en faveur d'une condamnation, le reste pour l'acquittement, lança des protestations et des vivats. Emil Schransky se leva de son banc, poussa un cri sauvage et salua Healy de nouveau.

Quand l'ordre fut rétabli, la cour continua la lecture de son verdict :

— Mais comme même le capitaine le plus compétent ne doit pas se livrer impunément à l'intempérance en mer ou à un langage insultant envers ses subordonnés, ce tribunal doit tenir compte qu'à trois reprises dans le passé le capitaine Healy a reçu de sévères réprimandes pour ébriété et mauvaise conduite — en 1872, en 1888 et en 1890. Nous recommandons qu'il soit privé de commandement pour une période de deux ans.

Mais sa vie turbulente continua. En 1900, au cours du voyage où il reprit son commandement, il évita de passer de nouveau en cour martiale pour insultes à l'égard d'une passagère, uniquement parce que ses protecteurs le firent déclarer « atteint de démence temporaire ». Et en 1903, au terme de sa dernière traversée, il fut de nouveau réprimandé pour « langage indécent, indigne d'un officier, en présence de ses officiers et de son équipage ». Impénitent, il s'installa à terre, où il mourut l'année suivante.

⁂

À Sitka, l'opposition à Sheldon Jackson déterra de vieilles accusations contre lui, mais formulées par de nouveaux citoyens, beaucoup plus efficaces. À mesure que la population de l'Alaska s'accroissait, le nombre des mineurs, des hommes d'affaires et des tenanciers de bar augmentait en proportion, et ces groupes s'étaient toujours montrés violemment anti-Jackson. Comme leurs porte-parole étaient maintenant plus cultivés, ils parvinrent à faire de lui le portrait d'un dictateur sinistre.

— Il donne des leçons de conduite à tout le monde mais ce n'est qu'un tyran impie, sans le moindre sentiment chrétien.

Il eut également un nouveau corps d'ennemis : les membres de l'Église orthodoxe russe, prêts à prendre les armes contre le petit missionnaire, s'il déclarait la guerre à leur culte et à leur langue — il ne s'en privait pas. Enfin on entendit une voix nouvelle, et d'autant plus convaincante :

— Si le révérend Jackson passe six mois de l'année à Washington pour ses affaires personnelles et les six autres mois en mer avec son acolyte ivrogne sur le *Bear*, combien de temps lui reste-t-il pour remplir ses devoirs en Alaska ?

Devant toutes ces protestations, Jackson semblait en mauvaise posture, mais l'enquêteur n'était pas un imbécile, et avant de passer aux conclusions, il sollicita un entretien discret avec Carl Caldwell, devenu juge à part entière à la cour d'Alaska.

— Tout ce que ses ennemis disent de Jackson est exact, lui confia Caldwell. Mais ses ennemis disent la même chose de moi, et si vous vous installiez ici, ils vous asséneraient les mêmes accusations. Personne ne peut rester neutre quand il s'agit de Jackson. Très souvent il m'agace, et je suis certain qu'il vous irriterait vous aussi. Mais étant donné la nature même de ses ennemis, vous devez conclure qu'il constitue une des forces les plus positives de l'Alaska. Il représente l'avenir.

De même que la cour martiale de San Francisco, l'homme envoyé par le gouvernement à Sitka commença par concéder que les accusations contre Jackson avaient été lancées de bonne foi. Tout homme aurait eu de nombreuses raisons de détester ce petit bonhomme toujours en train de s'agiter. Mais comme Mike Healy, il était nécessaire à l'équilibre de la société. Le verdict fut donc : « Toutes accusations abandonnées avec préjudice », ce qui signifiait, comme l'expliqua Caldwell :

— On ne pourra pas les lancer de nouveau contre lui.

Mais bien entendu, cela s'appliquait seulement à l'Alaska, car au retour de Jackson à Washington, des membres de sa propre Église conspirèrent contre lui, l'accusèrent de détournement de fonds, de désobéissance aux ordres et d'arrogance dans l'exercice de ses efforts missionnaires. Ses défenseurs firent observer qu'au moment où d'autres se prélassaient dans des bureaux au milieu des douceurs de l'administration, il se trouvait en première ligne, les manches retroussées, en train de gagner des âmes à Dieu. Des femmes loyales, pour rappeler au public ses réalisations étonnantes, publièrent une petite brochure qui résumait sa carrière :

> *Il s'est consacré sans relâche à l'œuvre de Dieu, du Colorado à l'Arizona, au Montana et à l'Alaska en revenant chaque année à Washington pour informer le Congrès. Il a parcouru presque deux millions de kilomètres par tous les moyens de transport connus, et notamment à pied. Il a organisé à partir de rien plus de soixante-dix congrégations, pour lesquelles il a construit de ses mains plus de quarante églises. Il lui est souvent arrivé de prendre la parole quatre ou cinq fois par jour, au total plusieurs millions de sermons et allocutions. Les organisations religieuses qu'il a lancées ont recueilli pour les œuvres missionnaires et autres activités charitables la somme totale de 20 364 475 dollars, car il se consacrait inlassablement à l'œuvre de Dieu. Nous ne reverrons pas de sitôt son pareil.*

Mais peut-être le portrait le plus fidèle de ce petit homme agressif qui se fit toute sa vie des amis et des ennemis en proportion égale, se révéla-t-il au cours de sa bataille contre le ministère des Postes, dont il était un fonctionnaire salarié. Puisque le Grand Pays était désormais américain, Jackson estimait que ses villages devaient porter de respectables noms américains. Et comme il avait le droit de choisir ces noms, il s'attacha à honorer les presbytériens qui avaient contribué à civiliser le nouveau territoire. Ainsi, il abandonna de beaux noms eskimos et tlingits pour les remplacer par Young, Hill, Rankin, Gould, Willard et surtout Norcross et Voorhees, tous bons presbytériens et les deux derniers membres de sa famille qu'il désirait couvrir d'honneur. Par un de ces changements de nom révélateurs, il se débarrassa de Chilkoot, attaché à un beau village à l'ouest de Skagway, et lui substitua Haines, nom de la présidente du Comité des femmes presbytériennes, qui n'avait jamais vu l'Alaska mais avait contribué généreusement aux œuvres de Jackson. Mais sa principale décision fut d'abandonner le vieux nom historique tlingit de Howkan en faveur de son propre nom : Jackson.

Cela provoqua des tempêtes, car les résidents n'avaient aucune envie de perdre leur histoire. Mais Jackson se montra intraitable et remua ciel et terre pour que Washington ne tienne aucun compte des protestations locales et conserve le nouveau nom, qui lui faisait honneur. Quand les démocrates prirent le pouvoir sous Grover Cleveland, le ministère des Postes rétablit le nom ancien, mais avec l'orthographe Howcan. Jackson, dans un accès d'humeur qui montrait qu'il n'avait ni honte ni sens du ridicule, inonda Washington de requêtes pour que Howcan reprenne son nom « authentique » de Jackson. Ce fut sans effet, mais dès que les républicains revinrent au pouvoir, il adressa une lettre cinglante à John Wanamaker, le nouveau directeur général des Postes, de religion presbytérienne.

> *Avec le retour des républicains au gouvernement, nous comptons bien recevoir une juste attention... Au cours de l'administration Cleveland, les démocrates reprirent le nom d'Howkan pour me faire insulte. Avec notre victoire républicaine, la ville est redevenue Jackson. J'apprends maintenant qu'il existe un mouvement local en faveur du retour à Howkan. Je vous serais obligé de signifier à l'employé chargé de ces propositions que vous désirez conserver Jackson.*

Mais ses ennemis l'emportèrent, et changèrent de nouveau Jackson en Howcan, avec l'orthographe fautive.

***

Les deux géants de l'Alaska, Michael Healy et Sheldon Jackson, ne sont pas sans rappeler les deux autres géants du passé : Vitus Béring et Alexandre Baranov, le premier était un marin expérimenté capable d'imposer sa volonté sur les océans du Nord. Et le second, insignifiant d'allure et même comique, faisait preuve d'une détermination colossale pour aller de l'avant en dépit de toutes les oppositions. Chacun laissa sur l'Alaska une marque indélébile, notamment le petit Baranov, en apparence moins important ; mais la plus grande similarité entre ces explorateurs et rêveurs, c'est qu'ils avaient tous les quatre un défaut majeur. Ce ne furent pas des conquérants sublimes à la manière d'Alexandre le Grand, ni des bâtisseurs de continents comme Charlemagne. Mais des hommes ordinaires, qui buvaient trop, se montraient ridiculement vaniteux, commençaient des choses qu'ils ne finissaient jamais, ou faisaient l'objet des railleries de leurs collègues. Tous les quatre subirent des tracasseries officielles, des enquêtes judiciaires ou les réprimandes d'une cour martiale. Tous les quatre finirent leur vie dans une sorte de disgrâce.

L'Alaska n'engendra pas des surhommes, mais au cours de sa période de formation, il fut servi par des personnages de caractère et de détermination.

Heureux pays qui bénéficia d'hommes de cette trempe.

8

L'OR

Les conditions cataclysmiques qui ont fait surgir le décor grandiose de l'Alaska ont commencé il y a au moins cent vingt millions d'années, mais les événements qui ont donné naissance à l'épisode le plus dramatique de l'histoire d'Alaska avaient débuté encore plus tôt.

Il y a environ dix-huit milliards d'années, dans la mesure où la science peut déterminer cette date en interprétant les signes qui demeurent, se produisit une explosion d'une ampleur indescriptible, et ce qui avait été auparavant un vide fut occupé par de gigantesques nuages de poussière cosmique. Des hommes différents, possédant des intuitions ou des états d'esprit différents, ont décrit de façon différente ce commencement du commencement, mais, quelle qu'en fût la cause, cet événement semble avoir mis notre univers en rotation ; tout ce qui s'est produit ensuite a découlé de sa complexité et de sa violence fantastiques.

Nous ne sommes pas en mesure de proposer une hypothèse raisonnable sur ce qui est arrivé à la majeure partie de la poussière mise en mouvement, mais, il y a environ neuf milliards d'années, une petite portion — d'une étendue colossale, mais seulement une fraction de l'ensemble — commença à se regrouper en ce qui deviendrait finalement la galaxie dont nous faisons partie. Dans cette galaxie devaient se former environ deux cents milliards d'étoiles, celle que nous voyons se lever chaque matin, le soleil, étant l'une des plus petites. Ne nous montrons pas trop fiers de notre galaxie, si merveilleuse qu'elle soit, car il y en a plus d'un milliard comme elle ; et très souvent les autres la dépassent par leurs dimensions et le nombre de leurs étoiles.

Il y a environ six milliards d'années, une immense agglomération de poussière cosmique au sein de notre galaxie commença d'adopter la forme d'un énorme tourbillon, ressemblant beaucoup à ceux que nous pourrions voir le soir avec un bon télescope, car tous les processus évoqués ici se sont répétés dans d'autres parties de l'univers. De cette masse tourbillonnante de particules cosmiques une étoile est issue, avec autour d'elle les neuf ou dix planètes qui devaient former notre système solaire. Notre soleil est donc probablement âgé de six milliards d'années, avec certaines planètes légèrement plus jeunes.

Désormais, les chiffres deviennent plus précis. Il y a environ quatre milliards et demi d'années que la poussière cosmique associée à ce qui se passait dans le soleil commença à s'agglomérer dans ce qui deviendrait finalement notre Terre. Et pendant le premier milliard d'années de son existence, la Terre ne fut, semble-t-il, qu'un chaudron bouillonnant dans lequel avaient lieu de violentes modifications physiques et chimiques.

Composé principalement d'hydrogène et d'hélium au début, l'intérieur de la Terre accumula une telle chaleur et une telle pression que des réactions nucléaires se produisirent. Ces réactions donnèrent naissance à plus de cent éléments distincts avec lesquels la planète devait se construire. Le fer, un des principaux éléments, se concentra dans le noyau central parce qu'il était plus lourd que la plupart ; en partie fondu et en partie solide, il exercerait la force unifiante qui a maintenu la Terre sous sa forme, il déterminerait l'essentiel de ses mouvements, établirait les pôles magnétiques et conférerait à l'ensemble sa stabilité. Mêlé à de vastes quantités de nickel, ce noyau central de fer a contribué de nombreuses manières au fonctionnement continu de la Terre.

Au centre, dans une chaleur inconcevable, sous des pressions inconnues à la surface et engendrées par des réactions nucléaires, se trouvent les composantes semi-liquides de la Terre telle que nous la connaissons : des corps simples essentiels aussi divers que le plomb, le soufre, l'azote et l'arsenic naquirent, chacun avec son poids atomique particulier et avec sa position unique, préétablie parmi ses voisins.

L'un de ces éléments, le numéro 79 du tableau, au poids atomique de 196,9 — ce qui le rend particulièrement lourd — était un métal de couleur claire et d'aspect engageant, doté d'un ensemble de propriétés étranges. L'or, peu abondant dans la masse de la Terre, avait une densité dix-neuf fois plus forte que celle de l'eau, de sorte que si l'un des grands océans s'était composé d'or et non d'eau, le système se serait complètement effondré sous le poids.

La caractéristique la plus surprenante de l'or était son refus de réagir avec les autres éléments, comme s'il s'obstinait à demeurer lui-même. À cet égard, il différait infiniment de l'élément carbone, capable de former des relations avec presque toutes les substances au contact desquelles il se trouvait placé. Le carbone a formé plus de quatre cent mille corps composés différents ; l'or presque aucun. En outre, le carbone s'est métamorphosé en une chaîne presque sans fin de produits utiles ou intéressants : pétrole, houille, anthracite, lignite graphite et calcaire. Il possédait aussi la propriété remarquable de se restructurer assez tard dans la vie de la Terre, si bien que des conditions générales modifiées ont engendré des formes modifiées. Par exemple le diamant, une des manifestations le plus spectaculaires du carbone, n'a vu le jour que relativement tard, quand une combinaison de matière élémentaire, de chaleur et de pression a transformé le carbone en une pierre littéralement éblouissante.

L'or, en revanche, naquit or et le resta, en dépit de la chaleur et des réactions atomiques, malgré l'invitation constante des autres métaux à s'associer en de nouvelles combinaisons exotiques. L'or eut tendance à s'associer aux éléments lourds parents du fer, mais il montra aussi une légère affinité pour le soufre. Il lui arriva parfois de se combiner avec un minerai rare, le tellurium, mais il refusa de le faire avec l'oxygène, comme la plupart des autres métaux. Il n'y aurait jamais d'oxyde d'or. L'or ne rouille pas.

À cause de son isolement, l'or devint un métal « noble » — adjectif également appliqué aux gaz rares qui refusent de se combiner avec d'autres gaz. Il n'est pas question de lignage, de belle apparence ou de valeur. Un métal ou un gaz sont « nobles » quand ils demeurent purs, ont une grande constance et de faibles tendances à s'unir avec d'autres éléments. En ce sens, l'or est certainement un métal noble.

Il est remonté de son chaudron d'origine en suivant des fissures des formations rocheuses, en se déposant ici et là sous des formes arbitraires et diverses. Parfois, comme tout autre liquide sous pression, il trouvait une crevasse commode, s'étalait en largeur et se déposait à plusieurs niveaux, jamais en grandes concentrations comme le plomb ou le soufre, mais dans des endroits si éloignés l'un de l'autre qu'aucune raison logique ne saurait expliquer leur emplacement.

Quand l'homme est parvenu à explorer presque toute la surface de la Terre, il a trouvé des dépôts d'or en des endroits aussi divers que l'Australie, la Californie, l'Afrique du Sud, et sur les rives d'un torrent banal, enfoui sous les neiges, près de la frontière entre le Canada et l'Alaska, au niveau du cercle polaire.

On peut trouver de l'or de deux façons très différentes. Comme les autres éléments métalliques, par exemple le cuivre et le plomb, l'or s'est déposé au-dessous de la surface en grandes concentrations, il y a des millions d'années. Cet or sera extrait à la mine — des mines de métal existent depuis quatre mille ans, et il n'y a pour ainsi dire aucune différence entre une mine d'or et une mine d'autre métal. On creuse un puits profond ; on étaie les parois avec des bois, et on ouvre des galeries latérales pour explorer les filons.

Que trouve-t-on dans une mine d'or souterraine ? Aucune concentration du métal noble, attendant d'être extrait et remonté à la surface. En général, il s'agit de blocs de quartz contenant des pellicules d'or si minuscules qu'un œil non exercé aurait du mal à les reconnaître. Un morceau de quartz dont la brisure montrerait des traces d'or de la grosseur d'une pointe d'épingle — non d'une tête d'épingle — et si écartés qu'il faudrait y regarder à deux fois pour les remarquer, constituerait une trouvaille d'une valeur fantastique.

Ces roches, arrachées à leurs gisements souterrains et remontées à la surface, seront broyées et tamisées à l'eau. C'est là que le poids de l'or devient important, parce qu'il tombe inévitablement au fond, où il sera retenu par des rifles alors que le quartz, apparemment plus lourd mais en réalité plus léger, sera emporté par l'eau. Miner de l'or de cette manière exige du courage pour s'enfoncer dans la terre, de la dynamite pour faire sauter le quartz, et un courant d'eau constant pour tamiser le mélange broyé.

La deuxième manière de trouver de l'or est beaucoup plus passionnante. Pendant des millions d'années, la croûte supérieure de la Terre s'est soulevée, s'est tordue, est retombée ; des veines de rocher contenant des traces infimes d'or ont été exposées aux éléments et l'érosion a fait son œuvre. Des hivers glacés ont fracturé le quartz ; l'infiltration constante de l'eau a détruit la roche ; le gravier du lit des torrents rapides a agi comme du papier de verre sur du bois ; et les éruptions volcaniques ont craché à la surface de nouveaux dépôts soumis aux intempéries.

Quand les particules d'or se trouvent soudain libérées, leur poids détermine leur sort. Pendant quelque temps, elles suivent le mouvement du torrent qui les emporte, puis elles tombent irrésistiblement au fond du lit, où elles ne bougent plus ; des forces hydrodynamiques précises déterminent les endroits où elles s'accumuleront. Si le torrent descend une pente, elles ont tendance à chercher un petit coin tranquille pour échapper aux turbulences. Dans un ruisseau calme qui méandre en terrain presque plat, l'or tombera dans une courbe où la vitesse relative de l'eau ralentit. Mais toutes les particules d'or se poseront quelque part.

Trouver cet or de surface s'appelle miner en *placer*. L'image classique du mineur d'or alluvial est celle d'un barbu avec une espèce de cuvette à la main, sur le bord d'un ruisseau, en train de secouer quelques poignées de gravier pour voir s'il contient des particules d'or. Ensuite il construira le « débourbeur », sorte d'auge dans laquelle il devra verser des quantités d'eau pour laver le gravier. Pour trouver l'or enfermé dans le quartz, il faut creuser très profond dans la terre, trouver l'or de *placer* ne demande parfois que de creuser soixante centimètres et de passer à l'eau une mince couche de gravier ou de sable, au lieu de tonnes de rocher.

Au cours des siècles, les chercheurs d'or ont mis au point une douzaine de règles pratiques pour les aider à déterminer où se cache l'or de *placer*. Tous ceux qui ont hanté les terrains aurifères deviennent d'une habileté démoniaque. Sur un nouvel emplacement, des hommes ayant pratiqué les mines d'Australie, de Californie ou d'Afrique du Sud trouveront de l'or, alors que des amateurs de l'Idaho, de Londres et de Chicago ne verront absolument rien.

Trois règles pratiques ont toujours triomphé. Les premiers hommes compétents parvenus sur un nouveau gisement choisissent toujours les meilleurs endroits. Ceux qui arrivent ensuite trouvent peu de chose ou rien. Néanmoins, la deuxième règle suffit à entretenir les espoirs du grand public — parce qu'il est arrivé qu'un prospecteur chanceux ne connaissant rien à l'or tombe sur des signes favorables et gagne une fortune par pur hasard. Cela n'arrive pas souvent, mais cela s'est vu.

La troisième règle, rarement comprise, explique pourtant certaines grandes découvertes. En cherchant l'or de *placer*, on suit le lit des torrents et des rivières parce que seule l'eau vive a la capacité de constituer un *placer*. Mais comme l'or a été déposé il y a des millions d'années et que le lit d'un cours d'eau se déplace — même au cours de la brève vie d'un homme —, le prospecteur doit étudier non pas le petit torrent existant aujourd'hui, mais le grand fleuve d'il y a mille ans, ou cent mille ans, ou un million d'années. Peut-être qu'en 1896, dans le bassin du Yukon et de ses affluents, l'endroit où chercher de l'or n'était-il pas sur les rives du Klondike, torrent magique au nom magique, mais dans des massifs de centaines de mètres d'altitude, où un fleuve important avait déposé son or trois cent mille ans plus tôt.

Au cours de l'été 1896, un prospecteur américain au bout de son rouleau et à la réputation incertaine en raison de sa propension au mensonge, George Washington Carmack, fit la connaissance d'un Écossais né au Canada, austère et bien élevé. Robert Henderson aurait pu prétendre au titre de *gentleman* s'il l'avait souhaité, car son comportement était toujours très strict et son attitude en affaires d'une droiture absolue. N'avait-il aucune faiblesse ? C'était un snob invétéré.

Ils formaient à eux deux une association solide mais inattendue ; chacun était prêt à travailler dur et à subir des privations pour chercher de l'or, mais il y avait entre eux une différence qui jetait une ombre sur le reste. Carmack était un « squaw-man », marié légalement à une Indienne dont les deux frères très paresseux, Shookum Jim et Tagish Charley, l'aidaient parfois dans ses prospections. Henderson ne le supportait pas. Il était tenu par l'honneur de partager les renseignements et tous les bénéfices éventuels avec Carmack, bien que George-le-Menteur (comme on l'appelait) eût une épouse Indienne, mais il ne tolérait pas les deux beaux-frères. Donc, quand Henderson annonça qu'il avait fait une découverte sur un petit affluent du Thron-diuck, qui se jetait lui-même dans le Yukon, Carmack et ses deux Indiens franchirent les montagnes pour l'aider à exploiter sa découverte et partager les bénéfices. Mais Henderson rendit la vie si impossible aux Indiens, en refusant de leur vendre du tabac, que Carmack décida d'abandonner sa part de la concession et de prospecter seul.

Les trois hommes laissèrent Henderson à son gisement modeste, gravirent les hauteurs de l'ouest et se mirent au travail sur Rabbit Creek, affluent insignifiant du Thron-diuck. L'après-midi du 17 août 1896, en enlevant le gravier de leur tamis, ils découvrirent au fond de la poussière d'or et des pépites pour une valeur de quatre dollars. Comme un tamis contenant dix *cents* d'or était considéré comme une découverte remarquable, Carmack et ses beaux-frères comprirent qu'ils étaient tombés sur une fortune. D'autres essais faits à la hâte confirmèrent la moyenne surprenante de quatre dollars le tamis.

Au comble de l'excitation, Carmack se rappela qu'il avait deux obligations, l'une morale, l'autre légale. Moralement, il devait signaler sa découverte à son associé Henderson, mais la façon dont ce dernier avait traité les deux Indiens l'avait tellement irrité qu'il resta de son côté de la montagne. Henderson, ignorant ce qui s'était passé, ne fut pas en mesure de partager.

Il n'était pas possible d'esquiver l'obligation légale. Quand un mineur trouvait de l'or, il lui fallait faire deux choses : réclamer une concession dans les règles auprès des services officiels, et informer aussitôt les autres mineurs de la situation de sa découverte et de sa richesse probable, pour qu'ils puissent réclamer eux aussi des concessions. Carmack confia aux Indiens la garde de ses droits et descendit le Yukon jusqu'à la vieille ville minière de Fortymile, sur la rive gauche du fleuve. Là, il réclama le titre de ce qui serait connu plus tard sous le nom de *Discovery Claim* (la concession de la découverte), cent soixante-dix mètres le long du Rabbit Creek, s'étendant sur toute la largeur de la vallée jusqu'aux premières crêtes.

Ses obligations légales remplies, il s'en fut au *saloon*, où il annonça à tue-tête :

— Le plus gros coup qui soit !

Il réclama aussi des concessions sur trois autres sites de cent soixante-dix mètres de côté. La première en amont de *Discovery Claim* et les deux autres en aval. Carmack, en tant que principal prospecteur, avait droit à *Discovery* et à la première en aval. Il réclama les deux autres aux noms de Shookum Jim et de Tagish Charley. Les intérêts de Henderson ne furent pas protégés.

Les habitants de la petite ville, habitués aux mensonges de Carmack, refusèrent de croire à sa découverte. Mais quand il sortit de sa poche la douille vide dans laquelle il conservait ses plus grosses pépites, quand il les posa sur la balance du fondeur d'or, tout le monde écarquilla les yeux. Prospecteurs depuis longtemps dans la région — car on y signalait des dépôts d'or en faible quantité depuis une douzaine d'années —, ils connaissaient les qualités de l'or de chaque site de la vallée de Yukon. Mais cet or-là ne venait d'aucune mine établie. C'était de l'or nouveau. Et d'une qualité exceptionnelle. En plus, la taille des pépites suggérait qu'il venait d'un filon important, et non des restes d'un quelconque petit *placer.*

La grande ruée vers l'or était lancée ! Avant la nuit, les prospecteurs de Fortymile remontaient en amont pour réclamer des concessions au-dessus et au-dessous de la *Discovery* de Carmack. Et quand de nouvelles hordes arrivèrent, ils rejetèrent les noms traditionnels de ces ruisseaux banals. Le Thron-diuck, trop difficile à prononcer, se transforma rapidement en Klondike, le petit Rabbit Creek de Carmack reçut le nom, traditionnel sur les gisements aurifères, de Bonanza, et un affluent encore plus petit, mais qui s'avéra encore plus riche, devint l'Eldorado. Ces noms enchanteurs allaient rayonner d'un bout à l'autre de la Terre.

Presque chaque facette de cette ruée fabuleuse — peut-être la plus importante de l'histoire — a eu un caractère ironique. Un Canadien écrivit à son épouse :

> *Tous les Canadiens s'insurgent contre le fait que notre compatriote Robert Henderson, de Nouvelle Écosse, Nouvelle-Zélande et Australie, a été si mal récompensé sur ces* placers. *Nous sommes certains qu'il a fait la première découverte, et que cet Américain de mauvaise réputation, le* squaw-man *George Carmack, l'a dépouillé avec ses deux Indiens de ses droits légitimes et de la moitié de leur découverte.*
>
> *Je dois t'avouer cependant, entre nous, et ne parle de ceci à personne, que Henderson méritait probablement ce qu'il a eu. Longtemps avant la découverte, je l'ai entendu dire : « Jamais je ne laisserai un de ces maudits Indiens partager mes découvertes. »*
>
> *La concession de Carmack est d'une richesse tellement fabuleuse que le refus de Henderson de travailler avec des Indiens lui a fait perdre plus de deux millions de dollars.*

Autre ironie du sort, la grande découverte du Klondike eut lieu au milieu d'août 1896 et la nouvelle se répandit aussitôt dans la vallée du Yukon, mais le monde extérieur ne connut l'existence de cette stupéfiante richesse que le 15 juillet 1897. Comment l'existence d'une fortune de cette importance put-elle demeurer si longtemps cachée ?

Le cours du Yukon, long de trois mille deux cent six kilomètres, se trouve à la hauteur du cercle polaire arctique. Il gèle tôt (certains secteurs dès septembre) et dégèle tard (certaines régions seulement en juin et parfois même en juillet. Au cours de tous ces mois, d'août 1896 à juillet de l'année suivante, Carmack et ses camarades millionnaires demeurèrent bloqués avec leur secret. Mais un vaillant petit bateau du Yukon, l'*Alice,* de faible tirant d'eau avec sa roue à aubes située à l'arrière, se força un passage à travers les glaces de juin et parvint à Dawson City, la ville-champignon que les mineurs de la région avaient bâtie à la hâte au confluent du Klondike.

Quand l'équipage apprit le fabuleux coup de chance et vit les boîtes et les sacs d'or que les prospecteurs avaient l'intention d'emporter, ils se hâtèrent de décharger les fruits et les légumes destinés à la communauté affamée, et repartirent quelques heures plus tard avec une cargaison de nouveaux millionnaires, jusqu'à l'océan où des vaisseaux de ligne attendaient près de l'embouchure du Yukon. Au moment où l'*Alice* quittait Dawson, un autre bateau arriva, et tous les mineurs qui désiraient retourner aux États-Unis embarquèrent.

Après un long voyage de presque deux mille trois cents kilomètres, les deux petits bateaux atteignirent la mer de Béring, et prirent au nord pour déposer leur cargaison historique d'hommes et d'or à la ville-entrepôt de Saint-Michael. Après plusieurs jours passés à festoyer avec des fruits, des légumes frais et de délicieux repas survitaminés pour combattre le scorbut dont un grand nombre commençait à souffrir, les Argonautes et leur or passèrent à bord de l'*Excelsior* en partance pour San Francisco, ou du plus célèbre *Portland,* qui se rendait à Seattle.

Tandis que ces deux vapeurs se rapprochaient des États-Unis, aucun passager ne prévoyait sans doute la tempête de publicité que leur arrivée allait provoquer, car ils pensaient que la nouvelle de leur découverte avait déjà filtré dans le monde extérieur. On l'avait signalée aux services officiels du Canada, mais ils n'en avaient pas tenu compte : un rapport exagéré du Yukon, parmi tant d'autres.

— Nous savons qu'il y a de l'or là-haut. Il y en a toujours eu. Mais jamais des quantités pareilles.

Un audacieux conducteur de traîneau à chiens avait également remonté le Yukon et franchi le redoutable col de Chilkoot pour avertir des fonctionnaires américains en poste dans la région, mais eux non plus n'avaient pas cru à l'importance de la découverte et n'avaient rien signalé dans le Sud. Un journal de Chicago avait même reçu un article de l'un de ses reporters, mais comme on ne lui faisait guère confiance, on n'avait presque rien publié.

Le *Portland* accéda à l'immortalité par hasard. Il avait quitté l'Alaska le premier et effectué la longue traversée en moins d'un mois ; bien que son port d'attache fût plus près que celui de l'*Excelsior,* il arriva à Seattle deux jours après que l'*Excelsior* eut accosté à San Francisco. Il y eut bien entendu quelque émoi sur les quais de la ville californienne, mais ses journaux ne surent pas apprécier l'ampleur de ce qui s'était produit dans le Klondike.

L'*Examiner* de William Randolph Hearst, encore à ses débuts et toujours avide de récits dramatiques, ferma les yeux sur l'arrivée de l'or, et ses rivaux de San Francisco, le *Call* et le *Chronicle,* ne laissèrent paraître que de rapides entrefilets.

Mais quand le *Portland* accosta au Schwabacher's Wharf de Seattle, le matin du 17 juillet, les citoyens de cette ville avaient déjà appris par la presse de San Francisco qu'il ramenait au pays quelques aventuriers chargés d'or. Un journaliste plein d'imagination, et qui mérite de rester dans les mémoires, Beriah Brown, eut l'idée de sortir en mer avec une barque pour intercepter le bateau et interroger ses passagers pendant la nuit. Quand il prépara son article pour les journaux du lendemain, il réfléchit à la manière la plus efficace de présenter son étonnant récit, et il dut probablement envisager des expressions comme « une énorme quantité d'or », « beaucoup d'or » ou « un véritable trésor ». Il les élimina en faveur d'une des phrases les plus mémorables du journalisme américain :

À trois heures ce matin, le vapeur Portland, *venant de Saint-Michael à destination de Seattle, a franchi le goulet avec à son bord plus d'une tonne d'or massif.*

L'expression « une tonne d'or » fit le tour du pays, avide du métal précieux dont on avait le plus grand besoin. Dans les banques, dans les petits commerces, dans les maisons particulières dont il fallait rembourser de lourdes hypothèques, dans les cœurs des hommes désireux d'un système monétaire plus souple, les mots « une tonne d'or » devinrent un enchantement, un appât irrésistible.

Comment ces hommes réagirent-ils à cet appel de clairon triomphant ? Dans une petite ville d'Idaho un certain John Klope, célibataire et aigri par des revers, entendit l'appel et s'écria :

— Enfin ! De l'or pour tous !

Et dans une maison en ruine d'un quartier pauvre de Chicago, un certain Buchanan Venn, à qui son père, optimiste, avait donné pour prénom le nom d'un président des États-Unis, dégoûté à quarante ans de la vie triste qu'il menait, chuchota en lui-même :

— Mon Dieu ! Peut-être...

Sans oser exprimer tout haut les pensées qui l'agitaient.

Dans l'extrême nord de l'Idaho, non loin de la frontière canadienne, se trouve la petite ville de Moose Hide. Elle n'était desservie par aucune ligne de chemin de fer, car le Transcanadien passait plus au nord, par Winnipeg et Calgary, et la ligne américaine la plus proche, de Chicago à Seattle, avait sa gare à Bonners Ferry, plus au sud.

Les nouvelles arrivaient avec du retard à Moose Hide, et parfois n'y parvenaient jamais : le 18 juillet 1897, les habitants de la bourgade n'apprirent pas par leur journal — car ils n'en avaient pas — l'arrivée à Seattle, la veille, d'une tonne d'or massif. John Klope, taciturne jeune homme de vingt-sept ans, continua d'ignorer un événement qui, le moment venu, compterait tellement pour lui.

Klope était le fils d'un paysan de l'Idaho qui, dans la course pour la vie, conservait à peine quelques mètres d'avance sur le shérif et le directeur de la petite banque de Cœur d'Alène, à qui il avait hypothéqué sa ferme quelques années plus tôt. Pour contribuer au remboursement du prêt, son fils John avait dû quitter l'école à treize ans et accepter le premier emploi venu ; mais comme à cette époque la quantité d'or en circulation aux États-Unis était sévèrement limitée, et la circulation de la monnaie de papier encore plus, les Klope avaient énormément de mal à se débarrasser de leur hypothèque. En se privant de tout le superflu de la vie et d'une bonne part du nécessaire, ils y parvinrent. La ferme leur appartenait enfin, mais elle ne représentait pas une vie d'abondance, seulement la victoire de l'obstination slave.

Si incroyable que cela paraisse à d'autres qui s'enorgueillissent de leur lignée, John Klope ne savait pas exactement d'où venaient ses ancêtres, ni quel était leur nom dans leur pays d'origine. À l'école, ses copains l'appelaient « le Polac », mais d'une remarque de son père, un soir, il déduisit qu'il n'était pas polonais. Comme le père ne précisa pas sa pensée, l'enfant en conclut à juste titre que les premiers Klope avaient vécu dans un territoire voisin des Carpates qui avait changé plusieurs fois de suzerain. Cela lui suffisait — heureusement, car son père n'aurait pas pu préciser davantage son origine s'il l'avait voulu, et sa mère en savait encore moins sur la sienne.

Il était donc John Klope, ni polonais, ni scandinave, ni allemand — simplement américain et content de l'être, comme la plupart de ses voisins. Dans la famille Klope, jamais on n'entendait la plainte : « Si seulement j'étais resté là-bas ! » Parce que s'il leur restait de « là-bas » de vagues fragments de souvenirs, ils n'étaient pas agréables.

Klope ne regrettait pas que la pauvreté lui ait interdit de meilleures études, car il aurait eu peu de réussite dans les matières qu'on lui aurait enseignées, mais il n'admettait pas que les banques et le système monétaire accablent des familles de travailleurs comme la sienne ; si le hasard l'avait fait naître dans une grande ville, Chicago ou Saint-Louis, il aurait sans doute adhéré à un mouvement socialiste. Parfois, le soir, quand les jeunes de Moose Hide se réunissaient au coin de la rue après dîner, John écoutait les plus intelligents expliquer les difficultés dont souffraient les agriculteurs de la région. Il ne disait rien, mais plus tard, alors qu'on parlait déjà des filles, il s'écriait soudain :

— L'homme qui détient l'or impose les règles.

En 1893, quand une panique financière terrible ébranla la nation et que les trains de marchandises du Great Northern, en gare de Bonners Ferry, roulèrent presque à vide, la préoccupation de Klope pour l'or parut plus justifiée, car les voisins qui n'avaient pas remboursé leurs hypothèques commencèrent à sentir la morsure glacée du système monétaire inadapté. Les fermes furent saisies l'une après l'autre, et plus d'un jeune camarade de classe de Klope se trouva obligé de partir dans les taudis de grandes villes comme Chicago et San Francisco.

Ce départ douloureux eut sur Klope un effet qu'il ne comprit pas lui-même sur le moment. Pendant sa scolarité, il avait éprouvé un vague attachement pour une petite paysanne aux yeux vifs, Elsie Luderstrom ; jamais il ne lui avait parlé, ni ne l'avait raccompagnée chez elle, mais il savait qu'elle éprouvait de la tendresse pour lui, et il devinait qu'à l'âge de le faire il irait parler à Elsie. Il n'en eut pas l'occasion, car la banque saisit l'exploitation de la famille, et dans le silence de la nuit, la jeune fille s'en alla à Omaha.

Jamais il ne la revit, et avec son départ s'envola sa chance de mener une vie « normale » — cour maladroite à dix-neuf ans, mariage à vingt-deux, enfants à vingt-quatre, et héritage de la ferme de son père ou de celle du père d'Elsie vers la trentaine. Sans qu'il le sache, Elsie Luderstrom constituait la clé de son existence, et cette clé était perdue.

— Par la faute des banques, grogna-t-il un soir quand les jeunes gens se réunirent.

Et à partir de ce jugement définitif, pas tout à fait exact mais contenant une part de vérité, il commença à définir son attitude personnelle : un homme doit rester le maître de ses propres sources de revenu. Une ferme ne suffisait pas ; ce qui semblait pour le moment un bon emploi au Great Northern ne suffisait pas ; et même les qualités humaines ne suffisaient pas, car il n'y avait pas meilleurs hommes en Amérique que le père de Klope et le père d'Elsie. Ils avaient travaillé ; ils avaient économisé ; ils s'étaient montrés d'une grande frugalité ; mais la crise les avait rattrapés. S'il existait dans toute l'Amérique un seul jeune homme à qui l'appel de l'or du Klondike semblerait impératif, c'était bien John Klope.

L'après-midi du 20 juillet 1897, il apprit la découverte. Un voyageur de commerce de Seattle qui se rendait à Chicago avait changé de train à

Spokane et en arrivant à Bonners Ferry avait lancé la plaisanterie habituelle : « Où est le ferry ? » Pour la cinquantième fois, les vieux avaient expliqué : « Il traversait le Hootenanny dans le temps. » La plupart des habitants de l'endroit se seraient fort bien passés de la visite de tous ces voyageurs, mais celui-ci apportait une nouvelle sensationnelle, car il avait dans ses sacoches les journaux de Seattle. Quand les gens de la salle d'attente eurent lu les gros titres, ils lui demandèrent un des journaux.

— Gardez-les tous, répondit-il. Je suis sûr que les journaux de Chicago sont déjà au courant.

Dans la soirée du 20 juillet, la nouvelle filtra jusqu'à Moose Hide, et John Klope en fut tellement excité qu'il partit aussitôt à Bonners Ferry, rechercha le voyageur de Seattle et le trouva.

— Il paraît que vous avez des journaux. Je peux en voir un ?

— Tenez. Avec mes compliments... Si vous allez sur les mines d'or, ma foi : bonne chance !

Sur le chemin du retour, Klope s'arrêta trois fois pour relire l'article sur la tonne d'or, et son enthousiasme fut tel qu'à son arrivée à la ferme il était prêt à partir sur-le-champ au Klondike. Il n'y avait rien pour le retenir. On n'avait pas vraiment besoin de lui à la ferme : sa mère et son père auraient pu à eux deux s'occuper d'une exploitation quatre fois plus grande. À vrai dire, il constituait pour eux une charge supplémentaire et il le savait. Il n'était lié, même vaguement, à aucune jeune fille, et son départ n'empêcherait donc pas un mariage en perspective. Il n'avait pas de vrais amis, et même les jeunes du coin de la rue commençaient à le considérer comme « un peu étrange ». Non seulement il était prêt à participer à une ruée sur le Yukon, mais il se sentait presque obligé de le faire.

À ce moment-là, si Klope avait connu la géographie, il se serait aperçu qu'il était aussi près de l'or du Klondike à Moose Hide qu'aux points de départ habituels : Seattle dans l'État de Washington et Edmonton en Alberta. En ligne droite il se trouvait seulement à deux mille deux cents kilomètres du Klondike, à peu près la distance de Chicago, mais s'il avait essayé de partir tout droit il se serait trouvé sur l'un des terrains les plus inhospitaliers d'Amérique du Nord. Sagement, avant même de retourner chez lui, il décida de se rendre au Klondike en passant par Seattle.

Au dîner, il montra le journal à ses parents et n'attendit même pas qu'ils aient digéré la nouvelle stupéfiante.

— Je partirai demain.

Son père répondit simplement :

— Je pourrai te donner cent cinquante dollars.

— Avec ce que j'ai, ce sera suffisant, répondit John.

Mme Klope ne parla pas, mais elle estimait qu'il était grand temps que son fils quitte la maison et prenne une initiative personnelle.

John ne revint jamais sur sa décision. Il ne put pas partir le lendemain comme il le désirait, mais le surlendemain à l'aurore son père le conduisit à Bonners Ferry, où ils apprirent qu'un train allait partir vers Spokane au sud, puis Seattle. Après des adieux maladroits, John dit :

— Il vaut mieux que tu rentres à la maison, papa. Je me débrouillerai.

Et le père s'en alla, nullement mécontent de la décision de son fils.

⁂

Quand Klope arriva à Seattle, il trouva la ville en émoi. Toute la population semblait se concentrer dans le secteur du Schwabacher's Wharf, d'où partaient les vapeurs à destination de l'Alaska. Rarement, depuis l'époque où les premiers bateaux ont sillonné la Méditerranée, un port reçut une aussi surprenante diversité d'embarcations de haute mer. Il y avait des vaisseaux de ligne pareils à ceux qui traversaient l'Atlantique, mais aussi des remorqueurs de rivière aménagés à la hâte pour la traversée relativement calme du Passage Intérieur, jusqu'à Juneau et Skagway. Il y avait des bateaux à roue à l'arrière conçus pour le Mississippi, et des bateaux à roue latérale prévus pour des excursions sur les eaux paisibles des environs de Seattle.

Quelle que fût l'allure du bateau, toutes ses places étaient déjà retenues quand Klope arriva sur les quais, pour s'embarquer n'importe où en Alaska. Pendant deux journées de dépit, il ne trouva pas une seule couchette libre et comme chaque train de l'Est apportait de nouvelles hordes d'hommes comme lui, le problème s'aggrava. Au désespoir, si près de l'or mais sans pouvoir s'en saisir, il posa des questions dans le magasin d'un des principaux fournisseurs, Ross & Raglan, à qui il achetait son équipement.

— Comment trouver une place pour aller au Klondike ?

— Nous avons un bateau, l'*Alacrity,* mais tout est retenu jusqu'à mars de l'an prochain.

L'employé, voyant sa déception et remarquant qu'il s'était équipé sans lésiner sur l'argent, lui conseilla :

— Allez tout au bout du dock, on est en train de réparer un vieux bateau russe. J'ai oublié son nom, mais tout le monde vous le montrera.

— Vous croyez qu'il y aura des places ?

— Le contraire m'étonnerait, répondit l'employé.

Quand Klope trouva le bateau russe, le *Romanov* de Sitka, il comprit pourquoi personne ne se jetait sur ses billets, car c'était l'un des bateaux les plus extraordinaires qui tenterait jamais la traversée. Construit sans soin par les Russes pour les eaux protégées du sud-est de l'Alaska, il était propulsé par une roue latérale. Quand la Russie avait abandonné la région en 1867, des armateurs de Boston l'avaient racheté et, après de longues années d'utilisation pour le commerce des peaux de phoques, le rafiot avait pris sa retraite à Seattle dans les eaux calmes des baies et des golfes, entre les îles. Ensuite, on lui avait installé une machine à vapeur qui brûlait du charbon, et une hélice spasmodique qui fonctionnait en conjonction avec les deux roues latérales. Il possédait donc deux systèmes de propulsion séparés et trois instruments pour se déplacer dans la mer : deux roues de bois et une hélice de métal légèrement tordue.

Le vieux bateau, qui prenait eau à plus d'un endroit mais jamais assez pour couler à pic, se proposait d'effectuer la traversée de près de cinq mille kilomètres dans des mers souvent agitées jusqu'à Saint-Michael, où les voyageurs et le fret seraient transbordés sur des vapeurs plus petits pour la remontée du Yukon. Le passage coûterait cent cinq dollars pour les trois semaines prévues, et au moment du départ, toutes les places offertes seraient prises. Pendant une ruée vers l'or, cette expression n'a pas son sens habituel : elle ne signifie pas que toutes les couchettes seraient occupées, mais que tout espace libre sur le pont et dans les cales serait plein. Ce bateau qui dans sa belle époque, en 1860, transportait une cinquantaine de passagers, en avait embarqué cent quatre-vingt-treize.

Ironie du sort, aucun de ces passagers américains ne considérait qu'il « partait en Alaska ». Ils disaient toujours : « Nous allons au Klondike. » L'Alaska n'existait pas, n'était pas encore reconnu comme une partie des États-Unis. Quant au Yukon, le grand fleuve qu'ils devraient remonter s'ils s'embarquaient sur le *Romanov*, presque personne n'en avait entendu parler, et ceux qui connaissaient son nom le croyaient canadien. John Klope, passager typique, se dirigeait vers une région dont il ne savait rien.

Il prit la mer à Seattle le 27 juillet 1897, persuadé d'arriver à Saint-Michael trois semaines plus tard, traversée normale pour un des gros vapeurs. De là, il comptait remonter rapidement le Yukon sur un bateau plus petit et parvenir au Klondike début septembre au plus tard. Trait caractéristique de son attitude dans la vie, pendant cette traversée en mer il ne se lia d'amitié avec personne. Il ne se montrait nullement distant, et si un inconnu avait pris la peine de lui faire des avances, il ne les aurait pas repoussées. Mais il n'était pas dans sa nature d'engager des conversations, de partager des secrets, de former des associations. John Klope, sans ancêtres connus, sans qualités particulières, n'était qu'un jeune homme grand et mince aux épaules voûtées, rasé de près, toujours convenable et satisfait de rester à l'écart.

Le *Romanov* traversa les mers qu'il connaissait bien à une allure plus lente que prévu. À vrai dire, il semblait se traîner, comme si ses divers moyens de propulsion se contrariaient au lieu de se compléter. Un vapeur moderne bien mené aurait franchi les quatre mille huit cents kilomètres en dix-neuf jours, et plusieurs le firent, mais le *Romanov* avançait à une vitesse qui exigerait au moins un mois. Un passager habitué des bateaux répandit la mauvaise nouvelle.

— Nous ne faisons pas plus de quatre-vingt-dix milles nautiques par jour. Si nous tombons sur du mauvais temps, il nous faudra cinq semaines.

Quand le *Romanov* parvint enfin à Saint-Michael le 25 août 1897, trois jours avant la date des prédictions les plus pessimistes, Klope et les autres passagers commencèrent à découvrir les réalités d'un voyage en Alaska, parce qu'il n'y avait ni port ni quais. Comme tous les autres bateaux, le *Romanov* jeta l'ancre à environ un mille de la côte et attendit que des barges l'accostent pour décharger passagers, bagages et fret. Et quand ces barges arrivaient près de la terre, elles s'arrêtaient à quelques mètres de la plage. Les passagers devaient débarquer dans l'eau. Parfois les femmes montaient sur le dos d'hommes qui jouaient le rôle de dockers improvisés.

À terre, les nouveaux venus du *Romanov* se trouvèrent dans la même situation que les passagers des meilleurs bateaux : aucune embarcation disponible pour la longue remontée du Yukon. Et selon toute probabilité, aucun bateau ne redescendrait à Saint-Michael à temps pour effectuer un autre voyage avant que le fleuve soit bloqué par les glaces.

— Impossible ! tempêtèrent plusieurs passagers du *Romanov*.

Mais ils apprirent vite la situation désespérée dans laquelle ils se trouvaient.

— Le Yukon n'est pas un fleuve ordinaire. Il coule au nord du cercle polaire, vous savez. Et il gèle à des moments différents selon l'endroit.

— Tout de même pas en septembre !
— Surtout en septembre, ici et là. Et il suffit qu'il gèle en un seul endroit pour bloquer toute la circulation... C'est évident.
— Quand dégèle-t-il ? Au printemps ?
— En mai, avec de la chance. Plus probablement en juin. L'an dernier, début juillet.
— Mon Dieu, il reste dégagé... combien de temps ? Trois mois ?
— Trois mois et demi, quand nous avons de la chance.
— Et vous avez de la chance souvent ?
— Non, pas très souvent.

Un vent glacé parut souffler sur la horde des chercheurs d'or bloqués à Saint-Michael. Le temps demeurait encore chaud, agréable, mais la glace menaçante semblait se rapprocher. Quand Klope apprit que le *Romanov* repartait directement à Seattle de peur d'être pris dans les glaces arctiques qui dérivaient dans la mer de Béring, il demanda :

— Vous voulez dire que toute la mer va geler ?
— Et comment ! répondirent les habitants de l'endroit. Si un capitaine ne se débrouille pas, il peut se faire prendre au piège dès le mois de septembre, mais à coup sûr en octobre.
— Que fait-il dans ce cas ?
— S'il a de la chance, il reste bloqué dans la banquise pendant neuf mois, au large de la côte, sous nos yeux. Mais s'il n'a pas de chance, la glace continue d'avancer, écrase son bateau et le transforme en petit bois, comme ceux-là.

Et le long de la plage sinistre, sans un arbre, Klope vit les restes de plusieurs gros bateaux détruits par la pression aveugle des glaces. Il décida aussitôt de quitter Saint-Michael à tout prix et de remonter le Yukon avant que la glace le prenne lui aussi au piège. Mais aucune embarcation n'était disponible pour le voyage. Trois bateaux partirent sous ses yeux, mais bondés d'hommes debout le long du bastingage ; ils n'auraient pas pu prendre un seul passager de plus.

Quand tous les passagers du *Romanov* parurent bloqués à Saint-Michael, village de moins de deux cents habitants, en majorité eskimos, Klope apprit l'existence d'un certain capitaine Grimm, patron de bateau qui connaissait bien le Yukon. Il possédait une barque en mauvais état qu'il était prêt à lancer à l'eau si une cargaison de passagers payait d'avance le montant des réparations de la machine à vapeur dont le vieux rafiot avait besoin pour bouger d'un mètre.

Au début, Klope eut quelques doutes sur cette transaction. Ce capitaine n'était-il pas un de ces banquiers véreux déguisé en marin ? Mais aucune autre solution ne se présenta et il fut contraint d'envisager l'offre de Grimm. Comme d'habitude, il ne put en discuter avec personne, mais d'autres passagers éventuels se trouvaient dans la même position et un jeune Californien plein d'allant, qui connaissait bien les mines, posa des questions dans le petit village et rapporta aux chercheurs d'or en panne :

— Tout le monde assure que Grimm a une bonne réputation. Et il a vraiment besoin d'argent. Son bateau ne peut pas naviguer sans une machine à vapeur en état.

Les passagers encouragèrent le mineur, que tout le monde appelait « Californie », à continuer ses recherches, et il revint avec des nouvelles rassurantes :

— Il paraît que Grimm compte parmi les meilleurs capitaines du Yukon. Il connaît tous les tourbillons et les tournants. Et il paraît que sur le Yukon, les tourbillons et surtout les tournants sont très importants.

On ne vota pas, mais les chercheurs d'or en panne décidèrent par acclamation de donner au capitaine Grimm les fonds dont il avait besoin, et Klope fut désigné pour vérifier que l'argent serait dépensé uniquement en réparations. Il aida les trois Eskimos habiles employés par Grimm et en seize jours ils achevèrent une révision complète. Le 13 septembre, le vapeur fluvial *Jos. Parker,* capitaine Grimm, quitta Saint-Michael avec soixante-trois passagers à plein tarif, alors qu'il en aurait embarqué normalement trente-deux. Il y avait tellement de bagages et de provisions qu'il avait fallu élever des bordages temporaires autour du gaillard d'avant. La moitié des hommes dormiraient au-dessus de ce fret.

De Saint-Michael à l'embouchure du Yukon, il y a plus de cent dix kilomètres à travers la mer de Béring, et la nuit tomba puis le jour se leva avant que le petit bateau n'atteigne l'étonnant delta du Yukon, où Klope apprit que le grand fleuve n'avait pas une embouchure, mais quarante, qui se vidaient dans la mer en un éventail de plus de cent cinquante kilomètres.

— La difficulté, dit le capitaine Grimm en manœuvrant son bateau, c'est de trouver la bonne.

Les passagers émerveillés le virent se frayer un chemin dans ce dédale de marécages, d'affluents et de chenaux sans issue. Enfin, il déboucha dans le seul chenal de cette région qui lui permettrait de remonter vers les gisements d'or.

Le Yukon présentait plusieurs particularités. Il naissait très loin vers le sud dans des montagnes situées à moins de cinquante kilomètres du Passage Intérieur, mais au lieu de couler vers la mer proche, il avait décidé de parcourir trois mille cent quatre-vingt-deux kilomètres avant de se jeter dans les eaux glacées de la mer de Béring. Il partait vers le nord, comme tous les autres grands fleuves de l'Arctique — l'Ob, l'Ienissei, la Lena et la Kolyma, en Sibérie, et le plus grand de tous, le Mackenzie, au Canada — mais n'allait pas comme eux déverser ses eaux dans l'océan Arctique ou ses mers dépendantes, car après avoir franchi le cercle polaire à Fort-Yukon, il semblait prendre peur du Nord glacé. Il tournait brusquement vers l'ouest, évitait l'Arctique et errait presque sans but vers la mer de Béring.

Particularité remarquable, sur la majeure partie de son cours c'était un fleuve au lit divisé — il se séparait en plusieurs cours qui serpentaient ici et là, si bien qu'à certains endroits il n'y avait pas un Yukon mais vingt ou même trente, et seul un bon capitaine ou un Indien connaissant le fleuve de longue date pouvait trouver son chemin. Un nouveau venu n'avait pour ainsi dire aucune chance de naviguer aux endroits où le Yukon se divisait.

C'était ce fleuve redoutable que le capitaine Grimm se proposait d'affronter avec son *Jos. Parker,* toujours contre le courant, pendant deux mille cent soixante-dix-huit kilomètres d'eau de plus en plus froide. Comme le *Parker* pouvait parcourir environ cent trente kilomètres par jour s'il chargeait assez de bois en chemin, le voyage durerait dix-sept jours, mais quand ils arrivèrent à Nulato, où les Russes avaient établi jadis un village prospère, ils rencontrèrent une difficulté particulière : les passagers comprirent que leur voyage serait beaucoup plus long.

Lorsque le *Parker* accosta à l'endroit où s'élevait autrefois la palissade, le capitaine vit aussitôt que dix-neuf stères de bois bien coupé l'attendaient.

— Assez pour nous conduire à Chicago si le Yukon y allait... Ce qu'il fera peut-être un de ces jours si l'envie lui en prend.

Mais lorsqu'il voulut acheter le combustible nécessaire, on lui répondit que la plupart des piles avaient été achetées pour des bateaux appartenant à l'Alaska Commercial Company de Seattle et le reste retenu pour les bateaux de Ross & Raglan, de cette même ville.

— Ne puis-je avoir même un seul stère ? Pour nous conduire au prochain dépôt ?

— Tout est retenu.

— Puis-je engager des bûcherons pour couper mon bois ?

— Tous engagés.

De toute évidence, pour atteindre Dawson avant que le fleuve ne gèle, les passagers à bord du *Jos. Parker* allaient être obligés de couper leur propre bois. On organisa des groupes que l'on envoya dans la campagne dénudée à la recherche d'arbres à abattre. Après un arrêt de quatre jours, le bateau continua vers l'amont, mais au dépôt suivant ce fut la même histoire et cette fois, quand Klope quitta le bateau avec sa hache, il grommela :

— Jamais je n'aurais cru que je devrais me frayer un chemin jusqu'au Klondike à la hache.

Mais sa hache ne chôma pas et le voyage « rapide » jusqu'aux gisements d'or se prolongea douloureusement. Septembre toucha à sa fin et l'homme qu'on appelait Californie souleva la question :

— À cette allure, pourrons-nous atteindre Dawson avant le gel ?

Avec un de ses camarades appelé Montana, il aborda le sujet en présence du capitaine Grimm. Celui-ci leur adressa son sourire le plus rassurant et dit :

— C'est mon affaire.

L'attention des passagers inquiets fut détournée par leur arrivée dans les célèbres Plats du Yukon, région désolée, presque effrayante, de trois cents kilomètres de long, dans laquelle le fleuve se divise, comme une jeune fille têtue mêlerait ses cheveux à plaisir. La région s'étend en largeur sur plus de cent dix kilomètres et le fleuve couvre alors une superficie de trente-trois mille kilomètres carrés — soit environ six fois l'État du Connecticut.

Au premier abord, rien ne retient l'œil dans ce décor sinistre : peu d'arbres, pas de montagnes dans les environs, aucun cours d'eau rapide, aucun village accroché aux berges, une étendue sans limite de marécages. John Klope, paysan qui appréciait surtout les bonnes terres, en fut épouvanté. Mais les gens qui connaissaient bien les Plats du Yukon apprenaient à les aimer ; il y avait des oiseaux en quantités inimaginables, et les chasseurs de toute l'Amérique du Nord, du Dakota à Mexico, devaient à ce territoire de ponte fréquenté en été du gibier à plumes qui n'aurait pas pu se reproduire ailleurs. Les oies et les canards pullulaient. Des sauvagines comptant parmi les plus précieuses proliféraient : martres, visons, hermines, lynx, renards, rats musqués et d'autres dont Klope n'aurait pas reconnu le nom. Et le gros gibier ne manquait pas non plus : orignal aux cornes énormes, caribou en hiver, ours sur le pourtour. Avec bien entendu des milliards de moustiques.

Mais l'orgueil des Plats demeurait ses innombrables lacs, certains de la taille d'une table, d'autres aussi vastes que des cantons. À un endroit le Yukon lui-même s'élargissait en un lac de dimensions fabuleuses, et parfois cinquante ou soixante lacs reliés par de minuscules ruisseaux formaient comme un collier de pierreries resplendissantes dans la lumière glacée.

Combien de lacs existe-t-il dans les Plats ? Un explorateur qui avait remonté les deux grandes rivières qui se jettent dans le Yukon à cet endroit — le Chandalar à l'ouest et le Porcupine qui arrive après une très longue errance à travers le Canada — a estimé que la région devait contenir au moins trente mille lacs nettement indépendants.

— Ce qui m'a le plus étonné, à la réflexion, c'est le nombre excessif de bras morts, anciens méandres coupés du cours principal et qui forment des demi-lunes sans entrer ni sortir, preuve que le lit s'est déplacé.

Les capitaines de bateaux jugeaient les Plats avec moins d'enthousiasme.

— Si l'on se trompe à l'entrée d'un chenal, on peut naviguer toute une journée avant de se retrouver dans un cul-de-sac. Et on perd ensuite une autre journée pour revenir au chenal principal, à supposer qu'on le trouve.

Le 1er octobre 1897, le capitaine Grimm perdit apparemment son chemin dans un de ces chenaux sans issue, car après avoir navigué pendant le plus clair d'une longue matinée glacée, il avoua à ses passagers :

— Je crois que nous sommes perdus.

Et ils se trouvaient encore à quatre-vingts kilomètres de Fort-Yukon, où ils devaient se rendre pour obtenir une nouvelle réserve de bois. Plusieurs hommes se plaignirent et quand Grimm décida de rester où il se trouvait et de passer la nuit amarré à la berge au lieu de rebrousser chemin, deux hommes voulurent lui lancer des menaces, mais d'autres les apaisèrent et il n'y eut pas d'incident. Pendant la dispute, Klope ne prit aucun parti, car malgré son désir d'arriver aux gisements d'or le plus tôt possible, il se disait que le capitaine Grimm savait sans doute ce qu'il faisait.

Pendant la nuit, il fit extrêmement froid et au petit matin, les passagers furent éveillés par Montana qui criait à tue-tête en montrant leur bras mort :

— Regardez ces doigts de glace !

Klope se dirigea vers le bastingage : de fines tiges de glace s'éloignaient de la berge : l'eau plus froide en cet endroit commençait de geler.

Peu de voyageurs avaient déjà vu geler un grand fleuve. Le chenal dans lequel le *Parker* se trouvait pris au piège ne faisait pas partie du cours principal, mais le processus demeurait le même. Le milieu du fleuve demeurait libre, sans aucune indication annonçant le gel proche, mais de la glace mince se formait à plusieurs endroits où l'eau touchait la terre. Pour l'instant, ces points isolés restaient de petite taille et ne s'étendaient pas assez loin sur le fleuve pour constituer une menace. Aucun homme n'aurait pu marcher sur la glace fragile ainsi formée.

Mais, sous les yeux de Klope, un phénomène surnaturel se produisit. Sans aucun avertissement préalable, sans craquement, sans le moindre bruit, toute une longueur de rivière, le long de la berge, gela soudainement : elle resterait ainsi jusqu'en juin suivant.

Les passagers commencèrent à prendre peur. En amont du *Parker*, près du fond du bras mort, ils virent alors un second phénomène, d'une plus grande importance, car les doigts de glace formés près de la terre devinrent plus solides et bondirent soudain d'une côte vers l'autre pour se rejoindre au milieu du fleuve. En un instant toute cette partie du Yukon fut prise. Un processus mystérieux, rapide et très beau.

L'après-midi, avec la température au-dessous de zéro, la glace commença à s'étendre à partir de la ligne de flottaison du *Parker*. Klope, près de Californie, regarda les doigts s'allonger vers ceux qui partaient de la berge, mais la nuit tomba avant qu'ils puissent assister à la jonction.

Le lendemain matin, 3 octobre, la majeure partie des Plats était bloquée par les glaces, et même dans le cours principal la glace lançait ses antennes préliminaires. À la tombée du jour, cette région du Yukon serait fermée à la navigation.

— C'est pour cela que je suis venu ici, expliqua Grimm. Je ne vous l'ai pas dit sur le moment, parce que vous n'auriez pas cru que le fleuve puisse geler si vite. Si nous avions tenté de gagner Fort-Yukon, nous aurions été bloqués dans la grande glace et probablement réduits en miettes au moment de la débâcle.

— Combien de temps resterons-nous bloqués ici ? demanda Californie.

— Jusqu'en juin, répondit Grimm.

— Oh, mon Dieu ! s'écria Montana.

— Nous ne sommes pas les seuls. Reprenez courage, dit Grimm. J'ai choisi l'un des endroits les plus sûrs de ce fleuve. Presque pas de vent. Rien à craindre des glaces mouvantes.

Par un bon hiver, le *Parker* aurait offert un refuge confortable de huit mois pour une trentaine d'hommes ; mais pour soixante-trois passagers, ce n'était pas possible, et avant la fin de la journée, plusieurs hommes réclamèrent le remboursement de leur argent. La barbe en bataille, les pieds campés au sol et les yeux brillants, Olaf Grimm répliqua par une vérité toute simple.

— Je me suis engagé à vous conduire à Dawson. Je n'ai pas donné de date. Maintenant, que tous les hommes se dispersent dans les environs pour rechercher des arbres et nous apporter du bois. Parce que si vous ne le faites pas, nous mourrons tous de froid. Et je pars avec vous.

Il expliqua où il fallait construire des toilettes.

— Et tout homme qui ne les utilisera pas sera abattu.

Il demanda à des volontaires d'aller chasser l'orignal et le caribou.

— Et vous avez intérêt à en ramener le plus grand nombre possible avant les fortes neiges.

Cet homme résolu donnait l'impression qu'il avait déjà affronté ce genre de situation dans le passé, et il tenait visiblement à ce que ses passagers survivent à l'épreuve. Il se montrait conciliant et sympathisait avec ces hommes douloureusement déçus ; mais il ne tolérait aucun prétexte et n'exemptait personne des corvées nécessaires. Californie, non sans raison, se plaignit :

— Si vous saviez que nous serions bloqués, pourquoi avez-vous quitté Saint-Michael ?

— Parce que vous aviez envie de partir, répondit-il en toute sincérité. Et nous serions arrivés à temps si nous avions pu acheter du bois en chemin.

***

Cet hiver-là, onze bateaux restèrent emprisonnés dans la glace. Aucun ne s'en tira aussi bien que le *Jos. Parker.* Quand un des passagers retourna au bateau pour signaler qu'il avait tué un orignal, il accepta les louanges, puis demanda :

— Depuis que je suis à bord de ce fichu bateau, je me demande pourquoi il s'appelle le *Jos. Parker.* Et en revenant, il y a quelques minutes, j'ai compris. La plaque n'était pas assez grande pour que l'on y inscrive le prénom en entier.

— Exact, répondit Grimm, ravi de la diversion. C'est le nom du père de celui qui l'a construit. Josiah Parker. Un joli nom, pas vrai ?

Le 4 octobre, John Klope, toujours impatient de parvenir sur les gisements d'or, parla au capitaine Grimm.

— La vie ici va devenir de plus en plus dure.

— Oui, répondit Grimm.

— Pourrais-je aller à Fort-Yukon à pied ?

— Quatre-vingts kilomètres. En terrain difficile. Il faudra trois ou quatre jours.

— Mais c'est tout près, sur le fleuve.

— Oh oui !

Le capitaine hésita. Il ne voulait pas qu'on lui reproche plus tard d'avoir encouragé des hommes partis sur le fleuve sous sa garde à quitter le bateau au début d'un hiver arctique. Sur d'autres bateaux, les capitaines se trouvaient confrontés au même problème moral ; un homme seul pourrait entreprendre un voyage de deux mille kilomètres et réussir. Un autre pour peindre une aquarelle, s'écarterait de trois cents mètres et mourrait de froid.

— Nous pourrions réussir, vous et moi, Klope, répondit Grimm prudemment. Je vous ai observé. Vous êtes discipliné. Mais je n'aimerais pas que vous tentiez le coup avec certains autres. Ni tout seul. Restez ici, vous resterez en vie.

En fait, tout en lui conseillant de ne pas quitter la sécurité du *Parker,* Grimm le mettait au défi. Klope ignora l'avertissement et répondit à la gageure.

Quand on apprit qu'il allait partir à Fork-Yukon à pied, onze autres hommes se portèrent volontaires, et dans plusieurs cas exigèrent de l'accompagner. Il se trouva soudain chef d'une expédition. L'idée le terrifiait : il ne doutait pas de réussir tout seul mais il ne se jugeait pas capable de tenir en main un groupe aussi disparate en cas de difficultés — et il n'en avait nulle envie. Habilement, il abandonna la direction de l'expédition à Californie, qui parlait haut et prenait plaisir à donner des ordres. Justifiant la décision de Klope, Californie s'avéra un bon chef, plein de ressources quoique un peu trop autoritaire au goût de Klope.

Chargés de leurs bagages, les douze hommes qui voulaient gagner Fort-Yukon firent leurs adieux au *Jos. Parker* bloqué par les glaces le 5 octobre en début de matinée. Ils comptaient parcourir au moins vingt kilomètres par jour, et donc arriver à Fort-Yukon le 8 en fin d'après-midi. Comme la nuit ne tombait pas avant cinq heures et demie, ils comptaient avoir assez de lumière. Ils n'avaient pas prévu que la route serait aussi difficile.

Le Yukon ne gelait pas à plat, en une couche lisse comme les lacs que certains avaient vus aux États-Unis. La glace prenait de manière arbitraire, à des moments différents selon l'endroit, et sa surface était accidentée, hérissée ici et là par d'énormes blocs dressés, de forme irrégulière. Californie, désespéré par tous ces obstacles, se mit à crier :

— Qu'est-il donc arrivé à ce fleuve?

Montana expliqua ce qui semblait évident à tout homme de la nature.

— Il gèle ici mais pas là. L'eau courante s'accumule, recouvre la glace déjà prise et gèle à son tour. Ensuite, davantage d'eau arrive par en dessous et tout se brise.

Il assura à Californie qu'on pourrait trouver une route plate au milieu des blocs de glace, mais ce dernier en avait assez :

— Quittons ce maudit fleuve! grogna-t-il.

Dès qu'il s'en écarta, il tomba sur des milliers de lacs, et les marécages gelés qui les séparaient. Cette toundra était parsemée de grosses touffes rondes d'herbe emmêlée, que tout le monde en Alaska appelait « têtes de nègre ». Pour traverser ce pays, il fallait lever la jambe très haut, passer des terrains bas aux terrains hauts, puis faire d'immenses enjambées pour passer sur la « tête de nègre » suivante. Avancer s'avérait très pénible.

En alternant la glace déchiquetée du fleuve et la surface inégale des marécages glacés, l'expédition s'épuisa pour parcourir non pas vingt kilomètres par jour comme prévu mais douze ou treize. Le voyage exigerait donc non pas quatre jours mais six, et comme les hommes s'étaient préparés pour un déplacement facile de quatre jours sur le genre de chemin enneigé qu'ils avaient connu au Dakota ou au Montana, ils se démoralisèrent.

Par bonheur, le froid n'était pas encore excessif, aucun vent ne soufflait, et même le plus faible des hommes ne souffrit pas. À la tombée de la nuit, ils étaient extrêmement fatigués mais pas épuisés au point de ne plus pouvoir veiller sur eux-mêmes.

Ils avaient prévu de dormir avec de la neige entassée autour d'eux pour détourner le vent et permettre à chacun de conserver la chaleur de son corps. Ils mangèrent peu, car ils n'avaient emporté que quatre jours de vivres.

— Des petites rations ne feront de mal à personne. Et nous serons vite arrivés.

Le repos de cette première nuit fut bref, car les hommes eurent du mal à dormir dans leurs lits de neige. Leurs vêtements chauds ne les protégeaient pas suffisamment d'une température aussi basse. Dès que l'aube commença à poindre, vers six heures et demie, ils eurent tous hâte de reprendre la marche, et avec une journée d'expérience à leur actif, ils se débrouillèrent mieux sur les terrains difficiles. Mais si Californie les conduisait au fleuve, ils avaient envie d'aller aux lacs, et s'il accédait à leurs désirs, ils réclamaient presque aussitôt de revenir sur le fleuve. À l'aube, quelqu'un avait prédit :

— Hier nous apprenions. Aujourd'hui, nous ferons vingt-cinq kilomètres.

Mais ils couvrirent à peine la moitié de cette distance.

La deuxième nuit, Klope dormit bien. Il s'était aperçu que si lui-même ou Montana n'imposaient pas une allure, la file traînait. Il était donc resté en tête la plupart du temps, ne cédant la place qu'à Montana, quand celui-ci s'apercevait qu'il se fatiguait. Mais les deux hommes ne parlèrent pas de ce qu'ils faisaient, ni de leurs doutes de plus en plus angoissants : certains de leurs compagnons ne parviendraient pas à Fort-Yukon.

Le soir du quatrième jour trois hommes devinrent trop faibles pour lever la jambe à la hauteur des « têtes de nègre » et Klope comprit qu'il fallait prendre des mesures d'urgence. Il consulta Californie et Montana. Ce dernier lui dit :

— Il faut mettre quelqu'un à l'arrière. Sinon nous perdrons un homme.

— Ils peuvent voir notre piste, répondit Californie.

Mais Montana n'accepta pas cette réponse trop facile.

— L'ennui, c'est que par ce temps, le dernier de la file se dit : « Je vais me coucher une minute », et on ne le revoit jamais. Gelé à mort.

Klope se porta volontaire pour prendre la queue et ce fut une chance, car les hommes les plus faibles commencèrent à traîner dangereusement. Il passa une journée épuisante à les presser d'avancer. Deux fois la file principale prit tellement d'avance qu'il dut crier à tue-tête pour la faire ralentir jusqu'à ce que ses trois traînards chancelants la rattrapent. À la tombée de la nuit deux hommes de plus avaient du mal à suivre. Californie, dont le courage et la détermination maintenaient le groupe uni, consulta ses deux assistants.

— Je ne suis pas sûr de pouvoir les faire marcher encore une journée, dit Klope.

Et pour aggraver les choses, cette nuit-là la température tomba brusquement.

Peu après minuit, Californie secoua tous ceux qui dormaient encore sous la protection de la neige.

— Il vaut mieux partir, les gars.

Dans la lumière pâle d'une lune à son dernier quartier, ils entamèrent ce dont ils se souviendraient plus tard comme de la plus mauvaise journée de leur vie.

Ce sixième jour, ils décidèrent de rester sur le fleuve et d'avancer lentement entre les blocs. Parfois John Klope, qui verrouillait l'arrière, voyait dans les silhouettes silencieuses devant lui une théorie de fourmis avançant sur une couverture blanche. Mais il oublia ce genre de comparaison poétique quand un des traînards s'effondra, incapable de réagir aux ordres de se lever que lui lançait Klope.

Plusieurs rebroussèrent chemin pour aider, mais ils découvrirent horrifiés que l'homme ne s'était pas évanoui. Il était mort. Oui, sur le Yukon, à quelques kilomètres de la sécurité du Fort, un employé de banque de l'Arkansas venait de mourir d'épuisement. On plaça son corps sous un tapis de neige, puis les onze rescapés, accablés et terrifiés, reprirent leur marche lente.

Ce décès ne découragea pas Klope outre mesure. Il savait que des hommes meurent de façon injuste ; dans une ferme voisine un homme qu'il connaissait s'était étranglé quand les rênes d'un cheval cabré s'étaient prises autour de son cou, et un jour à Bonners Ferry il avait entendu des hommes hurler à la gare, où un cheminot avait été écrasé entre deux tampons. Il était donc capable de supporter le choc de la mort. À midi, quand le groupe s'arrêta pour partager les rations, il entendit une chose qui l'effraya davantage. Californie, pour dissiper l'atmosphère sinistre depuis le décès, distribuait les encouragements.

— Il y avait quatre-vingts kilomètres en tout, j'ai calculé que nous en avons franchi soixante-dix.

Mais un homme de l'Ohio le corrigea.

— J'ai entendu le capitaine Grimm dire : « Nous ne sommes qu'à quatre-vingts ou quatre-vingt-dix kilomètres de Fort-Yukon. »

Les dix kilomètres à rajouter à ce qui était déjà un voyage infernal terrifièrent Klope, car de sa position à l'arrière il avait vu mieux que personne l'épuisement extrême des plus faibles du groupe. Quand Californie et trois autres hommes forts s'écartèrent pour discuter de la situation, l'attitude irréprochable du chef de l'expédition fit beaucoup d'effet sur Klope.

— Je veux que nous fassions tous les quatre le serment de ne pas continuer notre route en oubliant les autres. Nous resterons avec ces hommes et nous les conduirons à Fort-Yukon.

— Mais s'il faut que l'un de nous prenne les devants pour aller chercher de l'aide ?

— Vous tirerez à la courte paille tous les trois. Je resterai.

— Le trajet serait-il vraiment de quatre-vingt-dix kilomètres ? demanda Klope.

— Non, répondit sèchement Californie.

Dans l'après-midi, la température tomba à dix degrés au-dessous de zéro, mais par bonheur le vent ne se leva pas. Pourtant, un autre homme qui marchait à quelques pas devant Klope s'écroula et mourut — non pas instantanément comme le premier mais après quarante minutes de souffrances horribles.

Klope l'enterra. Et l'horreur de ce voyage impossible commença, parce que le Yukon devint de plus en plus encombré de blocs de glace et les marais barricadés par des « têtes de nègre » énormes. À quatre heures et demie, quand la lumière de l'Arctique commença à disparaître, les hommes se trouvèrent confrontés à une longue nuit glaciale sans protection suffisante.

Klope ne perdit pas courage ; jamais il ne perdrait courage tant que l'appât de l'or l'animerait, mais quand il estima la résistance réelle des traînards, il s'aperçut, bouleversé, que trois d'entre eux risquaient encore de mourir pendant les heures suivantes, et il consulta les autres bons marcheurs.

— Que faut-il faire ?

— Continuer d'avancer, répondit Californie. Toute la nuit. Sinon nous mourrons tous.

— Et ceux-là ?...

Californie regarda longuement le groupe désespéré assis dans la neige ; leur vie était en train de se jouer, mais ils semblaient inconscients ou indifférents.

— Fais-les marcher tant que tu pourras, répondit Californie. S'ils meurent, ne t'arrête pas pour les enterrer.

Et il retourna en tête de file en encourageant les autres à avancer.

Il faisait presque noir ce soir-là quand l'un des plus faibles eut une vision stupéfiante, qu'il signala aussitôt à Klope.

— Un traîneau à chiens !

Vers le nord, avançant avec précaution à travers les marécages glacés, visiblement en direction de Fort-Yukon, un homme courait derrière un traîneau tiré par sept gros chiens puissants. Il portait un costume eskimo, le visage nu entouré par le capuchon bordé de fourrure d'une parka, le corps tellement emmitouflé de gros vêtements qu'il semblait rond comme une boule. Il n'avait pas vu le groupe des hommes et il les aurait peut-être dépassés sans s'arrêter si Klope n'avait pas attiré son attention : il s'élança dans sa direction en criant, dans l'espoir de lui couper la route.

Les autres, entendant les cris, virent le traîneau à chiens qui fonçait, et sans un instant d'hésitation, Californie se mit à courir lui aussi ;

parce qu'il était sous un meilleur angle, ce fut lui que l'homme en traîneau vit le premier. Il fit arrêter ses chiens et s'avança à la rencontre de ces inconnus. Au premier coup d'œil il comprit à qui il avait affaire : un groupe de *cheechakos* en péril.

Il se nommait Sarqaq, était à moitié eskimo, à moitié athapascan, et conduisait son traîneau à Fort-Yukon. Il parlait très peu d'anglais mais comprenait beaucoup de mots. Il demanda à Californie :

— Fort-Yukon ?

Et comprit la réponse.

— Quelle distance ? demanda Californie.

Sarqaq leva un doigt.

— Demain.

— Demain pour toi ou demain pour nous ? demanda Californie.

Sarqaq ne comprit pas. Klope résolut le problème en posant la main sur l'un des chiens, un bel animal à la tête blanche, le cinquième à partir de la tête, et avec ses doigts imita les quatre pattes rapides d'un chien. Ensuite avec ses pieds il marcha lentement dans la neige.

— Chien un jour ? Homme combien ? demanda-t-il.

Sarqaq, dont le visage brun était aussi rond que si on l'avait tracé au compas, éclata de rire en montrant ses dents blanches.

— Moi, tout de suite. Vous, demain.

Klope, qui n'était nullement religieux, soupira :

— Merci, mon Dieu !

Californie lui-même, et les autres qui étaient encore en bonne condition, pourraient certainement survivre jusqu'au lendemain soir. Quant aux plus faibles, le traîneau pourrait peut-être les conduire jusqu'à des lits chauds. Il prit l'Eskimo par le bras et lui montra les hommes épuisés.

— Deux, trois. Peut-être ils meurent.

Par signes, il essaya de lui dire qu'ils risquaient de mourir d'épuisement.

Sarqaq comprit aussitôt et prit sa décision sans une seule minute d'hésitation. Il se mit à décharger rapidement de son traîneau les piles de fourrures et de viande de caribou qu'il allait livrer à Fort-Yukon. Comprenant qu'il faisait de la place pour transporter les hommes menacés, Klope lui dit :

— Je vais les chercher.

Sarqaq l'arrêta.

— Non, moi.

Sur ses ordres secs, les chiens rebroussèrent chemin, et longèrent la file des hommes qui le saluèrent d'une voix faible.

— Qui part ? demanda-t-il en levant trois doigts sortis des mitaines qui les protégeaient du gel.

Les hommes attendirent que Klope désigne les trois plus faibles, et on les chargea sur le traîneau. À peine se rendirent-ils compte de ce qui se passait.

Puis ce fut un instant d'indécision douloureuse, car les sept hommes qui restaient ne savaient pas ce qui allait se passer. Ces trois malheureux seraient-ils les seuls sauvés ? Fort-Yukon se trouvait-il vraiment à un seul jour de marche ? Pourraient-ils survivre à plusieurs autres nuits dans ce froid extrême ?

Sarqaq, devinant leurs craintes, sourit comme une pleine lune, et dit à Klope :

— Surveille viande. Les loups.

Et aux hommes du *Parker,* il recommanda :

— Coupez viande. Mâchez. Enveloppez dans fourrures. Je reviens. Beaucoup de traîneaux.

Puis il s'enfonça dans la nuit tombante.

Il devait être quatre heures du matin quand l'un des voyageurs qui marchait sur place pour se maintenir en vie entendit les chiens, du côté de l'est. Il écouta encore, de peur de donner une fausse joie à ses compagnons, et perçut les échos impossibles à confondre de voix humaines encourageant les bêtes. Il se mit à crier :

— Les voilà ! Les voilà !

Les survivants se remirent sur pied et tentèrent de percer les ténèbres. Lentement, comme une vision dans un rêve de drogué, les traîneaux à chiens apparurent sur le Yukon, suivis par des hommes qui couraient. Bientôt, la vision devint réalité et les voyageurs glacés se mirent à crier des hourras en pleurant.

En 1897, Fort-Yukon n'était plus un fort, mais quand on l'avait construit, cinquante ans auparavant, c'était une place forte redoutable. Un dessin exécuté en 1867 par l'intrépide explorateur anglais Frederick Whymper montrait encore les fortifications imposantes entre lesquelles se nichaient plusieurs maisons et deux énormes entrepôts pour les fourrures qu'achetait la Compagnie de la baie de Hudson et pour les marchandises qu'elle vendait. C'était l'avant-poste le plus reculé qu'avaient établi les marchands audacieux de la compagnie.

En 1869, Fort-Yukon fournit un exemple remarquable des rapports de bon voisinage entre le Canada et les États-Unis : le jeune officier Otis Peacock et ses hommes expliquèrent que ce comptoir de la Compagnie de la baie de Hudson se trouvait vraiment très loin en territoire américain. Au lieu de remuer ciel et terre, Américains et Canadiens décidèrent de déplacer les entrepôts par décision diplomatique — deux fois, car, après le premier déménagement, ils les avaient encore établis en territoire américain.

Pendant quelques années, Fort-Yukon avait été un petit village prospère d'environ cent quatre-vingt-dix habitants qui gagnaient modestement leur vie en rassemblant les fourrures des Indiens et en approvisionnant à l'occasion des bateaux du fleuve comme le *Jos. Parker,* quand ils faisaient escale. Mais avec la découverte de l'or du Klondike, la ville s'était épanouie et peuplée.

Quand Sarqaq, que l'on appelait Eskimo bien qu'il fût à moitié athapascan, et les autres conducteurs de traîneaux ramenèrent au fort les hommes blancs, une situation étrange se développa. Californie, l'homme qui plus que tout autre était responsable de la survie du groupe, perdit soudain tout son courage, et quand un troisième homme mourut au fort, il s'en fit le reproche. Pendant trois jours, il resta dans un état de stupeur, accablé par la tragédie à laquelle il avait participé. Klope et les autres lui dirent :

— C'est grâce à toi que nous avons continué.

Mais il ne voulut rien entendre ; il se sentait personnellement responsable du décès de ses trois compagnons et des défaillances des autres.

Klope n'était pas sincère en prétendant que Californie avait sauvé l'expédition. Montana et lui avaient également contribué à la cohésion du groupe et un plus grand nombre seraient morts si Klope ne les avait pas contraints à avancer. Mais il ne cherchait aucune reconnaissance : il avait simplement fait ce qu'il considérait comme son devoir; à la place, il chercha son sauveur, Sarqaq, et passa des heures avec les dix chiens de l'Eskimo.

Sarqaq était considéré comme un Eskimo parce que c'était plus facile de l'identifier ainsi. En outre, il avait l'allure d'un Eskimo typique : trapu, visage rond, traits orientaux accusés. C'était un homme aimable, toujours prêt à sourire — ce qui faisait briller son visage comme la pleine lune. Il appréciait l'intérêt que prenait Klope à ses chiens.

Il en nourrissait dix mais préférait n'en atteler que sept à son traîneau. Les trois autres seraient intégrés à l'attelage si des membres actuels vieillissaient ou devenaient réfractaires. Par exemple, il n'avait presque aucune raison de garder le chien que Klope avait aimé au premier regard, lors de leur rencontre sur les Plats, le numéro cinq de la file. Instinctivement, Klope avait remarqué le seul animal qui n'était pas un chien eskimo de pure race, comme s'il avait repéré une différence de caractère.

— Pas eskimo, dit Sarqaq. Peut-être moitié-moitié.

Un Blanc à qui avait appartenu autrefois ce chien lui avait donné le nom de Métis pour indiquer le mélange des races. Et quand Klope apprit que le chien était de sang mêlé, il supposa que cela expliquait la différence qu'il avait notée.

Métis ressemblait beaucoup à un chien eskimo : il avait le masque blanc, les poils extrêmement sombres au bout des oreilles, la toison épaisse et de puissantes pattes de devant. Ses yeux étaient bordés de blanc et une mince bande blanche courait au milieu de son front. Son corps d'un gris brunâtre semblait toujours sur le qui-vive. Son point faible ? Il ne s'adaptait pas aux autres chiens, et s'il n'amendait pas très vite ses manières, Sarqaq serait obligé de le remplacer, car un chien difficile suffit à détruire un attelage.

Pendant ces journées d'octobre qu'il passa avec les chiens, Klope acquit lentement une certaine compréhension de ces animaux remarquables, si différents de ceux qu'il avait vus en Idaho. La bête la plus importante de l'équipage était le chien de tête, et celui de Sarqaq avait une intelligence presque incroyable; il adorait tirer devant les six autres, presque aussi capables que lui. Le chien de tête impose son autorité à tout l'attelage, il tire de tout son poids sur les harnais, fixe la vitesse du traîneau et choisit la piste. Il obéissait aux ordres de Sarqaq et parfois même les devançait. On ne pouvait guère dire qu'il aimait son maître, car il évitait toujours les êtres humains, mais il adorait manifestement son travail de chef d'équipage, protecteur du lourd traîneau.

Le chien numéro deux de la ligne s'appelait « l'entraîneur », car il devait transmettre les décisions du chef aux chiens de l'arrière. Souvent, quand le chien de tête mourait ou devenait trop vieux pour continuer de tirer le traîneau, l'entraîneur prenait sa place ; dans le cas de l'attelage de Sarqaq, cela ne se produirait pas parce que l'entraîneur, si excellent qu'il fût à ce poste, ne ferait pas un bon chien de tête car il était trop influençable.

Le dernier chien de la file jouait un rôle presque aussi important que le premier. On l'appelait « le volant », car il devait veiller à ce que les mouvements des autres chiens ne mettent pas le traîneau en danger ni ne ralentissent sa marche. Un volant compétent pouvait valoir autant que le reste de l'attelage s'il savait veiller à ce que leurs efforts considérables soient efficacement transmis au traîneau. Sarqaq possédait le meilleur volant de la région.

En dehors de ces trois chiens principaux, les autres formaient l'attelage et l'on avait parfois l'impression qu'ils faisaient la plus dure besogne. Chaque chien avait un nom, mais comme ces noms étaient en langue indigène, Klope n'avait retenu que Métis. Il ne faisait pas beaucoup d'effet quand le traîneau était en mouvement et aux trois occasions où Sarqaq permit à Klope de l'accompagner pour de petites sorties dans la nature, celui-ci remarqua que Métis manquait de ce mélange de respect pour la discipline et de détermination que possèdent tous les chiens de qualité. Métis semblait différent ; il avait toujours envie de la compagnie des hommes et en John Klope il trouva un homme qui avait besoin de l'amitié d'un animal. Cet homme qui avait du mal à se lier à ses semblables s'attachait de plus en plus à l'affection de ce chien.

Il fut donc atterré le jour où, par la maladresse de Métis, les courroies de trait se mêlèrent, car Sarqaq s'écria, écœuré :

— Pas bon chien. Je le tue.

— Attendez ! supplia Klope.

Mais ce soir-là, à leur retour au fort, un autre conducteur de traîneau qui parlait assez bien l'anglais lui expliqua :

— Husky et malamute, même chose. Bons seulement pour tirer le traîneau. Si pas bons pour ça, il faut s'en débarrasser.

— Mais vous tueriez un de vos propres chiens ?

— Si pas bon, il vaut mieux le tuer. La vie d'un chien, c'est la piste, à tirer. S'il perd sa place, le chien a peut-être envie de mourir.

— Vous ne le garderiez pas... comme animal familier ?

Le conducteur, un Athapascan, éclata de rire et appela deux de ses camarades.

— Il demande si un chien de traîneau eskimo peut faire un animal familier.

Les hommes rugirent de joie. Encore une preuve que les gens du dehors ne comprendraient jamais rien à l'Arctique.

Dans les jours qui suivirent, Klope passa davantage de temps avec Métis et chaque fois, il vit en lui un animal capable de beaucoup d'affection et prêt à partager sa vie avec un homme qui s'intéressait à lui. Quand Klope se rendait à l'endroit où les chiens étaient attachés pour la nuit — si on les avait laissés en liberté, ils auraient disparu — Métis tirait sur sa chaîne pour se rapprocher de lui, puis il sautait sur lui, posait les pattes sur ses épaules et essayait de lui lécher la barbe. Mais ce comportement renforça la conviction de Sarqaq que Métis n'avait pas sa place dans un attelage sérieux de chiens de traîneau.

Klope jugea bientôt impensable qu'un aussi bel animal soit détruit simplement parce qu'il ne se soumettait pas servilement aux caprices d'un homme. Plusieurs fois il essaya d'aborder le sujet avec Sarqaq, mais celui-ci écarta l'opinion du chercheur d'or avec mépris.

Les survivants du *Jos. Parker* se rétablirent de leurs épreuves sur les Plats du Yukon et reprirent courage. Certains commencèrent à envisager un départ vers le sud, jusqu'à leur destination, mais les responsables de Fort-Yukon les en dissuadèrent.

— Plus de cinq cents kilomètres. Et il va faire un froid de loup maintenant. Vous avez déjà perdu trois hommes sur seulement quatre-vingts kilomètres, par ce que nous appelons du beau temps.

— Mais si nous attendons que cette maudite rivière dégèle, toutes les bonnes concessions seront prises.

— Nous attendons chaque année, répondirent les hommes de Fort-Yukon. Et de toute façon, jeune homme, toutes les bonnes concessions ont été prises il y a deux ans. Vous avez tout le temps de mettre votre nom sur une terre sans rien. Restez donc ici, où il y a un poêle chaud et de quoi manger.

Ces conseils parurent encore plus sages quand un traîneau à chiens conduit par deux Indiens arriva du Sud avec des nouvelles affreuses.

— Famine à Dawson. La Police Montée a ordonné aux gens de partir. Ils sont arrivés à Circle City, en piteux état. Il a fallu couper des orteils gelés. Des doigts morts. Un homme a perdu une jambe.

Ce tableau de la situation dans le Sud découragea les hommes du *Parker* et ils cessèrent tous de songer à atteindre le Klondike avant que le dégel permette à un bateau de passer. Tous sauf John Klope, toujours tourmenté par son idée fixe : atteindre les gisements d'or. Chaque épreuve nouvelle semblait le déterminer davantage à passer outre aux difficultés, et quand les envoyés de Circle demandèrent aux autorités du fort d'organiser une mission de sauvetage pour apporter des vivres aux hommes bloqués à Dawson, il déclara sans hésitation :

— Je suis prêt à partir.

Les Indiens éclatèrent de rire. Ils pensaient manifestement à un conducteur de traîneau indigène. Ils déclarèrent que leur voyage jusqu'au fort les avait épuisés ainsi que leurs chiens : ils ne se porteraient pas volontaires.

Deux jours plus tard, Sarqaq vint trouver Klope :

— Tu dis que tu y vas ?

— Oui.

— Toi, moi, peut-être ?

Klope sauta sur cette invitation, mais l'Eskimo demanda :

— Tu paies ?

Et Klope dut réfléchir. Il expliqua qu'il avait déjà payé son passage au capitaine du *Jos. Parker* et il expliqua par signes que s'il attendait à Fort-Yukon jusqu'au dégel, le *Parker* serait obligé de le transporter à Dawson sans qu'il verse un sou de plus.

L'explication ne fut pas aisée, mais Sarqaq finit par comprendre que Klope ne paierait pas, et l'on en resta là pendant deux jours. Mais le troisième, au moment où Klope, assoiffé d'or, allait proposer une petite somme pour le voyage, Sarqaq revint avec une autre suggestion : les deux hommes chargeraient sur le traîneau tous les vivres dont Fort-Yukon pouvait se passer et les apporteraient à Dawson où ils les vendraient avec des bénéfices certains. L'entreprise semblait sans risques ; Sarqaq était sûr que ses chiens pouvaient faire le voyage, il s'en sentait lui-même capable et il estimait que Klope était un de ces Blancs aussi endurants que les Eskimos. Enfin les deux ne doutaient pas qu'à leur arrivée à Dawson ils trouveraient des clients prêts à payer pour leurs vivres.

Tout fut réglé, sauf un détail : Klope devrait acheter les vivres à l'intendant de Fort-Yukon et les payer en espèces. Seul le succès de la mission de sauvetage lui permettrait de refaire ses réserves. Il réfléchit plusieurs jours, car, à la différence de Sarqaq, il pouvait imaginer de nombreuses raisons d'échouer dans cette entreprise audacieuse. Mais au bout du compte son désir d'arriver sur les gisements d'or avant le reste du contingent de l'année l'emporta sur la prudence, et il accepta d'avancer l'argent. Le 20 novembre 1897, tout Fort-Yukon apprit que Sarqaq et l'Américain allaient tenter de gagner Dawson, à cinq cent quinze kilomètres au sud, sur des pistes glacées et couvertes de neige, le long d'un fleuve rempli de blocs de glace. S'il faisaient quarante kilomètres par jour, ils pourraient couvrir la distance en dix-huit jours, en tenant compte du repos des chiens. Ils arriveraient donc au Klondike avant Noël.

La veille du départ, deux choses se produisirent qui augmentèrent la tension des deux hommes. Klope alla voir Californie, qu'il admirait :

— Voulez-vous venir avec nous ? Vous étiez le meilleur pendant l'autre expédition.

Mais l'homme qui s'était avéré tellement efficace sur la glace entre le *Jos. Parker* et Fort-Yukon n'avait pas encore récupéré son courage, ou bien l'avait entièrement dépensé pendant le voyage désastreux où sa volonté avait empêché l'expédition de s'achever dans l'horreur totale. Quand Klope lui suggéra de repartir, il ne put réprimer un frisson. Il rentra la tête dans ses épaules comme s'il craignait une attaque et refusa tout net. Il avait vu le Yukon en automne, il préférait ne pas l'imaginer en hiver.

Klope le mit en garde.

— Tous les bons gisements d'or seront pris.

Il leva les yeux, stupéfait.

— Les gisements d'or ?

Quand le Yukon dégèlerait, il avait l'intention de prendre le premier bateau vers l'aval : Saint-Michael et Seattle. En aucune circonstance il ne remonterait vers Dawson, que le fleuve coule ou soit pris par les glaces. En réfléchissant à ce refus, Klope commença à comprendre à quel point le voyage qu'il allait entreprendre serait dangereux.

Sarqaq apprit une histoire encore plus effrayante. Les deux Indiens qui avaient annoncé à Fort-Yukon la famine de Dawson racontèrent ce qui s'était passé quand un bateau avait essayé d'apporter des provisions à la ville assiégée.

— Le bateau avait beaucoup de bois à brûler, et des vivres de réserve, un bon capitaine, un bon pilote indien pour les chenaux. Tout bon. S'il atteint Dawson, il sauve beaucoup de gens.

— Que s'est-il passé ? demanda Sarqaq.

— Lui, moi, nous arrivons à Circle un jour avant le bateau. Pas de vivres. Pas de médicaments. La pagaille, je te dis.

Il se tourna vers son ami, en quête d'une confirmation, et l'autre Indien hocha la tête.

— Le lendemain, la joie. Le bateau arrive. Mais le capitaine dit : « Ces provisions sont pour Dawson. Des gens meurent de faim à Dawson. » Mais les gens de Circle disent : « Des gens meurent de faim ici aussi. Nous prenons vos vivres. » Ils parlent fort. Peut-être ils tapent fort. Et ils ont des fusils. Le capitaine dit : « D'accord. Allez au diable. Prenez les vivres et laissez mourir les autres. » Et tous se jettent sur le bateau, prennent tout. Le bateau reste vide. Aussitôt, il est pris dans les glaces. Il n'ira jamais à Dawson parce que le capitaine dit : « À quoi bon ? »

Puis l'autre conducteur de traîneau précisa :

— Sarqaq, si tu arrives à Circle avec tes chiens et tes provisions, les mêmes hommes t'arrêteront. Les mêmes hommes te prendront tout. Les vivres n'iront pas plus loin que Circle, c'est certain.

Les trois conducteurs discutèrent longuement d'itinéraires praticables sans que les gens de Circle apprennent la présence d'un traîneau à chiens dans le voisinage. La veille du départ, Sarqaq informa Klope de sa stratégie.

— Pas des mauvaises gens, simplement la faim ! Nous passerons par là...

Il indiqua dans la neige la position de Circle sur la rive gauche du fleuve et montra que les chiens longeraient la rive droite, à l'est.

***

Californie et Montana se levèrent tôt pour aider Klope à terminer les préparatifs de dernière minute. Quand le jour se leva, presque tout le fort était présent et faisait des prédictions :

— Jamais ils ne réussiront.

— Aucun blanc ne peut aller si loin en hiver.

— Si un homme en est capable, c'est bien Sarqaq.

Klope, que le moindre retard impatientait, allait enfin s'élancer, quand une vieille femme, fille d'un mineur canadien de la première heure et d'une squaw athapascane, s'avança pour l'arrêter une dernière fois. Elle apportait un objet qu'elle considérait manifestement comme précieux : un pot d'argile dans lequel se trouvait quelque chose enveloppé dans un linge humide. Depuis qu'elle était veuve, elle travaillait comme cuisinière à l'un des dortoirs des marchands. Et en tendant son trésor à Klope, elle lui dit, avec la sagesse de décennies passées dans le Nord :

— Il ne peut y avoir de maison sans ça. Dieu ne le permettrait pas.

Klope crut qu'il s'agissait d'une Bible, mais pourquoi la mettre dans un torchon humide ?

— Qu'est-ce que c'est ? demanda-t-il.

Fièrement, avec des doigts noués par des années de labeur, la vieille écarta le linge. Klope ne vit qu'une boule ronde de pâte, pareille à celle dont sa mère se servait pour confectionner ses biscuits allemands.

— Qu'est-ce que c'est ? répéta-t-il.

— De la *sourdough* *. Du levain aigre. Tenez-la au chaud. Ne vous en séparez jamais. C'est ce qui rend la vie...

La phrase resta en suspens, car la vieille femme ne put trouver un seul mot capable de décrire la différence qu'apportait la possession de levain de bonne origine.

La lignée de son levain remontait à 1847, lorsque les gens de la baie de Hudson avaient construit le fort où sa grand-mère avait travaillé comme cuisinière. Ce levain avait atteint le Yukon après un périlleux voyage depuis l'est du Canada ; ses lointains ancêtres venaient du Vermont, où la même souche avait été maintenue en vie pendant quarante ans, exactement depuis 1809. Cette vieille femme offrait donc à Klope un présent d'antiquité, de civilisation et d'amour, mais c'était aussi une responsabilité. Dans des pots de grès comme celui-là, sous des torchons humides comme celui-ci, les femmes du Vermont, du Québec et de Fort-Yukon avaient maintenu les ferments du levain en vie. Elle confiait maintenant cette charge à un nouveau responsable.

Soupesant le pot à deux mains, Klope s'écria :

* Note : Ce mot désignera les vétérans d'Alaska et du nord du Canada et en particulier les vieux chercheurs d'or, par opposition à *cheechako*, le « bleu » du Grand Nord. (NdT.)

— Je ne peux pas porter ça jusqu'à Dawson.
Mais elle le prévint.
— L'or, ça va, ça vient.
D'un geste de la main elle montra tous les hommes de Fort-Yukon.
— Ils cherchent, ils cherchent. Suppose qu'ils trouvent? Ils le perdent au jeu. Avec des jolies femmes...
Elle remit le pot entre les mains de Klope.
— Mais un bon levain... dure toujours.
Dans le monde qu'elle avait pu observer depuis ce fort solitaire sur le Yukon, l'or avait accompli très peu de chose, alors qu'une famille possédant un bon pot de *sourdough* se trouvait sur le chemin du bonheur.

Ce pot était manifestement trop lourd pour être porté jusqu'à Dawson City, mais Sarqaq, extrêmement respectueux du levain de bonne souche, résolut le problème. Il réclama un des petits pots de verre dans lesquels les paysans de Californie mettaient depuis peu leurs légumes en conserve. Il y plaça le levain et montra à Klope comment il fallait le porter contre sa peau pour que les ferments précieux ne gèlent pas.

Avec la bénédiction de la vieille et les vivats des hommes, les deux voyageurs audacieux partirent. Quel contraste dans leur allure! Klope, grand et mince, portait la version américaine du costume d'explorateur de l'Arctique — c'est-à-dire à peu près la même chose qu'un paysan de l'Idaho en hiver : de lourds vêtements, de lourdes bottes de cuir, une lourde casquette avec de très lourds rabats sur les oreilles. Un bon costume, adapté à une journée de dur labeur par temps froid. Lorsque Klope se mit derrière le traîneau il fit son effet. Un observateur aurait dit :

— Un gars dont il ne faut pas se moquer.
Mais quelle serait l'efficacité de cette tenue pour un voyage de dix-huit jours pendant lequel il n'était pas question de se déshabiller la nuit? Nul ne le savait.

Sarqaq, de petite taille et tout rond comme une boule de beurre, portait le costume mis au point par son peuple pendant des millénaires de vie dans l'Arctique. Aucune partie de ce costume n'était lourde; il semblait composé de nombreuses couches de la peau la plus fine et la plus légère qui soit. Ses bottes étaient en cuir de caribou, tanné à la perfection, et doublées non seulement de caribou mais avec la fourrure presque sans poids de bébés phoques. Son pantalon semblait un miracle de légèreté et de solidité; raide quand on l'enfilait, il s'assouplissait en marchant. Il portait cinq chemises et vestes, chacune apparemment plus fine que l'autre, et son capuchon, une merveille, constituait une grotte dans laquelle sa tête serait protégée de la neige et de la glace. La bordure lui offrirait protection et chaleur car elle était doublée de poils de glouton qui possédaient la propriété mystérieuse d'empêcher la glace de se former à leur bout.

Le costume arctique de l'Eskimo avait un autre avantage, et non des moindres : il était complètement étanche, au point que si l'homme qui le portait se trouvait soudain projeté dans une vague de l'océan ou dans une rivière, il demeurait au sec pendant une heure. C'était un équipement efficace dans lequel un homme pouvait travailler tout le jour et dormir toute la nuit avec le confort maximum que l'on puisse obtenir dans l'Arctique. On aurait pu croire qu'avec cet avantage pour les vêtements et une connaissance supérieure des traîneaux à chiens et des pistes, Sarqaq distancerait Klope dans tous les domaines, mais cela ne se produirait pas, car l'Américain savait ménager ses forces et utiliser « le courage de ses tripes », comme il disait.

Un Eskimo avec sept bons chiens pouvait les harnacher de deux manières. Certains excellents conducteurs aimaient avoir trois paires, les chiens attelés deux par deux, avec un chien de tête. Son trait était fixé au trait qui courait entre les paires jusqu'au traîneau. Un homme qui possédait sept ou neuf chiens bien entraînés et habitués à cette forme d'attelage choisissait volontiers cette solution, mais il y avait dans ce harnachement un côté tape-à-l'œil.

Ceux qui recherchaient l'efficacité pure et désiraient tirer le maximum de poids attelaient leurs chiens l'un derrière l'autre, le harnais de chacun fixé directement à celui du suivant. Cet attelage avait l'avantage de permettre aux trois chiens de base — celui de tête, l'entraîneur et le volant — de donner leur maximum et d'utiliser les compétences qu'ils avaient acquises. Sarqaq, qui avait effectué de nombreux transports sur les Plats du Yukon, préférait ce harnachement et l'utilisait à la perfection.

Quel que soit la solution adoptée, les chiens tiraient le même genre de traîneau. S'il s'agissait d'un voyage pour l'agrément, ou du transport de jeunes femmes ou d'un couple aisé, le traîneau ressemblait à un de ceux que l'on rencontre communément en Russie ou aux États-Unis : un endroit commode et capitonné pour asseoir deux personnes, avec à l'arrière une barre que le conducteur utilisait quand il montait sur les longues glissières qui dépassaient. Mais le traîneau de Sarqaq était conçu pour transporter le maximum de fret : c'était un véhicule bas, robuste sans décorations superflues, avec de larges glissières lourdes, et sans ridelles car la cargaison était assurée par de nombreuses courroies de peau.

Ces deux véhicules merveilleux — car ils constituaient les utilisateurs d'énergie les plus efficaces du monde — exigeaient des conditions spéciales : dans la neige, quand aucune piste n'avait été tracée, il fallait que l'homme responsable du traîneau passe à l'avant, avec des raquettes, pour ouvrir le chemin ; les chiens ne pouvaient pas le faire eux-mêmes car ils auraient perdu leur énergie à sauter dans la neige, dans laquelle ils s'enfonçaient jusqu'au museau. Quand un homme conduisait un traîneau, il avait du travail.

Bien entendu, si le conducteur avait la chance de suivre une rivière dont la surface avait gelé, aussi lisse qu'un miroir, ce qui arrivait parfois, même sur le Yukon, il pouvait monter sur le traîneau pendant plusieurs heures, car les chiens adoraient galoper lorsqu'une simple friction légère retardait leur traîneau. Mais en général, pour une journée typique de quarante kilomètres, l'homme courait plus de trente kilomètres en glissant sur la neige avec ses grosses raquettes.

Comme chaque chien pesait une trentaine de kilos de muscles concentrés et pouvait tirer environ cinquante kilos sur un terrain pas trop irrégulier, les sept chiens auraient dû tirer un poids total de trois cent cinquante kilos. Mais le traîneau lui-même, quoique réduit à sa plus simple expression, pesait quarante-cinq kilos, et la charge utile des vivres à destination de Dawson serait donc un peu plus de trois cents kilos, moins le poids de la nourriture des chiens et des hommes pendant le trajet.

Au cours de la première heure qui suivit leur départ de Fort-Yukon, Sarqaq établit les règles à observer :

— Toujours par là, dit-il en indiquant le sud-est. On part avant le jour, on s'arrête après le coucher du soleil, avec des pauses pour se reposer, précisa-t-il par gestes. Cinq jours, puis un jour d'arrêt, les chiens donnent.

Parce que aucun chien ne pouvait fournir autant d'efforts qu'un homme, ni aussi longtemps.

— Toi et moi, nous marchons. Si tout va bien, nous montons.

Mais la plupart du temps ils feraient ce que Klope appelait dans son enfance le trot de chien.

— Manger ? Toi et moi, ça.

Il montra la viande séchée sur le traîneau, dont du pemmican de caribou, d'orignal et d'ours.

— Et que mangent les chiens ?

C'était le problème majeur.

Les chiens de Sarqaq travaillaient extrêmement dur et avaient toujours faim, mais l'habitude voulait qu'on leur donne à manger seulement le soir. Klope avait l'impression que le quart du chargement se composait de saumon à chiens, séché l'été précédent ; sept cent cinquante grammes de cet aliment, riche en matières grasses, maintiendraient un gros chien en vie et en état de tirer. Mêlé à un peu d'avoine ou de maïs séché, le saumon donnait aux chiens plus d'énergie qu'il ne leur en fallait.

Dans le froid, le saumon ne rancissait pas et les chiens ne s'en lassaient jamais, ils l'avalaient à gros morceaux malgré les petites arêtes pointues qui auraient tué des animaux moins robustes. Emporter une telle quantité simplement pour nourrir les chiens semblait extravagant en un sens, mais en fait, sans chiens, aucun homme ne pouvait se déplacer en sécurité dans l'Arctique.

Pour offrir un complément au saumon, dont les chiens pouvaient très bien se contenter en permanence, Sarqaq restait toujours à l'affût de traces d'animaux. S'il parvenait à tuer un caribou ou un orignal, ou bien un ours sorti de son état d'hibernation, les chiens pourraient s'en repaître pendant deux ou trois jours ; et ce changement de régime très sain permettrait d'économiser le saumon séché. En fait, Klope comprit au bout de plusieurs jours de voyage que Sarqaq n'avait pas emporté suffisamment de saumon pour les dix-huit jours prévus : il avait parié sur la rencontre d'un caribou de temps en temps. Les deux hommes surveillaient donc les moindres traces de gibier et Sarqaq était prêt à perdre une journée entière à traquer un animal, car il savait que chaque fois qu'il en tuait un, il améliorait leurs chances de mener à bonne fin cette longue aventure audacieuse.

Chaque fois que Klope ou l'Eskimo partaient ainsi en chasse, ils appliquaient deux règles : le chasseur emmenait les chiens supplémentaires avec lui pour l'aider à tirer la proie ; et après trois heures d'absence, l'autre homme allumait un feu à la fumée épaisse pour signaler l'emplacement du traîneau, sinon le chasseur n'aurait eu aucun point de repère.

Chose étrange, presque incroyable, dans le Grand Nord sans arbres par un jour sans vent, un feu donnant beaucoup de fumée lançait un signal très haut dans l'air, presque à huit cents mètres de hauteur, sans un seul remous dans la colonne verticale. Un voyageur pouvait souvent dire où vivaient des gens au-delà de la crête d'une colline, grâce à la colonne de vapeur qui restait en suspens au-dessus de leurs feuillées. Un signal de ce genre restait visible à des kilomètres.

Ce fut à l'occasion d'une de ces sorties pour chasser de la viande que Klope, non sans hésiter, fit une suggestion qui modifia le voyage. Au moment où il partait sur les traces d'un orignal, visibles le long du fleuve, il demanda s'il pouvait emmener non pas les chiens de réserve, mais Métis, qui s'était couché dans le harnais comme les six autres membres de l'attelage.

— Peut-être très bien, répondit l'Eskimo.

Et Klope partit avec uniquement Métis, sans les autres chiens.

Jamais il n'oublierait cette journée. Un ciel bleu-gris, le soleil voilé qui demeurait bas sur l'horizon, la neige brillante mais pas assez pour vous aveugler, la perspective d'attraper un orignal et la joie d'avoir un chien sur ses talons. Métis adora la promenade et il était assez bien dressé pour réagir au moindre signe de Klope. Il participa lui aussi à la chasse, car il désirait ramener l'orignal dont il se repaîtrait avec le reste de l'attelage. Il se révéla un associé précieux, même ce premier jour et au crépuscule, qui tomba extrêmement tôt, ils arrivèrent près de leur proie. Métis demeura près de Klope, qui se mit en position sans bruit. Quand le coup de feu partit, le chien bondit comme un boulet de canon et mordit l'orignal à la patte pour l'empêcher de s'éloigner s'il était simplement blessé.

Le problème fut ensuite de tirer la lourde carcasse jusqu'au traîneau — et où se trouvait le traîneau ? Klope parcourut l'horizon du regard avant que la nuit tombe tout à fait, repéra la colonne de fumée, harnacha Métis et passa le bout de la courroie d'attelage autour du cou de l'orignal. Le chien serait-il capable de traîner tout seul une si lourde charge — deux cents kilos ? Klope poussa de toutes ses forces au départ et la bête abattue commença à avancer ; Métis fournit le supplément d'effort nécessaire et ils s'éloignèrent dans la neige.

Klope, saisi d'admiration, murmura entre ses dents :

— Il sait qu'il ramène quelque chose d'important.

C'était sans doute vrai, car le chien marchait droit, les oreilles dressées, ses yeux noirs attentifs, le harnais tendu, son beau corps brun argenté bandé vers l'avant. Le retour était si triomphal dans la nuit tombante qu'au moment où Klope aperçut le traîneau il tira en l'air un coup de feu joyeux.

Aussitôt répondirent les cris d'excitation du camp, les aboiements des autres chiens, les appels de Sarqaq ; puis l'on dépeça l'orignal, on lança les entrailles aux chiens affamés, et Klope apprécia la chaleur du retour à la fin de la journée. Mais le matin venu, il vécut un mauvais moment quand il vit que Sarqaq n'avait pas harnaché Métis dans l'attelage. Il servirait désormais comme secours.

Klope poussa le chien en avant.

— C'est Métis, dit-il.

— Il ne vaut rien, grogna Sarqaq.

Et Métis cessa de faire partie de l'attelage.

Klope, sachant qu'il n'entendait rien à la direction des chiens de traîneau, ne répondit pas mais fut profondément déçu — ainsi que Métis, car le chien exprima son déplaisir de ne pas être harnaché avec ses six compagnons. Comme les chiens de secours étaient retenus par un petit harnais pour les empêcher de s'écarter, Métis ne put même pas marcher à côté de Klope. On aurait eu du mal à décider qui était le plus déçu.

⁂

Pendant la première partie du voyage, Sarqaq resta près du fleuve et se fraya un chemin au milieu des blocs de glace. Par un après-midi sans nuages, il tomba sur un long passage de glace aussi lisse qu'un miroir, et l'Eskimo encouragea le Blanc à monter sur les glissières. Pendant une heure, avec Sarqaq qui traînait loin derrière, Klope et les sept chiens esquimaux glissèrent sur la glace dans la beauté immobile d'un jour sans vent de l'Arctique. Klope n'avait jamais imaginé une émotion de ce genre : un mouvement pur, hors du temps, hors de l'espace, sans un bruit, dans un monde blanc. Quand la galopade s'acheva, les chiens ne trahirent aucune fatigue mais se couchèrent joyeusement sur la glace. Klope eut envie de crier à tue-tête, mais crier n'était pas dans son style.

— Braves chiens, dit-il en cherchant des bouts de saumon dans les sacs pour les leur lancer.

Mais à l'endroit où le Yukon fait une légère courbe vers le sud-ouest, Sarqaq quitta le fleuve et continua sa route à l'est. Cette décision se justifiait pour deux raisons : d'une part, c'était la fin des Plats redoutés et les chiens auraient un terrain relativement facile, et surtout Circle et ses habitants affamés se trouvaient non loin. Si Sarqaq et Klope essayaient de faire traverser ce piège à leurs vivres, ils en perdraient la totalité. Ils s'éloignèrent donc du fleuve sans s'arrêter pour chasser, sans perdre un jour pour que les chiens se reposent, comme il aurait fallu.

Quand ils retournèrent le long du Yukon, au sud de Circle, la température baissa si rapidement que Sarqaq craignit qu'ils ne puissent pas repartir ; il se mit à chercher des accumulations de neige dans lesquelles les chiens pourraient s'enfouir si le froid devenait intenable.

Ce fut le cas. La température tomba à moins trente-cinq et le thermomètre de Sarqaq cessa de l'indiquer. Puis elle baissa encore : moins quarante et un, puis moins quarante-quatre. Si un vent violent avait fait rage, les hommes et les chiens auraient sans doute gelé. Mais sans vent, le froid resta relativement clément ; si l'on restait dehors, le visage à l'air, on risquait de perdre le nez ou une oreille, mais si l'on se protégeait, ainsi que les chiens, la survie demeurait facile. Dans ce froid extrême, Klope ne cessait de serrer le coude gauche contre son corps car cela lui permettait de sentir le pot de levain contre sa peau ; il se représentait comme l'un de ces dieux mineurs dont on lui avait parlé à la fin de l'école primaire : le gardien du feu sacré. Cette idée lui plaisait ; le levain ne serait peut-être plus actif à son arrivée, mais il ne serait pas gelé.

Pour les chiens, la survie consistait à s'enfoncer dans la neige comme des lapins jusqu'à ce qu'on ne voie plus que leur museau noir ; on pouvait les trouver en cherchant des yeux leur haleine glacée en suspens dans l'air immobile et silencieux. Pour les hommes, il en allait presque de même. À moins quarante-six, ils se servirent du traîneau comme d'un mur et entassèrent de la neige autour d'eux — ce fut le maximum de confort possible.

Pendant cette immobilisation forcée, Sarqaq s'en voulut d'avoir commis la bêtise de retourner le long du fleuve.

— Plus froid, ici.

De ses mains couvertes de mitaines, il imita le vent qui soufflait.

— Pas de vent. Pas du tout, répliqua Klope.

— Pas de vent, convint l'Eskimo, mais le froid suit le fleuve.

Avec ses mitaines il montra que le froid remontait et descendait le Yukon comme si un vent fort le poussait.

Le huitième jour de leur voyage, au lever du soleil, Klope remarqua que Sarqaq, sans mitaines, était en train de sculpter un petit objet.

— Qu'est-ce que tu fais ?

— Pour toi, répondit l'Eskimo.

C'était une paire de lunettes de soleil pour empêcher l'aveuglement par la neige. Si un Blanc, avec son manque de pigmentation — et en fait n'importe quel homme — restait entouré par la neige quand le soleil brillait, ses yeux devaient tellement lutter contre l'éclat des reflets qu'il devenait temporairement aveugle. Pour l'empêcher, les Eskimos avaient appris depuis longtemps à porter des lunettes protectrices, sculptées dans l'ivoire, l'os ou le bois, ou même, faute de mieux, découpées dans de la peau de caribou. La monture recouvrait l'œil complètement, mais comportait une fente très étroite, d'environ six millimètres de hauteur sur deux centimètres et demi de largeur, qui permettait au voyageur de voir où il allait. Souvent ces lunettes étaient peintes en noir pour réduire la luminosité, et lorsque Sarqaq remit à son compagnon ce précieux accessoire de survie, il le prévint :

— Soleil fort, plus de chasse.

Car même avec cette protection, l'exposition continuelle au soleil arctique reflété par la neige demeurait dangereuse.

Quand le froid intense cessa — un des froids les plus vifs que Sarqaq ait connus, les hommes reprirent leur marche vers le sud et l'Eskimo reçut une leçon qui l'étonna. Il avait prouvé qu'il tenait Klope en grande considération puisqu'il lui avait proposé de partager les épreuves de ce voyage, mais cela ne l'empêchait pas d'éprouver pour tous les Blancs un aimable mépris.

— Ils ne peuvent pas travailler comme nous, disait-il à ses camarades conducteurs de traîneau, Eskimos et Athapascans. Ils ne peuvent pas traverser la toundra comme nous. Et par temps froid, ils pleurent.

Tous les indigènes acceptaient ce genre de jugement à la manière d'un acte de foi, et les conducteurs de traîneau ne le mettaient jamais en doute.

Mais maintenant, en fin de parcours, au moment où le Blanc aurait dû être épuisé, Klope faisait preuve d'une force surprenante ; et pendant une étape de quarante-quatre kilomètres il demeura en tête la plupart du temps, ne monta pas un instant sur les glissières et à la fin de la journée parut beaucoup plus en forme que Sarqaq. L'Eskimo s'en aperçut et l'attribua à une chose qu'il aurait mangée ; mais comme les deux hommes avaient partagé le même repas, cette théorie ne tenait guère. Quand, pour la troisième fois de suite, Klope courut mieux que l'Eskimo, Sarqaq dut avouer son admiration.

— Toi le Blanc, tu travailles bien.

C'était une immense louange.

Ils se trouvaient par bonheur sur le fleuve quand ils arrivèrent aux belles falaises qui le longent du côté de l'ancien village de mineurs qu'un prospecteur optimiste avait baptisé Belle-Isle, et auquel des hommes plus réalistes donneraient ultérieurement le nom d'Eagle. C'était un endroit splendide, entouré de montagnes qui formaient ici et là des falaises bordant le fleuve. Et il y avait une île qui devait être assez jolie en été pour justifier l'épithète de belle. Mais ce que Klope apprécia le plus en Belle-Isle, c'était l'impression que le décor formait un univers en soi. Apercevant presque coup sur coup un orignal, un couple de renards roux et une famille de caribous, il supposa que les animaux éprouvaient le même sentiment que lui.

L'endroit était également remarquable parce que là, ou tout près, se terminait le territoire américain et commençait le Canada. Après Eagle, John Klope passerait pour la première fois en pays étranger, mais il ne put en discuter avec personne, car pour Sarqaq il n'existait aucune frontière du pôle Nord vers le sud : un même pays où il fallait se comporter de la même façon. Quand la température tombe à moins cinquante, on s'enterre dans la neige; quand elle remonte à un confortable moins vingt-cinq, on parcourt autant de kilomètres par jour que l'on peut.

À une soixantaine de kilomètres de Dawson, ils furent de nouveau surpris par un froid sévère, cette fois avec un vent violent qui soufflait du nord en remontant le Yukon. Ils durent s'arrêter dans une région de neige et d'arbustes. Ils placèrent leur traîneau contre le vent, coupèrent des branches pour s'abriter davantage et laissèrent les chiens s'enterrer dans des tas de neige, à la recherche du peu de chaleur qu'ils pourraient y accumuler.

Quand le temps s'améliora, Sarqaq proposa qu'ils partent tous les deux à la chasse à l'orignal ou au caribou pour apporter de la viande fraîche à la ville affamée. Après avoir pris des dispositions pour retourner au traîneau en suivant le fleuve, ils se mirent en route, Sarqaq avec deux chiens de secours, Klope avec Métis et un harnais pour ramener le gibier si la chasse s'avérait fructueuse.

Il faisait un froid très vif pour cette chasse solitaire; hommes et chiens souffraient beaucoup du mauvais temps et la température semblait trop basse pour que des animaux se déplacent. Klope ne tua rien et revint de fort mauvaise humeur au Yukon bloqué par les glaces. Sarqaq n'était pas près du traîneau et comme chaque jour de décembre la nuit tombe plus tôt que la veille, si l'Américain ne retrouvait pas l'Eskimo très vite, les deux hommes resteraient séparés pendant dix-huit heures.

Klope commença par allumer un feu de fumée, mais la force du vent dispersa vite la colonne-signal. Il ajouta cependant du bois, espérant que si Sarqaq sentait de la fumée il pourrait revenir jusqu'à sa source. En repérant précisément dans sa tête chaque tour qu'il faisait, il se mit à tracer des cercles de plus en plus larges dans la neige, tout en appelant son compagnon. Ne recevant pas de réponse, il allait retourner sur ses pas, lorsque Métis, doté d'une ouïe plus fine que celle de l'homme, se mit à gémir, tourné vers le nord. Là, après une marche épuisante, ils trouvèrent Sarqaq et ses deux chiens à côté d'un orignal mort. L'animal en se débattant avant de mourir avait brisé la cheville gauche de l'Eskimo.

Sarqaq, stoïque, avait attendu, certain que si un compagnon de voyage pouvait le trouver, ce serait cet Américain inflexible. Quand Klope s'agenouilla au-dessus de lui, il dit :

— Tué orignal. Couru chercher couteau. La tête a tourné. La corne a cassé la cheville.

— Je vais t'aider jusqu'au traîneau, proposa Klope.

Mais Sarqaq connaissait trop bien la toundra pour le permettre.

— Nous partons, les loups mangent l'orignal. Va chercher le traîneau. Je garde.

Il refusa de quitter sa proie.

Klope retourna donc au fleuve, harnacha les chiens et conduisit le traîneau auprès de Sarqaq. Dans le crépuscule ils dépecèrent l'orignal, soignèrent la cheville de l'Eskimo, établirent un abri contre le vent glacé de la nuit et s'y installèrent jusqu'à l'aube.

Dans un froid glacial ils prirent leur décision. Sarqaq, qui sautillait sans se plaindre malgré la douleur déchirante, donnait l'impression de n'avoir qu'une petite bosse.

— Nous harnachons tous les chiens. Même Métis.

Quand ce fut fait, avec des harnais de fortune, il fit charger tous les bons morceaux de l'orignal sur le traîneau, ce qui était possible puisque les chiens avaient dévoré presque toutes les réserves de saumon séché. Puis Klope et lui lâchèrent les chiens pour leur permettre de se gaver des entrailles et des rognures.

La décision suivante fut surprenante. Klope supposait que Sarqaq s'installerait au-dessus du traîneau chargé et que les chiens supplémentaires auraient la force de le traîner, en plus de l'orignal. Mais l'Eskimo, qui songeait avant tout à ses chiens et au but du voyage, refusa de monter. Avec l'aide d'un bâton, en posant une main sur le traîneau, il comptait marcher jusqu'à Dawson City.

Il commença vaillamment, à une allure qui étonna Klope, mais Sarqaq lui fit observer :

— Suppose moi tout seul ? Pas d'aide ? Je marche tout pareil.

Faisant appel à la force séculaire qui avait permis à ses ancêtres de traverser la mer de Béring puis de survivre dans le milieu le plus hostile du monde, Sarqaq maintint cette cadence pendant environ une heure, mais quand ils retournèrent sur le Yukon, sa volonté farouche se relâcha et il s'évanouit.

Klope arrêta les chiens, hissa l'Eskimo sur le traîneau — non sans mal — l'attacha, cria aux chiens : « Ahi ! » et reprit sa marche.

Ils passèrent les deux dernières nuits sur le fleuve, glacés et affolés à la pensée de ce qu'il adviendrait de la jambe de Sarqaq. Mais le lendemain matin, après quelques kilomètres de route, ils aperçurent Dawson, la ville grouillante où des milliers d'hommes se trouvaient coincés entre la montagne et le fleuve. Klope arrêta les chiens, se pencha en avant sur les manches du traîneau et baissa la tête, épuisé. Il allait terminer l'un des voyages les plus éprouvants du monde : sept cents kilomètres de train jusqu'à Seattle, cinq cents kilomètres par mer jusqu'à Saint-Michael, cent dix kilomètres le long de la mer de Béring jusqu'au Yukon, puis deux mille deux cent cinquante kilomètres en remontant ce fleuve réfractaire jusqu'à Dawson. Il avait mérité le droit d'avoir sa place dans cette ville, et de tenter sa chance sur les gisements d'or.

Quand ils arrivèrent à Dawson, les habitants désespérés tirèrent des coups de fusil pour leur souhaiter la bienvenue. Klope agit aussitôt : il vendit le chargement de vivres, y compris la viande d'orignal, pour une petite fortune ; il persuada Sarqaq de lui donner Métis, et l'Eskimo accepta car il savait que ce chien bâtard, inefficace sous le harnais, lui avait sauvé la vie ; enfin, l'Américain partit vers le Klondike, où il apprit que tous les terrains en bordure du Bonanza et de l'Eldorado avaient été retenus depuis longtemps. En riant, les prospecteurs qui possédaient des concessions sûres lui dirent qu'il y avait sans doute des sites libres à six ou sept kilomètres de là, où l'on ne trouvait pas d'or, et Klope repartit en ville, prêt à attaquer quiconque à mains nues pour s'assurer une concession.

Les hommes qui se trouvaient dans la région depuis deux ans avaient appris à éviter les nouveaux venus fous de déception. Et comme Klope possédait un grand chien qui montrait les dents, ils s'écartèrent davantage. Les plus expérimentés pensaient que le bonhomme finirait sous peu avec une balle dans le coffre.

Ils ignoraient que John Klope n'était pas ce genre de personne : il n'avait pas l'intention de mourir au cours d'un règlement de comptes dans une venelle de Dawson City. Il n'était pas furieux contre les hommes qui avaient sollicité les meilleures concessions, mais contre lui-même parce qu'il était arrivé trop tard. Il ne se rendait pas compte que depuis qu'il avait entendu parler du Klondike, le 20 juillet 1897, jusqu'à son arrivée sur les lieux, le 16 décembre de la même année, il avait à peine gaspillé une seule journée. L'attente à Seattle s'était avérée insignifiante ; l'arrêt à Saint-Michael pour les réparations du *Jos. Parker* était inévitable ; et son séjour à Fort-Yukon n'était-il pas nécessaire pour négocier avec Sarqaq ? Il maudissait pourtant sa malchance.

Son premier problème fut de trouver un endroit où loger. Ce n'était pas facile, car presque toute la ville se composait de tentes dans lesquelles la température tombait le soir à moins quarante. Rarement un si grand nombre d'hommes avait vécu dans des conditions si épouvantables et il ne trouva personne qui l'accepte, bien qu'il eût sauvé plus d'une vie en apportant des vivres.

La rue principale de Dawson — le site n'était qu'un marécage dix-huit mois plus tôt — s'appelait Front Street et ne manquait pas de pittoresque, avec tous ses saloons, son théâtre, un dentiste, un photographe et quarante autres établissements qui invitaient les mineurs à se séparer de leur or. La rue parallèle à Front Street, appelée Paradise Alley, n'était qu'un ramassis de bouges hantés par les femmes venues à Dawson pour offrir leurs services aux mineurs.

Certaines avaient franchi le Chilkoot Pass, d'autres avaient remonté le Yukon avec leurs souteneurs sur le *Jos. Parker;* certaines venaient comme actrices, couturières ou cuisinières. Faute de trouver l'emploi qu'elles espéraient, elles finissaient à Paradise Alley dans les logis misérables qu'elles-mêmes ou leurs souteneurs pouvaient trouver.

Dans l'une des bicoques les plus avenantes vivait une Belge, grosse, bruyante et mal attifée qui venait d'avoir la trentaine. C'était une des onze prostituées professionnelles racolées dans le port d'Anvers qui avaient traversé l'océan puis les États-Unis pour travailler sur les gisements d'or. Les habitants de Dawson assuraient qu'elles avaient été importées par un Allemand entreprenant qui savait ce dont une ruée vers l'or a besoin. Elles comptaient parmi les meilleures travailleuses, si l'on peut dire, de tout le Klondike.

Dans la plus grande bicoque vivait celle qui était connue de tous — et favorablement — sous le nom de la Cavale belge. Klope, qui ne dissimulait pas son amertume de ne pouvoir trouver ni concession ni endroit où dormir, apprit d'un autre Américain du bar :

— J'ai passé quatre nuits chez la Cavale belge. Elle loue un lit supplémentaire.

Et Klope descendit donc Paradise Alley jusqu'au bouge de la Cavale. Oui, elle avait un lit supplémentaire et elle le louait volontiers. Bien entendu, les cloisons séparant les chambres étaient minces et la personne qui louait la chambre ne pouvait éviter de participer à la profession animée de la Cavale. Mais Klope, solitaire par habitude, put oublier complètement ces échos.

Il lui fut reconnaissant de sa générosité et en particulier de sa bonne volonté. Bien qu'elle ne parlât pas un mot d'anglais, elle fit l'impossible pour le mettre à l'aise, comme avec tous les hommes. Ce fut au cours d'un petit déjeuner — matefaims au levain aigre et pâté d'orignal — qu'il l'avait invitée à partager avec lui dans un établissement de Dawson qu'il rencontra l'homme dont il hériterait la concession. Il s'appelait Sam Craddick et c'était un mineur californien découragé, dont le père avait amassé une fortune modeste pendant la Ruée vers l'Or de 1849 — la seule que l'on honore encore de lettres majuscules. Craddick s'attendait à trouver des filons d'or comme en Californie, et l'idée de laver des tonnes de sable pour découvrir de minuscules parcelles d'or de *placer* le dégoûtait.

— Vous avez une concession ? demanda Klope.

— À mon arrivée ici l'été dernier, tous les bons sites étaient pris. J'ai rencontré la Cavale dans les mêmes conditions que vous.

— Vous n'avez donc pas réclamé de concession ?

— Oh, mais si, j'en ai pris une. Mais pas le long des cours d'eau où se trouve l'or. En haut d'une crête qui domine l'Eldorado.

— Et pourquoi là-haut ?

Tandis que la Cavale engloutissait ses matefaims, car c'était une prodigieuse gloutonne, Craddick expliqua la théorie des mines sur la table à tréteaux du petit déjeuner.

— Aujourd'hui, oui, on trouve de l'or le long des cours d'eau qui descendent par ici. On le trouve toujours de cette manière, indépendamment de l'époque, quand il n'y a pas de veines et de filons comme en Californie.

— Vous pensez qu'il y a un filon d'origine sous les montagnes ?

— Sûrement pas. Je crois qu'il n'y a aucun filon dans tout le Canada et l'Alaska.

— Alors pourquoi avez-vous pris une concession sur les hauteurs ?

— On trouve l'or d'aujourd'hui dans l'eau courante, d'accord. Mais l'or d'hier, et il y en a peut-être de plus grandes quantités, où se trouvait le ruisseau qui l'a capturé ?

— Vous voulez dire qu'il y a eu une autre rivière ?

— C'est ce que prétendent les spécialistes.

— Mais ne serait-elle pas plus bas, et non plus haut ?

— S'il s'agissait de dix ans, elle serait plus bas. Mais il y a un million d'années ? Qui diable peut savoir où le cours d'eau passait ?

— Vous pensez qu'il pouvait couler beaucoup plus haut que les torrents actuels ?

— Vous avez vu des photos du Grand Canyon ?

— Tout le monde en a vu.

— Rappelez-vous : c'est un tout petit cours d'eau qui a creusé ce canyon profond. Peut-être s'est-il passé la même chose ici.

Craddick dévisagea Klope et lui demanda à brûle-pourpoint :

— Vous voulez acheter ma concession ? L'ensemble ?

— Pourquoi voulez-vous vendre ?

— J'en ai marre. Ce pays est l'enfer comparé à la Californie.

Klope se dit : « Il parle comme tous les gars de Californie. Le Klondike est sans doute trop dur pour eux. »

Et il demanda à voix haute :
— De quelle taille, la concession ?
Craddick, sentant qu'il avait en face de lui un acheteur éventuel susceptible de le débarrasser de sa mine, répondit en toute sincérité.
— Taille normale. Cinq cents mètres parallèlement à la rivière. La distance habituelle d'est en ouest.
Klope interrompit la Belge qui dévorait ses grosses crêpes.
— C'est un brave type, non ?
La femme éclata de rire, embrassa Craddick et s'écria :
— Un foutu brave type.
Elle prit à témoin plusieurs hommes de la tente-restaurant. Elle expliqua la question en se servant de ses mains et tout le monde confirma son opinion.
— Il est honnête, et il possède une concession parfaitement légale dans les collines qui dominent l'Eldorado.
Mais quand la Cavale se mettait en tête de défendre la réputation d'un homme qu'elle savait excellent, il n'était pas facile de l'arrêter. Elle sortit du restaurant, se campa au milieu de la rue glacée, porta deux doigts à ses lèvres et lança un coup de sifflet strident. D'un magasin au milieu de la rue sortit un jeune homme vêtu de l'uniforme rouge et bleu de la Police Montée du Nord-Ouest. En voyant, comme il s'y attendait, la silhouette robuste de la Cavale belge, il s'avança tranquillement pour voir de quoi il s'agissait cette fois.
C'était un gendarme de belle allure, âgé de vingt-huit ans, rasé de près, avec des manières franches et directes qui trahissaient son origine : une petite ville canadienne de l'Est. Plus grand que la moyenne des hommes de cette unité remarquable, le sergent Will Kirby n'était pas plus lourd. Comme son poste exigeait qu'il parle français, il parlait sans mal avec la Belge. Elle lui expliqua que l'Américain Klope réclamait des références sur Craddick, qu'elle jugeait elle-même digne de confiance.
Kirby fit sortir les hommes du saloon, car ses supérieurs lui avaient recommandé d'éviter les saloons et les maisons de passe. Il reconnut le mineur sur-le-champ.
— Sam Craddick est un brave homme. Je le connais depuis plus d'un an.
— S'il était ici il y a un an, pourquoi n'a-t-il pas obtenu une des bonnes concessions ?
— Même à ce moment-là, c'était trop tard, répondit Kirby.
Le sergent ne soupçonnait nullement Craddick de tenter une opération illégale, car c'était un homme honnête, mais il jugea préférable de savoir de quoi il retournait.
— Il cherche à vous vendre une concession ?
— Oui.
— Où se trouve-t-elle ? demanda Kirby à Craddick.
— Sur la crête, à Eldorado.
— C'est un emplacement sérieux, répondit le sergent avec un enthousiasme modéré. On a vu se passer de bonnes choses par là-bas.
Il ne demanda pas le prix que demandait le vendeur, mais quand le chiffre — cinquante dollars — tomba dans la conversation, il siffla entre ses dents et lança à Klope :
— Si vous ne la voulez pas, je suis preneur.
Sur ces mots, il salua la Cavale et partit.
Klope avait l'argent et un désir ardent de posséder une mine d'or,

quelle qu'elle fût. Il décida donc d'acheter comptant, à condition que le mineur lui montre la concession et signe le transfert de titre au bureau du gouvernement canadien.

Impatient de se débarrasser de ce qui n'avait été pour lui qu'une source d'irritation, le mineur répondit :

— Vous savez, il y a là-bas une cabane, d'ailleurs pas terminée. Et elle fait partie du marché.

— Allons la voir tout de suite.

Klope paya donc le petit déjeuner de la Cavale, détacha Métis et partit à pied avec le mineur pour l'Eldorado, à vingt kilomètres de Dawson. Lorsqu'ils y arrivèrent, Klope constata que Craddick ne lui avait dit que la vérité : il possédait une concession sur le haut d'une colline. Il avait commencé à creuser dans la terre glacée. Et il avait déjà construit aux trois quarts une cabane d'une pièce. C'était, dit-il, la meilleure affaire à saisir sur le Yukon.

— Je ne crois pas qu'il y ait une seule pépite d'or là-dessous, mais c'est une véritable concession sur un véritable gisement d'or.

Il était déjà tard dans l'après-midi du 22, et aucun des deux hommes n'avait envie d'entreprendre la longue marche vers Dawson. Le mineur proposa :

— Pourquoi ne pas rester ici ?

Ils firent deux lits grossiers dans la cabane à moitié finie. Puis, au moment où l'homme allait s'endormir, il s'écria soudain :

— J'ai failli oublier !

Klope s'étonna.

— Il faut préparer la pâte la veille au soir si l'on veut des matefaims le matin.

Il quitta son lit pour aller fourrager dans ses réserves à la recherche de farine.

— Vous avez de la *sourdough* pour faire lever la farine ?

— C'est le seul moyen, répondit l'homme.

Klope se leva à son tour et proposa d'une voix hésitante :

— J'ai apporté de la *sourdough* depuis Fort-Yukon, et je me demandais si elle était encore bonne.

— Il suffit de l'essayer, vous verrez bien.

— Pourrions-nous l'essayer tout de suite ?

Craddick réfléchit.

— Je n'en avais plus. J'ai dû en emprunter à Ned, un peu plus bas. Je sais que celle-ci est bonne. Si nous essayons la vôtre et qu'elle ne vaut rien, adieu notre petit déjeuner.

— Pourquoi n'essaierions-nous pas les deux ? proposa Klope.

— C'est raisonnable, répondit le mineur.

Le matin venu, il se leva avant Klope, qu'il réveilla avec une bonne nouvelle.

— Hé, l'ami, tu as un levain vraiment nerveux !

Une bonne pincée de vieille pâte, riche en spores et levure prêts à proliférer, mêlée à de la farine ordinaire, un peu de sucre et de l'eau, engendrait après une nuit de fermentation dans un endroit protégé la meilleure pâte à gâteau du monde, et produisait d'autre levain pour faire de délicieux matefaims.

— À mon avis, ton levain a fait du bien meilleur travail que celui de Ned.

Et quand Klope regarda les deux pots de pâte levée, il en convint.

Les premières crêpes épaisses qu'il fit avec son levain furent, proclama-t-il hautement, les meilleures de sa vie : souples sous la dent, savoureuses, excellentes une fois couvertes de la mélasse presque figée dont le mineur avait une grande boîte.

— Elles auraient été meilleures avec du beurre, observa Craddick.

Mais il dut reconnaître que même telles quelles elles étaient délicieuses.

— Tu as du levain de bonne origine. Il travaillera bien ici, pendant que tu creuseras ton puits.

Après le petit déjeuner, il expliqua à Klope les ficelles de ce type de mine.

— Voici ce que nous faisons sur cette colline, tous jusqu'au dernier : nous allumons un feu chaque nuit, du moment où le sol gèle en septembre jusqu'à celui où il dégèle en mai. Le feu ramollit la terre sur une vingtaine de centimètres. Le matin venu, on creuse ces vingt centimètres et on les entasse là-bas. La nuit suivante, et toutes les autres nuits, on fait un autre feu. Le lendemain matin et tous les autres matins, on creuse les vingt centimètres de terre dégelée jusqu'à ce qu'on ait un puits de dix mètres de fond.

— Et que fait-on de la terre ? demanda Klope.

Craddick lui montra une vingtaine de tas de terre, complètement gelés.

— Quand vient l'été, on passe toute cette terre à l'eau et on trouve de l'or. Peut-être...

Le mineur cria à un homme qui travaillait un peu plus bas :

— Est-ce qu'on peut venir voir votre tas ?

— Descendez ! cria l'homme. Mais retenez le chien.

Klope, Craddick et Métis descendirent la pente, à mi-chemin entre la crête et le torrent, pour examiner l'énorme tas de terre gelée.

— Je ne peux pas dire qu'il y ait beaucoup de jaune là-dedans, mais Charlie, trois concessions plus bas, croit qu'il passera au tamis entre quarante et cinquante mille dollars dans son tas de boue.

— Comment protège-t-il sa fortune quand il travaille au fond du puits ? demanda Klope.

Les deux mineurs éclatèrent de rire.

— Pendant l'hiver, il y a des millions à l'air libre autour de tous ces trous. Et ils restent où ils sont parce que si un idiot touche à une poignée de ma boue gelée, cinquante hommes seront prêts à lui tirer dessus.

En remontant sur la crête, ils passèrent à la hauteur d'un sexagénaire aux cheveux gris qui avait à côté de sa cabane un tas de terre gelée plus gros que la moyenne.

— Louie, lui lança Craddick, il paraît que tu as vraiment trouvé de l'or.

— À première vue, vingt mille dollars.

— Est-ce que je peux voir de quoi le vrai or a l'air ? demanda Klope.

Le vieil homme donna des coups de pied à son tas pour en détacher un fragment gelé. Quand les deux mineurs l'examinèrent, un sourire ravi s'épanouit sur leurs traits, car ils reconnaissaient un riche gisement. Mais Klope se pencha à son tour, ne vit rien du tout, et la déception se peignit sur ses traits.

— Petit, lui dit l'homme, l'or n'arrive pas en pièces comme à la banque. Il se trouve sous forme de grains minuscules. Mon Dieu, quel gisement riche !

Effectivement, en déplaçant le bout de terre à la lumière du soleil,

Klope vit lui aussi les grains dorés, purs et d'une petitesse extrême. C'était donc cela qu'il était venu chercher : de minuscules particules de magie ?

De retour à sa mine, Craddick conduisit Klope au fond du trou carré qu'il avait taillé laborieusement dans le sol glacé. Pour la première fois de sa vie, Klope entendit le mot *permafrost :*

— C'est notre malédiction et notre bénédiction. Il faut s'éreinter pour arracher la terre. Mais tout est permanent, ici, et nous n'avons pas besoin d'étayer avec des bois comme mon vieux en Californie. On creuse un trou et il reste de la même forme jusqu'au Jugement dernier ou au prochain tremblement de terre. Et quand tu arrives au lit de rochers...

— Qu'est-ce que c'est ?

— L'endroit où l'ancienne rivière a arraché son or... S'il y a eu une rivière et de l'or.

Il soupira sur ses rêves perdus et ajouta :

— Quand tu parviens au lit de rochers, tu fais d'autres feux pour faire fondre latéralement et non verticalement, et le permafrost maintient tout d'un seul bloc, même le toit de ta grotte.

Ils se trouvaient à deux mètres vingt sous terre quand le mineur lui expliqua cela. Klope leva les yeux vers l'ouverture du trou et demanda :

— Comment vais-je remonter ma terre dégelée jusqu'au tas ?

Craddick, hanté par de mauvais souvenirs, ne put retenir un rire amer.

— Tu la charges dans ce seau que je vais te laisser, tu remontes en haut du puits en prenant le bout de la corde, tu hisses le seau, tu le verses sur le tas puis tu redescends avec le seau et tu recommences.

Il s'interrompit en riant :

— À moins que tu enseignes à ton chien l'art de hisser le seau et de le verser sur le tas.

— C'est de cette façon que tous ces hommes ?...

Le mineur acquiesça :

— Oui, tous. Les hommes comme moi, qui n'ont rien trouvé. Les veinards qui ont ramassé un demi-million.

Les deux hommes revinrent à Dawson avec Métis et se présentèrent le lendemain matin au bureau de l'enregistrement, où ils trouvèrent le sergent Kirby en train de déposer un rapport.

— J'ai acheté la concession, dit Klope.

— Vous ne le regretterez pas, répondit Kirby.

Quelques minutes plus tard, Klope avait en sa possession le précieux document confirmant le transfert de propriété. Il était désormais propriétaire d'« Eldorado Crest Concession n° 87 en ligne, appartenant précédemment à Sam Craddick, de Californie, et désormais à John Klope, de Moose Hide, Idaho, le vingt-quatrième jour de décembre 1897 — $ 50,00 USA. »

À la nuit tombante, un groupe de mineurs sentimentaux fit le tour des rues glacées en chantant des cantiques de Noël, et Klope crut qu'il connaissait la clé de la fortune sur les mines d'or du Klondike : « La chance ! pensait-il. J'ai eu la chance d'arriver ici vivant. J'ai eu la chance de rencontrer Sarqaq avant qu'il ne soit trop tard. J'ai eu la chance de tomber sur une femme serviable comme la Cavale. Et j'ai eu une sacrée chance d'acheter une aussi bonne concession. Je sais que les probabilités de trouver de l'or dans ce trou sont d'un contre mille, mais aucun petit malin d'Idaho ne pourra jamais rire de John Klope — cet idiot de cul-terreux qui est allé jusqu'au Yukon et n'a même pas trouvé une mine. »

***

Le dernier jour de juillet 1897, un gentleman entre deux âges, de grande taille et vêtu d'un uniforme de général sudiste au complet, avec un grand chapeau dans le style de Robert E. Lee et des bottes de cavalier, faisait le pied de grue dans les bureaux de Ross & Raglan, l'une des principales compagnies de navigation de Seattle. Il étudiait tranquillement les hordes de chercheurs d'or en puissance venus de toutes les parties du monde se rassembler sur le Schwabacher's Wharf, et son regard inquisiteur se fixa sur une famille arrivée manifestement de l'Est et qui semblait encore plus manifestement mal à l'aise. « Ils fuient quelque chose, se dit-il. Ils sont nerveux, mais ils ont l'air convenable. »

L'homme paraissait la quarantaine — un pauvre bougre manquant de confiance et d'assurance, comme s'il attendait les instructions de son patron. Peut-être un employé de bureau, se dit l'ancien Sudiste. L'épouse, la trentaine environ, n'avait rien de remarquable. Quant à leur fils, moyen à tous égards, il devait aller sur ses treize ans.

Le général qui les observait ne put s'empêcher de sourire en les voyant discuter ensemble : entreraient-ils tous les trois dans le bureau, ou seulement le mari ? La femme prit la décision : elle posa la main au milieu du dos de son mari, le poussa vers la porte ouverte et le regarda entrer.

L'ancien Sudiste observa le mari qui s'avançait timidement vers le comptoir, puis l'entendit déclarer à l'employé :

— Il faut que je parte au Klondike.

— Tout le monde le voudrait, répondit l'autre. Mais tous nos grands bateaux sont pleins, chaque centimètre est retenu jusqu'à fin octobre, et la glace bloque ensuite tous les grands ports.

— Que vais-je faire ? demanda l'homme au désespoir.

— Je pourrais vous trouver de la place sur un remorqueur converti, répondit l'employé. Sept cents dollars. Et profitez-en, parce que demain ce sera huit cents.

L'homme parut affolé et l'employé lui témoigna un peu de sympathie :

— Entre vous et moi, l'ami, le prix est trop élevé. Nos gros bateaux sont la chasse gardée des riches. Prenez l'un de nos petits bateaux R & R jusqu'à Skagway et traversez le Chilkoot Pass. Vous économiserez un sacré paquet.

Comme il se trouvait confronté à des choix contradictoires, l'homme répondit à l'employé :

— Il faut que j'en parle à ma femme.

Mais au moment où il allait quitter le bureau, il sentit une main inconnue lui saisir le bras et il se trouva nez à nez avec le visage souriant d'un officier sudiste, qui lui demanda :

— Envisagez-vous sérieusement de vous rendre sur les gisements d'or dans un de leurs baquets percés ?

Étonné à la fois par l'allure du général et par sa question, l'homme acquiesça, sur quoi l'inconnu enchaîna :

— Je vais vous offrir un conseil précieux, et croyez-moi, il vaut davantage d'or que vous n'en trouverez jamais sur les rives du Klondike.

Il se présenta — Klondike Kernel — et sortit de sa poche trois coupures de journaux de Seattle attestant que cet honorable ancien combattant d'un régiment de Caroline du Nord, qui s'était battu sous les ordres de Lee et de Stonewall Jackson, avait prospecté dans la vallée du Yukon dès 1893 jusqu'aux grandes découvertes de 1896, et était retourné dans le sud à bord du *Portland* « avec un sac garni de lingots d'or tellement lourd que deux membres de l'équipage du bateau avaient dû l'aider à le traîner jusqu'à son cabriolet, qui le transporta aussitôt avec son or au bureau de la fonderie ». Les journaux ajoutaient que Klondike Kernel, comme l'appelaient aimablement ses camarades milliardaires, refusait de donner son vrai nom, « de peur que des cousins avaricieux fondent sur moi comme une nuée de vautours », mais ses manières élégantes attestaient qu'il descendait d'une excellente famille de Caroline du Nord.

Il avait envie de parler. Cloîtré dans des cabanes isolées pendant si longtemps, après avoir gaspillé tant d'années en recherches infructueuses avant de tomber sur la fortune avec *Bonanza 43 Aval,* il ne songeait plus qu'à partager son savoir et ses conseils avec les autres.

— J'ai cru comprendre que vous étiez trois ?

— Je n'ai pas dit ça, répondit l'homme nerveux.

— Je vous ai vu parler avec votre femme et votre fils. Ils m'ont paru charmants tous les deux.

Et avec un sourire engageant, il ajouta :

— Vous devriez me les présenter pour que vous compreniez tous la situation.

Quand ils se trouvèrent ensemble dans la rue, l'homme dit :

— Nous sommes de Saint-Louis.

Kernel s'inclina très bas et lança avec chaleur :

— Madame, vous êtes fort jeune et jolie pour avoir un fils de cet âge.

— C'est un beau garçon, répondit-elle.

— Chers amis, leur assura Klondike Kernel, je n'ai rien à vendre. Je ne cherche à vous conduire à aucun magasin qui me verserait une commission. J'ai gratté la terre d'un bout du Yukon à l'autre. Et j'ai adoré cela. Je ne désire que partager mon expérience afin que de braves gens comme vous ne commettiez pas les mêmes erreurs.

— Pourquoi n'êtes-vous pas resté ? demanda l'homme, sur la défensive.

— Avez-vous déjà vu le Yukon en hiver ?

— Si vous avez tout cet argent, pourquoi n'êtes-vous pas rentré chez vous ?

— Avez-vous déjà vu la Caroline du Nord en été ?

Il leur répéta qu'il pouvait leur économiser de l'argent et des migraines, s'ils se donnaient la peine de l'écouter, et il se montra si convaincant, si sympathique dans son désir de les protéger qu'ils acceptèrent son invitation à déjeuner. La femme supposa qu'il les emmènerait dans un restaurant de luxe, et elle avait très envie d'accepter, car elle n'avait pas très bien mangé pendant leur voyage vers l'Ouest — les wagons-restaurants étaient trop chers.

— Je prends mes repas dans un petit saloon un peu plus loin. De l'excellente nourriture pour vingt *cents.*

S'arrêtant au milieu du quai, il expliqua :

— Je vis comme un pauvre ancien combattant de la guerre dans une petite ville de Caroline en 1869, et ce fut vraiment pour le Sud une année de misère. Je ne parviens pas encore à croire que mon or est réellement à la banque. Je suis sûr qu'à mon réveil je m'apercevrai que tout n'était qu'un rêve.

Le repas dura quatre heures, et à plusieurs reprises Klondike Kernel assura à ses invités qu'ils lui rendaient un grand service.

— J'aime parler. Je l'ai toujours fait. Cela aidait mes hommes à tenir le coup pendant les jours les plus sombres de la guerre.

— Étiez-vous général ? demanda l'homme, incapable de résister au charme de cet homme aimable.

— Jamais monté plus haut que sergent. Mais je savais mener la troupe.

À partir de la deuxième heure, il apprit à ses invités exactement ce qu'ils trouveraient sur les gisements d'or. Il demanda du papier et un crayon au garçon, à qui il donna un pourboire de cinq *cents*, et dessina avec un talent remarquable la carte détaillée de la piste à partir du mouillage du bateau à Skagway, à travers les montagnes et le long des méandres du Yukon.

— Comprenez bien deux choses, mes chers amis. En Alaska, le bateau ne vous dépose pas à terre. Il n'y a aucun quai où accoster. Il jette l'ancre ici, au bord d'un grand banc de sable. Vous devrez vous éreinter comme des bêtes pour apporter vos affaires à terre avant que la marée ne les engloutisse.

« Ensuite, il vous faudra les transporter, une caisse après l'autre, à quinze kilomètres dans les terres sur des routes qui sont de simples pistes. Puis vous arriverez au pied de cette montagne très abrupte — aucun cheval ne peut y monter — et dans la neige épaisse, il vous faudra traîner chaque kilo de bagage jusqu'en haut.

L'angle de la pente les effraya :

— Trente-cinq degrés. C'est inhumain.

Le fils regarda le dessin et dit :

— Si c'était plus abrupt, aucun homme ne pourrait y monter dans la neige.

— Même ainsi, beaucoup n'y parviennent pas.

Puis, comme son public semblait étreint par la peur, il demanda :

— Et quel poids comptez-vous transporter sur cette montagne ? Je veux dire, chacun de vous. Vous, madame... Je n'ai pas saisi votre nom.

Elle ne répondit pas, mais cela ne suffit pas à le déconcerter.

— Combien de kilos de matériel croyez-vous que vos faibles bras devront transporter sur cette montagne et au-delà ?

L'air sombre, il dévisagea chacun des voyageurs, puis annonça lentement :

— Une tonne. Chacun de vous devra transporter une tonne sur ces montagnes. Vous aussi, madame : une tonne par une pente de trente-cinq degrés dans la neige.

Laissant ses invités bouche bée, il se leva et fit le tour du saloon en demandant poliment à plusieurs hommes de lui prêter leurs sacs pendant un instant. En quelques minutes il avait accumulé un petit tas, et les propriétaires s'avancèrent pour assister à la démonstration. Il fixa ensemble les bagages empruntés et dit :

— Je dirai qu'il y a ici environ vingt-cinq kilos. Qu'en pensez-vous ?

Les spectateurs convinrent que c'était effectivement le poids.

— Vingt-cinq kilos représentent à peu près ce que le plus solide des hommes peut porter sur cette montagne. Alors, calculez : si vous avez une tonne à déplacer...

— Pourquoi une telle quantité ? demanda l'un des spectateurs.

Klondike Kernel se tourna vers lui :

— Jeune homme, en haut de la montagne se trouve un poste de la Police Montée. Ils ne vous laisseront pas entrer dans leur pays avec moins d'une tonne de provisions.

— Et pourquoi ?

— Ils ne veulent pas que vous mourriez de faim à Dawson City. J'ai passé six jours sans manger à Dawson. D'autres, plus longtemps. Nous les avons enterrés.

Il se tourna vers le jeune garçon :

— Mon petit ami, savez-vous diviser une tonne par vingt-cinq kilos ?

— Une tonne, c'est quoi ?

Klondike Kernel regarda la mère du garçon.

— Madame, vous n'apprenez donc rien à votre fils ?

Cet inconnu barbu ne l'intimidait nullement. Elle voyait en lui un de ces bavards qui ne peuvent pas s'empêcher de partager leur expérience. Il demanda, très fort, pour faire de l'effet sur son auditoire :

— Madame, je parie que vous ne savez pas non plus combien pèse une tonne.

Elle répliqua en riant :

— Beaucoup, j'en suis sûre.

— Mon petit ami, une tonne pèse mille kilos. Alors, à vingt-cinq kilos le chargement, combien de voyages devrez-vous faire pour monter votre tonne de provisions en haut de la montagne ?

— Quarante.

— Bravo. Dix sur dix.

Il souleva le paquet, emprunta une courroie et le fixa sur le dos de la femme.

— Maintenant, jeune dame, j'aimerais que vous marchiez jusqu'à cette porte, puis jusqu'au coin du bar, et retour.

Il la poussa en avant. À son retour, elle ne souriait plus. Pour la première fois depuis son départ de chez elle, elle commençait à comprendre dans quelle aventure ils s'étaient embarqués.

— C'est lourd. Jamais je ne pourrai monter une montagne avec ça.

— Et toi, mon jeune ami ?

Il fixa la charge sur le dos de l'enfant et l'envoya vers le coin du bar. Quand il revint, il était accablé lui aussi, et disposé à apprendre.

— Je ne vais pas faire l'essai avec vous, monsieur. Quel est votre nom, déjà ? Parce que si vous n'êtes pas capable de porter vingt-cinq kilos sur le versant de cette montagne, vous n'avez pas le droit de quitter Seattle.

Il passa la troisième heure à partager avec eux les secrets de la survie.

— Vous devez emmener, outre les vivres, deux choses essentielles. Une bonne scie pour couper les planches dont vous aurez besoin pour vous construire un bateau au lac Bennett — et achetez la meilleure ! parce que scier un tronc dans sa longueur est le pire travail du monde.

La femme voulut des précisions. Klondike Kernel demanda un autre papier, donna au garçon un autre pourboire de cinq *cents* et dessina une excellente esquisse en perspective d'un tronc écorcé, placé au-dessus d'une fosse, avec l'un des scieurs de long dans la fosse qui tirait sur une scie de plus de trois mètres ; au-dessus de lui, sur une plate-forme basse, l'autre scieur tenait le haut de la scie.

— On tire vers le haut et vers le bas. L'homme du haut jure parce que celui du bas ne pousse pas assez fort sur la lourde scie ; et celui du bas insulte l'autre parce qu'il ne tire pas assez fort.

Il se tourna vers le couple.

— J'espère que le pasteur qui vous a mariés a bien serré le nœud du lien qui vous unit, parce qu'il sera mis à l'épreuve quand vous scierez les planches de votre bateau.

— Quelle est l'autre chose essentielle ? demanda la femme.

— Une pelle à charbon. Parce que quand vous aurez grimpé cette montagne quarante fois, et vous ne pourrez pas l'éviter, il y a un autre chemin parallèle, beaucoup plus raide, et quand vous serez en haut pour déposer vos affaires...

— Qui les surveillera ? demanda-t-elle.

— Personne. Vous ferez un petit tas en haut et vous marquerez que cela vous appartient. Avec un bâton, un petit drapeau, des pierres, n'importe quoi. C'est à vous, et tant que vous vous trouvez sur cette montagne, vos biens sont en sécurité, même quand vous êtes en bas et qu'ils restent seuls en haut.

— Il doit tout de même y avoir des voleurs.

— Parfois. Très rarement.

— Qu'est-ce qu'on fait à leur sujet ?

— De mon temps, on les tuait. Quinze ou seize mineurs dans une cabane. Le chef dit : « Ce type-là, Whisky Joe, a volé la cache de Ben Carter, et Ben a failli mourir. Quel est votre verdict ? » Et nous répondions toujours : « Tuez ce salopard qui a volé une cache. » Deux minutes plus tard, le voleur était abattu.

L'un des hommes qui s'était rapproché de la table pour écouter le confirma.

— Il dit la vérité.

— Vous avez tué un voleur vous-même ? demanda le gamin.

— Non, répondit Kernel, mais j'ai voté pour qu'on l'exécute, et j'ai aidé à enterrer son cadavre après. Mon garçon, si jamais tu as chapardé quoi que ce soit à l'endroit d'où tu viens — Dieu sait où —, ne t'avise pas de le faire au Yukon, sinon tu recevrais une balle dans la peau.

— À quoi sert la pelle ? demanda la femme.

Klondike Kernel inclina légèrement la tête et sa barbe effleura la table.

— Merci, madame. Parfois, je perds le fil. Achetez la pelle la plus légère que vous pourrez trouver. Apportez-la en haut de la montagne à chaque fois, parce que après avoir déposé vos affaires à votre cache... Comprenez-moi bien, il y aura peut-être mille autres caches à côté de la vôtre. Les jours animés, cela ressemble à un marché persan. Et quand la neige tombe, tout se recouvre de deux mètres de blanc.

— Voici la raison de la pelle.

— Non. Quand la neige tombe, on pousse, on tire, on donne des coups de pied, on gratte avec les doigts, et les affaires se découvrent, comme neuves si les paquets ont été bien faits. La pelle, madame, c'est pour redescendre. On marche à une cinquantaine de mètres du dépôt des bagages, et l'on se trouve devant une pente très raide que l'on n'aurait pas pu monter. Et que l'on ne pourrait pas descendre. Que fait-on ? On s'assoit sur la pelle, le manche en avant, entre les jambes, on pousse avec une main et zou ! Une sacrée glissade dans la neige.

— Peut-on monter à deux sur une pelle ? demanda le fils.

— Il faut que tous les deux soient habiles, répondit Kernel.

Il envoya un spectateur emprunter une pelle, et comme il y avait non loin seize ou dix-huit magasins spécialisés dans l'équipement des mineurs, l'homme ramena vite une large pelle.

— Trop lourde, beaucoup trop lourde. Mais la taille est bonne. Madame, vous vous asseyez devant, les genoux aussi relevés que vous pouvez. Fiston, tu places cette planche sous ta mère et tu la laisses dépasser un peu vers l'arrière. Tu t'assois dessus.

Quand ce fut fait, il mima une poussée imaginaire et cria :

— Zou ! Et ça descend...

On alla rapporter la pelle.

— Deux autres choses sont à conseiller. Une bonne équerre. Très léger, ça ne pèse presque rien mais vous en aurez besoin pour construire votre bateau. Et au moins trois bons livres chacun. Arrachez les couvertures pour diminuer le poids, mais prenez des gros bouquins pour les longues journées d'attente. Un bouquin long a bien des avantages.

Avec le même talent qu'auparavant, il fit l'esquisse du bateau qu'il leur faudrait construire sur les rives du lac Bennett, et la femme le félicita.

— Le général Lee disait que j'aurais dû entrer dans le Génie, mais je n'avais pas fait assez d'études.

— Vous parlez vraiment bien. Vous employez des mots beaucoup plus longs que moi.

— Au Yukon, on lit beaucoup, répondit-il. On peut faire soixante-cinq kilomètres pour échanger des livres, et le bonhomme à qui vous rendez visite est vraiment ravi de vous voir. Un homme avait un dictionnaire, il me l'a échangé contre un roman de Charles Reade. Un dictionnaire peut devenir absolument passionnant quand la nuit dure six mois.

— De quelle longueur, le bateau que vous dessinez ? demanda l'homme.

Klondike Kernel inscrivit les dimensions d'un bateau qu'il avait utilisé autrefois : sept mètres, et un mètre soixante-cinq de largeur.

— Il faut qu'il puisse porter trois tonnes et trois personnes. Je vous assure, madame, que vous êtes joliment mince pour avoir un fils aussi grand et costaud.

Pendant la quatrième heure, il arriva à l'essentiel de ses conseils. Il écarta sa chaise.

— Voulez-vous, braves gens, prendre encore quelque chose pendant que nous abordons le vrai problème ?

Il commanda quatre autres repas à vingt *cents*. La nourriture était copieuse et excellente.

— Et comme boisson ? demanda le garçon.

— Je ne bois pas, répondit Klondike Kernel.

— Avec le menu à vingt *cents*, vous êtes censé commander également à boire.

— Offrez quatre bières à ces gens, là-bas. Et trois ou quatre de plus au bar. Cela fera l'affaire, non ?

Il se tourna vers ses hôtes d'un air solennel et, en pesant bien ses mots, il développa les choix qui se présentaient à eux :

— D'après ce que je vous ai dit, deux choses devraient être évidentes : l'une réaliste, la seconde cruelle.

— Oui ? dit la femme en se penchant en avant.

Cette petite bonne femme à la tête dure lui plaisait beaucoup, et ce fut à elle qu'il adressa ses explications.

— D'abord, si vous partez en Alaska maintenant, que vous alliez à Saint-Michael ou à Dyea, vous n'avez aucun moyen de vous rendre sur les gisements d'or cette année. Le bas Yukon sera pris par les glaces, donc cette voie d'accès est bloquée. Et si vous réussissez à franchir le Chilkoot Pass avant les fortes neiges, ce dont je doute, vous trouverez le lac Bennett glacé, ainsi que les autres. Donc il vous faudra vous terrer quelque part tout l'hiver, et cela vous coûtera beaucoup en temps, en santé et en patience.

Il s'arrêta pour leur laisser digérer le fait.

— Est-ce la chose réaliste ou la chose cruelle ? demanda la femme.

— Réaliste. Le fait cruel, vous devez l'avoir déjà compris par vous-mêmes. Quand vous parviendrez aux gisements d'or, le printemps prochain, et vous n'avez aucun moyen d'y arriver plus tôt, vous vous apercevrez que tous les endroits où il existe une maigre chance de trouver de l'or ont déjà été pris. Je suis arrivé là-bas quatre jours après la grande découverte de 1896 et j'ai dû me contenter de la concession *91 Aval* sur Hunker Creek. Il s'avéra que c'était le plus pauvre torrent de la bande. Je ne sais où l'on en sera l'an prochain. Peut-être *291 Aval* et *310 Amont* — s'il y a assez de terres pour ça. Mais même s'il y en a, les chances d'y trouver de l'or resteront minimes.

— Alors nous arrivons trop tard ? demanda l'homme, le visage gris comme cendre.

— Oui.

— Mais vous venez de dire que vous avez commencé avec une mauvaise concession, lança la femme, têtue. Et vous êtes revenu avec une fortune. C'est ce qu'ont dit les journaux.

— J'ai commencé avec une mauvaise à Hunker Creek. Et j'ai fini avec une bonne sur le Bonanza.

— Comment vous êtes-vous débrouillé ?

Klondike lui tapota gentiment la joue.

— Une affaire tellement compliquée. J'aurais honte de vous la raconter.

— Vous l'avez volée ?

— L'autre homme l'a cru.

Il secoua la tête, en partie par gêne, en partie parce qu'il ne parvenait pas encore à croire qu'il ait pu conclure un tel échange.

— Donc, nos chances ne sont pas bonnes ? demanda-t-elle.

— C'est un fait, confirma-t-il. Et tout honnête homme revenu dans le sud à bord du *Portland,* comme moi, vous dira la même chose si vous comptez un tant soit peu pour lui.

— Dans ce cas, pourquoi les journaux ?...

— Seattle tient à ce que la ruée continue. Pour que les magasins restent ouverts. Et les compagnies de navigation. Les bars comme celui-ci... C'est le flot incessant de gens comme vous qui contribue au succès de la ruée, observa-t-il judicieusement.

— Tout ne serait que mensonge ? demanda la femme.

Klondike Kernel se balança d'avant en arrière devant son assiette de savoureux ragoût. Il voulait expliquer un fait complexe et il souhaitait concentrer toute leur attention.

— Oh non. Pas un mensonge. Les faits sont seulement différents de ce que l'on en raconte.

— Que voulez-vous dire ?

— Vous ne trouverez pas d'or là-haut. Croyez-moi, sur cent hommes comme moi, qui connaissent les gisements aussi bien que leur poche, des hommes de très grande expérience... seuls deux ou trois ont trouvé de l'or en quantité méritant qu'on en parle.

— Mais ils sont descendus du *Portland* par douzaines. J'ai vu les photographies.

— On n'a pas photographié les centaines qui sont restés, les vieux bonshommes dans leurs petites cabanes, les jeunes gelés dans un coude de la rivière.

La femme frappa sur la table avec sa cuillère à café et demanda :

— Dites-nous carrément où vous voulez en venir.

Il s'inclina de nouveau.

— Madame, vous méritez une réponse sans ambages. Vous ne trouverez aucune concession valable sur les gisements, mais des gens malins comme vous, avec du courage et un petit pécule, devraient trouver la véritable mine d'or à Dawson City.

— Vous pensez à un magasin ? Un hôtel ?

— Je pense que les possibilités sont illimitées. Des milliers de gens comme vous seront là-bas en train de faire des trous dans la terre pour trouver de l'or. Votre mari et vous pouvez attendre à Dawson l'occasion de le leur prendre. Cela peut vous paraître pas très joli, madame... Bon Dieu, comment vous appelez-vous ?

— Missy. Ma mère m'a baptisée Melissa. Mon mari s'appelle Buck et voici Tom.

— Enchanté d'avoir fait votre connaissance, braves gens. Je ne voudrais pas me montrer injuste ou mesquin, mais Dawson est un endroit très dur — sauf que la police canadienne essaie d'imposer certaines limites. Cela donne à des gens intelligents comme Buck et vous une bonne chance de gagner une vraie fortune.

— De quoi aurions-nous besoin ? demanda Missy, car depuis qu'elle écoutait Kernel, elle avait presque renoncé à trouver de l'or de la manière habituelle.

— D'argent, répondit le vieux Sudiste. Que ce soit à Seattle ou à Dawson, la règle reste la même. Si vous possédez dix dollars, vous vous en sortirez infiniment mieux qu'avec seulement neuf.

— Mais si vous n'en avez pas dix ? insista-t-elle.

Il fit la sourde oreille, et plongea sa cuillère dans son excellent ragoût. Enfin il releva les yeux.

— Ne voyez-vous donc pas clairement la situation ? Ne partez pas en Alaska maintenant. Attendez jusqu'en avril, quand la neige cessera de tomber et que la glace se mettra à fondre. À ce moment-là, le prix des passages en bateau baissera en flèche.

— Et que ferons-nous entre-temps ?

— Vous travaillerez. Vous trouverez des emplois, tous les trois. Vous économiserez chaque sou. Et quand vous partirez pour le Yukon, vous aurez amassé assez d'argent pour frapper un gros coup. Si vous êtes malins, et je crois que vous l'êtes, vous pouvez doubler votre mise, puis la multiplier plusieurs fois.

— Comment ? insista Missy.

— Quand vous arriverez au Yukon, vous trouverez cent occasions.

Il passa à Missy des photographies de la célèbre ville de l'or, et elle remarqua qu'une de ses caractéristiques était le déluge de calicots peints avec soin qui tombaient sur les façades de magasins offrant toutes sortes de services :

BEIGNETS ET CAFÉ CHAUD 20 CENTS
OR — ÉVALUATION IMMÉDIATE
BLANCHISSERIE — RAVAUDAGE GRATUIT
DR LEE, ARRACHE LES DENTS

Tandis que Missy examinait les clichés, Buck faisait des calculs.

— Si nous ne partons pas dans le nord avant avril... Cela représente huit ou neuf mois d'attente. Que vais-je pouvoir faire ? Que faut-il que nous fassions tous les trois... pour gagner de l'argent ?

— Aha ! s'écria Klondike Kernel sans hésitation. Trouver le travail le mieux payé... n'importe quoi.

Buck, se souvenant d'une année sans emploi, avait du mal à imaginer que le travail soit si facile à dénicher. A cet égard, l'ancien combattant de Caroline du Nord se montra très positif.

— Tom, demanda-t-il, que sais-tu faire ?

— Livrer les journaux. Je m'en sortais bien.

— Non, non ! Ça ne paie pas assez.

Il allait écarter cette solution, mais l'enfant s'écria avec un enthousiasme engendré par la vision des quais de Seattle :

— Je ne pensais pas au porte-à-porte, mais à tout ce quartier des docks... Apporter des journaux à l'arrivée des bateaux. Il y a des tas de possibilités nouvelles.

— Et que pouvez-vous faire ? demanda Klondike Kernel à Buck.

Mais Tom devança son père.

— Papa peut tenir les comptes d'un établissement mieux que personne.

— Quelle expérience ?

— Quincaillerie. Gros matériel.

— Vous êtes l'homme qu'il leur faut, s'écria l'ancien mineur.

Il se leva sur-le-champ et entraîna Buck trois rues plus loin vers le centre de la ville, avec Missy et Tom sur ses talons.

Il les amena chez Ross & Raglan, le magasin qui l'avait équipé des années auparavant, à son départ pour l'Arctique. On y trouvait maintenant tout le matériel nécessaire à un chercheur d'or. Klondike Kernel fit demander M. Ross et rappela qui il était à cet Écossais industrieux. Il lui montra ses coupures de journaux pour prouver son identité.

— Il faut que vous engagiez cet homme, M. Ross. Il connaît la marchandise. Il mettra un peu d'ordre dans votre fouillis.

Un si grand nombre d'employés de Ross & Raglan partaient en Alaska que le commerçant fut ravi de trouver un remplaçant. Après une série de questions sur les compétences de Buck, il demanda :

— Puis-je écrire à votre ancien employeur pour lui demander des références ?

— Non, répondit Buck. Nous avons quitté Saint-Louis à la suite d'un malentendu, mais vous verrez que nous sommes sérieux tous les trois.

— Vous êtes marié à cette dame ?

— Bien sûr qu'il l'est, répondit Klondike Kernel.

L'enthousiasme du mineur dont les journaux affirmaient qu'il avait rapporté près de soixante mille dollars à bord du *Portland* était si contagieux que, contre toute prudence, M. Ross engagea Buck sur-le-champ.

Ensuite, Kernel emmena Tom aux bureaux du *Post-Intelligencer* et insista pour que le journal confie à ce jeune garçon intelligent la distribution dans des endroits mal desservis jusque-là :

— Je pense aux quais, aux nouveaux bars, aux bateaux à leur arrivée.

De nouveau, l'excitation de la ruée vers l'or était si envahissante que les directeurs écoutèrent une proposition qu'ils auraient écartée d'emblée l'année précédente. Tom obtint un emploi à l'essai, et l'infatigable mineur concentra son attention sur Missy.

Avant la tombée de la nuit, il entraîna ses nouveaux amis dans l'une des grandes rues jusqu'à un restaurant à la mode. Il laissa Buck et Tom à la porte et entraîna Missy vers l'arrière. Il s'introduisit de force dans les cuisines et demanda à parler au directeur. En ces jours de fièvre, tous les habitants de Seattle s'attendaient plus ou moins à des comportements bizarres et le directeur écouta Klondike Kernel se présenter en montrant ses références.

— Ma jeune amie est une serveuse accomplie, très bien considérée à Saint-Louis. Elle veut se rendre aux gisements d'or et elle a besoin d'un emploi jusqu'en avril.

— Pouvez-vous travailler dur ? demanda le directeur.

— Oui, répondit Missy.

— Vous pouvez commencer tout de suite, dit-il avec un soupir de soulagement.

— Je peux commencer dans une heure, répondit-elle.

— Ne me faites pas faux bond, hein ?

En un peu plus d'une heure, le mineur sudiste avait déniché trois bons emplois pour ses nouveaux amis. A leur retour au bar, quand ils lui demandèrent pourquoi il s'était donné ce mal, il répondit :

— Je regrette de ne pas avoir trente ans. Je remonterais à nouveau le Chilkoot, je descendrais le Yukon sur un radeau construit de mes mains... Je voudrais que vous partiez d'un bon pied.

Mais comme ils se levaient pour le quitter, il les terrifia en les regardant l'un après l'autre, les deux mains posées à plat sur la table.

— Vous me plaisez tous les trois. Vous avez du tempérament et je vous aiderai jusqu'au bout. Mais vous devez m'avouer qui vous êtes et pourquoi vous êtes ici.

— Que voulez-vous dire ? bredouilla Buck.

Klondike Kernel lui prit le bras d'un geste rassurant.

— Quand vous êtes entré dans le bureau de la compagnie de navigation, vous étiez mort de peur. Vous m'avez regardé deux fois pour essayer de deviner si je n'étais pas un gendarme en civil ou un inspecteur. Qu'avez-vous volé ? Quel délit ? Que fuyez-vous ?

Sans laisser à l'homme le temps de répondre, il se tourna vers Missy.

— Et vous ? Vous êtes le sel de la terre, je le vois bien. Mais il n'est pas possible que vous soyez la mère de ce garçon, voyons ! Quel âge avez-vous en réalité ?

— Vingt-deux ans.

— Et vous n'êtes pas mariée à cet homme, n'est-ce pas ?

Elle voulut s'insurger mais il poursuivit :

— Comment je le sais ? Vous n'avez pas l'air mariés. Et vous ne le traitez pas comme si c'était votre époux.

Elle lui demanda ce qu'il entendait par là.

— Vous êtes trop gentille avec lui.

Puis ce fut le tour de Tom.

— Et toi, mon garçon ? Est-ce qu'ils t'ont kidnappé ? Est-ce qu'ils t'ont enlevé d'une maison de redressement ?

Tom voulut répondre, mais le mineur lui posa la main sur le bras.

— Pas maintenant. Réfléchis d'abord. Décide si tu peux me faire confiance. La moitié des gens qui passent par cette ville ont des secrets qu'ils aiment mieux ne pas avouer.

Puis il les regarda gravement tour à tour.

— Mais si vous voulez que je continue à vous aider, d'où que vous veniez — et ce n'est certainement pas Saint-Louis —, il faudra me dire la vérité.

Ébranlés par la dernière salve de Klondike Kernel, ils se retrouvèrent à minuit, à la fin du service de Missy au restaurant, et se lancèrent dans une discussion animée sur leur mésaventure.

— Il était étrange et inquiétant, dit Missy. Deux fois j'ai remarqué qu'il me regardait d'un drôle d'air quand je disais une chose pas tout à fait vraie.

-- Mais comment pouvait-il savoir que nous ne venions pas de Saint-Louis ? demanda le jeune Tom.

Puis Buck souleva la vraie question, que chacun des autres avait eu envie de poser :

— Supposez que ce soit un détective. Supposez que la police de Chicago lui ait télégraphié nos signalements ?

La minuscule chambre meublée tomba dans le silence pendant que les trois fugitifs réfléchissaient à cette effrayante possibilité. Puis, avec les bruits de la ville qui bourdonnaient encore dans leurs oreilles, ils se couchèrent et essayèrent de s'endormir.

Si Klondike Kernel était un détective, il se conduisait de façon contradictoire, car dans les jours qui suivirent il fit tout son possible pour les aider à débuter avec succès dans leurs nouveaux emplois. Après leurs heures de travail, il précisait avec eux, article par article, ceux qu'ils devaient acheter pour leur grande aventure sur les gisements d'or.

— Trois mille kilos, et chaque gramme est important.

Il obtint de Ross & Raglan une remise pour les achats que ferait Buck chez son employeur ; et il trouva une épicerie qui désirait se débarrasser d'un excédent de produits secs avant le nouvel an.

— Achetez-les, Buck. Ils se conserveront.

Mais ce fut Buck lui-même qui prépara la célèbre liste que tant de nouveaux venus utilisèrent par la suite pour les guider dans leurs achats. Elle énumérait la centaine de produits de nécessité que tout chercheur d'or prudent devait acheter avant de quitter Seattle. En haut de la carte, on lisait : « Vous trouverez chaque article de cet équipement chez Ross & Raglan. » Et il fit la preuve de son ingéniosité en ajoutant en bas un rappel utile :

> *Ross & Raglan, toujours soucieux de la santé de ses clients, recommande instamment à chaque prospecteur d'emporter un petit nécessaire contenant les médicaments de base :*
>
> *Borax* — *Esprit de nitre*
> *Teinture d'iode* — *Emplâtre à la belladone*
> *Quinine* — *Laudanum*

Gaze iodoformée *Chloroforme*
Élixir parégorique *Phénylacétamide*
Essence de gingembre *Teinture d'hamamélis*
Chlorate de potasse *Baume phéniqué*
Gouttes pour les maux de dents.

Ce nécessaire peut être acheté pour moins de dix dollars à la pharmacie Andersen, qui n'est associée en aucune manière à Ross & Raglan. Andersen recommande également aux hommes d'emporter des sels de Monsell contre les hémorragies, en quantité correspondant à la propension de chacun à subir une attaque.

L'affirmation que R & R n'avait aucun intérêt financier dans la pharmacie Andersen et ne recevait rien en échange de cette publicité gratuite n'était pas tout à fait exacte, parce que Buck recevait une petite commission sur chaque nécessaire médical qu'il contribuait à faire vendre.

Mais chaque fois qu'ils rencontraient Klondike Kernel, ils sentaient que celui-ci les observait avec un intérêt particulier, et chaque fois qu'il les invitait à déjeuner, ils se montraient nerveux.

— Vous êtes ma famille de Seattle, disait-il.

— N'en avez-vous donc pas en Caroline du Nord ? lui demanda Missy.

— La Caroline me paraît de plus en plus lointaine, lança-t-il.

Puis, au lieu de les pousser à révéler leurs secrets, il leur confia le sien.

— Quand j'ai quitté ce port pour l'Alaska, je n'avais qu'une ambition : épater ces salopards de Caroline. Tout le temps que j'ai passé à creuser au Klondike, je me suis consolé à la pensée qu'avec mon tas d'or qui s'accumulait j'allais vraiment les épater, au pays.

— Qu'est-ce qui a changé ça ? demanda Missy.

— La Caroline du Nord ne me semble plus si importante, à présent, dit-il ; mais il corrigea aussitôt sa phrase : Le fait est que personne là-bas ne pourrait comprendre, même vaguement, ce qu'était le Klondike.

Les trois, qui se faisaient appeler Venn, se sentirent honorés en un sens qu'il ait partagé ses pensées avec eux ; mais cela ne contribua pas à apaiser leurs soupçons à son égard. Buck les avertissait chaque fois qu'ils étaient entre eux.

— C'est peut-être quand même leur détective.

Comme ils travaillaient avec acharnement, leurs économies augmentèrent et cela donna aux deux adultes une joyeuse impression de sécurité. C'était pourtant Tom qui se plaisait le plus, car il avait appris à connaître les quais, pour se porter à la rencontre des magnifiques vapeurs qui descendaient vers San Francisco ou des vieux rafiots qui arrivaient de Saint Michael. Il commença à sentir la magie de Seattle, qui dominait l'angle nord-est du pays, avec des trains arrivant chaque jour de toutes les régions. La ville contrôlait également le commerce avec l'Alaska, qui n'avait pas d'autre débouché. Construite sur un rivage magnifique avec des lacs, des îles et des plans d'eau jusqu'à l'horizon vers le nord, le sud et l'ouest, elle était entourée d'une ceinture de montagnes massives, à l'est et à l'ouest. Enfin, ce qui surprit Tom, Buck et Missy, Seattle ne s'élevait pas sur l'océan, comme ils l'avaient toujours supposé, mais à près de cent trente kilomètres dans les terres, le long de profondes baies qui desservaient à la fois le Canada et les États-Unis.

— Cette ville me plaît ! s'écriait souvent Tom lorsqu'il la regardait depuis le pont d'un bateau à l'accostage, dont les passagers lui avaient acheté ses numéros du *Post-Intelligencer,* ou bien quand il montait à bord d'un baquet décrépit, flottant à peine, qui ramenait de Skagway ou de Juneau trois hommes avec de l'or et soixante-trois les mains vides.

Il connaissait le fonctionnement du port de Seattle aussi bien qu'un jeune garçon le pouvait après y avoir passé quelques semaines. Un soir il courut au restaurant où Missy travaillait.

— Une magnifique nouvelle ! L'*Alacrity,* le petit vapeur de Ross & Raglan, a besoin d'une serveuse en chef pour la traversée de Skagway. Ils m'ont dit que tu pouvais avoir la place.

— Quand ?

— Ils partent demain à quatre heures de l'après-midi.

— Combien offrent-ils ?

— Ils m'ont dit que les pourboires étaient généreux... vraiment fantastiques.

Elle demanda à Tom d'attendre le moment où elle pourrait quitter son travail, puis elle l'accompagna au quai où se trouvait l'*Alacrity* prêt à repartir à Skagway. Comme ils s'avançaient vers le beau petit bateau, Tom expliqua :

— Un bateau neuf comme celui-ci monte à Skagway en six jours, même avec deux escales.

Nerveusement mais non sans fierté, il conduisit Missy auprès du capitaine, déjà en chemise de nuit.

— Capitaine Reed, voici la serveuse compétente dont je vous ai parlé.

— Vous travaillez dur ?

— Il a dû vous le dire, non ?

— Je veux dire travailler dur. Et tenir en main tout le personnel de la salle à manger.

— Possible. Combien payez-vous ?

— Les pourboires sont très généreux.

— Mais vous-même, que donnez-vous ? Pour que je mette de l'ordre.

Le capitaine Reed réfléchit un instant, puis chercha une parade :

— Je suppose que vous sauterez du bateau à l'instant où nous arriverons à Skagway.

— Vous savez que mon fils sera ici, à Seattle.

— Il m'a dit que vous étiez sa sœur.

— Combien paierez-vous ?

— Deux dollars par jour. La couchette et les repas. Les pourboires ont toujours été très généreux.

— Trois dollars, et j'accepte.

— J'ai dit deux, et j'ai dit que vous seriez traitée généreusement. À prendre où à laisser.

— Je prends.

— Arrivez ici à sept heures du matin. Pile.

— Il m'a dit que vous partiez à quatre heures de l'après-midi.

— Oui, mais nous servons à manger à huit heures. Soyez exacte.

Missy avait maintenant trois obligations : informer son employeur actuel qu'elle quittait le restaurant, apprendre à Buck qu'elle serait à bord de l'*Alacrity* pendant les mois à venir, et, par courtoisie, expliquer la situation à Klondike Kernel, qui s'était montré tellement serviable avec elle. S'attaquant d'abord au plus facile, elle demanda à Tom de l'accompagner au restaurant et d'attendre dehors pendant qu'elle parlait avec le patron. Il comprit très bien :

— À Seattle, tout arrive. Bonne chance sur les gisements d'or.

— Je n'y vais pas tout de suite, essaya-t-elle d'expliquer.

— Quand on part, on part, répondit-il sans plaisanter.

À sa vive surprise, il lui donna une prime de cinq dollars.

— Nous aurons une place pour vous quand vous reviendrez sans un sou.

Expliquer la situation à Buck ne présenta aucun problème au début, car il fut sensible au fait qu'elle gagnerait beaucoup plus qu'au restaurant et apprendrait comment les prospecteurs parvenaient aux gisements d'or. Mais quand elle expliqua qu'ils devaient maintenant mettre Klondike Kernel au courant de tout, il s'écria avec une angoisse non feinte :

— Mais pourquoi ? Pourquoi ?

— Pour que tout soit clair entre lui et nous.

— Mais si c'est vraiment un détective ?

— Cet homme-là ne peut pas être mauvais.

Tom partageait son avis.

Donc vers une heure du matin, le jour où elle allait prendre la mer vers le nord, ils se rendirent tous les trois au bar où Klondike Kernel occupait sa table habituelle.

— Ils veulent vous parler, dit Buck.

Le vieux Sudiste s'inclina poliment.

— Pourquoi vous êtes-vous décidés si tard dans la nuit ?

— Je commence à travailler sur un bateau de R & R demain, répondit Missy. Et nous vous devons une explication. Vous avez été comme un père pour nous.

— J'ai essayé de l'être.

À sa surprise, ce fut Tom qui rompit la glace.

— C'était pendant la famine de Chicago. Ma grand-mère, mon père et moi. Nous n'avions plus rien à manger, ni aucun emploi... Rien.

— Pendant la crise de 1893, expliqua Missy.

Buck, qui avait encore honte de cette époque où il avait manqué à ses devoirs de chef de famille, garda le silence.

— Missy s'occupait des œuvres de notre église, et c'est comme ça que nous l'avons connue.

Il la regarda avec amour, dans le bar enfumé. Elle reprit la parole :

— Le pasteur est venu me voir et m'a dit : « Missy. Une de nos quatre familles, les Venn... Nous ne les avons pas vus depuis trois semaines. Ils sont peut-être en train de mourir de faim en silence. » C'était le cas.

Les souvenirs cruels de cette époque douloureuse refirent surface et, comme à regret, les trois fugitifs racontèrent comment Missy Peckham avait pris contact avec les Venn ; quelques dollars de l'église les avaient maintenus en vie, et leur avaient rendu courage dans l'adversité. Mais Tom ne s'en tint pas là :

— C'est Missy qui a tout fait. Chaque fois qu'il n'y a plus eu d'argent de l'église, elle nous en a donné sur son salaire. Je le sais, et c'est à ce moment-là que nous sommes tous tombés amoureux d'elle.

Sur cet aveu extraordinaire, Klondike Kernel braqua ses deux index, l'un vers Missy, l'autre vers Buck qui n'avait pas encore prononcé un mot.

— Vous aussi ? Vous êtes tombés amoureux ?
— Il avait une femme, dit Missy.
Mais Tom intervint avant qu'elle ne décrive la situation.
— Une femme méchante. Ma mère, mais une mauvaise femme.
— Ce sont des paroles dures dans la bouche d'un enfant, lança l'ancien mineur d'un ton réprobateur.
— Mais c'est la vérité, confirma Missy. Elle avait forcé la main de Buck pour l'épouser parce qu'elle était déjà...
— Vous avez vraiment besoin de m'en raconter tant ? demanda Klondike Kernel, comprenant qu'il allait obtenir davantage de réponses qu'il n'en désirait.
— Oui, répondit Missy. Vous l'avez demandé, et vous êtes le seul ami que nous ayons au monde.
Buck se sentit enfin assez sûr de lui pour parler.
— Nous pensions que vous étiez un détective. Venu de Chicago pour nous prendre au piège.
— Qu'avez-vous fait, tous les deux ? Vous l'avez assassinée ? demanda Kernel en tendant de nouveau son index vers eux.
— Non, mais nous aurions pu, répondit Missy. Après la naissance de Tom, elle l'a abandonné pour courir avec deux ou trois commis-voyageurs. Une femme vaine et futile.
— Elle m'a abandonné pendant onze ans, précisa Tom. Mon père — ce n'est pas mon vrai père mais il vaut beaucoup mieux — Missy, et moi formions alors une vraie famille, mais elle est revenue à Chicago et elle a voulu me reprendre, puisque j'étais son enfant.
— Un malheur, dit Missy. Quand elle a lancé sur nous deux avocats pour nous forcer à renoncer à l'enfant, Tom leur a dit d'aller au diable. Une erreur : quand le juge a appris qu'un fils avait envoyé sa mère au diable, il s'est mis en rogne et a déclaré que non seulement il nous enlèverait Tom, mais il mettrait Buck en prison pour adultère.
— C'est à ce moment-là que nous avons décidé de fuir en Alaska, enchaîna Buck doucement. Le juge nous a cités à comparaître et nous n'avons pas tenu compte de sa citation.
Klondike Kernel se pencha en arrière, commanda à boire pour tout le monde, ainsi que des sandwiches. Puis il montra le bar encore garni de monde et dit :
— La moitié des gens dans cette salle sont sans doute sous le coup d'une citation en justice. Et si l'on voulait creuser un peu mon dossier à Dawson, je serais sûrement dans le même cas.
Ils passèrent les deux heures suivantes à régler l'histoire embrouillée de Chicago, où les trois fugitifs avaient été si mal traités.
— Vous savez, Buck, déclara Klondike Kernel, je me suis douté de tout ça le premier jour, quand je vous ai vu discuter dans la rue avec votre famille. Vous aviez l'air d'un homme vaincu... accablé par un fardeau terrible. Et vous, Missy, vous sembliez une femme autoritaire qui devait avoir du caractère pour tous les trois.
— Pas pour moi, dit Tom.
Le vieux mineur le regarda avec indulgence et dit :
— Oui, plus d'un enfant de ton âge va chercher du travail quand il n'a pas de père ou que son père ne peut pas en trouver.
— Vous l'avez peut-être fait de votre temps, répliqua Missy d'un ton sec, mais ce n'était pas en 1893... Il n'y avait aucun emploi, ajouta-t-elle gravement. Et avec les maigres fonds de l'église, j'essayais de maintenir onze familles en vie.

Elle posa la main dans celle du Buck, et reprit :
— Nous connaissons les difficultés. Les gisements d'or ne nous font pas peur.
À cinq heures du matin, quand on servit les premiers cafés du petit déjeuner, Klondike Kernel donna aux Venn un conseil de sagesse :
— Avec le nouvel emploi de Missy et celui de Tom, vous allez gagner de bons salaires. Économisez-les, mettez-les à la banque, pas dans un bas de laine qui risque d'être raflé par des voleurs ou gaspillé quand vous aurez envie de quelque chose. Allez au Klondike avec de l'argent en poche, cela vous permettra de choisir.
À six heures, il resta au milieu de la rue avec Missy pendant que Buck et l'enfant montaient à leur chambre chercher le sac de voyage.
— Pourquoi vous êtes-vous montré si gentil avec nous ? demanda-t-elle.
Il garda le silence, car il y avait trop de réponses — sa solitude, sa tendance à toujours aider les chiens perdus sans collier —, puis il en choisit une :
— Vous êtes le genre de personnes pour lesquelles l'Alaska a été inventé. Au plus bas de la malchance, vous continuez de vous battre... Et puis parce que vous soutenez tellement bien votre homme, ajouta-t-il bizarrement.
— Et vous ? demanda Missy. Qu'est-ce qui vous poussait quand vous êtes parti ?
De nouveau, il avait l'embarras du choix : des batailles perdues, des petits villages réduits en cendres, des hypothèques jusqu'au cou, mais la réponse qu'il donna était également juste :
— Nous sommes cousins, vous et moi, Missy... Épousez-le.
— Nous avons déjà commis tellement de délits ! répondit-elle. Kidnapping et non-respect d'une décision de justice, inutile d'y ajouter la bigamie.
— Mais l'autre femme n'est-elle pas divorcée... et remariée ?
— Elle ne se soucie guère de ce genre de chose, répondit Missy d'une voix sombre.
À sept heures, les trois hommes l'accompagnèrent à bord de l'*Alacrity,* où ils lui firent leurs adieux quand elle embarqua pour sa première traversée.
— Vous êtes ma famille, dit Klondike Kernel. Faites-moi honneur.
Ainsi donc, par une série d'heureux hasards, les Venn se trouvèrent associés à la bonne fortune des armateurs Ross & Raglan. L'excellent travail de Buck pour la compagnie lui assura une promotion et l'offre d'un emploi fixe s'il désirait rester à Seattle et oublier la ruée vers l'or. Missy se révéla si efficace à bord de l'*Alacrity* qu'on la promut elle aussi à un poste de plus grande responsabilité.
Même le jeune Tom fut attiré dans l'orbite de Ross & Raglan. De plus en plus actif sur les quais, il s'était montré très utile pour les petits bateaux que possédait la compagnie — comme le prouvait le concours qu'il avait apporté au capitaine de l'*Alacrity*. Un jour où il déposait des journaux au bureau de Ross & Raglan, le directeur, M. Grimes, l'appela de son bureau.
— Jeune homme ?
Tom, solide, grand pour son âge et avec d'excellentes manières, s'avança vers lui.
— Nous pourrions employer un garçon comme toi.
— À quoi ?

— Faire parvenir des messages aux bateaux. Rechercher du fret. Pas mal de choses.
— J'aime bien travailler ici.
— Je l'ai remarqué. Tu conviendrais bien à ce que j'ai en tête.
Et Tom débuta chez Ross & Raglan, mais conserva aussi sa lucrative tournée de journaux ; il commençait à quatre heures du matin et terminait bien avant l'ouverture du bureau de navigation.
Les Venn étaient devenus si prospères qu'ils commencèrent à rediscuter de leur avenir. Quand le bateau de Missy revint, la famille tint de longues discussions, au cours desquelles Tom se fit l'avocat d'une installation à Seattle.
— Nous avons de bons emplois. Nous mettons de l'argent de côté. Et M. Grimes m'a proposé de libérer mes matinées si je désirais retourner à l'école.
Quand Klondike Kernel apprit que Tom parlait d'oublier les gisements d'or et de rester à Seattle, il se mit en colère.
— Eh bien, petit ! Qu'est-ce qu'il t'arrive ? La grande aventure du siècle, et tu veux passer à côté ?
— Mais vous nous avez avertis vingt fois que nous ne trouverions pas d'or.
— L'or ? Qui parle d'or ? Quatre des meilleurs hommes que j'ai connus à Dawson n'ont jamais trouvé d'or. Je confierais à ces hommes chaque jour de ma vie, et je parierais qu'ils sont aussi heureux que moi en ce moment.
— Je m'en suis aperçue sur la ligne de Skagway, ajouta Missy. Les hommes qui rentrent du Klondike semblent en rapporter un secret : « Nous l'avons fait. Nous en étions. »
On convint donc qu'à la mi-mars ils retireraient leurs économies de la banque, prendraient un vapeur Ross & Raglan jusqu'à Skagway, se rendraient à Dyea, au pied des montagnes, et monteraient au Chilkoot. Quand ils informèrent Klondike Kernel de cette décision, celui-ci répondit :
— Mon cœur explose de bonheur pour vous. Vous ne le regretterez jamais.
Quelques jours plus tard, il disparut. Personne ne savait où il était allé ni même par quel moyen de transport il avait quitté Seattle. Missy fut surprise qu'il ne leur ait pas fait d'adieux et elle ne se priva pas de le dire — mais un mois plus tard, elle reçut une lettre recommandée de Saint-Louis, adressée aux soins de Buck, au magasin. Elle contenait deux billets de cent dollars, les premiers qu'elle eût jamais vus, d'un beau vert d'un côté, couleur or de l'autre. Sur chacun, une petite note était épinglée. L'une disait : « *C'est pour vous.* » Et l'autre : « *Quand vous arriverez à Dawson City, cherchez dans les bouges de Paradise Alley une femme qu'on appelle la Cavale belge. Donnez-lui cela de la part de Klondike Kernel.* »
Le 15 mars 1898, les Venn quittèrent à regret leurs emplois respectifs chez Ross & Raglan, réunirent leur matériel choisi avec soin et retinrent les billets pour la prochaine traversée de l'*Alacrity* à Skagway Le tarif, avec couchette et repas complets, était de trente-quatre dollars par adulte et vingt-quatre pour Tom, mais quand Buck alla prendre les billets, M. Grimes lui annonça :
— Cinquante dollars en tout. Une gentillesse de M. Malcolm Ross. Il espère que vous reviendrez tous travailler pour lui.
Buck, qui montait sur un bateau pour la première fois, resta pétrifié

au bastingage, tandis que Missy lui expliquait quels endroits étaient américains, lesquels étaient canadiens. Pour lui, cette traversée au milieu des terres, avec des montagnes vers l'est, de grandes îles à l'ouest et des glaciers poussant leur nez jusqu'à l'océan, fut un ravissement et l'heureux prélude de décors encore plus sublimes. L'ampleur de l'aventure dans laquelle ils se lançaient, déterminés à réussir, calma un peu son enthousiasme. En songeant au redoutable Chilkoot, aux rapides menaçants du Yukon, il s'aperçut qu'il songeait de moins en moins à l'or — d'ailleurs Klondike Kernel l'avait prévenu qu'il n'en trouverait pas.

Tom regrettait de quitter Seattle, et quand l'*Alacrity* s'éloigna du Schwabacher's Wharf à toute vapeur — avec une alacrité digne de son nom — le jeune homme sentit les larmes lui monter aux yeux : « C'est une ville formidable. J'aimerais vivre à Seattle. J'espère que nous trouverons un million de dollars en or et que nous le ramènerons ici. » Il regarda une dernière fois la ville qu'il avait appris à aimer; il connaissait presque chaque anse de la côte découpée, chaque colline qu'il avait dû gravir avec ses journaux. Il pouvait sentir la vitalité de ce beau port caché derrière les montagnes protectrices. Il aimait même l'étrange sonorité du nom. « Seattle! Je reviendrai! »

***

Le soir du 23 mars, avant d'arriver au large du port de Skagway, en Alaska — les eaux cessaient d'être navigables à plus d'un kilomètre et demi de la ville, que l'on atteignait en franchissant une large plage de sable — Buck tint une longue réunion de famille pour mettre au point une stratégie qui leur permettrait de passer au travers de ce ramassis de voleurs sans perdre leurs économies et leurs biens.

— C'est possible, dit Missy. Je suis venue à Skagway très souvent. Il y a des aigrefins à tous les coins de rue, mais si on les évite, il n'arrive rien.

— J'ai cousu l'argent dans mes vêtements, leur assura Buck. Ne parlez à personne. Allez louer les chevaux et filons jusqu'à Dyea.

Ces précautions ne s'avérèrent pas nécessaires, car ce soir-là, au dîner, le capitaine de l'*Alacrity* annonça :

— Comme un groupe important de gens nous attend là-bas, nous continuerons jusqu'à Dyea après une escale de trois jours. Tous ceux qui désirent débarquer à Dyea sont invités à rester à bord.

Ils évitèrent donc la traversée du trou d'enfer qu'était devenu Skagway, et pendant les deux journées où le bateau resta au large de ce port mal famé, Buck ne quitta pas leur cabine, pour surveiller les fonds de la famille et garder un œil sur leurs bagages entassés sur le pont. Mais Tom désirait voir cet endroit célèbre, et à la surprise de Buck, Missy déclara qu'elle aimerait bavarder avec deux femmes qu'elle avait rencontrées pendant des traversées précédentes. Donc, le deuxième jour, elle conduisit Tom à l'échelle de coupée, descendit sur le banc de sable et paya vingt-cinq *cents* à un homme solide pour se faire porter jusqu'à la côte dans les petites vagues. Tom, refusant toute assistance, pataugea derrière elle en observant tout : les chalands de quelques centimètres de tirant d'eau qui venaient décharger le bateau, les charrettes à cheval qui s'avançaient très loin dans le sable et la petite ville côtière nichée sous sa crête de montagnes.

À terre, Tom trouva Skagway très étrange, car Missy ne cessait de le mettre en garde contre presque chaque personne qu'ils croisaient :

— Ce n'est pas un vrai pasteur. C'est Charley Bowers. Il parle comme un livre et te vole jusqu'au dernier sou.

Plus tard :

— Ce n'est pas un vrai policier. C'est Slim Jim Foster. Il est capable de te tuer si tu le bouscules.

Et à l'entendre, les institutions de Skagway étaient aussi véreuses que les gens.

— Tu vois cette banque ? Ce n'en est pas une. Ils acceptent tes fonds, mais tu ne les revois jamais.

La poste non plus n'était pas une vraie poste. Les lettres placées dans la boîte disparaissaient à jamais.

— Pourquoi personne ne se plaint au shérif ? demanda Tom.

— Oui, il y a un shérif. Juste en face, tiens. Mais ce n'est pas un vrai shérif lui non plus. Tout ce que tu pourrais lui dire lui servira de prétexte pour te voler.

— Qu'est-ce qui est vrai, alors ? demanda Tom.

— Les bars louches, répondit Missy sans hésiter.

Et Tom remarqua sur les rues principales — des chemins sans chaussée pavée — au moins trois douzaines de bouges débitant du whisky.

Mais cette ville prospère n'effrayait nullement Missy, et avec un courage que Tom jugea exemplaire, elle le conduisit vers le 317, Oyster Bar, et son « salon-parloir ». Elle entra hardiment et dit :

— Je m'appelle Missy Peckham. J'aimerais voir Soapy, s'il est là.

Elle montra l'arrière-salle où le célèbre *boss* de Skagway tenait sa cour.

Un garçon s'arrêta d'ouvrir des huîtres et disparut. Il revint un instant plus tard avec un bel homme mince, portant la barbe et vêtu d'un costume de ville qui n'aurait pas juré à Denver — il était arrivé des gisements d'or épuisés du Colorado à peine un an auparavant. Il devait avoir trente-cinq ans, son allure rassurait, et il accueillit avec une politesse désuète cette Mlle Peckham qu'il avait rencontrée au cours d'une traversée.

— Tom, dit-elle lorsque l'homme s'inclina sans sourire, je te présente Jefferson Randolph Smith, un gentleman important de cette ville.

— Vous vous êtes montrée si attentionnée pour moi à bord de l'*Alacrity*, dit le célèbre joueur. Puis-je vous inviter avec monsieur Tom à une fricassée d'huîtres ?

— Ce serait un honneur, monsieur Smith, mais Tom désire voir le début de votre White Pass.

— Il le verra en son temps, j'en suis certain.

— Non, nous débarquons seulement à Dyea.

Au nom de cette ville rivale, concurrente détestée pour l'accès au Klondike, Soapy se raidit.

— Vous n'allez tout de même pas passer par cet itinéraire minable ? Petit, quand tu seras monté à ce Chilkoot Pass une fois, tu seras épuisé pour une semaine. Et il te faudra y remonter quarante fois. Je vous en prie, mademoiselle Peckham, dans votre propre intérêt, prenez la route la plus facile. Déchargez vos bagages ici, à Skagway, et laissez mes hommes vous aider à tout organiser.

— Tom avait envie de voir White Pass. Il désire tout voir.

À ces mots, Smith s'inclina aimablement.

— Ma chère et charmante amie, si ce jeune homme veut voir le début de notre piste, la seule voie d'accès commode pour entrer au Klondike, vous vous y rendrez tous les deux dans le confort. Vous avez été très aimable avec moi à bord de votre bateau, je ne peux pas faire moins quand vous arrivez dans ma ville.

Il fit venir de l'arrière-salle un homme nommé Ed Burns qui appela d'un coup de sifflet un de ses acolytes qu'il présenta comme Otto-la-dent-noire.

— Va chercher les chevaux, et emmène ces deux-là en balade.

— Où ça ?

— Au début du White Pass.

— Ils vont le franchir ?

— Tais-toi et file.

Otto-la-dent-noire revint bientôt avec trois assez bons chevaux.

En janvier 1897, Skagway se composait de quelques maisons éparses ; en juillet de la même année, elle passait pour une ville de toile en expansion soudaine ; et maintenant, en mars 1898, c'était une véritable ville-miracle d'Alaska, aux rues couvertes de boue jusqu'à la hauteur du genou, ou de poussière jusqu'à la cheville, avec des souches d'arbres de soixante centimètres en plein milieu, des maisons de bois sans peinture et souvent sans fenêtres, et les inévitables magasins derrière les façades recouvertes de calicots aux lettres chamarrées qui proposaient une vingtaine de services différents. À l'époque, le nom de la ville, dérivé d'une expression indienne signifiant *Maison-du-vent-du-nord,* s'écrivait le plus souvent *Skaguay,* mais le changement d'orthographe n'effaça guère la monotonie de cet endroit particulièrement laid.

Otto-la-dent-noire, gros bonhomme stupide, parlait plus que son employeur ne l'aurait souhaité. Lorsqu'ils se dirigèrent vers un canyon rocailleux qui partait vers le col marquant la frontière canadienne, il répéta d'abord la leçon qu'on lui avait faite :

— Regardez ! C'est bien mieux que le Chilkoot, non ? Passez par Skagway, vous n'aurez aucun ennui.

Mais il aborda ensuite des sujets qui l'intéressaient davantage :

— La semaine dernière, cinq hommes tués dans le White Pass. Après le prochain tournant, vous allez voir.

Tom, qui chevauchait en tête, tout excité par sa première journée en Alaska, suivit la piste qui contournait un nid de gros rochers et vit le cadavre d'un pendu se balancer au-dessus du passage.

— Qu'avait-il fait ? demanda-t-il d'une voix qui tremblait presque, en se penchant pour ne pas toucher le corps avec son épaule.

— Le shérif et d'autres l'ont arrêté.

Tom trouva étrange qu'une arrestation légale s'achève par une pendaison le long d'une piste. Otto-la-dent-noire révéla bientôt que « le shérif et les autres » étaient également responsables des cinq morts de la fusillade. Mais Missy lui chuchota les deux mots qui clarifiaient le mystère :

— Soapy Smith.

Plus loin dans le canyon, leur guide évoqua d'autres incidents attribuables seulement à l'infâme Soapy. Tom commença :

— Pourquoi personne ne...

Mais Missy lui fit signe de se taire et le gamin demanda à La-dent-noire :

— Pourquoi le shérif et ces autres ont-ils cru bon de les tuer?
— M. Smith s'occupe de tout. C'est un brave homme, non?
Une horreur beaucoup plus immédiate détourna l'attention des voyageurs du curieux système de gouvernement de M. Smith; lorsqu'ils entrèrent dans les premiers kilomètres de la piste du White Pass — visiblement plus bas que le Chilkoot enneigé dont ils avaient vu plusieurs photographies — des cadavres de chevaux, apparemment fourbus à mort commencèrent à apparaître au milieu des rochers qui jonchaient le passage. Le premier avait une jambe de devant cassée et une balle entre les deux yeux; plus loin un animal décharné avait dû tomber sans pouvoir se relever : il était mort sur place.

La vue de ces nobles animaux qui avaient connu une fin si lamentable souleva le cœur de Tom. Puis, au tournant suivant, il tomba sur un défilé littéralement garni de chevaux morts. Il en compta sept. Leurs pattes formaient des angles étranges, leur encolure drapait des rochers de façon grotesque. Ils arrivèrent enfin devant quatre animaux tombés l'un sur l'autre, et Tom vomit.

Puis l'horreur atteignit son comble : à peu de distance après les chevaux, La-dent-noire fit arrêter ses visiteurs.

— Mieux vaut rentrer.

Deux hommes, associés depuis leur départ de l'Oregon, avaient poussé trop loin leur expédition et leurs chevaux car deux des trois animaux grotesquement chargés étaient tombés, et chaque homme, l'insulte à la bouche, tapait du pied le cheval qu'il conduisait. Les hommes commencèrent à comprendre que leurs bêtes ne se relèveraient jamais. Ils se mirent à tempêter contre elles, comme si c'était leur faute et non celle du manque d'avoine, des fardeaux mal répartis et de la piste caillouteuse. Une scène de folie, qui exprimait sans conteste les difficultés de la piste. Un des hommes sortit son revolver pour achever l'un des chevaux tombés, mais son associé, se rappelant combien ils avaient payé les animaux et espérant encore récupérer ses services d'une manière ou d'une autre, détourna son arme des chevaux à terre et abattit son compagnon d'une balle dans la tête.

— Nous rentrons, hein? dit Otto, que l'incident n'avait nullement troublé ni inquiété.

Tom et Melissa suivirent sans discuter, et pendant le reste du voyage, l'enfant ne se plaindrait jamais de leurs tribulations dans le Chilkoot, car il avait vu l'autre option.

⁂

À leur retour sur l'*Alacrity* ce soir-là, ils subirent un autre changement de plans, car le capitaine révéla que Soapy Smith était monté à bord pour l'avertir que s'il avait le front de débarquer à Dyea des passagers qui comptaient franchir le Chilkoot, alors qu'il était censé les laisser à Skagway — où les truands de la bande pourraient tenter leur chance à leurs dépens — Soapy lui-même ordonnerait à son shérif d'empêcher le bateau d'accoster à Skagway dans l'avenir, et arrêterait tous les membres de l'équipage encore à terre pour les jeter en prison jusqu'à ce que les glaces prennent le chenal de Lynn. Aussitôt après avoir lancé cet ultimatum, Soapy posta sa garde armée le long de la côte avec l'ordre de s'emparer de tout marin en permission à terre.

Comme Soapy avait manifestement tous les atouts en main, le capitaine avait acquiescé et annoncé aux passagers encore à bord :

— Vous devez débarquer ici. M. Smith organisera le transport de vos bagages à terre, puis jusqu'à Dyea, de l'autre côté des collines.

Quand l'un des hommes, ignorant la réputation de Soapy, se mit à protester, l'aimable dictateur sourit, s'excusa d'intervenir de façon si brutale et expliqua :

— Question de loi et d'ordre.

Le lendemain matin, les Venn durent donc surveiller le débarquement de leurs trois tonnes de matériel et leur transport laborieux sur les bancs de sable jusqu'à la côte où régnait le chaos — d'énormes quantités de fret entassées sur la grève juste à la limite de la haute mer. Quand tout fut rassemblé, assez loin de la ville et à une quinzaine de kilomètres de Dyea, l'autre port, Buck avertit Missy et Tom :

— Nous allons avoir de sérieux ennuis ce soir. Un officier du bateau nous a prévenus que si les hommes de Soapy Smith ne parvenaient pas à nous attirer en ville pour nous dépouiller, ils viendraient nous voler ici sur la plage, ou sur la piste.

Craignant de laisser leurs affaires sans surveillance sur la plage, Buck décida d'établir les bases d'un accord de protection mutuelle avec d'autres passagers en attente. Il s'aboucha avec un inconnu pour lui présenter sa proposition, mais, apercevant Missy qui lui faisait de grands signes, il se hâta de retourner auprès d'elle et de Tom. Il apprit alors que l'homme appartenait à la bande de Smith, qui l'envoyait sur la plage pour qu'on lui propose ce genre d'accord.

— Si tu lui avais confié nos affaires, dit Missy, il nous aurait envoyés vers un endroit où il aurait pu nous assommer et voler tout ce que nous avons de vendable.

Les Venn passèrent donc la nuit sur la côte, pour garder leurs bagages et éviter la ville, où ils auraient couru un plus grand danger. Ils eurent davantage de chance que deux braves mineurs, vétérans des gisements d'or de Californie ; quand ceux-ci entrèrent dans la ville en roulant des épaules et défièrent quiconque de toucher à un de leurs cheveux, deux des hommes de main de Soapy les abattirent d'une balle et laissèrent leurs cadavres saigner sur la chaussée de terre battue. Le matin venu, tous les passants détournèrent les yeux.

Comment pouvait-on tolérer un meurtre aussi impudent ? Comment une ville en plein essor, qui faisait partie des États-Unis, pouvait-elle exister sans autre loi qu'un canon fumant de revolver ? Même les villes-miracles du chemin de fer, au Wyoming, les villes de bétail du Kansas, les villes de l'or en Californie, les villes du pétrole en train de naître dans le Sud-Ouest, n'avaient pas étalé un tel mépris des lois ; on avait toujours tenté de maintenir en place une forme de gouvernement, et trouvé en général un shérif honnête ou un pasteur à poigne pour conduire la communauté vers une existence plus respectable.

Il n'en fut pas de même en Alaska, parce que le passé était différent. À l'époque russe, les prédécesseurs slaves de Soapy Smith disaient : « Dieu est haut, le tsar est loin. » Quand les Américains prirent possession de la région, pendant une période incroyable de trente ans, les nouveaux maîtres ne firent aucune tentative réelle pour gouverner : aucun code législatif, aucun tribunal pour appliquer les lois. Personne dans les États organisés — et surtout les membres du Congrès — ne pouvait imaginer la situation d'anarchie pure dans lequel l'Alaska, dernière en date des acquisitions de l'Union et la plus riche potentiellement, pourrissait à l'abandon comme un melon au bout d'une très longue tige rampante. Soapy Smith, le joueur professionnel du Colorado dont les crimes à Skagway étaient bien pis que ne pouvaient l'imaginer les Venn, représentait le système américain de gouvernement dans les colonies. Avec ses truands, il déshonorait les États-Unis, mais c'était moins sa faute que celle du Congrès.

Le matin venu, avec leurs bagages et leur argent miraculeusement intacts, les Venn songèrent à engager deux des charretiers de Smith pour transporter leurs affaires jusqu'à Dyea. Cette décision aurait pu s'avérer dangereuse et leur faire perdre tout, si Otto-la-dent-noire, qui arpentait la plage pour surveiller les hommes de Soapy, n'avait pas remarqué Missy et Tom qu'il connaissait comme des amis du Patron. Il retourna aussitôt au 317 Oyster Bar avec la nouvelle :

— Monsieur Smith, cette dame et le gamin d'hier. Ils sont sur la plage.

Smith ordonna à La-dent-noire et à un autre truand d'aller chercher des chevaux et une charrette, puis se dirigea lentement vers la plage, saluant les habitants en chemin, sans rien perdre des diverses améliorations survenues dans la ville depuis sa précédente inspection. Ce qu'il vit lui plut, mais l'énorme accumulation de caisses sur le sable lui plut davantage. Quatre cent cinquante passagers avaient débarqué dans les jours précédents, et chacun avait apporté une tonne de bagages : le monceau de richesse sur la plage était donc presque incalculable, et Soapy avait bien l'intention d'en siphoner sa juste part — environ trente pour cent du total.

Quand il trouva les Venn, il se montra exceptionnellement courtois envers Missy, qu'il admirait, et tout juste correct avec Buck. Il leur offrit l'assistance dont ils avaient besoin.

— J'espère bien que vous prendrez notre White Pass, et non le terrible chemin de Chilkoot.

Buck, tremblant presque de crainte si près de Smith, et décontenancé par la gentillesse de cet homme, répondit fermement mais sans la moindre trace d'agressivité :

— Nous avons décidé de tenter le Chilkoot.

— Vous commettez une grave erreur, mon ami.

— Nous avons vu les chevaux morts dans votre canyon, lança Tom.

— Notre canyon n'est pas fait pour les chevaux, répliqua Soapy avec juste un soupçon d'irritation. Les hommes n'y ont aucun ennui.

Il les invita à prendre le petit déjeuner avec lui avant leur départ pour Dyea, mais Missy répondit, comme si elle était encore la serveuse de l'*Alacrity :*

— Vous avez déjà été trop aimable avec nous hier.

Il leur souhaita bon voyage, baisa la main de Missy avec panache et avertit sévèrement La-dent-noire.

— Prends bien soin de ces braves gens.

Le 1er avril 1898 avant midi, ils arrivèrent à Dyea, ville beaucoup plus petite que Skagway mais qui n'avait pas à souffrir des attentions de Soapy Smith et de sa bande. Ils firent le bilan de leur situation.

— Nous pouvons remercier Dieu d'avoir échappé à Soapy Smith. Plus que neuf cents kilomètres à franchir, dont la majeure partie sera une paisible balade en bateau sur le Yukon.

Mais ils n'étaient pas encore totalement débarrassés de Soapy Smith parce que son homme, Otto-la-dent-noire, attendit qu'ils aient fini de discuter puis leur annonça la surprise :

— Je suis censé vous transporter jusqu'à Finnegan's Point.

C'était huit kilomètres plus loin sur la piste, et comme il fallait chaque fois traverser et retraverser la petite rivière qui croisait le sentier, ce concours serait précieux.

— Allons-y dès maintenant, dit Missy.

Et comme Buck remettait en question la sagesse de cette décision, elle répondit :

— Il faut apporter notre matériel le plus près possible du col.

Mais, après avoir traversé le pont de rondins qui les conduisait à Finnegan's, se posa un problème qui avait déconcerté tous les nouveaux venus : il n'y avait aucun hôtel, aucun endroit où entreposer les caisses, aucune protection de police.

— Faudra-t-il décharger nos affaires ici ? demanda Buck.

— Tous les autres le font, répondit La-dent-noire.

— Qui les surveille ?

— Personne.

— Mais les voleurs ?

— Ils n'ont pas intérêt à y toucher.

La-dent-noire était incapable d'imaginer son patron, Soapy Smith, sous les traits d'un voleur. Il supposait que ce qui se passait sur les pistes à la sortie de Skagway était toujours la faute de voyageurs peu prudents. Il salua les Venn et, avec son comparse, laissa la famille sur le bord de la piste avec leur petite montagne de bagages.

— Je ne vais pas laisser tout ça ici sans gardien, se jura Buck en commençant de planter leur tente.

Mais un homme qui avait fait de nombreux voyages sur cette route difficile lui déconseilla d'agir ainsi.

— Croyez-moi, l'ami, retournez à Dyea et prenez une bonne nuit de sommeil dans un hôtel tant que vous en avez l'occasion.

De sa propre initiative, il courut en avant et siffla pour que La-dent-noire fasse demi-tour et ramène ces braves gens à Dyea.

Les Venn durent choisir : une bonne nuit et un repas chaud, ou bien la protection de leur cache. Buck décida.

— Tôt ou tard, il nous faudra aller d'un côté pendant que nos affaires restent de l'autre.

— Bien parlé, l'ami, lança leur conseilleur. Regardez toutes ces autres caches. C'est comme ça que nous faisons.

Sur le chemin de l'hôtel, du haut de la charrette, ils ne purent pas s'empêcher d'observer les visages des chercheurs d'or qui remontaient la piste. Après plusieurs de ces rencontres, Missy fit très bien la différence.

— Ce groupe-là va à Finnegan's pour la première fois. Les yeux écarquillés, ils regardent en tous sens et s'extasient sur les montagnes couvertes de neige. Mais voyez donc ces trois-là ! Ils ont fait le trajet une douzaine de fois. Comment je le sais ? Ils baissent les yeux pour voir où ils mettent les pieds.

Avant de déposer les Venn à l'hôtel Ballard, Otto-la-dent-noire confia à Tom :

— Tu aurais dû passer la nuit dernière à Skagway. Deux hommes abattus dans la rue.

— Qu'avaient-ils fait de mal ?

— On ne sait pas. Il faisait trop noir.

Buck se leva avant l'aube et talonna ses deux compagnons. Quand ils arrivèrent à leur cache, un groupe d'Indiens souriants les attendaient.

— Nous portons les affaires au Camp du Mouton, dix *cents* le kilo.

Buck calcula, horrifié, que cela lui coûterait trois cents dollars pour une distance d'à peine treize kilomètres. Du Camp du Mouton au sommet, il faudrait compter deux fois plus.

— Nous le ferons nous-mêmes, dit Buck.

— Vous le regretterez, répondirent les Indiens.

Parce que la pente n'était pas encore raide, Buck proposa de porter trente kilos, Tom vingt et Missy quinze. Ils partirent ainsi. Treize kilomètres de terrain plat sans bagages auraient sans doute paru assez faciles, mais sur cette piste rocailleuse qui ne cessait jamais de monter cela s'avéra un calvaire. Mais comme ils étaient impatients d'arriver et en bonne forme, ils firent deux voyages aller et retour ce jour-là. Au coucher du soleil, Buck reprit ses calculs.

— Soixante-cinq kilos par voyage à nous trois. Je ne pense pas que nous puissions faire plus de deux allers et retours par jour. Pour transporter trois tonnes...

Son visage devint tout gris.

— Cela prendra plus de trois semaines. Avec les notes d'hôtel et tout, nous avons peut-être intérêt à engager quelques Indiens.

Missy se mit donc à la recherche d'une équipe de porteurs, et elle trouva un groupe de jeunes hommes robustes qui acceptèrent de transporter le tout au Camp du Mouton pour cent dollars. Se souvenant de la fatigue de la veille, Buck ne souleva plus aucune objection.

Cinq jours plus tard, en sécurité aux Échelles avec tout leur matériel prêt pour le pesage, les altitudes prirent plus d'importance que les distances. Ils se trouvaient à moins d'un kilomètre et demi du sommet, mais quand les Venn regardèrent cette incroyable échelle de douze cents barreaux creusés dans la glace, Tom consulta sa carte.

— Là-haut, nous serons à onze cent dix mètres.

Buck frissonna.

— Faudra-t-il porter trois tonnes à cette altitude ?

Missy, toujours pratique, se détourna de cette montée terrifiante et dit :

— Vois-tu, un homme pourrait atterrir tout nu sur la plage de Dyea et s'équiper ici pour dix fois moins cher... et peut-être pour rien.

Elle montra une quantité énorme de matériel abandonné.

— En regardant ces marches, les hommes ou les femmes décident soudain qu'ils n'ont pas vraiment besoin d'une table pliante ou d'une machine à coudre.

Elle se mit à trier sur-le-champ les choses dont elle était certaine de pouvoir se passer.

Ce soir-là, les Venn virent dans toute sa laideur la raison pour laquelle on pouvait laisser des trésors sans surveillance le long de la piste. Ils entendirent une bousculade et des cris.

— Nous l'avons rattrapé !

— Nous l'avons pris la main dans le sac ! lança une voix plus grave.

Même ceux qui dormaient déjà sortirent en masse des hôtels de toile minables — il y en avait onze, plus mauvais les uns que les autres — pour assister au jugement sommaire d'un vagabond du nom de Dawkins qui avait commis le seul délit impardonnable sur la piste. Un meurtre sur un coup de tête pouvait encore passer avec ne serait-ce que l'ombre d'une justification ; abandonner son épouse n'était pas rare ; et l'on tolérait les menues infractions d'une société de la Frontière. Mais sur la frontière de l'Arctique, où piller la cache d'un homme pouvait provoquer sa mort, le vol demeurait impardonnable.

Des trappeurs laissaient un mois de vivres dans une cabane si éloignée de tout qu'on la croyait impossible à atteindre; mais au cours d'une tempête inattendue, un homme perdu, épuisé, pouvait se traîner jusque-là, trouver la boîte d'allumettes, les branches coupées avec soin, les aiguilles de pin et la nourriture. Il serait sauvé. Il pouvait consommer le mois de provisions si nécessaire, mais il devait les remplacer. Il devait couper d'autres branches, s'assurer qu'il y avait des allumettes sèches, et laisser tout en place pour la prochaine urgence. Même s'il devait parcourir trois cents kilomètres, il était tenu par l'honneur de le faire, et comme de nombreux trappeurs et prospecteurs devaient la vie à cette tradition, elle était sacrée. Dans un pays sans loi, régnait une loi suprême : ne jamais violer une cache.

Dawkins avait vu, aux abords des Échelles, une parka de rechange qui tombait à point pour remplacer son manteau usé et mal doublé. La parka avait été soigneusement pliée et en partie dissimulée dans un tas de bagages, pour que personne ne puisse la croire abandonnée. Il l'avait tout de même prise. On l'avait vu, poursuivi et attrapé. Les *sourdoughs* de la foule, les anciens aventuriers de l'Alaska, par opposition aux *cheechakos* nouveaux venus, réunirent un tribunal de mineurs, cour suprême redoutable mais devenue nécessaire puisque le gouvernement n'assurait pas le fonctionnement de la justice.

On tint une lanterne près du visage de l'accusé, puis les hommes qui l'avaient pris sur le fait racontèrent leur histoire, que Dawkins fut incapable de réfuter.

— Une balle dans la tête ! cria un *sourdough* grisonnant, et plusieurs voix le soutinrent.

Un pasteur presbytérien, qui partait sur les gisements d'or pour apporter un peu de morale à une région corrompue, voulut protester.

— Messieurs, une sentence de ce genre serait excessive. Faites preuve de compassion.

— Il n'en a montré aucune. Voler une cache, c'est tuer un homme de sang-froid.

— Qu'on me donne un fusil, lança un autre. Je le tuerai volontiers.

Le pasteur plaida si fermement en sa faveur que plusieurs *sourdoughs* changèrent d'opinion. Un ancien s'avança devant le pasteur, à quelques centimètres de son visage, et offrit un compromis.

— Nous lui donnerons trente coups de fouet.

— Merci, mon Dieu, soupira le pasteur, sans se douter de ce que serait le reste de la sentence.

— Mais vous les lui donnerez vous-même. Sinon nous le tuons.

Dawkins rompit le silence, car il savait que les *sourdoughs* ne plaisantaient pas.

— Je vous en supplie, révérend.

On enleva la chemise de Dawkins et on lui attacha les mains à un poteau — car il n'y avait pas d'arbre au milieu des neiges — puis l'on tendit au ministre de Dieu une corde de peau fixée à un manche de bois, avec un gros nœud au bout.

— Nous allons compter, dirent deux *sourdoughs*.

Le visage livide, le pasteur prit le chat-à-neuf-queues improvisé, mais recula.

— Je ne peux pas.

— Fouettez-le ou je tire, cria un ancien.

— Je vous en supplie, gémit Dawkins.

Le pasteur, tremblant, se mordit la lèvre, ferma les yeux au moment crucial et lança la corde nouée au milieu du dos de l'homme. Dawkins ne poussa pas un cri.

— Plus fort, crièrent les spectateurs.

Mais au sixième coup, quand le dos du coupable fut en sang, le pasteur ne vit plus que le corps de Jésus-Christ fouetté par les soldats romains sur le chemin du Calvaire. Il tomba à genoux dans la neige, les épaules secouées de sanglots.

Un vieux prospecteur, qui avait eu la vie sauve grâce à une cache au nord du cercle polaire, lui prit la corde nouée des mains, et tandis que les voix comptaient solennellement sept... huit..., le châtiment continua. Dix-neuf... Vingt... Mais avant que ne tombe le vingt et unième coup, Missy Peckham se jeta sur le bras droit du vieux *sourdough* et la flagellation cessa. Dawkins s'était évanoui ; on lui délia les mains, lui rendit sa propre parka, et on le ranima avec de la neige. Dès qu'il put marcher on le raccompagna jusqu'en bas de la colline, sur la piste de Dyea, et on lui ordonna de filer. Jamais on ne le revit.

⁂

Les Venn dormirent tard le lendemain, car c'était dimanche, mais vers huit heures Buck commença à préparer neuf paquets de matériel.

— Nous commencerons aujourd'hui. Le jour n'en finit pas, nous essaierons de faire trois voyages.

Puis il prit une décision fort raisonnable :

— Oublions tout ce que les autres essaient de transporter. Pour nous, des charges plus légères. Moi, vingt-cinq kilos ; Tom, dix-sept ; Missy treize.

Tom fit aussitôt ses calculs.

— Oh ! Pour trois tonnes, il faudra cinquante-cinq voyages.

— Ce sera donc cinquante-cinq, répondit Buck.

Mais au moment où il allait charger le fardeau de Missy sur ses épaules, plusieurs hommes arrivèrent dans le camp en criant :

— Une avalanche ! Ils sont tous morts.

Ce n'était pas un avertissement mais un fait. De la face sud d'une montagne, à plus de sept cents mètres au-dessus de Chilkoot Pass, une énorme quantité de neige et de glace s'était effondrée et avait enseveli une partie de la piste à une profondeur de vingt ou trente pieds.

— Combien d'hommes pris au piège ? cria Buck en reposant le paquet de Missy pour saisir une de ses pelles.

— Peut-être une centaine.

Le messager traversa le camp en criant tandis que des volontaires prenaient les outils qu'ils trouvaient et se précipitaient vers l'avalanche, beaucoup plus importante que le mineur affolé ne l'avait annoncé — elle avait englouti un plus grand nombre d'hommes.

Ils ne moururent pas tous. Des *cheechakos* sur la piste depuis à peine quelques jours, hommes et femmes, creusèrent la neige et la glace avec leurs mains pour effectuer d'extraordinaires sauvetages. Presque tous avaient des pelles, dont ils se servirent efficacement, mais un homme prévoyant du Colorado, qui avait l'expérience des avalanches, avait apporté une longue gaule dont il se servait pour sonder la neige jusqu'à ce qu'il rencontre quelque chose de dur. Les autres creusaient alors comme des taupes à l'endroit indiqué ; souvent ils ne trouvaient qu'un rocher, mais de temps en temps ils ramenaient à la surface une personne vivante. Cet homme et sa gaule sauvèrent plus de douze vies.

En tout une soixantaine de chercheurs d'or moururent ce dimanche matin, mais même un désastre de cette amplitude ne pouvait diminuer la passion des survivants pour l'or, ni ralentir la circulation constante dans la montagne. Des hordes venues d'en bas s'étaient mises en mouvement et rien ne semblait susceptible de les arrêter, même pas la mort violente. Une demi-heure après que les cascades de neige eurent bloqué le sentier du sommet, des hommes avides d'or avaient déjà tracé une nouvelle piste avec un détour pour éviter les lieux de la tragédie. Et ils continuaient d'avancer.

Comme les Venn avaient passé une demi-journée à participer au sauvetage, ils ne se joignirent pas à la file de prospecteurs sur l'échelle de glace avant la fin de l'après-midi. Une fois au milieu de cette chaîne humaine, il était impossible de se reposer ou de faire demi-tour; on se trouvait sur un sentier abrupt montant vers l'enfer. Si un homme devait uriner, il pouvait s'écarter et le faire sans que personne ne le remarque, mais lorsqu'il désirait rentrer dans la chaîne, il pouvait essayer en vain pendant plus d'une heure. Dans le Chilkoot, personne n'aidait personne.

Les trois Venn, s'accrochant à leurs places avec ténacité, arrivèrent près des soixante dernières marches à la tombée du jour. Pendant un instant d'angoisse, Missy chancela et parut sur le point de renoncer à sa place dans la file. Mais elle respira à fond, prête à s'évanouir de fatigue, et s'agrippa jusqu'au sommet. Alors elle se retourna vers les fourmis humaines qui la suivaient mécaniquement et se dit : « Mon Dieu ! Recommencer cinquante-quatre fois ! »

En franchissant la montagne, où les bagages s'entassaient en plusieurs centaines de tas différents, certains de plus de cinq mètres de haut, les Venn et les autres prospecteurs entraient dans un monde complètement nouveau. Si arbitraire et chaotique qu'il parût, la loi et l'ordre y régnaient. Car ce point en altitude marquait la frontière entre l'Alaska américain et le Territoire du Yukon, appartenant au Canada. Il y avait une ligne tracée dans la neige, d'ailleurs sans aucune justification légale; en fait, la véritable frontière de l'Amérique aurait dû se trouver à quelques kilomètres de plus vers l'est, mais ce col élevé devint la frontière permanente entre les deux pays parce que quelques hommes remarquablement intrépides le décidèrent.

Il s'agissait d'un détachement de la Police Montée du Nord-Ouest, envoyée sur une frontière mal définie pour faire appliquer une loi aussi mal définie. Peu de personnes dans toute l'Amérique du Nord ont mieux servi leur pays et ses citoyens que ces hommes-là. Ils observèrent la situation absurde que les Américains avaient laissé s'établir et dirent simplement mais avec beaucoup d'énergie :

— La loi sera ce que nous déciderons qu'elle est.

Cette loi, extrêmement raisonnable et juste, fut donc aussitôt adoptée, appliquée et acceptée.

De fait, les nombreux Américains qui franchirent à grand-peine le col de Chilkoot après avoir traversé la fange de Skagway, se félicitèrent de trouver au sommet de la montagne un corps de gendarmes résolus qui leur dirent :

— Vous êtes à la frontière. Voici les lois. Vous devrez vous y soumettre.

Comme des enfants égarés qui ont fait des folies sans surveillance mais savent au fond d'eux-mêmes qu'une discipline raisonnable est meilleure, les *cheechakos* qui franchissaient le col se soumettaient sans protester à la loi des « Montés ».

Le règlement qu'ils avaient mis au point sur place ne manquait pas de bon sens : « Vous n'avez pas le droit d'entrer si vous n'apportez pas de quoi vous suffire pendant un an, notamment des vivres. Vous devez payer des droits à la douane canadienne pour tout article importé. Vous n'avez pas le droit de naviguer sur les premiers lacs puis sur le Yukon si vous ne construisez pas un bateau stable capable de vous transporter avec votre équipement. Et chaque bateau doit porter un numéro d'ordre pour que nous puissions vérifier à Dawson que vous avez réussi votre traversée. » Ils justifiaient cette requête par une pensée peu rassurante : « Quand les gens partaient sur les lacs dans n'importe quoi et sans numéroter les bateaux, ils se noyaient par vingtaines. »

Le dimanche 3 avril 1898, conformément à ces règles, les Venn placèrent leurs premiers fardeaux de bagages sous la protection des « Montés » et pour la première fois depuis leur départ de Seattle, ils se sentirent en sécurité. Mais les jours suivants du début avril s'avérèrent désolants, car Buck s'était lourdement trompé en se figurant qu'ils pourraient effectuer trois voyages par jour. Les marches taillées dans la glace étaient si raides, et les fardeaux si écrasants que deux voyages représentaient un maximum. Et parfois l'attente pour entrer dans la queue devenait si longue qu'ils pouvaient faire une seule fois le trajet. Un soir, en se glissant dans un sac de couchage, Missy gémit :

— Oh, mon Dieu ! Nous n'aurons pas fini ce mois-ci.

Mais ils concentrèrent leurs efforts, toujours à l'affût d'une avalanche sur l'escalier glacé, sans faire un seul pas à la verticale, toujours courbés parallèlement au sol à partir de la taille, les jambes flageolantes, les poumons prêts à éclater, les yeux pleins de larmes fixés au sol, mais sans perdre complètement de vue l'homme au-dessus, dont le dos était parallèle au sol lui aussi, car il portait également cinquante kilos sur l'échelle de glace.

Aucun des pionniers qui colonisèrent le continent américain n'accomplit des efforts humains aussi remarquables. Aucun n'avait rencontré d'épreuve aussi dure que l'ascension du Chilkoot quand les dernières tempêtes de l'hiver faisaient rage. Et trente mille hommes et femmes franchirent le col.

À la fin d'un voyage, quand Missy et Tom arrivèrent, leurs dépôts précédents gisaient sous cinq mètres de neige. Ils furent incapables de retrouver l'emplacement exact. Un jeune sergent de la Police Montée les aida : Will Kirby, beau garçon aux joues roses et aux yeux bleus originaire du Manitoba, dans le centre du Canada, âgé de vingt-huit ans et déterminé à se faire un nom dans la police du Nord-Ouest. Il aimait la nature, avait déjà été trappeur et batelier pour assurer la liaison entre des comptoirs isolés. Il avait remonté en canoë des rivières lointaines pour étudier les possibilités commerciales.

Apercevant Missy et Tom qui essayaient de sonder les neiges d'avril à la recherche de leur cache ensevelie, il se porta à leur aide :

— Ne vous affolez donc pas pour une petite neige comme ça ! En janvier dernier nous en avions plus de vingt mètres, ici.

— C'est impossible, lança sèchement Missy, pas du tout disposée à recevoir des leçons après son épuisante ascension.

Kirby lui montra une photographie de deux autres Montés et lui-même debout au même endroit ; aucune habitation n'était visible.

— C'est possible, ici, répondit-il. À quoi ressemble votre cache ?

Radoucie par la photo, quoique la jugeant truquée, Missy indiqua l'endroit approximatif des affaires des Venn et décrivit de quoi elles avaient l'air. Ils se mirent au travail tous les trois à la pelle, et sondèrent la neige.

— En janvier dernier, dans les tempêtes les plus violentes, un homme a fait une chose intelligente, leur dit le sergent.

Et il expliqua l'idée qu'avait eue cet esprit inventif. Missy et Tom convinrent aussitôt que cela pourrait marcher. Quand ils eurent retrouvé leur cache avec l'aide de Kirby, ils redescendirent à la hâte pour raconter à Buck ce qu'ils avaient appris.

— Ça marchera, lança-t-il.

Il lui faudrait plusieurs accessoires : un rocher bien fixé en haut du Chilkoot — il y en avait beaucoup; deux traîneaux — faciles à construire avec des bouts de bois; une très longue corde et cinq autres hommes, si possible très lourds. Buck constata aussitôt que le seul objet manquant était la longue corde, mais il en avait vu plusieurs parmi les bagages abandonnés le long de la piste du Camp du Mouton à l'Échelle. Il laissa donc Missy et Tom à leur dépôt et redescendit la piste. Il ne trouva pas les cordes dont il se souvenait mais plusieurs autres, laissées plus récemment parmi les cantines, les meubles et les articles de ménage en excès.

Il prit donc la corde, revint aussitôt à l'Échelle où il étudia discrètement les hommes autour de lui. Il fixa enfin son choix sur quatre candidats possibles. Le sergent Kirby avait recommandé six hommes en tout mais Buck crut qu'il travaillerait plus efficacement avec seulement quatre prospecteurs et lui. Il les réunit devant sa tente et leur exposa son plan.

— Nous grimperons jusqu'au sommet du Chilkoot, et nous fixerons une poulie improvisée à un rocher solide. Nous construirons deux traîneaux capables de nous transporter tous les cinq. Vous voyez le système ?

Les quatre chercheurs d'or visualisèrent bientôt ce que le Monté canadien avait révélé à Missy et à Tom.

— Eh, si nous montons tous les cinq dans le traîneau d'en haut pour nous laisser glisser le long de la montagne, l'autre traîneau remontera avec notre matériel !

Cela marcha. Ils grimpèrent en haut du col et trouvèrent avec l'aide de Kirby un rocher qui faisait l'affaire; ils y fixèrent leur poulie grossière, avec la corde qui glissait sur la roue. On fixa les traîneaux, celui d'en haut vide, celui d'en bas garni de matériel, puis les cinq hommes montèrent au col avec des charges très légères qu'ils rangèrent à leurs dépôts respectifs, du côté canadien. Ils se rendirent aussitôt au traîneau en attente, où ils se placèrent de façon à pouvoir le pousser avec leurs mains. Quand le traîneau arriva au bord de la pente raide, Buck donna le signal et le cinquième homme, à l'arrière, se mit à pousser le traîneau pour lui donner de l'élan. Après une dernière poussée, qui envoya le traîneau vers le bas, il sauta à bord, et tous eurent la satisfaction extraordinaire de se sentir glisser vers le bas pendant que l'autre traîneau chargé de leurs lourds bagages grimpait la pente, comme tiré par des mains invisibles.

L'expérience s'avéra plus efficace que le sergent Kerby l'avait prédit. Quand Missy et Tom parvinrent en haut de la montagne, le jeune Monté leur dit :

— Il n'y a qu'un Américain, pour construire une telle machine !

La façon dont ces hommes avaient amélioré le principe l'enchanta. Ces Américains-là allaient franchir le Chilkoot Pass sans peine.

Entre-temps, Missy et Tom faisaient des voyages le cœur presque joyeux ; ils avaient réduit le poids des fardeaux mais emportaient invariablement une pelle et quand ils déchargeaient leurs épaules à la cache Venn, ils saluaient le sergent Kirby puis s'éloignaient du Chilkoot proprement dit, pour se rendre à la pente très raide couverte de neige épaisse. Missy posait une planche sur la pelle, braquait le manche vers le bas, puis s'asseyait le plus à l'avant possible. Tom, derrière elle, se plaçait à moitié sur la pelle, à moitié sur la planche qui dépassait, s'accrochait à Missy par la taille et ils filaient aussitôt comme des enfants sur une luge.

La descente leur paraissait si amusante, si rafraîchissante avec le vent froid qui soufflait sur leur visage, qu'ils franchissaient plus vite les dernières marches de glace du Chilkoot pour courir vers le précipice et se lancer dans le vide avec leur pelle magique. Tom se serrait contre Missy qui pilotait plus ou moins la pelle avec ses mains. C'était la chose la plus hilarante qu'il eût jamais faite, plus exaltante que des paroles ne sauraient l'exprimer, mais un jour, en les voyant foncer ainsi, Kirby commença à s'inquiéter. A leur ascension suivante, il les prit à part :

— Je vous ai vue piloter votre pelle avec les talons, madame Venn. À votre place, je ne m'y risquerais pas, car à cette vitesse, si votre talon se prend dans quoi que ce soit, même un petit bloc de glace, votre jambe sera emportée vers l'arrière et peut-être arrachée. Cassée, à coup sûr.

Pendant les descentes qui suivirent Missy et Tom se montrèrent donc plus circonspects, et freinèrent la pelle pour l'empêcher de prendre trop de vitesse.

Un soir où le traîneau de Buck et la pelle de Missy arrivèrent à l'Échelle presque en même temps, un des hommes du traîneau fit observer à Missy :

— La façon dont votre mari prend les choses en main nous plaît. Vous devez être fière de lui.

Elle en parla à Tom pendant qu'ils remontaient la montagne.

— As-tu remarqué, Tom, comme ton père paraît beaucoup plus fort ? Les autres lui témoignent du respect. Il prend les décisions et s'y tient.

— On dirait qu'il a attendu toutes ces années que cette situation se présente, répondit Tom.

Missy, dans un élan d'affection pour ce jeune garçon en train de devenir adulte, lui prit la main en ajoutant :

— Il en est de même pour toi, Tom. Quand nous arriverons aux gisements d'or, tu seras un homme.

Le sergent Kirby, qui observait la manière énergique et habile dont cette équipe montait son matériel jusqu'au col, déclara un soir à un de ses camarades Montés :

— Nous avons vu arriver ici plus d'un Américain méprisable. Mais as-tu remarqué ces trois Venn ? Ils compensent pour beaucoup d'autres.

— Pourquoi veilles-tu tellement sur eux ? demanda l'autre.

— J'ai un gamin à la maison, sans doute deux fois plus jeune que le leur. Je serais ravi qu'en grandissant il lui ressemble.

Il réfléchit un instant avant de poursuivre :

— Et j'ai beaucoup de respect pour un homme comme Venn. Il fait marcher tout le monde et il maintient l'ordre.

L'un des Montés plus âgés lui lança :

— Et tu as aussi un certain... respect pour Mme Venn, pas vrai ?

La conversation s'interrompit sur ces mots.

Le col de Chilkoot avait aussi ses photographes, des hommes audacieux et endurants qui traînaient d'énormes appareils et de lourdes plaques de verre pour prendre des clichés, posés trois minutes, de silhouettes minuscules au milieu de vastes champs de neige. Un de ces hardis pionniers était âgé de vingt et un ans. Né en Suède mais élevé dans le Wisconsin, il avait ouvert à quinze ans un atelier de photographe professionnel à temps plein. Hypnotisé par l'amplitude de la ruée vers l'or du Klondike, il se montra assez avisé pour comprendre qu'il ne ferait pas fortune en levant du sable dans un torrent de montagne mais en prenant des photographies de ceux qui s'y éreintaient.

Il apparaissait partout ; son énergie, associée à la chance, le conduisait au meilleur moment au meilleur endroit. Par exemple, le dimanche de l'avalanche, il se trouvait dans les parages, et trois de ses clichés montrent Buck Venn et son fils Tom au milieu de centaines d'autres, en train de creuser à la recherche de cadavres. Mais l'une de ses photos les plus mémorables, prise le même jour, montre Missy Peckham, sur fond de neige, toute petite mais déterminée et séduisante. Elle se tient très droite, en lourdes bottes, avec sur la tête, légèrement de travers, une toque de paysan russe. Sa jupe très large tombe en plis nets sur le haut de ses bottes et forme à la taille un cercle si minuscule qu'on pourrait la croire divisée en deux parties. Son corsage, remarquablement léger malgré la neige, est très serré sur la poitrine mais volumineux aux épaules et surmonté par le plus strict des cols existant au monde. Le devant s'orne de six boutons de couleur claire, mais tous ces détails pâlissent à côté de l'expression volontaire qui éclaire son visage. Elle n'a pas de beaux traits, au sens où l'entendent les photographes de mode, mais ils suggèrent une telle maîtrise de soi que l'on y sent presque de l'héroïsme. La jeune femme qui vous regarde de cette photographie a l'intention ferme de se rendre aux gisements d'or.

Le jour où l'équipe de cinq hommes hissa le dernier fardeau de matériel et de provisions au Canada, ils payèrent les droits de douane et se séparèrent. Chacun suivit ce qu'il pensait être le meilleur chemin pour parvenir à Dawson City. Au moment où les Venn se préparaient à emporter leurs affaires sur l'autre versant, en neuf ou dix chargements de traîneau, le sergent Kirby les prit à part pour leur faire une curieuse proposition :

— Quand un homme meurt sur les pentes du Chilkoot, s'il est seul, je suis chargé de veiller sur ses affaires. S'il avait sur lui une adresse, nous envoyons chez lui son argent et ses papiers. Son matériel, nous le vendons... pour la somme que nous arrivons à en tirer. Un vieil homme est mort ici l'autre jour. Il devait avoir la soixantaine.

— Quel est le problème ? demanda Buck.

— Il n'a pas laissé beaucoup de choses, mais il avait une excellente voile. Il devait connaître les bateaux, parce que les coutures de la toile sont vraiment spéciales.

— Je ne vous suis pas.

— Monsieur Venn, personne ne vous l'a dit ? La route est longue jusqu'au lac Lindeman. Quand vous y arriverez, il sera pris par les glaces. Et quand vous l'aurez traversé, le lac Bennett sera encore très loin. Mais si vous montez une voile sur votre traîneau, avec les grands vents qui soufflent par ici, vous traverserez le lac en glissant... Je vous vendrai la voile deux dollars, ajouta-t-il, et je vous conseille de la prendre.

Quand Buck lui remit les deux dollars, Kirby exigea un reçu daté et signé.

— Nous désirons que les choses restent strictement légales, étant donné que deux pays différents sont impliqués.

Descendre le versant canadien du Chilkoot Pass fut presque un plaisir ; laissant Tom en haut pour aider à charger le traîneau, Buck emmena Missy en bas de la pente pour réunir les affaires à mesure qu'il les apporterait. Il descendait si vite que souvent son traîneau volait en sautant sur les bosses de la neige. Missy, qui le regardait arriver près du tas de matériel qui augmentait vite, le mit aussitôt en garde :

— Le sergent Kirby m'a prévenue de ne jamais freiner avec mes jambes, à la vitesse où je descendais avec Tom. Tu descends au moins deux fois plus vite. Fais attention.

Quand tout se trouva en bas de la montagne, la quinzaine de kilomètres jusqu'au lac Lindeman consistait en une pente douce, facile à négocier, et la voile du mort s'avéra précieuse ; Buck fixa au milieu du traîneau une petite boîte de bois dans laquelle il coinça le bas du mât, puis il haubana le haut avec les cordes pour le maintenir bien droit. Il hissa une vergue qui lui permit de déferler une grande quantité de toile, et ainsi équipé put facilement naviguer sur la neige tassée.

De nouveau les trois Venn se séparèrent : Tom garda la cache au pied de la montagne, Missy à l'arrivée et Buck « naviguait » gaiement vers le bas de la pente ou bien remontait en tirant le traîneau.

Pour le dernier voyage, Buck emmena Tom, et quand le traîneau poussé par le vent s'arrêta à l'endroit où Missy attendait, le jeune homme vit que leurs affaires étaient maintenant empilées près du premier lac, splendide pièce d'eau dont les berges accueillaient une nuée de tentes blanches composant une ville provisoire de plusieurs milliers de personnes, avec des rues enneigées et deux hôtels improvisés où l'on servait des repas chauds. Émerveillé par cette vision, Tom s'écria :

— Le monde entier paraît blanc.

Les Venn se trouvaient maintenant à l'endroit où le Yukon prenait en principe sa source, et où aboutissait aussi la route de Soapy Smith à partir de Skagway. Les transports successifs à travers le lac Lindeman, une dizaine de kilomètres dans chaque sens, semblaient une aventure de rêve ; la surface glacée, parfaitement lisse, permettait au traîneau de glisser comme sur un miroir. Les montagnes alentour restaient enfouies sous la neige, l'air devenait plus frais et un vent constant soufflait du Chilkoot directement vers l'endroit où les voyageurs désiraient se rendre.

— C'est la meilleure partie du voyage, prédit Buck tandis qu'ils traversaient ce monde de beauté hivernale, adoucie par une forte pincée d'été imminent dans l'air.

Pour son troisième voyage sur le Lindeman, Buck laissa son traîneau dériver assez loin vers la droite, ce qui le projeta sur des plaques de glace moins lisses qu'il ne s'y attendait. Le vent, ou une arrivée d'eau d'un torrent invisible débouchant des montagnes, avaient fait remonter des blocs de glace en surface. Buck essaya d'en écarter son traîneau à coups de pied et se tordit la cheville droite. Ce n'était pas grave, mais pour éviter ce genre de problème pendant les voyages restants, à son retour du côté ouest du lac, il demanda à Tom de chercher une sorte de gaffe dont il pourrait se servir pour manœuvrer au milieu des blocs. Le garçon trouva une gaule d'environ trois mètres de long, assez solide pour protéger le traîneau. Aux voyages suivants, le vent continua de pousser Buck vers la rive droite, mais sa gaffe lui permit d'écarter le traîneau des blocs.

Pour la dernière traversée, il entassa sur le traîneau les quatre cents kilos de matériel qu'il restait et percha Tom tout en haut. Il se plaça à l'arrière pour diriger le traîneau en tirant sur les écoutes de la voile, puis ils partirent à une vitesse folle vers le lac Bennett — où ils construiraient leur bateau pour descendre le Yukon.

— Pas une seule colline entre ici et Dawson. Nous pourrons naviguer jusqu'à notre mine d'or, s'écria Tom, rayonnant.

Puis le jeune homme cria soudain :

— Papa ! Les blocs de glace ! Droit devant nous !

— Je les vois, répondit Buck. Je sais comment les passer.

Il sortit sa gaffe, mais cette fois, le chargement était si lourd et la vitesse si grande que le bout de la gaffe se prit dans un énorme bloc de glace puis se coinça dans une crevasse.

Quand la gaffe commença à se plier en un arc menaçant, Tom lança :

— Papa ! Lâche-la !

Trop tard. La gaffe se brisa, un morceau minuscule et inutile resta dans les mains de Buck, l'autre, à la pointe déchiquetée, partit à la façon d'une flèche lancée par un arc de géant. Il frappa Buck en pleine poitrine, non comme une pointe d'acier mais comme l'extrémité brisée d'une lance. Il creusa un trou énorme et profond.

Quand Buck remarqua le sang qui jaillissait il lança un regard d'impuissance à son fils, et Tom vit le visage de son père, congestionné par le vent, devenir tout gris. Les mains lâchèrent la gaffe et se levèrent pour serrer la blessure. De nouveau, il regarda son fils. Un flot de sang sortit de sa bouche. Puis il s'effondra et le traîneau, voile claquant au vent, continua, serein, vers le bas du lac.

Will Kirby était en train de surveiller les sept mille barques en cours de construction sur les berges du lac Lindeman et de son déversoir dans le lac Bennett lorsqu'il apprit le décès d'un autre prospecteur qui arrivait du Chilkoot Pass. Agacé par ces Américains qui se lançaient dans des dangers qu'ils ne mesuraient pas, il se hâta sur les lieux présumés de l'accident. Bouleversé par la nouvelle que le mort n'était autre que Buchanan Venn, qui s'était montré si efficace dans le col, il éprouva une immense pitié pour sa femme et son fils, qu'il trouva grelottants près du lac, désemparés et incapables de se concentrer sur les nombreux problèmes qu'ils devaient maintenant affronter. Il décida de les aider de son mieux.

— Nous veillerons sur vous. Nous ne tolérons pas que les femmes subissent des préjudices sur cette piste.

Prenant Tom à part, il lui dit d'un ton ferme :

— Maintenant, on va voir si tu es vraiment un homme.

Le gamin réagit en allant s'occuper du traîneau qui avait tué son père, et Kirby en fut rassuré.

Il réunit Missy et Tom sur le bord du lac et leur dit :

— Vous savez, il faut que je veille sur les biens du mort... C'est une disposition légale.

La quantité d'argent que Buck avait sur lui le surprit, et il avertit Missy :
— Madame Venn, je ne peux pas vous remettre purement et simplement cet argent. Beaucoup trop dangereux. Je vais demander au commissaire Steele de le prendre en charge jusqu'à votre arrivée à Dawson.
Cette déclaration de Kirby soulevait deux questions difficiles, et Missy les aborda tour à tour.
— Je ne suis pas Mme Venn. Mais la moitié de l'argent que portait Buck m'appartient. Et je ne céderai ma moitié à personne.
Kirby inclina la tête mais s'en tint à sa décision :
— Nous attendrons que le commissaire Steele passe ici au cours de son inspection.
L'inventaire des biens de Buck révéla deux choses que Melissa et Tom refusèrent de confier à Kirby. La première était l'enveloppe adressée à la Cavale belge — et qui appartenait à cette femme. Missy expliqua :
— Nous n'avons rien à voir avec cet argent, nous devons seulement le lui remettre.
Le sergent Kirby lui adressa un sourire indulgent.
— Mais, madame, ne comprenez-vous pas ? C'est justement le genre de chose que nous ne pouvons pas laisser à une femme sans défense. Il faut que je garde cet argent. Elle le recevra. Je vous l'assure.
— Mais c'est moi qui dois le lui remettre... En personne. C'est une obligation.
— Vous le ferez.
Mais il glissa l'enveloppe avec le reste de l'argent dans sa veste.
Il n'y eut aucune discussion sur le papier que Tom voulait garder :
— C'est un ingénieur qui me l'a dessiné. Les plans du bateau que nous allons construire.
Kirby étudia le plan puis le lui rendit.
— Ce bonhomme savait dessiner, dit-il. Et il s'y connaissait en bateaux.
— Si nous en construisons un comme ça, nous pourrons descendre jusqu'à Dawson à son bord ? demanda Tom.
Et le plus grave problème se posa, un problème auquel Will Kirby s'était trouvé confronté plus d'une fois.
— Asseyez-vous, je vous prie. J'ai besoin de toute votre attention.
Debout devant eux, très militaire d'allure dans son uniforme impeccable — pantalon à bande sur le côté, veste ornée de passepoil et chapeau à larges bords — il représentait vraiment l'Autorité, et Missy comme Tom étaient disposés à l'écouter.
— La question est la suivante : Voulez-vous vraiment continuer jusqu'à Dawson ? Attendez ! Pas de réponse précipitée.
Il esquissa les inconvénients de leur situation :
— Il y a autour de ces deux lacs vingt mille personnes qui attendent la fonte des glaces. Vous allez vous perdre dans une ruée forcenée. Sans homme pour vous aider. N'importe qui pourra vous bousculer, vous malmener. Même si vous arrivez là-bas, vous devez comprendre que tous les bons endroits seront pris. Et je ne devrais pas dire tous les *bons* endroits mais *tous* les endroits. Vos réserves dureront à peu près six mois. Votre argent s'épuisera vite. Ensuite, que ferez-vous ?
Missy et Tom se regardèrent, et Missy parla :
— L'homme qui nous a confié cette enveloppe pour la Belge... Il se faisait appeler Klondike Kernel...

— J'en ai entendu parler. Un peu cinglé, mais très sûr... Vous a-t-il prévenus comme je viens de le faire ? ajouta-t-il en riant.
— Oui.
— Mais vous êtes partis quand même ?
— Oui.
— Madame Venn... Excusez-moi mais les papiers disent que vous êtes Mlle Peckham et que Tom est le jeune M. Venn. Se rendre à Dawson avec un homme pour vous protéger et vous guider est une chose. Y aller toute seule me paraît fort différent.
Il se sentit contraint de les bousculer pour les forcer à regarder la réalité en face.
— Mais enfin ! Une femme comme vous !... Vous ne songez pas à entrer dans un de ces bouges, je pense ?
Missy ne cilla pas.
— Je n'en ai aucune intention.
— Très bien. Mais j'ai le devoir de veiller à ce que les biens de M. Venn soient légalement répartis. Je vous donne, à vous et à son fils, le traîneau, tout le matériel et les outils pour construire le bateau. Mais je dois conserver l'argent et tous les papiers autres que les plans du bateau.
À la surprise de tout le monde, y compris lui-même, Tom se leva et s'interposa :
— Vous ne pouvez pas faire ça. Nous avons vu ce qui s'est passé à Skagway.
Kirby hocha la tête, plus satisfait qu'offensé de voir le gamin oser ainsi réagir de façon protectrice.
— Tu as raison, lui dit-il. Tu as le droit de vérifier.
Il envoya Tom à la recherche d'autres membres de la Police Montée du Nord-Ouest, qui se trouvaient sur les rives du lac. Deux jeunes hommes en uniforme se présentèrent à la tente des Venn. Kirby leur rendit leur salut et expliqua la situation.
— Suite à leurs expériences à Skagway, Mlle Peckham et le jeune M. Venn refusent de confier les biens du mort à nos soins jusqu'à ce qu'une adjudication soit faite.
— Oh, mais il le faut, dit le plus jeune des deux officiers.
— Pourquoi lui ferions-nous confiance ?
— Madame, répondit l'officier, si vous ne pouvez pas accorder votre confiance au sergent Kirby, vous ne pourrez l'accorder à personne.
— Et si vous comptez aller à Dawson... toute seule... il vous faudra faire confiance à quelqu'un, madame.
Les deux Montés regardèrent Kirby rédiger un reçu, puis ils le contresignèrent et le tendirent à Missy, mais elle le remit à Tom.
— C'est le fils de Buck, dit-elle.
— N'êtes-vous pas sa femme ? demanda l'un d'eux.
— Non.
Trois jours plus tard, tandis que des milliers de prospecteurs de tout acabit arpentaient les rives du lac Lindeman pour construire leur bateau et préparer la traversée du lac Bennett, le sergent Kirby conduisit à la tente des Venn un officier robuste, portant moustache, qui méritait sa réputation de « Lion du Yukon ». C'était le commissaire Samuel Steele, incorruptible justicier de la Frontière. Grand, fort de poitrine, il portait un large chapeau de cow-boy tout noir. Il émanait de lui une impression de puissance. Chacun de ses mouvements, de ses gestes, exprimait à la fois l'autorité et la compassion. Il exerçait ses

pouvoirs sur un domaine immense, sauvage, presque ingouvernable, dans lequel plus de vingt mille étrangers étaient en train de se jeter sur une ville qui n'existait même pas trois ans auparavant. Tous les hommes placés sous ses ordres reconnaissaient qu'il était juste.

Il avait autorisé une rue de prostituées, où régnait la Cavale belge. Il avait permis à des bars et des salles de jeux d'ouvrir librement leurs portes, mais les alcools ne devaient pas être frelatés ni les roulettes truquées. Avant qu'une banque s'installe dans sa ville, il avait pris en dépôt les fonds des mineurs, et aucun argent ne s'était perdu une fois confié à ses soins. Il tenait à ce qu'on observe le repos dominical. Jamais il n'y avait de fusillade dans les rues, comme c'était souvent le cas dans les villes de la Frontière américaine, et le meurtre était sévèrement réprimé. Si un homme transgressait insolemment ses règles, il lui faisait la chasse en personne, le confondait et l'expulsait du Canada.

— Je suis sincèrement affligé de votre perte tragique, dit-il en se présentant à Missy Peckham et au jeune Tom.

Missy ne répondit pas ; elle concentrait ses forces pour l'affrontement en perspective.

— Et je comprends vos réticences à nous confier l'argent de votre défunt mari, ajouta-t-il.

— Ce n'était pas mon mari, dit Missy.

— Il l'était pour nous à cet égard, répondit-il en inclinant gravement la tête, car Kirby l'avait mis au courant du caractère résolu de la jeune femme. Nous avons décidé, madame, que l'argent en litige appartient légalement à ce jeune homme.

— Je suis d'accord. L'argent de Buck n'est pas à moi.

Comme le commissaire Steele commençait à sourire après cette concession facile, Missy leva la main.

— Mais la moitié de l'argent qu'il avait sur lui m'appartient. Je l'ai gagné comme serveuse et à bord de l'*Alacrity* et je le veux.

— Vous l'aurez, répondit Steele. Mais pas ici. Pas dans cette jungle où nous ne sommes pas en mesure de vous protéger.

— Et pourquoi ?

— Je songe moins à vous qu'à mes hommes, madame. Ils ne peuvent pas veiller sur vous d'ici à Dawson. Les épreuves que vous allez traverser... Vous êtes bien décidée à continuer ? Nous vous aiderons à repasser le col, vous savez, si vous désirez rentrer chez vous. Et je crois que vous le devriez.

— Nous allons à Dawson.

— À votre arrivée là-bas, nous vous remettrons l'argent. Intégralement.

Missy sentit des larmes perler. Depuis la mort de Buck — en si peu de temps — elle avait essayé de se forger un caractère de fer, consciente des dangers qu'elle devrait affronter avec Tom sur la piste sans protection de Dawson. Mais la pression constante depuis la montée du Chilkoot, le décès et maintenant ces hommes à l'air officiel... C'était presque trop.

— Comment savoir si vous n'êtes pas une bande comme celle de Soapy Smith ?

C'était une attaque de front, et si légitime que le commissaire Steele recula d'un pas. Oui, comment une femme sans protection pouvait-elle s'assurer qu'il y avait une différence ? Il lui répondit de façon curieuse, mais rassurante :

— Madame, j'aimerais bien descendre à Skagway pendant une seule semaine, avec trois ou quatre hommes comme le sergent Kirby.

Missy se mit à trembler, porta la main à sa bouche et regarda les deux hommes. Kirby lui révéla alors ce fait stupéfiant :

— Saviez-vous que le jour de l'avalanche, Soapy a envoyé quatre hommes de sa bande sur les lieux pour voir ce qu'ils pourraient voler parmi les affaires des morts ? Ils avaient à leur tête une brute épaisse, Otto-la-dent-noire, et ils ont filé avec un joli butin, paraît-il.

— Comment avez-vous permis une chose pareille ? demanda Missy.

— C'était en Alaska, lui rappela Steele. Pas sur notre territoire. Les choses se passent comme ça, là-bas. Au Canada, nous ne le permettons pas.

— Le commissaire Steele et un seul de ses hommes régleraient la question de Soapy en un après-midi. Ça ne durerait même pas jusqu'à la tombée de la nuit.

Rassurée, elle décida qu'elle pouvait leur faire confiance. Au moment où ils la quittèrent, Steele lança :

— Nous ne perdons jamais un client. Nous vous reverrons à Dawson... Sergent Kirby, ajouta-t-il, veillez à ce qu'ils construisent un bon bateau. Et donnez-lui un nom porte-bonheur. Nous avons besoin de gens comme eux à Dawson.

Missy et Tom ne revirent Kirby qu'après avoir péniblement transporté tout leur matériel sur la courte distance du lac Lindeman au lac Bennett, beaucoup plus vaste et, à certains égards, l'équivalent « maritime » des neiges du Chilkoot Pass, car les décisions que l'on y prenait vous orientaient vers la vie ou la mort. Ces décisions concernaient les bateaux, car les Montés exigeaient que chaque voyageur construise ou achète un bateau capable non seulement de naviguer les huit cents et quelques kilomètres jusqu'à Dawson, mais de résister à un redoutable canyon et plusieurs séries de rapides violents.

S'ils ne virent pas Kirby plus tôt, c'est qu'il lui fallut longtemps pour les trouver. Les berges du lac Bennett encore pris par les glaces étaient envahies par une ville de tentes contenant environ vingt mille prospecteurs en puissance, chacun en train de construire son bateau. Ils abattaient les arbres à une cadence qui dénudait les montagnes environnantes et creusaient un peu partout les fosses pour scier des planches. Le chant du lac Bennett n'était que grincements de scie et coups de marteaux sur les clous — et cette musique se prolongeait vingt-quatre heures sur vingt-quatre. Des hommes qui n'avaient jamais vu d'eau quatre mois auparavant apprenaient maintenant à galber le bois pour qu'il épouse la forme d'une carène. Les résultats avaient de quoi affoler, par leur ineptie et leur diversité.

Un groupe d'hommes construisaient une gabarre qui aurait pu transporter un train entier et sa locomotive. Un aventurier solitaire fit un joli petit canot d'à peine deux mètres cinquante de long. Les Montés ne l'autoriseraient pas à s'engager dans les passages dangereux, mais il s'assurerait l'aide d'un Indien pour le portage, sur dix kilomètres. Des hommes prudents gardaient les voiles avec lesquelles ils avaient descendu les pentes et traversé le lac Lindeman. Ceux qui avaient l'expérience des rapides et des gorges jonchées de rochers construisirent des avirons lourds, très longs, qu'ils montaient à l'arrière de leur bateau et appelaient « tamisaille ». Un homme aux nerfs d'acier qui manœuvrait à la tamisaille pouvait éviter beaucoup d'ennuis.

Missy et Tom dressèrent leur tente sur un emplacement excellent, près de la rive du lac, avec un trou de scieur de long déjà creusé ; ils purent s'y installer uniquement parce que l'œil vif de Missy avait repéré deux hommes sur le point de s'en aller pour transporter leur bateau terminé un peu plus loin, à un endroit où le lancement serait plus rapide. Elle leur demanda la permission d'occuper les lieux qu'ils quittaient.

— Bien sûr, répondirent-ils. Mais si vous n'avez pas encore commencé votre bateau, vous allez rater le départ de la flotte.

Le jour même, Missy et Tom entreprirent la tâche colossale de construire leur bateau de dix mètres. Tom fit le tour de tous les sites des environs pour demander si l'on n'avait pas des planches de trop à vendre, ou de bons clous, et il réunit de cette manière beaucoup plus de planches déjà sciées qu'il ne s'y attendait. Puis il prit sa hache et partit dans les bois qui restaient. Il abattit des arbres jusqu'à la nuit tombée, et comme on était déjà au printemps, le soleil remontait vers le nord et ne se couchait que vers huit heures avec un crépuscule prolongeant encore la journée de plus d'une heure. Quand il posa sa hache, il était vanné.

Le lendemain matin, ils se mirent au travail avant le jour, qui se leva à quatre heures et demie, et ce fut ainsi pendant le reste du mois d'avril. Missy pasait la matinée à faire la cuisine pour des hommes qui payaient bien ses crêpes, son pain et ses haricots, et l'après-midi elle allait dans les bois aider Tom à haler les grumes qu'il avait abattues. Quand ils eurent réuni assez de bois pour le bordage et la charpente de leur bateau, ils serrèrent les dents et se mirent au pénible travail de débiter des planches à la scie.

Une fois la première grume en place au-dessus de la fosse se posa le problème de savoir qui se placerait en haut pour tirer la scie et qui se mettrait en bas. Tom, persuadé que le travail le plus dur serait dans la fosse, au-dessous de la scie de deux mètres dix, se porta volontaire. Il se trompait sur la difficulté du travail, car le scieur de long placé en haut devait tirer jusqu'à ce que les bras lui en tombent, mais il avait raison en un sens car le scieur du bas mangeait constamment la sciure qui lui tombait sur la tête.

Tout semblait facile quand on vous expliquait la méthode, mais quels problèmes lorsqu'il fallait le faire soi-même ! À la fin de la première journée interminable, Missy et Tom avaient à peine équarri la première grume ; et ils l'avaient fait si maladroitement que le trait de scie ondulait comme si un ivrogne l'avait tracé. Ils se couchèrent désespérés, mais avant d'éteindre la bougie, ils se regardèrent et Missy lança en serrant les poings :

— Bon Dieu, Tom ! Nous apprendrons à scier les planches, ou nous pourrirons ici pendant que les autres fileront.

Il ne fit pas remarquer que leur échec tenait en grande partie à l'incapacité de Missy à maintenir la scie en ligne droite.

Le lendemain, ils s'attaquèrent à la tâche plus sérieusement. Le trait de Missy ondulait plus qu'il n'aurait dû mais ils scièrent cependant trois assez bonnes planches et se couchèrent satisfaits : avec un peu de détermination, ils maîtriseraient la scie. Tom était si épuisé qu'il s'endormit avant même d'avoir brossé la sciure de ses cheveux.

Pendant cinq jours d'enfer, tandis que la glace du lac Bennett se ramollissait doucement, Missy et Tom s'échinèrent à leur fosse de scieurs de long. Leurs mains se couvrirent d'ampoules et de cals. Les muscles de leur dos se contractèrent et leurs yeux cessèrent de voir clair, mais ils continuèrent et entassèrent les précieuses planches dont leur vie allait dépendre bientôt.

Le jour où Missy dut se résoudre à s'arrêter, car elle n'avait plus assez de force pour tirer sur la lourde scie, le sergent Kirby les trouva, après avoir vérifié deux mille tentes.

— Vous avez fait des merveilles, dit-il en posant la main sur l'épaule de Tom. Et je vois que tu as placé Missy en haut, à sa place. C'est très bien de ta part.

Les scieurs épuisés furent si heureux de voir Kirby que pendant un instant, oubliant leurs douleurs, ils tirèrent avec ardeur sur la grande scie. Mais le Monté remarqua vite que Missy ne tenait plus que par sa volonté farouche ; il grimpa en haut du plateau, déposa doucement la jeune femme sur le sol et prit la barre de la scie. Aussitôt, Tom remarqua la différence. La scie descendait avec plus de force, restait plus près de la ligne tracée, et remontait avec autorité. Pendant deux heures, les deux hommes débitèrent en planches la grume équarrie — à une vitesse que Tom n'aurait pas crue possible.

À l'arrêt de midi, Missy avait déjà préparé la soupe, et Kirby resta au-dessus de la fosse la majeure partie de l'après-midi. Il revint le lendemain aider Tom à finir le bordage, dont la longueur avait été calculée en fonction du dessin de Klondike Kernel. Ce soir-là, il dîna avec eux.

Quand la construction proprement dite du bateau commença, avec une lourde quille bien formée, Kirby repassa fréquemment pour offrir non seulement des conseils mais une aide précieuse. La forme du bateau se précisa. Quand il prenait ses repas avec Missy et Tom, il apportait de la viande et des légumes pour ne pas grever les réserves de ses amis. Un jour, en fin d'après-midi, Missy présenta à Tom une étrange requête :

— Tom, tu pourrais peut-être dormir dans la tente des Stanton ce soir, non ?

Il demeura pétrifié, les bras ballants, et sa tête se mit à tourner. Il avait quinze ans et Missy vingt-trois. En aucune circonstance concevable, il ne pouvait se croire amoureux d'elle. Mais à plusieurs reprises au cours des mois précédents, il avait reconnu en elle la meilleure femme qu'il eût rencontrée. Jamais il ne la considérait comme une jeune fille ; une jeune fille aurait eu à peu près le même âge que lui — il en avait rencontré à l'école plusieurs fort jolies et qui promettaient d'embellir avec les années. Missy en revanche était une femme. Elle représentait le salut des Venn pendant les années de privation, et l'instrument de la régénération de son père. Une personne merveilleuse, courageuse, dure à la tâche, et au cours des glissades le long de la montagne, sur la pelle, il s'était accroché à elle comme s'ils ne formaient qu'une seule personne engagée dans une grande aventure. Récemment, pendant l'épreuve du sciage, la devinant mortellement épuisée, il avait regretté de ne pas pouvoir faire le travail tout seul. En fait, il avait poussé vers le haut et tiré vers le bas en redoublant d'efforts pour lui épargner de la peine, et il l'avait fait presque avec joie, car son affection pour cette femme têtue allait au-delà des mots. Il avait l'impression de faire équipe avec elle, une équipe peu conforme à la norme habituelle, mais de deux êtres forts, animés par les mêmes passions. Ils allaient scier leurs planches, construire leur bateau, le piloter dans les canyons et franchir les rapides. Ce qui se passerait à leur arrivée à Dawson était un problème pour un autre jour. Et maintenant, on lui demandait d'emporter son sac de couchage ailleurs ! Il se sentit exclu.

Mais quand le sergent Kirby s'installa dans la tente de Missy, la construction du bateau fit un bond en avant, car le Monté avait une grande expérience des eaux violentes que les prospecteurs allaient affronter dès qu'ils quitteraient le placide lac Bennett. Cette compétence provoqua la première rupture entre Tom et lui. En voyant que Tom se proposait de construire le bateau selon les spécifications précises de l'esquisse de Klondike Kernel, il demanda :

— Es-tu sûr de vouloir un bateau si grand ? Deux personnes peuvent naviguer sur une embarcation beaucoup plus petite.

— C'est ce qu'il a marqué. Regardez.

Les chiffres étaient : sept mètres de long et un mètre soixante-cinq de large, et le bateau aurait ces mesures.

— Le problème, dit Kirby, c'est qu'il y a deux endroits extrêmement dangereux, Miles Canyon, et les Rapides du Cheval-Blanc. Beaucoup de bateaux s'y sont perdus. Beaucoup de vies aussi.

— Il nous a dit qu'un bateau comme celui-là s'en tirerait, répondit Tom avec fermeté, sans préciser qui était cet « il ».

— J'en suis certain. Mais avec un bateau deux fois plus petit, vous pourriez encore emporter tout votre matériel et à votre arrivée aux passages difficiles, vous engageriez des Indiens pour vous aider à porter tout sur la piste qui longe le fleuve. Vous avez l'argent.

— Le bateau aura la longueur prévue.

N'était-il pas remarquable de voir ce gamin de la ville qui ne connaissait rien au travail du bois ni à la construction du bateau ajuster les bois à la quille et les mettre en forme, pas trop mal d'ailleurs, pour constituer le poste avant ? Avec l'aide de Kirby et de Missy pour les ajustages difficiles, en se référant constamment à l'esquisse de Klondike Kernel et à l'équerre de métal léger achetée par son père, Tom construisit un bateau meilleur que les neuf dixièmes de ceux que lançaient à la mer des hommes expérimentés.

Quand ce fut terminé, il fut consterné par le nombre d'espaces vides qu'il avait laissés là où les planches ne s'ajustaient pas exactement, mais Kirby éclata de rire.

— Tom, tous les constructeurs de bateaux laissent des fentes. Sinon, on n'aurait pas besoin de calfater.

— Qu'est-ce que c'est ?

— Mettre de l'étoupe.

— Et c'est quoi, l'étoupe ?

— Chanvre et goudron. Tu l'enfonces au marteau dans toutes les fentes et le bateau devient étanche. Sinon, tu couleras.

Soudain, Tom et Melissa s'aperçurent que c'était à cette embarcation qui prenait l'eau, construite par un gamin de quinze ans, qu'ils allaient confier leur vie pour une descente de plus de huit cents kilomètres sur des eaux extrêmement dangereuses.

— Où trouve-t-on le goudron et l'autre chose ?

— Vous auriez dû en apporter, mais vous ne l'avez pas fait. Votre Klondike Kernel ne pouvait pas penser à tout, pas vrai ?... Nous allons voir des hommes qui finissent leurs bateaux, peut-être pourront-ils nous vendre le calfatage qu'ils auront en trop.

Ils réunirent un ramassis bizarre de produits susceptibles de remplacer du vrai calfatage — du crin de cheval, de la mousse de forêt, des bandes de tissu, de la toile d'emballage —, ils enfoncèrent le mélange au burin dans les fentes, puis scellèrent ces dernières avec une autre mixture incroyable de cire, de graisse d'ours, de goudron et de poix. Quand ce fut terminé, le jeune Tom Venn envoya à sa grand-mère, au pays, sa première lettre.

> *Papa a été tué par une branche de sapin qui s'est pliée et lui a traversé le corps. Il est mort avec courage. Missy et moi sommes à présent au Canada, aussi je crois que je peux te donner notre adresse : Dawson City. Personne ne pourra nous arrêter ici. J'ai bâti un bateau de sept mètres de long et un mètre soixante-cinq de large. Au cours d'un essai, il a flotté comme un canard. Dès que la glace disparaîtra du lac, nous descendrons le Yukon. Ce sera facile d'un bout à l'autre. Je regrette que Missy n'ait pas épousé Papa.*

⁂

Le dimanche matin, 29 mai 1898, la glace épaisse qui avait maintenu le lac Bennett dans son étreinte glacée pendant neuf mois relâcha son emprise et se mit à descendre en cascade le Yukon, qui après cent quarante-cinq kilomètres se précipitait d'abord dans une gorge resserrée entre des murs de rocher, puis elle s'engagea sur les rapides du fleuve. Tom regarda apparaître les premiers sillons d'eau vive, pareils à des dagues en zigzag sur la surface.

— Elle se brise !

Mais Missy et Kirby n'entendirent pas son cri, parce que de toutes parts dans la vaste ville de tentes, des hommes hurlaient et tiraient des coups de fusil.

— Le lac Bennett est ouvert !

Plus de sept mille bateaux bricolés se dirigèrent vers la rive, comme si tout le monde voulait être le premier sur le lac et le premier sur les gisements d'or du Klondike. Une flotte comme l'on n'en avait jamais vue, avec guère plus de deux bateaux semblables ! Mais ils glissèrent dans les eaux glacées du lac, poussés et tirés par des hommes épuisés qui se demandaient pourquoi ils les avaient construits trop grands pour que des hommes ordinaires puissent les lancer. Il fallut faire descendre les grandes gabarres sur des rondins ; les embarcations d'un seul homme, à qui l'on refusait l'accès du canyon, n'étaient pas trop lourdes pour qu'un solitaire les porte sur ses épaules. Mais toute la journée du dimanche et les jours qui suivirent, les prospecteurs continuèrent de lancer des bateaux, de fixer des voiles, puis s'en allèrent au fil de l'eau vers leur rendez-vous périlleux avec les rapides.

Chaque bateau qui partait, quelle que fût sa taille, devait porter un nom, un numéro et, dans les dossiers des Montés, une liste de tous les passagers, car l'année précédente trop d'embarcations s'étaient perdues. Le moment venu de baptiser le bateau des Venn, qui serait le numéro 7023, le sergent Kirby proposa plusieurs bonnes idées, mais de nouveau Tom intervint pour établir le fait que c'était son bateau.

— Il s'appellera *Aurora*. Comme les lumières dans le ciel du Grand Nord.

On ne le lança pas pendant la première ruée d'affolement.

— Vous n'avez pas besoin de vous presser ; ce ne sont pas les gisements proprement dits qui vous intéressent. Laissez les autres se rompre le cou, leur fit observer Kirby; puis il ajouta une phrase révélatrice : Nous pouvons dériver à notre propre vitesse.

— Est-ce que vous venez avec nous ? demanda Tom.

D'un côté il espérait que la réponse serait positive, car il avait entendu parler des dangers des gorges et des rapides ; mais de l'autre, il aurait préféré un non, car il en voulait à Kirby de ses relations avec Missy.

— Je veux m'assurer que vous franchirez les mauvaises passes, répondit le sergent.

Le 2 juin, il sollicita l'aide de trois autres Montés en poste à Bennett, et au milieu des cris d'encouragement, car le bateau de Tom était lourd, ils lancèrent l'*Aurora,* dressèrent et haubanèrent le mât, installèrent la grande voile et fixèrent dans son logement le gouvernail de queue que manœuvrerait Kirby.

— Bonne traversée ! crièrent les camarades de Kirby. Et trouvez une mine d'or !

Il y avait plus de quarante kilomètres jusqu'à la sortie du lac Bennett et malgré sa grande voile et un professionnel comme Kirby à la barre, l'*Aurora* n'y parvint pas avant qu'une sorte de pénombre se pose sur l'eau à la façon d'une couverture douillette. Désirant faire un bon départ le lendemain matin et éviter la traversée des eaux turbulentes en pleine nuit, Kirby fit virer le nez de l'*Aurora* vers la rive droite et demanda à Tom de fixer l'amarre qu'il lança à terre.

Ils dormirent dans le bateau ce soir-là, et quittèrent le lac Bennett à l'aurore pour franchir le long segment dangereux de la traversée, la terreur en trois actes où plus d'un imprudent, plus d'un vantard sans connaissances suffisantes avait perdu la vie. Quand le soleil de juin fut assez haut, Kirby abrita l'*Aurora* dans un petit torrent de neige fondue venant des hauteurs et expliqua ce qui les attendait :

— Sur une distance de quatre kilomètres, il va se passer tellement de choses qu'on vous pardonnera de perdre courage.

— Par exemple ? demanda Missy, car elle savait qu'étant une femme elle déciderait en dernier ressort.

— D'abord un canyon, profond et très rapide. Des quantités d'eau. Deux mètres de plus au centre que le long des rives. À peine le temps de reprendre son souffle, puis deux rapides jonchés de rochers.

— Et ensuite ?

— La descente paisible jusqu'à Dawson.

— Est-ce que vous avez déjà fait traverser un bateau ?

— Oui.

— Alors, allons-y ! s'écria Tom.

— Non, répondit Kirby. Vous prendrez cette décision après avoir vu de vos yeux.

— Et si nous renonçons par lâcheté ? demanda Missy.

Kirby sauta comme s'il avait reçu un coup de fouet.

— Bon Dieu, madame ! Des hommes comptant parmi les plus braves du Canada et des États-Unis ont jeté un coup d'œil à ce canyon et lancé « Non, merci ». Et ils n'étaient pas lâches. Ils avaient seulement le bon sens d'avouer qu'ils n'y connaissaient rien en bateaux... Tu t'y connais en bateaux ? ajouta-t-il à l'adresse de Tom avec un regard noir.

— Nous n'y entendons rien, répliqua Missy. Mais vous êtes là.

Accablés par le danger qu'ils allaient affronter, les trois de l'*Aurora* se laissèrent emporter de plus en plus vite vers l'entrée du Miles Canyon, la première des épreuves, mais avant l'entrée, un groupe d'hommes rassemblés sur la rive droite leur cria :

— Vous n'avez pas intérêt à vous risquer dans le canyon avec ce bateau-là. Vous allez couler.

Tom, à la barre dans ces eaux faciles, se dirigea vers la rive ; les hommes, en voyant une femme à bord, essayèrent de lui faire peur.

— Madame, je ne me risquerais vraiment pas à entrer dans le canyon avec ce bateau.

Sachant que ces hommes faisaient la même chose pour tous les bateaux qui passaient, Kirby leur cria :

— Que proposez-vous ?

— Nous connaissons la passe. Nous vous guiderons sans mal.

— Combien ?

— Seulement cent dollars.

— C'est trop, cria Tom.

— Si vous le faites porter par les Indiens, ils vous en demanderont deux cents.

— Merci, cria Kirby. Nous allons prendre le risque.

— Madame, avant de vous lancer, allez sur l'autre rive, amarrez votre bateau et montez sur la hauteur, là-bas, pour voir ce qui vous attend dans le canyon. Puis revenez et versez-nous quatre-vingt-dix dollars. Nous vous ferons passer saine et sauve, comme on dit.

Kirby prit la barre. Il s'écarta de la rive et se dirigea vers l'autre rive comme l'avaient suggéré les hommes.

— Je tenais à le faire de toute manière. Vous devez voir ce que nous allons affronter.

En haut de la falaise, qui dominait les gorges, même Tom, jusque-là impatient de se lancer, prit peur. À leurs pieds se précipitaient les eaux glacées qui affluaient des lacs. Elles se bousculaient et tourbillonnaient avec un grondement sinistre et lançaient dans les airs leur écume blanche.

— Oh ! s'exclama Missy.

Kirby et Tom se tournèrent vers l'endroit qu'elle montrait du doigt : à la sortie du canyon, une série de rochers déchiquetés, à peine au-dessus du niveau de l'eau. Trois ou quatre petits bateaux s'y étaient brisés. Tous les biens s'étaient perdus dans le courant rapide, mais les passagers, qu'on voyait s'agripper aux rochers, semblaient saufs.

Missy et Tom perdirent soudain beaucoup de leur désir d'affronter le canyon. Mais un bateau à peu près comme le leur naviguait justement vers l'entrée, avec à son bord deux prospecteurs barbus dont on ne pouvait clairement distinguer le visage. Peut-être n'avaient-ils pas trente ans, mais peut-être s'agissait-il de vieux renards du Nord, de quarante ans passés. Les « pilotes » de l'autre rive les hélèrent. Même discussion, même refus de payer cent dollars. Les deux hommes s'aventurèrent dans les gorges en comptant sur leurs propres compétences.

Ils n'avaient pas de gouvernail d'étambot mais donnaient l'impression de pagayer en puissance. Lorsque leur barque bondit vers les premiers remous où le canyon se rétrécissait et les eaux violentes prenaient de la vitesse, ils ramèrent avec rage et dextérité. Tom voyait pour la première fois des hommes expérimentés manœuvrer un bateau, et il connut un instant d'angoisse en voyant la barque se diriger droit vers une falaise menaçante, puis virer sans dommage sous les coups de pagaie héroïques des deux hommes. En moins d'une minute et demie, le bateau fila jusqu'à la sortie et Tom poussa un cri de joie.

Il fallait à présent que le bateau évite les rochers sur lesquels des tentatives précédentes avaient mal fini. Instinctivement, Tom cria :

— Attention !

Comme s'ils obéissaient à sa mise en garde, les hommes pagayèrent plus vite que jamais et glissèrent le long des rochers où les prospecteurs naufragés s'accrochaient. Leur lourd bateau plongea et se souleva, à la manière d'un oiseau effleurant les eaux calmes d'un lac plutôt que d'une petite barque prise dans un grand tourbillon. Une traversée remarquable, et Tom et Missy étaient prêts à essayer de l'imiter.

— Prêts ? demanda Kirby.

— Pouvons-nous faire aussi bien ?

— C'est pour cela que je vous ai accompagnés, répondit-il ; puis, à l'adresse de Tom : C'est toi le capitaine. Le bateau t'appartient.

— Allons-y !

— Et si nous réussissons, ce que je crois possible, veux-tu franchir tout de suite les autres rapides ?

— Oui.

Le garçon aurait juré que si son père avait vécu, il aurait fait les mêmes choix.

Ils descendirent tous les trois de leur perchoir, retournèrent au bateau et prirent le courant. Sur la rive d'en face, les hommes leur crièrent :

— Bonne chance ! Nous espérons que vous réussirez.

La traversée de l'*Aurora* répéta à peu près celle des deux pagayeurs expérimentés. Kirby resta à l'arrière pour manœuvrer le gouvernail, Missy et Tom se placèrent près de l'étrave avec des avirons. Mais à peine étaient-ils engagés dans le canyon qu'un rocher, invisible jusque-là, les menaça du côté de Tom. Machinalement, il projeta sa rame pour repousser le rocher. La rame craqua et Missy cria :

— Tom !

Mais il la ramena et il n'y eut aucun dégât.

Autre différence : au moment où l'*Aurora* jaillit à la sortie du canyon et se rapprocha des rochers sur lesquels les naufragés s'étaient regroupés, le sergent Kirby, n'écoutant que son devoir, se dirigea presque droit sur eux en tirant sur la barre. Juste à la hauteur des hommes terrifiés, mais glissant si vite que tout sauvetage était impossible, il cria :

— Police Montée. Nous reviendrons vous chercher.

Aucune parole, le long du Yukon ne pouvait les rassurer davantage, et lorsque l'*Aurora* s'éloigna, les hommes abandonnés firent de grands signes en poussant des cris, certains maintenant qu'ils seraient sauvés.

⁂

Ensuite, Kirby les pilota dans la dernière série de rapides effrayants, au milieu d'écume aussi haute que la proue, avec des bateaux naufragés qui semblaient les avertir au passage : « Un faux mouvement de votre gouvernail et vous venez nous rejoindre. » Le Monté dirigea alors le bateau triomphant vers l'endroit où il devait les laisser, en direction du lac Laberge. Pendant qu'ils halaient la proue de l'*Aurora* sur la terre ferme, il lança :

— Tom, tu as construit un bon bateau.

— J'ai eu peur, avoua le jeune homme. Pas dans le canyon. Vous êtes resté au milieu du courant, où l'eau se soulève, et vous êtes passé. Cela s'est fait si vite ! Il fallait seulement du courage. Mais dans les rapides ! Là, il fallait s'y connaître. Je n'aurais pas pu le faire.

— Tu viens peut-être de dire les paroles les plus sages de cette traversée : du courage pour les gorges, de la compétence pour les rapides.

Il s'interrompit pour lancer un clin d'œil à ce gamin qui promettait de devenir un homme exceptionnel, puis demanda :

— Quel est le plus important ? Qu'en pensez-vous, Missy ?

— Je crois qu'on n'acquiert jamais la compétence sans avoir déjà le courage.

Tom n'était pas du même avis.

— N'importe qui peut avoir du courage. Il suffit de serrer les dents. Mais pour venir à bout d'un bateau, d'un fusil ou de quelqu'un comme Soapy Smith... il faut s'y connaître.

— N'en faisons pas tout un plat, répondit Kirby. Des quantités d'hommes passent ce canyon et les rapides.

— Des quantités n'y parviennent pas, dit Tom en se rappelant les accidents.

Le garçon espérait bien rester en contact avec cet excellent homme qui savait faire face à l'imprévu. Quand ils étaient sortis en trombe des derniers rapides, avec l'*Aurora* presque à la verticale dans les airs, Kirby avait calmement viré pour crier aux deux Montés qui vérifiaient les numéros des bateaux arrivés sans dommage :

— À la sortie du Canyon. Des hommes bloqués sur les écueils. Envoyez un bateau lourd depuis l'autre côté.

Pas de discours superflus. Trouvez un bateau lourd et retroussez les manches. Tom imagina comment le sauvetage se passerait. Le bateau glisserait le long des rochers, on lancerait une corde. L'autre extrémité serait fixée sur la berge en aval, puis les gens gagneraient la terre en s'accrochant à la corde tendue.

— Ce serait bien de devenir pilote par ici, dit Tom.

— Il y a trois ans, on ne voyait pas six bateaux par an dans ces eaux. Dans trois ans, on n'en verra sûrement pas sept.

— Le Klondike ne produira pas toujours ?

— Tout a une fin.

Tom sentit que la séparation de Missy et de Kirby ne se passerait pas sans chagrin. Il quitta donc le bateau et se promena sur la berge pendant qu'ils se faisaient leurs adieux. Le sergent parla à Missy de son fils au Manitoba, et de sa femme. Il lui rappela que Tom était un enfant exceptionnel, et il lui ordonna presque de veiller sur lui. Il lui expliqua qu'à certains égards Dawson City était une ville plus violente que Skagway, mais qu'elle pourrait compter en toutes circonstances sur le commissaire Steele. Et il l'adjura de trouver un emploi raisonnable :

— Je passerai à Dawson un de ces jours, et je ne veux pas vous voir dans la boue.

Puis il lui dit qu'il l'aimait, qu'il était sincèrement désolé qu'elle eût perdu Buck Venn, l'un des meilleurs hommes qui avaient franchi le Chilkoot. Il lui souhaita du bonheur. Il espérait que ses rêves se réaliseraient, quels qu'ils fussent, et il termina par une phrase qu'elle ne devait jamais oublier :

— Vous êtes forte. Vous êtes comme les corbeaux.

— Qu'est-ce que cela signifie ?

— Ils survivent. Même dans les plus infernales régions de l'Arctique, ils survivent.

Il n'ajouta pas un mot, et s'éloigna rapidement pour éviter de parler de nouveau avec Tom.

***

Enfin, ils purent se détendre. À Chicago, ils avaient peur des avocats de la mère de Tom, et à Seattle ils regardaient toujours par-dessus leur épaule de peur qu'un détective ne les file. À Skagway, ils avaient craint Soapy Smith, et dans le Chilkoot, tout les avait effrayés. Puis la mort était survenue, suivie des horreurs du sciage des planches, du canyon, des rapides. Enfin, bon sang, ils dérivaient sur le paisible Yukon libéré de ses glaces, à bord d'un des meilleurs bateaux du fleuve, et ils ne se pressaient pas.

Tom éprouvait un plaisir particulier à se trouver seul avec Missy, comme si le vrai voyage vers les gisements d'or reprenait enfin. Un après-midi, à la hauteur du confluent de la Pelly, rivière importante venue de l'est, il demanda à brûle-pourpoint :

— Tu savais que le sergent Kirby a un fils au Manitoba ?

— Oui. Et aussi une femme, si c'est ce qui te tracasse.

Il réfléchit un instant, puis ajouta :

— Tu sais, Missy, si tu continues d'aller avec des hommes qui ont des femmes, tu ne te marieras jamais.

— Tom, où veux-tu en venir ?

— Je pense aux avantages dont nous aurions tous bénéficié si tu avais pu épouser le sergent Kirby.

Et comme elle gardait le silence, il ajouta :

— Nous aurions pu rester tous les trois ensemble.

Elle comprit aussitôt que Tom s'inquiétait de ce qu'il adviendrait d'eux à leur arrivée à Dawson et elle lui avoua :

— Tom, je ne sais pas ce que nous ferons à Dawson, et je suis aussi inquiète que toi. Mais n'oublie jamais ceci : nous faisons équipe. Rien ne nous séparera.

— C'est notre intérêt.

— Veille sur moi, Tom. Je veillerai sur toi.

— Tope là ! lança-t-il.

Ils échangèrent une poignée de main.

— Et nous scellerons notre accord par un baiser, dit-elle en se penchant vers lui pour l'embrasser sur le front tandis que leur bateau continuait de dériver.

Au cours des dernières journées tièdes du printemps, quand la glace eut abandonné les cours d'eau, ils dépassèrent la série de rivières dont les eaux s'associent pour former le puissant Yukon : la White, la Stewart, et la Sixtymile. Quand Tom essaya de se représenter l'immense bassin que drainaient ces cours d'eau, il mesura l'immensité de cette région du Canada. Les États-Unis lui avaient paru grands lorsqu'il les avait traversés en train avec Buck et Missy, mais ils étaient découpés en portions de dimensions humaines par des bourgades et des villes. De l'insignifiante Dyea à Dawson City qui n'existait pas trois ans plus tôt, il n'y avait rien : ni une ville, ni un train, ni même une route.

Tandis qu'ils flânaient sur le fleuve, d'autres bateaux les dépassaient parfois, dont les passagers, avides de l'or du Klondike, ramaient dans la lumière voilée de l'Arctique.

— D'où êtes-vous ? hélait une voix.

— Chicago, lançait Tom.

— Minnesota, répondait la voix.

Et, sans raison, cette litanie de noms comptait beaucoup pour les voyageurs.

Enfin, l'*Aurora*, qui ne prenait presque pas eau, sortit d'un méandre et révéla à ses passagers, sur la rive droite, les contours informes d'une ville de tentes, beaucoup plus petite que le Dawson qu'on leur avait décrit. Ils furent déçus, mais Tom consulta la carte sommaire fournie par Kernel :

— Ce doit être Lousetown-Pouville. Et voici le Klondike. Dawson City sera droit devant.

C'était cela, la ville fabuleuse, avec mille bateaux envahissant les berges tout autour du site. Une ville du rêve, née de rien — et peut-être une ville du cauchemar —, avec plus de vingt mille habitants et cinq mille autres sur les gisements. Missy et Tom sentirent leur cœur battre plus vite tandis que l'*Aurora* se rapprochait du terme de son voyage. Animés non seulement par l'imminence des décisions à prendre mais par les possibilités illimitées, ils dirigèrent leur bateau vers la rive et Tom se glissa vers un emplacement où ils pourraient débarquer.

— Tom, s'écria soudain Missy. Nous avons réussi. Demain nous trouverons le commissaire Steele et nous nous lancerons !

Elle ne doutait pas du succès de leur aventure.

Il leur fallut trois journées épuisantes pour trouver le quartier général de Steele — où ils apprirent qu'il était descendu à Circle, à plus de trois cent vingt kilomètres au nord. Mais une femme des bureaux de la Police Montée assura à Missy que le commissaire l'avait avertie du passage de Mlle Peckham. L'argent était en sécurité. Le commissaire le lui remettrait dès son retour.

Pendant ces journées d'attente, Missy et Tom eurent l'occasion d'explorer Dawson, mais dix minutes auraient suffi à leur apprendre tout ce qu'ils devaient savoir. Les routes étaient incroyablement boueuses et envahies par des hommes barbus en gros vêtements noirs. On avait pris les matériaux les plus invraisemblables pour fabriquer d'énormes enseignes blanches proclamant tous les services qu'offre en général une agglomération normale, plus ceux qui deviennent nécessaires dans une ville minière en plein essor. Pour Missy, Dawson semblait un endroit où tout était à vendre. Six magasins différents affichaient NOUS VENDONS DES ÉQUIPEMENTS et quatre autres annonçaient qu'ils en achetaient.

Chaque soir, Missy et Tom retournaient au bord du fleuve dans la tente qu'ils avaient dressée au milieu de cent autres, et après trois jours de promenade sans but dans ces rues bondées mais dénuées de sens, ils tinrent conseil.

— Tom, toi et moi ne trouverons jamais une place dans les gisements d'or. C'est pour des hommes qui savent ce qu'ils font.

— Je suis prêt à essayer.

— Non !

Ce refus sec de Missy l'agaça.

— Si les hommes que je vois sont assez intelligents pour trouver de l'or, nous le sommes aussi, toi et moi.

— Il y a deux ans, sans doute. Mais à présent, il faudrait aller à vingt ou vingt-cinq kilomètres dans les terres. Peut-être y passer l'hiver.

— J'ai su construire un bateau. Je saurai bâtir une cabane.

L'idée de passer un hiver à aider une femme comme Missy était franchement agréable.

Missy, hantée par les prédictions pessimistes de Klondike Kernel, comprenait que l'ancien soldat sudiste avait parfaitement raison. L'or du Yukon gisait dans les services offerts à la grande masse des hommes, sans entrer en concurrence avec eux. Seize mineurs chanceux gagnaient de l'argent en ce mois de juin-là, avec leurs découvertes fantastiques; mais six cents hommes entassaient de l'or avec des magasins, la location de chevaux, le commerce des concessions, les services médicaux ou juridiques. Elle avait également constaté que des femmes entreprenantes, ni plus compétentes ni plus résolues qu'elle, se débrouillaient fort bien en disant la bonne aventure, en dirigeant des maisons de passe, en vendant des beignets et du café. Trois femmes s'étaient associées pour ouvrir une blanchisserie, envahies par les vêtements des mineurs. Et une couturière qui confectionnait des chemises emplissait son bas de laine.

— Qu'avons-nous à offrir? demanda Missy pendant le long crépuscule.

— Je peux construire des bateaux, répondit Tom.

Elle eut tort d'éclater de rire. Tom sentit le rouge lui monter aux joues. Puis Missy lui montra les berges du fleuve où plus de mille bateaux avaient été mis en vente, une fois leur mission accomplie. Comprenant à quel point sa proposition était ridicule, Tom éclata de rire à son tour.

— Mais je peux bâtir des cabanes.

Ils continuèrent de discuter et rejetèrent une option après l'autre. Mais tout en parlant, Missy ne cessait de regarder leur bateau, amarré non loin, et cela lui donna une idée réalisable.

— Tom, nous avons deux fois trop de rations à bord de l'*Aurora*. Nos vivres et la part de Buck.

Plus elle y réfléchit, plus l'idée d'ouvrir un magasin d'alimentation pour vendre leurs surplus avec profit lui parut alléchante. L'arrivée pendant l'été des bateaux réguliers qui remontaient le Yukon depuis la mer de Béring signifiait qu'il n'y aurait pas de famine en 1898 comme en 1897, mais sans doute l'occasion de bénéfices énormes.

Avec la voile que le sergent Kirby leur avait vendue au sommet du Chilkoot Pass, Tom peignit une énorme enseigne qui domina tout le débarcadère : CHEZ MISSY — ON MANGE BIEN ET PAS CHER. Et le restaurant sous la tente démarra. Non pas sur la rue principale, où la concurrence aurait été sévère, mais le long du fleuve, où des milliers d'hommes étaient presque contraints de se rassembler les premiers jours de leur arrivée.

Tom accepta sans regret — à sa propre surprise — d'enlever le bordage de l'*Aurora* qu'il avait construit avec tant de soin, pour transformer les planches en tables et en bancs. Puis il acheta pour une bouchée de pain un autre bateau, si mal construit qu'il tombait déjà en morceaux.

Les deux propriétaires travaillèrent dans leur restaurant comme des esclaves; Missy faisait la cuisine, Tom la plonge. Ils s'occupaient aussi de se procurer d'autres vivres, d'origine diverse. Ils puisaient surtout dans leur propre réserve de légumes secs, choisis à grand soin par Buck et Klondike Kernel. Leurs menus contenaient beaucoup de féculents, agrémentés par du caribou ou de l'orignal apportés en ville par des chasseurs.

Ils apprirent à convertir en dollars la poussière d'or qui servait de monnaie à Dawson. Et bien que leur enseigne proclamât PAS CHER, les prix étaient fabuleusement élevés. Leur spécialité — leur cheval de bataille, pourrait-on dire — était un petit déjeuner de crêpes à la mélasse, de saucisse grasse de caribou avec deux tasses de café fumant pour seulement trente-cinq *cents.* Les hommes affamés qui se gavaient le matin à bas prix revenaient alors déjeuner et dîner, et Missy et Tom se rattrapaient sur ces repas-là.

Ils travaillaient ainsi avec succès depuis six semaines quand le commissaire Steele revint. Apprenant qu'ils étaient arrivés à Dawson, il partit à leur recherche à l'embarcadère.

— Salut ! lança-t-il à Tom en entrant sous la tente. Tu te souviens de moi ? Samuel Steele. Ravi de voir que vous vous en sortez bien.

— Missy ! C'est le commissaire.

Elle apparut, manifestement surprise en plein travail. Steele la félicita d'être, selon son expression, « partie d'un bon pied ».

Il lui dit qu'il avait apporté son argent et était prêt à le lui remettre, mais ne préférerait-elle pas le déposer dans une des banques honnêtes qui s'étaient installées entre-temps ?

— Je vous le conseille, madame.

— Je le crois aussi.

Devenue femme d'affaires, elle se demandait déjà comment Tom et elle pourraient protéger l'argent qu'ils ratissaient.

— Sauf l'enveloppe spéciale... pour cette femme. J'aimerais la prendre, car ce n'est pas mon argent.

— Je l'ai apportée, répondit Steele.

Dans l'après-midi, Missy se fraya un chemin dans Front Street, la principale artère de la ville, puis obliqua dans une rue parallèle, devenue plus célèbre : Paradise Alley, où des hommes prévenants avaient construit environ soixante-dix « centres d'accueil » pour les prostituées, indispensables dans toute ville de ce genre. Sur les portes de nombreuses petites cabanes bien alignées, pendaient des calicots proclamant le nom de l'occupante.

FLO-LA-TIGRESSE
L'ENTREMETTEUSE
BETSY POO

Sur la plus grande, comme il fallait s'y attendre :

LA CAVALE BELGE

Missy frappa doucement à la porte, sous le panneau, et appela :

— Madame, vous êtes là ?

À l'intérieur, la Cavale — un mètre soixante-dix-huit, quatre-vingt-cinq kilos — s'étonna d'entendre après les trois coups usuels, une voix de femme. Supposant qu'il s'agissait d'une des autres filles belges, elle cria en flamand :

— Entrez !

Bien entendu Missy ne comprit pas un mot et attendit sous le porche.

Comme son invitation restait sans effet, la femme vint à la porte : le genre de la personne qui attendait l'étonna. Appelant une autre habitante des bouges, qui parlait flamand et anglais, elle lui demanda :

— Qu'est-ce qu'elle veut, celle-là ?

En quelques instants, une demi-douzaine de filles inoccupées s'attroupèrent dans la chambre de la Cavale, ravie de cette distraction imprévue.

— Je lui apporte une lettre de Klondike Kernel.

La fille qui leur servit d'interprète était arrivée d'Anvers après le départ de l'ancien Sudiste sur le premier bateau qui allait annoncer au monde la découverte de l'or. Elle ne l'avait donc pas connu et au début la Cavale ne comprit rien à l'explication. Mais quand Missy répéta le nom, le visage de la grosse femme s'illumina d'un sourire bienheureux et la manière dont elle réagit prouva qu'elle avait éprouvé pour le prospecteur de Caroline du Nord un attachement inhabituel.

— Ah ! Le colonel ! s'écria-t-elle en flamand.

Prenant une allure militaire, elle se mit à défiler avec panache, en imitant le tambour et le clairon, comme si elle appartenait à une compagnie de Wellington au départ de Bruxelles pour la bataille de Waterloo. D'autres filles, se rappelant Klondike Kernel, se joignirent à elle et pendant quelques minutes de folie douce, on se souvint des vieux amis.

— Ce colonel était un sacré brave homme, paraît-il, répliqua l'interprète à Missy pendant le joyeux défilé.

Et une autre Belge lui fit dire :

— Il a eu une sacrée chance. Il a trouvé de l'or. Et il s'est montré bon pour nous.

La Cavale, épuisée par cette activité inhabituelle, se laissa tomber sur le second lit de sa turne et tandis qu'elle retrouvait son souffle, Missy lança :

— Dites-lui que sa danse m'a plu. C'est une artiste.

Quand ce fut traduit, la Cavale se redressa et répondit, le plus sérieusement du monde :

— J'étais actrice. Mais j'ai pris du lard, beaucoup trop... Qu'est-ce qu'elle me veut, celle-là ?

Missy se demanda s'il n'était pas imprudent de sortir l'argent de l'enveloppe. Elle se plaça de sorte que les autres filles ne puissent rien voir, se pencha au-dessus de la Cavale, ouvrit légèrement l'enveloppe, et lui montra le beau côté couleur or du billet de cent dollars.

Sa tentative de protéger la Cavale fut sans effet, car cette dernière cria en français :

— Oh, mon Dieu ! Regardez ce que ce cher homme m'envoie !

Elle arracha le billet de l'enveloppe, le montra aux filles puis défila avec lui devant les bouges d'un bout à l'autre de la rue, en criant en flamand :

— Regardez ce que le cher homme m'a donné !

Aussitôt, toutes les filles ou presque sortirent dans Paradise Alley pour voir le billet doré. Quelques clients passèrent la tête pour connaître l'origine des cris. Puis la procession s'arrêta et les Belges regagnèrent leurs occupations pendant que la Cavale remerciait Missy et rappelait l'interprète.

— Qu'est-ce qu'elle fabrique, celle-là ?

Apprenant que Missy tenait le nouveau restaurant près du fleuve, la Cavale revint dans la rue et cria :

— Hé, les filles ! Cette gentille dame tient le nouveau restaurant près du fleuve. Vous direz aux hommes d'aller y manger.

De cette manière inattendue, Missy et Tom obtinrent des clients qu'ils n'auraient jamais eus sinon. Parfois une des filles de Paradise Alley accompagnait un de ses clients au restaurant pour partager le petit déjeuner avec lui. Un matin, deux filles y conduisirent un grand mineur peu démonstratif qui était resté dans une cabane isolée sur une crête pendant presque un an. Elles dirent à Missy :

— Celui-là, c'est un des salopards les plus solitaires du monde. Jamais il ne viendrait même à Paradise Alley, mais il nous apporte de la viande fraîche de temps en temps.

— Comment vous appelez-vous ? lui demanda Missy.

— John Klope, madame, grogna l'homme dans sa barbe.

— D'où ?

— Idaho.

Missy sourit :

— Je ne savais pas qu'il y avait des gens en Idaho !

Et Klope répondit comme si elle lui avait posé une question sérieuse.

— Il y en a un certain nombre, madame.

Il semblait avoir faim, mais Missy remarqua qu'il chipotait avec ses crêpes, et au cours de ses deux visites suivantes, il fit de même.

— Vous ne les trouvez pas bonnes, mes crêpes ? demanda Missy, par simple curiosité.

— C'est une honte, répondit-il.

Elle se rembrunit et il ajouta, en guise d'excuse :

— Sans vouloir vous offenser, madame. Mais vous ne vous servez pas d'une bonne levure.

— Qu'est-ce que vous racontez ?

— Madame, pour faire ce genre de crêpes épaisses, on doit avoir au départ le levain qu'il faut : de la *sourdough*.

— J'utilise de la levure que j'ai achetée à Seattle.

— Vous voyez ! Vous êtes partie du mauvais pied. Vous ne vous en sortirez jamais.

— Et qu'est-ce que vous utilisez, vous ?

— C'est une vieille femme de Fort-Yukon qui m'a donné ma *sourdough*. Elle gardait le même ferment depuis plus de cinquante ans. Je l'ai apportée contre ma peau, derrière un traîneau, pendant près de six cents kilomètres, quand nous sommes venus au cœur de l'hiver. Elle fait des vraies crêpes.

— J'aimerais goûter la différence.

— Je vous apporterai un peu de mon levain la prochaine fois que je viendrai en ville.

— Où se trouve votre concession ?

— Eldorado. Sur le Bench. Eldorado Crest, Concession quatre-vingt-sept.

— Oh, oh ! Un de ces millionnaires ?

— Non, madame. *Bench* signifie que je suis tout en haut.

— Rien ?

— Pour le moment.

Il fit l'aller et retour épuisant jusqu'à sa concession, seulement pour apporter à Missy un peu de son levain. Il lui montra comment l'utiliser à la préparation de crêpes épaisses tout en conservant le ferment dans une terrine fraîche. Elle dut convenir que les crêpes épaisses confectionnées avec le levain de Klope étaient nettement supérieures à ses crêpes ordinaires. Elles étaient légères et doraient très bien si un client les désirait ainsi — et c'était le cas de la plupart —, elles fondaient dans la bouche et absorbaient parfaitement la mélasse et le miel.

— Je vous dois beaucoup, monsieur Klope, lui dit-elle. Et j'espère que vous trouverez une fortune.

— J'en suis sûr...

Une des conséquences les plus importantes de cette rencontre serait liée au chien qu'il avait emmené. Missy ne fit aucune attention à la belle bête, mais Tom reconnut sur-le-champ un animal supérieur. À vrai dire, il ne s'y connaissait guère en chiens, et encore moins en chiens de traîneaux de l'Arctique, mais le comportement de ce chien, l'intelligence qui brillait dans ses yeux révélaient un caractère spécial.

— Où l'avez-vous eu ?

— Il a tiré notre traîneau... de Fort-Yukon.

D'un ton presque hésitant, il ajouta :

— Je n'ai pas pu l'abandonner. Nous avions connu trop d'épreuves ensemble.

Dans les semaines qui suivirent, alors que le mineur aurait dû rester à son puits au-dessus de l'Eldorado, il traîna à Dawson et parut à la tente chaque matin pour prendre ses crêpes épaisses à la *sourdough*.

Un matin, le commissaire Steele s'arrêta pour apporter à Missy une étonnante nouvelle.

— Vous vous rappelez que vous soupçonniez mon subordonné Kirby, à cause de la conduite des hommes de Soapy Smith à Skagway ? Vous m'aviez demandé pourquoi je n'intervenais pas, et je vous avais répondu que c'était en Amérique, que l'Amérique devait nettoyer elle-même son linge sale.

— Que s'est-il passé ?

— Ce que j'escomptais. Il existe des hommes honnêtes partout dans le monde. Et quand ils crient « Assez ! »... attention !

— Quelqu'un a eu le courage de crier « Assez ! » ?

— Un nommé Reid, si j'ai bien compris. Une sorte de mécanicien. La bande avait volé le sac d'or d'un type paisible qui traversait les montagnes pour retourner chez lui. Comme si cela ne suffisait pas, ces voyous l'ont entouré et se sont moqués de lui. Le pauvre homme a fait appel à la conscience de la communauté.

— Et puis ?

— Ce M. Reid a abattu Soapy.

Missy ne pavoisa pas, car le joueur mort s'était plusieurs fois montré correct à son égard et avait veillé sur les malheureux qu'elle lui recommandait ; mais elle en savait assez long sur ses crimes pour comprendre que des gens raisonnables ne pouvaient pas tolérer qu'il continue sans frein ; elle était ravie qu'on ait mis fin à ses exactions.

— M. Reid doit être un héros à Skagway.

— Il est mort lui aussi. Soapy l'a touché pendant l'échange de coups de feu.

Missy s'assit. Levant les yeux vers le commissaire Steele, elle vit sa détermination paisible, et songea que Buchanan Venn, son compagnon, aurait pu devenir ce genre d'homme. Si les Venn étaient restés à Skagway, le jour serait venu où Buck aurait dit : « Assez ! » et aurait abattu le tyranneau.

— Tom, viens ici !

Quand le jeune homme arriva devant le commissaire Steele, elle ajouta :

— Tu entends ce que le commissaire vient de m'apprendre ? Sur Soapy Smith ? Parfois, il faut relever la tête contre ce genre d'hommes. Ne l'oublie pas.

Steele sourit à Tom, puis demanda s'il pouvait parler seul avec sa mère — il employa ce mot tout en sachant qu'il ne convenait pas. Il le fit à cause de la nature de ce qu'il voulait dire ensuite.

— Mademoiselle Peckham, cela ne me regarde apparemment pas, mais croyez-moi, cela me concerne quand même. J'ai dû m'en occuper plus d'une fois dans des circonstances douloureuses.

— Ai-je besoin d'une licence ou de quoi que ce soit ?

— Je veux vous mettre en garde contre la femme qu'on appelle la Cavale belge.

— Elle s'est montrée aimable. Elle m'envoie des clients.

Steele se racla la gorge, regarda Missy dans les yeux et dit :

— C'est une femme horrible. Ce n'est pas le souteneur allemand qui construit les nouveaux bouges. C'est elle. Elle les loue aux filles, et prend une énorme part de leurs recettes. Je vous en prie, laissez-moi parler. Vous devez savoir certaines choses.

Il enchaîna en énumérant les actes presque criminels de la Cavale.

— Quand une fille est « finie », et certaines durent très peu de temps, elle les met à la porte. Au mieux, elle les traite comme des bêtes. Si elle s'est montrée gentille avec vous, c'est parce qu'elle sait qu'une femme seule tombe tôt ou tard à court d'argent. Ce jour-là, il faut travailler pour elle, et à ses conditions.

— Je vous en prie, commissaire Steele...

— Je ne vous dis que la vérité.

— Mais si elle est si détestable, pourquoi la tolérez-vous à Dawson ?

— À cause des services offerts par ses filles, il n'y a eu aucun viol dans ma ville.

S'apercevant qu'il avait seulement réussi à soulever l'indignation de Missy, il salua et sortit. À peine avait-il tourné le dos que sa place fut occupée sans bruit par John Klope. Il ne commanda rien mais resta sur un des quatre tabourets pendant presque une heure à regarder Missy travailler. Elle était si affairée qu'elle oublia sa présence, jusqu'au moment où il lança de sa voix forte, à toute vitesse, les paroles importantes qu'il avait répétées pendant une semaine.

— Vous me plaisez beaucoup, vous et Tom. Montez à Eldorado avec moi pour m'aider à trouver l'or. Je suis sûr qu'il y en a.

— Et que ferons-nous tous les deux dans un camp de mineurs ? demanda la jeune femme d'un ton léger.

Il baissa la voix et parla doucement, comme s'il s'adressait à un enfant.

— L'hiver, nous allumons du feu dans la terre pour faire fondre le sol gelé. Puis nous creusons la terre ramollie. Ensuite, nous la remontons avec une corde, comme si c'était un puits et que nous puisions de l'eau. Il fait si froid que la boue trempée gèle aussitôt et enferme l'or s'il s'en trouve. Quand vient l'été et le dégel, nous passons la boue au débourbeur et nous trouvons l'or. C'est la richesse.

— Vous avez déjà trouvé de l'or ?

— Non, mais j'ai l'impression que je me rapproche.

Klope s'aperçut que Missy et Tom s'intéressaient encore à l'or. Étant arrivés jusqu'à Dawson, ils n'avaient pas envie de retourner à la civilisation sans avoir au moins tenté leur chance au grand jeu de la mine. Ils ne répondirent rien, et il insista.

— Vous pouvez continuer à gagner votre vie ici, sous la tente ; mais si vous venez avec moi, ce sera chacun sa part. Vous pourrez amasser une fortune... C'est pour cela que vous êtes venus, pas vrai ? ajouta-t-il d'une voix hésitante. C'est pour cela que nous venons tous.

— D'où venez-vous ? demanda Missy en se détournant de sa cuisine pour écouter cet homme étrange et convaincant.

— D'Idaho, je vous l'ai dit. Complètement lessivé. Un peu comme vous, j'imagine.

— Nous l'étions. Mais maintenant, nous avons pris un bon départ. Nous pouvons avoir une belle vie, ici à Dawson.

Pour la première fois depuis qu'ils s'étaient rencontrés, John sourit.

— Madame, vous ne voyez donc pas ? Quand il n'y aura plus d'or, il n'y aura plus de Dawson. Un restaurant sous la tente n'a aucun avenir, ici. Le seul avenir du Klondike est l'or, quand on n'en trouvera plus, ce sera la fin. Pour vous comme pour tous.

Missy contourna le comptoir et vint s'asseoir sur l'un des tabourets.

— Qu'est-ce que vous proposez au juste ? Je veux dire, si nous venons vous aider dans votre cabane...

— J'ai besoin d'aide. J'arrive très près de l'or, j'en suis sûr. Mais quand je creuse la boue ramollie, il me faut quelqu'un pour la remonter et vider le seau. L'été, j'ai aussi besoin de quelqu'un pour le débourbeur. Votre fils...

— Ce n'est pas mon fils... Nous... Ce serait trop compliqué à vous expliquer.

— Il me serait utile.

— Et moi ?

— Nous aurions besoin de quelqu'un pour s'occuper de la cabane. Vous savez, ce n'est pas un taudis. Il y a de vrais murs et une fenêtre.

Ils n'étudièrent pas, au cours de cette première conversation, le rôle exact que jouerait Missy en tant qu'être humain et en tant que femme. Mais les matins suivants Klope fit observer sans en avoir l'air qu'il n'était pas marié et ne buvait pas. Rien dans ses manières austères et son mutisme ne pouvait donner à une femme l'envie de s'installer avec lui, quel que fût l'arrangement. Comprenant cela, il n'insista pas, et les choses en seraient probablement restées là sans deux incidents sans rapport avec la question, qui pesèrent sur la situation des Venn.

La suggestion de Klope de s'installer à Eldorado frappa surtout le jeune Tom, car elle l'incita à songer sérieusement à son avenir. Après de longues réflexions, il étudia bien Dawson et rédigea à M. Ross, de Seattle, une lettre qui témoignait de sa maturité.

> *J'espère que vous vous souviendrez de moi. Mon père, Buck Venn, travaillait dans votre bureau et je crois que vous aviez de l'estime pour lui. Il a été tué dans un accident. J'espère que vous n'avez pas oublié non plus ma mère, Missy, qui travaillait sur votre bateau, l'*Alacrity, *mais peut-être ne l'avez-vous pas rencontrée. J'étais le petit marchand de journaux devenu votre garçon de courses sur les quais. Toute notre famille travaillait donc chez Ross & Raglan, et j'espère que vous vous souvenez de nous, parce que nous avons toujours essayé de travailler au mieux.*
>
> *Voici mon idée. Vous avez des intérêts importants à Dawson City et deux de vos bateaux remontent le fleuve jusqu'ici. Pourquoi ne me laisseriez-vous pas organiser les choses à Dawson, pour obtenir davantage de fret et de passagers pour vos bateaux, et pour vendre davantage de marchandises à leur arrivée ici ? Tout doit se faire dans les trois mois où la navigation est possible. Perdre du temps, c'est perdre de l'argent.*
>
> *Je crois que vous devriez ouvrir ici un magasin sérieux et me*

le confier. Vos affaires doubleraient ou quadrupleraient. J'ai seize ans et je comprends les affaires comme un homme. Faites-moi parvenir, je vous en prie, votre réponse.

Il avait seulement quinze ans lorsqu'il écrivit cette lettre, mais le temps qu'elle parvienne à Seattle il aurait probablement l'âge qu'il prétendait.

Toutes ces grandes idées étaient déjà oubliées quand Dawson subit un de ces incendies périodiques qui ravagent à un moment ou un autre ce genre de ville en effervescence. Cet incendie-là, à la différence des deux sinistres précédents, mieux connus, qui avaient éventré le centre de la ville, fit rage parmi les tentes et les cabanes bancales du quartier du fleuve. Le restaurant Venn prit feu dès le début et ses cloisons de toile, éclaboussées de graisse, disparurent en quelques minutes, laissant Missy et Tom avec seulement les quelques réserves encore entassées dans l'*Aurora* à moitié démoli.

Alors que l'incendie ravageait encore les cabanes le long du fleuve, deux hommes se frayèrent un chemin dans la foule uniquement pour offrir leurs conseils à Missy Peckham. Le commissaire Steele lui dit simplement :

— Mademoiselle Peckham, c'est le genre de catastrophe contre laquelle je vous ai mise en garde. Je suis chargé des fonds de secours du gouvernement, ce qui me permettra de vous rapatrier à Seattle en bateau, avec le jeune homme. Franchement, je crois que vous devriez accepter.

Au même instant la Cavale belge arriva sur la rive, pour voir les dégâts et consoler ceux qui avaient beaucoup perdu. Elle attendit le départ du commissaire Steele pour s'approcher de Missy. Par le truchement d'une des filles qui parlait anglais, elle lui dit :

— Comme c'est désolant. Si vous avez besoin d'aide, venez me voir.

Sans un mot de plus, elle tapota la joue de Missy et s'éloigna.

Le deuxième homme qui se présenta fut John Klope avec son chien Métis.

— Maintenant, dit-il, vous avez autant besoin de moi que moi de vous.

Cette nuit de désespoir, Missy et Tom s'abritèrent dans le théâtre avec cinquante autres personnes sans toit. Ils n'essayèrent même pas de prendre une décision, mais le matin venu, à leur retour sur les lieux du désastre, ils comprirent qu'ils ne pourraient jamais rouvrir leur restaurant, ni un autre établissement du même genre. Jamais ils ne dirent vraiment : « Il ne nous reste plus que la proposition de Klope », mais ils reconnurent qu'ils n'avaient pas d'autre solution. Tom fouina dans le quartier jusqu'à ce qu'il trouve une charrette à bras, qu'un mineur malchanceux accepta de lui vendre un dollar.

Klope le vit qui poussait la charrette le long de la berge et courut vers lui. Il prit les brancards puis aida Missy à ranger les quelques affaires sauvées de l'incendie. En milieu d'après-midi, ils prirent la piste de Lousetown. Tom et Klope tiraient chacun une corde fixée à l'avant de la charrette, Missy poussait à l'arrière.

Après Lousetown, ils suivirent la rive gauche du Klondike jusqu'à Bonanza Creek, l'affluent sur la rive duquel le « squaw-man » George Carmack avait fait la première grande découverte. Ils continuèrent, passèrent devant des concessions désormais célèbres dans le monde entier — *Sept Au-dessus, Neuf au-dessous* — puis atteignirent le confluent de l'Eldorado, avec ses concessions moins réputées mais plus riches. Après avoir longé une vingtaine de ces sites extrêmement productifs le long de l'eau, ils montèrent la pente raide jusqu'à la crête, très haut au-dessus des *placers* en production, et parvinrent enfin à la cabane de John Klope.

Elle se trouvait sur une parcelle de cent cinquante mètres de long, parallèle au torrent en contrebas, et mesurait environ quatre cent cinquante mètres de large. Mais la partie utile serait l'endroit où l'on trouverait de la boue chargée d'or.

— Techniquement, expliqua Klope quand il les conduisit au trou qu'il avait déjà creusé dans le sol, ce que nous recherchons, c'est le lit de rochers.

— Il faudra faire sauter ces rochers ? demanda Tom.

— Non. L'or sera déposé au-dessus — c'est le fond d'une ancienne rivière.

— Et comment savez-vous qu'il y avait une rivière à cet endroit ?

— Comment les premiers prospecteurs ont-ils su que la rivière actuelle contenait de l'or ? Ils ont passé le sable à l'écuelle. Nous, nous creusons.

Comparée à la moyenne des cabanes de mineur, celle de Klope les surpassait, mais ce n'était pas le luxe. À peine trois mètres sur quatre, quatre murs de rondins, une seule fenêtre taillée dans les rondins et soigneusement calfatée, un plancher de bois, un seul lit, un fourneau, des chevilles plantées dans les murs pour faire sécher les vêtements, qui semblaient toujours trempés, et des bottes de rechange, car elles semblaient elles aussi mouillées et boueuses en permanence. Une cheminée évacuait la fumée, mais la grande longueur apparente du tuyau du fourneau dégageait une chaleur intense dès que l'on allumait ; la température montait souvent presque à trente degrés, et quand le feu s'éteignait, elle tombait parfois à presque moins trente.

John Klope, propre et toujours attentif à son apparence, avait construit à l'extérieur un appentis pour la toilette et le rasage. Lors de son installation, il avait décidé de rester rasé de près, mais sa résolution n'avait même pas duré un mois, car se raser au Klondike, hiver comme été, constituait une vraie corvée qu'il se réjouissait d'éviter. À présent sa barbe, qu'il oubliait souvent de tailler avec ses ciseaux rouillés, était longue et dissimulait son âge véritable : on ne savait s'il était bien conservé pour la quarantaine ou bien un peu marqué pour ses vingt ans. En réalité, il en avait vingt-huit cette année-là et c'était l'un des mineurs les plus travailleurs sur l'une des rivières les plus célèbres.

En découvrant que la cabane avait un seul lit, Missy se raidit, mais Klope décrispa la situation.

— Pour commencer, il nous faudra fabriquer deux autres lits.

Avec le concours qualifié de Tom, cela ne prit guère de temps. Mais tout ce qu'ils avaient apporté sur la charrette ne pouvait pas rentrer dans la cabane, et Klope dut mettre son ingéniosité à l'épreuve. Il plaça la charrette contre un des murs sans fenêtre et la dressa pour former une sorte de toit en pente, les ridelles servant de mur sur les côtés. Il fallait bien sûr laisser le devant ouvert, mais sur les gisements d'or aucune cabane n'avait de porte fermant à clé.

— Aucun risque de vol, dit Klope. Les Montés ne le toléreraient pas.

Au cours des premiers mois, chacun des trois resta dans un lit séparé. Mais la routine se transforma en ennui. Klope descendait dans son trou de mine et y restait neuf à dix heures par jour ; Tom, en haut, manœuvrait le treuil et versait les seaux de boue. Il ne tarda pas à s'apercevoir qu'après avoir remonté l'échelle à la fin d'une longue journée d'hiver, Klope s'intéressait à Missy en tant que femme — pas seulement pour lui préparer ses crêpes du petit déjeuner. Par un soir très froid de février où la température tomba jusqu'à moins trente-cinq, Missy, en silence et sans le moindre geste à l'égard de Tom, se glissa auprès de Klope. Peu de temps après, pendant que les hommes travaillaient à la mine, elle rangea son ancien lit sous le hangar extérieur.

Pour la troisième fois, Tom vit donc cette femme pratique s'associer à un homme avec qui elle n'était pas mariée. Son éducation sur les rapports entre les hommes et les femmes n'avait guère été conventionnelle et cela ne le troubla pas. Il continuait de considérer que Missy était la femme la plus « presque parfaite » du monde. Les longs mois passèrent, à travailler sans fin avec peu de promesses d'or au fond de la mine profonde, et ce fut Missy qui maintint le moral, rendit la cabane vivable et stimula les efforts.

Elle fut aidée par un nouvel ami dont elle ne pouvait prévoir les encouragements : le chien Métis. Différent de la plupart des chiens de traîneau — d'où son nom et le fait que Sarqaq s'était facilement séparé de lui — Métis avait plus ou moins aimé ses trois principaux compagnons, Sarqaq, Klope et Tom Venn, mais au cours des longues heures où Klope et Tom travaillaient à la mine, il se trouva de plus en plus souvent avec Missy. Elle lui donnait à manger, l'appelait pour qu'il l'aide à traîner les bûches pour le feu, jouait avec lui, et lui parlait bien plus souvent que les hommes. Très vite, il régla sa vie sur celle de la jeune femme. Il avait toujours apprécié la présence humaine et il concentra désormais toute son affection sur Missy. Il devint son chien. Un jour où deux mineurs des concessions basses de l'Eldorado apparurent soudain pour demander si Klope pourrait leur céder de la viande, leurs gestes parurent un peu trop brusques et deux secondes plus tard Métis leur sauta à la gorge. Seule l'intervention rapide de Missy les sauva.

— Vous devriez le mettre à la chaîne, se plaignit l'un des hommes en reculant.

— Il ne réagit que s'il sent l'un de nous menacé, répondit Missy en espérant que les hommes répandraient la nouvelle dans les camps.

— Vous avez de la viande en trop ?

— Pas en ce moment. Mais Tom ira peut-être à la chasse dans quelques jours.

— Nous paierons bien.

Tom et Métis partirent donc à l'affût de wapitis, d'ours et de caribous, le dimanche et après le travail. Quand ils avaient de la chance, Klope débitait la carcasse et Missy allait vendre les morceaux de cabane en cabane le long de la rivière.

Elle était en train de faire sa tournée par un matin de l'hiver 1899 quand un Monté se présenta à cheval sur les bords de l'Eldorado et demanda son adresse.

— Hep, Missy ! cria un des mineurs, quelqu'un vient vous voir.

Elle reconnut aussitôt le sergent Kirby, toujours aussi impeccable dans son uniforme bleu.

Il prit son cheval par la bride et monta la pente avec Missy jusqu'à la concession de Klope, sur la crête. Quand il vit la cabane avec seulement deux lits à l'intérieur et le troisième à côté de la charrette, il ne posa aucune question.

— En fait, je suis venu voir Tom Venn. Une nouvelle importante pour lui. Assez surprenante, d'ailleurs.

Missy appela Métis et lui dit :

— Va chercher Tom !

Quelques instants plus tard, le jeune homme apparut.

— Le commissaire Steele veut te voir.

— Mais je n'ai rien fait...

— Oh si, répondit Kirby avec un large sourire. Je crois que tu as fait quelque chose.

— Ce n'est pas possible, sergent Kirby. Je suis resté ici tout le temps.

Kirby prit Tom par le bras gauche et lui dit :

— Assieds-toi. La nouvelle est très bonne. Je dirai même sensationnelle.

Puis, en lançant un clin d'œil à Missy, il demanda :

— As-tu envoyé une lettre de Dawson City, à ton arrivée ?

— Oui, à ma grand-mère.

— Et peut-être une à M. Ross, de Seattle ?

— Oui, mais seulement pour poser des questions.

— Sa réponse va t'étonner, mon petit Tom.

Le commissaire Steele tenait sans doute à expliquer la situation lui-même, mais Kirby pouvait tout de même annoncer que Ross & Raglan avaient sauté sur les idées proposées par Tom. Ils envoyaient par le premier vapeur R & R qui briserait les glaces du Yukon les marchandises qui permettraient de créer un dépôt commercial important à Dawson, ainsi qu'un certain M. Pincus pour le diriger, à condition que Thomas Venn soit prêt à offrir vers telle et telle date les services dont il parlait dans sa lettre.

Avant que Klope ne soit remonté du puits profond — neuf mètres sans aucun étayage — Tom, Missy et le sergent Kirby étaient convenus que le jeune homme devait partir immédiatement pour chercher l'emplacement de la succursale R & R à Dawson. Quand Klope fut mis devant le fait accompli, il réagit de sa manière caractéristique. Il se gratta la barbe, regarda Missy puis Kirby, puis Tom et dit doucement :

— C'est presque un homme. Celui pour qui travaillera un bon garçon comme ça aura de la chance.

Mais dès qu'il fut établi que Tom était libre de partir s'il le désirait, il ajouta :

— Asseyons-nous et discutons un peu.

Dès le début, il exposa les faits.

— Tom, Missy et toi avez gagné une part de cette concession, et je certifie devant le Monté, ici, qu'à la première occasion où je descendrai à Dawson, je ferai enregistrer légalement vos droits. Mais seulement si vous restez pour m'aider.

— Il faut que Tom profite de cette occasion, répondit Missy d'une voix ferme.

— Et tu pars avec lui ? demanda Klope à la jeune femme.

— Je reste ici.

— Bien. Parce que je suis convaincu que l'ancienne rivière doit avoir coulé à l'endroit où nous creusons. Nous sommes à neuf mètres, encore cinq mètres et nous verrons de l'or.

— Avez-vous déjà vu des indices ? demanda Kirby.

Il avait entendu des prédictions de ce genre dans la bouche de cent hommes différents, à cent endroits divers. Le lit de rochers se trouvait toujours juste un peu plus bas.

— Non.
— Dans cet énorme tas de boue glacée, pas deux *cents* à l'écuelle quand vous le laverez cet été ?
— Probablement pas, mais quand on a commencé sur ces torrents, dix *cents* à l'écuelle suffisaient à vous faire rêver. Puis Carmack a trouvé quatre dollars à l'écuelle et la ruée a commencé. En bas, sur la concession que vous voyez d'ici, quatre-vingts dollars à l'écuelle ; et sur l'autre, là, ils ont trouvé un jour mille dollars dans une seule écuelle.
— Ce qu'il dit est vrai, affirma Kirby. Parfois les derniers arrivés sont les mieux servis.
— Ce que je cherche est forcément là-dessous : des écuelles à cinq ou six mille dollars ! Voilà ce que nous espérons.
Missy, Tom et Kirby l'écoutèrent sans lever les yeux de leurs mains. Aucun d'eux n'osa ramener Klope à la réalité. Enfin Tom prit la parole :
— J'ai demandé à M. Ross de faire quelque chose. Il l'a fait. Je dois tenir ma promesse à mon tour.
— Tu comprends les risques ? demanda Klope.
Tom acquiesça et le grand paysan dégingandé de l'Idaho répondit sans rancœur :
— À toi de décider, fiston. Je ne pouvais pas souhaiter meilleure aide que toi.
Pendant que Tom préparait ses affaires, avec Missy qui mettait dans son sac de toile tout ce qui pourrait lui servir, Kirby demanda à Klope :
— Avez-vous une raison solide de croire qu'il y a de l'or là-dessous ?
— La configuration du terrain.
— Mais vous ne pouvez pas la voir.
— Chaque centimètre que je creuse m'apprend quelque chose de nouveau.
— Et vous êtes prêt à risquer tout... sur ces inconnues ?
— Je n'ai pas grand-chose à risquer, sergent.
Quand les bagages furent prêts, Klope paya Tom pour son travail au treuil, puis ce fut le moment des adieux. Le jeune homme passa de Métis à Klope puis à Missy au bord des larmes. Enfin il prit congé de ceux avec qui il avait partagé une cabane sur une authentique concession du Klondike. Il sentait que ce départ marquait un point de non-retour dans sa vie — comme les deux derniers mètres du Chilkoot Pass quand il avait aperçu le lac Lindeman sur l'autre versant, et les milliers de bateaux du lac Bennett.
Il prononça quelques paroles courageuses, puis s'agenouilla pour embrasser Métis.
— Bon, dit-il en se relevant. Je crois que nous ferions bien de partir.

⁂

Il travaillait dans le nouveau magasin Ross & Raglan, par une belle matinée de juin 1899, quand des clameurs retentirent dans la rue principale. Il courut demander où avait eu lieu la nouvelle découverte. Mais il ne s'agissait pas d'or cette fois : un prospecteur extraordinaire venait d'arriver « directement » d'Edmonton, par un itinéraire redoutable : il avait descendu le plus violent des fleuves du Nord, le Mackenzie, jusqu'au-delà du cercle polaire, puis traversé des montagnes dénudées aussi sauvages que l'enfer jusqu'au Territoire du Yukon. Quand la nouvelle se répandit dans Dawson qu' « un petit dur irlandais avait réussi à passer par le Mackenzie », les *sourdoughs* endurcis se rassemblèrent pour voir l'homme-miracle qui venait d'accomplir un exploit qu'eux-mêmes n'auraient jamais tenté.

Tom, au premier rang de la foule, vit un Irlandais de taille moyenne, âgé de la trentaine, aussi hagard qu'un fantôme affamé mais adressant un sourire malicieux aux hommes qui l'entouraient. Ses cheveux bruns, trop longs, lui tombaient sur les yeux ; ses gros vêtements étaient en lambeaux après son épreuve au nord du cercle polaire, et il parlait comme un moulin :

— Mon nom, c'est Matt Murphy. D'un village à l'ouest de Belfast. On est partis à cinq de Londres jusqu'à Edmonton dès qu'on a appris la découverte de l'or au Klondike. On s'est lancés sur le Mackenzie en juillet 1897. On s'est perdus. Un homme s'est noyé, un autre est mort de faim, un autre du scorbut. Le grand type que vous avez vu arriver avec moi, il en a sa claque. Il a filé directement à Londres. Moi ? J'y suis, j'y reste. Je me trouverai une mine d'or.

La foule éclata de rire. Non par moquerie mais dans le désir de lui remettre les pieds sur terre.

— Tous les bons sites sont pris depuis trois ans.

Tom ne manqua pas d'admirer la réaction de l'inconnu à cette nouvelle accablante : ses épaules s'affaissèrent à peine, il respira à fond puis demanda d'un ton presque léger :

— Il y a bien un endroit où un homme peut se faire servir une bière ?

On lui en apporta une, la première depuis deux ans ; il l'avala comme si c'était de l'hydromel, puis demanda d'un ton égal :

— Et maintenant, si l'on devait trouver de nouveaux sites, où seraient-ils ?

— Il n'y en aura pas, répondirent les hommes gravement.

Pendant un instant, Tom crut que Murphy allait s'évanouir, mais il lança un de ces irrésistibles sourires irlandais et dit à mi-voix :

— Votre nouvelle n'est pas réconfortante. Je viens de si loin, et j'ai failli mourir de faim...

Les mineurs, honteux de ne pas avoir agi plus vite, le conduisirent dans une tente-restaurant où on lui servit des œufs, du bacon et des crêpes. Tom, toujours au premier rang, regarda le nouveau venu manger d'une manière qu'il n'avait jamais vue. Avec des précautions infinies, comme s'il essayait de retenir des chevaux en train de se calmer, il coupa la nourriture en portions minuscules et les mangea l'une après l'autre à la façon d'un merle bleu délicat.

— T'as pas faim ? demanda le mineur qui payait la note.

— Je pourrais manger tout ce qu'il y a dans cette tente, et dans la tente voisine. Je n'ai pas vu des plats comme ça depuis deux ans.

— Eh bien, bouffe ! hurla le mineur.

— Si je le faisais, répondit l'inconnu, je crèverais sur place.

Il continua de porter à sa bouche un minuscule morceau après l'autre.

Dans les journées qui suivirent, Tom passa pas mal de temps avec l'incroyable Irlandais, écouta le récit de son épopée dans le Nord et des morts affreuses qui avaient emporté les chercheurs d'or.

— Mon père est mort, lui aussi, dit-il à Murphy. Une gaffe s'est enfoncée dans sa poitrine pendant que nous glissions sur la glace avec un traîneau à voile.

La discipline avec laquelle Murphy continuait de limiter ses repas, un morceau après l'autre, fit beaucoup d'effet sur Tom. Mais chaque fois qu'ils mangeaient ensemble, l'Irlandais posait des questions sur l'or et Tom comprit qu'il était obsédé par sa détermination à trouver une concession, n'importe laquelle, où il pourrait se mettre à tamiser à l'écuelle ou à creuser un puits. Ne voulant pas désespérer Murphy en lui répétant qu'il n'y avait plus de sites disponibles, Tom en chargea son ami, l'aimable et compétent sergent Kirby de la Police Montée du Nord-Ouest, qui s'était occupé de plus d'un nouveau venu comme Murphy.

— Des concessions à retenir ? Les bonnes sont prises depuis trois ans Y en aura-t-il de nouvelles ? Peu probable.

Murphy, maigre comme un ours en avril à la fin de son hibernation, dissimula sa déception. Mais Kirby lui fit une suggestion :

— Je connais un type sur la crête qui creuse jour et nuit. Un nommé Klope. Il se croit vraiment sur un bon coup. Et il a besoin d'aide.

— Comment ça marche ? J'achète une part de la concession ?

— Non. Vous travaillez pour lui. Il vous paie un salaire. Et quand il tombera à court d'argent, il vous offrira peut-être une part de la concession pour vous garder.

— Mais vous dites qu'il n'a pas trouvé d'or ?

— Le long d'un cours d'eau, on passe les *placers* à l'écuelle, et on sait aussitôt si l'on a trouvé ou pas. Mais sur les hauteurs, on creuse, on creuse, on creuse sans rien savoir tant qu'on n'a pas atteint le rocher.

Murphy était encore trop faible pour recevoir des coups de ce genre.

— Vous voulez dire... J'ai fait tout ce chemin, depuis Edmonton... Vous ne pouvez pas savoir comment c'était...

— Je crois que si, dit Kirby. Cinq ou six groupes sont passés par la même piste. J'ai dû enterrer plusieurs hommes.

— Un homme venu d'Edmonton a-t-il trouvé de l'or ?

— Comme vous. Ils n'ont même jamais trouvé un endroit où creuser.

Pendant quelques instants, Murphy ne bougea pas, le visage enfoui dans ses mains d'une minceur alarmante. Puis il redressa les épaules et se leva.

— Où se trouve la crête de ce M. Klope ? Bon Dieu, je serai le gars venu par Edmonton qui aura fait au moins une tentative.

Kirby lui traça une carte grossière, en bas de laquelle il écrivit : « *John Klope : Cet homme est arrivé par Edmonton. Il sait travailler. — Will Kirby, Police Montée du Nord-Ouest.* »

Murphy grimpa donc la pente dominant l'Eldorado et présenta sa recommandation.

— Nous ne savions pas comment faire, dit Klope. Je continue de creuser, mais Missy ne peut pas manœuvrer le treuil et faire la cuisine en même temps. Nous avons besoin de vous.

L'Irlandais se mit donc à travailler pour un salaire. Voyant à quel point il était émacié, mais toujours prêt à entreprendre des travaux pénibles qu'elle faisait auparavant, Missy eut à cœur de le nourrir généreusement, mais il ne se gavait pas ; il mangeait avec précaution tous les plats capables de donner de l'énergie à son corps et des « humeurs antiscorbutiques » dans ses jambes. Apprenant que Klope avait un bon fusil il se rappela quelques ficelles de chasseur apprises en Irlande : il s'en allait très loin dans la campagne et ramenait du gibier quand les autres n'attrapaient rien.

Quand il reprit des forces, il s'avéra dur à la tâche. Il remontait la boue et la préparait pour le passage au débourbeur en été. À la fin du deuxième mois, Klope augmenta son salaire d'un dollar par jour (prix normal dans les mines) à un dollar vingt-cinq, ce qui encourageait

Murphy à s'échiner davantage. Mais comme il travaillait à l'air libre, alors que Klope creusait au fond de son puits de terre glacée, l'Irlandais avait l'occasion de passer chaque jour des heures avec Missy, qui se sentit attirée par les histoires pleines d'esprit de Murphy, ses récits de courses de chevaux en Irlande, et surtout son explication de ce qui avait tourné mal pour les chercheurs d'or d'Edmonton.

— Nous étions comme des hommes à la poursuite d'une aurore boréale. Nous pouvions voir les reflets de l'or danser juste sous notre nez, mais hors d'atteinte. Quand nous avons tenté de les rejoindre, nous nous sommes perdus dans la neige et la glace.

Quand il lui raconta ses épreuves, elle lui répondit :

— Vous faites bien de me raconter ceci, Murphy. Je commençais à m'apitoyer sur moi-même à cause de mes souffrances sur le Chilkoot.

Klope et Missy appréciaient tous les deux l'accent musical de Murphy, et sa façon d'utiliser des mots compliqués les émerveillait.

— Vous êtes un poète, lui dit Klope un soir d'été, au moment où l'Irlandais allait partir faire sa promenade vespérale avec Métis.

Il se promenait ainsi régulièrement, par délicatesse, pour laisser à Klope et à Missy un peu d'intimité dans la cabane. Mais depuis peu, au cours de ses balades agréables dans le crépuscule qui durait des heures, il s'était aperçu qu'il pensait seulement à Missy. Un matin, entre le petit déjeuner et le moment où Klope remonterait de son puits pour prendre une bouchée, alors qu'il travaillait avec Missy au tas de boue qu'ils passeraient bientôt au débourbeur, il posa doucement sa pelle, puis celle de Missy et embrassa la jeune femme avec passion.

Elle ne répondit pas à son baiser, mais ne le repoussa pas non plus. Elle prit la pelle de l'Irlandais, la lui tendit, saisit la sienne et dit :

— C'est de l'or que nous cherchons, et ne l'oubliez pas.

Mais les matins suivants elle se plaça de sorte que Murphy soit obligé de passer près d'elle, et ils se mirent à s'embrasser sans poser leur pelles. À l'automne, quand il fut manifeste que la boue si péniblement accumulée ne contenait pas la moindre quantité d'or, ils comprirent l'un et l'autre que la mine de John Klope était un espoir perdu — et que Klope était perdu lui aussi. Missy vit en lui le grand rustre sans vivacité ni imagination qu'il avait toujours été, et Murphy découvrit que le malheureux n'avait presque plus d'argent pour payer quelqu'un pour l'aider dans sa mine improductive.

Les jours raccourcirent, et Murphy se rappela les deux hivers tragiques où il était resté pris au piège de l'Arctique. Il commença à éprouver de nouveau la même sensation d'échec, la même menace, et un matin au petit déjeuner, il lança sa fourchette sur la table.

— Il faut que je file d'ici, Klope. Je ne vois aucune chance de trouver de l'or sur ta concession.

— C'est peut-être le mieux, répondit Klope. Je n'ai presque plus d'argent pour te payer.

Puis il descendit dans son trou, avec ses grandes espérances.

Murphy passa la matinée à ranger ses affaires pendant que Missy manœuvrait le treuil ; mais après le déjeuner, quand Klope retourna dans son puits, la jeune femme et l'Irlandais se livrèrent presque inévitablement à une étreinte passionnée.

— Je pars avec toi, Matt, dit-elle.

— Nous trouverons quelque chose.

Ils ne dirent rien à Klope ce soir-là, mais il dut soupçonner quelque chose car au lieu de rester dans la cabane avec Missy pendant que

Murphy faisait sa promenade, il sortit. À son retour, taciturne et sombre comme jamais, il se mit au lit aussitôt sans conversation.

Le matin venu, Missy prépara le petit déjeuner, ne mangea pas, puis informa Klope :

— Nous partons à Dawson. Je prierai pour que tu trouves de l'or, John.

— Tu t'en vas ? demanda-t-il.

— Oui. C'est mieux.

— Tu reviendras ?

— Non. C'est fini, John.

Il ne comprit pas si la mine était finie ou bien leurs relations. Il regarda l'Irlandais et dit :

— Je pourrais te casser en deux.

Puis il haussa les épaules et ajouta :

— À quoi bon ?

Resté seul dans le soleil des derniers jours d'automne, John Klope regarda les voyageurs s'éloigner, avec Murphy qui tirait la charrette à bras que Tom Venn avait achetée pour apporter leurs affaires. Quand le silence revint, il se dirigea d'un pas ferme vers le trou, arrangea la corde pour pouvoir remonter la boue tout seul, puis sans le moindre signe visible d'émotion, il descendit à dix mètres.

De tous les chercheurs d'or qui avaient remonté le Yukon en 1897 à bord du *Jos. Parker,* aucun n'avait trouvé d'or. De tous ceux qui avaient affronté l'horreur du Mackenzie, aucun n'avait ne serait-ce que trouvé une concession où travailler. Et de tous ceux qui avaient escaladé le Chilkoot Pass avec les Venn et bravé les canyons comme eux, pas un ne vit la couleur du métal. Mais tous avaient participé à la grande aventure qu'offrait le dix-neuvième siècle. Et comme le lança Matthew Murphy en arrivant à Dawson dans les brancards de la charrette :

— J'ai rêvé de creuser une mine d'or. Je l'ai fait.

Tandis que John Klope, Matt Murphy et Tom Venn se dépensaient sans compter, dans l'anonymat, pour chercher l'or du Yukon, un autre groupe d'hommes obtint une publicité colossale à la suite de sa participation à la ruée. Jack London, l'écrivain prolétaire de San Francisco, y trouverait la matière de ses récits les plus remarquables, et Robert W. Service, le poète canadien né en Angleterre et élevé en Écosse, immortaliserait le *sourdough* dans des poèmes qui n'étaient peut-être au départ que des ritournelles mais qui s'avéreraient inoubliables.

Le ciel du Nord a vu plus d'un spectacle
Mais le plus surprenant qu'il vit
Fut le soir, en marge du lac Lebarge,
Où j'ai cramé le nommé Sam McGee.

Or Sam McGee venait du Tennessee...

Il changea l'orthographe du lac Laberge pour obtenir une assonance intéressante, mais ce genre de faute volontaire ne compte pas, car il a inspiré à ses récits légendaires du Yukon une vitalité et un charme qui ne faneront probablement jamais. Sa vie est marquée par deux faits remarquables : il ne se rendit pas dans le Klondike avant 1904, quand les heures de gloire appartenaient depuis longtemps au passé ; et il écrivit ses poèmes les plus célèbres, y compris ceux qui mettent en scène Dan McGrew et Sam McGee, longtemps avant d'avoir mis les pieds à Dawson City.

Tex Richard, le fameux organisateur de combats et ami de Jack Dempsey, passa un certain temps sur les gisements d'or ; ainsi qu'Addison Mizner, bel esprit et génie de la promotion immobilière en Floride ; Nellie Bly, la célèbre femme-reporter de New York ; et Key Pittman, futur sénateur du Nevada, qui exerça une grande influence en politique étrangère.

Mais tout au début de l'existence des gisements du Yukon, le vapeur fluvial à fond plat *Jos. Parker* avait accosté à Dawson City pour une escale de vingt-quatre heures avec à son bord un passager — symbole même de ces visiteurs qui passaient fort peu de temps mais diffusaient néanmoins dans le monde une certaine image du Klondike. Il portait un costume eskimo et, à l'âge de soixante-trois ans, c'était l'un des hommes les plus âgés des mines.

Son bateau ne resta à Dawson qu'une journée, mais dans ce laps de temps, tel un petit cyclone, il arpenta en tous sens la grand-rue poussiéreuse et se présenta à toute personne qui semblait détenir un brin d'autorité.

— Salut l'ami. Je suis le Dr Sheldon Jackson, Agent général pour l'Éducation en Alaska. J'aimerais connaître vos projets scolaires sur les gisements d'or.

À la manière d'un furet, il vérifia la qualité des hôtels, le système de paiement en poussière d'or et la condition des femmes. Mais il consacra ses plus grands efforts à s'informer sur la religion dans les camps. Les pasteurs l'accueillaient à bras ouverts dès qu'il présentait sa carte impressionnante :

DR SHELDON JACKSON
Président de l'assemblée générale
des Églises presbytériennes d'Amérique

Les pasteurs au courant demandaient :

— N'est-ce pas le poste le plus élevé dans votre Église ?

Il répondait, presque en s'excusant :

— Si. Nous étions trois à briguer la présidence : Benjamin Hamson, le président sortant, le milliardaire John Wanamaker et moi...

Puis il toussait modestement avant d'ajouter :

— Je l'ai emporté au premier tour... majorité écrasante.

Il importuna vraiment tout le monde ce jour-là, mais le lendemain matin, quand le *Parker* repartit vers la mer de Béring, il emportait assez d'éléments pour enrichir pendant le reste de sa vie sa conférence célèbre, « Les mines d'or du Klondike ».

9

Les plages d'or de Nome

Les efforts du capitaine Healy et du révérend Jackson pour améliorer la qualité de la vie en Alaska suscitèrent les railleries de leurs ennemis autant que leur tentative d'importer des rennes domestiques de Sibérie pour nourrir les Eskimos mourant de faim pendant la famine d'hiver. Ces philanthropes obstinés furent traités d'idiots, de voleurs et d'agents secrets à la solde des Russes :

— Attendez donc quand on examinera leurs comptes. On s'apercevra qu'à eux deux ils ont volé les quatre cinquièmes de l'argent versé par le gouvernement sur ce projet d'écervelés.

Bien entendu on accusa Jackson, non sans raison, d'avoir livré la plupart des rennes parvenus en Alaska à ses colonies presbytériennes le long de la côte.

Au printemps 1897, le commandement de l'armée à Washington envoya un certain lieutenant Loeffler de l'Intendance pour enquêter sur ces accusations de mauvaise gestion.

— Vous nous direz si l'idée est réalisable.

Fidèle à ses ordres, le lieutenant se rendit dans huit des villages où le Dr Jackson avait essayé de créer des troupeaux, et il adressa à Washington un exposé fort juste de la situation :

> *Il paraît normal que l'armée exprime de l'intérêt pour cette expérience, parce que dans l'avenir nos troupes opérant dans l'Arctique risquent d'avoir besoin de rennes comme principale source d'alimentation.*
>
> *Comment s'est passée l'expérience ? Assez mal. La plupart des premières bêtes importées sont mortes, soit pendant la traversée de Sibérie, soit peu après parce que les Eskimos d'Alaska n'avaient aucune idée de la manière dont il fallait les soigner. Ils lâchèrent en liberté des rennes habitués aux soins les plus élaborés en Sibérie, où on les traitait comme du bétail primé dans une ferme de l'Iowa. Beaucoup reprirent leurs habitudes sauvages et disparurent. D'autres moururent faute de soins et privés de leur nourriture habituelle.*
>
> *Le résultat ? Tous les rennes transplantés dans les Aléoutiennes sont morts ou ont disparu. Dans les îles, l'expérience s'est soldée par un désastre. La plupart des animaux confiés*

aux villages de la côte nord s'en sont mal sortis, et il faut donc considérer que l'aventure a eu très peu de résultats immédiats. Dans un avenir prévisible, l'armée ne saurait donc compter amplement sur le renne domestiqué pour lui fournir une source importante d'approvisionnement en nourriture.

Mais en toute honnêteté, le lieutenant Loeffler signala un village où les rennes de Healy-Jackson, importés de la région du cap Dejnev, en Sibérie, s'étaient multipliés ; et ce qu'il vit dut lui plaire, car il écrivit avec un enthousiasme manifeste :

Cependant, j'ai trouvé un endroit où, en raison d'un concours particulier de circonstances, l'expérience des rennes a réussi. À la pointe occidentale de la péninsule Seward, un endroit désolé du nom de Port Clarence abrite une ferme appelée Teller Station. Un Norvégien du nom de Lars Skjellerup, âgé de trente-trois ans et célibataire, a réuni une équipe de trois commis qui semblent s'y entendre pour l'élevage des rennes.

À son arrivée en Alaska, Skjellerup avait emmené un Lapon court de taille mais robuste, Mikkel Sana, capable de penser exactement comme un renne. Comme il prévoit ce que les animaux vont faire, il les guide paisiblement mais fermement vers ses propres fins.

Le deuxième commis m'a posé des problèmes. Il se nomme Arkikov, sans prénom, et c'est le capitaine Michael Healy qui l'a ramené de Sibérie avec son fameux bateau des douanes, le Bear. *Ce Tchouktche connaît sans doute les rennes, mais je l'ai trouvé bourru, peu enclin à suivre les instructions et difficile à discipliner. Mais quand j'ai demandé à Skjellerup : « Pourquoi vous encombrez-vous de ce gars-là ? », il m'a répondu : « Arkikov est un homme, et dans ce travail, on a besoin d'un homme de temps en temps. »*

Quant au troisième commis, c'était un gamin eskimo de dix-neuf ans, pas grand, avec un visage tout rond de couleur foncée. Skjellerup m'a expliqué : « Outenaï est spécial. Il n'a plus de famille, tous sont morts pendant une des famines ; il considère donc notre projet comme sa seule chance de survivre. Un jour, il prendra la tête de cette station. »

Eh bien, voilà. Si l'armée envisage un jour d'élever des rennes en Alaska, je recommande que nos officiers ne tiennent aucun compte des autres expériences et se rendent directement à Teller.

Après avoir soumis son rapport au printemps 1897, Loeffler rejoignit son poste habituel de Seattle ; la même année, en début d'automne, il reçut de Washington un télégramme urgent :

PLUSIEURS DIZAINES BALEINIERS AMÉRICAINS PRIS PAR GLACES À POINT BARROW STOP RATIONS LIMITÉES STOP AUCUN MÉDICAMENT STOP ÉVALUEZ OPÉRATIONS SAUVETAGE ET CONSEILLEZ IMMÉDIATEMENT STOP.

Comme Loeffler s'était rendu récemment à Point Barrow, on le nomma commandant en second du groupe d'étude, et il passa les trois premiers jours sur les quais de Seattle à essayer de déterminer tous les moyens possibles par lesquels un groupe de baleiniers bloqués à Point

Barrow auraient pu prévenir Washington de leur situation. Il apprit que plusieurs armateurs, ne voyant pas leurs bateaux arriver, en avaient déduit qu'ils devaient être pris dans les glaces. Les autorités canadiennes, à Prince Rupert, étaient parvenues à des conclusions identiques, mais surtout des messagers en traîneaux à chiens venant de Barrow vers le sud avaient transmis des appels au secours.

Loeffler rendit compte au groupe :

— La crise est réelle. Les baleiniers sont déjà bloqués et il n'existe aucun moyen de les dégager avant l'été prochain. Comme ils ne peuvent pas avoir assez de vivres pour tenir neuf mois, une opération de sauvetage s'impose.

Les autorités militaires, avec le concours de la marine et de compagnies privées comme Ross & Raglan, se mirent à analyser toutes les manœuvres possibles, et aucune ne fut jugée trop bizarre ni écartée d'emblée. Un officier déclara :

— J'ai toujours entendu dire que par là-bas la Sibérie et l'Alaska ne se trouvaient qu'à quelques kilomètres. Ne pourrions-nous pas télégraphier en Russie et leur demander de...

— C'est exact, au sud-est de Barrow, coupa un homme de la marine, mais à Barrow, quelle est la distance ?

— Environ huit cents kilomètres, répondit un baleinier qui connaissait bien les océans du Nord.

Tout sauvetage à partir du Canada semblait également impossible — le premier avant-poste minuscule se trouvait à presque mille kilomètres, et il n'y aurait ni assez de vivres, ni les médicaments nécessaires.

Le silence se fit, et les regards se tournèrent vers Loeffler.

— J'ai envisagé toutes les possibilités, dit-il d'un ton hésitant. Les camps de mineurs les plus proches sont à environ huit cents kilomètres. Pour couvrir cette distance, il faudra utiliser des traîneaux à chiens, mais où prendrions-nous la nourriture nécessaire aux chiens ? Et quel camp de mineurs aurait des réserves suffisantes pour une vingtaine de bateaux ?

— À quelle autre solution avez-vous songé ? demanda le président.

Avant d'oser révéler le plan qui avait germé lentement dans sa tête, Loeffler se racla plusieurs fois la gorge. Puis, avec l'aide d'une grande carte, il expliqua :

— Ici, à Port Clarence, au bout de la péninsule Seward, se trouve un Norvégien remarquable du nom de Lars Skjellerup, aidé par trois hommes robustes et capables : un Sibérien, un Lapon et un Eskimo.

— Qu'ont-ils à offrir ? intervint le président. Un attelage de chiens de meilleure qualité ?

— Le temps que nous chargions le bateau ici à Seattle, l'endroit sera bloqué lui aussi par les glaces, fit observer un vieux marin.

— Vous me demandez ce qu'ils ont à offrir ? répondit doucement Loeffler. Des rennes...

À ce mot, le groupe d'étude explosa :

— Nous sommes au courant de ce fiasco.

— Combien en reste-t-il en vie ? Six ou sept ?

— Ce missionnaire s'est arrêté à Seattle une fois, pour nous faire un sermon sur les rennes, capables à l'entendre de résoudre tous les problèmes de l'Alaska. Qu'est-il arrivé à ce petit charlatan ?

Avant même que Loeffler pût s'expliquer, les autres convinrent à l'unanimité que les quelques rennes dispersés de Port Clarence ne représentaient aucune solution. Mais ensuite, avec une patience qui lui valut le respect de ses supérieurs, le jeune lieutenant exposa son plan :

— Port Clarence possède en réalité un énorme troupeau de rennes. Grâce aux conseils professionnels de Skjellerup, les Eskimos de la région ont acquis ou élevé plus de six cents belles bêtes. Certaines sont domestiquées au point de se laisser atteler aux traîneaux à la place des chiens. Comprenez-vous ce que cela signifie ? Si nous utilisons des rennes, nous n'aurons pas besoin d'emporter de la nourriture pour les animaux.

— Et pourquoi ?

— Les chiens mangent de la viande. Les rennes se nourrissent de mousses et de lichens sur place... Et nous n'aurions pas besoin d'emporter de la nourriture pour les hommes non plus, ajouta-t-il. Dès que nos rennes parviendront à Barrow nous les abattrons pour nourrir les marins affamés.

Tout le monde garda le silence. Puis un secrétaire interrompit la séance pour apporter le dernier télégramme de Washington :

ENVOYEZ IMMÉDIATEMENT PLAN SAUVETAGE BALEINIERS BLOQUÉS STOP JOURNAUX RÉCLAMENT ACTION.

Les membres du groupe se tournèrent alors vers Loeffler.

— Je crois qu'il n'y a qu'une seule option pratique à proposer. Je vais partir sans délai en Alaska avec des médicaments, organiser un attelage de chiens et gagner Teller Station par voie de terre. De là, Skjellerup et ses hommes partiront aussitôt à Point Barrow avec un troupeau de quatre cents rennes ou plus.

— Quelle distance auront-ils à franchir ?

— Environ mille kilomètres.

— Mon Dieu ! La Sibérie est aussi près. Et le Canada...

— Mais nous avons les rennes, messieurs. Et les hommes pour les conduire.

Avec une prudence née d'une longue expérience dans l'Arctique, l'un des armateurs demanda :

— Cette opération est-elle vraiment réalisable ?

— Je ne peux rien promettre, répondit Loeffler, mais une chose est sûre : les trois cents Américains bloqués là-haut mourront si nous ne tentons rien. Et ce plan offre les meilleures chances. Il ne faut pas hésiter.

On envoya donc un télégramme à la Maison Blanche, et la réponse parvint à Seattle l'après-midi même.

PARTEZ AVEC RENNES ET QUE DIEU ASSISTE VOS EFFORTS STOP LE PAYS ENTIER VOUS REGARDE.

Le lieutenant Loeffler arriva sur la côte sud du goulet de Norton au milieu de janvier et lorsque ses chiens entrèrent dans le village primitif de Stebbins, il lui restait à traverser presque cent cinquante kilomètres de mer glacée pour rejoindre la côte nord, où se trouvaient la station Teller et ses rennes. La perspective de s'aventurer sur de la glace qui risquait par endroits de ne pas être assez prise lui fit si peur qu'il envisagea de contourner le goulet vers l'est pour rester sur la terre ferme. Mais un vieil Eskimo qui élevait des chiens le rassura :

— Tout glacé. Pas d'ennuis.

Comme Loeffler hésitait encore, l'homme lui lança :
— Je t'accompagne.
Le soleil se montrait à midi, mais les deux voyageurs partirent sans tenir compte du jour et de la nuit.
Quand ils atteignirent la côte nord du goulet, le vieil homme accepta la rétribution de Loeffler et repartit aussitôt pour sa longue traversée à pied sur la glace, tandis que le jeune officier s'élançait avec ses chiens pour sa dernière étape de deux cents kilomètres jusqu'à Teller, à l'ouest. Dès qu'il arriva aux abords de l'endroit où il pensait trouver l'élevage de rennes — la fois précédente il était venu en bateau — un Eskimo à l'œil vif le repéra et donna l'alerte. Quand ses chiens entrèrent joyeusement dans la station, quatre hommes résolus, qu'il connaissait déjà, l'attendaient pour l'accueillir.
Mikkel Sana, le Lapon, fut le premier à le saluer d'une vigoureuse poignée de main; puis le taciturne Sibérien Arkikov, le jeune Outenaï, l'Eskimo à la peau brune, et enfin le grand Norvégien, Lars Skjellerup, qui n'en croyait pas ses yeux.
— Comment avez-vous pu venir ici avec ces chiens? demanda-t-il.
Loeffler jugea nécessaire d'annoncer aussitôt la nouvelle :
— Washington désire que vous conduisiez à Point Barrow un troupeau de trois ou quatre cents rennes. Une vingtaine de baleiniers y sont bloqués. Trois cents marins meurent de faim.
La nouvelle était si stupéfiante qu'aucun des quatre hommes de Teller ne réagit. Et après un instant de silence, Loeffler ajouta :
— C'est un ordre. Du président en personne. Quand pouvons-nous partir?
Dès qu'ils eurent pris conscience du caractère dramatique de la situation, les quatre éleveurs de rennes acceptèrent le défi de grand cœur. Ils n'ignoraient pas les bruits scandaleux qui couraient en Alaska et aux États-Unis sur leur conduite et celle d'autres Lapons et Sibériens associés à l'élevage de rennes. Skjellerup, responsable de la station, se faisait une joie de pouvoir démontrer enfin les capacités de ses animaux.
— Quelle distance à votre avis?
— Mille kilomètres, répondit Loeffler. Pourrez-vous faire le trajet en soixante jours?
— Peut-être en cinquante. Quand nous avançons, nous avançons vite.
Il consulta ses hommes.
— Plus vite. Avec en tête un renne sibérien. Pas un des vôtres, dit Arkikov.
Il faisait allusion aux rennes de Laponie, moins vifs, que Skjellerup avait importés de Norvège par bateau. Le Norvégien ne tint aucun compte de l'insulte sous-entendue, car il s'était habitué aux convictions d'Arkikov — seuls comptaient aux yeux du Sibérien les bêtes et les hommes venant de Sibérie.
Loeffler fut ravi d'entendre que les médicaments et la nourriture parviendraient à destination en moins de cinquante jours, mais son enthousiasme tomba quand Skjellerup annonça :
— Nous partirons dans trois jours.
— Une minute! J'ai préparé mes bagages en une demi-heure quand je suis parti. Vous pouvez sans doute...
— Avez-vous essayé un jour de rassembler plus de quatre cents

rennes qui se trouvent dans leurs quartiers d'hiver et n'ont pas envie d'en bouger ? lui répondit Skjellerup sans élever la voix.

Pendant les deux jours suivants, Loeffler apprit tous les cris et les bousculades que cela supposait. Mais le mercredi matin 19 janvier 1898, le troupeau était rassemblé, les deux traîneaux chargés de médicaments et de vivres pour le voyage, et les hommes prêts pour leur périlleuse expédition vers le nord. Loeffler, en les regardant s'éloigner, se rappela le message de Washington. Il cria :

— Le président a dit : « Que Dieu assiste vos efforts. Le pays entier vous regarde. »

Une demi-heure plus tard, les rennes, les quatre hommes, les trois Eskimos qui les aideraient et les traîneaux ne furent plus qu'un point flou sur l'horizon vers l'est. Ils franchiraient plus de trois cents kilomètres dans cette direction avant de pouvoir prendre au nord, vers Barrow, où les marins affamés attendaient.

Ce fut une course héroïque, car chaque nuit le froid était glacial et les vents plus violents qu'à l'ordinaire. À plusieurs reprises les rennes ne purent trouver ni mousses ni lichens lorsqu'ils grattèrent la neige avec leurs sabots pointus.

— Nous devons trouver de la mousse. Ici ou là. Nous arrêter un jour, annonça Sana.

Effectivement, les animaux trouvèrent bientôt des lichens et le voyage put reprendre.

Quand de longues perspectives s'ouvraient en pente douce, les hommes poussaient les rennes à courir selon leur instinct, mais Sana et Arkikov, qui comptaient parmi les meilleurs éleveurs de rennes du monde, restaient toujours à l'affût de crevasses peu profondes. Quand le galop cessait, hommes et bêtes se lançaient dans la montée pénible de la colline suivante. À la fin du grand détour vers l'est, quand ils se dirigèrent vers le nord-nord-est, ils se sentirent vraiment partis vers Barrow, perché tout au bord du monde. Jamais des hommes n'auraient pu se lancer seuls dans cette épuisante aventure ; jamais des chiens n'auraient pu avancer sans relâche comme les rennes, et ils n'auraient pas trouvé eux-mêmes de quoi se nourrir. Seuls les rennes pouvaient « apporter » une telle quantité de nourriture sur une aussi grande distance.

Vers le soixante-dixième degré de latitude nord, au-delà du cercle polaire, ils rencontrèrent une vague de froid, avec un vent si violent que le thermomètre descendit à moins cinquante-deux. Ce fut un véritable test pour les capacités des rennes, car au moment où les hommes les laissèrent s'arrêter après une étape de quarante-six kilomètres, ils se mirent à gratter la neige jusqu'à ce qu'ils découvrent de quoi manger, puis restèrent à paître une demi-heure, le dos au vent, et s'enterrèrent enfin dans la neige jusqu'à ce que des remparts de protection s'élèvent autour d'eux.

— Nous ferions bien de nous creuser des trous, nous aussi ! cria Skjellerup tandis que la tempête faisait rage.

Sana et Arkikov plantèrent les traîneaux de façon à ce qu'ils détournent le vent hurlant, puis les sept hommes se couchèrent l'un contre l'autre et laissèrent la neige s'entasser au-dessus d'eux.

Ils restèrent ainsi deux jours entiers, le corps au chaud et au sec dans l'habillement presque parfait qu'ils portaient. Même leurs pieds restaient à l'aise dans leurs lourdes bottes de caribou ; la fourrure de porc-épic autour de leur tête et les mystérieux bouts de peau de glouton sur leur visage les protégeaient du froid et de la glace. Peu d'hommes auraient pu résister à cet assaut des éléments mais ceux-là avaient appris dès l'enfance à survivre dans l'Arctique. Fait curieux, que le Lapon et le Sibérien remarquèrent, Skjellerup le Blanc était aussi versé qu'eux-mêmes dans les traditions arctiques. C'était un homme étonnant et les autres le traitaient avec déférence : ils se considéraient comme ses égaux mais respectaient ses compétences.

À la fin de la tempête, ils devinrent gais comme des enfants, car Barrow ne se trouvait plus qu'à cent cinquante kilomètres ; par beau temps et avec ce qu'il fallait pour nourrir les rennes, ils avaient presque l'impression de pouvoir couvrir cette distance en un seul jour. Il en fallut bien entendu plusieurs, mais le 7 mars, vers dix heures du matin, ils vécurent un moment d'une si grande beauté que tous ceux qui y participèrent en garderaient le souvenir à jamais. Du nord, de Barrow, arrivèrent trois équipages de chiens tirant des traîneaux vides. Ils arrivaient à leur allure régulière et pendant plus d'une demi-heure chaque groupe put voir l'autre et évaluer sa façon de voyager et sa vitesse.

— Ils doivent être au bout du rouleau. Ils essayent de gagner le sud, cria Skjellerup à ses hommes.

Et les hommes des traîneaux à chiens lancèrent :

— Merci, mon Dieu ! Tous ces rennes...

Les deux groupes se rapprochèrent, puis les hommes barbus purent discerner leurs visages. Bientôt ils se mirent à pousser des cris de joie en versant des larmes et à s'embrasser — tandis que les merveilleux chiens s'allongeaient haletants dans la neige, et que les rennes grattaient à la recherche de lichen.

Cette expédition de sauvetage de presque deux mille kilomètres aller et retour ne prit une importance remarquable dans l'histoire de l'Alaska ni à cause de l'héroïsme des hommes, ni à cause des rennes, ni du fait que les meneurs du troupeau venaient de quatre milieux si différents, mais à la suite d'une conversation qui se produisit par hasard pendant le retour. Skjellerup et le jeune Eskimo Outenaï conduisaient un des traîneaux vides : Arkikov et Sana avaient attelé à l'autre traîneau un renne sibérien. Ce fut Arkikov — nous en sommes certains parce que des années plus tard chacun des deux hommes l'affirmerait — qui aborda le sujet le premier.

— Tu te souviens du printemps dernier ? Je suis parti dans l'Est... Conduire des rennes aux mineurs de Council City... J'ai rencontré beaucoup d'hommes.

— Que faisaient-ils ?

— Ils cherchaient de l'or.

— Où ?

— Dans l'Est.

— Et ils en trouvaient ?

— Pas encore. Peut-être bientôt.

— Comment cherchaient-ils de l'or ?
— Le long des cours d'eau... de petits torrents. Tu trempes la gamelle, tu laves, tu trouves.
Tel fut le début de la conversation. Pendant les jours qui suivirent, tandis qu'ils se dirigeaient vers le sud-sud-ouest, puis carrément à l'ouest, les deux hommes firent route ensemble et à plusieurs reprises Arkikov parla des chercheurs d'or, ces hommes qui suivaient les ruisseaux, hantés par un rêve. Jusqu'au moment où Sana commença à se demander si des hommes ordinaires comme Arkikov et lui n'avaient pas une chance eux aussi de trouver de l'or. En bon Lapon méfiant qu'il était, il écarta très vite l'idée. Et pourtant :
— Dans quel ruisseau puisent-ils le sable ? demanda-t-il.
— N'importe lequel. J'ai entendu parler du Klondike, mais n'importe lequel.
— Tu veux parler d'une rivière ? Ou d'un grand fleuve comme le Yukon ?
— Non, des petits ruisseaux. Qu'on traverse d'un bond.
Grâce à ses conversations avec les prospecteurs, le Sibérien avait quelque notion de ce en quoi consistait la recherche de l'or, et il semblait manifestement hypnotisé par la possibilité d'en trouver dans un ruisseau sur le chemin du retour.
— Quand le soleil sera plus haut... Pas de neige, des petits torrents pleins d'eau... Nous trouverons de l'or toi et moi.
— Comment ? Pas de papier... Simplement un Lapon et un Sibérien ?
Cela constituait un obstacle réel, et pour un Lapon méthodique comme Sana, il semblait assez insurmontable pour faire capoter toute l'entreprise. Mais pour un Sibérien, il n'avait aucun sens : un sujet d'irritation temporaire, à contourner.
— Toi et moi, notre argent... Nous partons... Nous trouvons de l'or... C'est sûr.
Arkikov faisait des gestes si insensés en parlant que Skjellerup, dans l'autre traîneau, finit par les remarquer. Quand ils s'arrêtèrent pour manger il demanda :
— Que se passe-t-il ? Vous vous battiez ?
Arkikov se tourna vers Sana comme pour lui demander s'il devait parler, et comme le Lapon hocha la tête, les mots fatidiques furent prononcés.
— À Council City... Tous les hommes cherchent de l'or... Dans les petits ruisseaux... Nous devrions chercher nous aussi.
Le grand Norvégien dévisagea ses compagnons comme s'ils étaient fous.
— Nous trois... Nous trouvons de l'or... Nous achetons beaucoup de rennes, ajouta Arkikov, enjôleur.
Il parlait avec une telle confiance que Skjellerup en fut contaminé.
— Ma foi, nous avons assez d'argent pour un an et même deux, s'entendit-il répondre. Nous n'avons nul besoin de papiers d'immigration. Nous avons tous été invités ici par le gouvernement des États-Unis et nos contrats nous autorisent à rester.
Avant la fin du repas, pourtant rapide, il préparait déjà son plan pour quitter l'élevage et lancer une expédition de prospection. La perspective d'immenses richesses l'excita tellement qu'il lança :
— Outenaï, monte avec Arkikov. Je désire parler à Sana.
On changea de partenaire et le Norvégien demanda :

— Mikkel, tu n'as pas de femme, ni moi. Tu aimerais quitter la station, les rennes... pour aller explorer ?

— Oui, répondit le Lapon, enthousiaste.

— Renoncer à la Laponie ne t'inquiète pas ?

— Est-ce que la Norvège t'inquiète ?

— Pas du tout... J'aime l'Alaska, ajouta-t-il après un instant de réflexion. Cette expédition m'a plu. Peut-être que nous deux... Avec lui...

À ces mots il se tourna vers l'autre traîneau et ce qu'il vit le mit en rogne.

— Arrêtez ! Arrêtez !

Aussitôt il se précipita en hurlant :

— Qu'as-tu fait avec ces traits ?

Arkikov avait attelé le renne à la manière sibérienne, avec les traits qui passent entre les pattes de devant.

— Je t'avais dit de faire autrement. Comme il faut ! pensa-t-il en haussant le ton.

— Mais ces rennes de Sibérie préfèrent ma façon de faire. Regardez celui-là, il est plus frais qu'au départ.

Et comme ce qu'il disait semblait manifeste, Skjellerup se radoucit.

— D'accord, jusqu'à Teller.

Mais il avait toujours l'esprit hanté par l'or, et quand il monta avec le Sibérien, tout fut perdu.

— M. Skjellerup ! Vous, moi, lui... Quelle équipe ! Nous regardons dans tous les ruisseaux. Nous creusons tout le sable.

De toute évidence, Arkikov avait posé aux prospecteurs de bonnes questions lorsqu'il avait livré les rennes à Council City, et il avait une envie forcenée de se lancer dans une entreprise plus prometteuse que l'élevage du renne.

Sur une impulsion, le Norvégien ordonna une halte d'un jour, à la stupéfaction d'Outenaï qui avait le matin même reçu l'ordre de foncer pour terminer le voyage en deux jours. Mais Skjellerup ne songeait plus qu'à parler, et tandis qu'Outenaï soignait les animaux, le Norvégien se lança dans une discussion sérieuse avec Sana et Arkikov.

— Tu affirmes que des hommes cherchaient de l'or.

— Beaucoup d'hommes... Dix-sept, peut-être dix-huit.

— Mais en trouvaient-ils ?

— Pas là-bas. Mais sur le Koyukuk, oui. Et au Yukon.

— Comment avaient-ils obtenu le droit de chercher ? demanda Sana.

Le Sibérien prouva sa compétence :

— J'ai demandé aux hommes comment ils avaient obtenu ces terres.

— Qu'ont-ils répondu ?

— Ils ont ri. Tout est gratuit... Toutes les terres sont gratuites. On trouve, on garde.

— Pas possible ! s'écria Skjellerup, incrédule.

C'était si différent de ce qu'il avait connu en Norvège, où la propriété du sol demeurait jalousement protégée. Pour toute réponse, Arkikov plongea les mains dans un ruisselet qui sortait des rochers, et fit aller et venir ses paumes comme si elles contenaient du gravier.

— Tous les cours d'eaux sont gratuits... Pour toi, pour moi.

Sana prit la parole en norvégien.

— J'ai entendu un Canadien dire la même chose de son pays. Personne n'est propriétaire de la terre sur des milliers d'hectares et l'on peut établir des mines où on le désire. La terre ne vous appartient pas, mais l'or est à vous. Si Arkikov trouve de l'or demain, il est à lui. Nous pouvons creuser n'importe où, si ce que l'on m'a dit est vrai.

Il traduisit pour Arkikov, et les trois hommes gardèrent le silence car ils devaient prendre des décisions d'une importance extrême. Il n'existait sans doute pas trois hommes mieux à même de le faire. Lars Skjellerup avait conduit ses rennes tout au bout du monde ; Mikkel Sana avait traversé la Laponie aux endroits les plus déserts de la terre ; et Arkikov avait renoncé à la sécurité de sa Sibérie natale pour tenter sa chance en Alaska, avant de démontrer ses qualités humaines au cours de la sensationnelle expédition de sauvetage à Barrow. C'étaient des hommes résolus, pleins de courage et de bon sens. Ils étaient également jaloux de leurs droits, comme le Sibérien venait de le prouver en revenant au système de harnachement qu'il préférait. En fouillant tous les territoires lointains, on n'aurait pas pu trouver trois hommes mieux adaptés que ceux-là à une expédition de prospection. Ils ne connaissaient guère le travail de la mine, mais ils se connaissaient eux-mêmes.

Tous célibataires. À trente-quatre ans, Skjellerup était le plus âgé. Sana venait ensuite avec trente-deux ans, et Arkikov demeurait le benjamin avec ses vingt-huit ans. En intelligence pure — par exemple leur capacité de conduire un troupeau de quarante rennes pendant huit mois et de revenir avec cinquante-sept bêtes, ou bien de trouver le nord avec une visibilité très limitée —, ils n'avaient pas leur pareil. Surtout, chacun d'eux avait toutes ses dents et une constitution de taureau. L'or d'Alaska avait été découvert justement par ce genre d'hommes.

— Je pense que nous devrions faire un essai, dit Skjellerup.

— Nous suivrons toutes les rivières... Nous trouverons des quantités d'or ! s'écria Arkikov en entendant ces paroles rassurantes.

Après cette prise de décision, joyeuse mais réfléchie, les trois hommes ne revinrent jamais sur leur parole. Pour tout dire, quand le voyage retardé vers la station reprit, Skjellerup observa froidement les pattes agiles de ses magnifiques bêtes qui s'étaient si bien comportées et songea : « Qui le croirait ? J'en ai vraiment marre des rennes. »

La réussite de leur expédition de sauvetage à Barrow suscita tellement de publicité favorable que le gouvernement de l'Alaska — le peu qu'il y avait — et celui des États-Unis envisagèrent d'étudier d'autres utilisations éventuelles des rennes. Mais Skjellerup ne témoigna aucun intérêt.

— Il est temps que je m'en aille. Des jeunes Eskimos comme Outenaï sont parfaitement compétents.

— Qu'allez-vous faire ? lui demanda-t-on.

— Je trouverai bien quelque chose...

Il n'était pas encore prêt à révéler qu'il comptait se lancer dans la prospection.

Tous ceux qui connaissaient ses capacités voulurent l'engager. Il reçut des propositions fort insolites, dont celle de devenir missionnaire presbytérien à Barrow.

— Je suis luthérien, répondit-il.

— Peu importe. Vous êtes de toute évidence un homme de Dieu.

Et à sa manière, il l'était. Il adorait les animaux, il pouvait travailler avec n'importe qui, et il aimait la terre, qu'il considérait comme un don du Seigneur. Mais il arrivait à l'âge où l'on veut travailler pour une chose qui rapporte.

— J'ai bien servi la Norvège, la Laponie, la Sibérie et l'Alaska. À présent, bon sang, je vais servir Lars Skjellerup.

À cette époque de déplacements libres en Alaska, qui avait débuté par l'explosion des découvertes de l'or du Yukon, on ne réclamait guère de passeports et de documents de ce genre. Bien entendu, Skjellerup et Sana avaient des papiers, mais ils étaient périmés depuis longtemps. Quant à Arkikov, il ne pouvait montrer que son sourire. Il était arrivé en Amérique dans des circonstances très particulières et presque chaque semaine il pouvait prendre un bateau pour la Sibérie, car les liaisons entre les deux pays demeuraient fréquentes, pratiques et sans obstacle.

Ainsi donc, par une belle journée de fin juillet 1898, les trois associés quittèrent la station et se dirigèrent vers l'est avec un traîneau et trois rennes sibériens. Comme il n'y avait pas de neige, ils laissèrent un des animaux attelé au traîneau vide et fixèrent leurs bagages sur le dos des deux autres. Quel spectacle au moment où ils se lancèrent dans leur grande aventure : le grand Skjellerup dégingandé à l'arrière ; Sana, mince et costaud au milieu ; et le solide Arkikov à l'avant, qui réglait la marche et courait presque pour arriver au premier cours d'eau.

Ils s'étaient également habillés de façon différente. Le Norvégien avait adopté les gros vêtements sombres du prospecteur américain, le Lapon conservait son costume coloré et le Sibérien avait choisi un mélange de vêtements de fourrures utilisés par tous les peuples du Nord. Leur équipement, quoique modeste, était extrêmement pratique et presque entièrement fabriqué à la main. Les marteaux avaient été emmanchés par Arkikov et les tamis confectionnés par Mikkel Sana.

Ils commencèrent la prospection en se dirigeant vers l'est. Sur un petit ruisseau, Arkikov agita le tamis avec enthousiasme, mais ne remarqua pas les reflets minuscules et cria à ses compagnons :

— Pas d'or dans celui-ci !

Ils s'en allèrent donc, passant ainsi à côté d'un des cours d'eau les plus riches de l'histoire mondiale. Ne nous moquons pas d'eux pour autant, parce qu'au cours de cet été infructueux de nombreux prospecteurs allaient faire de même.

Après avoir parcouru cent cinquante kilomètres vers l'est, ils se trouvèrent au milieu de soixante-dix ou quatre-vingts prospecteurs et retournèrent à un endroit que la carte appelait Cap Nome et qui resterait toujours un site étrange. Il y avait un cap Nome et une rivière Nome, très éloignée et sans aucune relation. Il y aurait plus tard une ville du même nom à des kilomètres des deux autres Nome. Quand Skjellerup et son équipe arrivèrent au cap, aucune ville ne s'élevait bien entendu dans les parages, seulement quelques tentes, mais ils campèrent là et ne trouvèrent rien. Ils continuèrent aussitôt vers l'ouest et la rivière Nome, où ils furent également déçus. Arkikov, qui se prenait pour le mineur le plus compétent du trio, pressa les autres de repartir aussitôt à Council City pour réclamer une concession, bonne ou mauvaise, mais Skjellerup l'en dissuada et, sans grand espoir, ils continuèrent avec leurs rennes vers l'embouchure de la Snake River.

Sans doute les animaux sont-ils responsables de la chance qui allait les combler, car un jour de la fin septembre, trois immigrants suédois agités, qui en connaissaient encore moins qu'eux en matière d'or, vinrent consulter Skjellerup en mauvais anglais.

— Norvégien ? chuchota-t-il. Comme les autres le disent ?

Skjellerup répondit en bon suédois qu'il avait participé à l'expédition de sauvetage de Barrow. Soulagé, le prospecteur demanda :

— Peux-tu garder un secret ?

— Je l'ai toujours fait.

— Es-tu prêt à nous aider ? Si nous te mettons dans le coup ?

— Que se passe-t-il ?

L'homme lança un coup d'œil par-dessus son épaule du côté des autres tentes plantées le long de la plage pour s'assurer que personne ne regardait, puis il ouvrit la main gauche, qui contenait une douille de cartouche ; il enleva le mouchoir qui la protégeait et la renversa au-dessus de sa paume : un flot de poudre d'or et de petites pépites en sortit.

— Est-ce de l'or ? demanda Skjellerup.

Les trois Suédois acquiescèrent.

— D'où vient-il ?

— Chut ! Nous avons trouvé un ruisseau. Il contient des quantités d'or. C'est incroyable.

— Pourquoi m'en parlez-vous ?

— Nous avons besoin de ton aide.

— Pour quoi faire ?

De nouveau le Suédois regarda autour de lui.

— Nous avons trouvé le ruisseau, mais nous ne savons pas comment procéder ensuite.

Les Suédois avaient eu de la chance de tomber sur Skjellerup, car c'était le genre d'homme qui connaissait un peu de tout, mais ne se montrait pas arrogant pour autant. Il lui suffisait de savoir.

— Je crois que dans un certain délai, tu dois tenir une réunion publique, parce que les autres ont le droit de savoir. Il faut leur donner l'occasion de réclamer une concession. Et il faut établir ta concession de découverte de façon très précise. Ensuite tu remplis des papiers. Mais si tu ne fais pas ces choses-là comme il faut, tu risques de tout perdre.

— C'est ce que nous craignions.

— Qui d'autre est au courant ?

— Personne, mais plusieurs types ont commencé à fouiner là-haut. Bientôt tout le monde saura.

Lars Skjellerup était l'un des hommes les plus capables sur les gisements d'or cette année-là.

— Je vous aiderai, dit-il. Mais je veux le droit de réclamer ma concession, et dès ce soir.

— C'était bien notre intention, répondirent les Suédois avec une incontestable sincérité — que Skjellerup contesta, en songeant : « C'est ce qu'ils disent maintenant, parce que je l'ai demandé, mais qu'auraient-ils dit si je n'avais rien exigé ? »

— Et pour mes deux associés, ajouta-t-il. Nous faisons équipe.

— Ton nom ? Skjellerup ? On nous a avertis que nous ne pouvions réclamer qu'une seule concession chacun, deux pour moi, parce que j'ai découvert le site. Les concessions suivantes reviendront à d'autres. Autant que ce soit toi et tes associés.

— Qui sont ces associés ? demanda un autre Suédois.

Skjellerup leur présenta le Lapon et le Sibérien.

— Nous aurons peut-être des ennuis, dit le Suédois. Nous sommes tous étrangers.

Le chef et l'un des Suédois étaient naturalisés américains, mais il restait cependant quatre étrangers parmi les six premiers prospecteurs réclamant des concessions.

— Je crois que la loi est très claire, leur assura Skjellerup. Toute personne de bon aloi peut se présenter. Nous allons vite le découvrir.

Quelques questions à gauche et à droite leur apprirent vite qu'une réunion publique de six mineurs pouvait déclarer un site « district minier » si l'on rendait public le lieu de la découverte. Mais aucun des six hommes ne connaissait la procédure précise, ni la manière complexe dont on peut s'assurer une concession.

— Nous devons faire confiance à quelqu'un d'autre, dit Skjellerup. Choisissez-le bien.

Avec la grande chance qui échoit souvent aux Suédois et à tous les hommes raisonnables, le chef choisit un vieux mineur, abattu par la malchance mais ancien combattant de plus d'une bataille honorable. Jusque-là, il était arrivé six mois trop tard sur les zones aurifères, comme on appelait techniquement les gisements d'or. Le destin allait enfin frapper à sa porte avec trois jours d'avance.

John Loden, lui aussi d'origine suédoise mais américain depuis plusieurs générations, savait exactement ce qu'il fallait faire, et conseilla d'agir très vite.

— Annoncez la réunion. Il faut qu'elle soit publique. Préparez bien vos relevés de concessions. Puis écartez-vous quand commencera la ruée.

La réunion se tint sous une tente à l'endroit où la Snake River se jette dans la mer de Béring. Onze hommes choisis y assistèrent, car les Suédois avaient fait courir discrètement le bruit d'une découverte prometteuse. Loden présida la séance et demanda à plusieurs reprises la collaboration des participants. Deux des prospecteurs connaissaient mieux que lui la loi des mines, et leur présence fut décisive, car il y aurait plus d'un mauvais jour, et leur témoignage sur la légalité de la procédure serait essentiel.

Quand les quatre nouveaux venus virent avec quel sérieux les sept déjà dans le secret prenaient les choses, ils commencèrent à s'enflammer.

— Où est le filon ?

— Avez-vous vraiment vu « la couleur » ?

— Chaque chose en son temps, messieurs. Chaque chose en son temps.

Quand tous les détails furent réglés, dans la mesure où les mineurs présents purent s'en assurer, Loden se tourna vers le chef des Suédois.

— Expliquez-leur.

— Nous avons vraiment vu « la couleur ». Une découverte importante. Sur Anvil Creek, le ruisseau de l'Enclume.

— Et où est-ce donc ?

— À l'endroit où le gros rocher paraît posé sur un socle. On dirait une enclume.

L'un des hommes poussa un cri strident, un autre lança des vivats et le troisième brailla :

— Nom de Dieu, allons-y !

Le quatrième homme, plus pratique que les autres, se mit à l'entrée de la tente et tira trois coups de revolver en l'air pour alerter tout le monde dans les tentes.

— Un beau filon ! À Anvil Creek !

Une quarantaine de mineurs aux yeux exorbités s'élancèrent dans la nuit d'octobre pour réclamer leur concession sous une lune de moissonneur.

Cinq, Six, et Sept Au-dessus revinrent au Norvégien Skjellerup, au Lapon Sana et au Sibérien Arkikov. Et pendant que les autres, le long du ruisseau, poussaient des cris de joie, tiraient des coups de fusil et dansaient la gigue ensemble, Arkikov passa au tamis, sous le clair de lune, le premier sable de sa concession. Il resta au fond l'équivalent de sept dollars en poudre d'or. Les trois associés allaient devenir très riches.

⁂

Après cette découverte fabuleuse, la situation dans la nouvelle ville de Nome ressembla vite à celle des rives du Klondike : on avait trouvé de l'or, mais si tard dans l'année qu'aucun bateau ne pouvait amener des mineurs sur la mer de Béring, prise par les glaces. La grande ruée serait retardée de dix mois ; mais les mineurs déjà dans la région pouvaient se présenter et réclamer des concessions. Ils ne s'en privèrent pas et une vraie ville commença à se développer, avec une étroite Front Street le long d'un front de mer sinistre.

En juillet 1899, quand les gros bateaux commencèrent à déverser la foule des prospecteurs, Nome devint très vite la ville la plus importante de l'Alaska, avec pas moins de onze bars, qui se présentaient tous comme « le meilleur saloon d'Alaska ». Un nouveau venu en ouvrit un plus grand, qu'il appela crânement *Second Best,* « Pas le meilleur mais le deuxième ». Un de ses clients les plus bruyants, une grande gueule du Nevada du nom de Kling Tête-de-cheval, se vantait d'en « savoir plus long sur la loi des mines que n'importe quel salopard en Alaska », et il semblait si sûr de lui que plus d'un traîne-savates commença à le prendre au sérieux.

— Aucun Russe n'a le droit de venir ici et de prospecter sur des gisements bien américains, clamait-il.

Et, se sentant soutenu, il ajouta :

— Je vais exproprier ce Sibérien de *Sept Au-dessus,* bon Dieu. Ce qu'il fait est illégal.

Comme son cri de bataille fut applaudi, il réunit une bande de voyous armés, se dirigea vers le ruisseau et prit possession du terrain.

Il connaissait apparemment la procédure à employer sur les mines, car dès qu'il revint en ville, il réunit sa bande autour de lui, nomma un président, et établit ainsi une assemblée générale des mineurs, qui autorisa l'annexion avec enthousiasme.

— Vous pouvez tous témoigner, lança-t-il à la fin de la réunion, que les choses ont été faites légalement.

Ses hommes l'approuvèrent à grands cris, et Arkikov se trouva dépossédé de *Sept Au-dessus* au profit de Kling Tête-de-cheval.

Cela produisit sur Arkikov un effet dévastateur. Il était venu en Alaska à l'appel d'un service public ; il s'était toujours comporté honnêtement ; il avait participé à la fameuse expédition de sauvetage de Barrow ; et il avait contribué au lancement et au développement d'Anvil Creek. Et voici qu'on lui arrachait les bénéfices de son industrie. Il se mit à fréquenter les bars en demandant :

— Alors, c'est ça, l'Amérique ?

— Ce n'est pas l'Amérique, lui répondit-on. C'est l'Alaska.

La concession volée ne fut pas restituée, et après plusieurs jours de réclamations infructueuses, il alla voir ses associés et les avertit :

— Moi, Russe. Bientôt, ils feront la même chose à toi, le Lapon ; puis à toi, le Norvégien.

Jugeant sa prédiction sensée, Sana et Skjellerup s'armèrent et achetèrent une arme au Sibérien.

Bien entendu, dès que Tête-de-cheval eut digéré sa possession du *Sept Au-dessus,* il se mit à harceler les clients du saloon *Second Best* avec des plaintes contre « ce maudit Lapon, pas meilleur qu'un Russe, qui est venu ici voler nos bonnes concessions ». Cette fois, il parlait pour le compte de son associé, Magoon-le-Ravi, un gros bonhomme qui souriait en toute circonstance. Et après une autre réunion de mineurs, Mikkel Sana se trouva dépossédé de *Six Au-dessus* et tout le monde comprit que le tour du Norvégien Lars Skjellerup viendrait ensuite.

On s'aperçut vite que Magoon-le-Ravi, nouveau propriétaire de *Six Au-dessus,* n'avait pas toute sa tête ; Tête-de-cheval s'était servi de lui comme homme de paille pour voler une belle concession. Dès que des bruits se mirent à courir contre « ce maudit Norvégien », Skjellerup et les trois Suédois s'alarmèrent. Avant longtemps Tête-de-cheval serait l'unique propriétaire de sept belles concessions sur Anvil Creek.

Comment de telles violations flagrantes de la loi pouvaient-elles se produire ? Parce que le Congrès des États-Unis refusait toujours d'accorder à l'Alaska un gouvernement rationnel. La région demeurait le District d'Alaska, mais de quoi était-elle le district, personne n'aurait su le dire. Et l'ancienne loi « territoriale » de l'Oregon, déjà dépassée au moment où on l'avait imposée, continuait d'enfermer le pays dans une camisole de force. Si le Congrès avait décidé d'accorder à l'Alaska des lois en vigueur dans le Maine, cela aurait eu davantage de sens, car les caractères et les problèmes des deux régions semblaient à peu près les mêmes. Mais rapprocher l'Alaska de l'Oregon était absurde. L'Oregon constituait un État agricole avec des champs spacieux ; or s'il y avait des terres plates en Alaska, elles étaient probablement hantées par des ours grizzly. L'Oregon s'était peuplé d'hommes et de femmes qui vivaient dans la crainte et le respect de Dieu, et avaient apporté de Nouvelle-Angleterre la volonté puritaine de mener une existence organisée et de travailler dans leurs villages ; l'Alaska, au contraire, recueillait des épaves comme John Klope, venu d'une ferme ruinée de l'Idaho et des salopards comme Kling Tête-de-cheval, qui se déplaçaient d'un camp de mineurs à l'autre. En d'autres termes, l'Oregon était une région bien civilisée qui aspirait à ressembler au Connecticut le plus vite possible, tandis que l'Alaska avait décidé de rester différent des autres États américains aussi longtemps qu'il pourrait.

Mais il fallait se trouver sur les lieux pour évaluer réellement la démence de la vie en Alaska, et il n'existait pour cela pas de meilleur terrain d'observation que Nome. L'ancienne loi territoriale n'avait rien prévu pour l'établissement de villes nouvelles comme Nome, et ce genre de ville-champignon ne pouvait pas élire de corps constitués communaux. Comme la loi ne prévoyait pas de services de santé, aucun ne pouvait être autorisé à Nome ; chacun dans la ville pouvait jeter son eau sale où il lui plaisait. Plus insensé que tout, un cercle vicieux empêchait encore les tribunaux de juger les délinquants : la loi de l'Oregon précisait clairement qu'aucun homme ne pouvait être juré s'il ne pouvait pas prouver qu'il avait payé des impôts, mais comme il n'existait aucun gouvernement en Alaska, personne ne payait d'impôts.

Il ne pouvait y avoir aucun jugement par jury, donc aucun tribunal normal ne pouvait siéger.

Cette situation absurde permettait à des délinquants comme Kling Tête-de-cheval de commettre leurs vols dans l'impunité. La célèbre fanfaronnade des anciens bagarreurs du Far West, « Aucun juge du pays ne peut poser la main sur moi », était devenue une réalité en Alaska. Les concessions minières volées appartenaient maintenant à Tête-de-cheval, et leurs anciens propriétaires n'avaient aucun tribunal auquel s'adresser.

Toutefois, une autre forme de justice avait cours, et si un observateur impartial connaissant bien la vie de la Frontière avait étudié les dépossessions d'Anvil Creek, il aurait sans doute prévenu les envieux :

— De tous les hommes dans ce coin de l'Alaska, ces trois-là sont peut-être les plus dangereux si l'on cherche à les voler.

Il aurait montré le Norvégien habitué à ne compter que sur lui-même, le Lapon aux nerfs d'acier et le Sibérien plein d'imagination dont on pouvait s'attendre à tout. Il aurait ajouté :

— Pour sauver Barrow, ces hommes ont traversé de grandes distances à pied, ont dormi sans protection dans des blizzards à cinquante degrés au-dessous de zéro. Il semble fort improbable qu'ils laisseront un matamore du Nevada les déposséder de droits qu'ils avaient durement gagnés.

Les clients moins sagaces des bars de la ville auraient sans doute répondu :

— À Nome, il n'y a pas de loi.

Le 12 juillet 1899, on trouva Kling Tête-de-cheval abattu d'une balle à l'entrée de sa mine *Sept Au-dessus,* et peu après, Magoon-le-Ravi, toujours souriant, s'entendit dire :

— Tu n'es plus le propriétaire de *Six Au-dessus.*

Personne ne découvrit qui avait tiré la balle, et personne ne s'en soucia vraiment. Aux yeux de tous, Tête-de-cheval avait essayé de s'emparer de concessions appartenant à autrui, et l'on ne pleura donc pas sa mort. Et quand le Lapon industrieux, Mikkel Sana, récupéra *Six Au-dessus,* nul ne protesta, car tout le monde reconnaissait à présent qu'il avait plus que mérité sa concession.

Mais lorsque le Sibérien Arkikov voulut reprendre possession de *Sept Au-dessus,* les premières protestations reprirent vigueur et au cours d'une assemblée houleuse de mineurs, de nouveau on décréta qu'aucun Russe ne pouvait détenir une concession à Anvil Creek et on l'évinça.

Cette fois, le pauvre garçon se trouva dans un désarroi complet. Il alla de bar en bar pour essayer d'inspirer sympathie et soutien. Puis des bruits se mirent à courir : « C'est le Sibérien qui a tué Tête-de-cheval. » Les hommes mêmes qui avaient applaudi la mort de l'usurpateur se sentirent offensés par le fait qu'un Sibérien ait abattu un Américain. Arkikov se trouva bientôt rejeté de tous. Ses deux associés essayèrent de le consoler en lui promettant de partager leurs bénéfices avec lui, mais cela ne l'apaisa nullement, et il continua de protester qu'une chose pareille n'aurait jamais dû se produire en Amérique.

Mais c'était, au fond du cœur, un optimiste incorrigible, et après avoir exprimé violemment son ressentiment pendant plusieurs jours, il prit son matériel de prospection et remonta la vallée creusée par la Snake River dont l'Anvil Creek était un affluent. Il tenta sa chance avec le gravier du moindre ruisseau. Il ne trouva rien, et le soir du troisième jour, il revint à Nome, inconsolable et tourmenté.

Ce qui se passa ensuite ne peut être apprécié que par un autre mineur. Arkikov avait ses outils de prospecteur — une gamelle de cinquante sous et une pelle qui avait dû en coûter soixante — et disposait de beaucoup de temps. Sans doute était-il animé par un ardent désir d'or. N'ayant plus de ruisseaux à prospecter, il regarda l'étendue sans fin de la plage devant lui et s'écria, avec l'âme d'un vrai chercheur d'or :

— Tout ce foutu océan... Je vais voir.

Il se mit à passer au tamis les sables de la mer de Béring.

Ce genre de chose s'était déjà produit. Certains des hommes qui avaient descendu le Mackenzie à partir d'Edmonton avaient prospecté chaque ruisseau en chemin. D'autres, sur le point de mourir de faim, s'étaient arrêtés dans la montagne pour explorer un torrent inconnu. Et maintenant, le Sibérien Arkikov était prêt à prospecter la mer de Béring tout entière. Sans doute irrationnel, mais pas pour lui.

Il n'eut pas besoin d'aller loin sur la plage déserte, car dans sa deuxième gamelle, au crépuscule au milieu des cris de courlis, il tomba sur l'une des plus étranges découvertes de l'histoire des mines. Non seulement il vit « la couleur » mais il ne s'agissait pas seulement de poudre : de vrais grains d'or, de belle grosseur.

Refusant d'en croire ses yeux il versa l'or dans une vieille cartouche puis trempa de nouveau sa gamelle. De nouveau, il trouva « la couleur ». Saisi de folie ou presque, il courut en tous sens le long de la plage : une autre gamelle, un autre essai, et toujours de l'or.

À Nome en juillet, avant qu'on ne s'amuse à manipuler l'heure, le soleil se couchait vers neuf heures et demie et toute la soirée, dans une légère brume argentée, le Sibérien exalté courut sur les plages tandis que le soleil jouait à cache-cache avec l'horizon. Quand la nuit tomba enfin, il avait à raconter une histoire qui stupéfierait le monde.

Tout d'abord, il la chuchota à ses associés, autour d'une table du *Second Best :* s'ils s'étaient montrés loyaux en lui promettant une part de leur fortune, il devait leur rendre la pareille.

— Ne regardez pas autour de vous. Ne dites rien. J'ai trouvé quelque chose.

Il tendit la cartouche à Skjellerup, qui l'examina furtivement, siffla entre ses dents et la fit passer à Sana. Celui-ci ne siffla pas mais haussa les sourcils.

— Où ? demanda Skjellerup sans changer d'expression.

— La plage.

Ces deux mineurs furent les premiers à apprendre que les plages de Nome regorgeaient d'or. Comme tous les autres ensuite, ils n'en crurent pas un mot. De toute évidence, les malheurs d'Arkikov lui avaient fait perdre le nord, et pourtant... il y avait l'or, propre et d'excellente qualité. Il venait bien de quelque part.

Ils essayèrent de le calmer, lui recommandèrent de parler à voix plus basse et quand il s'apaisa, ils lui demandèrent :

— Dans quel ruisseau tu l'as trouvé ?

Ils reçurent la même réponse.

— Tu veux dire la plage ? La mer ? Les vagues ?

— Oui.

— Tu veux dire qu'un mineur a perdu cette cartouche sur la plage et que tu l'as trouvée ?

— Non.

— Quelle partie de la plage ?

— Sur toute cette foutue plage.
C'était tellement incroyable que les deux autres proposèrent :
— Retournons chez nous pour tirer ça au clair.
Mais Skjellerup et Sana découvrirent qu'Arkikov s'en tenait à la même histoire : les plages banales, ordinaires de Nome contenaient des quantités d'or.
— À combien d'endroits as-tu essayé ?
— Beaucoup, beaucoup.
— Et partout « la couleur » ?
— Oui.
Les deux hommes réfléchirent. Quoique persuadés au fond d'eux-mêmes que la nouvelle était improbable, ils durent avouer qu'il y avait une quantité importante d'or dans la cartouche. Skjellerup en prit la moitié dans la main et la tendit vers le Sibérien.
— Si le sable est plein de ça, pourquoi personne d'autre n'en a trouvé ?
Arkikov fournit la réponse retentissante qui explique le mystère des mines :
— Personne n'a cherché. J'ai cherché. J'ai trouvé !
Il était près de minuit, et comme le soleil se lèverait à deux heures et demie, Skjellerup et Sana décidèrent de ne pas se coucher pour pouvoir vérifier l'incroyable récit de leur associé dès l'aurore.
— Nous ne devons pas travailler l'un à côté de l'autre, avertit Skjellerup et personne ne doit se rendre compte que nous cherchons de l'or. Faisons semblant de ramasser du bois d'épave.
Arkikov ne se joignit pas à eux. Épuisé par ses journées de prospection, il préféra dormir ; et il savait déjà qu'ils trouveraient de l'or.
Donc le Norvégien et le Lapon quittèrent leur matelas à deux heures et quart du matin le 16 juillet 1899 et se promenèrent l'air de rien sur la plage de Nome, en s'arrêtant de temps en temps pour ramasser du bois. À cinq heures du matin Lars Skjellerup s'assit sur un rondin, au bord des larmes :
— Je suis tellement content pour Arkikov. Après ce qu'ils lui ont fait.
Sans exprimer la moindre émotion, les deux promeneurs revinrent dans leur cabane et secouèrent Arkikov.
— Les plages sont pleines d'or.
— Je sais. Je l'ai découvert, répondit-il d'une voix ensommeillée.
Dans l'après-midi, en suivant bien toutes les procédures qui permettraient aux trois associés de protéger au mieux leur découverte incroyable, Skjellerup convoqua au *Second Best* une assemblée de mineurs, à laquelle il s'adressa avec de fortes paroles :
— Messieurs, vous connaissez mon associé Arkikov, que vous appelez « ce maudit Sibérien ». Eh bien, il a fait une découverte qui vous rendra tous millionnaires. Peut-être pas millionnaires, mais diablement riches.
» Seulement, il n'y a aucune autorité légale à Nome et nous ne connaissons aucun exemple que nous pourrions appliquer à l'exploitation de cette trouvaille stupéfiante. La taille habituelle des concessions ne convient pas. Et nous devrons nous donner des règles spéciales. Je crois que nous en sommes capables.
Un mineur sur la droite lança d'une voix impatiente :
— Qu'a-t-il trouvé au juste ?
Skjellerup prit la cartouche dans sa poche, la souleva dans sa main droite et fit couler dans sa main gauche les particules d'or dont il avait

ramassé une partie le matin même. Elles scintillèrent dans l'air clair de l'après-midi. Même les hommes dans les coins les plus sombres du bar les virent : c'était ce qu'ils étaient venus chercher dans le Grand Nord, de l'or de *placer*.

— Où ? crièrent des voix, tandis que des hommes s'avançaient vers la porte pour être les premiers à réclamer les concessions les plus proches.

— Comme je vous l'ai dit, il n'y a jamais eu de gisement d'or pareil à celui-ci. Il nous faut établir de nouvelles règles. Je propose que chaque homme obtienne... par exemple dix mètres.

C'était tellement ridicule par rapport aux dimensions normales des concessions — cinq cents mètres le long du cours d'eau et sur chaque rive jusqu'en haut de la première terrasse — que les hommes hurlèrent.

— D'accord ! concéda Skjellerup. Nous formons une assemblée d'organisation et c'est vous qui décidez des règles. C'est bien normal. Allez-y.

— Comme toujours, cinq cents mètres le long du cours d'eau et d'une terrasse à l'autre.

— Mais il n'y a pas de terrasses. Il ne s'agit pas d'un cours d'eau.

— Alors qu'est-ce que c'est, merde ?

— Explique-leur, Arkikov.

Le Sibérien, souriant de toutes ses dents éclatantes, prononça des paroles sans précédent :

— Le long de la plage. Toute cette foutue plage. Je l'ai trouvé.

Avant même ces derniers mots, des hommes sortaient du bar en trombe. Une minute plus tard, il ne restait que les trois associés et un garçon de café, celui qui boitait. La véritable ruée vers l'or de Nome venait de commencer.

La découverte de la plage de Nome était unique à plus d'un égard. Comme l'or s'offrait si aisément, des prospecteurs qui avaient manqué les ruées précédentes eurent une deuxième chance ; il leur suffisait de creuser dans le sable pour emporter dix ou quarante mille dollars. Et s'ils parvenaient à construire quelque machine ingénieuse permettant de passer de grandes quantités de sable à l'eau de mer, ils prenaient aussitôt le chemin du million. À Nome, plus question d'entreprendre le travail épuisant de John Klope sur sa crête improductive dominant l'Eldorado — creuser à près de quinze mètres, établir des feux pour dégeler la boue glacée et la remonter à la surface. Une homme pouvait partir le matin, tenter sa chance sans se fatiguer pendant la journée, et se plaindre le soir, au comptoir du *Second Best* :

— Je n'ai trouvé aujourd'hui que quatre cents dollars.

Mais les deux découvertes historiques avaient plus d'un point semblable. Comme sur le Klondike, Arkikov avait « vu la couleur » tard dans la saison. La nouvelle parvint à Seattle par le dernier bateau en partance vers le sud, mais la mer de Béring se trouva prise par les glaces avant qu'un autre bateau puisse appareiller vers le nord. Donc les hommes relativement peu nombreux qui auraient la chance d'atteindre Nome avant le gel, allaient avoir le champ libre de juillet 1899 à juin 1900. Mais tandis qu'ils amassaient leur butin, une foule considérable de candidats mineurs se rassemblait à San Francisco et à Seattle, car la rumeur s'était répandue dans le monde qu' « à Nome les plages regorgent d'or » — et la poignée de mineurs rentrés dans le sud par le dernier bateau avaient des sacs d'or et des lingots pour le prouver. Quand la glace fondit enfin au début de l'été 1900, la population de Nome allait s'élever brusquement à plus de trente mille personnes, et Nome demeurerait une ville sans loi.

⁂

Le Yukon avait ses propres problèmes. Lors de son dernier voyage en amont avant les glaces, le *Jos. Parker* avait apporté la nouvelle de cette découverte unique. Avant même que le bateau accoste à Dawson, un des marins criait :

— On a trouvé de l'or sur la plage de Nome ?

L'effet fut volcanique. Chaque mineur qui était passé à côté de la grande découverte du Klondike savait qu'il devait se rendre sur le nouveau gisement le plus vite possible. Une demi-heure après le premier cri, tous les impatients avaient envahi les quais pour s'embarquer à destination de Nome. Comme l'un des vieux mineurs l'expliqua à Tom Venn, chargé de la vente des billets pour la traversée de retour du *Jos. Parker* à Saint-Michael :

— Rationnel, non ? L'hiver est aussi long à Nome qu'ici, et aucun bateau ne pourra arriver de Seattle avant juin. Si je peux prendre ton bateau, j'aurai tout le gisement pour moi. Cette fois, je pourrai réclamer une concession.

— Aucune couchette, monsieur, dut lui annoncer Tom. J'ai vendu les dernières il y a un quart d'heure.

— Que vais-je faire ? demanda le vieil homme, désolé.

— Dormir sur le pont, répondit Tom.

— Donne-moi un billet ! cria le mineur.

Quand il l'eut entre les doigts, il courut chercher son sac de couchage pour la longue traversée.

Les couchettes avaient été retenues si vite parce que dix minutes après le premier cri « De l'or à Nome », la Cavale belge avait ordonné à ses dix filles :

— Vos bagages. On file à Nome !

Elle s'était précipitée au bureau de Venn pour payer onze couchettes. Comme les célèbres rats dont le départ annonce que le bateau va couler, les Belges quittant leurs cabanes de prostitution marquaient la fin de Dawson. Pendant deux ans elle était restée la ville de l'or, Nome allait prendre le relais.

Tom était en train de calculer combien il lui restait de places sur le pont du *Parker* lorsque survint son directeur, M. Pincus, vieil employé de R & R qui avait géré des magasins en plusieurs endroits pour le compte de la grande compagnie de Seattle.

— Tom, s'écria-t-il, la chance de ta vie ! Je vais envoyer toutes nos réserves à Nome. J'aimerais obtenir d'abord l'approbation de M. Ross, mais la devise de la compagnie est : « Fais ce que dois. » Dawson est fichue. Nome aura cinquante mille habitants l'an prochain à cette époque... Quel âge as-tu ? ajouta-t-il en souriant au gamin.

— Dix-sept ans, répondit Tom en s'adjugeant une année de plus que son âge réel.

— Ça ira. Et tu sais comment les choses se passent sur un gisement d'or. Va-t'en à Saint-Michael avec le *Parker,* puis transporte nos réserves à Nome, construis un magasin, très vaste, et dirige-le honnêtement.

— Vous voulez dire que... ?
— Oui. Petit, c'est toi ou moi. Et franchement, il est plus difficile de fermer un magasin que d'en ouvrir un autre. Je suis indispensable ici. On a besoin de toi là-bas.
Tom se mit à trembler, accablé par la gravité de la proposition. Le directeur l'entraîna dans son bureau.
— Un vieil homme sage m'a donné cette balance à peser l'or, Tom. Je m'en suis servi sur trois gisements différents. Tu vois, il n'y a pas de rouille.
Tom se pencha vers la jolie petite balance et son jeu de poids à peser la poudre d'or, et il ne vit aucune rouille.
— Je songeais à de la rouille morale, Tom. Je crois que ces plateaux n'ont jamais pesé de l'or malhonnête. Continue de les faire briller.
Le départ du *Parker* fut retardé d'un jour pour que l'on puisse entasser à bord pour ainsi dire toute les réserves du magasin R & R à Dawson. Tandis que Tom surveillait le chargement des précieuses marchandises dont il était à présent responsable, il entendit dans les cabines de la Cavale belge des rires indiquant que le prix des passages serait récupéré avant la fin de la première nuit à quai.
Ce retard eut au moins une conséquence heureuse. En effet, à l'aube du deuxième jour apparurent trois personnes très importantes pour Tom, et deux d'entre elles désiraient partir. Il s'agissait de Missy Peckham, de Matthew Murphy et, à la stupéfaction de Tom, du grand John Klope, de plus en plus aigri. Missy et Murphy désiraient partir, mais ils n'avaient pas d'argent, car les gisements d'or ne s'étaient pas montrés généreux à leur égard. Et comme Klope n'avait rien trouvé au fond de son puits, il n'avait pas d'argent non plus.
Ils étaient venus implorer la pitié de leur ami commun Tom Venn, et ce fut Klope qui prit la parole.
— Tom, tu es comme un fils pour moi. Je t'en supplie comme ton père te supplierait s'il était ici aujourd'hui. Emmène Missy et Matt à Nome. Donne-leur une seconde chance.
— Il faut que je fasse payer tous les passagers. C'est le règlement de la compagnie.
Ce fut un instant émouvant, car ces trois êtres qui avaient fourni tant d'efforts courageux, qui avaient subi toutes les souffrances d'une ruée vers l'or, n'avaient rien obtenu pour leur courage et leurs peines. Ils étaient sans le sou, sans le moindre sou, et deux d'entre eux avaient besoin d'argent pour se sauver. Quant à Klope, il n'y avait apparemment aucune issue ; il était emprisonné dans son puits pour toujours.
— Qui t'aidera, à présent ? lui demanda Tom.
— Sarqaq, répondit-il. Sa jambe n'a jamais guéri. Il ne peut plus courir derrière les chiens, mais il en vend un de temps en temps. Nous vivons.
Après ces remarques, Tom dut annoncer la mauvaise nouvelle.
— Le bateau ne peut prendre qu'une seule personne de plus.
Sans hésiter, Matt poussa Missy en avant.
— Ce sera pour elle.
— Et il faut que... quelqu'un paie son billet.
La discussion qui suivit révéla trois choses : Missy devait aller à Nome ; Matt la rejoindrait dès qu'il pourrait ; et aucun des trois n'avait l'argent nécessaire.
Klope attendit que l'un des autres parle, puis prit Tom à l'écart :
— Elle s'est occupée de toi... quand ton père est mort, quand tu

étais enfant, à Dawson puis à notre mine. Tu dois t'occuper d'elle à présent.

Et sur ces mots, il poussa Tom vers la femme à qui il était si intensément lié dans ses jeunes années.

— Missy, balbutia-t-il, tu as été plus qu'une mère pour moi. Je vais payer ton billet.

Missy l'accepta en silence, car après la vie implacable des gisements d'or, elle n'espérait plus le moindre geste de générosité. Elle regarda Tom, tenta de murmurer quelques paroles de remerciements, mais le voyant très gêné lui aussi, elle se tut.

Le voyage devait être rapide, car de la glace commençait à se former ici et là ; ce serait la dernière tentative de descendre le Yukon cette année-là. Comme on lui demandait d'aller plus vite, le capitaine Grimm ricana :

— Il y a deux ans, tout le monde voulait se précipiter à Dawson. Le Yukon a bloqué mon bateau. Cette année, tout le monde est pressé d'en sortir. Peut-être gèlerons-nous de nouveau.

— Oh, mon Dieu ! s'écria un mineur. Et manquer encore les concessions ?

— On peut gagner du temps si vous vous hâtez de charger le bois aux arrêts.

Depuis que le *Jos. Parker* faisait partie d'une ligne régulière, dès que Grimm s'arrêtait à un dépôt de bois, des stères de bûches lui étaient réservées puisqu'il dépendait à présent de la R & R. Il pouvait donc avancer constamment à toute vapeur. Mais même ainsi, ce ne fut pas une course facile : comme de nombreux capitaines du fleuve l'avaient appris à leurs dépens dans le passé, il arrive souvent que l'embouchure du Yukon soit presque bloquée par les glaces alors que le courant reste libre en amont. Cette année-là cependant, Grimm se faufila, mais au moment où il s'engagea dans la mer de Béring, il vit le grand fleuve se refermer derrière lui. Aucun autre bateau ne passerait.

Les passagers du *Parker* furent les dernières personnes capables de gagner Nome avant que l'hiver ne referme ses doigts de glace au-dessus de la ville. Sur les plages, des tentes se dressaient déjà sur vingt kilomètres vers l'ouest et sur dix-huit kilomètres vers l'est et le cap Nome. À certains endroits, la mer de Béring glacée s'avançait à moins de dix mètres des tentes, et la glace entassée par le ressac s'élevait plus haut que les habitations des hommes. « Comment tous ces pauvres êtres vont-ils survivre aux blizzards ? » se demanda Missy en suivant la ligne interminable de fragiles tentes blanches. Puis elle rit : « Mauvaise question. Comme vais-je moi-même survivre ? »

Après de nombreuses recherches, elle trouva dans une ruelle une masure d'une seule pièce ; puis la question du paiement se posa et la solution survint de la manière la plus inattendue. En effet, lorsqu'elle regarda le bout du sentier devant sa cabane elle vit que tout ce coin-là s'ornait d'un glacier jaune de soixante centimètres d'épaisseur : de l'urine gelée ; et comme elle essayait de comprendre, dégoûtée, d'où provenait cette saleté glacée, des hommes sortirent des bars de Front Street et utilisèrent l'allée comme toilettes.

Dans sa rage noire, elle demanda au propriétaire de la cabane :

— N'y a-t-il aucun urinoir public dans cette ville ?

— Il n'y a rien, lui répondit-il. Ni chiottes, ni services, ni loi d'aucune sorte.

— N'y a-t-il même pas un médecin ?

Il lui indiqua une sorte de tente-abri dans laquelle un jeune homme de Seattle se débattait de son mieux pour résoudre les problèmes de santé de Nome.

Elle s'y rendit et entra en coup de vent dans la tente :

— Savez-vous que dans l'allée devant ma cabane, il y a soixante centimètres d'urine glacée ?

— Regardez donc l'allée derrière ma tente, lui répondit-il.

Il y avait un énorme tas de selles humaines.

— Bon Dieu, docteur, il va y avoir des ennuis dans cette ville.

— Pas avant le dégel, répondit-il d'une voix rassurante. À ce moment-là bien sûr, des gens mourront de dysenterie. Et nous aurons de la chance si nous évitons des épidémies de typhoïde et de diphtérie.

— Vous avez besoin de mon aide, docteur. Je tiendrai vos dossiers, je m'occuperai des médicaments et je vous aiderai pour les femmes.

Le jeune homme gagnait à peine de quoi survivre, mais la fougue de Missy le convainquit.

— Jusqu'à ce que mon mari arrive. Il est à Dawson mais il viendra un de ces jours.

Ainsi obtint-elle un emploi qui lui permettrait de survivre jusqu'à l'arrivée de Matt.

Au cours des premiers jours, elle apprit, stupéfaite, que les quelques puits creusés pour obtenir de l'eau potable étaient situés de telle sorte que n'importe quoi pouvait couler à l'intérieur ; et que la Snake River, dont la ville tirait la majeure partie de son eau, servait également d'égout. Quand elle protesta contre cette situation, le docteur lui répondit :

— Ne m'en parlez pas ! Je l'ai constaté il y a trois mois et je ne comprends pas pourquoi la moitié de la population n'est pas malade ou déjà morte. Nous sommes sans doute protégés par un miracle, mais ne buvez pas une goutte d'eau sans la faire bouillir.

Personne n'étant responsable de la voirie, toutes les rues de Nome n'étaient que des dépotoirs glacés, où en cas de dégel temporaire, des chevaux s'enfonçaient parfois au point de disparaître. Les vols devinrent de plus en plus fréquents ; la Cavale belge ouvrit ses établissements sur la rue principale ; aucun enfant n'allait à l'école et il y avait trois fois plus de bistrots que d'épiceries. Le journaliste qui écrivit « Nome est un enfer sur la Terre » ne se trompait pas beaucoup.

À peine Missy était-elle arrivée depuis une semaine qu'elle eut l'occasion de constater à quel point l'endroit était corrompu. Près de sa masure se trouvait un groupe de plusieurs tentes de toile, occupées chacune par un homme, et depuis la découverte de l'or sur la plage toute tente située à cet endroit contenait nécessairement un petit sac garni de métal précieux. Des bandes de voleurs avaient mis au point une méthode bizarre pour dérober cet or : ils traînaient dans les bars jusqu'à ce qu'un mineur rentre seul chez lui, mais sachant que chaque mineur était armé depuis le meurtre de Kling Tête-de-cheval, la bande l'attaquait seulement lorsqu'il ronflait en sécurité dans sa tente. Ils rampaient, découpaient la toile près de la tête de l'homme, et enfonçaient par le trou une longue gaule portant à une extrémité un chiffon imbibé de chloroforme. Quand le mineur ne risquait plus de se réveiller, les voleurs entraient le plus simplement du monde et fouillaient méthodiquement la tente. Ils s'appropriaient ainsi beaucoup d'or — un vol sans douleur, si l'on peut dire, car à son réveil, le mineur ne se trouvait dépouillé que de son or et il lui suffisait de retourner à la plage pour le remplacer.

La nuit en question, les choses tournèrent mal parce que deux bandes différentes s'attaquèrent aux tentes proches de la masure de Missy. Dans la première, soit la victime avait reçu une dose de chloroforme insuffisante, soit les voleurs avaient cafouillé, mais l'homme s'éveilla et vit comme au travers d'une brume deux inconnus en train de lui voler son sac d'or. Il hurla. Missy s'éveilla et courut à la porte à temps pour voir les voleurs s'enfuir avec l'or. Constatant que la victime avait besoin de soins, elle partit chercher le docteur qui découvrit aussitôt à l'odeur le stratagème employé. Ils ranimèrent peu à peu le mineur.

Pendant que le docteur s'occupait de l'homme, Missy partit vérifier les autres tentes. La plupart des occupants étaient encore dans les bars, mais elle tomba sur une tente dont la toile avait été découpée, et elle vit sur la couchette un mineur inerte avec un gros tampon de chloroforme sur le visage.

— Docteur, venez vite ! cria-t-elle, alarmée.

Un attroupement se fit dans la nuit glacée de novembre. Le mineur était mort. Le hurlement dans l'autre tente avait affolé le second groupe de voleurs et ils s'étaient enfuis. Quand ils avaient retiré la gaule, le chiffon imbibé était tombé sur la bouche et les narines du mineur et l'avait asphyxié.

Quand le docteur ramena Missy à sa cabane, elle verrouilla la porte et coinça une chaise contre la fenêtre.

— C'est une ville horrible, murmura-t-elle en s'asseyant sur le lit, encore secouée. Il faut se protéger à tout instant.

Mais après l'enterrement du mineur, elle eut l'occasion d'étudier Nome de plus près et elle constata que deux établissements étaient bien gérés : l'entreprise de la Cavale belge et le magasin de Ross & Raglan, où Tom Venn, âgé seulement de seize ans mais plus adulte que la plupart de ses clients, menait fort bien sa barque. Il achetait presque tout ce que les mineurs appauvris désiraient vendre et il le proposait à d'autres à des prix raisonnables. Elle vit Tom sous son meilleur jour vers le milieu de novembre, quand il vint dans sa cabane pour solliciter son aide.

— Qu'y a-t-il ? demanda Missy.

— L'idiot qui tenait le petit bazar avant que je vienne installer R & R... Devine ce qu'il a fait.

— Volé l'argent.

— Pire. Quelle bêtise !

Il la conduisit à un entrepôt improvisé dont il venait seulement d'apprendre l'existence. Le toit s'était éventré et il était tombé tellement de pluie qu'une énorme réserve de boîtes de conserve arrivées de Seattle l'été précédent avait perdu ses étiquettes.

— Regarde ! Cinq ou six cents boîtes. Toutes semblables, venant de la même conserverie. Et personne ne peut dire ce qu'il y a à l'intérieur.

Écœuré, il se servit de son ouvre-boîtes au hasard.

— Maïs, cerises, prunes, patates douces...

Missy examina les quatre boîtes. Aucun indice extérieur ne permettait de les distinguer les unes des autres.

— Qu'est-ce que je vais faire ? se plaignit Tom.

Mais Missy était en train de goûter le contenu. Délicieux, déclara-t-elle en faisant claquer ses lèvres. Et Tom Venn prit aussitôt une décision pratique. Il emporta une feuille de carton blanc à son bureau, tandis que Missy et un employé entassaient les boîtes sans étiquettes dans la rue, devant l'entrepôt. Ils construisirent une pyramide capable d'attirer les regards, devant laquelle Tom posa la pancarte :

PRODUITS DÉLICIEUX
QUALITÉ GARANTIE
CONTENU INCONNU
5 CENTS LA BOÎTE
TENTEZ VOTRE CHANCE !

En moins d'une heure toutes les boîtes étaient vendues et les pauvres de Nome chantaient les louanges du jeune directeur de R & R.

Cette affaire attira l'attention de Lars Skjellerup et des autres hommes responsables qui tentaient de maintenir un semblant d'ordre. Malgré la jeunesse de Tom, on l'invita à devenir membre du groupe officieux du « gouvernement » constitué autour de Skjellerup. Voici ce que Tom expliqua dans une lettre envoyée à ses supérieurs à Seattle :

Sous l'autorité d'hommes comme Skjellerup, cette ville a un potentiel énorme. Dawson a prouvé qu'une ville de l'or peut passer de la prospérité à la ruine en une seule année, mais je ne vois aucune similitude entre les deux endroits. Dawson est isolée au milieu des terres, tout au bout de la route canadienne, sans intérêt pour quiconque hormis des mineurs. Nome, port de mer au croisement des routes entre l'Asie et l'Amérique, doit forcément se développer.

Pendant une période de beau temps, je suis allé en traîneau à rennes jusqu'au cap Prince-de-Galles et j'ai pu voir la Sibérie à moins de cent kilomètres. Les bateaux passent aisément d'un côté à l'autre et il faut s'attendre à ce que le commerce entre les deux pays augmente de volume.

Je dois toutefois vous prévenir d'une chose. Nos bénéfices sont énormes et ils le seront davantage quand quarante ou cinquante bateaux à vapeur jetteront l'ancre au large de nos côtes en juin prochain. Mais Nome se trouve sans le moindre gouvernement et sans système de protection contre l'incendie. Si un seul bâtiment prend feu, toute la ville disparaîtra dans les flammes.

Je garderai donc le stock assez bas et renverrai tout l'argent à Seattle dès que possible, car je m'attends à voir un de ces jours mon beau magasin incendié.

Nous espérons toutefois obtenir une sorte de gouvernement. Le bruit court que le Congrès va voter une loi qui accorderait à l'Alaska deux juges, et si cela devient une réalité, l'un des deux juges résidera ici. La situation devrait donc s'améliorer et je suis persuadé que notre ville prospérera.

Vers la fin de 1899, les citoyens de Nome, à l'affût du moindre prétexte pour faire la fête, décidèrent d'organiser une grande nouba pour célébrer la naissance du vingtième siècle, bien que toute personne intelligente sût que le dix-neuvième siècle s'achèverait seulement le 31 décembre 1900 à minuit. Pendant les préparatifs, Lars Skjellerup assura à Tom :

— Voici les derniers jours où cette ville restera sans loi. Dès que la glace se brisera en mai ou juin, le juge fédéral arrivera et les choses commenceront à changer. Plus de vols de concessions, jamais plus.

— Un juge fédéral pourra-t-il obtenir tout ça ? demanda le jeune homme.

Skjellerup dut avouer qu'il l'ignorait, mais il connaissait un homme qui devait le savoir, un ancien instituteur que l'on appelait « professeur Hale », une sorte de cadavre ambulant avec une pomme d'Adam énorme et une voix tonnante, qui aimait donner son avis sur tout. La veille de Noël, on tint une réunion spontanée au *Second Best* et Hale prouva l'ampleur de ses connaissances.

— Dans notre système américain, le juge fédéral est le personnage officiel le plus important.

— Plus important que le président ? cria un mineur.

— À certains égards, oui. Le juge est nommé à vie et dans la longue histoire de notre pays, aucun juge fédéral n'a été condamné pour corruption. Quand tout le reste échoue, c'est vers lui que l'on se tourne pour obtenir la justice.

— Vous voulez dire qu'ils rendent des comptes seulement à Washington ? demanda Skjellerup.

— Ils ne doivent de comptes qu'à Dieu, répliqua Hale. Même le président ne peut pas les démettre. Messieurs, lança-t-il d'un ton presque évangélique, je vous remercie de m'avoir invité ici aujourd'hui. Dans un an, avec un juge fédéral venu du barreau, vous ne reconnaîtrez plus Nome.

Skjellerup et Hale se trompaient quand ils se figuraient que le juge viendrait du barreau fédéral, mais ils avaient raison de croire qu'il se présenterait avec les pleins pouvoirs. S'il était bien choisi, il pourrait ramener très vite Nome dans les rangs de la société civilisée.

— Une chose est certaine, dit le professeur Hale à Skjellerup, il rendra *Sept Au-dessus* à votre ami sibérien.

Et au moment où s'achevait le vieux siècle, presque tout le monde à Nome, en dehors des bandes de voleurs au chloroforme, se préparait à accueillir à bras ouverts un juge puissant. Écœurés par l'anarchie, tous étaient prêts et même impatients de se soumettre à une autorité de bon aloi.

⁂

Nome n'avait célébré le Jour de l'An que trois fois. En 1897, la population entière — trois mineurs n'ayant rien trouvé — s'était réunie sous une tente par un froid glacial pour partager une bouteille de bière précieusement conservée pour la circonstance. Au début de 1898, toute la population une fois de plus — quatorze hommes — avait célébré l'événement à coups de whisky et de pistolet, et en 1899, avant la découverte des sables d'or, une population mêlée de plus de quatre cents personnes — dont les pionniers connus sous le nom des Trois Veinards de Suède et de la Bande à Lars Skjellerup — s'était donné du bon temps avec des chansons dans plusieurs langues.

Mais à la fin de décembre cette année-là, les trois mille citoyens de Nome, sachant bien que leur nombre exploserait bientôt à plus de trente mille, sortirent le whisky de leurs cachettes, dans les grandes caisses qui servaient de caves. Il était bien entendu impossible de creuser des caves, la terre glacée en permanence ne le permettait pas.

Le dernier jour de ce qu'on tenait absolument à appeler le siècle, un des commis de Tom lui demanda :

— Tout le monde prétend que Nome aura bientôt vingt ou trente mille habitants. Comment peut-on le savoir ? Si aucune nouvelle ne nous parvient, comment l'extérieur est-il au courant de ce qui se passe ici ?

— Personne n'est certain de rien, répondit Tom. Mais si tu veux savoir pourquoi je le suppose, écoute. Quand la nouvelle de la découverte de l'or sur les plages est parvenue à Dawson, notre bateau, le *Parker,* était sur le point de repartir avec seize passagers. En une demi-heure, nous avons vendu plus de cent billets, et il a appareillé avec près de deux cents personnes à son bord. Je crois que nous aurions pu en embarquer cinquante de plus à Circle et cinquante autres à Fort-Yukon si nous avions eu de la place. Sur le pont les gens dormaient debout.

— Qu'est-ce que ça signifie ? demanda le commis.

— Ça signifie que tu as intérêt à terminer cette addition, parce que je sens dans mes veines que Seattle et San Francisco sont en train de se remplir de gens impatients de s'embarquer pour Nome.

Pour diverses raisons, la découverte de l'or de Nome offrait un intérêt spécial. L'or se trouvait en territoire américain et non canadien. Un mineur pouvait y aller dans un vapeur non moins luxueux que ceux qui se rendaient en Europe. Et à l'arrivée, il croyait qu'il lui suffirait de « tamiser le sable pour envoyer des lingots chez lui ». La prospection dans un fauteuil. Dernier attrait : tous ceux qui avaient manqué le coche au Colorado, en Australie et au Yukon pourraient se rattraper à Nome.

Il y avait des inconvénients. Comme la glace dure bloquait la mer de Béring très tôt et sur de grandes épaisseurs, les bateaux ne pouvaient naviguer que de juin à septembre, et non sans risques, car la ville ne possédait aucun appontement et ne pourrait jamais en posséder. En outre, les heures de jour qui permettaient de chercher de l'or oscillaient énormément au cours de l'année : quatre heures en hiver, vingt-deux heures en été ; et comme ces interminables nuits d'hiver étaient très éprouvantes, les gens de Nome étaient à l'affût de distractions, par exemple à l'occasion du Jour de l'An.

Le 31 décembre quand le soleil se coucha (à deux heures de l'après-midi), les citoyens commencèrent à se rassembler dans les bars, et au *Second Best* Lars Skjellerup assura trois choses à tout le monde :

— Le Congrès passera la loi pour nous octroyer un gouvernement. Nous aurons un bon juge. Et l'or de nos plages ne s'épuisera jamais parce qu'il y en a sur huit ou dix mètres de profondeur. Chaque tempête qui survient apporte de nouvelles concentrations.'

On discuta beaucoup cet après-midi-là sur l'origine de l'or des plages, car cela ne s'était produit nulle part sur la Terre. Un mineur qui avait rassemblé une petite fortune déclara :

— La mer de Béring est pleine d'or. La marée l'apporte vers nous.

— C'est ce petit volcan à une dizaine de milles de la côte, sous les vagues. Il crache de l'or à intervalles réguliers, raisonna un autre.

D'autres prétendirent que dans un lointain passé un flot de lave était sorti d'un volcan dans les terres, aujourd'hui disparu, et avait libéré son or quand la mer avait pulvérisé la roche. Arkikov était d'une opinion différente, mais il avait du mal à l'exprimer, sauf par des gestes surprenants de ses mains : l'or de Nome avait la même origine que celui du Yukon.

— Très longtemps... Petit ruisseau... Il rencontre rochers contenant l'or... Des années et des années... L'eau arrache l'or... Transporte sur la plage... Je l'ai trouvé... Je le sais...

Mais ses paroles hachées ne parvinrent même pas à convaincre ses associés ; chacun avait sa propre théorie. L'or de Nome ne différait de celui des autres *placers* que sur deux points de détail : l'endroit où il gisait... et son abondance.

Quand Tom Venn se joignit à la fête après avoir fermé son magasin pour la dernière fois de l'année, une voix cria à son entrée :

— Un verre pour le bienfaiteur de Nome.

— Qu'a fait ce jeune gars ? demanda un mineur arrivé par voie de terre en novembre de la Koyukuk River, où la chance lui avait fait faux bond.

On lui raconta l'histoire des boîtes sans étiquettes soldées par Tom à cinq *cents* pièce.

— Ce sera le John Wanamaker de Nome.

Une minute avant minuit, un homme sauta sur le bar et sortit sa montre.

— Comptons les secondes qui nous séparent du plus grand siècle que Nome aura jamais. Quarante-cinq, quarante-quatre, quarante-trois, quarante-deux...

Quand il arriva à dix, le bar entier criait les chiffres à l'unisson, et à l'instant du Nouvel An, les hommes se mirent à embrasser toutes les femmes et à taper dans le dos de leurs nouveaux copains. Tom Venn chercha des yeux Missy Peckham et l'embrassa avec ferveur.

— J'en ai envie depuis 1893...

Missy répondit :

— Il est grand temps.

***

Au cours des trois longs mois après la fête, Nome plongea dans son hibernation annuelle, car la vie dans un camp de mineurs glacé s'avérait d'une monotonie extrême. Même Tom Venn, qui préférait Nome à Dawson, pouvait voir ses inconvénients, dont il discutait volontiers avec ses clients.

— C'est plus au nord. Les jours sont plus courts. Et jamais Dawson ne recevait ces bourrasques venant de la mer. Nome a beaucoup de points faibles. Sauf son esprit, et ça me plaît.

Nome se distrayait de plus d'une manière ingénieuse, mais deux distractions offraient un intérêt spécial. On demanda au professeur Hale, qui n'avait jamais enseigné que dans une école primaire, de lire des textes de Shakespeare. Devant d'énormes publics de mineurs qui s'entassaient dans l'une des grandes salles, assis sur une chaise posée sur l'estrade, vêtu dans une espèce de toge qui lui tombait sur les orteils, et avec un gobelet de whisky pour lubrifier sa voix de rogomme, il déclamait d'un ton enflammé les pièces les plus célèbres.

Il jouait tous les rôles, imitait toutes les voix, et sa passion pour Shakespeare était telle qu'au moment où l'action se précipitait, ou quand survenait un de ses passages préférés, il se levait soudain pour arpenter l'estrade et crier les répliques jusqu'à ce que la salle enfumée lui renvoie l'écho de sa voix. Lorsqu'il lui fallait représenter Lady Macbeth ou une des autres héroïnes, il se drapait dans sa toge de telle manière qu'en dépit de sa voix forte et rauque il devenait une meurtrière désemparée ou une Juliette malade d'amour. En fait, c'était si drôle de voir le professeur Hale interpréter le répertoire, que le jour où le cycle des pièces s'acheva, les mineurs voulurent qu'il le recommence. Il s'y refusa. À la place, il annonça une soirée spéciale dans laquelle il « exécuterait d'une voix sonore les sonnets immortels du Barde de Stratford-sur-Avon ».

Quand il monta sur les tréteaux, la salle était pleine et les premiers rangs remarquèrent qu'outre le mince recueil des sonnets, Hale avait apporté un gobelet beaucoup plus grand qu'à l'ordinaire.

— Mesdames et messieurs, je ne suis pas du tout certain de rendre ces sonnets, en les lisant de la même voix, aussi intéressants que les pièces. Mais croyez-moi, si je n'y parviens pas, ce sera ma faute, et non celle de Shakespeare.

Avant même de parvenir aux grands sonnets, dont les vers chantent tout seuls, il se mit à en lire certains comme si une jeune fille prononçait ces paroles, ou bien un vieillard, ou un guerrier. Et quand il arriva aux douze derniers — le gobelet presque vide et le public captivé par son flot de paroles —, il se laissa enfin aller, et lut les sonnets comme s'ils étaient les textes les plus puissants et les plus dramatiques du Barde. Il criait, balbutiait, prenait des poses, bondissait en avant et glissait en arrière tandis que sa voix puissante faisait frissonner le public. Rarement les sonnets avaient bénéficié d'une représentation aussi émouvante.

La seconde distraction fort appréciée à Nome était la danse eskimo, spectacle bizarre, presque onirique, qui s'était développé en raison des conditions de vie particulières à l'Alaska.

Dans l'histoire récente de l'Alaska, s'était posé le problème de tous ces hommes qui arrivaient dans la région sans femmes : ou bien des explorateurs occidentaux qui sillonnaient les mers sans femmes de leur propre race, ou bien des baleiniers de Nouvelle-Angleterre, eux aussi sans femme ; et, plus récemment, les chercheurs d'or. Toujours quarante ou cinquante hommes pour une seule femme.

En conséquence, l'accent avait été mis sur l'amitié entre hommes, leur fidélité à la parole donnée, leurs tragédies et leurs triomphes au terme d'exploits héroïques incroyables. Quand des femmes apparaissaient dans ces décors d'aventure, c'étaient forcément des prostituées ou des indigènes déjà mariées à un Eskimo, un Aléoute ou un Athapascan. Dans les camps de mineurs, partout où il y avait assez de gens, le rituel de la danse du soir s'établissait ; des hommes assoiffés de distractions et de toutes sortes de relations avec les femmes, même dans des conditions inhabituelles, engageaient un ou deux violoneux — le plus souvent des indigènes plus ou moins habiles avec leur archet — et l'on annonçait un bal. Entrée : un dollar pour les hommes ; gratuit pour les dames.

Peut-être n'y avait-il dans la région qu'une seule femme blanche prête à enfiler sa meilleure robe et à danser tour à tour avec chaque homme ; les autres, parfois huit ou neuf, étaient des indigènes de tout âge, entre treize et cinquante ans. Elles venaient timidement au bal, souvent longtemps après le début de la musique, se glissaient le long du mur sans jamais sourire, ni glousser, ni regarder un homme plutôt qu'un autre.

Au bout d'un temps de mise en confiance, une des femmes s'écartait du mur et exécutait des mouvements monotones ressemblant à de la danse, en se levant et se baissant alternativement tout en agitant les épaules. Au bout d'une minute ou deux, un mineur s'avançait en face d'elle et, sans même la toucher, exécutait sa propre interprétation ; ils continuaient ainsi jusqu'à la fin du morceau.

Quand la glace était rompue — l'image est justifiée car la température au-dehors devait être de l'ordre de moins trente-cinq —, d'autres femmes se mettaient à danser de la même manière quasi onirique, et d'autres hommes se joignaient à elles, sans jamais les toucher, sans jamais leur parler. Comme les femmes n'enlevaient presque aucun de leurs vêtements eskimos, elles avaient l'air de petits animaux à fourrure tout ronds, impression parfois accusée par le fait que certaines dansaient avec des bébés attachés dans leur dos. Peu importait, car les mineurs solitaires étaient venus voir des femmes, et la majorité du public payant ne dansait pas. Ils regardaient : pour ce genre d'hommes le contact avec une prostituée était impensable, et la participation à la danse improbable, ou, dans des cas extrêmes, absolument hors de question. Mais ils avaient une envie folle de revoir de quoi avait l'air une femme et ils payaient ce privilège de bon cœur.

Vers vingt-trois heures, les violoneux s'arrêtaient, le silence tombait sur la salle et les femmes indigènes s'en allaient l'une après l'autre après avoir touché un dollar pour la « représentation » de ce soir-là. La plupart du temps, aucun homme n'avait parlé à une femme, n'avait ri avec elle, ne lui avait même touché le bras, et à la fin de la danse, les femmes étaient en général escortées chez elles par leur mari, qui attendait dehors et récupérait le dollar pour les besoins de la famille.

Telle était la fameuse « danse eskimo », symbole curieux de la solitude de l'homme et de sa soif de contact humain. C'était devenu presque une nécessité puisque les hommes continuaient de venir dans l'Arctique sans femmes.

À Nome ces bals prirent un caractère particulier qui occasionna quelques difficultés à Missy Peckham, car c'était une jolie petite femme blanche avec qui les mineurs désiraient danser à la manière américaine. Ils insistèrent pour qu'elle participe. N'était-ce pas flatteur d'avoir tous ces jeunes gens (et d'autres moins jeunes) qui faisaient la queue pour obtenir d'elle une danse ? Mais ce n'était pas sans inconvénients, car chaque soir Missy recevait trois ou quatre invitations dans le logement de tel ou tel mineur, et elle devait sans cesse leur expliquer que Murphy, son mari, arriverait de Dawson d'un moment à l'autre.

Cela mettait ses prétendants en joie :

— Comment va-t-il descendre le Yukon ? À la nage ?

Ils faisaient observer que ce Murphy — s'il existait vraiment, et ils en doutaient fort — « n'avait aucun moyen d'arriver avant le dégel d'hiver puisque aucun bateau ne naviguait. Alors pourquoi gaspiller tout l'hiver ? »

Elle n'en démordait pas pour autant. Il arriverait d'un moment à l'autre.

— Il a survécu à la descente du Mackenzie au Canada, et c'est beaucoup plus dur que le Yukon.

Comme Pénélope, Missy résista aux prétendants qui la harcelaient, toujours convaincue que son Ulysse, grâce à ses ruses et son ingéniosité, viendrait la rejoindre à Nome un de ces quatre matins. Elle ignorait comment il s'y prendrait, et si quelqu'un l'avait mise au courant de la tactique que Matt allait utiliser, elle l'aurait jugée complètement cinglée.

*
**

Quand le *Jos. Parker,* le dernier bateau qui quitta Dawson, s'éloigna avec Missy Peckham à son bord, Matt Murphy resta en carafe sur le quai, avec en tête plusieurs possibilités de choix peu exaltantes pour rattraper sa « dame » et exploiter avec elle la ville où l'on pouvait ramasser sur la plage « des pépites de la taille d'un œuf de pigeon ». Il pouvait attendre neuf mois que le Yukon dégèle et au printemps prendre le premier bateau ; mais à son arrivée tous les bons endroits seraient envahis. Il pouvait s'associer aussi à un des groupes d'hommes qui essaieraient de partir à pied, mais les aventures collectives n'inspiraient pas confiance à cet Irlandais indépendant. Partir seul supposait l'achat d'un équipage de chiens, d'un traîneau et d'une quantité de viande suffisante pour maintenir les chiens en forme pendant les deux mois nécessaires pour ce trajet de plus de mille six cents kilomètres.

Il rejeta toutes ces éventualités et opta pour une entreprise si audacieuse que seul un Irlandais un peu dément et au bout de son rouleau pouvait en prendre le risque. Puisque le Yukon serait vite complètement gelé jusqu'à la mer de Béring, pourquoi ne pas l'utiliser comme une *route,* au lieu d'attendre neuf mois le dégel pour que les bateaux y naviguent ? L'idée n'était pas mauvaise, mais quel moyen de transport utiliser si la marche était exclue et si le manque d'argent ne permettait pas l'achat de matériel ?

Il existait à Dawson un magasin minable tenu par un commerçant de San Francisco qui n'avait pas trouvé d'or. Il vendait et achetait de tout, même de l'or, car il avait une vieille balance usée pour le peser. Et il y avait près de la porte, accrochée à des pitons dans le mur pour qu'elle ne touche pas le sol, une bicyclette presque neuve fabriquée par Read & Sons, de Boston. C'était leur modèle haut de gamme et l'année même à Seattle elle se vendait cent cinq dollars avec un nécessaire pour réparer les pneus, un outil ingénieux pour remplacer les rayons brisés et douze rayons de rechange.

Un jour, en entrant dans la boutique pour mettre en gage ses derniers biens et recevoir de quoi passer l'hiver au Klondike, Matt remarqua le vélo par pur hasard et se dit : « Mais on pourrait rouler jusqu'à Nome sur un machin comme ça ! » Seul un homme ayant vécu le grand Mackenzie pouvait envisager une expédition de ce genre sur le Yukon.

— À quoi bon quand il n'y a pas de route ? lui demanda le boutiquier.

— Et le Yukon ? lui expliqua Matt. Il est gelé tout du long.

— Le Yukon ne va pas à Nome.

— Mais le goulet de Norton y va, répliqua Matt, et il est gelé lui aussi.

Après avoir engagé toutes ses affaires, Matt demanda :

— Combien ?

— C'est un vélo très spécial, dit le prêteur sur gages en lui montrant un prospectus livré avec la bicyclette.

« *Notre nouveau modèle Special Courrier, utilisé par de nombreux membres des Services Postaux. $ 85.* »

— Mettez-le-moi de côté, dit Matt sans hésitation.

— Cent quarante-cinq dollars, répondit le commerçant.
— Mais enfin ! C'est écrit quatre-vingt-cinq, noir sur blanc.
— Oui, à Boston, dit le prêteur sur gages. Nous sommes à Dawson.

Pendant les semaines suivantes, hanté par l'idée de gagner Nome à bicyclette, Matt Murphy retourna souvent au magasin vérifier que le vélo n'était pas vendu. Il lui fallait surmonter deux obstacles : celui de l'argent pour acheter le vélo... et le fait que, n'ayant jamais enfourché une bicyclette, il n'avait aucune idée ou presque de la façon de s'en servir.

Quand le grand fleuve pris par les glaces forma une vraie route, d'un air de dire : « Direction Nome : tout droit », Matt se mit à supplier tous ceux qui avaient dix *cents* d'économie de lui offrir un peu de travail. Son idée fixe l'obsédait. Il consacra octobre, novembre et décembre à accumuler péniblement l'argent nécessaire à l'achat, et le 2 janvier 1900, il entra chez le prêteur sur gages pour effectuer un dépôt de quatre-vingts dollars. Aussitôt, il supplia l'homme de lui permettre d'apprendre à rouler avec l'engin, et quand les mineurs de Dawson le virent essayer de pédaler sur leurs chemins couverts de neige, ils se dirent : « Nous devrions l'enfermer pour éviter qu'il se tue. » En apprenant son projet de partir ainsi à Nome, ils envisagèrent sérieusement de le mettre en prison jusqu'à ce que sa folie s'apaise.

Mais au milieu de février il effectua son dernier versement et avec une aisance péniblement acquise, il roula au milieu du fleuve par une température de moins quarante et salua de la main les spectateurs incrédules. À cet instant, il eut une idée qui allait faire de son voyage une sorte de triomphe : il se retourna brusquement et revint vers la berge sans se soucier des ricanements.

— Un avant-goût du froid lui a suffi !
— Il est plus malin qu'on ne pensait.

Il était revenu acheter quatre journaux que l'on trouvait alors dans le Klondike avec les dernières nouvelles politiques des États-Unis : le *Daily News* de Dawson, la *Nugget* de Dawson, l'*Examiner* de San Francisco et le *Post-Intelligencer* de Seattle. Il les fourra dans son équipement, revint au milieu du fleuve et partit.

Dès que ses roues se furent adaptées au froid extrême, elles fonctionnèrent parfaitement et, à l'étonnement des badauds, il disparut très vite à l'horizon. À l'instar de sa machine, Matt était insensible au froid, ce qui était surprenant car il n'était pas habillé comme on pouvait s'y attendre — ni grosse fourrure, ni lunettes de protection, ni immense bonnet de peau de phoque bordé de glouton, ni mouklouks doublés de fourrure. Il portait à peu près la même chose que par une journée pluvieuse d'hiver en Irlande : de lourdes bottines, des guêtres de garde-chasse, de bonnes mitaines de fourrure, trois vestes de laine, une écharpe autour du cou et une ingénieuse casquette de laine et fourrure avec trois grands rabats, un pour chaque oreille et l'autre comme visière pour protéger ses yeux. Tandis qu'il s'éloignait de Dawson à grands coups de pédale, les vieux du Nord prédirent :

— Absolument impossible d'aller à Nome comme ça. Bon sang, il n'arrivera même pas à Eagle.

Soit à peine cent cinquante kilomètres en aval.

Ce jour-là, Matt couvrit cent kilomètres ; le lendemain, cent dix ; et il parvint à Fort-Yukon beaucoup plus tôt qu'il ne s'y attendait. Ses journaux firent aussitôt leurs preuves : les occupants de l'hôtel sommaire de la ville, excités par l'arrivée de nouvelles du pays, passèrent toute la nuit à lire les journaux à haute voix pendant que Matt dormait, et le matin venu le directeur de l'hôtel ne voulut accepter aucun argent de l'Irlandais. Chaque fois qu'il s'arrêtait le long du fleuve — et il y avait en 1900 un nombre surprenant de cabanes isolées, d'abris où le bateau déposait le courrier et de camps d'où les bûcherons partaient couper le bois nécessaire à la circulation fluviale — son vélo et lui étaient accueillis avec incrédulité et ses journaux avec joie. Bien que l'on fût au milieu de l'hiver, comme le cours du Yukon demeurait au sud du cercle polaire arctique, il y avait cinq ou six heures de lumière grise chaque jour et la température s'élevait alors à un agréable moins vingt-huit.

La Special Courrier se comportait encore mieux que ses constructeurs de Boston ne l'avaient prédit, et à mi-chemin, Matt n'avait eu aucun ennui avec ses pneus, sauf qu'ils gelaient ferme au-dessous de moins quarante. Un seul rayon s'était tordu. Pendant les premiers jours son matériel, fixé sur son dos, avait provoqué des irritations de la peau, mais il résolut vite ce problème en serrant davantage son sac, et pendant cette longue chevauchée solitaire sur le Yukon, il se distrayait souvent en hurlant de vieilles ballades irlandaises. La seule chose qui le retarda fut parfois une cécité temporaire à cause du reflet aveuglant du soleil sur la neige mais il guérit ces accès en un jour de repos dans une cabane sombre.

Il franchissait normalement à peu près cent kilomètres par jour, et une fois, pour rattraper le temps perdu après un arrêt forcé à cause d'un aveuglement, il en parcourut cent vingt-cinq. Ce soir-là, il partagea la cabane d'un vieux du Grand Nord complètement édenté :

— Tu prétends que tu arrives comme ça de Dawson ? Comment vas-tu me le prouver ?

Matt lui montra ses journaux, avec les dates de leur publication.

— Et tu te figures que ce truc-là pourra fonctionner sur ce fleuve-là ? demanda le vieux.

— On n'a pas besoin de transporter de nourriture pour les chiens, ni de perdre une heure à la faire cuire à la fin de la journée.

— Ouais, avoua le vieux, se souvenant de tous les tracas que ses chiens lui donnaient. Ouais, c'est un avantage.

Et le cycliste et sa bécane se trouvaient en si bon état en arrivant à Kaltag, le village où le père Fedor Afanasi était jadis missionnaire et où il avait rencontré son épouse athapascane, que Matt était prêt à effectuer le choix difficile qui s'imposait.

— Tu peux continuer à descendre le Yukon jusqu'à la mer de Béring, plus de six cents kilomètres ; ou bien quitter le fleuve pour traverser les montagnes jusqu'à Unalakleet, moins de cent kilomètres.

— Mais comment faire passer mon vélo ?

— Sur ton épaule.

Matt choisit la montagne. Il trouva un Indien pour porter son matériel, démonta sa bicyclette le mieux qu'il put, l'attacha sur son dos et grimpa le versant oriental. Puis il dévala jusqu'à Unalakleet, perché sur les rives du goulet de Norton, entièrement gelé jusqu'à Nome comme il s'y attendait.

Ravi d'enfourcher de nouveau sa machine, il s'élança joyeux sur l'étape finale — deux cent quarante kilomètres à vol d'oiseau — et le 29 mars 1900 vers quatre heures de l'après-midi, il descendit Front Street, à Nome. Il venait d'accomplir l'un des plus étonnants exploits du siècle finissant : Dawson-Nome en solo, au milieu de l'hiver, en trente-six jours.

Après avoir confié sa bicyclette aux badauds ahuris d'admiration et remis ses quatre journaux au rédacteur en chef du journal local, il se hâta de chercher Missy, qui l'embrassa passionnément et lui annonça :

— Tous les bons endroits sont pris, mais je suis sûre que tu pourras trouver du travail quelque part. J'en ai trouvé.

La dernière semaine de février, alors que Matt Murphy et son vélo se trouvaient encore sur le Yukon, les hommes et les femmes du nord de l'Alaska avaient traversé une dure épreuve. Ils menaient une existence violente. Tout le mois de février, le vent hurla de la mer de Béring ; peu de neige tombait mais elle était fouettée si fort par le vent qu'un blizzard à ras de terre brouillait l'horizon : on ne voyait même pas le coin de la rue suivante. Puis ce fut le blanc total, si redouté : la terre, l'horizon et le ciel se fondent en un rideau de tulle. Sans lunettes de protection, les trappeurs perdent la vue. Enfin d'énormes blocs de glace se forcèrent un chemin à travers les épaisseurs glacées recouvrant déjà la mer de Béring, formèrent des murailles effrayantes et lancèrent sur les hommes des ombres étranges dès que la lune de minuit ou le faible soleil de midi les touchaient.

— Vivement la fin février, s'écria Tom Venn en regardant la mer de la fenêtre de son magasin.

— Le plus mauvais mois, c'est mars, le prévint une de ses clientes. Prenez garde à mars.

Elle n'expliqua pas cette déclaration étrange. Avec mars, arriva le beau temps et Tom se crut presque au printemps : les jours allongeaient et la mer semblait prête à relâcher suffisamment son étreinte glacée pour que des bateaux puissent s'approcher. Quatre jours plus tard, par un temps presque parfait, la cliente avisée revint :

— Ce sont des journées de danger. Les maris se mettent à battre leurs femmes et les mineurs associés qui partagent la même cabane commencent à se quereller puis se tirent des coups de revolver.

Peu après, Tom apprit que deux « incidents » de ce genre s'étaient produits. Il demanda à la même cliente pourquoi cela survenait juste au moment où l'hiver radoucissait son emprise.

— Pour cette raison même ! Dans les mois sombres de janvier et février, chacun sait qu'il doit rester fort. Mais en mars et avril, nous avons davantage de jour que de nuit. Tout semble plus gai et plus clair. Mais une chose est certaine, il nous reste encore trois longs mois d'hiver : mars, avril et mai. Le soleil brille mais la mer reste glacée. Nous sentons la vie qui remue mais cette maudite mer demeure bloquée, et nous nous mettons à crier à nos amis : « Cela ne finira-t-il donc jamais ? » Méfiez-vous de mars.

Tom s'aperçut qu'il réagissait lui-même exactement comme sa cliente l'avait décrit : il désirait que l'hiver soit terminé, que les bateaux arrivent avec de nouvelles marchandises ; mais la mer restait grise et ses immenses blocs verticaux immobiles dans la glace comme si l'hiver ne devait jamais prendre fin.

Jamais au cours de ses dix-sept années il n'avait vécu de jours aussi affreux qu'en ce mois de mai où le printemps régnait dans le monde entier, même en Arctique. Seule la mer semblait s'enfermer obstinément dans l'hiver. Puis, à la fin du mois, la mer de Béring commença à se briser en icebergs monstrueux, de la taille de cathédrales... La navigation était à ce moment plus dangereuse que jamais, car ces puissantes montagnes de glace flottante pouvaient écraser n'importe quel navire, mais les hommes de Nome commencèrent à se demander quand des bateaux arriveraient enfin.

Quelle joie, une année ordinaire, de se trouver à Nome au début de juin pour regarder le premier bateau de la saison se faufiler dans les chenaux. On tirait des coups de feu en l'air. On étudiait de loin le profil des navires, on courait vers la côte pour saluer le premier débarqué de l'année. Le journal local imprimait toujours en caractères gras le nom du premier homme à terre.

Et chaque année le même cri accueillait les nouveaux venus lorsqu'ils posaient le pied sur la grève :

— Vous avez les journaux de Seattle ? Vous avez des illustrés ?

Le printemps de 1900 fut entièrement différent. Certains désiraient tellement arriver à Nome que le 21 mai un gros baleinier enfonça son étrave dans les glaces. Deux jours plus tard, deux paquebots normaux arrivèrent, à l'étonnement de tous ceux qui tenaient pour une folie d'accoster à Nome avant la première semaine de juin.

Ce qui se passa ensuite stupéfia tout le monde : en succession rapide deux autres bateaux de passagers arrivèrent, puis trois autres et bientôt, au milieu de la glace de plus en plus mince, quarante-deux grands bâtiments étaient à l'ancre. Comme il n'existait aucune installation portuaire dans ce goulet agité, les bateaux restaient à un mille ou un mille et demi de la côte tandis que des chalands improvisés et des barques plates faisaient la navette pour dégorger plus de dix-neuf mille nouveaux venus. En ces semaines mouvementées du dégel, Nome devint un port plus important que Singapour ou Hambourg.

Et dès qu'il parvenait à terre au milieu de la ruée, les yeux braqués sur les plages déjà envahies par les étranges machines des prospecteurs, chacun essayait, plein d'espoir, de reconnaître l'endroit où il se précipiterait pour ramasser sa part d'or. Certains possédaient des tentes, qu'ils plantaient aussitôt ; d'autres, moins prudents, devaient se mettre en quête d'un coin pour dormir. La Cavale belge loua des lits — quatre clients par lit et par vingt-quatre heures, à tour de rôle ; et Tom Venn dut mettre un commis de garde chaque nuit dans le magasin pour permettre à des hommes recommandés par la direction de R & R de dormir sur le sol.

D'autres bateaux arrivèrent et le chaos devint indescriptible. L'absence de réglementation communale constituait maintenant un véritable danger ; les problèmes de santé augmentèrent, et les délits aussi — pour la même raison. Dans une société surpeuplée, seul l'exercice d'un contrôle peut tenir en échec la délinquance et la maladie. Si ces pouvoirs de police n'ont pas la possibilité de s'exercer, aucune tranquillité ne saurait exister.

Mais l'un des grands navires qui arriva le 20 juin, avec six cents mineurs de plus, apporta des journaux avec la nouvelle tant attendue par des hommes comme Lars Skjellerup et Tom Venn. Le Congrès allait voter un Code de l'Alaska et le district recevrait deux juges ; le plus important serait affecté aussitôt à Nome.

Ceux qui avaient les idées claires acclamèrent la nouvelle et même les ivrognes convinrent qu'il était temps de mettre un peu d'ordre dans ce vaste pandémonium. Skjellerup envoya Sana chercher le Sibérien, et quand celui-ci arriva, le Norvégien lui lança avec un enthousiasme dont il faisait rarement preuve :

— Arkikov, ton juge arrive ! *Sept Au-dessus* t'appartiendra de nouveau.

Un large sourire illumina le visage de l'indomptable gardien de rennes et il se frappa la poitrine.

— Heureux !

***

Dans une petite ville de l'Iowa, avant la guerre de Sécession, un avocat médiocre était tellement dévoré d'ambition pour son fils nouveau-né qu'il lui donna pour prénoms le nom du plus grand juge de la Cour suprême des États-Unis. L'enfant se souvenait qu'à l'âge de cinq ans son père l'avait conduit devant le palais de justice du comté et lui avait prédit : « Un jour, tu seras juge dans cet édifice » ; pendant toute sa jeunesse, il crut que le célèbre juriste était son grand-père.

John Marshall Grant, hélas, n'avait aucune des qualités de ce noble magistrat, car c'était avant tout un faible, sans la dureté de silex que doit posséder un juge. Il fit des études secondaires sans éclat et des études supérieures encore plus médiocres dans une des petites universités de l'Iowa. Il ne jouait à aucun jeu, évitait également les livres et ne se faisait remarquer sur le campus que par une beauté qui ne cessait d'augmenter avec les années. De grande taille, bien fait de sa personne, il avait des traits réguliers et une belle chevelure qui rendait bien en photo. Chaque fois que son père, tout fier, montrait les clichés qui ne le quittaient pas, les gens lui disaient : « Simon, ton fils a l'air d'un juge ! »

À la faculté de droit de l'université de Pennsylvanie, une des meilleures, le futur juge eut de si piètres résultats que ses condisciples se demandaient souvent : « Mais comment John Marshall a-t-il pu devenir juge ? » Il l'était devenu parce qu'il en avait l'allure. Et comme son père l'avait prédit, on le nomma à la petite cour de l'Iowa, où il dispensa une justice plus ou moins bancale — ses décisions étaient souvent annulées en appel parce qu'il avait mal compris la plus banale des lois du droit coutumier tel qu'on l'appliquait dans des tribunaux comme le sien, dans les quarante-quatre autres États et en Grande-Bretagne.

Il était si beau et si pompeux dans ses discours du 4 Juillet que des politiciens envisagèrent de le présenter pour des fonctions importantes, mais il était si mou et si irrésolu que personne ne savait au juste s'il était républicain ou démocrate, et tous ceux qui connaissaient ses références lamentables lançaient en plaisantant : « Il faudra féliciter le parti qui le prendra. » Quand certains républicains cherchèrent un candidat sûr pour une élection au Congrès, ils demandèrent au père du juge vers quel parti penchait son fils. Le vieil homme répondit fièrement : « Mon fils le juge ne porte le collier de personne. »

Il aurait probablement suivi son chemin cahin-caha dans son inoffensive obscurité, en faisant peu de mal puisque ses pires erreurs pouvaient toujours être corrigées, si on ne l'avait pas invité à prendre la parole lors d'un congrès de juristes à Chicago, réunion à laquelle assistait un « lobbyiste » notoire, Marvin Hoxey.

On avait du mal à oublier ce quadragénaire corpulent, aux cheveux en brosse, dès qu'il vous avait agrafé par le revers pour vous regarder fixement de ses yeux pénétrants. Peu soucieux de sa tenue, caractérisé par une énorme moustache en broussaille et un cigare perpétuel, il détenait un pouvoir considérable du fait qu'il semblait connaître tous les notables, à l'ouest du Mississippi et dans les couloirs du Congrès. Défenseur des intérêts les plus puissants de l'Ouest, il pouvait toujours trouver un ami prêt à « rendre un petit service à Marvin ». Son habileté lui avait acquis une position importante. Pour son aide au moment de l'admission du Dakota du Sud dans l'Union en 1889, on l'avait fait entrer au Comité national du parti républicain pour cet État, ce qui lui permettait de proclamer la « puissance croissante du Nouvel-Ouest ».

Quoique n'ayant pas suivi d'études supérieures, il aurait pu donner des cours de savoir-faire politique, car il avait une vision globale des choses. Il voyait les pays en train de progresser ou de régresser et il possédait un instinct très sûr de ce que devrait entreprendre une jeune nation comme les États-Unis. Ensuite, son travail consistait à veiller à ce que seules soient prises les mesures qui serviraient les intérêts de ses clients.

Il s'intéressa à l'Alaska du jour où Malcolm Ross, l'associé principal de Ross & Raglan à Seattle, l'engagea pour faire obstacle à toute législation nationale susceptible d'accorder à l'Alaska un gouvernement autonome.

— Le destin de l'Alaska, c'est d'être gouverné depuis Seattle, lui avait expliqué Ross. La poignée d'hommes qui se trouve là-haut peut compter sur nous pour prendre les bonnes décisions.

À la suggestion de Ross, Marvin Hoxey avait effectué deux voyages sur des bateaux R & R — l'un à Sitka, qu'il trouva honteusement russe, « à peine américaine », et un sur le grand fleuve jusqu'à Fort-Yukon — il connaissait donc l'Alaska mieux que la plupart de ses habitants. En tout cas, il le voyait tel qu'il était : une vaste région sauvage avec une population d'une diversité et d'une insuffisance choquantes.

— Ils ne sont pas insuffisants sur le plan des capacités intellectuelles et morales, monsieur Ross. Insuffisants par leur nombre. Je crois que le pays entier a moins d'habitants — je veux dire des vrais, pas des indigènes et des sang-mêlé — que mon comté du Dakota du Sud. Et Dieu sait qu'il n'est pas assez peuplé.

Cette opinion, il la clama bien fort à Seattle et à Washington.

Chaque fois que Hoxey magouillait contre le vote d'une législation pour l'Alaska, il répétait l'expression péjorative « sang-mêlé » en la crachant comme si le descendant d'un prospecteur blanc dur au labeur et d'une femme eskimo capable et courageuse était congénitalement inférieur à un « sang-pur » comme lui, avec son ascendance d'origine écossaise-anglaise-irlandaise-allemande-scandinave-asiatique (d'Asie centrale). Il croyait et s'efforçait de convaincre les autres qu'un pays comme l'Alaska, peuplé de « tribus » d'origines diverses — Eskimos, Aléoutes, Athapascans, Tlingits, Russes, Portugais, Chinois et Dieu-sait-quoi — serait toujours inférieur et en quelque manière « non-américain ».

— C'est la raison qui parle par ma bouche, sénateur, un pays plein de sang-mêlé ne sera jamais capable de se gouverner. Laissons les choses comme elles sont, et que les braves gens de Seattle prennent les décisions.

Au cours des sessions du Congrès, Marvin Hoxey parvint parfois à mettre en déroute à lui seul les aspirations de l'Alaska à l'autonomie. On n'accorda pas le statut de territoire, étape honorable préparant à l'accession au statut d'État, parce que les compagnies qui profitaient de la situation de désordre craignaient qu'un gouvernement territorial autonome prenne des mesures qui restreindraient leurs privilèges. Quel obstacle! Depuis des années, l'Alaska demeurait un « district » ou simplement « l'Alaska », vaste, vide, violent et chaotique. Marvin Hoxey s'était engagé à le maintenir ainsi.

Lors du congrès de juristes à Chicago, il avait déjà discuté avec plusieurs délégués quand un de ses collaborateurs à Washington lui apprit par télégraphe que malgré tous ses efforts une loi offrant à l'Alaska un minimum d'autonomie — à peine le cinquantième de ce qui aurait été justifié — allait tout de même passer. Notamment, on accorderait deux juges nommés par une haute cour de Californie. On parlait même de les choisir sur place, mais Hoxey fit aussitôt capoter cette proposition.

— Il n'y a pas deux sang-mêlé dans toute cette foutue région qui aient les qualifications d'un juge. J'y suis allé.

Et comme il arpentait les couloirs du congrès de juristes en se demandant comment il pourrait faire nommer à Nome le juge qui conviendrait le mieux à ses propres desseins, il parvint au fond de la salle où le juge Grant s'adressait à ses confrères. Sa première impression fut : « Je pourrais faire un président des États-Unis avec un homme de cette étoffe. » Puis il entendit Grant énoncer une de ses phrases typiques à la louange de la famille et il comprit qu'il venait de tomber sur un cas très spécial :

— Le foyer américain ressemble à un fort en haut d'une puissante colline, qui garde sa poudre au sec pour le jour où les assauts depuis les marécages d'en bas, et jamais on ne peut savoir quand ils surviendront, la situation dépravée de nos grandes villes étant ce qu'elles sont et les combats pour résister aux agents de contamination, en faisant flotter le drapeau très haut pour s'assurer qu'il y aura toujours une réserve constante de poudre à canon afin d'y parvenir.

Dès que le juge termina son discours, Marvin Hoxey se hâta de placer sous le nez de Grant sa moustache de phoque et son cigare.

— Quelle allocution magnifique! J'aimerais vous parler d'une chose « excessivement » importante.

Et là, au fond d'un salon public dans un hôtel de Chicago, Marvin Hoxey lança son plan, d'une simplicité splendide : il allait voler tout le gisement d'or de Nome. Oui, avec le concours du juge John Marshall Grant de l'Iowa, il volerait tout ce foutu gisement. Si ce que disaient les journaux était exact, le butin s'élèverait à cinquante millions de dollars. Et si l'on continuait de draguer l'or à pleins seaux sur les plages, il y aurait quatre-vingts millions à ramasser.

— Juge Grant, les dirigeants de ce pays cherchent un homme exactement comme vous pour sauver l'Alaska. C'est un endroit désolé qui aspire à une autorité stricte telle que seul un juge de votre envergure peut lui offrir.

— Je suis flatté que vous le pensiez.

Il demanda à Hoxey son nom et son adresse, et lui répondit qu'il y songerait.

Quand le magouilleur salua le juge Grant, il jeta un dernier coup d'œil à sa belle silhouette aux cheveux blancs. Voilà comment nous le présenterons pour lui faire obtenir le poste : l'*éminent juriste*. Encore mieux : *l'éminent juriste de l'Iowa*.

Marvin Hoxey quitta Chicago pour une réunion urgente à Seattle, où il calma ses clients et notamment Malcolm Ross dont les bateaux et les magasins R & R perdaient une partie de leur liberté d'action avec la nouvelle réglementation.

— Faites-moi confiance, nous avons perdu une bataille mais nous gagnerons la guerre. Nous n'allons pas nous battre contre la nouvelle loi, mais l'exploiter à notre profit. La première mesure à prendre, c'est de nous assurer qu'un homme à notre service obtiendra le poste de juge à Nome.

— Vous pensez à quelqu'un d'ici ? demanda Ross.

— Non. Trop voyant. Ne jamais s'exposer directement, monsieur Ross.

— Alors qui ?

— Je songe à un éminent juriste de l'Iowa. Belle prestance. Et il connaît la vie dans l'Ouest.

On s'imaginait à l'époque que toute personne ayant séjourné à Denver ou au Grand Lac Salé était forcément capable de comprendre l'Alaska.

— Pouvons-nous le faire nommer ?

— Je m'en charge.

Dès son retour dans la capitale, il lança sa campagne. Tout dirigeant républicain avec qui il avait travaillé en tant que représentant du Dakota du Sud au Comité national reçut des rapports confidentiels sur l'éminent juriste de l'Iowa John Marshall Grant, et la répétition constante de ce nom ronflant inspira une telle confiance que la Maison Blanche reçut plusieurs appels en faveur de Grant pour le nouveau poste de juge en Alaska. En affirmant simplement que son nouvel ami était un « éminent juriste », Hoxey allait faire de lui un juriste éminent.

Fin juin 1900, John Marshall Grant fut nommé à la nouvelle magistrature de Nome, et de nombreux journaux se félicitèrent de cette nomination effectuée sans le moindre soupçon de pressions politiques. Peu après, accompagné de son mentor Marvin Hoxey, Grant s'embarqua sur le vapeur *Senator* pour aller remplir ses nouvelles fonctions.

La veille de l'arrivée dans le chenal de Nome, Hoxey exposa à Grant ce qu'il devait faire.

— John Marshall, si vous jouez bien vos atouts à Nome, cela vous vaudra une telle renommée que vous deviendrez sénateur des États-Unis. Le nom de ce bateau est un heureux présage, sénateur Grant. Nous y veillerons, mes amis et moi.

— Comment vous représentez-vous la situation, monsieur Hoxey ?

— Je suis allé en Alaska, ne l'oubliez pas. Je connais le pays comme le dos de ma main.

— Votre jugement ?

— Il règne à Nome un désordre affolant. Les concessions sont aussi illégales qu'il se peut. On n'a pas suivi le code des mines pour les établir. Aucune formalité juridique n'a été remplie. Il faudrait toutes les faire évacuer.

L'éminent juriste, qui n'y entendait rien sur ce sujet particulier et n'avait pas cru bon d'emporter le moindre livre susceptible de lui révéler ce folklore mystérieux, écouta attentivement le nouvel évangile selon Marvin Hoxey.

— Mon cher juge, avant tout et très vite, vous devez invalider... disons quinze concessions comptant parmi les plus importantes. Vous disqualifiez les détenteurs actuels, pour d'excellentes raisons juridiques. Ensuite vous me nommez administrateur judiciaire — pas propriétaire, comprenez-moi bien. Mais bien entendu, vous savez tout ça. Vous me nommez administrateur et je gère les concessions en tant qu'agent du gouvernement, jusqu'à ce qu'une décision juridique définitive, après un procès dans les règles, décide à qui appartient réellement le titre.

Hoxey souligna deux faits :

— La vitesse est essentielle. Un bon coup de balai en arrivant. Et l'administrateur doit être nommé sur-le-champ pour pouvoir protéger la propriété.

Le juge Grant répondit qu'il comprenait, et Hoxey passa au point le plus délicat :

— Une chose me déplaît énormément dans la situation de Nome — n'oubliez pas que je connais l'Alaska comme ma poche —, c'est qu'une bande d'étrangers et de sang-mêlé se sont adjugé les meilleures concessions. Vous vous rendez compte ? Un citoyen russe propriétaire d'une mine en Amérique ? Ou un Lapon, Dieu me pardonne ! Qui a entendu parler de la Laponie ?... Mais ses citoyens viennent jusqu'ici s'emparer de nos meilleures concessions. Les Norvégiens et les Suédois ne valent guère mieux. Rappelez-vous que j'arrive du Dakota du Sud et je compte des Scandinaves parmi mes meilleurs amis, mais ils n'ont aucun droit de venir ici nous voler notre or.

— Certains ne sont-ils pas naturalisés ?

— Un subterfuge !

Avec ce mot miraculeux, lancé en ricanant, Hoxey régla le sort des Suédois, et ni lui ni Grant ne parurent se rendre compte qu'ils s'engageaient eux-mêmes dans le plus énorme des subterfuges.

Ainsi se décidèrent les trois mesures que prendrait le juge Grant dès son arrivée : la mise hors la loi de tous les étrangers, la saisie des concessions et la nomination de Hoxey comme administrateur judiciaire. Il prononcerait aussi un discours pour affirmer les valeurs américaines et assurer à tous que la loi et l'ordre étaient arrivés — quoique un peu tard — dans la ville de Nome. L'application des lois sur la santé publique, les formalités du cadastre, la perception d'impôts et la protection du bien-être de la population seraient pour plus tard — éventuellement. L'important, c'était de bannir les étrangers et de clarifier les droits de propriété des mines d'or.

— Je le vois bien maintenant, dit Hoxey en accompagnant le juge Grant au bar du bateau, ce nom sur la corniche est prophétique.

C'était le blason du bateau avec, en lettres tarabiscotées bleu et or, *Senator*.

Étant donné les horreurs que le juge Grant allait commettre, on doit se demander dans quelle mesure il comprenait le plan de Marvin Hoxey. Sûrement très mal. Il ne se doutait pas qu'en nommant son fidèle ami Hoxey administrateur judiciaire des mines, il lui permettrait de voler chaque grain d'or produit — et donc des quantités valant plusieurs millions de dollars. Des hommes tout à fait remarquables de l'histoire américaine avaient débuté comme juge dans une petite ville ; mais ils avaient profité de leur passage au barreau pour affiner leur perception de la réalité et apprendre à discerner les motifs des hommes bons de ceux des méchants. Chaque année, ces juges-là devenaient plus sages, plus justes, plus sincères, et ils finissaient par compter parmi les hommes les plus représentatifs des États-Unis. Le juge Grant avait eu au départ les mêmes chances qu'un Abraham Lincoln ou un Thomas Hart Benton. Mais il les avait gaspillées. Et il était sur le point d'écrire une des pages les plus noires de l'histoire de la justice en Amérique.

Quand le *Senator* jeta l'ancre au large de Nome, des barques s'avancèrent aussitôt pour entreprendre le déchargement. Marvin Hoxey réquisitionna la première pour une raison qu'il révéla discrètement : « Le juge Grant doit établir sa cour de justice le plus tôt possible, selon les instructions personnelles du président. » Et l'on conduisit donc à terre l'éminent juriste et son mentor. La barque avait trop de tirant d'eau pour qu'on la hale sur la plage. Les importants personnages et leurs affaires durent franchir la distance qui restait sur le dos de porteurs. Six Eskimos costauds, trois pour le juge Grant, trois pour Hoxey, soulevèrent les deux hommes dans les airs puis les déposèrent à terre.

Quelle image étonnante, l'instant où les deux hommes posèrent le pied sur les plages d'or : le juge Grant, beau et sévère ; Marvin Hoxey, boulot et rougeaud, avec sa grosse moustache de morse et des yeux qui percevaient tout. Son cigare dans la main gauche, il fit signe aux habitants de Nome qu'il serait convenable d'applaudir l'arrivée du juge qui allait apporter de l'ordre dans leur communauté.

— Hourra pour le juge ! cria un homme.

Et ce fut avec l'écho de ces vivats dans les oreilles que le juge John Marshall Grant avança dignement vers la chambre qui l'attendait à l'Hôtel de la Porte-d'Or.

Après avoir surveillé le rangement de ses bagages, il lança une poignée d'ordonnances que Hoxey avait recommandées (et parfois rédigées). Après avoir décidé l'évacuation des concessions et nommé Hoxey administrateur pour protéger les droits de propriété, le juge Grant déclara que dorénavant aucun Suédois, Norvégien, Lapon ou Sibérien ne pourrait détenir des concessions ; ceux qui en détenaient déjà n'en avaient pas le droit légal et devaient les remettre à l'administrateur judiciaire. À la tombée de la nuit de cette première journée de tempête, Marvin Hoxey contrôlait les concessions de *Un* jusqu'à *Onze Au-dessus*, soit une capacité de production d'environ quarante mille dollars par mois.

À peine le juge Grant eut-il fait évacuer les concessions de *Un* à *Onze Au-dessus*, le jour même de son arrivée à Nome, qu'il prit une décision dont les conséquences seraient aussi capitales. Sortant de sa poche un mémorandum que lui avait remis Malcolm Ross avant que le *Senator* ne quitte Seattle, il lut : « Quand vous engagerez du personnel à Nome, consultez notre représentant R & R, Tom Venn ; il connaît les capacités de tout le monde. » Il appela Hoxey aussitôt :

— Pouvez-vous convoquer ce Tom Venn ?

Tom se présenta à l'Hôtel de la Porte-d'Or peu après.

— Juge Grant ? Je suis Tom Venn, Votre Honneur. Je viens de recevoir une note de M. Ross me demandant de vous trouver un secrétaire. J'ai fait venir la seule candidate que je crois susceptible de vous convenir, monsieur. Elle attend en bas.

— J'aimerais la voir.

Ce fut ainsi que Melissa Peckham, vingt-cinq ans, fit la connaissance du juge Grant.

— Votre nom ?

— Missy Peckham, répondit-elle.

— Qu'est-ce que c'est que ce prénom ? lança-t-il.

— En fait, je m'appelle Melissa.

— C'est mieux. Une jeune femme convenable a besoin d'un nom convenable, surtout si elle doit travailler pour moi.

Le juge Grant engagea Missy sur-le-champ et Hoxey — également sur la recommandation de Tom — engagea Matt Murphy comme gardien des concessions évacuées. Après ses expériences de Dawson et des hauteurs de l'Eldorado, Missy connaissait bien les problèmes des mines, beaucoup mieux que le juge Grant, dont les premières décisions la surprirent tellement qu'elle prit en secret des notes détaillées de ce qui transpirait de cette sale affaire où les personnes qui avaient découvert les gisements se trouvaient dépouillées de leur bien.

> *Jeudi 25 juillet. Par la première série d'arrêtés, le Sibérien Arkikov (sans prénom) a perdu sa concession* Sept Au-dessus, *à Anvil Creek. On croit qu'il fait partie du groupe qui a découvert le gisement.*
>
> *Vendredi 26 juillet. Le Norvégien Lars Skjellerup vient d'être notifié qu'étant étranger, il n'a pas le droit de détenir une concession à Anvil Creek. Tout le monde sait que c'est lui qui a organisé tout le district minier.*

Comme elle travaillait tard le soir pour enregistrer les jugements de la journée, Missy entendait souvent, par la mince cloison qui séparait le cabinet du juge du bureau de sa secrétaire, Hoxey discuter de ses plans avec Grant. Elle en parla bientôt à Murphy, qui lança :

— Je crois que le nommé Hoxey ne vaut pas mieux qu'un bandit. Tiens-le à l'œil.

Et Missy inscrivit sur son carnet non seulement ce qu'elle voyait des actes du juge, mais aussi les soupçons de Murphy ; le résultat fut si accablant que Murphy lui dit un soir :

— Tu as intérêt à bien cacher ça.

Elle le fit.

Les abus du juge Grant et de Hoxey à Nome devinrent si scandaleux que plusieurs mineurs dépouillés de leurs droits envisagèrent un lynchage. Lars Skjellerup, qui avait perdu davantage que la plupart, leur conseilla plus de mesure.

— Dans un pays libre, ce genre de chose n'est pas permis. Il doit exister un moyen légal de démasquer ces deux hommes.

Il n'en existait pas. Drapés dans la dignité de lois que les hommes du pays n'avaient pas engendrées, soutenus par la puissance d'une nation puissante mais lointaine, le juge Grant et Hoxey restaient libres d'agir selon leur bon plaisir. Maintenant que les mines produisaient sans accroc sous son administration judiciaire, Hoxey faisait partir d'Alaska plus de deux cent mille dollars par mois.

Quand Skjellerup voulut s'insurger, le juge Grant lui répondit :

— M. Hoxey est l'administrateur légal. Cela signifie qu'il doit gérer les mines comme il le juge bon jusqu'à ce que cette affaire soit réglée légalement par un tribunal. Vous comprenez évidemment que M. Hoxey ne peut pas laisser ici les quantités d'or que produisent ses mines.

— Ce sont *nos* mines.

— C'est le tribunal qui en décidera le moment venu, mais je dois vous prévenir qu'en tant qu'étranger violant la loi...

— Juge Grant ! C'est au tribunal de trancher. Pas à vous. Vous êtes en train de voler nos biens.

— Vous risquez la prison pour insulte à magistrat, je suppose que vous le savez.

— Je suis désolé. Je voulais dire : M. Hoxey est en train de voler...

— Monsieur Skellerby — si je prononce bien votre nom — vous n'avez pas l'air de comprendre ce qu'est un administrateur judiciaire. M. Hoxey occupe ce poste pour vous protéger autant que pour protéger l'ensemble des citoyens... jusqu'à ce que le procès ait lieu. Pas un sou de cet argent, je vous l'assure, ne lui reviendra, exception faite de modestes honoraires de gestion, auxquels vous devez bien admettre qu'il a droit.

— Mais tout s'en va sur les bateaux. Je l'ai vu de mes yeux.

— Par sécurité. Si le procès tranche en votre faveur (mais le ton de la voix impliquait déjà le contraire), vous récupérerez évidemment tout l'argent, sauf les honoraires de gestion dont je vous ai parlé.

— Et ils s'élèvent à combien ?

— Vingt mille dollars par mois. Par arrêt de justice.

Skjellerup explosa et le juge justifia ce montant.

— M. Hoxey est un personnage important aux États-Unis. Un conseiller de la présidence. Un conseiller de grandes industries. Il ne peut pas travailler pour des broutilles.

Skjellerup en avait assez entendu. Son éducation norvégienne stricte avait ancré en lui un respect profond pour les policiers, les ministres de Dieu, les instituteurs et les juges, mais il était moralement ulcéré, son sens luthérien de la justice scandalisé. Il ne le cacha pas.

— Juge Grant, ce qui se passe en ce moment à Nome est mal. Dans une démocratie comme les États-Unis, des choses pareilles ne sont pas permises. Je ne sais pas comment cela pourra cesser, mais cela cessera. On n'a pas le droit de voler le travail honnête d'un homme.

— Monsieur Killerbride ou je ne sais quoi, savez-vous ce qu'est un ordre de déportation ? Le juge signe un arrêt statuant que vous êtes un étranger dangereux, et vous partez aussitôt dans votre Laponie natale.

— Je suis norvégien.

— Ce n'est guère mieux. Miss Peckham, voulez-vous raccompagner cet individu ?

Pendant cette période, Hoxey demeura la plupart du temps invisible, et des hommes comme Skjellerup, qui avaient maintenant une idée claire de la combine — le juge Grant rendait des arrêts injustes et Hoxey s'appropriait les biens devenus vacants —, se doutèrent que l'homme du Dakota du Sud se cachait par peur d'être abattu. Ce n'était pas le cas. Hoxey passait des heures enfermé pour rédiger un flot ininterrompu de lettres à des sénateurs, des représentants et même au président pour dénoncer l'erreur commise dans le Code de l'Alaska de 1900, et solliciter activement une rectification immédiate.

> *Nous avons simplement besoin d'une nouvelle loi qui annule toute concession minière attribuée à un étranger illégalement, c'est-à-dire au moment où il était étranger. Comme vous le savez, je connais l'Akaska comme le dos de ma main, et le plus pernicieux des obstacles aux progrès du pays,*

c'est d'avoir des Scandinaves et des Russes en possession de mines sur le sol de l'Amérique. Je vous demande instamment de corriger ce mal.

Si elle passait, la loi proposée par Hoxey confirmerait légalement la dépossession d'étrangers comme Skjellerup et Arkikov et le confirmerait définitivement comme administrateur judiciaire des gisements de Nome. Ensuite, obtenir leur possession légale ne dépendrait plus que de son ingéniosité et de la stupidité du juge Grant. Avec un peu de chance, si le juge Grant restait en bonne santé jusqu'à ce que toutes les concessions passent sous son administration « temporaire », Hoxey deviendrait millionnaire en six mois et multimillionnaire peu après.

Mais pour qu'il y parvienne, il lui fallait persuader le Congrès de voter cette loi, et à cet effet il devait bombarder Washington d'un blizzard de lettres. Il avait manifestement besoin d'une secrétaire, et comme le juge Grant avait peu de chose à faire, en dehors des ordres de dépossession, Hoxey lui emprunta Missy, ce qui permit à la jeune femme d'avoir la preuve d'une relation coupable entre les deux hommes. En effet, Hoxey se vantait dans certaines lettres : « *À cet égard, nous pouvons compter sur notre bon ami, l'éminent juriste de l'Iowa* », ou même : « *Jusqu'ici, le juge Grant n'a pris aucun arrêt contraire à notre cause, et je crois que nous pouvons compter sur lui pour le même genre d'aide à l'avenir.* »

Entre-temps, la situation à Nome s'aggrava. La couche d'ordures devint plus épaisse dans les rues. Les gens commencèrent à mourir de maladies bizarres. Il y avait des vols et on trouvait de temps à autre un mineur mort près de sa concession, aussitôt occupée par des hommes à la solde de Hoxey. Les femmes étaient agressées dès le crépuscule et n'osaient plus se déplacer la nuit.

Un soir, Missy et Murphy invitèrent Tom Venn à dîner, sans savoir s'ils pouvaient se confier à lui.

— Nous sommes si contents d'avoir la vie un peu plus belle ces temps-ci, grâce à toi, que nous désirons te montrer notre gratitude.

— J'étais content... et même fier de vous présenter à ces deux messieurs qui font tant de choses pour améliorer la situation à Nome. Que pensez-vous d'eux ?

— Ils travaillent beaucoup, répondit Missy de façon évasive. En tout cas, M. Hoxey travaille.

— Je croyais que tu travaillais pour le juge.

— Oh oui. Mais M. Hoxey doit envoyer beaucoup de lettres à Washington. Et à Seattle... Il m' « emprunte », ajouta-t-elle en riant.

Tom savait qu'il ne devait pas demander à une secrétaire de trahir la confiance de son patron, il ne posa donc aucune question sur ces lettres, mais Missy prit la liberté de faire une observation générale.

— M. Hoxey semble penser que l'Alaska devrait être gouverné depuis Seattle.

— Je suis de son avis, répondit Tom. Il y a à Seattle les cerveaux et l'argent. Les hommes de Seattle connaîtront mieux l'intérêt général du pays. En tout cas, ma compagnie fait beaucoup pour la défense de l'Alaska.

Murphy changea de sujet.

— J'ai souvent pensé, Tom, que Nome n'avait pas besoin du juge Grant et d'un M. Hoxey de Seattle, mais du commissaire Steele et du sergent Kirby de Dawson. Ne crois-tu pas que ces deux hommes pourraient nettoyer cette ville en un week-end ?

La conversation glissa donc sur cette question intéressante et ils convinrent tous les trois que même un seul homme comme Steele, fort de la tradition et du soutien d'Ottawa, pouvait faire régner l'ordre à Nome.

— On n'aurait plus les « maisons » de la Cavale belge sous les yeux, dit Murphy. Tous ces bouges de la rue principale disparaîtraient avant la tombée de la nuit. Les bars où l'on vole les nouveaux venus, fermés ! Oui, un seul homme pourrait nettoyer cette ville, si c'était l'homme de la situation.

— Absolument, répondit Tom. À Dawson, jamais nous ne nous faisions le moindre souci pour la caisse de R & R, et pendant les grands jours, nous avions des sommes énormes. Le commissaire Steele ne tolérait pas le vol. Ici, tout le monde dort dans son magasin avec un fusil.

— Te servirais-tu du tien ? lui demanda Missy.

— Je l'éviterais aussi longtemps que possible. Même si un homme me frappait, j'essaierais de le calmer. Mais si je n'avais plus d'autre espoir...

— Je vais te dire une chose que le commissaire Steele réglerait tout de suite, intervint Murphy. À ce que j'ai pu voir, Hoxey a semé la pagaille dans les concessions. Au début, il y avait trois cents hommes dans la ville et chacun avait droit, légalement, à une concession, sans hommes de paille. À présent, il paraît que quinze cents concessions ont été enregistrées.

— Impossible ! s'écria Tom.

— Quinze cents titres de plus ! insista Murphy. Et chaque voleur ou contrefacteur de titre a le droit de présenter sa requête au tribunal devant le juge Grant.

— Mais cela peut continuer sans fin, protesta Tom.

Missy, sachant ce qu'elle avait vu dans les deux bureaux, répondit :

— Telle est bien leur intention.

Murphy, plus irrité que jamais, intervint :

— Sais-tu comment le commissaire Steele traitait ces voleurs de concessions ? Je l'ai vu à l'œuvre deux fois. Un homme à côté de nous, sur la hauteur de Klope, possédait une concession parfaitement en règle, mais sans or, comme la nôtre. Quand le bruit courut qu'on allait trouver de l'or sur cette crête (on n'en a jamais trouvé), une grande gueule du Nevada, à qui j'ai eu plus d'une fois envie de casser la mâchoire, essaya de s'emparer de la concession de notre voisin. Le commissaire Steele arriva sur les lieux pour régler le conflit. Il reconnut le type. « Monsieur, lui dit-il, je vous observe depuis sept mois. Même si votre titre est valide, nous ne voulons pas de vous à Dawson. Il est deux heures et demie et nous sommes mardi. Si vous vous trouvez encore en ville jeudi à la même heure, je vous mettrai en prison. Et si vous avez envie de porter la main à votre revolver, essayez donc ! » Et il s'en alla.

Ensuite Murphy raconta un incident encore plus caractéristique de la façon dont opérait Steele, pour bien montrer qu'un homme comme lui pourrait régler la situation à Nome.

— Près du torrent au-dessous de nous, sur *Eldorado Neuf Au-dessous*, un homme possédait un *placer* improductif. Il creusa plus profond et ressortit un tas de boue d'hiver contenant de l'or, qui gela à côté de sa cabane. Un jour, en ma présence, le commissaire Steele arriva avec des instruments d'arpenteur. « Sam, dit-il, mauvaise nouvelle. La limite de ta concession est tracée de travers. Cet endroit, là-haut, est libre pour toute personne qui en réclamera la concession. J'ai entendu dire qu'un type va se présenter demain. J'ai tenu à te prévenir. » Et voilà Sam qui crie : « Bon Dieu, mais toute ma boue se trouve sur ce terrain-là. Le peseur d'or a estimé qu'il y en avait pour trente mille dollars. » Steele répond : « Tu connais la loi. La boue va avec la concession. » Pris de faiblesse Sam dut s'asseoir par terre. Tout le travail d'un hiver fichu. Le seul coup de chance qu'il ait jamais eu — et cela sur le terrain d'un autre. « Mon Dieu, que vais-je faire ? » Le commissaire réfléchit un instant. « Mon bureau ouvre normalement à neuf heures. Demain j'y serai à sept heures. Trouve un ami de confiance, et qu'il fasse enregistrer la concession de ce terrain à son nom dès l'aurore. » À ces mots, il s'éloigna pour ne pas savoir quel genre de combine Sam mettrait au point.

— Que s'est-il passé ? demanda Tom.

— Sam a regardé autour de lui, n'a vu que moi et m'a demandé au désespoir : « Murphy, je peux te faire confiance ? » Je lui ai répondu : « Tu as intérêt. » Le lendemain à la première heure, je suis donc allé au bureau du commissaire Steele, il m'a conduit au registre et j'ai pris la concession *Eldorado Neuf Au-dessous, Erreur d'arpentage.* Elle est à moi et je vais vous le prouver.

Il sortit de sa poche un papier taché de sueur attestant que Matthew Murphy de Belfast (Irlande) possédait une concession valide sur *Neuf Au-dessous, Erreur d'arpentage.*

— Je suis allé au Canada pour posséder une mine et par la parole sacrée du Bon Dieu, j'en ai une et en voici la preuve.

— Mais la boue de Sam ?

— Je la lui ai vendue un dollar et j'ai conservé la mine. Sa boue lui a rapporté trente-trois mille dollars et il m'a donné cinq pour cent. C'est sur cet argent que nous avons vécu, Missy et moi, quand nous n'avions pas de travail à Dawson.

— Et ta concession ? demanda Tom. Qu'en est-il advenu ?

— Ce n'était qu'un minuscule bout de terre, recouvert par la boue de Sam. Du côté du torrent, rien. En dessous, rien. Mais ce certificat m'a donné de grandes compensations spirituelles.

— Pourquoi ?

— Mille cinq cents hommes ont quitté Edmonton dans l'espoir d'obtenir une concession. Des médecins, des avocats, des ingénieurs... Et je suis le seul qui ait obtenu sa concession. Une concession qui valait trente-trois mille dollars... de sept heures ce matin-là à quatre heures de l'après-midi.

— Pourquoi le commissaire Steele a-t-il protégé Sam de cette manière ? Parfaitement illégale, je dois avouer.

— Quand il m'a tendu le certificat, il a dit à mi-voix : « Content que ce soit toi, Murphy. Parce que l'autre bonhomme était un vrai porc ! »

— Je vous l'ai dit, conclut Missy. Un seul homme comme le commissaire Steele suffirait à nettoyer cette ville.

Au début de septembre 1900, la nature entière parut se liguer contre les braves gens de Nome. En proie à un juge corrompu, à un aigrefin rusé et à des bandes de cambrioleurs au chloroforme, ils virent avec dégoût s'achever cet été de malheurs. Tous ceux qui connaissaient le Nord savaient que la banquise allait les emprisonner avec ces malfrats pendant huit ou neuf mois presque sans soleil. Et ils n'ignoraient pas qu'avec le retrait du soleil et le blocage des chenaux, ce qu'ils jugeaient déjà très mauvais deviendrait pire.

Tom Venn, dans le minuscule bureau de son magasin R & R, estimait qu'il aurait assez de vivres pour l'hiver si le vapeur *Senator* parvenait à se faufiler une dernière fois au milieu des glaces pour débarquer l'énorme cargaison qu'il était censé apporter. Les chalands R & R mettraient six jours entiers à décharger ces stocks sur la berge ; des équipages de chevaux prendraient six jours de plus pour les apporter dans le magasin et les entrepôts voisins.

En tant que l'un des principaux commerçants de la ville, et à la tête de tous ceux qui considéraient Seattle comme l'arbitre en Alaska, Tom n'était plus du tout satisfait du juge et de l'administrateur judiciaire que les hommes de Seattle avaient envoyé à Nome. Chaque jour il pouvait constater de ses yeux leur comportement malhonnête.

— Je n'ai rien contre les gens de Seattle, dit-il à Matt et à Missy. La plupart des hommes que R & R nous a envoyés forment la charpente de notre pays. Seulement dans ce cas, Seattle a mal choisi.

Les jours raccourcirent. Missy, par son travail auprès des deux corrompus, obtint de nouvelles preuves de leurs méfaits. À mesure que Hoxey prenait le contrôle des nombreuses mines que le juge Grant plaçait sous sa protection, les papiers s'accumulaient à tel point que Missy travaillait dix heures par jour pour Hoxey et voyait rarement Grant bien que son salaire fût payé par l'État pour qu'elle travaille avec le juge. Elle ne souhaitait pas encore montrer son petit carnet à Tom Venn, mais elle dit à Matt Murphy :

— Tu sais, presque tout ce qu'ils font est malhonnête. La semaine dernière, le juge a dû régler un problème simple : une mutation des biens appartenant à la veuve de l'homme qui a été tué quand la vergue du cargo qu'il déchargeait s'est brisée. Une affaire toute simple, que j'aurais pu régler toute seule. Mais non, il a fallu qu'il fasse venir M. Hoxey et quand ils en eurent terminé avec tous leurs tours de passe-passe, mille huit cents dollars de la veuve avaient disparu.

— Sais-tu ce que je crois, Missy ? Un de ces jours, quelqu'un va descendre ce M. Hoxey. J'ai vu des choses à vous faire dresser les cheveux sur la tête.

— Ne te mêle pas à des règlements de comptes, Matt !

Après des mois d'efforts et de privation, le jeune couple laborieux et honnête avait enfin un revenu fixe, mais Missy commençait à en avoir assez de son travail.

— Matt, que dirais-tu si nous cessions ? Si nous donnions congé et demandions à Tom Venn de nous engager pour une chose ou une autre ?

— Et que ferions-nous ? Nous avons besoin d'argent.

— Je pourrais tenir les comptes de Tom, lui, il est honnête ; tu pourrais diriger les entrepôts de façon que les cargaisons ne restent pas entassées sur la plage. Et nous pourrions dormir la nuit.

— Tu ne dors pas ?

— Non.

— Bon sang, Missy, on ne devrait jamais avoir d'insomnies à cause de ce qu'on a fait sur les ordres de quelqu'un d'autre pendant la journée.

— J'ai peur, Matt. Quand la fusillade commencera, tu risques d'être tué. Ou moi.

Ses paroles étaient si graves que le 10 septembre, une demi-heure après l'aurore, ils frappèrent à la porte du bureau de Tom Venn.

— Tom, nous cherchons du travail.

— Mais vous avez de bonnes places. Je me suis donné du mal pour vous les obtenir.

— Nous ne pouvons plus y rester.

— Et pourquoi ?

— Tom, te souviens-tu de ce que je t'ai dit quand tu nous as quittés pour aller travailler seul, la première fois, avec Klope ?

Tom retint son souffle, hésita, puis balbutia :

— Tu m'as dit d'être toujours honnête.

Il s'éloigna du couple, puis se retourna pour lancer :

— L'an dernier, quand j'ai quitté Dawson pour venir ici, M. Pincus m'a donné cette balance à peser l'or. Il m'a dit de la maintenir propre. Il m'a averti qu'elle rouillerait si je faisais quoi que ce soit de malhonnête.

Pendant quelques instants, il marcha de long en large en soulevant la poussière. Puis il s'arrêta et regarda par-dessus son épaule.

— Ce ne sont pas des hommes bien, n'est-ce pas ?

— Non, Tom, répondit Missy.

Rien de plus ne fut dit à ce propos.

— Bon, dit Tom en souriant comme s'il venait de faire leur connaissance à l'instant. Supposons que j'aie deux emplois à offrir. Que pourriez-vous faire pour moi ?

— Je pourrais tenir tes livres de comptes et d'inventaire, dit Missy.

— Je pourrais m'occuper des chalands et des entrepôts.

Seul Tom mesurait tout ce qu'il devait à ces deux êtres remarquables. Missy avait sauvé sa famille en 1893 et lui avait montré au Chilkoot Pass le sens du mot courage. Et lui seul savait quelle influence subtile Matt Murphy avait exercée sur lui avec son lyrisme irlandais, sa conception plaisante de la vie et son esprit indomptable. Tom devait à Matt et à Missy les valeurs qui le guideraient pendant toute sa vie. S'ils avaient besoin d'emplois, il ne pouvait faire autrement que de leur en donner, puis d'imaginer une justification pour ses patrons de Seattle.

— Vous ne pouvez pas laisser tomber le juge et M. Hoxey comme ça, vous savez. Il vous faudra donner un préavis de départ.

— Bien entendu, répondit Missy. Est-ce que deux semaines paraîtront convenables ?

— Absolument. Parce que si vous les quittiez pour que je vous engage aussitôt, cela ferait mauvais effet... On pourrait croire que je vous avais fait des avances. Il vaudrait mieux que je leur parle personnellement. Cartes sur table.

Le matin même, dès l'ouverture des bureaux, Tom alla voir le juge Grant et lui suggéra de faire venir Hoxey. On leur servit des gaufres et Tom leur expliqua :

— Messieurs, quand vous êtes arrivés, je vous ai recommandé deux excellents amis, Missy Peckham et Matthew Murphy.

Le juge Grant se pencha, fit un geste vague de la main et demanda :

— Est-ce que ces deux-là... ? Je veux dire : est-ce qu'il fricote avec elle ?

— Je ne saurais dire... répondit Tom. L'hiver approche, continua-t-il en s'adressant à Hoxey, et le *Senator,* votre ancien bateau, doit arriver avec une cargaison énorme. J'aurai besoin de leur aide.

— Vous voulez nous les enlever ? demanda Hoxey, agressif.

— Euh... Oui. Je peux vous trouver d'autres employés.

— L'Irlandais ne vaut rien, ricana Hoxey. Reprenez-le et bon débarras. Pour la fille, c'est autre chose.

— Je croyais qu'elle travaillait pour vous, monsieur le juge.

— Elle m'aide après la fermeture du bureau du juge, mentit Hoxey.

— Vous estimez que vous ne pouvez pas la laisser partir ? demanda Tom.

— Je trouve votre démarche très inamicale. Très inamicale, répéta Hoxey. Et quand je trouve une attitude inamicale, je ne reste pas sans réagir. Je suis très intime avec vos supérieurs à Seattle, monsieur Venn, et je trouverais votre insistance extrêmement inamicale.

Tom dut donc signaler à ses deux amis que Matt pourrait travailler pour R & R à la fin des deux semaines de préavis, mais que Missy devrait rester avec le juge.

— Désolé, Missy. Mais je viens de découvrir que dans ce monde peu de gens sont leur propre maître. M. Hoxey refuse de te laisser partir.

— Si j'ai pu affronter les rapides du lac Bennett, je pourrai affronter M. Hoxey.

Elle serait manifestement prisonnière de son poste pendant tout l'hiver. Tout en travaillant, elle se mit à noter avec plus de précision ce que cet escroc manigançait. Et pendant les deux dernières semaines où Matt continua de travailler pour Hoxey, elle nota jusqu'au moindre détail ce qui se passait dans les mines. Le soir du 13 septembre, elle lui dit :

— Tu te souviens de ce que tu nous as raconté, sur le commissaire Steele qui avait protégé un mineur dont le tas de boue se trouvait sur la concession d'un autre ? Tu te rappelles la raison qu'il a donnée pour justifier son acte contraire à la loi, du moins si on l'interprète à la lettre ?

— Oui. Steele a dit : « Parce que l'autre bonhomme était un vrai porc. »

— Ces deux hommes à qui nous avons affaire sont des porcs.

Le 14 septembre, le *Senator* arriva dans le chenal de Nome avec son énorme cargaison pour R & R et la dernière fournée de « mineurs » de la saison. En touchant terre, ceux-ci découvriraient que les concessions le long de tous les cours d'eau étaient prises, et chaque centimètre de plage envahi ; mais ils débarqueraient tout de même, et à la fin d'un dur hiver, dix mois plus tard, ils auraient tous trouvé un moyen ou un autre de vivoter leur pain. Ils survivraient, mais sûrement pas dans les conditions qu'ils avaient imaginées.

Ils ne débarquèrent pas le 14, parce qu'une tempête qui s'éleva dans la moitié occidentale de la mer de Béring fit déferler de telles vagues sur les plages de Nome que tout transbordement aurait été dangereux, voire impossible. Une chaloupe parvint à terre avec un officier du bateau et un représentant de Ross & Raglan, mais à l'heure de repartir, la mer était si démontée que personne ne voulut plus s'embarquer — eux les premiers.

Ils signalèrent que huit cent trente et un nouveaux venus piétinaient sur les ponts, impatients de se ruer à terre pour cueillir leurs millions.

— Certains d'entre eux nous ont demandé de faire escale trois jours pour qu'ils puissent rentrer à Seattle avec leur magot. Un de nos matelots a ramassé une somme coquette en leur montrant les meilleurs coins le long de la plage. Bien entendu, tous ces coins sont pris.

L'homme de R & R apportait deux bonnes nouvelles : l'ensemble de la commande de Tom avait été envoyée et attendait les chalands, dans les cales du *Senator;* et son salaire avait augmenté de sept dollars par semaine. En remettant à Tom le connaissement de la cargaison, l'homme lui dit :

— Nous sommes fiers de la façon dont vous vous êtes occupé de tout. Peu de directeurs de nos magasins en auraient été capables. Savez-vous ce qui attire le plus l'attention ? La manière dont vous avez vendu ces boîtes sans étiquette pour cinq *cents.* Un comptable a hurlé : « Débitez le compte de ce garçon de trente *cents* par boîte. C'est ce qu'elles nous coûtent. » Mais savez-vous ce que M. Ross a répliqué ? « Donnez à ce garçon une prime. Parce que pendant les quarante ans qui viennent on parlera partout de la générosité de R & R grâce à ces quelques malheureuses boîtes. »

Ensuite, l'homme ajouta ceci :

— Il y a à bord un certain M. Reed. Il représente, je crois, une compagnie d'assurances de Denver. Il semble impatient de vous parler, Venn.

Et le ton de la phrase fit comprendre à Tom que l'homme de R & R le soupçonnait d'être impliqué dans une opération louche — les inspecteurs d'assurances ne font pas le chemin de Denver jusqu'à l'Alaska pour demander : « Ça va, les affaires ? »

— Tom, connaissez-vous ce M. Reed ? demanda l'homme de R & R. De Denver ? Dans les assurances ?

— Première nouvelle. Je ne suis pas assuré.

— Un tort. Tout jeune homme qui compte se marier un jour devrait lancer un plan d'assurance. Ce nommé Reed a fait allusion à une certaine Mme Concannon. Une réclamation pour une assurance-vie ou je ne sais quoi. Vous connaissez cette Mme Concannon ?

— Absolument pas...

Puis, il se souvint — ce qui parut suspect.

— Oh oui ! Son mari a été tué net sur un de nos bateaux. Une vergue qui s'est brisée. C'était l'*Alacrity,* je crois.

— Étions-nous responsables ?

— Oh non ! Un acte de Dieu, comme on dit.

— Est-ce que la réclamation de la veuve prête à contestation en quelque manière ?

— Non. Impossible. Il a été tué sur le coup.

— Avez-vous rempli des papiers pour son assurance ? Je veux dire : au nom de R & R ?

— Non.

Mais de nouveau il dut revenir sur ses paroles, ce qui parut de plus en plus curieux :

— Enfin, oui. Je sers parfois de juge d'instruction, de maire et de n'importe quoi à Nome. Il n'y a aucune administration locale, comme vous le savez sans doute. Tous les commerçants sont appelés à... Oui, j'ai signé le certificat de décès de Concannon.

— Pas de filouterie ? Aucune combine de votre part ?

Tom n'appréciait pas du tout le tour que prenait cet interrogatoire.

— Écoutez, monsieur. Tout ce que je fais pour R & R est connu de tous, et je n'ai rien à me reprocher. Dans ma vie privée non plus, d'ailleurs.

— Enfin, jeune homme, une minute ! Si un homme arrivait ici

demain, un inspecteur d'assurances de Denver possédant d'excellentes références, et vous posait des questions à mon sujet... Ne vous demanderiez-vous pas de quoi il retourne ?

— Sans doute, je suppose...

— Eh bien, M. Reed, des assurances de Denver, m'a posé des questions à votre sujet et vous êtes l'un de nos employés. Naturellement, j'ai dressé l'oreille. Jeune homme, je vous vois très pâle. Vous désirez un verre d'eau ?

Tom s'écroula sur une chaise et enfouit son visage entre ses mains pendant un instant. Puis il dit :

— Il ne vient pas de Denver mais de Chicago. Il n'est pas inspecteur d'assurances. C'est un détective privé engagé par ma mère... Mon autre mère, celle dont je ne veux pas.

Il tremblait si fort que l'homme de R & R s'assit à ses côtés et lui demanda gentiment :

— Est-ce que vous voulez m'en parler ?

— Seulement en présence de Missy, répondit Tom.

Dans la tempête qui commençait à se déchaîner, il partit à la cabane de Murphy avec l'homme, et annonça aussitôt la nouvelle.

— Un de ces détectives à qui nous tentions d'échapper, Missy. Il nous a retrouvés.

— Mon Dieu !

Elle s'effondra à son tour et garda le silence. Jamais elle n'avait parlé à Klope et à Murphy de son départ de Chicago, pour éviter le scandale, et elle n'avait pas le courage de revivre cette période douloureuse.

Mais Tom parla. Il raconta comment Missy Peckham avait sauvé sa famille et comment sa mère les avait harcelés avec ses avocats, puis il évoqua la bravoure de Missy dans le Chilkoot et son dévouement à la mort de son père sur le lac Lindeman. Les souffrances de sept années l'accablèrent ; il ne pleura pas mais fut incapable d'en dire davantage.

— Nom de Dieu, s'écria l'homme de R & R, père de six enfants. Vous n'avez aucune raison de vous inquiéter. Votre mère était une garce, ne mâchons pas les mots, et ce M. Reed devrait avoir honte de lui. J'aimerais envoyer mon poing dans la figure de ce genre de type.

Un peu plus tôt, il avait mis en garde Tom contre des actes susceptibles de porter préjudice à R & R, et voici qu'il était prêt à tabasser un inspecteur d'assurances. Pour redonner un peu de nerf à Tom Venn, il recourut aux vieux dictons réconfortants.

— Laissons les morts enterrer les morts. Tom, je vous défendrai devant tous les tribunaux de ce pays. Et un honnête homme n'a jamais rien à craindre.

Le matin du 15 septembre, dans la dernière semaine de l'été, la population de Nome, à son réveil, se trouva attaquée par l'une des plus grandes tempêtes de la décennie, voire des cinq ou six dernières décennies. Un vent d'une violence fantastique se mit à souffler du fond de la Sibérie. À l'aurore, l'anémomètre mesura plus de soixante-quinze kilomètres à l'heure ; à huit heures du matin, il indiqua quatre-vingt-quinze ; puis des rafales se déchaînèrent à plus de cent quinze et cent trente.

D'énormes vagues s'abattirent sur la côte sans protection et engloutirent des cabanes et des tentes. Sans relâche, les vagues rongèrent la côte puis se jetèrent sur les maisons et les magasins, à deux cents mètres dans les terres. L'eau arriva jusqu'à l'escalier du nouvel entrepôt R & R. À la tombée de la nuit, le quart des habitations de

Nome étaient détruites, et la tempête fit rage pendant trois jours. Un pasteur réunit son troupeau et lui lut des passages de l'Apocalypse prouvant que Dieu était venu à Nome pour châtier l'Antéchrist. Les hommes aux tampons de chloroforme ne songeaient plus qu'à leur sécurité personnelle.

Tom Venn passa les trois journées de tempête avec Missy et Matt, pour mettre au point la stratégie qu'ils emploieraient avec le détective et les réponses aux problèmes qu'il poserait. Ils n'étaient pas gais : les bourrasques venaient de la mer mais ils songeaient au typhon d'ennuis qui allait les engloutir. Puis Murphy, avec un doute légitime de bon paysan, mit un peu de raison dans la discussion.

— Une minute ! Que savez-vous au juste de ce M. Reed ? Rien de certain !

— Il a posé des questions sur moi. À plusieurs reprises, c'est sûr.

— Tu ne sais même pas si c'est un assureur, comme il le prétend, ou un détective, comme tu l'affirmes. Il n'est peut-être ni l'un ni l'autre.

— Il s'intéressait à des choses... À des choses personnelles...

— Tu ignores même s'il vient de Denver, de Chicago ou d'ailleurs.

— Que proposes-tu ? demanda Missy qui avait appris à faire confiance au bon sens de l'Irlandais.

— D'attendre que cette maudite tempête s'apaise. Votre M. Reed descendra à terre pour s'expliquer. Entre-temps, à quoi bon se tournebouler pour des choses que nous ignorons ?

Le conseil était si raisonnable que Missy et Tom cessèrent de se torturer. La fureur de la tempête redoubla, mais leurs craintes diminuèrent ; dans leur appréhension naturelle, ils ne parvenaient pas à chasser l'impression de menace, mais ils la contenaient à un niveau qui leur permettait de réfléchir. Ce fut pendant cette période que Tom fit observer :

— Je vous dois tant, à tous les deux, que j'aimerais vous voir heureux. Je voudrais que Missy travaille avec moi pour R & R. Le juge Grant et Hoxey partiront bientôt, sinon quelqu'un les tuera, comme dit Matt. Aussitôt Missy sera libre et nous pourrons travailler ensemble. Matt, pourquoi ne l'épouses-tu pas ?

Murphy révéla alors ce qu'il avait avoué à Missy depuis longtemps.

— J'ai une femme en Irlande.

Il le dit d'un ton si ferme et définitif que cela n'invitait à aucun commentaire, et pendant quelque temps ils restèrent immobiles tous les trois à écouter le hurlement du vent dont la violence rivalisait avec le crépitement de la pluie battante.

— Il y avait beaucoup de maisons abattues ce matin, dit Tom. Quand nous reconstruirons, j'aimerais voir des rues plus larges. Faire de Nome une ville dont nous serions fiers.

— Prends garde, Tom, lui répondit Matt. Des gens comme toi ont réclamé une meilleure administration, et nous avons eu le juge Grant.

— Je ne crois pas que Nome pourra rester une grande ville. Quand le *Senator* appareillera, s'il parvient à décharger sa cargaison, notre comité a noté plus de quatre cents mineurs qui voudront repartir avec lui. Mais ils sont sans le sou.

— Que ferez-vous ?

— Le comité remettra à chacun un billet bleu. Retour gratuit dans le sud. Et je parie que quatre cents autres paieront leur passage pour dormir sur le pont. Simplement pour ne pas rester ici.

— Que feront-ils à Seattle ?

— Certains se mêleront à la population, la plupart poursuivront leur chemin. À la dérive. Jusqu'à ce qu'ils trouvent du travail et recommencent à zéro. Une grande ville peut absorber des gens fauchés. Pas un petit endroit isolé comme Nome.

— Nome n'est pas petit, répondit Missy. C'est la plus grande ville d'Alaska.

Tom écouta la tempête qui se déchaînait avec violence, et dit :

— J'ai eu une vision la nuit dernière... Oui, je crois que le mot n'est pas trop fort. Je n'arrivais pas à dormir à cause de ce détective...

— Tu n'es pas sûr que ce soit un détective ! répéta Matt.

— Et j'ai vu l'Alaska comme un énorme bateau, beaucoup plus gros que le *Senator,* au large. Et il survivait à cette tempête uniquement parce qu'il était bien ancré. Cette ruée vers l'or va forcément se calmer, et à ce moment-là, je crois que nous devrons faire l'impossible pour consolider notre lien avec Seattle. Si ce cordon ombilical se brise, nous serons perdus.

— Je n'en suis pas sûre, objecta Missy. Tout le bien dont bénéficiera l'Alaska viendra au contraire de l'Alaska.

Le soir du 17 septembre, dès que la tempête commença à se calmer, Tom et Matt se lancèrent sous la pluie encore violente pour évaluer les dégâts. Le grand nombre de maisons détruites et le petit nombre de tentes encore debout les affola. Pas du tout protégé contre la mer de Béring, Nome aurait été effacé de la carte sans l'obstination des mineurs, prêts à rebâtir leur cité de l'or.

— Tôt ou tard, dit Tom, il nous faudra construire un mur ou une jetée pour nous protéger contre ces tempêtes.

Dans le jour qui tombait, plusieurs commerçants se joignirent à eux. Certains avaient eu leur magasin complètement balayé. D'autres avaient trouvé cinquante centimètres d'eau sur leur plancher. Seul le plus solide des soixante et quelque saloons restait en état d'ouvrir ses portes.

— La pluie a fait du bien, dit l'un des hommes. Et l'Hôtel de la Porte-d'Or n'a pas pris feu, cette année.

Mais ce fut seulement en arrivant sur la plage qu'ils purent apprécier la puissance formidable de cette tempête : pas un seul élément du matériel d'extraction de l'or n'était en vue. Les petites caisses à laver le sable et les énormes mécanismes qui l'avalaient pour en séparer l'or avaient disparu, sans exception. La plage, sur ses quarante kilomètres de longueur, avait été nettoyée sans que reste un seul vestige de la grande ruée vers l'or. Quand un des pasteurs de la ville vint se joindre au groupe, il ne put s'empêcher d'observer :

— Regardez, messieurs. Dieu, fatigué de nos excès, a passé l'éponge sur l'ardoise. Finie, votre ruée vers l'or.

— Non, répondit un mineur. La ruée vers l'or recommence : il y a des hommes qui attendent de débarquer de ce bateau. Dans deux jours, cette plage sera couverte d'hommes comme un cuissot de cerf se couvrirait de fourmis.

— Je suis d'accord avec vous, mon révérend, lança un autre mineur, mais ma conclusion est opposée. Oui, Dieu nous a envoyé cette tempête, mais Il l'a fait pour que nous réorganisions les concessions. Et pour apporter sur la plage une nouvelle cargaison d'or. Je suis impatient de recommencer.

À peine avait-il fini de parler que deux hommes plus âgés, qui traînaient derrière eux un engin monstrueux, descendirent sur la plage, choisirent un endroit où il y avait naguère des quantités d'or et se remirent à creuser dans le sable.

Mais l'image que l'on conserverait le plus longtemps de cette tempête historique de septembre 1900 serait celle du grand vapeur *Senator* au large, bondissant au milieu des vagues tourbillonnantes en attendant de débarquer un nouveau torrent de chercheurs d'or — et un certain M. Reed, encore plus impatient de parvenir à terre que n'importe quel mineur d'occasion.

***

En mer, il s'était montré nerveux, mais à terre il passa presque inaperçu. Il s'installa à l'Hôtel de la Porte-d'Or sous le nom de M. Frank Reed de Denver (Colorado) et passa trois jours à essayer de comprendre la situation de Nome : les premières concessions le long des cours d'eau, puis le reflux des hommes sur les plages pour établir leurs droits sur tel ou tel coin de sable. Il se rendit dans les principaux magasins pour voir ce que chacun vendait et goûta la bière de plusieurs bars, où il ne prononça pas un mot mais écouta beaucoup. La façon dont Nome avait résolu (si l'on peut dire) le problème de ses ordures et de ses égouts l'épouvanta — tout homme normal aurait réagi de même. Pendant ces premiers jours, il ne mangea presque pas.

Le quatrième matin, il commença à se rendre auprès des prétendus « dirigeants ». Ses questions étaient toujours diverses et peu révélatrices de ses intentions, si bien que trois commerçants d'un certain âge décidèrent de passer au Porte-d'Or pour lui parler. Chemin faisant, ils croisèrent Tom Venn et lui demandèrent de les accompagner.

— Monsieur Reed, vos activités nous ont intrigués.

— Vous n'êtes pas plus intrigué que moi.

— Qui êtes-vous ?

L'inconnu réfléchit un instant, tenté de révéler la vérité à ces hommes honnêtes et soucieux, mais sa longue expérience le mit en garde contre toute décision prématurée et il préféra temporiser :

— Messieurs, je n'ai pas encore la liberté de répondre à vos questions, mais croyez-moi, je ne suis pas venu faire du tort à des personnes comme vous.

Jugeant qu'ils méritaient d'en savoir davantage, il prit un document dans la poche de sa veste.

— Vous êtes monsieur Kennedy, dit-il à l'un d'eux, et on m'a parlé de vous comme d'un homme d'honneur. Je suis venu ici pour vous voir.

Il lut deux autres noms avec un commentaire semblable, puis se tourna vers Tom :

— Je ne crois pas vous connaître.

— Vous n'êtes pas venu me chercher ? balbutia Tom, immensément soulagé.

— Je ne suis venu chercher personne.

— Je suis Tom Venn. De Ross & Raglan.

— Ah bon ! s'écria M. Reed, trahissant une surprise qu'il fut incapable de masquer. Je ne vous imaginais pas si jeune. C'est vous que je désirais voir en premier.

Tom sentit ses genoux trembler et sa bouche devint soudain très sèche, mais il était convenu avec Missy qu'il affronterait l'épreuve la tête haute.

— À quel sujet voulez-vous me voir ?

M. Reed dut donc révéler une partie de son jeu.
— L'affaire Concannon.
— Oh !
Le soupir de Tom fut si intense que si M. Reed était venu enquêter sur un cambriolage de banque, il aurait aussitôt pensé que le jeune homme avait fait le coup.
— Vous avez signé le certificat de décès de Concannon, n'est-ce pas ?
— Oui. Nous n'avons aucun fonctionnaire officiel.
— Je sais.
— Alors on demande toujours à plusieurs d'entre nous... Je crois que M. Kennedy a signé lui aussi.
— C'est exact, répondit Reed. Son nom se trouvait sur le document. Asseyez-vous, messieurs, et dites-moi ce que vous savez de l'affaire Concannon.
Pareil à un furet, il disséqua dans les moindres détails de ce qui n'était qu'un banal accident en mer, quand les bateaux roulaient et que les vergues se brisaient.
— L'*Alacrity* était un bateau R & R, n'est-ce pas ?
— Un petit, répondit Tom. Construit pour desservir Skagway mais réaffecté à Nome au moment de la grande ruée.
— N'est-il pas plutôt étrange qu'un employé de la compagnie propriétaire d'un bateau impliqué dans un accident fatal ait authentifié le certificat de décès ?
— Au début, je ne savais même pas qu'il était mort sur notre *Alacrity*. On m'a simplement demandé de signer les papiers. Il fallait que quelqu'un le fasse. Sinon Mme Concannon n'aurait pas touché son assurance.
— Oui. Les gens de Denver me l'ont expliqué.
— Vous n'appartenez donc pas à la compagnie d'assurances ?
— Non. La compagnie a prévenu les autorités que quelque chose de bizarre avait pu se passer dans l'affaire Concannon. Et que le cas ne semblait pas isolé.
— Pas isolé ? demanda un des autres commerçants.
M. Reed lui sourit.
— Votre question est judicieuse et mérite une réponse, monsieur. Mais je ne peux pas encore vous la donner. Encore une fois, je ne suis pas ici pour enquêter au sujet de personnes comme vous. Nous n'avons reçu sur vous que les meilleurs rapports. Nous en resterons là, et moins vous parlerez de notre rencontre, mieux ce sera. Je sais que vous aurez envie d'en discuter entre vous, mais je vous en supplie, pas un mot en public.
Et au moment où les hommes quittaient la pièce, il ajouta :
— En revanche, j'aimerais entendre tout ce que vous pourrez m'apprendre d'autre sur l'affaire Concannon.
— Monsieur Reed, répondit Tom d'un ton ferme, ce n'était absolument pas un meurtre.
— Oh, j'en suis certain, répondit M. Reed.

⁂

Le cinquième jour après la tempête, M. Reed convoqua à l'Hôtel de la Porte-d'Or ce premier groupe de notables ainsi que huit ou neuf autres et les ministres de Dieu de la ville. Il les fit asseoir et prit la parole.
— Messieurs, vous vous êtes montrés patients et je vous en sais gré.

Vous avez le droit de savoir qui je suis et pourquoi je suis venu. Je m'appelle Harold Snyder, commissaire fédéral du District de Californie, envoyé ici pour entreprendre une action dans une affaire de mutation frauduleuse de biens appartenant à des mineurs possédant des concessions parfaitement en règle le long d'Anvil Creek.

Et avant que ses auditeurs puissent ouvrir la bouche, il lança des ordres à la cadence d'une mitrailleuse.

— Je veux connaître tous les détails relatifs aux concessions *Cinq, Six,* et *Sept Au-dessus.* Et j'aimerais recevoir demain Lars Skjellerup, citoyen de Norvège, Mikkel Sana, citoyen de Laponie — dans quel État cela se trouve ?

— Norvège, Suède, Finlande, ou peut-être un bout de la Russie.

— ... Et le Sibérien nommé Arkikov, sans prénom.

Suivit aussitôt une rafale d'instructions.

— Trouvez-moi un plan d'Anvil Creek. Tous les documents relatifs aux titres des concessions. Les dates de toutes les réunions. Et une liste complète des mineurs qui ont participé aux deux premières assemblées.

Et il termina par une déclaration qui galvanisa les commerçants.

— Avant le début de notre réunion, j'ai chargé trois d'entre vous, dont un pasteur, de surveiller tous les faits et gestes du juge Grant et de Marvin Hoxey. On ne les laissera brûler aucun papier.

Sur ces mots, il leva la séance.

Le lendemain, les premiers détenteurs des concessions *Cinq, Six* et *Sept Au-dessus* se présentèrent. À huis clos, il mena une enquête aussi minutieuse que possible, avec des cartes, des diagrammes, des calendriers pour les dates, et des listes de témoignages antérieurs pour démontrer les effroyables dénis de justice que certains hauts fonctionnaires de San Francisco commençaient à soupçonner.

Au bout de deux jours, il obtint contre les deux voleurs des preuves sans équivoque qui le convainquirent personnellement, mais qui n'auraient guère de poids devant un tribunal. Le juge Grant et Hoxey le savaient fort bien, et ils continuèrent leurs manœuvres comme à l'ordinaire ; Hoxey fit même embarquer sur le *Senator* une énorme quantité d'or à destination de son compte personnel.

— Le problème, signala M. Snyder au comité, c'est que les escroqueries de ces deux bandits sont presque impossibles à démontrer devant un jury. Vous savez mieux que quiconque que le juge Grant a failli à son serment de juge, parce que ce sont vos biens qu'il a volés. Mais comment le prouver devant une cour de justice ? Les jurys ne tiennent guère compte de bouts de papier. En revanche, si nous pouvions les coincer pour l'affaire Concannon...

— Qu'est-ce que l'affaire Concannon ?

— Nous pensons qu'ils ont dépouillé une veuve d'une partie de son assurance légitime. Les gens de Denver ont flairé un coup fourré, seulement ces salauds ont couvert leurs traces. Nous n'avons rien sur quoi nous appuyer, mais si nous pouvions présenter à la barre des témoins une veuve sans défense...

— Il s'interrompit.

— Bon Dieu, personne ne sait quoi que ce soit sur cette affaire ?

Et Tom Venn se demanda alors si Missy n'était pas au courant de quelque détail sur ce Concannon.

— Je n'en suis pas certain, monsieur Snyder, dit-il, mais je connais une personne qui sait peut-être...

— Faites-la venir ici. Tout de suite.
Tom courut d'abord à son magasin prévenir Matt Murphy :
— Va au bureau du juge Grant... Il ne faut pas qu'il me voie, et demande à Missy de venir.
— Ici ?
— Non. A l'Hôtel de la Porte-d'Or.
Quand Matt arriva au bureau du juge Grant, les trois hommes qui surveillaient les lieux l'arrêtèrent.
— Vous ne pouvez pas entrer.
— M. Snyder veut voir Missy.
— Le juge Grant ne la laissera pas partir.
— Je compte jusqu'à trois, j'entre et je la ramène.
Il ramena Missy et M. Snyder l'interrogea en présence de Tom et de Matt.
— Que savez-vous de l'affaire Concannon ?
— Ni suicide, ni meurtre, répondit-elle. Une police d'assurance. Le juge Grant et M. Hoxey en ont volé une partie.
— Comment le savez-vous ?
— J'en suis sûre.
— Bon sang ! Tout le monde dit « J'en suis sûr », mais personne ne sait quoi que ce soit d'utilisable devant un jury.
— Mais j'en suis sûre, répéta Missy, têtue.
— Et comment en êtes-vous sûre ? tonna M. Snyder.
— Parce que j'ai tout écrit.
M. Snyder, sentant que l'affaire reprenait vie soudain, se força à baisser la voix.
— Vous avez pris des notes ?
— Oui.
— Pourquoi ?
— Parce que au bout d'une semaine de travail je me suis aperçue que ces deux hommes n'avaient pas des intentions honnêtes.
— Ces deux hommes ?
— Oui. J'ai dactylographié toutes les lettres de M. Hoxey.
Un silence. Puis, très doucement, M. Snyder demanda :
— Vous avez également pris des notes sur les agissements de Hoxey ?
— Oui.
— Et où se trouvent ces notes ?
Le silence fut très long, car Missy n'avait pas oublié Skagway, où les hommes de Soapy Smith s'habillaient en prêtres pour escroquer les gens, ou en portefaix pour les voler. Elle avait vu de faux bureaux de fret s'emparer de marchandises qu'ils n'envoyaient jamais. À Skagway tout le monde était suspect et elle revoyait encore Otto-la-dent-noire en train de trotter comme un rat sur les lieux de la terrible avalanche pour voler les bagages des morts. À la façon des acolytes de Soapy Smith, M. Snyder pouvait très bien être un imposteur appelé à Nome par le juge Grant et Hoxey pour découvrir et détruire toutes les preuves existant contre eux. Elle se refusait à confier quoi que ce soit de plus à cet inconnu.
— Où se trouvent vos notes ? répéta M. Snyder.
Missy ne répondit pas.
— Mais enfin, dis-le-lui ! lança Matt Murphy, d'un ton si insistant que la jeune femme se tourna vers Tom, désemparée.
— C'est exactement comme à Skagway. Comment savoir qui est cet homme ? Et pouvons-nous lui faire confiance ? Comment être sûrs qu'il ne travaille pas pour Hoxey ?

Tom et M. Snyder comprirent très bien cette réaction. Dès qu'une société autorise le chaos absolu, elle engendre des soupçons absolus ; les processus normaux qui maintiennent toute société en équilibre stable — la confiance, le dévouement, l'honnêteté, le châtiment des mauvaises actions — commencent à se corrompre et tout s'écroule parce que les étais ne sont plus là.

Patiemment, Harold Snyder — et non le mystérieux M. Reed — présenta carrément ses références, que Missy put lire et méditer. Oui, c'était bien un commissaire fédéral ; oui, la cour fédérale de San Francisco lui avait demandé d'enquêter sur les injustices commises par un juge de Nome ; oui, il avait le pouvoir de procéder à des arrestations. Mais Missy ne se laissa pas convaincre.

— Les hommes de Soapy avaient des papiers en règle, eux aussi. C'était Soapy qui les imprimait lui-même.

Elle regarda les trois hommes tour à tour et demanda :

— Comment savoir vraiment ?

— Missy, lui répondit Tom, souviens-toi de ce que ce jeune officier t'a dit quand le sergent Kirby voulait protéger ton argent : « Si vous ne pouvez pas faire confiance au commissaire Steele, vous ne pouvez faire confiance à personne. » La situation est la même.

Elle le comprit. Dans toute situation de crise, il faut faire confiance à quelqu'un à un moment ou un autre. Elle déclara qu'elle remettrait le carnet où elle avait pris ses notes, et perdit aussitôt toute volonté de résistance. Cette petite femme courageuse avait subi trop d'épreuves en trop peu de temps. Elle laissa tomber la tête pesamment sur la table et l'enfouit entre ses bras.

Matt et Tom la laissèrent ainsi, se précipitèrent à la cabane et revinrent avec le carnet de notes, que Matt posa sur la table sans l'ouvrir.

— Est-ce bien ce carnet, Missy ?

— Oui.

— Nous allons nous pencher sur chaque note qu'il contient.

En fin d'après-midi, Snyder demanda :

— Que signifie ceci ?

— Le juge Grant m'a demandé de réclamer sept heures supplémentaires que je n'avais pas faites, et au moment du paiement il a gardé l'argent.

Snyder repoussa le carnet comme si son odeur l'offensait :

— Bonté divine, quand un homme reçoit un salaire comme le sien, on ne s'attend guère à ce qu'il triche sur celui de sa secrétaire.

Mais quand il arriva aux notes concernant Hoxey, il fut vraiment pris de rage.

— Je suis un officier de justice et j'exerce mes devoirs de façon scrupuleuse. Mais j'ai une envie folle d'enfermer ces deux-là dans une pièce avec le grand Norvégien, le Sibérien coriace et le petit Lapon. Je suis sûr qu'ils pourraient régler l'affaire en un quart d'heure et économiser beaucoup d'argent aux contribuables.

Puis, pendant la deuxième matinée avec le carnet de notes de Missy, il tomba sur l'affaire Concannon et en fut écœuré :

— Une femme perd son mari dans un accident aberrant que rien ne saurait expliquer, et deux ordures la dépouillent d'une partie de son assurance.

Il ne lut pas plus loin. Il sortit de sa chambre en coup de vent, se rendit aux bureaux où Grant et Hoxey se terraient et leur passa les menottes.

— Où nous conduisez-vous ? geignit le juge.

— Je vous arrête pour vous protéger, répondit Snyder. Sinon les gens vous lyncheraient.

Le surlendemain, quand le *Senator* appareilla vers le sud, ils étaient tous les deux à bord. Ils n'avaient même pas séjourné quatre mois à Nome mais ils avaient maculé le visage aux yeux bandés de la justice américaine d'une de ses taches les plus honteuses.

***

La saga de Nome continua cahin-caha puis s'arrêta. L'Hôtel de la Porte-d'Or prit feu puis fut reconstruit. Le glacier d'urine emplit de nouveau les ruelles pendant tout l'hiver et s'écoula dans la mer au dégel. Les plages dorées continuèrent d'offrir leur métal précieux pendant encore un an puis s'épuisèrent, mais les mineurs des *placers* le long d'Anvil Creek continuèrent modestement pendant plusieurs décennies.

Mais quelle gloire stupéfiante en dépit de sa brièveté ! En douze mois seulement, Nome produisit sept millions cinq cent mille dollars d'or, davantage que le prix payé pour l'Alaska entier en 1867. Au total, cent quinze millions de dollars d'or furent extraits (chiffre calculé à raison de vingt dollars l'once Troy).

Les concessions *Cinq, Six* et *Sept Au-dessus,* quand leurs propriétaires légitimes les récupérèrent, ne produisirent que des fortunes modestes parce que Marvin Hoxey avait détourné la meilleure part de l'or. Il l'avait dissimulé si efficacement qu'au cours de son procès à San Francisco puis de sa détention le gouvernement ne parvint pas à retrouver son butin de deux millions de dollars. Il garda tout.

Un juge scandalisé le condamna à quinze ans, châtiment juste pour un homme qui avait escroqué de telles sommes à tellement de gens ; mais au bout de trois mois le président McKinley le gracia parce que la prison ne convenait pas à son état de santé, et surtout parce que « tout Washington » savait qu'avant cette « erreur », il avait mené une vie exemplaire. Pendant trente autres années productives, il demeurerait l'un des magouilleurs les plus influents et continuerait de faire obstacle à toute législation constructive en faveur de l'autonomie de l'Alaska. Les députés et les sénateurs l'écoutaient, car il continuait de se vanter :

— Je connais l'Alaska comme le dos de ma main, et pour tout vous dire, ces gens-là ne sont tout simplement pas en mesure de se gouverner eux-mêmes.

L'affaire du juge Grant eut une conclusion surprenante. Comme Harold Snyder l'avait prédit, malgré le carnet de notes de Missy, aucun délit ne put être prouvé contre lui. En effet, pendant ses semaines d'activité presque frénétique à Nome, il avait mené ses affaires avec une telle ruse qu'il réussit à faire incriminer davantage Hoxey tout en se faisant passer pour un juge honnête de l'Iowa qui avait fait de son mieux. Quand il entendit le témoignage de Grant dans la salle d'audience, Snyder éclata plusieurs fois de rire.

— Tout le monde à Nome prenait le juge Grant pour l'homme de paille, l'idiot qui tirait les marrons du feu pour le rusé Marvin Hoxey.

Mais Grant était le plus malin. Il a manœuvré de façon à s'en tirer indemne, pendant que Hoxey écopait d'une peine de prison.

À la fin d'une audience au cours de laquelle le juge Grant s'était innocenté en accablant son complice, Hoxey lança à Snyder :

— Vous êtes une fouine mais lui, c'est vraiment un renard.

Déclaré non coupable par un jury fédéral, Grant retourna dans l'Iowa. Après deux années discrètes pour refaire sa réputation, il reprit sa place au barreau, où son père était inscrit et où il fit bientôt belle figure : n'était-il pas « l'éminent juriste qui avait institué un système de justice en Alaska » ? À plusieurs reprises, en audience ou au cours de ses discours, en ville ou à Chicago, ses admirateurs s'extasieraient : « Il a vraiment l'allure d'un juge » — preuve qu'en bien des circonstances le paraître s'avère, hélas, plus important que l'être.

Tom Venn eut de l'avancement, comme c'est souvent le cas quand un jeune homme compétent fait preuve d'application. Il conserva sa balance de peseur d'or sans tache de rouille, et quand R & R ferma son magasin de Nome par suite de la diminution catastrophique de la population — trente-deux mille habitants en 1900, en comptant les prospecteurs de passage; mille deux cents trois ans plus tard, et presque aucun mineur en activité — on le nomma au grand magasin de Juneau, la nouvelle capitale de l'Alaska, où il s'occupa de commerce comme auparavant, mais en commençant à chercher parmi ses jeunes clientes une fiancée éventuelle.

Le plus grand de tous les changements se produisit dans la vie de Missy Peckham et de Matt Murphy. Non, l'épouse de Matt ne mourut pas en Irlande pour qu'il puisse se marier, et comme il était catholique, il ne pouvait pas envisager un divorce. Mais un après-midi de juillet, après le dégel du Yukon, un inconnu de grande taille aux épaules voûtées arriva à Nome et prit une chambre, non pas à l'Hôtel de la Porte-d'Or, beaucoup trop cher, mais dans une des pensions improvisées avec des planches et des bâches.

Il retint sa chambre et jeta son sac de toile dans un coin sans l'ouvrir. Puis il se mit à arpenter les rues, posa quelques questions et se dirigea vers une cabane misérable.

Il frappa à la porte et se présenta.

— C'est moi, John Klope.

Missy, sans exprimer la moindre surprise, répondit doucement :

— Entre, John. Assieds-toi. Tu prendras du café ?

Il voulut savoir ce qui leur était arrivé. Matt lui raconta son voyage à bicyclette le long du Yukon et Missy lui expliqua le rôle qu'ils avaient joué dans la grande ruée vers l'or.

— Je suis arrivé ici trop tard, comme toujours, dit Matt. Plus de bons *placers*. Je n'ai même pas sollicité une concession. J'ai raté aussi les plages. C'était une folie. Nous avons trouvé du travail, et je suis sûr que nous nous en sommes mieux sortis que la plupart des gens sur la plage.

— Quel genre de travail ?

— Missy a travaillé pour le juge corrompu, quelle histoire ! Et j'ai travaillé pour Tom Venn quand le magasin s'est agrandi.

— Tom Venn ! Il est en ville ?

— À Juneau. Une belle promotion.

— Comment va-t-il ? Il se débrouille ?

— Je te l'ai dit : une belle promotion.

— C'était un brave garçon.

Klope prit une gorgée de café puis montra du doigt la cabane misérable où le couple était installé.

— Ça ne va pas très fort ?

— Depuis qu'il n'y a plus d'or, répondit Matt. Tu sais ce que c'est.

— Et toi, John ? demanda Missy, car il avait l'air d'être passé lui aussi par de dures épreuves.

— Tu te souviens de ce maudit trou que nous avons creusé ?

— Oh oui ! s'écria Matt. Y as-tu trouvé quelque chose ?

— Beaucoup de cailloux. Jamais « la couleur ».

— Désolée, répondit Missy. Tu as dépensé tellement d'efforts, mais ta concession était située trop haut... Tout le monde savait que l'or se trouvait vers le bas, près du torrent, où toutes les concessions étaient prises.

Ces trois êtres bizarrement réunis par le hasard, vieillis et assagis par leurs expériences respectives, se penchèrent en silence sur leurs tasses de café.

— Et la tempête ? dit Klope. Celle qui a balayé tout sur la plage ? Elle a dû être violente.

— Oui.

— Nous avons vu des photos à Dawson. Horrible.

— Dawson doit être une ville fantôme à présent..., lança Matt.

— Tu ne reconnaîtrais pas l'endroit. Plus une seule tente.

— Tu te souviens de la nôtre ? Les éclaboussures sur la toile. Les bonnes crêpes au levain que tu nous as appris à faire.

Ils évoquèrent le bon vieux temps, non sans quelque nostalgie.

— Tu te souviens de la Cavale belge ? dit Missy. Ses cabanes, ici, ont brûlé deux fois et ont été emportées une fois par la tempête. Nous avions pitié d'elle, puis nous nous sommes aperçus qu'elle amadouait des mineurs pour qu'ils les lui construisent pour rien. Elle ne perdait pas un sou. Et après chaque désastre, elle augmentait ses prix et ramassait des fortunes. Puis un beau jour, elle a filé. Oui, John, elle a purement et simplement filé. Et huit filles sont restées sur la plage sans un sou.

— Où est-elle allée ?

— En Belgique. Il paraît qu'elle a acheté une propriété agricole du côté d'Anvers.

Le jour passait, et Missy comprit que John Klope avait un sujet plus important à aborder que la tempête ou la fortune changeante de la Cavale belge. Une idée saugrenue lui vint à l'esprit : « Mon Dieu, il est venu ici me demander de l'épouser ! » Et elle se mit sur ses gardes. Elle avait trouvé en Matt Murphy un homme d'un caractère presque idéal. Il était aimable et plein d'esprit, capable de flairer les vauriens et de reconnaître les honnêtes gars. Elle aimait partager la vie avec lui, bien qu'il eût apparemment du mal à trouver un travail stable. Mais on avait toujours besoin d'une secrétaire compétente et elle partageait volontiers son salaire avec Matt.

Klope toussa, se trémoussa sur sa chaise et se tortilla les doigts, puis demanda :

— Vous n'êtes pas au courant ?

— De quoi ?

— De moi ?

Ils secouèrent la tête. Très gêné, il balbutia enfin :

— J'ai toujours su qu'il y aurait forcément de l'or au fond.

— Mais tu n'en as pas trouvé. Tu viens de nous le dire.

— Pas dans le trou que nous avons creusé tous les trois. Mais quand je suis arrivé au rocher et que j'ai percé des galeries latérales...

— Tu avais déjà commencé quand j'étais encore avec toi, lui rappela Matt.

— Oui, mais je n'aurais rien trouvé. Je suis devenu comme fou après tout ce travail. Et j'étais tellement sûr pour cette ancienne rivière dont je parlais, que j'ai creusé un autre trou encore plus profond. Tu n'en as pas entendu parler ?

— Que s'est-il passé, John ?

— Sarqaq est resté avec moi. Il espérait lui aussi trouver quelque chose. Jusqu'au niveau du rocher. Moi je faisais dégeler et il remontait la boue. Et cette fois, quand j'ai creusé les galeries latérales...

Il s'arrêta et regarda ses deux amis.

— La première pelletée de la grande crevasse, neuf cents dollars... en pépites, pas en poussière.

Oui, avant l'épuisement de cette galerie, John Klope, avec l'aide de Sarqaq, l'Eskimo boiteux, avait ramené au jour trois cent vingt mille dollars de l'or le plus pur produit sur les rives du Klondike. La persévérance l'avait conduit jusqu'aux dépôts abandonnés par l'ancien cours d'eau disparu depuis deux cent mille ans.

Missy et Matt se turent, bouleversés par tous les aspects de ce formidable coup de chance. Cela laissa à Klope le temps de préparer le discours maladroit qui l'avait incité à passer par Nome en quittant Dawson pour sa ferme de Moose Hide, en Idaho.

— Tous les deux et Tom Venn, vous avez joué dans cette découverte un rôle aussi important que moi. Pendant les plus mauvaises passes, vous m'avez aidé à continuer. Sarqaq aussi. Tout le temps que j'ai passé à creuser cette galerie incroyable et envoyé au sol cette boue qui regorgeait d'or, j'ai pensé à vous.

Sa voix se brisa.

— Voyez-vous, un homme ne peut pas creuser sous la terre pendant deux ans si quelqu'un d'autre ne croit pas en lui. Voilà.

Il fit glisser une enveloppe entre les doigts de Missy et quand elle l'ouvrit deux billets à ordre en tombèrent, l'un à son nom, l'autre au nom de Matt, tirés sur une banque canadienne. Chaque billet représentait vingt mille dollars.

— J'enverrai celui de Tom à Juneau par la poste, dit Klope.

Et il fit autre chose. Avant de s'en aller, il prit dans son sac à dos un petit paquet, qu'il posa sur la table bancale.

— Si jamais tu décides d'ouvrir un autre restaurant, tu en auras besoin.

Missy écarta le torchon qui enveloppait le cadeau et comprit que Klope confiait à ses soins un de ses biens les plus précieux : le levain naturel dont l'histoire connue remontait maintenant à presque un siècle.

Deux jours plus tard Klope s'embarqua pour Seattle, et à son départ il personnifiait vraiment tous les solitaires partis en Alaska chercher de l'or — un des rares dont les rêves étaient devenus réalité, mais à quel prix ! Il avait bravé les Plats du Yukon au cours d'un blizzard ; il avait remonté le Yukon pris par les glaces en amont d'Eagle ; il s'était éreinté comme un esclave dans les puits dominant l'Eldorado ; il avait perdu

Missy, la femme qu'il aimait, et Matt Murphy, l'associé en qui il avait confiance. Mais il avait obtenu son or.

Et cela ne le changea absolument pas. Il ne marcha pas plus droit. Il ne se mit pas à lire de meilleurs livres. Il ne fit aucun ami fidèle pour remplacer ceux qu'il avait quittés. Sa vie n'avait été modifiée ni de façon négative ni de façon positive. Homme d'honneur, il avait donné vingt mille dollars à chacune des quatre personnes dont il se sentait débiteur — Missy, Matt, Tom Venn et Sarqaq — mais à son retour dans l'Idaho, il ne ferait rien de sensationnel avec ce qu'il lui restait. Il ne créerait pas une banque d'assistance aux agriculteurs, il ne financerait pas une chaire à l'une des universités de l'Idaho, il ne fonderait pas une bibliothèque ni ne subventionnerait un hôpital. Il avait quitté l'Idaho dans les premiers jours exaltants de juillet 1897, avait vécu une expérience cataclysmique, et il retournait maintenant au bercail dans le sillage de cette aventure exactement le même homme qu'à son départ dans l'Arctique : simple et inculte. Il y en avait comme lui des milliers.

Dans le Klondike et à Nome, Missy Peckham était devenue une femme accomplie, forte, belle et intègre, tandis que Tom Venn, gamin mal dégrossi, acquérait une surprenante maturité. Mais ils y étaient parvenus par les épreuves, non par la réussite, et les leçons qu'ils avaient apprises leur serviraient toute leur vie. John Klope, comme tant d'autres, ne rapporterait chez lui que de l'or — et l'or lui glisserait vite entre les doigts. Dans sa vieillesse, il se demanderait souvent : « Où suis-je allé ? Qu'ai-je accompli ? »

Le long du Bonanza et de l'Eldorado les mines fermèrent. Les cabanes qui avaient protégé les mineurs le long du Mackenzie pendant les hivers arctiques tombèrent lentement en ruine. Les merveilleuses plages d'or de Nome ne furent de nouveau que du sable. Quand de nouvelles tempêtes se déchaînèrent à travers le détroit de Béring, elles ne trouvèrent aucune tente à détruire, car tout était redevenu comme auparavant.

Nous ne parlerons plus d'or dans cette chronique. Il se produirait encore de passionnantes petites découvertes non loin de la nouvelle ville de Fairbanks, et l'une des opérations comptant parmi les plus fructueuses serait la mine de quartz en face de Juneau —, mais jamais il n'y aurait un autre Klondike, un second Nome. Par un miracle que nul n'a jamais vraiment compris, l'or avait en ces lieux privilégiés émergé à la surface du sol, subi l'érosion du sable, du vent et de la glace, puis s'était déposé arbitrairement ici et non là.

Le métal qui provoquait la folie des hommes se comportait de manière aussi démente qu'eux-mêmes. En ces années mouvementées de la fin du siècle il attira sur l'Alaska l'attention du monde entier, mais les conséquences de la grande ruée ne seraient pas plus durables pour la région que pour John Klope.

L'or miraculeux de Nome changea pourtant la vie de trois hommes. Lars Skjellerup devint citoyen américain et un matin, sur la plage où il observait l'arrivée des passagers d'un bateau ancré dans le chenal, il remarqua sur le chaland qui les conduisait à terre une jeune femme d'une vivacité surprenante. Son sourire, son air impatient et son comportement général l'attirèrent tellement qu'au moment où les marins du chaland crièrent aux porteurs eskimos : « Venez ! Faites-les débarquer ! », il s'élança dans le ressac et tendit les bras à la jeune femme. Au moment où il la souleva sur son dos, il sentit un frisson.

Lentement, avec précaution, il la porta jusqu'à la plage et sa tête se mit à tourner. Au bout du quinzième pas dans le sable sec, elle dit doucement :

— Vous ne croyez pas qu'il est temps de me déposer ?

Il se présenta — maladroitement — et apprit que Miss Armstrong était venue de Virginie pour faire la classe aux enfants de Nome. Les jours suivants, il fréquenta beaucoup l'école, et quand tout le monde, y compris Miss Armstrong, s'aperçut qu'il était vraiment épris, il présenta la plus extraordinaire des demandes en mariage :

— Je viens d'accepter le poste de missionnaire à Barrow. Me ferez-vous l'honneur de m'accompagner ?

Ainsi donc une jeune fille qui avait fui la Virginie pour l'aventure de l'Alaska se retrouva épouse de missionnaire au bout du monde, où son mari passa le plus clair de son temps à apprendre aux Eskimos comment soigner et développer le troupeau de rennes que sa femme et lui avaient conduit dans le Grand Nord.

Mikkel Sana déposa son argent dans une banque de Juneau et revint en Laponie chercher une épouse, mais il ne put convaincre aucune de ces méfiantes beautés lapones qu'il était réellement riche. Il finit par convaincre la troisième fille d'un homme qui possédait trois cents rennes. Quelle ne fut pas la surprise de la mariée quand elle découvrit à son arrivée à Juneau que le compte en banque existait vraiment. Elle apprit l'anglais en six mois et devint bibliothécaire de la ville.

Dans la vie d'Arkikov, aucune femme ne figura — en tout cas au début. On l'avait plus d'une fois insulté parce qu'il n'était pas citoyen américain, et on l'avait dépouillé de *Sept Au-dessus*. Il résolut donc de remédier à ce prétendu défaut. Dès qu'on lui rendit sa concession après l'arrestation de Hoxey, il commença les démarches de naturalisation. Bien entendu, comme l'Alaska n'avait encore aucune forme de gouvernement civil, cela s'avéra si difficile qu'il faillit renoncer par deux fois ; mais son associé Skjellerup le persuada de continuer, et une fois missionnaire à Barrow, Lars envoya à Seattle en faveur d'Arkikov des lettres si convaincantes que le Russe obtint enfin la nationalité américaine.

Quand un officier des services d'immigration venu à Nome expliqua qu'en Amérique, à l'inverse de la Sibérie, un homme devait avoir un ou deux prénoms et un nom de famille, Arkikov demanda :

— Quel nom je prends ?

— Oh, répondit l'homme, certains choisissent le nom de leur profession.

— De leur quoi ?

— De ce qu'ils font. Si vous étiez boulanger dans votre ancien pays, vous prenez le nom de Baker. Un orfèvre devient Goldsmith. Que faisiez-vous dans votre ancien pays ?

— Quel pays ?

— La Sibérie.

— Je gardais les rennes.

Comme tout le monde savait que cet Arkikov avait maintenant soixante mille dollars à la banque, il fallait le traiter avec respect. L'officier de l'immigration toussota.

— Nous n'avons pas ici beaucoup de noms comme Arkikov Garde-rennes. Pourquoi ne conserveriez-vous pas Arkikov comme nom de famille, en le faisant précéder de deux noms américains ?

— Peut-être. Quels noms ?

— Il y en a deux qui ont beaucoup de succès. Par exemple George Washington Arkikov.
— Qui est George Washington ?
— Le fondateur de la nation. Un grand général.
— J'aime bien le général.
— Le second est également très bien. Abraham Lincoln Arkikov.
— Qu'est-ce qu'il a fait, celui-là ?
— Libéré les esclaves.
— C'est quoi, les esclaves ?
L'homme lui expliqua ce qu'avait fait Lincoln, et Arkikov — qui n'avait jamais vu un Noir américain — se décida :
— En Sibérie, esclaves. Je préfère Lincoln.
Il devint donc Abraham L. Arkikov de Nome, Alaska. Le temps passant, il prit femme et leurs enfants firent leurs études à l'université de l'État de Washington, à Seattle — parce que leur père était un homme riche...

10

Le saumon

À l'est de Juneau, la baie profonde de Taku, magnifique étendue d'eau qu'en Scandinavie on appellerait fjord, se frayait un chemin tortueux jusqu'au milieu des terres à travers tantôt des promontoires dénudés, tantôt de basses collines couvertes d'arbres. À l'arrière-plan, de tous les côtés, s'élevaient des montagnes aux sommets enneigés, dont certains atteignaient plus de deux mille mètres.

Une des caractéristiques de Taku était ces glaciers puissants qui poussaient leur groin jusqu'au bord de l'eau, où de temps en temps ils engendraient d'énormes icebergs qui tombaient avec fracas dans l'eau glacée, tandis que collines et montagnes renvoyaient à tous les vents les échos de leur chute. Le fjord était sauvage, solitaire et imposant, il drainait une vaste région s'enfonçant dans le Canada presque jusqu'aux lacs traversés par les mineurs de Chilkoot, en 1897 et 1898. Remonter le Taku revenait à lancer une sonde au cœur du continent, car les glaciers visibles venaient de beaucoup plus vastes espaces de l'intérieur, où la glace subsistait depuis des millénaires et des millénaires.

La baie de Taku s'enfonce surtout vers le nord et le sud, avec les glaciers qui rampent vers la côte occidentale, mais du côté est, juste en face du museau d'un beau glacier émeraude, débouche une petite rivière fort vive, avec de nombreuses cascades. Une quinzaine de kilomètres en amont de son embouchure s'ouvre un lac d'une élégance exquise, de petite taille au vu de nombreux lacs de l'Alaska, mais incomparable avec son écrin de six montagnes (ou sept selon l'endroit où l'on se trouve) qui forment un cercle presque parfait pour le protéger.

Cet endroit reculé, que peu de voyageurs (ni d'ailleurs d'indigènes) avaient jamais contemplé, devait son nom à Arkadi Voronov : au cours d'une de ses explorations il l'avait baptisé lac des Pléiades. Voici ce qu'en disait son journal :

Ce jour, nous avons campé en face du beau glacier vert qui plonge dans le fjord à l'ouest. Une rivière qui scintillait sous le soleil attira mon attention et avec deux marins du Romanov, *je l'explorai sur une quinzaine de kilomètres. Elle n'était pas navigable, même en canoë, parce qu'elle se précipite sur des rochers et forme parfois de petites chutes de deux mètres cinquante ou trois mètres de haut.*

De toute évidence, nous ne pouvions trouver un meilleur cours d'eau dans cette vallée, et comme nous fûmes attaqués deux fois par des ours grizzlys qu'il nous fallut chasser à coups de fusil en l'air, je décidai de retourner au bateau, avec une simple promenade enchanteresse pour nos peines. Mais un des marins qui ouvrait la piste à l'avant me cria : « Capitaine Voronov ! Vite ! C'est magnifique ! »

Nous le rattrapâmes. Son cri n'exagérait rien : devant nous, entouré de six belles montagnes, s'étendait un des plus beaux petits lacs aux eaux claires que j'aie jamais vus. Il devait se trouver, du fait de notre ascension, à environ trois cents mètres d'altitude, guère plus, et rien ne ternissait sa pureté. Seuls les ours et les poissons du lac habitaient ce splendide refuge, et nous décidâmes sur-le-champ de camper là pour la nuit tous les trois, car cela nous fâchait de quitter un lieu si idyllique.

Je demandai donc à l'un des hommes de retourner rapidement au Romanov *nous chercher des tentes et de ramener un ou deux autres marins qui aimeraient passer cette nuit-là avec nous. L'homme désigné s'avança : « Capitaine, avec tous les ours, je crois qu'il devrait m'accompagner, dit-il en montrant son ami. Et prendre son fusil. » J'y consentis, sachant qu'avec mon arme je pourrais me protéger puisque je restais au même endroit, alors que leurs mouvements risquaient d'attirer davantage l'attention des animaux.*

Ils partirent et je me trouvai seul dans cet endroit d'une grande beauté. Mais je ne demeurai pas sur place, comme je l'avais prévu, attiré comme je l'étais par le changement constant de l'aspect des six montagnes qui montaient la garde. Après avoir marché un peu plus loin vers l'est, je remarquai à ma vive surprise qu'il n'y avait pas six montagnes mais sept, et à cet instant je décidai d'appeler ce lac Pléiades car nous savons tous que cette petite constellation a sept étoiles mais que sans télescope nous ne pouvons en voir que six. Comme nous l'enseigne la mythologie, les six sœurs visibles ont épousé des dieux, mais Mérope, la septième sœur cachée, est tombée amoureuse d'un mortel et cache donc son visage de honte.

Ce fut donc le lac des Pléiades, et au cours de mes trois visites suivantes dans cette région de l'Est, j'y ai campé. Cela reste le souvenir le plus heureux de mon séjour en Alaska, et si, dans des générations à venir, un de mes descendants décide de retourner dans ces terres russes, j'espère qu'il (ou elle) lira ces notes et cherchera ce pur joyau.

En septembre 1900, cent millions d'œufs extrêmement petits, des œufs de saumon rouge du Pacifique, furent déposés dans des torrents se déversant dans ce lac. Chaque famille de saumons pondait un nuage de quatre mille œufs, et nous allons suivre les aventures d'un de ces nuages vivants, puis d'un saumon qui en est issu.

Le « rouge » (ou *sockeye*), l'une des cinq variétés différentes de saumon qui peuplent les eaux de l'Alaska, a reçu son nom d'un naturaliste allemand qui accompagnait Vitus Béring. Associant le nom gréco-latin du saumon à un mot du vocabulaire indigène, il l'appela *Oncorhynchus nerka* et l'œuf solitaire (au milieu de la centaine de millions) que nous allons observer portera donc ce nom-là.

L'œuf, qui une fois fertilisé par la laitance mâle (ou sperme) deviendrait Nerka, fut déposé par sa mère dans une frayère (ou nid) soigneusement préparée dans le fond de gravier fin d'un petit torrent voisin du lac, et laissé là sans autre soin pour six mois. Abandonné. Mais non par la négligence coupable de ses parents : parce que leur nature même les condamnait à mourir juste après avoir déposé et fertilisé les œufs qui perpétueraient leur espèce.

Le site choisi pour la frayère de Nerka devait répondre à certaines exigences. Il devait se trouver au voisinage d'un lac dans lequel le saumon en croissance vivrait trois ans. Le torrent choisi devait avoir un lit de gravier pour que les œufs minuscules soient bien dissimulés ; il devait charrier suffisamment d'alluvions pour recouvrir la frayère et cacher les œufs en incubation ; et (la plus étrange de ces conditions) il devait avoir une alimentation en eau douce, venant du bas à une température constante d'environ huit degrés Celsius, et chargée d'un surplus d'oxygène.

Il se trouvait que la région du lac des Pléiades avait subi des changements extrêmes au cours des deux cent mille ans précédents, car au moment où le passage terrestre de Béring s'était ouvert, le niveau de l'océan avait baissé, provoquant une chute de niveau du lac. Or, à mesure que fluctuaient les différents niveaux du lac, le dessin de ses côtes s'était modifié. Il s'était produit à plusieurs reprises des espèces de replats, et la mère de Nerka avait choisi un replat submergé où s'étaient accumulées pendant des générations des quantités de graviers de la taille que préféraient les saumons.

Mais comment se produisait l'alimentation constante en eau sortant du sol à une température précise ? De même qu'une ancienne rivière avait existé à l'endroit où coulait l'Eldorado de John Klope, mais à un niveau différent, un autre cours d'eau souterrain, sortant des entrailles des montagnes environnantes, sourdait à travers le gravier de ce replat submergé, lui donnant la quantité d'oxygène requise et une température fixe qui maintenait en vie le lac et ses saumons.

Ainsi donc, pendant six mois, longtemps après la mort de ses parents, Nerka resta dans son œuf minuscule niché sous le gravier, pendant que d'au-dessous coulait cette eau qui lui donnait la vie. Il s'agissait là d'une des opérations les plus précises de la nature — un flux d'eau parfait, une température parfaite, une cachette parfaite, un début parfait pour une des vies les plus extraordinaires du règne animal. Et un dernier attribut du lac des Pléiades pouvait passer pour le plus extraordinaire de tous, comme nous le verrons six ans plus tard : les roches qui bordaient le lac, et dont les eaux qui l'alimentaient par les ruisselets immergés contenaient des traces infimes — peut-être dans la proportion d'un milliardième — de minéraux particuliers ; ainsi le lac des Pléiades possédait comme une « empreinte » lacustre qui le différenciait de tout autre lac ou rivière du monde entier.

Tout saumon né (comme Nerka allait naître) au lac des Pléiades porterait en lui l'empreinte caractéristique de ce lac. Ce « souvenir » se trouvait-il dans son sang, dans son cerveau, dans son système olfactif ou bien dans un groupe de facteurs liés aux phases de la Lune ou à la rotation de la Terre ? Nul ne le savait. On ne pouvait que faire des conjectures. Mais que Nerka et le lac des Pléiades sur la côte Ouest de l'Alaska fussent indissolublement liés, personne ne pouvait le contester.

Toujours œuf minuscule niché dans le gravier d'où sourdaient les eaux souterraines qui le nourrissaient, il se rapprochait davantage de sa naissance à chaque semaine qui passait. En janvier 1901, loin sous la glace épaisse qui pesait de tout son poids sur le petit torrent, l'œuf qui deviendrait Nerka, comme les quatre mille autres œufs fertilisés de son groupe, subit un changement spectaculaire. L'œuf, de couleur orange clair, montra à travers la peau un œil dont le bord brillait autour du centre, d'un noir intense. Il s'agissait incontestablement d'un œil, et il trahissait l'apparition de la vie dans l'œuf ; le flot constant d'eau douce froide qui montait à travers le gravier assurait la continuation et la croissance de cette vie. Mais de violentes menaces naturelles pesaient sur ces minuscules créatures et les décimaient. Sur les quatre mille œufs que contenait au départ la frayère de Nerka, seuls six cents survivraient au gravier glacé, aux maladies et aux prédations de poissons plus gros.

Fin février de la même année, les six cents œufs qui restaient du groupe de Nerka commencèrent à subir une série de modifications miraculeuses, au terme desquelles ils deviendraient de vrais saumons. L'embryon Nerka absorba lentement les aliments nutritifs de la membrane vitelline, grandit et commença à faire des mouvements natatoires. Il reçut alors le premier d'une série déconcertante de noms, chaque nom successif marquant une étape déterminante de sa croissance. Il devint *alevin.*

Une fois la membrane vitelline complètement absorbée, l'animal n'était pas encore un vrai poisson, seulement une minuscule baguette transparente pourvue d'énormes yeux noirs avec, fixé à son ventre, un énorme sac d'aliments liquides sur lesquels il lui faudrait vivre pendant les semaines cruciales qui allaient suivre. Ce n'était qu'une petite chose laide, biscornue et frétillante : chaque prédateur qui passait pourrait en avaler plusieurs centaines d'un coup. Mais il s'agissait bien d'un poisson en puissance, avec une tête d'une longueur démesurée, des yeux qui fonctionnaient et une queue translucide à l'arrière. Bientôt, dans les eaux en mouvement constant de son torrent, il se mit à consommer du plancton ; il continua de grossir, son sac protubérant se résorba peu à peu ; puis la « petite chose » nageante se transforma en bébé poisson se suffisant à lui-même.

À ce moment-là, Nerka quitta son torrent natal et franchit la brève distance qui le séparait du lac, où il s'appellerait désormais *fretin.* Il présentait alors toutes les caractéristiques, hormis la taille, d'un poisson d'eau douce normal. Il respirait par ses branchies ; il mangeait comme les autres ; il apprenait à nager vite pour esquiver les prédateurs plus gros que lui ; et pour tout observateur, il aurait paru parfaitement adapté pour passer le reste de sa vie dans ce lac. Au cours de ces premières années, il aurait été absurde de supposer qu'un jour, à un âge que déterminerait sa vitesse de croissance, il serait en mesure de convertir tout son système vital de façon radicale, et de s'adapter complètement à l'existence en eau salée. À ce stade de son développement, l'eau salée aurait été pour lui un milieu hostile.

Dans l'ignorance de ce destin étrange, Nerka passa 1901 et 1902 à s'adapter à la vie dans le lac, qui présentait deux aspects contradictoires. D'un côté, c'était un milieu sauvage où le fretin de saumon était détruit dans des proportions épouvantables. Les poissons plus gros en étaient friands. Les oiseaux s'en repaissaient, surtout les harles, variété de canards abondante autour du lac, mais aussi les martins-pêcheurs et les échassiers aux longues pattes et au bec encore plus long qu'ils plantaient dans l'eau avec une précision incroyable pour dérober un repas savoureux de saumon. On aurait dit que tout dans le lac vivait de ce fretin, et la moitié des camarades de Nerka qui avaient survécu aux dangers du torrent disparurent dans des gosiers affamés avant la fin de la première année.

Mais le lac constituait aussi une mère nourricière qui offrait au fretin une multitude de coins sombres où il se cachait pendant les heures de la journée, et une jungle d'herbes sous-marines dans lesquelles les jeunes pouvaient se dissimuler si la lumière dansant sur leur peau luisante trahissait leur présence aux yeux des poissons plus gros. Nerka apprit à ne se déplacer que par les nuits les plus noires, et à éviter les endroits où ses ennemis préféraient prendre leurs repas. Au bout de deux ans il n'avait même pas sept centimètres de long et la plupart des créatures qui nageaient étaient donc plus grosses et plus puissantes que lui ; il ne survécut donc que grâce à ces précautions extrêmes.

Il ne devint un *parr* (en anglais *fingerling :* « petit doigt », « tom-pouce ») qu'au moment où il atteignit la taille du petit doigt d'une femme. Son appétit augmenta et le lac accueillant lui fournit, dans ses eaux devenues plus sûres, des larves nutritives d'insectes et plusieurs espèces de plancton. En grandissant il se nourrit des myriades de minuscules poissons qui sillonnaient le lac, mais son principal plaisir consistait à projeter soudain sa tête hors de l'eau pour engloutir quelque insecte distrait.

Pendant ce temps, dans la ville de Juneau — à une trentaine de kilomètres de là par le chemin des glaciers hérissés de crevasses impraticable à pied, mais à soixante-quinze kilomètres par la voie maritime, beaucoup plus facile — des créatures dont la vie se déroulait de façon très différente essayaient de démêler l'écheveau de leur propre destin.

Au printemps 1902, quand Tom Venn descendit à Juneau pour ouvrir le magasin Ross & Raglan, il trouva la petite ville prospère fort agréable après le froid vif et la violence sans loi de Nome. La colonie que de nombreuses voix proposaient comme capitale de l'Alaska en remplacement de Sitka, vraiment passée de mode, était déjà un endroit charmant, quoique la ville fût coincée sur une bande étroite entre de hautes montagnes au nord-est et un beau bras de mer au sud-ouest.

De toutes parts, le paysage était changeant. Même l'île voisine de Douglas, au sud, possédait des montagnes remarquables, et les gros bateaux venus de Seattle pouvaient accoster à deux pas de la rue principale. Mais la splendeur de Juneau, ce qui la distinguait de toutes les autres villes de l'Alaska, c'était l'énorme glacier Mendenhall, étincelant, qui avançait le nez jusqu'au bord de l'eau, à l'ouest de la ville. Une étendue de glace magnifique et vivante qui claquait et craquait en limant son chemin vers la mer, mais si facile d'accès que les enfants pouvaient pique-niquer tout au bord en été.

Un autre glacier, moins célèbre et moins visible, se rapprochait de Juneau dans la direction opposée, comme s'il voulait enfermer la petite ville dans ses bras; mais ce n'étaient pas ces avancées de glace qui déterminaient la température de Juneau, réchauffée par les grands courants marins venus du Japon. Le climat passait pour agréable, avec beaucoup de pluies et de brouillards, mais de belles journées d'une pureté enchanteresse quand le soleil faisait briller comme des pierres précieuses les éléments divers du paysage.

Quelques jours après son arrivée dans la ville, Tom choisit l'emplacement de son magasin, un terrain situé dans Franklin Street, près du front de mer. Il avait l'avantage d'être face aux quais, et donc d'accès facile pour les bateaux qui accostaient. Seul inconvénient, on y avait bâti une petite cabane, et il faudrait qu'il l'achète s'il voulait acquérir le terrain. Dans l'intérêt à long terme de sa compagnie, il décida de le faire.

Au moment de conclure le marché, il apprit que le terrain et la cabane appartenaient à deux propriétaires différents. Le terrain à un homme de Seattle, le bâtiment à un Tlingit de Juneau qui travaillait sur les quais. Après avoir payé le sol, Tom trouva donc en face de lui un bel Indien à la peau sombre qui approchait de la quarantaine. Très capable, à ce qu'on racontait sur les quais, il portait le nom inhabituel de Sam Grande-Oreille. Dès qu'il le vit, Tom supposa que cet homme taciturne allait lui valoir des ennuis. Ce ne fut pas le cas.

— Vous voulez la maison ? Je suis content de vendre.

— Où irez-vous ?

— J'ai de la terre. Un beau coin dans le fjord de Taku. Rivière des Pléiades.

— Vous quittez donc Juneau ?

— Non. Un jour de canoë, là-tout.

Tom apprit bientôt que Sam Grande-Oreille utilisait cette expression pour écarter un monde de tracas : « Le poisson a cassé la ligne, là-tout » ou « Il a plu sept jours, là-tout. »

Au bout de quinze minutes, Tom et Grande-Oreille convinrent d'un prix pour la cabane — soixante dollars — et quand Venn lui remit le chèque, Grande-Oreille gloussa de rire.

— Merci. Peut-être la maison ne vaut rien. Peut-être elle appartient à M. Harris, avec le terrain.

— Peu importe, c'était votre maison. Vous l'habitiez. Et j'aimerais beaucoup que vous restiez par ici pour m'aider à construire le magasin.

— Ça me plaît.

Leur association spontanée se constitua ainsi, et Sam Grande-Oreille s'occupa des matériaux et des horaires de travail des autres ouvriers. Il se révéla intelligent et habile, bon artisan qui possédait le génie de découvrir de nouveaux moyens d'accomplir des tâches classiques. Il travaillait bien le bois, et se chargea donc des portes et des escaliers.

— Où as-tu appris à construire un escalier ? lui demanda Tom un jour. Ce n'est pas si facile.

— Beaucoup de maisons, répondit Sam en montrant Front Street et Franklin Street où s'élevaient magasins et entrepôts. J'ai travaillé avec un bon charpentier allemand. J'aime le bois, les arbres, là-tout.

Un matin, en se rendant à son chantier après un petit déjeuner copieux dans son hôtel, Tom découvrit, stupéfait, qu'une tempête de l'ouest avait poussé dans le bras de mer un iceberg géant, beaucoup plus grand que son magasin et aussi haut qu'une maison de trois étages. Et il restait là, juste devant son chantier, menaçant de toute sa hauteur les hommes qui enfonçaient des clous.

— Qu'allons-nous faire ? voulut savoir Tom.

— Nous attendons. Quelqu'un le remorquera.

Avant midi arriva un bateau tout petit qui crachait de la fumée noire. On lança un lasso puis une chaîne autour d'une protubérance de l'iceberg, puis le bateau remorqua lentement le bloc énorme vers la mer. Tom s'étonna qu'un si minuscule bateau puisse haler un bloc si monstrueux. Mais Grande-Oreille lui dit :

— Le bateau sait ce qu'il fait. L'iceberg dérive, là-tout.

Telle était la différence. Une fois que l'iceberg eut commencé à s'éloigner lentement de la côte, le petit bateau n'eut aucun mal à le diriger où il voulut. Au milieu de l'après-midi, le bloc de glace avait disparu.

— D'où venait-il ? demanda Tom.

— Des glaciers. Peut-être notre glacier. Vous êtes allé voir Mendenhall ?

— Non.

Sam lui pinça le bras.

— Dimanche, nous faisons le pique-nique. Ça me plaît.

Le dimanche suivant, après le service à l'église presbytérienne et un coup d'œil au progrès des travaux, Tom attendit Grande-Oreille qui devait venir le chercher pour la balade au glacier. À sa vive surprise, le Tlingit apparut avec une voiture à deux chevaux louée à un homme pour qui il avait travaillé. L'équipage était conduit par une jolie Indienne de quatorze ans que Sam présenta comme sa fille.

— Nancy Grande-Oreille. Sa mère a souvent vu le glacier, elle est restée à la maison.

— Nancy, dit la jeune Indienne en tendant la main.

Et Tom sentit que, malgré sa jeunesse, elle était très adulte dans son attitude face au monde. Elle le dévisageait sans la moindre gêne et tenait les rênes d'une main confiante.

Tom s'inclina devant elle et demanda :

— Pourquoi Nancy ? Pourquoi pas un nom tlingit ?

— Elle a aussi un nom tlingit, répondit Sam. Mais elle vit à Juneau au milieu des Blancs. Elle a le nom de la femme du missionnaire. Un beau nom, là-tout.

Nancy était incontestablement indienne, avec une peau sombre et lisse, des yeux et des cheveux noirs, sans parler de cette liberté d'allure que donne la vie en harmonie profonde avec le paysage. Elle portait des vêtements occidentaux mais avec un soupçon de fourrure ici et là pour conserver le style indien, et les deux choses qui la désignaient à coup sûr comme Tlingit étaient ses belles tresses noires qui lui tombaient presque jusqu'à la taille et les grosses bottes décorées qu'elle avait chaussées. Malgré sa silhouette frêle, elle avait ainsi l'air d'avoir « les pieds sur terre », ce qui correspondait bien à son attitude pragmatique.

La promenade au glacier fut extrêmement agréable. Grande-Oreille expliqua où il habitait depuis que sa cabane n'existait plus, et Nancy parla de ses journées à l'école. Elle ne suivait pas une école de mission pour Indiens mais l'école normale des Blancs, et elle se débrouillait apparemment fort bien, puisqu'elle pouvait converser aisément de musique ou de géographie.

— J'aimerais bien visiter Seattle, les filles disent que c'est si joli !

— Oh oui ! lui assura Tom.

— Vous y avez habité ?

Ils arrivaient au tournant vers le nord qui les conduirait au glacier.

— Oui.

— Vous y êtes né ?

— Non. À Chicago. Mais j'ai habité six mois à Seattle.

— Beaucoup de bateaux ? Beaucoup de gens ?

— Exactement comme vos amies vous ont dit.

— J'aimerais y aller, mais je n'ai pas envie de quitter l'Alaska, lança-t-elle en se tournant soudain vers Tom. Et vous, qu'est-ce que vous aimez : Seattle ou Juneau ?

— J'ai envie de retourner là-bas, répondit-il en toute sincérité. Peut-être chez R & R, après mon apprentissage.

— Qu'est-ce que c'est ?

— Les années où l'on apprend à travailler. Quand je saurai tout sur les magasins, les bateaux et les autres régions de l'Alaska, on me demandera peut-être de travailler à Seattle.

— Le voilà ! s'écria Grande-Oreille.

Ils venaient d'atteindre une crête de laquelle le grand glacier était enfin visible, plus immense et spectaculaire que Tom l'avait imaginé d'après les photographies. Il ne lui parut pas bleu-vert, comme tant de gens disaient, mais plutôt d'un blanc assez sale, lorsque des siècles de neige comprimée parvenaient au point de rupture où le glacier rampant cessait d'exister.

Nancy put conduire la voiture à cheval presque à l'entrée d'une cavité creusée dans la glace. Grande-Oreille resta avec les chevaux tandis que Nancy emmenait Tom dans une grotte profonde. Il découvrit alors dans le plafond un endroit plus mince que le reste, où le soleil éclairait par transparence la glace opaline — elle était d'un bleu-vert comme il s'y attendait. Cette rencontre splendide et improbable de la glace et du soleil constituait un de ces coups de baguette magique de la nature que très peu d'hommes ont l'occasion de voir.

— Mon peuple raconte que le corbeau est né dans cette grotte, dit Nancy.

— Le corbeau représente-t-il quelque chose de spécial ? Pour vous, je veux dire..., demanda-t-il dans son ignorance.

— Je suis un corbeau, répondit-elle fièrement.

Et dans la caverne de naissance de son totem elle lui apprit que le monde est divisé entre les aigles et les corbeaux. Réfléchissant à ce qu'il savait de l'histoire de l'Amérique, il répondit :

— Je suppose que je serais un aigle.

Elle hocha la tête.

— Les corbeaux sont plus intelligents. Ils gagnent aux jeux de corde ; mais les aigles sont nécessaires, eux aussi.

Au cours de la première visite de Tom au glacier, ils ne virent aucun iceberg se former. Nancy croyait que cela arrivait plus fréquemment à d'autres glaciers dans le nord, mais quand ils sortirent de la grotte, Tom lança des pierres et put voir des fragments de glace se briser. Il comprit alors le mécanisme de formation de l'iceberg qui avait rendu visite à son magasin.

Grande-Oreille en savait plus long, grâce à la sagesse accumulée par son peuple au cours des siècles.

— Vous n'avez pas vu de glaciers à Nome, n'est-ce pas ? Je vais vous dire pourquoi. Là-haut, il n'y a ni assez de pluie en été, ni assez de neige en hiver. Au nord du Yukon, et même au nord du Kuskokwim, pas de glacier. Faute de neige. Mais ici, beaucoup de pluie, beaucoup de neige : elle tombe, elle tombe mais ne fond jamais.

— D'où vient la glace ?

— Tu tasses la neige, cette année, l'an prochain, beaucoup d'années... Elle ne peut pas fondre. Elle durcit, se transforme en glace. Cent ans, une couche épaisse. Mille ans, la couche très épaisse.

— Mais comment glisse-t-elle le long des vallées ?

— La glace vient, elle séjourne, elle dit comme le saumon : « Il faut que j'aille à l'océan. » Et elle se met à ramper, un peu chaque année. Beaucoup d'années, beaucoup d'icebergs se détachent, mais elle rampe toujours vers la mer.

— L'an prochain, cette grotte sera-t-elle encore ici ?

— La semaine prochaine, peut-être disparue. La glace rampe toujours vers la mer.

Les jours qui suivirent cette promenade, Sam Grande-Oreille ne se présenta pas au chantier, et n'envoya pas non plus de message. Tom, désolé, dut continuer les travaux sans lui. Un des charpentiers blancs, qui comptait sur Grande-Oreille pour les travaux de menuiserie les plus importants, lui déclara :

— On ne peut jamais compter sur ces Tlingits. Ce sont de braves gars pour la plupart, mais quand on a vraiment besoin d'eux, ils ne sont jamais là.

— Qu'est-il arrivé, croyez-vous ? lui demanda Tom, vraiment préoccupé par l'absence de Grande-Oreille .

— Il peut y avoir cinquante raisons. Sa tante est malade, un rhume, et il estime qu'il doit rester auprès d'elle. Son copain Pollock vient d'arriver, et il estime qu'il doit aller pêcher pendant qu'il est là. Ou plus probablement, il a pensé qu'il avait besoin de faire un tour dans les bois. Il va revenir un de ces jours comme si de rien n'était, à la manière des Tlingits.

La prédiction s'avéra. Au bout de deux semaines, Grande-Oreille reprit son travail au chantier comme s'il ne s'était pas absenté.

— Il fallait que je prépare des choses, dit-il simplement.

— Quelles choses ? Où ? insista Tom.

— Le magasin a belle allure, répondit le Tlingit sans se tracasser davantage. Il sera bientôt terminé. Ensuite nous irons chez moi tous les deux.

— Mais nous avons abattu ta cabane.

— Je veux dire, dans ma vraie maison. A la rivière des Pléiades.

Tom remarqua qu'il n'avait pas ramené sa fille, et il en fut déçu, mais il supposa qu'il l'avait laissée à l'autre maison. Fin août, quand le magasin fut terminé à part quelques menus travaux de finition, Tom jugea qu'il pouvait enfin prendre deux ou trois jours de congé.

— Nous pouvons partir demain, dit-il à Grande-Oreille, si tu as le temps de préparer ton canoë.

Et par un matin clair, avec le soleil éclatant sur les grands champs de glace à l'arrière de Juneau, les deux hommes se dirigèrent vers le fjord de Taku en pagayant tranquillement.

Mais à Juneau toute personne qui tient un matin ensoleillé pour une belle journée acquise risque fort de le regretter. À peine étaient-ils entrés dans le chenal Gastineau que la pluie se mit à tomber. Pendant plusieurs heures ils avancèrent sous l'ondée sans se plaindre, car la pluie ne tombe pas à Juneau comme ailleurs : pas de grosses gouttes, pas de gouttes du tout. Elle descend sur vous comme un brouillard bienveillant qui pénètre tout mais ne trempe rien.

Cette traversée en canoë fut pour Tom une découverte : une balade d'une beauté peu commune. Pagayeur puissant, Grande-Oreille maintenait l'allure vive et la direction du canoë, tandis que Tom, à l'avant, ramait avec vigueur, sans quitter des yeux le paysage changeant. Avant d'entrer dans Taku, il se vit bientôt enfermé entre les montagnes qui cernaient Juneau de tous les côtés et faisaient de ses étendues d'eau d'élégants chenaux. Mais dès qu'ils entrèrent dans le goulet, le décor se modifia soudain. Ils se trouvaient à présent face à la chaîne de hauts sommets qui couronnent la frontière entre le Canada et l'Alaska. Pour la première fois Tom eut l'impression de pénétrer dans un de ces fjords dont parlaient parfois les livres de son enfance. Mais surtout, il se rendait compte qu'il s'enfonçait dans une nature vierge, sauvage et primitive, sans le moindre signe de présence humaine. Tandis qu'ils glissaient en silence sur les eaux sombres, son coup de rame se fit plus fort.

Au fur et à mesure qu'ils avançaient, Tom découvrait un spectacle d'une rare beauté : chaque élément du paysage semblait posé là par la main d'un artiste. De l'ouest dévalait un petit glacier d'un bleu étincelant, comme s'il cherchait à rejoindre le gros rocher qui émergeait à peine au milieu du fjord. Au-delà s'élevaient les hautes montagnes du Canada.

— Ça, c'est quelque chose ! s'écria le jeune homme.

— Par basses eaux comme maintenant, nous voyons le Morse, répondit Grande-Oreille. Marée haute, invisible.

Tom demanda de quel morse il s'agissait et Sam lui indiqua le rocher à moitié submergé qui ressemblait vraiment à un morse sortant de l'eau pour respirer.

Au moment où ils passèrent devant le glacier, Tom s'écria :

— Quel beau voyage, Sam !

Mais pagayer sur presque cinquante kilomètres, même quand l'eau est relativement calme, n'est pas une petite affaire, et quand le soleil fut sur le point de se coucher, Tom lança vers l'arrière :

— Arriverons-nous ce soir ?

— Il va bientôt faire noir, nous verrons des lumières, répondit Grande-Oreille en ramant plus fort.

Et juste au moment où le crépuscule envahit le fjord, droit devant lui sur la rive gauche, Tom vit les derniers rayons du soleil frapper la surface d'un glacier. La glace scintilla comme une cascade d'émeraudes, puis, en haut d'un promontoire de la rive opposée, apparut la lumière tombant des fenêtres d'une cabane de rondins.

— Hello ! Hello ! cria Grande-Oreille.

Sur le promontoire, Tom perçut des mouvements, mais ils se trouvaient alors au sud de l'estuaire formé par l'entrée de la rivière des Pléiades dans le fjord et ils durent pagayer ferme pour traverser le courant. Tom vit alors une femme et une jeune fille descendre au bord de l'eau pour les accueillir.

— Ma femme, dit Grande-Oreille tout en halant le canoë sur la berge. Tu connais Nancy.

Mme Grande-Oreille était plus petite que son mari — et plus ronde. D'un naturel taciturne, jamais les entreprises inattendues de son époux ne la surprenaient ; son devoir consistait à s'occuper de la maison qu'ils occupaient, et elle avait manifestement fait du bon travail dans cette cabane, car les abords étaient nets et l'intérieur un modèle d'habitation tlingit. Elle ne parlait pas anglais, mais elle montra de la main droite que le jeune invité de son mari occuperait une sorte d'alcôve. Nancy aurait un coin à elle, et la mère et le père partageaient le grand lit d'aiguilles de pin.

Sur la cuisinière en fonte que Sam avait achetée quelques années auparavant à Juneau, plusieurs pots dégageaient un fumet de bon augure ; mais Tom, épuisé par une longue journée à pagayer, s'endormit longtemps avant que la famille Grande-Oreille soit prête à manger. Ils ne le réveillèrent pas.

Le matin, après un énorme breakfast de crêpes épaisses et de saucisse de venaison, Nancy lui dit :

— Il faut que vous veniez voir où nous sommes.

Elle lui fit visiter le promontoire sur lequel ses ancêtres avaient bâti leur refuge pour se protéger des Russes.

— Nous avons cette colline protégée. De l'autre côté du fjord nous voyons le glacier vert. En bas, la baie où se jette la rivière des Pléiades. Et de tous côtés, la montagne veille sur nous.

Tom admirait encore le site, si bien choisi pour une cabane, quand, d'un geste large du bras, elle montra les vastes étendues vers l'est :

— Dans ces bois, les wapitis nous nourrissent. Dans la rivière, il y a du saumon tous les ans. Bientôt nous allons attraper des quantités de saumons, et nous les ferons sécher sur ces claies.

En se tournant vers les claies, Tom aperçut, allongé sur le sol derrière la cabane, un grand objet blanc qui s'étalait sur une longueur considérable, avec des sortes de copeaux éparpillés autour.

— Qu'est-ce que c'est ? demanda-t-il.

— C'est pour cela que mon père voulait que vous veniez, répondit Nancy d'un ton joyeux où Tom devina une certaine révérence.

Elle le conduisit vers cet objet extraordinaire — qui exercerait sur la vie du jeune homme une influence permanente.

C'était le tronc d'un grand sapin, transporté là d'une distance considérable. On l'avait soigneusement écorcé pour exposer le bois de couleur crème, sur lequel Sam avait travaillé. Et quand il vit le travail effectué par son charpentier, Tom demeura muet d'admiration. Il s'agissait en effet d'un poteau de totem tlingit en cours de fabrication, œuvre d'art sublime qui symbolisait les expériences du peuple de Sam. Dans cette position, allongé sur le sol et d'une longueur démesurée, il faisait un effet puissant. Les personnages qui le composaient glissaient, rampaient et se tordaient dans une confusion déconcertante.

— Il est énorme ! s'écria Tom, bouche bée. C'est votre père qui a tout sculpté ?

— Il y travaille depuis longtemps.

— Il est achevé ?

— Je crois. Mais le haut n'est pas encore coupé, alors je ne peux pas savoir.

— Que signifient ces personnages ?

— Il faut demander à papa.

Elle appela Sam, qui sortit avec les outils qui lui avaient servi à sculpter son chef-d'œuvre : une herminette, deux ciseaux, une gouge, un maillet, et maintenant une scie pour l'acte final — couper le haut.

— Qu'est-ce que cela signifie ? demanda Tom.

Grande-Oreille posa ses outils, sauf la scie dont il se servit comme d'une baguette pour montrer les motifs.

— D'abord, la grenouille qui nous a conduits ici. Puis le visage du grand-père de mon grand-père qui a bâti le fort à Sitka. Puis les wapitis qui nous nourrissent, le bateau qui a amené les Russes, les arbres.

— Et l'homme en haut-de-forme ?

— Le gouverneur Baranov.

— N'était-ce pas votre ennemi ? Ne vous a-t-il pas combattus ? Il a tué vos guerriers.

— Oui, mais il a gagné.

— Et il se trouve à présent tout en haut ?

— Pas tout à fait. Je vais finir aujourd'hui.

Toute la journée Tom Venn et Nancy restèrent à côté de Grande-Oreille, qui s'attaqua au haut du totem — il ne s'arrêta même pas pour manger, la mère lui apporta son repas. D'abord, il scia le haut du sapin en laissant soixante centimètres de bois nu. Puis avec sa gouge grossière, il finit de tailler le chapeau de Baranov. Ses coups semblaient donnés tellement au hasard que Tom demanda :

— Que fais-tu, Sam ?

Il ne reçut aucune réponse, car le sculpteur travaillait apparemment dans une sorte de transe.

Au milieu de l'après-midi, quand la bruine remplaça le soleil du matin, Tom était complètement déconcerté, mais Grande-Oreille se mit à travailler avec son herminette à petits coups beaucoup moins spectaculaires qu'avant. Peu à peu, du haut de l'arbre abattu, naquit la silhouette vague d'un oiseau — et personne ne dit mot. Puis d'une main rapide et sûre, l'artiste tlingit donna une forme presque vivante à son dernier personnage : conclusion triomphante de son œuvre il créa le corbeau, symbole de sa tribu et de son peuple. Les Russes avec leurs grands chapeaux avaient triomphé momentanément, mais conformément à l'histoire, au-dessus des Russes se dressait le corbeau. De leur manière discrète, les Tlingits avaient triomphé à leur tour.

— Comment vas-tu le dresser ? demanda Tom.

Grande-Oreille, consentant enfin à parler, indiqua un terre-plein d'où le totem serait visible à des kilomètres vers l'amont et l'aval du fjord et de la rivière.

— Nous creuserons un trou ici, toi, moi et Nancy.

— Mais comment traînerons-nous le totem là-bas ?

— Potlatch.

Tom ne comprit ni le mot ni son sens. Il se dit simplement qu'un miracle tlingit d'un genre ou un autre déplacerait le totem jusqu'en haut du monticule puis le dresserait à la verticale, mais il aurait été bien en peine de préciser en quoi consisterait ce mystérieux potlatch.

Quand le totem fut terminé et tous les endroits mal dégrossis enfin fignolés, Grande-Oreille disparut soudain dans son canoë, et lorsque Tom demanda où il était parti, Nancy répondit simplement :

— Prévenir les autres.

Pendant six jours ils ne le virent pas. Au cours de cette période d'attente, Nancy suggéra à sa mère de préparer un pique-nique : elle l'emporterait au cours d'une excursion avec Tom au lac qui se déversait par la rivière.

— Un bel endroit. Calme. Partout des montagnes. Même pas quinze kilomètres, en terrain facile.

Ils partirent par une belle matinée de septembre et Nancy montra le chemin, un sentier utilisé depuis longtemps par son peuple. Tom se laissa aller au charme paisible de cette région de l'Alaska, si différente de la puissance sinistre du Yukon et des étendues vides de Nome et de la mer de Béring. Les arbres, les cascades, les fougères qui prêtaient leur grâce au décor, tout lui plut, même le gazouillis incessant du petit cours d'eau.

— Il y a du poisson ? demanda-t-il.

— Quelques saumons en toute saison. Mais en septembre, des quantités énormes viennent.

— Des saumons ? Dans ce petit ruisseau ?

— Ils montent au lac. Nous allons y arriver.

Et à la fin de l'ascension, Tom découvrit l'un des plus beaux paysages du sud-est de l'Alaska : le lac des Pléiades, entouré de ses six montagnes.

— Cela en valait la peine ! s'écria-t-il en admirant les eaux calmes qui reflétaient les montagnes.

Près de la berge silencieuse ils prirent leur déjeuner, puis Tom montra à Nancy qu'il pouvait faire ricocher des pierres plates sur la surface de l'eau. Elle répondit qu'il savait sans doute faire beaucoup de choses.

Sur le chemin de retour à la cabane, un soleil éclatant leur fit un clin d'œil à la hauteur des cascades. Nancy se trouvait en tête à six ou sept mètres, quand Tom entendit soudain des pas derrière lui. Supposant qu'il s'agissait d'un Tlingit se rendant à la cabane de Grande-Oreille, il se retourna pour lui parler. Il se trouva en face d'un grizzly de belle taille qui s'avançait d'un pas vif.

Comme l'ours se trouvait encore à quelque distance, l'homme supposa à tort qu'il pourrait lui échapper en se mettant à courir. Mais à peine s'était-il élancé qu'il se rappela l'histoire que lui avait racontée, par une nuit d'hiver, un vieil homme au visage à moitié arraché : « Aucun homme ne peut prendre un grizzly de vitesse. J'ai essayé. Il m'a attrapé par-derrière. Un coup de griffes. Regardez-moi. »

Poussé par l'angoisse, Tom accéléra. Sentant que l'ours gagnait sur lui, il hurla :

— Nancy ! Au secours !

En entendant son cri, elle se retourna. Elle vit aussitôt, horrifiée, qu'il n'avait aucune chance de distancer l'ours. L'animal accélérait, prenant plaisir à la course poursuite. Il rattraperait très vite Tom et ne s'arrêterait pas tant qu'il n'aurait pas abattu sa proie. D'un seul coup de sa patte géante, armée de griffes tranchantes comme autant de poignards, il arracherait le visage de Tom et lui trancherait peut-être la trachée-artère.

Aussitôt, Nancy Grande-Oreille comprit ce qu'elle devait faire — ce que ses ancêtres tlingits avaient appris au cours des siècles quand ils devaient affronter des grizzlis sur des terres qu'ils partageaient avec ces animaux redoutables. « Tu peux faire trois choses, lui avait enseigné sa grand-mère. Fuir et tu mourras. Monter sur un arbre et peut-être survivre. Ou affronter l'ours et lui parler pour lui faire croire que tu es plus forte. »

Il y avait des arbres non loin, mais aucun n'était assez proche, ni assez facile à escalader. Un seul espoir restait : parler à l'ours. Avec une bravoure presque spontanée, Nancy s'élança vers Tom, sur le point d'être rattrapé par l'ours, prit la main du jeune homme et le força à s'arrêter. Elle le maintint fermement, le fit tourner face à l'ours, qui se figea brusquement à trois mètres d'eux, et cligna des yeux vers l'obstacle qui lui barrait maintenant le passage.

L'ours possédait un odorat exceptionnel, qui lui confirmait la présence de son gibier ; mais sa vue, au mieux limitée et très souvent défectueuse, ne lui permettait pas de déterminer à quoi il se trouvait confronté. Puis monta une voix grave, puissante, sans trace de peur, dans la langue tlingit.

— Monsieur l'Ours, n'ayez pas peur. Nous sommes vos amis et nous ne vous voulons pas de mal.

L'ours demeura immobile, puis pencha la tête pour mieux entendre les bruits rassurants.

— Restez où vous êtes, monsieur l'Ours. Passez votre chemin, nous irons de notre côté.

Son petit cerveau devint confus. En pourchassant l'homme il jouait, rien de plus ; s'il l'avait rattrapé, comme il allait le faire, il l'aurait sans doute tué, mais par jeu, non par colère. Il savait que l'homme ne le menaçait nullement, ce n'était qu'un intrus sur les rives de son torrent, et tant que Tom fuyait c'était amusant de le poursuivre. Mais à présent tout était changé. Il n'y avait plus rien à chasser, aucune petite chose en mouvement avec laquelle jouer. À la place, ce gros obstacle immobile, duquel émanaient des sons ainsi qu'une impression de mystère et de confusion. En un bref instant tout s'était modifié.

Lentement, le grand ours se détourna, regarda par-dessus son épaule l'étrange objet en travers de son chemin et battit en retraite d'un bond puissant. Tandis qu'il s'éloignait, ses oreilles entendirent encore les sons calmes mais forts :

— Va-t'en de ton côté, monsieur l'Ours. Va à ton trou à saumon et que ta pêche soit bonne.

Après le départ de l'ours géant, Nancy lâcha Tom, sachant qu'il pouvait se détendre. S'il avait couru pendant que l'ours était en face d'eux, ou même s'il avait bougé de façon sensible ils auraient été tués tous les deux. Quand elle abandonna la main du jeune homme, elle le sentit chanceler.

— De justesse ! murmura-t-il.

— Oui, pour tous les deux.

— Je ne te savais pas capable de parler aux ours.

Sous les rayons du soleil, le visage rond et calme de la fillette souriait comme si rien ne s'était passé.

— Il avait besoin qu'on lui cause, celui-là !

— Tu t'es montrée très brave, Nancy.

— Il n'avait pas faim. Simple curiosité de sa part. Il voulait jouer. Il fallait simplement lui parler.

⁂

Le vendredi, les familles indiennes des environs commencèrent à arriver en remontant le fjord de Taku dans leurs canoës peints, ou bien en se laissant dériver de l'amont avec des voiles que gonflait le célèbre vent de Taku, venu du Canada. Personne ne portait de vêtements de travail, mais le costume de cérémonie, robes alourdies de perles et pantalons bordés de fourrure. Tous avaient des coiffures que Tom n'avait jamais vues auparavant ; et les enfants, parés de perles, s'enveloppaient de capes en peau de daim décorée. Ils formaient des groupes colorés, et à l'arrivée de chaque famille Nancy et sa mère l'accueillaient avec les mêmes paroles, que Nancy traduisit à Tom :

— Votre venue nous fait honneur. Le maître arrivera bientôt.

Les visiteurs s'inclinaient puis allaient voir le totem allongé, qu'ils jugèrent tous excellent.

Quelques cris de joie près de la berge, et des enfants descendirent accueillir Sam Grande-Oreille qui revenait à la maison avec son canoë garni d'achats effectués à Juneau. Impatients les jeunes l'aidèrent à décharger, en faisant la chaîne pour débarquer les colis qui allaient prêter toute sa dignité au potlatch. Quand ils tombèrent sur trois petits paquets d'un poids surprenant, ils demandèrent non sans impertinence :

— Qu'est-ce qu'il y a dedans ?

Sam leur répondit d'enlever le papier d'emballage, et ils découvrirent trois petites boîtes de la peinture des Blancs. On les apporta à l'endroit où gisait le totem presque terminé.

Ses principaux segments avaient déjà été colorés dans les tons passés qu'offre la terre : un marron doux, un bleu très pâle, un roux discret. Grande-Oreille se proposait maintenant de souligner les effets du totem avec de petites surfaces d'un vert éclatant, d'un carmin vif et d'un noir de jais. Il se rendit tout droit vers le totem, sans même prendre le temps de saluer ses invités. Il ouvrit les trois boîtes de peinture, donna des pinceaux à deux autres sculpteurs aussi doués que lui et leur expliqua ce qu'il désirait :

— La grenouille verte avec des taches noires. Le chapeau noir. Quoi d'autre ? Les visages rouges ; les ailes de l'autre oiseau vertes ; les yeux du castor, rouges aussi.

Les hommes appliquèrent les touches finales avec habileté. Les puristes auraient préféré que l'on utilise uniquement des couleurs naturelles, comme dans le passé, mais ils convinrent cependant eux aussi que des touches de peinture « de magasin », appliquées avec discrétion, s'harmonisaient fort bien avec le reste du motif et lui prêtaient des reflets brillants, révélateurs du caractère de Sam Grande-Oreille, le créateur du totem.

Quand on passa la troisième couche, sous le soleil qui tapait pour marier la peinture et le bois, les femmes vinrent applaudir et tous convinrent que Grande-Oreille avait fait son œuvre comme un sculpteur d'autrefois. Une femme remarqua que le totem de son village était plus haut, une autre critiqua les taches de rouge vif, mais dans l'ensemble tout le monde l'approuva.

— Il fera très bien dans cette anse, en face du glacier. Il parlera à tous ceux qui descendent ou remontent le fjord.

Et le potlatch commença. Dix-sept familles avaient répondu à l'invitation de Sam Grande-Oreille, et lorsqu'on offrit aux visiteurs la nourriture et les dons, ceux-ci convinrent que Sam se montrait aussi généreux que ses ancêtres. Tom Venn, stupéfait par la prodigalité de la fête, se dit : « Cela a dû lui coûter chaud. » Sam, au milieu de ses invités, ne semblait pas du tout juger ses dons extravagants et ne fit aucun commentaire sur les quantités surabondantes de nourriture.

— Vous faites un potlatch souvent ? lui demanda Tom, les yeux écarquillés.

Mais Sam éluda toute réponse directe.

— J'ai de la chance. Un bon travail. Une bonne épouse. Une bonne fille. Là-tout.

Tom lui raconta alors son aventure avec le grizzly et Sam éclata de rire.

— Dommage que je ne l'aie pas su plus tôt. J'aurais mis l'ours sur le totem. Pour la fête.

Soudain Tom eut envie d'en savoir davantage : une fête de quoi ? Un potlatch en quel honneur ? Ces amis se réunissaient selon quel principe ? Le totem représentait un hommage à quelle puissance ? La force ou l'esprit qui liait ces gens les uns aux autres provenait de quoi ?... Et tandis que ces questions se bousculaient dans sa tête, il comprit à quel point il respectait ce charpentier, et donc qu'il lui était impossible de lui demander une explication.

Mais il pouvait poser des questions sur le totem lui-même. Tant qu'il demeurait allongé par terre où l'on pouvait examiner de près toutes ses parties, il demanda quel rôle jouait la tortue, pourquoi l'oiseau était placé de cette manière et pourquoi les ailes du corbeau étaient rajoutées au poteau au lieu d'en faire partie. Visiblement fier de son œuvre et ravi de la façon dont ses trois couleurs achetées au magasin rehaussaient les tons plus doux des pigments naturels, Sam fut enchanté de parler du totem pendant ces heures qui précédaient son érection officielle à l'entrée de l'anse — comme si, dès cet instant, le totem deviendrait la propriété de tous et plus seulement sa création.

— Aucun homme spécial, aucun oiseau spécial, aucun visage spécial. Juste ce que je ressens. Juste comme la pluie tombe.

La pluie s'était mise à tomber, et les hommes apportèrent des bâches pour protéger la peinture encore fraîche. Pendant toute cette première nuit du potlatch, un homme joua du violon, des femmes dansèrent...

— Personne ne me dit ce que c'est, se plaignit Tom Venn à Nancy. Un potlatch pour quoi ?

En regardant la fête comme avec un certain recul, elle expliqua cette coutume ancienne :

— Quand tout va bien, qu'il y a de l'argent dans la maison et que les voisins vous veulent du bien, il convient peut-être d'abandonner tout et de recommencer à zéro. Ou peut-être faut-il recommencer à se prouver sa propre valeur. Regardez ! Ils dansent. Ils chantent. Et Sam Grande-Oreille grandit à leurs yeux car il a fait un vrai potlatch.

» Les missionnaires détestaient les potlatchs. L'œuvre du diable, prétendaient-ils. Trop de bruit. Pas assez de prières. Il se passe beaucoup de choses au cours d'un potlatch. De bonnes choses. Des choses qui font du bruit. Et qui peuvent paraître sauvages. Mais la fête...

Elle pencha doucement la tête en suivant le rythme du violoneux et sourit en voyant sa mère danser dans un coin, comme si elle avait pour cavalier un fantôme, aux accents d'une musique qu'elle était la seule à entendre.

Le matin du troisième jour, tout le monde se réunit près du totem pour participer au rituel de son érection. Comme le poteau mesurait neuf mètres de long et avait une base très grosse, l'opération allait présenter des problèmes dignes d'un bon ingénieur. Mais depuis des siècles les Tlingits avaient mis au point un système efficace pour dresser leurs énormes totems à la verticale. Le moment de vérité arriva.

Grande-Oreille, Tom et Nancy avaient déjà préparé le trou pour le poteau, et l'avaient entouré de pierres. On creusa maintenant une tranchée formant un plan incliné progressif, du fond du trou vers l'extérieur sur une distance d'environ un tiers de la longueur du totem. Quand la terre de ce plan incliné fut bien aplatie et tassée, les hommes, à force de bras et avec des cordages, firent glisser le lourd poteau sur le côté, le long de la tranchée, dans laquelle ils le firent tomber. On cala le haut du totem — c'est-à-dire la partie qui n'était pas dans la tranchée — à plusieurs endroits avec de gros rondins. Tout était prêt, sauf qu'au dernier moment des hommes coincèrent dans le trou contre la face opposée à la tranchée une large dalle de pierre plate, contre laquelle le pied du totem viendrait buter : quand on soulèverait le haut, cette plaque empêcherait le tronc du totem de creuser la terre molle contre laquelle il prendrait appui.

On plaça des cordes à plusieurs endroits vers le haut du poteau. L'une des plus importantes l'empêcherait de balancer trop loin quand on le redresserait. D'autres éviteraient les oscillations latérales. Plusieurs hommes qui avaient l'expérience de ce genre d'opération se mirent à crier des ordres tandis que d'autres tiraient sur les cordes. Des femmes, qui regardaient le totem magnifiquement sculpté s'élever doucement, majestueusement sous le soleil matinal, ses surfaces peintes en réfléchissant l'éclat, entonnèrent une mélopée ; les hommes tirèrent avec plus de vigueur, tandis que ceux de l'arrière, étaient chargés d'empêcher une montée trop rapide. Le beau totem s'éleva dans les airs, trembla un instant quand il approcha de la verticale, puis vibra et glissa doucement dans son trou. Tom Venn, qui tirait sur une des cordes empêchant tout mouvement latéral, sentit la grande grume s'immobiliser.

« Hallo ! » cria l'homme responsable des cordes, et elles furent lâchées. Elles retombèrent le long du poteau et tout le monde poussa des cris de joie : le totem de Sam Grande-Oreille tenait tout seul, bien droit, face à l'eau comme pour saluer tous les bateaux qui passeraient dans le fjord.

Le potlatch était terminé. Les voisins de Sam emportèrent leurs cadeaux dans leurs canoës. Chaque homme savait qu'un jour il ferait à Sam un don de valeur égale, et chaque femme se demandait quel « présent » elle pourrait coudre ou tricoter qui soit aussi « présentable » que les dons de l'épouse de Sam. Ainsi donc l'économie des Tlingits était préservée et relancée ; des biens étaient échangés ; la richesse redistribuée ; des obligations s'établissaient, et se poursuivraient indéfiniment dans l'avenir. À l'entrée de la rivière des Pléiades, un homme, son épouse et sa fille préservaient un mode de vie totalement étranger à celui qui se précisait dans la ville de Juneau, à seulement vingt-sept kilomètres de là à vol d'oiseau.

Tandis que Sam Grande-Oreille célébrait son potlatch à l'embouchure de la rivière des Pléiades, qu'advenait-il de Nerka et de sa génération de saumons, dans le lac à la source du même cours d'eau ? Au début de 1903, bien qu'il fût âgé de deux ans, Nerka demeurait tellement insignifiant qu'il ne jouait aucun rôle manifeste dans le lac. Les poissons plus gros mangeaient ses frères avec une telle constance qu'il n'en restait plus qu'environ quatre-vingts. Comme la dévastation continuait et même s'intensifiait, on aurait pu croire que le « rouge » disparaîtrait bientôt du lac des Pléiades. Mais Nerka, poussé par un instinct impérieux de conservation, restait dans les coins sombres, évitait les gros poissons prédateurs et continuait, guère plus gros que le petit doigt, sans se douter que de la persévérance d'autres saumons comme lui dépendait la survie de leur espèce.

Or cet hiver de 1903, tandis que la génération de Nerka dans le lac des Pléiades tombait à deux millions, et que Tom Venn s'affairait dans son nouveau magasin des quais de Juneau, le vapeur *Reine du Nord* de Ross & Raglan accosta avec une importante cargaison de produits pour le commerce d'été et surtout un monsieur aux cheveux roux, âgé de cinquante et un ans et débordant d'énergie : Malcolm Ross, qui débarquait avec l'intention de révolutionner cette région de l'Alaska.

— J'ai la tête pleine à craquer de projets, lança-t-il en entraînant Tom dans le petit bureau de la succursale R & R de Juneau. Et je vous avertis, Tom, je veux commencer tout de suite.

Tom n'avait pas vu M. Ross depuis le jour de 1897 où il avait commencé à travailler pour R & R sur les quais, mais il avait assisté pendant toutes ces années à la croissance fabuleuse de la compagnie. Dans tout l'Alaska courait le bruit que M. Ross était un génie des affaires, et Tom en éprouvait une certaine fierté personnelle.

— Qu'avez-vous en tête ? demanda-t-il. Un nouveau magasin à Skagway ?

— Skagway est fini. La ruée vers l'or terminée. Le nouveau chemin de fer vers Whitehorse risque d'être bénéfique encore pour quelques années. Mais je ne vois aucun avenir à Skagway.

— Où, alors ?

— Ici.

Tom s'étonna. Son magasin de Juneau travaillait bien mais ne justifiait pas un agrandissement et l'idée d'en établir un second dans un autre quartier de la ville aboutirait probablement à un désastre.

— Monsieur Ross, je sais que R & R commet rarement d'erreurs, mais un deuxième magasin ici... Ce ne serait pas justifié.

— Merci de votre opinion sincère, jeune homme. Mais je ne pense pas à un autre magasin. Je veux que vous entrepreniez tout de suite, ce matin, la construction d'une grande conserverie de saumon R & R.

— Où ? demanda Tom doucement.

— À vous de le découvrir. Commençons sur-le-champ.

Tom protesta qu'il n'entendait rien à la pêche et encore moins à la mise en conserve.

— Moi non plus. Nous partons à égalité. Mais je sais une chose : il va y avoir une fortune à gagner dans le saumon, et nous devons en obtenir notre part.

Tom n'avait jamais vu un homme comme Malcom Ross. Même le commissaire Steele de la Police Montée déployait moins de ténacité et d'énergie que cet élégant négociant de Seattle dont l'intuition lui soufflait que le saumon allait remplacer l'or comme contribution de l'Alaska à la richesse des États-Unis. À onze heures ce matin-là, Ross réunit quatre hommes compétents, qu'il invita à un splendide déjeuner pour pouvoir sonder avec Tom leurs secrets sur la pêche du saumon.

— Ce qu'il vous faut..., dit l'un des hommes. J'entends si vous voulez bien faire les choses...

— Je ne fais jamais rien autrement.

— Eh bien, prenez votre crayon. Pour nettoyer le poisson un très grand local, plus grand que tout ce que vous voyez par ici. Pour le faire cuire, un autre local, mais moins grand. Pour loger les Chinois, parce qu'il faut les séparer des autres, ils se bagarrent tout le temps, vous aurez besoin d'un troisième bâtiment, un dortoir. Pour les autres ouvriers, un deuxième dortoir. Ensuite un réfectoire, un tiers réservé aux Chinois, deux tiers pour les autres. Un atelier de menuiserie pour fabriquer les caisses ; un atelier de soudure pour fabriquer les boîtes de conserve. Un entrepôt sur un quai de chargement, construit sur pilotis pour pouvoir y accoster à marée basse comme à marée haute.

— Ça représente pas mal d'argent, dit un autre.

— Je crois que nous pourrons l'emprunter, répondit Ross. Mais où trouverons-nous le poisson à mettre dans les boîtes ?

Le premier homme reprit la parole :

— Nous en venons au plus cher : il vous faut un grand bateau à votre disposition. Vous pouvez le louer, mais il vaudrait mieux en être propriétaire.

— Nous avons des bateaux.

— Je ne parle pas d'un bateau comme celui qui vous a amené. Un bateau pour transporter dans le Nord au printemps les Chinois et tout ce dont vous aurez besoin. Ensuite, il ramassera le poisson, l'apportera à la conserverie et, à la fin de la saison, ramènera dans le Sud les ouvriers et le poisson en boîtes.

— La saison ? Que voulez-vous dire ?

— Le saumon ne vient que pendant quelques mois chaque année. L'été. Donc vous ouvrez deux mois à l'avance, pour tout préparer et pêcher les premiers arrivants, relativement peu nombreux. Après vient le coup de feu. Puis vous prenez un mois pour fermer. La fin de l'automne et tout l'hiver, l'usine reste fermée.

— Qui reste à la conserverie en hiver ?

— Un gardien.

— Tous ces bâtiments, ces investissements... Et un seul gardien ?

— Monsieur Ross, vous ne comprenez rien. Votre conserverie se trouvera loin de la ville, le long d'un petit plan d'eau avec personne autour sur des kilomètres sauf des ours, des épicéas et des saumons.

— Où trouver un endroit propice ? demanda Ross.

Tous voulurent répondre en même temps, mais le premier d'entre eux n'avait pas terminé son explication, alors il fit taire les autres :

— En plus de votre gros bateau pour les grandes opérations, il vous faudra un ou deux bateaux plus petits pour faire la navette avec la trentaine de barques qui pêchent. Il vous faudra beaucoup de bateaux, monsieur Ross.

— J'imagine. Mais où ?

Ces hommes, bien au fait des traditions de la mer et de ses richesses, éliminèrent d'emblée les sites peu prometteurs.

— Par ici, l'un des plans d'eau les plus pittoresques doit être le Lynn Canal, qui conduit à Skagway, mais il n'est guère poissonneux.

— Je ne m'intéresse pas à Skagway, répondit Ross sèchement, et absolument pas au pittoresque.

— On peut pêcher de bons saumons à l'île de l'Amirauté, mais les meilleurs sites sont pris.

— Je ne veux pas un site de deuxième ordre.

— On parle d'endroits très prometteurs sur l'île Baranov...

— Trop loin de Juneau. Mon quartier général sera ici.

— Avec de bons bateaux, peu importe à quelle distance se trouve votre conserverie. Il y a des grands torrents à saumon vers le sud.

— J'ai décidé de m'installer par ici.

— Alors il n'y a qu'un seul point inoccupé. Beaucoup de saumons, un bon mouillage pour les bateaux.

— Où ?

— Mais il y a un inconvénient : la violence du vent qui souffle du Canada. À ne pas croire.

— Nous pouvons construire de façon à nous protéger du vent.

— Pas celui-là. Eddie, parle-lui de Taku.

Un des pêcheurs, qui avait mangé des quantités prodigieuses, posa sa fourchette et dit :

— Tout le monde ici l'appelle le vent de Taku. Il descend des montagnes du Canada et se faufile dans le fjord de Taku. En quinze minutes, il peut passer du calme plat à quatre-vingts kilomètres-heure. Il faut faire gaffe.

Ross écarta la mise en garde.

— Quelle espèce de saumon se trouve dans les torrents le long de Taku ?
— Surtout du « rouge », assurèrent les hommes.
Et sur ce mot magique, Ross prit sa décision.
— Nous trouverons dans le fjord de Taku un endroit à l'abri du vent.
Aussitôt après le déjeuner, il demanda à Tom d'organiser une exploration de ce magnifique plan d'eau.
Sam Grande-Oreille était occupé à des travaux d'agrandissement de l'hôtel. La perspective de remonter le Taku l'enchanta. On mobilisa un des petits caboteurs R & R de Juneau et l'expédition put démarrer à midi.
Dès que le vapeur s'engagea dans le fjord, Malcolm Ross comprit qu'il était tombé sur un lieu très spécial ; le décor était beaucoup plus beau qu'il ne l'avait imaginé d'après les récits qu'il avait entendus au déjeuner.
— C'est splendide ! s'écria-t-il en apercevant les reflets bleus du glacier du Morse.
Le chenal étroit, entre le glacier et le rocher du Morse, dans lequel le bateau se glissa, lui fit également une vive impression. Puis le fjord s'élargit, révélant de nouvelles échappées, et son attention se concentra sur le vert émeraude du glacier des Pléiades, de trente mètres de hauteur et scintillant sous le soleil.
— Stupéfiant !
Ensuite il se tourna vers l'est et, derrière le promontoire où s'élevait la cabane de Sam Grande-Oreille, il vit pour la première fois un poteau totem d'Alaska. Ses couleurs brillaient au soleil comme pour répondre à l'éclat du glacier sur la rive opposée.
— Pourquoi élever un poteau comme celui-là en ce lieu ? voulut savoir Ross. Il n'y a rien par ici, hormis cette cabane.
— C'est la cabane de Grande-Oreille, expliqua Tom. Il a sculpté le totem. Je l'ai aidé à le mettre en place.
— Je suppose que les personnages ont un sens. Des rites païens et tout ça ?
On appela Grande-Oreille près du bastingage pour qu'il explique son totem. Il fut beaucoup moins clair que ne l'aurait été sa fille.
— Mais dites-moi..., lui lança Ross, agacé. Qui est l'homme au chapeau haut de forme ?
— Un Blanc, expliqua Grande-Oreille avec un large sourire. Peut-être un Russe.
— Vous ne le savez pas ? demanda Ross d'un ton impatient.
— Juste un Blanc. Il a gagné.
Ross n'y comprit rien. Et quand il voulut savoir ce qu'était l'oiseau en haut du totem, il reçut une réponse aussi ambiguë.
— Juste un oiseau. Peut-être un corbeau.
Mais Ross se montra conciliant.
— C'est un beau poteau. Et le site est excellent. Des saumons dans la rivière ?
— Des « rouges ». En quantité, répondit Sam.
Ross en prit bonne note mais son œil pénétrant avait remarqué un détail extrêmement important pour une éventuelle conserverie de poisson.
— Grande-Oreille, votre promontoire qui s'avance en hauteur comme ça... Ne protège-t-il pas cette petite baie de ce qu'on appelle le vent de Taku ?

— Peut-être.
— Donc si je construis ma conserverie sur cette pointe, au sud de chez toi, je n'aurai pas à me soucier beaucoup du vent, pas vrai ?
— Peut-être pas.
— Dans ce cas, pourquoi avez-vous construit votre cabane là-haut, où le vent frappe de plein fouet ?
— J'aime bien le vent, répondit Sam. S'il souffle trop fort je reste à l'intérieur, devant un bon feu.
Après plusieurs détours, le vapeur passa tout près du museau sinistre du glacier de Taku, très haut et plus large que les précédents mais sans couleur bleue : sa glace sale formait comme des piliers gris et brun. Mais quel effet impressionnant ! Ils semblaient prêts à basculer sur n'importe quel bateau qui glisserait à leur pied. Le capitaine raconta à Ross que des bateaux comme le sien avaient parfois un petit canon ; ils tiraient sur les glaciers pour précipiter la naissance spectaculaire d'un iceberg.
— Je parierais qu'un gros se trouve sur le point de se détacher.
— Avez-vous un canon ? demanda Ross.
Le capitaine lui répondit que seuls les bateaux de passagers en avaient. Voyant Ross déçu, il lui proposa une autre tactique :
— Nous allons avancer à la bonne distance et je donnerai cinq ou six petits coups de sirène. Ça suffit parfois.
Le bateau se rapprocha vraiment beaucoup et quand les coups de sirène se répercutèrent contre la face du glacier, les vibrations provoquèrent la séparation d'un grand pilier de glace qui s'écroula dans un vacarme de tonnerre et une gigantesque gerbe d'eau. Cela ne produisit pas d'iceberg durable, car la neige n'était pas assez tassée à cet endroit, mais cela démontra comment se forment les icebergs.
Le vapeur passa devant cet impressionnant glacier, remonta trois ou quatre kilomètres de plus jusqu'au fond du fjord, où apparut une rivière dévalant du Canada. Ross, les yeux fixés sur l'eau qui tourbillonnait et bouillonnait au-dessus d'énormes rochers, demanda :
— Comment un saumon peut-il trouver son chemin dans ce labyrinthe ?
— Ils rentrent chez eux, répondit Grande-Oreille. Ils connaissent tous les tournants. Ils se souviennent qu'ils sont descendus quand ils étaient *tacons*.
— Encouragez-les à grandir. Ce seront les premiers à remplir nos boîtes de conserve.
Le vapeur fit demi-tour beaucoup plus haut dans le fjord qu'on ne pourrait remonter aujourd'hui. Bientôt les sédiments venus du Canada s'accumuleraient et aucun bateau de fort tirant d'eau ne pourrait atteindre ne serait-ce que le glacier de Taku, mais pendant les premières années du vingtième siècle le chenal ne s'était pas encore obstrué.
Sur le chemin du retour, Ross demeura appuyé au bastingage et imagina un furieux vent de Taku soufflant du Canada. Au moment où le bateau se rapprocha de la cabane de Sam Grande-Oreille, sur la falaise, Ross s'imagina porté par le vent, soulevé par-dessus le promontoire, pour ne retomber que loin au-delà du côté sud de l'estuaire des Pléiades. Il tendit le bras triomphalement vers la pointe méridionale, prête à recevoir un quai et très bien protégée.
— Nous construirons notre conserverie ici, s'écria-t-il.
— Nous ferions bien de consulter Sam Grande-Oreille, suggéra Tom.

— Et pourquoi ? lança Ross.
— Je crois qu'il est propriétaire des deux côtés de la baie.
— Les sites sont concédés par Washington, répondit Ross, signifiant qu'il n'avait aucune intention d'en discuter avec Grande-Oreille. Je vais demander à mon homme à Washington de s'en occuper sur-le-champ.

Au moment où le caboteur sortit du fjord de Taku, Ross se retourna vers le plan d'eau enchanteur avec ses falaises, ses montagnes et ses glaciers scintillants.

— C'est un endroit qui convient à Ross & Raglan. Pour ainsi dire « fait sur mesure », déclara-t-il à ceux qui l'entouraient.

À la surprise de Tom, M. Ross resta à Juneau deux semaines, pour surveiller l'achat des matériaux nécessaires à sa grande conserverie, bien qu'il ne fût pas encore sûr du site où il l'installerait. Mais le treizième jour, un télégramme lui parvint : on lui avait accordé les droits exclusifs pour la baie à l'embouchure de la rivière des Pléiades.

— En avant, toute ! cria Ross. Tom, vous emmenez ces bois de construction et tout le matériel dans la baie. Lancez la construction et travaillez comme un fou : tout doit être prêt à fonctionner le 25 avril prochain.
— Mais où trouverai-je les bateaux ?
— Les bateaux, je m'en charge. Et ils seront là, faites-moi confiance.
— Quel nom donnerons-nous à l'endroit ?

Ross réfléchit un instant. Depuis quelque temps, il craignait que le nom fort connu de Ross & Raglan soit associé à trop d'entreprises différentes ; cela risquait de provoquer des jalousies. Et puis les clients d'Alaska s'élèveraient peut-être contre la concentration des pouvoirs à Seattle. Pour ces bonnes raisons et plusieurs autres, il écarta le nom de sa firme.

— Il nous faut, Thomas, un nom qui évoque l'Alaska. Pour que les gens de l'endroit soient fiers d'être associés à cette nouvelle conserverie. J'y réfléchirai ce soir.

Cet homme compétent s'était honnêtement efforcé d'équiper des milliers d'hommes pour l'Alaska au cours des années de la ruée vers l'or ; il avait fourni de bons bateaux et les marchandises nécessaires aux communautés en expansion. Maintenant il lançait une affaire de conserves de premier ordre, et non une de ces entreprises éphémères qui dépouilleraient l'Alaska sans rien lui apporter en retour. Malcolm Ross voulait que son affaire de saumon soit un exemple de ce que pouvait offrir de mieux le « capitalisme éclairé ». Il lui fallait donc un nom exprimant son souci de qualité avant tout.

Au petit déjeuner, il informa Tom qu'il avait trouvé une solution parfaite.

— Conserves Totem. Sur les étiquettes de nos boîtes le beau dessin d'un totem comme celui que j'ai fait quand nous avons remonté le fjord de Taku le premier jour...

Il sortit de sa poche une esquisse du totem de Sam Grande-Oreille — sauf qu'il avait éliminé, en haut, l'amusant petit bonhomme blanc en haut-de-forme. Il l'avait remplacé par un ours brun, en conservant le corbeau original au-dessus.

Non seulement on allait dépouiller Grande-Oreille de ses terres à l'embouchure de la rivière des Pléiades, mais on s'appropriait son totem — et il ne pourrait rien faire contre cela : Malcolm Ross à Seattle et son agent à Washington y veilleraient.

*
**

Dans les jours qui suivirent, Tom Venn eut amplement l'occasion d'observer à quel point son patron était remarquable, car deux grands vapeurs R & R remontèrent le fjord de Taku avec les bois de construction et tout l'outillage pour les quatre principaux bâtiments qui devraient fonctionner mi-mai. Avec ces matériaux, soixante-cinq artisans arrivèrent de Seattle, ainsi que des tentes pour les loger provisoirement et une grande popote roulante. Une semaine après le débarquement, cette armée d'hommes avait creusé les fondations des bâtiments principaux et déchargé des chalands les pierres et le ciment pour les fondations des vastes locaux dont les poteaux verticaux pousseraient bientôt comme une forêt de tiges droites après une pluie de printemps.

M. Ross avait raison d'escompter que ses bâtiments seraient prêts en temps voulu, car il s'agissait de simples hangars pour abriter diverses machines. Pas de problèmes complexes d'architecture à résoudre.

— Bâtissez vite et bien, disait-il aux hommes chaque fois qu'il se rendait dans le fjord.

Quand de nouveaux bateaux arrivèrent avec les lourds autoclaves où des rangées de boîtes de conserve pleines cuiraient à la vapeur sous pression, l'endroit où les mettre en place était déjà prêt. Dès qu'elles furent installées, on engagea trente Indiens pour abattre dans la forêt le bois qui alimenterait les feux.

Le petit bâtiment dans lequel on construirait les caisses pour envoyer les boîtes à Seattle, puis dans les villes comme New York et Atlanta, fut construit (ou plutôt bâclé) en quatre jours. Mais le hangar jumeau où l'on fabriquerait les boîtes à partir des matériaux bruts exigea plus de temps : il devait être assez solide pour abriter les grosses machines nécessaires au travail du fer-blanc.

Entre-temps, on avait engagé trente-sept pêcheurs de l'endroit pour attraper le saumon dès le début de la saison. Les deux petits vapeurs, qui iraient ramasser leur pêche et l'apporteraient à la conserverie, arrivèrent de Seattle avec leurs équipages — accompagnés d'un bateau fort utile : un gros remorqueur à l'arrière duquel était le mouton qui planterait les pilotis. Il y avait sur le pont plusieurs centaines de longs pilotis de bois que l'on enfoncerait dans le fond boueux du fjord de Taku pour former l'appontement auquel accosteraient les gros cargos lorsqu'ils embarqueraient les caisses de saumon en boîte.

Début avril, la conserverie Totem devint le décor de toutes sortes d'activités intenses. Tom Venn, chargé de vérifier les heures de travail et de payer tous ceux qui travaillaient au projet, avait maintenant neuf équipes différentes sur le chantier pendant douze et même quatorze heures par jour. M. Ross lui avait donné un ordre précis :

— Pour l'instant, ne regardez pas à la dépense, mais que le travail soit fait afin que nous puissions gagner le maximum en septembre.

Mi-avril, Tom voulut arrêter tous les travaux secondaires pour édifier à une vitesse affolante un long dortoir :

— Je viens d'apprendre que nos bureaux de Seattle ont trouvé à San Francisco une équipe de Chinois. Ils les ont engagés et ils les envoient plus tôt que prévu. On m'a prévenu que s'assurer la satisfaction des Chinois est le secret de toute bonne affaire de conserves. Il faut que leur dortoir et leur réfectoire soient prêts dans deux semaines.

Mais lorsqu'il fallut décider quels charpentiers et quels maçons devraient s'atteler à cette construction, Tom s'aperçut que presque tous les bâtiments étaient aussi essentiels que le dortoir, et il se mit à la recherche d'artisans locaux. Il songea d'abord à s'adresser à son fidèle ami Sam Grande-Oreille mais M. Ross avait appris par son homme de Washington qu' « aucun Eskimo, aucun Indien ne valait rien. Seuls des Blancs peuvent faire le travail de construction en Alaska », et ce préjugé s'était ancré en lui. On pouvait employer des Indiens tlingits des environs de Taku pour creuser des tranchées et décharger des bateaux mais non leur faire confiance pour construire un dortoir, même un dortoir pour Chinois.

— Je ne veux pas de charpentiers indiens, Tom. On ne peut pas leur faire confiance.

— D'où tenez-vous cette idée ?

— Marvin Hoxey m'a dit qu'ils boivent, travaillent deux jours puis disparaissent.

— Marvin Hoxey ! Il n'a jamais travaillé avec des Indiens. Il ne connaît que des ragots de bars.

— Il comprend l'Alaska.

Tom Venn, après avoir vécu le Chilkoot Pass, le Yukon, la frénésie de Dawson et de Nome, avait à vingt ans le caractère d'un homme de deux fois son âge. Il ne laisserait pas contrecarrer par un Marvin Hoxey son expérience durement acquise.

— Monsieur Ross, je ne voudrais pas vous contredire parce que vous en savez plus long sur les affaires que toute personne que j'aie rencontrée. Mais sur les Indiens comme ceux que j'engagerais pour le dortoir, on vous a donné un mauvais conseil.

— Hoxey ne m'a jamais fait faux bond. N'engagez pas d'Indiens pour des travaux importants de la conserverie.

Tom éclata de rire et, à sa propre surprise, prit M. Ross par le bras.

— Qui a sculpté le poteau totem que vous admirez tellement ? L'Indien que je désire engager. Et qui a aidé à bâtir votre magasin de Juneau en un temps record, comme vous l'avez reconnu ? Le même Indien. Monsieur Ross, Sam Grande-Oreille, que vous avez rencontré le premier jour sur le bateau, est bien meilleur charpentier que tous les hommes engagés à Seattle.

Malcolm Ross n'était pas parvenu à diriger une des plus grandes entreprises de Seattle sans tenir compte des conseils d'hommes à l'esprit décidé — il en faisait lui-même partie. Quand son associé Peter Raglan avait pris peur devant l'expansion soudaine du magasin Ross & Raglan des débuts sous l'impulsion de Ross, ce dernier avait aussitôt racheté les intérêts de Raglan dans la société. En lançant une compagnie maritime il avait pris des risques énormes, et il en prenait de plus grands maintenant en essayant d'ouvrir cette conserverie dans un aussi bref délai. Si un jeune homme comme Tom Venn, qui avait si souvent fait ses preuves, désirait engager un Indien tlingit pour activer la finition d'un bâtiment, qu'il le fasse.

— S'il est aussi capable que vous le dites, mettez-le sur le chantier aujourd'hui même. Mais ne venez pas vous plaindre à moi s'il se présente saoul demain.

Tom salua, sourit et se retint d'informer son patron que les charpentiers de Seattle avaient amené du whisky de contrebande au début du chantier et renouvelaient mystérieusement leurs réserves chaque fois qu'un bateau R & R entrait dans le fjord. À la place, il proposa que M. Ross l'accompagne dans un canot de l'autre côté de la baie pour voir comment vivait un Tlingit de bonne naissance.

— Ça me plairait, répondit Ross.

Il se percha à l'arrière du canoë, et deux Indiens employés pour décharger les bateaux conduisirent l'embarcation à travers l'estuaire, au débarcadère improvisé que Sam Grande-Oreille avait creusé pour échouer les canots et les voiliers.

— Hé ! Grande-Oreille ! cria Tom quand il débarqua avec M. Ross. Le patron veut te voir.

De la cabane sur la crête, Sam apparut. Il resta immobile un instant entre deux chambranles de porte sculptés et peints à la manière des totems.

— Bienvenue, lança-t-il en reconnaissant M. Ross. Vous construisez vite, là-bas.

Il les fit entrer dans sa cabane, vide parce qu'il avait fait don de presque tout son contenu au cours du potlatch. La robustesse de la construction sautait aux yeux.

— C'est vous qui l'avez construite ? demanda Ross.

— La femme et la fille ont beaucoup aidé, répondit Grande-Oreille.

Il appela Nancy dont le charmant visage ovale s'éclaira d'un sourire comme celui de son père. Sans aucune déférence particulière envers M. Ross, elle s'inclina légèrement et dit dans un anglais chantant :

— Tom est très fier de travailler pour vous, monsieur Ross. Nous sommes fiers de vous recevoir chez nous. Ma mère ne parle pas anglais, mais elle dit la même chose en tlingit.

— Je suis venu pour affaire, monsieur Grande-Oreille. Tom m'a dit que vous étiez un bon charpentier.

— J'aime le bois.

— Il veut que je vous engage pour construire le grand dortoir. Tout de suite, pour les Chinois. Ils vont arriver bientôt.

— Asseyez-vous, monsieur Ross, dit Sam Grande-Oreille.

Quand ses invités furent assis, il leur demanda carrément :

— Pourquoi amenez-vous des Chinois ? Le fjord de Taku est indien. Beaucoup d'Indiens d'ici travaillent aussi bien que les Chinois.

— Nous en avons engagé beaucoup.

— Mais pas pour de vrais travaux. Pas pour construire. Pas pour faire des caisses. Pas pour fabriquer des boîtes de conserve.

Ross n'esquivait jamais les situations forcément déplaisantes :

— Le fait est, monsieur Grande-Oreille, que toutes les conserveries ont appris à s'appuyer sur les Chinois pour les travaux les plus importants : caisses, boîtes et préparation des saumons.

— Pourquoi des Chinois ? Pourquoi pas les Tlingits ?

— Les Chinois travaillent plus dur que n'importe quels hommes sur la Terre. Ils apprennent vite ce qu'il faut faire et ils le font. Ils travaillent comme des diables, économisent leur argent et se taisent. Aucune conserverie ne pourrait réussir sans Chinois.

— Les Tlingits travaillent comme des diables eux aussi.

Ross était trop poli pour répondre carrément que sans doute, sur une journée, un Tlingit pouvait travailler aussi bien qu'un Chinois. D'autres propriétaires de conserveries le lui avaient raconté. Mais on lui avait également dit qu'au bout de deux ou trois jours de travail intensif, l'Indien préférait prendre sa paie et partir à la pêche — pour lui-même, non pour la conserverie.

— Voulez-vous aider Tom à construire le dortoir ? demanda-t-il à la place.

— Non, répliqua Grande-Oreille. Vous apportez des Chinois pour nous prendre nos emplois, je ne travaillerai donc pas pour vous. Ni ici, ni aux Pléiades, ni à Juneau.

Avec une grande dignité il raccompagna Ross et Venn à la porte et, quand ils sortirent, il ajouta à mi-voix :

— Beaucoup de Chinois, beaucoup d'ennuis.

L'entrevue s'acheva sur ces mots.

Avec le personnel plus ou moins expérimenté que Tom put trouver sur les quais de Juneau, et avec une équipe importante de Tlingits, la carcasse du dortoir fut dressée à la hâte et le travail commença sur les rangées de couchettes de bois où dormirait la main-d'œuvre importée pendant les cinq mois de la saison du saumon. Venn fut alors certain que l'énorme projet serait terminé à temps. La complexité même de l'opération engendrait son optimisme : ce jour-là, le long de la berge, le mouton enfonçait les troncs sur lesquels reposerait le tablier du quai, à plus de sept mètres au-dessus du niveau de l'eau à marée basse ; dans le local cuisine, on installait les autoclaves ; dans le vaste hangar à éviscérer, on construisait les tables devant lesquelles les Chinois nettoieraient les saumons avec de longs couteaux acérés ; une scierie de fortune débitait les épicéas de Sitka pour les caisses ; et dans le local de fabrication des boîtes, on préparait des foyers pour faire fondre la soudure qui scellerait les boîtes après la mise en conserve. Une opération géante touchait à sa fin sans encombre — une entreprise type de l'Alaska : colossale, désordonnée à bien des égards, frénétique, passionnante. Comme Tom le déclara à l'un des charpentiers du dortoir :

— Vous n'auriez pas un boulot comme ça à Chicago.

Mais ce qui mit la touche finale à son euphorie, ce fut l'arrivée de l'imprimerie de Seattle des cent mille premières étiquettes à coller sur les boîtes avant de les expédier. Elles étaient rouge clair, de la couleur d'un saumon rouge adulte, avec les mots suivants imprimés en lettres noires : LE SAUMON ROSE DE L'ALASKA, C'EST LA SANTÉ.

Et, au-dessous, très fièrement : *CONSERVES TOTEM, Glacier des Pléiades, Alaska.*

Mais ce qui attirait le plus les regards c'était le totem, tel que l'avait conçu un artiste de Seattle : bien dessiné et imprimé en quadrichromie sur fond de glaciers bleu-vert.

Une étiquette qui accrochait le regard. Quand M. Ross en fit coller quelques-unes sur des boîtes d'une conserverie rivale, tous ceux qui virent le résultat convinrent que c'était une des étiquettes les plus efficaces conçues à ce jour. Enchanté de l'allure des boîtes, Tom en demanda une, et traversa la baie dans l'espoir qu'en voyant le beau produit lancé par la baie des Pléiades, Sam Grande-Oreille mettrait un frein à son animosité.

— C'est joli, non ? s'écria Tom en tendant la boîte à son ami.

Sam la prit, l'examina un instant puis la rendit, presque avec mépris.

— Tout de travers.

Tom ne comprenait pas, et le Tlingit lui expliqua en montrant l'étiquette :

— Mon totem n'est pas du même côté de Taku que le glacier. Et un personnage manque sur le totem. Regarde toi-même : il n'y a pas de corbeau.

Tom faillit éclater de rire, mais Grande-Oreille exprima la grande récrimination de son peuple :

— Le dehors de la boîte mauvais. Le dedans encore plus mauvais.

— Que veux-tu dire ? Notre saumon sera le plus frais que l'on mettra en conserve cette année.

— Je veux dire : il y aura dans les boîtes des saumons tlingits venant des rivières tlingits, mais préparés par des Chinois. Et tout l'argent reviendra aux travailleurs de Seattle, aux marins de Seattle, à la compagnie de Seattle.

Il reprit la boîte, la souleva vers le ciel, et déclara avec une grande amertume :

— Les saumons tlingits enrichiront tout le monde sauf les Tlingits. Seattle prend tout, l'Alaska rien.

Tristement, car il voyait l'avenir se dessiner avec une lucidité douloureuse, il rendit la boîte de conserve et ce geste le sépara de son ami fidèle. Ils comprirent l'un et l'autre qu'une forme d'aliénation insurmontable les séparait. Tom serait désormais de Seattle ; Sam, de l'Alaska.

Au milieu de mai, la résine suintait encore des planches non dégrossies du long dortoir quand un vapeur R & R s'engagea dans le fjord de Taku, négocia les détroits, évita le rocher du Morse et accosta le long de l'appontement à peine terminé. Dès que l'échelle fut en place, débarquèrent les quarante-huit Chinois qui feraient démarrer la conserverie. Ils portaient des espèces de pyjamas amples, des sarraus noirs, des chaussures bon marché à semelle de caoutchouc et pas de chaussettes. Un sur cinq environ avait ses cheveux en « queue de cochon ». Ils étaient étrangers, d'une couleur de peau différente, incapables de parler anglais pour la plupart, et leur appétit semblait fort différent. Avec eux arriva la seule chose essentielle pour satisfaire des travailleurs chinois dans une conserverie : plusieurs centaines de sacs de riz. Mais, dissimulée dans diverses cachettes improbables, se trouvait une autre marchandise de première nécessité, presque aussi importante : de petites fioles de verre, grosses comme le pouce et pleines d'opium. Comme les quarante-huit hommes n'auraient aucune femme, aucune occasion de se distraire normalement, aucun répit après leurs douze ou quatorze heures de labeur éreintant, aucune fraternisation possible avec leurs camarades de travail blancs, l'opium et le jeu de hasard demeuraient les seules détentes, et ils s'y livreraient assidûment.

Quand ils descendirent à terre, ils constituaient un groupe silencieux et inquiétant, que Tom dut conduire à ses logements. Mal à l'aise, peu satisfait à la perspective de travailler pendant un long été avec ces êtres étranges, il se dirigea en silence vers le dortoir récemment achevé. Une main l'arrêta en le tirant par la manche, et il se trouva en face de l'homme dont dépendrait le succès de toute son opération.

Mince et frêle, il avait une grosse queue de cochon qui lui tombait dans le dos presque jusqu'à la taille. À peine plus âgé que Tom et beaucoup plus petit, il avait néanmoins une allure autoritaire. Dès le premier instant de leurs relations, Venn remarqua une particularité qui déterminait sans doute le comportement de l'homme : « Son visage jaune sourit, car il sait que cela me plaira, mais non ses yeux, car il se fiche complètement de ce que je pense. »

— Mon nom, Ah Ting. Je travaille Ketchikan deux fois. Moi, patron tous les Chinois. Pas d'ennuis.

Bien qu'il soupçonnât les motifs de l'homme, Tom fut soulagé de voir qu'au moins l'un d'eux pouvait se faire comprendre. Il invita donc Ah Ting à marcher à ses côtés, et avant même d'arriver à la porte du dortoir, il comprit que les Conserveries Totem fonctionneraient comme l'entendait Ah Ting puisque les autres Chinois acceptaient son autorité. Lorsque la file parvint au bâtiment, les autres attendirent qu'Ah Ting répartisse les couchettes de planches et distribue à chaque homme ses deux minces couvertures.

— Nous, pas mangé sur le bateau, dit-il.

Tom conduisit le groupe au réfectoire réservé aux Chinois, et Ah Ting désigna deux cuisiniers qui se mirent aussitôt à préparer le riz. Après le repas, ce fut Ah Ting, et non Venn, qui divisa les hommes en trois groupes. L'un construirait les caisses ; l'autre fabriquerait les boîtes de conserve ; et le groupe principal nettoierait les bâtiments et préparerait les tables sur lesquelles il couperait la tête des saumons et les éviscérerait.

Tom ne put deviner combien de Chinois avaient déjà travaillé dans des conserveries, mais il s'aperçut qu'il n'avait à donner des instructions qu'une seule fois : bien que la plupart des Asiatiques ne comprissent pas ses paroles, ils faisaient preuve d'une habileté extraordinaire à percevoir ses intentions et se hâtaient d'exécuter ce qu'il avait demandé. À deux heures de l'après-midi la main-d'œuvre se trouvait en place ; les spécialistes se présentèrent aux postes les plus importants. Et à trois heures apparurent les premières caisses et les premières boîtes de conserve terminées.

La fabrication de boîtes en fer-blanc, que l'on enverrait dans le monde entier, devait être précise. Pour le corps de la boîte, il fallait découper en bandes de longs rouleaux de fer-blanc, puis les enrouler autour d'une « forme » et les souder avec soin. Les disques qui formeraient le fond devaient être découpés à l'emporte-pièce puis soudés solidement à leur tour. Enfin il fallait des disques différents pour le haut, que l'on mettrait de côté pour les souder en place quand la boîte serait pleine de poisson cru. On laisserait alors une petite ouverture pour que la pompe à vide ôte l'air qui restait, et il faudrait souder ensuite ce trou minuscule. À la tombée de la nuit Tom comprit que les boîtes de saumon Totem seraient de première qualité et en quantité suffisante.

Quand approcha la fin mai, tous ces efforts séparés commencèrent à converger : soixante-cinq Blancs de Seattle dirigeaient les bureaux, surveillaient les ouvriers et manœuvraient les autoclaves ; les Chinois produisaient des boîtes et des caisses pour le poisson ; et les trente indigènes continuaient de soulever et de porter. Les trente petits bateaux qui devaient pêcher, à la ligne et au filet dormant — deux Blancs dans chaque bateau sauf trois, confiés à des Indiens —, prirent enfin position et, par une belle matinée de juin, la vigie d'un des vapeurs cria :

— Les saumons arrivent !

Les pêcheurs se penchèrent aux bastingages pour sonder des yeux les eaux sombres du fjord de Taku. Ils virent des milliers d'ombres qui remontaient vivement le courant vers de lointains torrents, dans les terres du Canada.

Mais les marins qui regardaient dans la baie des Pléiades aperçurent un groupe impressionnant de gros « rouges » qui se séparaient de la masse pour se diriger vers le beau torrent frais qu'ils avaient descendu en tant que parrs, trois ans auparavant.

— Les voilà ! crièrent les hommes d'un bateau à l'autre.

La saison du saumon, la première pour les Conserveries Totem, était lancée.

En entendant les cris, Nancy Grande-Oreille prévint son père, qui alla inspecter la qualité des saumons qui revenaient cette année. Il en fut si enchanté qu'il renvoya sa fille à la maison chercher son filet. Au moment où il allait le lancer pour attraper le premier poisson de la saison, un gardien de la conserverie lui cria d'une grosse voix depuis l'autre côté de la baie :

— Hep, là-bas ! On ne pêche pas dans cette rivière.

— C'est ma rivière, répliqua Grande-Oreille.

— Cette rivière et le lac : réserve de pêche pour la conserverie. Sur l'ordre de Washington.

— C'est ma rivière. Le grand-père de mon grand-père y pêchait déjà.

— Tout est changé, lui annonça le garde en montant dans une barque pour expliquer les nouvelles instructions de plus près.

Quand il descendit à terre, Grande-Oreille lui dit :

— Vous feriez bien de la remonter plus haut. Elle va dériver.

Le garde se retourna et s'aperçut qu'il aurait perdu sa barque si Sam ne l'avait pas prévenu. Il consulta une liste et déclara :

— Vous êtes Sam Grande-Oreille, je suppose...

Sam acquiesça.

— Monsieur Grande-Oreille, cette baie nous a été concédée par l'administration de Washington. Nous possédons le droit exclusif de pêche sur cette rivière et les eaux adjacentes : Il nous fallait l'obtenir avant d'engager les investissements de la conserverie, n'est-ce pas ?

— Mais c'est ma rivière.

Le garde fit la sourde oreille et d'un ton conciliant, comme s'il accordait une récompense à un enfant, il poursuivit :

— Nous avons notifié à Washington que nous étions prêts à respecter vos droits d'usufruit pour votre maison et deux hectares et demi de terre.

— D'usufruit ? Qu'est-ce que ça veut dire ?

— Eh bien, vous ne possédez aucun titre de propriété pour votre terre. Elle ne vous appartient donc pas légalement. Elle est à nous. Mais nous vous laisserons occuper votre cabane pendant toute votre vie.

— C'est ma rivière... ma terre.

— Non. Tout a changé, monsieur Grande-Oreille. Dorénavant, le gouvernement décidera à qui appartiennent les choses, et il a déjà décidé que notre conserverie possédait les droits de cette rivière. Cela nous donne naturellement la propriété des poissons qui y viennent.

Comme Grande-Oreille ne semblait pas comprendre, le garde simplifia les nouvelles instructions.

— Vous devez cesser de pêcher dans cette rivière, ainsi que vos amis. Seulement les pêcheurs de la conserverie. C'est interdit. Ordre du gouvernement.

Il resta à l'embouchure pour s'assurer que le Tlingit ne contreviendrait pas à la nouvelle loi, et quand il vit Grande-Oreille charger son filet sur l'épaule et retourner chez lui, stupéfait, il se dit : « Ça, c'est un Indien raisonnable... »

Les premières grosses prises arrivèrent dans le hangar de nettoyage et toutes les parties de la conserverie se mirent à fonctionner comme prévu. Des milliers de boîtes hautes, d'une livre, passèrent des établis de soudure aux hommes qui collaient les étiquettes rouge clair des Conserves Totem. M. Ross, apprenant que son usine fonctionnait encore mieux qu'il ne l'avait espéré, vint dans le Nord. Après plusieurs jours d'inspection, il dit à Tom :

— Cet endroit sera amorti en trois ans. Et ensuite, des profits énormes.

Il était si content de la bonne marche de l'entreprise qu'il décida de faire plusieurs gestes pour montrer aux ouvriers sa satisfaction.

— C'est la politique de R & R : récompenser le bon travail.

Ah Ting reçut pour ses Chinois une ration supplémentaire de poulet et de bœuf : ils firent à la suite un festin, une soirée de jeu de hasard et une séance d'opium. Les ouvriers tlingits reçurent une petite prime et les ouvriers blancs un bonus plus important. On remit aux cadres une note qui leur accordait deux semaines de congés payés supplémentaires à la fin de la saison. Quant à Tom :

— Pour vous, une augmentation. Et quand vous aurez tout mis en ordre pour l'hiver, Mme Ross et moi désirons vous recevoir à Seattle pour un repos bien gagné.

La perspective de se rendre dans la ville qu'il admirait tant faisait sur Tom l'effet de l'opium sur les Chinois, il rêvait et il se demanda si, une fois au siège social, on ne lui confierait pas une place là-bas — peut-être la direction d'un des grands magasins R & R de Seattle. Mais avant que cette promotion ait lieu, il dut accomplir une tâche désagréable que M. Ross lui imposa soudain.

— Tom, j'éprouve beaucoup de respect pour votre ami indien. J'ai senti en lui un homme de caractère. Allez donc chez lui en barque pour lui assurer que s'il ne peut plus pêcher dans la rivière, nous ne nous montrerons pas mesquins à l'égard d'un homme qui a contribué à la construction de notre magasin de Juneau, comme vous me l'avez rappelé.

— Que voulez-vous dire, monsieur ?

— Quand la pêche sera rentrée, à la fin de la saison, nous dirons au garde de s'assurer que Grande-Oreille — vous y veillerez, Tom, n'est-ce pas — reçoive un saumon ou deux. Ce n'est que justice.

M. Ross ordonna à Tom de faire un premier cadeau de saumons tout de suite, pendant son séjour à la conserverie, et l'on remit à Tom deux magnifiques « rouges », de couleur éclatante. Il aurait bien voulu éviter cette corvée, car il sentait l'ironie de la situation : offrir deux saumons à Grande-Oreille alors que depuis des générations sa famille détenait le droit de pêcher tous les poissons des Pléiades. Mais c'était un ordre et il fit comme pour les ordres précédents : il s'y soumit.

Extrêmement gêné, il traversa la baie. Quand il remonta la sente menant à la cabane, il fut au désespoir. Il se répéta les paroles qu'il pourrait prononcer pour masquer la laideur de son geste, mais fut soulagé quand Nancy vint lui ouvrir à la place de son père.

— Salut, Tom, lança-t-elle de sa voix enjouée. Nous nous sommes demandé plus d'une fois pourquoi l'on ne te voyait plus.

— À la nouvelle conserverie, il y a un nouveau travail pour moi chaque jour.

— J'ai vu les gros bateaux s'arrêter pour charger les caisses. Vous en avez expédié une telle quantité !

— Trente-deux mille avant la fermeture.

— Mais que portes-tu là ? On dirait un poisson.

— Deux poissons. Des saumons.

— Pourquoi ?

— M. Ross tient à ce que ton père sache... Même si la rivière est interdite et que les Indiens ne peuvent plus pêcher ici...

— Nous l'avons appris, répondit-elle gravement.

Tom craignit qu'elle lui fasse des reproches, mais il n'en fut rien. Elle avait quinze ans à présent : c'était une jeune Indienne intelligente et cultivée, qui avait adoré l'école. Son regard sur le monde en changement, dont elle faisait partie malgré elle, démontrait une maturité surprenante. Elle vit aussitôt à quel point les paroles de Tom étaient déplacées, et elle ne put s'empêcher de rire. Sans mépris, mais avec un peu de pitié pour la façon dont Tom se ridiculisait.

— Oh ! Tom ! Tu n'es tout de même pas venu ici pour annoncer à mon père que même si tout le poisson vous appartient désormais, vous lui en laisserez un ou deux chaque année ? C'est-à-dire... s'il en reste quand vous aurez pris votre content ?

La tournure qu'elle avait donnée à sa question troubla Tom, et il ne sut que répondre.

— Euh..., bafouilla-t-il. C'est exactement ce que propose M. Ross.

Elle éclata de rire de plus belle.

— Mais il l'a exprimé un peu mieux, ajouta-t-il sans conviction. Et ses intentions sont bonnes, Nancy. Je t'assure.

Le visage de la jeune fille devint aussi farouche que celui de ses ancêtres qui s'étaient battus contre les Russes.

— Jette ton maudit poisson dans la rivière.

— Nancy !

— Tu crois que mon père, à qui appartient cette rivière, acceptera des poissons comme ceux-là ? Dans de telles conditions ?

Comme Tom ne bougeait pas de la porte avec ses deux saumons à la main, elle lui prit le paquet et le sentit avec mépris.

— Ne vois-tu pas que ces poissons sont vieux, gâtés, pêchés il y a plusieurs jours — et maintenant jetés aux Tlingits qui ont veillé sur eux pendant qu'ils vivaient dans notre rivière ?

Tom voulut protester mais elle lui lança d'un ton amer :

— Un Grande-Oreille ne jetterait même pas ces poissons à ses chiens.

Elle courut vers la berge, et lança les poissons morts dans l'eau vive. À son retour à la maison elle se lava les mains et offrit à Tom le torchon pour qu'il se lave les mains à son tour. Elle l'invita ensuite à s'asseoir avec elle.

— Que va-t-il se passer, Tom ? Chaque année votre conserverie va prendre de l'ampleur. Vous attraperez un plus grand nombre de nos saumons. Bientôt vous poserez une de ces nouvelles nasses en travers de notre rivière. Et sais-tu ce qui arrivera ensuite ? Il n'y aura plus de saumons, et tu pourras mettre le feu à ta belle conserverie.

Tom se leva et fit les cent pas dans la pièce, de plus en plus mal à l'aise.

— Tes paroles sont horribles ! Tu parles comme si nous étions des monstres.

— Vous l'êtes, répliqua-t-elle, mais elle se hâta d'ajouter : Tu n'es pas responsable, je le sais. Montons à la cascade regarder les saumons sauter.

— Il faut que je rentre. M. Ross nous remet ses dernières instructions avant de repartir à Seattle.

Puis, pour une raison qu'il aurait été en peine d'expliquer, il avoua :

— Il m'a invité à passer mes vacances là-bas, à la fin de la saison.

— Et tu as peur de dire non, n'est-ce pas ?

Le ton de la jeune fille était tellement glacé que Tom lui répondit :

— Je peux faire comme il me plaît.

Il la prit par la main, l'entraîna dehors et se mit à remonter le long de la rivière vers la cascade où l'ours brun les avait pourchassés. Les derniers saumons qui revenaient là pour frayer bondissaient comme des danseurs dans les eaux écumantes et pirouettaient sur leur queue en prenant de l'élan pour leur saut suivant.

— Regarde-les sauter, dit Tom. On peut presque les toucher. C'est incroyable.

En cet instant de sincérité, où il avouait que l'Alaska contenait des mystères insondables pour lui, il devint soudain très précieux aux yeux de Nancy Grande-Oreille, car aucun des Blancs qu'elle rencontrait à cette époque de confusion ne se souciait de comprendre son pays natal et ce qu'il représentait. Ton Venn était le genre de Blanc qui pouvait sauver l'Alaska et trouver une voie raisonnable dans le chaos qui menaçait le pays. Mais chaque fois qu'il prononçait le mot Seattle, il le faisait d'un ton qui révélait sa nostalgie pour cet univers plus excitant.

— Si tu vas à Seattle avec M. Ross, prédit-elle, tu ne reviendras jamais. Je le sais.

Tom ne protesta pas, ni ne la rassura avec des paroles spécieuses.

— Ce sont peut-être les hommes comme M. Ross à Seattle qui prennent les décisions les meilleures pour l'Alaska. Regarde le miracle qu'il a créé ici. En février il a dit « Que la conserverie soit » et en mai, elle fut.

— Oui, mais pour le pire, répondit-elle.

D'un ton si définitif que Tom s'en irrita.

— Pendant mille ans, les saumons ont nagé dans cette rivière sans que cela serve à personne. Ils faisaient leurs bébés saumons puis mouraient. L'année suivante leurs bébés mouraient et personne sur terre n'en profitait. Sais-tu où va aller le saumon que nous avons mis en boîte la semaine dernière ? À Philadelphie, Baltimore, Washington. Les saumons qui nageaient naguère devant ta porte s'en vont là-bas pour nourrir des gens. Cette année ils ne remonteront pas la rivière des Pléiades seulement pour mourir.

Elle n'avait rien à lui répondre : s'il ne comprenait pas le grand mouvement de la nature, dans lequel les allées et venues des saumons étaient aussi importantes que le lever et le coucher de la Lune, elle ne pourrait pas le lui enseigner. Mais elle le comprenait fort bien. Elle avait observé la destruction systématique à l'embouchure de la rivière — le saumon pêché mais jamais mis en boîte, les milliers de poissons qu'on laissait pourrir parce que l'atelier où on les éviscérait était surchargé — et elle savait d'instinct que la situation ne pouvait qu'empirer. Elle avait du mal à croire que des hommes comme Ross et ses cadres (oui, même Tom Venn !) refusent de considérer l'avenir.

— Nous ferions bien de repartir, dit-elle. (Et elle ajouta une pique :) M. Ross va se demander ce que tu fabriques avec ses deux saumons.

— Tu n'es pas de bonne humeur, Nancy. Il vaut mieux rentrer.

Au moment où ils s'en allaient, un couple de « rouges », qui retournaient chez eux après de longs voyages, parvinrent au bas de la cascade et, avec une insistance presque sans équivalent dans la nature, ils s'élancèrent pour leur difficile ascension et bondirent presque joyeusement, se tordirent et gagnèrent une plate-forme de repos, au niveau supérieur.

« Je suis comme ces saumons, songea Tom. J'aspire à des niveaux plus élevés. » Mais il ne lui était jamais venu à l'esprit qu'il pourrait atteindre ces niveaux-là à Juneau, ou même ici le long des rives du fjord du Taku.

À l'endroit où Nancy avait parlé à l'ours qui chargeait Tom pour l'obliger à s'arrêter, ils se rappelèrent cette scène et éclatèrent de rire. Une fois de plus, Tom évoqua l'instant où cette gamine intrépide de quatorze ans avait sermonné l'ours et probablement sauvé leurs deux vies. Elle semblait maintenant tellement plus adulte, heureuse et fière de sa liberté, qu'il la prit dans ses bras et l'embrassa.

Les rires cessèrent, car Nancy savait que cela se produirait : n'était-ce pas normal ? Mais elle savait aussi que cela ne menait à rien, car ils se trouvaient sur des rivières différentes, emportés dans des directions différentes. Un moment, pendant le potlatch de la mise en place du totem, Tom avait été tlingit, capable d'apprécier les valeurs du peuple de Nancy ; et dans la grotte de glace de Mendenhall il l'avait vue comme une jeune Blanche prête à se lancer dans un « nouvel Alaska ». Mais aucun de ces deux instants ne s'était cristallisé, et ces baisers dans le sentier, qui auraient pu prendre un sens, ne marquèrent pas un commencement, mais une séparation.

Ils rentrèrent presque en silence, ils n'éprouvèrent ni l'un ni l'autre l'allégresse qui aurait dû succéder à un premier baiser. À leur arrivée à la maison, Nancy appela son père qui venait de rentrer avec un ami :

— Papa ! M. Ross a dit que nous pourrions avoir un saumon de temps en temps. Les deux premiers qu'il nous a envoyés étaient gâtés, je les ai jetés dans la rivière.

Sam, sans tenir compte de ce commentaire amer, demanda à Tom :

— La saison est-elle aussi bonne que vous l'espériez ?

— Meilleure.

Ils en restèrent là. Mais quand les deux jeunes gens descendirent vers le doris de Tom, Nancy lui dit :

— Je regrette.

— Quoi ?

— Je ne sais pas.

Elle lui donna un baiser d'adieu.

⁂

Ce baiser ne passa pas inaperçu. M. Ross avait emprunté une paire de jumelles pour voir pourquoi son directeur mettait tellement de temps à apporter deux poissons de l'autre côté de l'anse. Quand Tom amarra sa barque et monta vers la conserverie, on lui apprit que M. Ross désirait le voir. Le négociant de Seattle, surpris par ce qu'il avait vu, jugea qu'il devait intervenir sans délai.

— Tom, vous avez un avenir brillant. Oui, très brillant. Mais il arrive parfois que des jeunes gens de votre âge commettent une erreur et perdent tout.

— Je ne comprends pas ce que vous voulez dire.

M. Ross n'aimait pas dissimuler et préférait parler carrément quand les affaires du moment risquaient d'en pâtir :

— Les filles ! Les petites Indiennes. J'ai emprunté ces jumelles pour voir ce qui vous retenait. Je suppose que vous savez ce que j'ai vu.

— Non.

— Je vous ai vu embrasser la fille de Grande-Oreille. J'ai vu...

Tom n'écouta pas la suite, car il pensait : « Je ne l'ai pas embrassée. C'est elle qui m'a donné un baiser. Et d'ailleurs en quoi cela le regarde-t-il ? » Mais M. Ross expliqua en termes définitifs pourquoi ce baiser fugitif le concernait :

— Croyez-vous que je vous laisserai diriger le magasin de Juneau si vous vous mariez à une Indienne ? Croyez-vous que Ross & Raglan vous feront venir au siège social de Seattle si vous avez une épouse indienne ? Comment pourriez-vous rencontrer les autres cadres de la compagnie avec votre femme ? Sur le plan social, j'entends bien.

Et il continua. Il répéta toutes les histoires qu'il avait entendues sur les conséquences catastrophiques de ces mariages mixtes.

— D'après notre propre expérience, Tom... Je veux dire dans nos nombreux magasins, nous n'avons eu que des tragédies chaque fois que nous avons engagé des hommes mariés à des squaws. Ça ne marche jamais, parce qu'on ne peut pas mélanger l'huile et l'eau.

Tom se hérissa et parla avec la même sincérité qui motivait son employeur.

— À Dawson et à Nome, j'ai vu plus d'un homme marié à une squaw qui menait une bien meilleure vie que la plupart d'entre nous. En fait, le gisement du Klondike a été découvert par un *squaw-man*.

— Sur la Frontière, pendant la ruée vers l'or, ce genre d'homme était peut-être à sa place. Mais je parle de la vraie société, celle que vont posséder bientôt des villes comme Juneau. Dans cette société, un *squaw-man* est extrêmement désavantagé.

Il secoua la tête, se rappelant un souvenir précis, puis reprit avec plus de force :

— Et vous devez songer à autre chose, jeune homme. Les enfants de sang mêlé sont condamnés dès le départ.

— Je pense que des endroits comme Nome et Juneau seront bientôt peuplés d'enfants au sang mêlé, rispota Tom. Et ils dirigeront ces villes.

— N'en croyez rien.

Ross allait citer des preuves manifestes de l'incapacité totale de sang-mêlé qu'il avait connus dans le nord-ouest des États-Unis, quand des cris montèrent soudain du grand hangar. Le contremaître blanc hurlait :

— Au secours ! Les Chinetoques sont devenus fous.

Tom, qui prévoyait depuis quelque temps un incident de ce genre, s'élança sur le passage de planches conduisant à l'atelier de nettoyage. Mais M. Ross avait réagi encore plus vite, et tandis qu'il courait vers les bruits de la révolte, il vit son patron, devant lui, foncer comme un ours enragé. Au moment où ils parvinrent sur les lieux de la bagarre, Tom songea : « Que Dieu protège les Chinetoques si M. Ross prend le mors aux dents ! »

Dans l'immense hangar régnait un chaos total. Une vingtaine de Chinois rugissaient entre les tables où l'on éviscérait la pêche de chaque jour. Au début, Tom crut qu'il s'agissait d'une simple bagarre entre deux ouvriers qui défendaient à coups de poing un bon poste de travail. Mais il vit alors horrifié que les Chinois s'attaquaient avec leurs couteaux à vider les poissons.

— Arrêtez ! hurla-t-il.

Mais son ordre resta sans effet. M. Ross, qui avait connu à plusieurs reprises ce genre d'émeute, s'avança vers le milieu des combats en écartant énergiquement les Chinois.

— Reculez ! Reculez !

Son ordre n'eut pas plus d'effet que celui de Tom.

— Ah Ting ! appela Tom, qui espérait apercevoir le chef des Chinois. Ah Ting ! Arrêtez ça !

Il ne vit pas le petit bonhomme. D'ailleurs personne ne semblait s'interposer. Puis M. Ross, furieux de voir les travaux de la conserverie interrompus ainsi, voulut se saisir d'un Chinois. Il échoua.

— Tom ! Aidez-moi !

Venn se précipita pour aider son patron qui tenait par sa queue de cochon l'un des plus vigoureux combattants.

— Je suis ici, cria Tom.

Au même instant, il découvrit avec horreur que M. Ross avait bloqué les bras de l'homme qu'il retenait. Incapable de se défendre, le Chinois terrifié et privé de sa liberté d'action vit se jeter sur lui un de ses camarades de travail armé d'un long couteau à poisson. Un coup au cœur puis dans le ventre, qui s'ouvrit sous la violence du choc.

M. Ross sentit la vie s'épancher du corps tendu qu'il retenait captif dans ses bras. L'homme devint inerte et Tom, impuissant, vit trois amis du mort se jeter sur l'assassin et le poignarder jusqu'à ce qu'il s'écroule à son tour, sans vie.

— Ah Ting ! se mit à crier Tom.

Mais l'homme désigné pour éviter ce genre de situation avait disparu. En fait sa présence n'était plus nécessaire, car le choc des deux meurtres avait complètement désarçonné les Chinois. Ils reculèrent, en attendant que l'ordre soit rétabli. M. Ross, qui n'avait pas lâché le cadavre de l'homme dont il avait provoqué la mort, regarda autour de lui, dans un état de stupeur, tandis que Tom continuait d'appeler Ah Ting.

Puis il vit enfin le chef des Chinois : coincé contre un mur, entouré de trois hommes de plus grande taille qui le menaçaient de leurs couteaux — à la gorge et au cœur. Un désordre s'était produit dans le hangar, une affaire trop importante pour qu'on la règle selon les procédures habituelles ; et dès les premiers instants, ces hommes déterminés à obtenir une solution avaient isolé Ah Ting pour l'empêcher d'exercer son autorité. Conséquence : deux meurtres. Mais quand Tom s'élança vers eux en criant : « Lâchez-le ! », ils obéirent.

— Grande bagarre, patron, dit Ah Ting, haletant, dès qu'il fut libéré. Impossible d'arrêter.

M. Ross s'avança pesamment, les mains rouges du sang de l'homme qu'il tenait.

— C'est vous le responsable, ici ? s'écria-t-il.

— Ah Ting, le chef, intercéda Tom. Un brave garçon. Ces trois-là le maintenaient prisonnier.

La première réaction de M. Ross fut de crier : « A la porte ! » mais avant d'ouvrir la bouche, il comprit à quel point ces paroles paraîtraient stupides. Il n'y avait aucun moyen de renvoyer d'une conserverie d'été un Chinois qui ne donnait pas satisfaction. Ces hommes étaient arrivés de Shanghai en Amérique sur un bateau anglais. Ils étaient venus de San Francisco à Seattle dans un train américain. Le recruteur de Ross & Raglan les avait fait monter à bord d'un vapeur R & R à destination du fjord de Taku, puis on les avait transbordés directement du bateau dans la conserverie. À supposer que M. Ross, dans son obstination, eût absolument tenu à les mettre à la porte, où auraient-ils pu aller ? Ils se trouvaient à des kilomètres des lieux habités les plus proches et même s'ils parvenaient dans une ville comme Juneau ou Sitka, on leur en refuserait l'accès, car aucun Chinois n'avait le droit d'y séjourner. Ils devaient arriver par bateau à la fin du printemps, travailler tout l'été dans quelque avant-poste reculé, puis repartir par bateau en début d'automne en emmenant leurs quelques dollars pour survivre dans l'anonymat d'une grande ville jusqu'à ce que les recruteurs fassent appel à eux pour la saison suivante.

Donc, au lieu de renvoyer les hommes qui avaient neutralisé Ah Ting, M. Ross leur lança un regard menaçant et demanda à Tom :

— Que pouvons-nous faire ?

— Une seule chose : confier à Ah Ting la responsabilité de remettre tout le monde au travail.

— Ne faut-il pas appeler la police ? Les deux morts...

— Il n'y a pas de police, répondit Tom.

Ces simples mots décrivaient la situation extraordinaire dans laquelle se trouvait le District d'Alaska. Dans des villes comme Juneau, on appelait certains hommes « policiers » mais ils ne détenaient aucune autorité réelle, car il n'existait encore aucun système de gouvernement légalement organisé; et pour ces agents de police improvisés, s'aventurer en un lieu aussi isolé que Taku demeurait impensable. Chaque conserverie possédait son système indépendant de protection, notamment des mesures extrêmes pour sévir en cas de troubles et de meurtres dans les locaux. L'assassinat de deux ouvriers chinois tombait donc sous la responsabilité de Tom Venn, et M. Ross fut curieux de voir comment le jeune homme procéderait.

L'absence de crainte avec laquelle Tom se mêlait aux ouvriers rebelles pour leur faire reprendre leurs postes et assurer le maintien d'un rythme de travail constant fit beaucoup d'effet sur M. Ross. Mais quand vint le moment de châtier les hommes qui avaient donné les coups de couteau en présence de tous, il fut épouvanté de voir Tom s'en remettre à Ah Ting. Quant à la manière dont le chef traita les Chinois, elle stupéfia encore plus le négociant de Seattle. Ah Ting réprimanda les coupables, ne punit absolument pas les trois hommes qui l'avaient empêché d'intervenir et demanda calmement à tous de prendre leurs couteaux à éviscérer et de se remettre au travail.

Ce qui bouleversa le plus M. Ross, ce fut ce qui se passa ensuite. Ah Ting ordonna à deux hommes d'aller chercher un des grands tonneaux dans lesquels on envoyait du poisson salé en Europe. Il versa lui-même une couche de sept ou huit centimètres de gros sel, qu'il égalisa au fond en se penchant dans le tonneau. Puis il se releva, s'essuya les mains et ordonna à ses deux compères d'apporter le premier cadavre. Ils l'allongèrent par terre devant Ah Ting, qui dépouilla l'homme de tous ses vêtements puis le souleva et le plaça dans le tonneau en position assise. On déshabilla ensuite le deuxième mort et on le disposa dans le tonneau, assis lui aussi, en face du premier homme et contre lui.

— Mais que font-ils ? demanda M. Ross.

— Notre contrat stipule que nous devons ramener en Chine par bateau tout Chinois décédé, pour qu'il soit enterré dans ce qu'ils appellent « la Terre sacrée du Céleste Empire ».

— Dans un tonneau ?

— Regardez !

Sous leurs regards incrédules, Ah Ting et ses aides garnirent tous les coins vides du tonneau avec du gros sel, et le remplirent à ras bords. Les corps étaient complètement recouverts. Même leurs narines étaient bourrées de sel. On cloua le gros couvercle et le tonneau-cercueil fut prêt à partir en Chine, où les deux hommes assassinés bénéficieraient de l'immortalité promise par leur tradition.

***

De retour dans son bureau, M. Ross était encore remué par ce qu'il venait de voir.

— Un homme assassiné pendant que je le retenais. Son agresseur qui tombe sous une demi-douzaine de coups de couteau. L'homme supposé responsable maintenu prisonnier. Et tout cela réglé en plaçant les deux victimes dans un tonneau de sel... Nous ne pouvons pas garder de Chinois dans notre conserverie, conclut-il, de plus en plus déprimé par ce comportement extraordinaire. Tom, il faut vous débarrasser d'eux.

— Personne ne peut faire tourner une conserverie sans eux, répondit Venn.

Il passa rapidement en revue les expériences désastreuses de directeurs qui avaient essayé de faire la grande saison des saumons avec un autre genre de main-d'œuvre.

— Les Indiens refusent de travailler quinze heures par jour. Les Blancs sont pires. Et vous avez vu vous-même que nos Filipinos nous créent plus d'ennuis que les Chinois et travaillent deux fois moins. Monsieur Ross, nous sommes condamnés à les utiliser, et je ne voudrais pas que cet incident vous décourage, surtout au cours de notre première année.

— Ce qui m'agace... Non, c'est bien pis que de l'agacement, carrément de la peur... C'est de nous savoir, vous et moi, à la merci de cet Ah Ting. Je pense qu'il a laissé ces hommes le neutraliser. Il ne voulait pas affronter des hommes en colère brandissant des couteaux.

— Mais dès qu'on l'a libéré, monsieur Ross, il a remis les hommes au travail. Je n'y serais pas parvenu.

— Je ne veux pas qu'une conserverie m'appartenant soit à la merci d'un truand chinois. Il faut faire quelque chose.

Il se mit à étudier de plus près ses employés chinois, et ce qu'il découvrit l'accabla davantage.

— Sur l'ensemble, seulement trois parlent anglais. Ils forment un clan très uni, qui vit selon ses propres lois, avec sa nourriture et ses coutumes particulières. Et, je ne sais pour quelle raison, le fait que j'aie du mal à analyser cet Ah Ting me dérange.

— J'ai parfois ressenti la même chose, monsieur Ross.

— D'où lui vient sa puissance ?

— Il sait qu'il est indispensable. Il sait que sans lui cette conserverie ne pourrait pas traiter un seul saumon. Et je le crois intelligent et rusé.

— Pour quelle raison ?

— Il savait, j'en suis certain, que des troubles graves étaient devenus inévitables. Il se doutait qu'il y aurait des coups de couteau et il préférait être maintenu prisonnier pendant que la bagarre suivait son cours.

— Je ne veux plus le voir chez nous.

Tom ne répondit pas et Ross poursuivit :

— Quand je le vois me sourire, sachant que c'est lui qui commande et non moi, cela me met en fureur.

Tom sachant qu'il n'existait aucune chance de se passer d'Ah Ting, ni cette année ni la suivante, fit la sourde oreille au mécontentement de M. Ross. Trois jours plus tard les deux hommes allèrent ensemble regarder une grue soulever le tonneau macabre du quai et le déposer sur le pont d'un bateau R & R qui allait livrer du saumon à un grossiste de Boston. Aucun ouvrier chinois n'avait pris la peine de venir faire ses adieux au cercueil à deux places en partance pour la Chine, mais au moment où Tom se dirigea vers son bureau, il aperçut Ah Ting dans un coin d'ombre. Le petit bonhomme souriait et Tom le soupçonna un instant d'être fort satisfait de voir disparaître ainsi de la Conserverie Totem au moins un des hommes du tonneau.

Mais il cessa brusquement de penser au Chinois, car M. Ross venait d'apprendre que les pêcheurs dont dépendait son entreprise protestaient contre la minceur de leur salaire et refusaient d'embarquer tant qu'ils ne seraient pas augmentés. Les pêcheurs n'optèrent pas pour une grève dans les règles ; ce serait, dirent-ils, contre leurs principes de liberté et de responsabilité individuelles.

— Les grèves, c'est bon pour les gens des usines à Chicago et à Pittsburgh. Tout ce que nous réclamons, c'est un salaire juste pour le poisson que nous attrapons.

M. Ross déclara à Tom Venn que tout accroissement de salaire était impossible, et Tom le répéta aux pêcheurs. Aussitôt tous les bateaux cessèrent de remonter le fjord de Taku, et pendant deux longues semaines de désespoir, la Conserverie Totem ne vit pas un seul saumon.

Les ouvriers chinois de la menuiserie continuaient de fabriquer des caisses ; mais les autres, la majorité, qui coupaient les têtes, vidaient et nettoyaient le poisson, n'avaient rien à faire. L'oisiveté les poussa à se prendre de querelle avec les Filipinos, inactifs eux aussi. L'énorme entreprise de l'embouchure des Pléiades devint un endroit si intenable que Tom avertit son patron :

— Si nous ne ramenons pas de saumon ici très vite, nous aurons de vrais ennuis.

Le jeune Tom Venn fut à même d'évaluer les difficultés que pose la gestion d'une affaire : il vit Malcolm Ross, patron riche et résolu de cinquante-deux ans, à la tête de centaines d'hommes et d'une vingtaine de bateaux, réduit à l'impuissance totale par une bande de Chinois et une poignée de pêcheurs dans des petits bateaux. Il ne pouvait pas ordonner à ses Chinois de se tenir tranquilles s'il n'avait pas de travail à leur donner, ni ne pouvait cesser de les payer et de les nourrir puisqu'ils étaient pour ainsi dire emprisonnés dans sa conserverie et ne pouvaient aller ailleurs s'ils le désiraient.

Et il était tout aussi désarmé devant les pêcheurs. Farouches dans leur entêtement, ils disaient :

— Nous pouvons vivre sur nos économies et ce que nous gagnerons en allant crier le poisson dans les rues de Juneau. M. Ross de Seattle peut aller se faire pendre.

Ross refusait d'accorder une augmentation qu'il jugeait excessive, mais se trouvait dans l'impuissance de les obliger à pêcher et dans l'incapacité d'obtenir du saumon par d'autres moyens. Pris en tenailles entre les Chinois et les pêcheurs illettrés (blancs et indiens), il se sentait dans une impasse telle qu'il passa une semaine entière à rager et à imaginer des combines pour se trouver dans une position qu'aucun pêcheur ni Chinois ne pourrait jamais attaquer.

— Nous devons devenir autonomes, Tom. Il faut nous libérer des chantages de ce genre.

Il ne confia pas à Tom ce qu'il calculait, mais pendant les derniers jours de la deuxième semaine difficile, alors que la conserverie perdait de grosses sommes chaque jour, il arpenta en tous sens les rives du fjord de Taku comme s'il étudiait les eaux poissonneuses, puis les bâtiments sombres où les tables, les fours et les postes de mise en boîte demeuraient déserts. Le silence impressionnant n'était rompu que par les coups de marteau des menuisiers chinois en train de fabriquer des caisses qui ne seraient peut-être jamais garnies. Au cours de ces journées de réflexion et de calcul, Malcolm Ross de Seattle précisa sa vision et lança son plan pour la réaliser.

— D'ici l'an prochain, dit-il à Tom d'un ton amer, nous allons faire une surprise à ces salopards. Jamais Ross & Raglan ne sera tenu en échec une deuxième fois par des coolies chinois et des pêcheurs ivrognes.

— Qu'avez-vous en tête ?

— Me débarrasser du sourire fourbe de cet Ah Ting. Et enseigner à ces pêcheurs insolents une bonne leçon.

— Comment ?

Ross passa aussitôt à l'action.

— Dites aux pêcheurs que nous accepterons leurs exigences s'ils rapportent deux fois plus de poissons. Annoncez à Ah Ting que les ateliers vont tourner seize heures par jour. Envoyez un télégramme pour que nos deux plus gros bateaux arrivent ici. Pendant les semaines qui nous séparent de la fin de la saison, nous allons produire comme jamais en Alaska.

Les pêcheurs, très fiers d'avoir vaincu le grand homme de Seattle, acceptèrent le défi qu'il lançait, promirent d'augmenter leurs prises et travaillèrent plus dur pour gagner la prime promise. Dès que les beaux saumons arrivèrent sur les quais de la conserverie, les Chinois d'Ah Ting acceptèrent les rations supplémentaires que M. Ross leur accorda, et travaillèrent sans relâche seize heures par jour, sept jours sur sept.

Les tables à éviscérer ne restaient jamais sans poisson ; les grands autoclaves, fabriqués en Allemagne, recevaient leurs lots de boîtes sans discontinuer. Les ferblantiers chinois se relayaient en faisant les trois huit pour fabriquer l'énorme nombre de boîtes devenu nécessaire pendant que les plus compétents, sous la direction d'Ah Ting, soudaient les couvercles, et que l'équipe d'emballage garnissait les caisses — quarante-huit boîtes chacune — et les faisait descendre dans les cales des bateaux.

Quand la conserverie tourna à son plein rendement avec tous ses éléments fonctionnant harmonieusement comme M. Ross l'avait imaginé un an auparavant, il y vit un « miracle américain », une opération presque sans faille qui fournissait à des acheteurs affamés du monde entier l'un des aliments les plus nutritifs à un prix plus intéressant que n'importe quel autre aliment. Il prit une des boîtes de la machine qui collait les étiquettes rouge clair des Conserves Totem, la souleva et la lança à Tom Venn :

— Une livre de saumon sans pareil. Pour seize *cents* dans tous les magasins d'Amérique. Et l'an prochain, nous aurons les mains libres, Tom. Plus de Chinois. Plus d'hommes dans leurs coques de noix pour nous ordonner ce que nous devons faire.

Dans son euphorie, il prononça ensuite une phrase qui allait orienter ses actes pendant le reste de sa vie :

— Il appartient aux hommes d'affaires de Seattle d'organiser l'Alaska. Et je vous promets que je vais montrer l'exemple.

— Que dois-je faire ? demanda Tom.

— Régler les factures et les salaires. Veiller à ce que notre dernier bateau emmène tous les Chinois. Fermer boutique, et après le 1er janvier, embarquer à Juneau pour venir travailler à Seattle avec moi. Parce que l'an prochain nous allons étonner le monde.

Sur ces mots il monta à bord d'un bateau R & R à quai dans le fjord, salua de la main la conserverie dont la première saison touchait à sa fin, et observa d'un œil approbateur le capitaine mettre le cap sur le Morse, se faufiler dans le chenal et filer vers les bureaux de Seattle.

Le 5 janvier 1904, Tom Venn confia à son assistant la direction des affaires de R & R à Juneau, puis s'embarqua sur l'un des plus petits bateaux de la compagnie, à destination de Seattle. Il en rêvait depuis le jour de mars 1898 où il avait quitté cette ville séduisante pour les gisements d'or du Klondike, avec son père et Missy Peckham. Revoir Seattle l'excitait tellement que la première nuit à bord il ne dormit presque pas. Quand le bateau s'engagea enfin dans les eaux calmes du goulet de Puget, il demeura près du bastingage, escomptant bien apercevoir le mont Rainier. Le pic majestueux, couronné de neige, apparut soudain. Tom s'écria dans le vent :

— Regardez la montagne !

Plus tard une des passagères demanda :

— Quel est cet énorme sommet ?

— Le mont Rainier, répondit-il fièrement. Il veille sur Seattle.

— On dirait qu'un artiste l'a peint dans le paysage, observa-t-elle.

Tom en convint. C'était pour lui un émouvant retour dans son enfance, et lorsque l'image familière de la ville émergea des eaux, des pensées audacieuses se formèrent dans son esprit : « Si au cours des prochaines années, la conserverie de saumon fait des bénéfices intéressants, M. Ross sera presque obligé de me nommer à Seattle avec une promotion. Quelle joie !... »

— Avec l'argent de John Klope, murmura-t-il entre ses dents, je bâtirai une maison sur ces collines et je regarderai nos bateaux rentrer de l'Alaska.

Tandis que ces mots se formaient sur ses lèvres il crut revoir l'*Alacrity*, le petit bateau blanc de R & R sur lequel Missy avait travaillé, sur lequel il s'était lancé avec son père et elle dans la grande aventure du Yukon.

Comme ces journées d'audace lui paraissaient lointaines, à présent ! Et à ce souvenir il décida de se conduire à la conserverie avec la même honnêteté que Missy à Dawson puis à Nome : « Tu pourras être fière de moi, Missy. Oui, un de ces jours tu pourras être fière. »

Son excitation augmenta quand il quitta le bateau, les mains vides, pour se précipiter sur le quai où il avait jadis vendu des journaux. Il chercha des yeux l'enseigne des bureaux R & R des docks, mais un beau bâtiment moderne remplaçait celui d'autrefois. Quand il franchit les portes en coup de vent, trois vieux employés le reconnurent.

— Mais c'est Tom Venn! Chargé de l'or de Nome... Laisse tes bagages à bord du bateau. Nous les ferons livrer, ajoutèrent-ils après un accueil enthousiaste.

— Où vais-je loger?

— M. Ross a laissé des ordres : tu dois te rendre au siège tout de suite. Il te donnera ses instructions.

À dix heures du matin, Tom arriva au bâtiment à un étage de Cherry Street, dont la porte de chêne s'ornait du blason ROSS & RAGLAN sculpté dans la masse. Comme lors de sa première visite, presque sept ans auparavant, son pouls battit plus vite quand il entra dans la salle d'attente attenante au bureau de M. Ross. La même dame austère, Ella Sommers — avec quelques mèches blanches à présent —, gardait les portes, et il régnait la même atmosphère d'activité et d'importance, car c'était le centre vital de toute l'activité du nord-ouest de l'Amérique et de l'Alaska.

— Je suis Tom Venn, de Juneau. On m'a dit sur les quais que M. Ross désirait me voir.

— Absolument, répondit miss Sommers. Il va vous recevoir de suite.

Elle lui montra de la tête la porte que seul un petit nombre pouvait franchir.

Dès que Tom entra dans la pièce il sentit de nouveau s'exercer le charme de cet homme puissant, assis derrière le bureau de chêne clair. Comme la première fois, Ross était en parfaite harmonie avec son cadre, mais il y avait dans le bureau trois petites tables sur lesquelles se trouvait une série stupéfiante de modèles réduits en bois, dont les pièces articulées bougeaient quand M. Ross ou l'un des deux hommes qui travaillaient dans la pièce les actionnaient.

— Tom, ces messieurs appartiennent à l'université. Ils s'y connaissent en saumon. Messieurs, je vous présente notre Tom Venn de la Conserverie Totem, où seront installées nos machines, si vous arrivez à les faire marcher.

Sur ces paroles péremptoires, la séance s'ouvrit spontanément.

— Voici le fjord de Taku, expliqua M. Ross en se dirigeant vers la plus grande des trois tables. Et cet affluent, indiqué par le papier bleu, c'est notre rivière des Pléiades. Notre conserverie se trouve donc à cet endroit... Professeur Starling, montrez-nous comment cela fonctionnera.

Dès les premiers mots, Tom se plongea dans la maquette et se crut au milieu du fjord de Taku.

— Imaginez que vous êtes un « rouge » en train de remonter le courant pour frayer par une chaude journée de juillet, dit le professeur.

Tom devint saumon et dès cet instant comprit dans son être même ce que disait Starling.

— Ceci est le fjord de Taku tel que nous le connaissons à présent. Le saumon qui revient soit vers notre lac des Pléiades, soit vers l'un des cent lacs semblables en Alaska ou au Canada de l'autre côté de la frontière, doit passer par cet endroit, où vos pêcheurs en attrapent une belle proportion, qu'ils apportent à la conserverie là-bas.

— Le système a fonctionné très bien l'été dernier, répondit Tom. Et nous agrandirons la conserverie à partir du 1er mai.

— Vous avez mis en conserve des quantités respectables, remarqua le deuxième professeur, un certain Dr Whitman. Mais vous auriez pu pêcher quatre fois plus de poissons.

— Impossible, répondit Tom sans hésitation. M. Ross a pu constater que nos bateaux ont travaillé à toute heure hormis les deux semaines où les pêcheurs ont réclamé une augmentation.

— Ces messieurs ont un moyen de nous libérer de la tyrannie des pêcheurs, coupa M. Ross. Tout en quadruplant le volume de nos prises, comme ils viennent de vous le dire.

— Ce serait miraculeux, répondit Tom.

— Seuls des miracles sauveront notre industrie, et nous en avons trois dans cette pièce. Regardez bien, Tom.

— Voilà ce que nous ferons, expliqua le Pr Starling. Nous bâtirons un barrage sur une partie importante du fjord et nous bloquerons l'entrée de la rivière des Pléiades.

Sur le milieu de la table, qui reproduisait le plan d'eau en question, il posa un élément de bois qui bloquait la partie moyenne du fjord et toute la rivière. Tom, le souffle coupé, protesta qu'on ne pourrait jamais construire une digue de cette ampleur dans les eaux profondes de Taku. Starling sourit.

— C'est ce que tout le monde prétend. C'est ce que M. Ross m'a répondu dans ce bureau quand j'ai mis la construction en place sous ses yeux.

Le professeur se tourna vers Ross, qui hocha la tête en souriant lui aussi.

— Nous allons faire flotter la partie centrale dans le chenal, expliqua Starling. Nous l'amarrerons solidement puis nous construirons sur le côté des plans fixes ancrés par le fond. Regardez ce que nous aurons !

Tom Venn-le-Saumon remonta le courant et se trouva en face d'un obstacle placé dans les eaux qu'il connaissait. Lorsqu'il tomba sur l'un des longs bras, il suivit naturellement l'obstacle qui obliquait vers la gauche et arriva au centre du piège flottant qui contenait une nasse assez vaste pour tenir cinq cents saumons. De là, le poisson serait facilement cueilli à l'épuisette et transporté à la conserverie.

— Nous avons là un chef-d'œuvre en trois éléments, expliqua Starling. Ces longs doigts se tendent pour guider le saumon vers nous. Nous les appelons *entonnoirs* parce qu'ils concentrent les poissons dans le goulot du deuxième élément, le piège, dont les accès successifs, de plus en plus étroits, permettent de passer mais non de ressortir. Enfin le grand réservoir où le saumon demeurera jusqu'à ce qu'on le traite dans la conserverie.

Après avoir expliqué son invention, il recula d'un pas pour admirer.

— Les avantages ? Peu coûteux à la construction. Facile à l'entretien. Attrapera tous les poissons se dirigeant vers les Pléiades et une partie importante de ceux qui montent vers le Canada.

Et M. Ross conclut :

— Nous pourrons envoyer nos pêcheurs au diable.

Tom, toujours pris au piège du réservoir dans lequel il avait nagé exactement comme le Pr Starling l'avait prévu, répondit à mi-voix :

— C'est attraper des saumons sans avoir à les pêcher.

Les trois hommes plus âgés acquiescèrent, car tel était exactement le propos de leur barrage et de son entonnoir.

— Nous commencerons la construction au milieu de février, dit Ross. Le barrage central, le réservoir et la partie ouest de l'entonnoir flotteront. La partie est, qui viendra de notre rive, sera fixe.

Puis Tom vit l'inconvénient majeur du système proposé.

— Mais aucun saumon ne pourra remonter au lac des Pléiades pour frayer. Dans trois ou quatre ans vous n'aurez plus un seul « rouge ».

— Ha, ha ! s'écria Ross. Nous y avons songé. Chaque samedi après-midi, nous fermerons le piège et ouvrirons l'entonnoir pour que les saumons du samedi soir et du dimanche puissent passer. Le Pr Whitman nous a assuré que cela suffirait à renouveler la population pour les années suivantes.

Whitman le confirma.

— Au tour des Chinois ! s'écria Ross en s'avançant vers la deuxième table, très excité. Regardez donc !

Sur un beau modèle réduit construit avec du fer-blanc, il fit la démonstration d'une solution simple et nette au problème de la fabrication des boîtes.

— Un grand chariot tiré par quatre chevaux viendra sur les quais, ici à Seattle, livrer cinquante ou cent mille de ces boîtes à destination de la Conserverie Totem.

Il tenait dans sa main gauche un petit bout rectangulaire de fer-blanc aplati, que Tom fut incapable de se représenter comme une boîte terminée. Il le dit.

— Je ne le pouvais pas non plus, répondit Ross. Quand le Pr Whitman me l'a montré, j'ai éclaté de rire. Mais regardez !

Il mit le bout de fer-blanc en position sur la machine complexe placée sur la table et appuya sur un levier. Lentement un piston se fraya un chemin entre ce qui se révéla comme deux couches de fer-blanc. Quand le passage fut fait, un deuxième piston remplaça le premier et étala la feuille double de fer-blanc soudé en une boîte parfaite, sans fond ni couvercle.

— Toutes les dix secondes, une boîte idéale, s'écria Ross triomphalement. Il ne reste plus qu'à souder le fond et à la remplir de saumon. Plus de Chinois pour fabriquer des boîtes. Tout sera fait ici, à Seattle, aplati pour économiser l'espace sur les bateaux, et remis en forme à la conserverie avec une de ces machines.

— Il nous restera à souder les fonds et les couvercles, fit observer Tom.

— Vous l'enseignerez aux Filipinos, lança Ross sèchement. J'ai commandé dix machines.

Enchanté de sa victoire partielle sur Ah Ting et ses Chinois querelleurs, Ross passa au troisième modèle réduit, de loin le plus important.

— Ce n'est pas encore tout à fait au point, mais le Pr Whitman m'a assuré que nous étions très près...

— Permettez-moi de corriger, coupa Whitman. J'ai appris hier qu'on a résolu le problème de l'adaptation à la taille.

— Ah bon ?

— Oui. Je n'ai pas vu la nouvelle version, mais si ce qu'on me dit est exact...

— Allons voir tout de suite !

Sans leur laisser le temps de protester, il prit son manteau, poussa les autres vers la porte de son bureau et descendit l'escalier. Dans la rue, il héla deux voitures à cheval pour se rendre dans un atelier situé au sud du quartier des affaires. Le long bâtiment bas était occupé par deux génies de la mécanique en train de travailler sur une machine qui, si elle fonctionnait, révolutionnerait l'industrie du saumon. Ross, que l'enthousiasme rendait nerveux, précéda les trois autres dans l'atelier sombre où une table longue contenait un dédale surprenant de fils, de leviers mobiles et de couteaux affûtés.

— Qu'est-ce que c'est ? demanda Tom.

Ross lui montra un bout de carton peint à la main qu'un plaisantin avait attaché avec un bout de ficelle à l'engin insolite : LE CHINETOQUE DE FER.

— Voilà ce que c'est, répondit Ross. Une machine capable de faire tout ce que font les Chinois à présent.

Sur un signal de sa part, les deux ingénieurs mécaniciens ouvrirent une soupape de vapeur et une série de courroies et de leviers se mirent en marche. Au milieu de grincements assourdissants, l'engin fit toute une série de mouvements calculés pour trancher la tête du saumon, lui couper la queue, l'éventrer de la gorge à l'anus et le vider de ses entrailles. En regardant ces divers mouvements, Tom put se représenter comment l'invention complexe était censée opérer, mais il jugea que cela ne suffirait pas.

— Tous les saumons n'ont pas la même taille.

— C'est bien le problème, dit l'un des inventeurs. Mais nous croyons l'avoir résolu.

Tandis que la machine continuait de cliqueter, il prit trois saumons dans une boîte à glace : deux d'une taille à peu près normale, le troisième beaucoup plus petit. Il posa le premier poisson normal dans l'appareil comme on ferait dans la conserverie, et regarda avec un plaisir manifeste sa machine saisir le poisson, lui couper la tête et la queue sans perdre un gramme de bonne chair, puis le tourner sur le flanc et l'éventrer à petits coups habiles, dégager les viscères et envoyer le poisson nettoyé vers la sortie.

— Merveilleux ! s'écria Tom pendant que le deuxième poisson de taille normale avançait à son tour et se trouvait nettoyé à la perfection. Fantastique ! Formidable ! cria-t-il pour dominer le bruit des courroies. Nous pouvons très bien trier le poisson et ne faire passer que des saumons de même taille.

— Attendez donc ! cria le deuxième inventeur.

Avec une affection presque paternelle, il plaça dans la machine le troisième « rouge », plus petit. Une partie du système que Tom n'avait pas remarquée auparavant descendit, calibra le poisson et régla les couteaux en fonction de la taille. La tête et la queue furent coupées à un intervalle très différent, et Tom s'émerveilla de la précision de l'opération.

Mais au moment où le saumon se trouva sur le flanc, le couteau le plus important ne se réajusta pas, et en un éclair désordonné découpa le poisson plus petit en lambeaux.

— Merde ! cria le premier inventeur. Oscar, cette maudite came ne marche pas.

— Elle a marché hier soir. Je l'ai vu.

— Oui. Elle s'est ajustée parfaitement.

L'homme déçu donna quelques coups de marteau à la came coupable pour la remettre à sa place exacte.

— Essayons deux autres poissons.

Quand le saumon de taille normale passa, les couteaux fonctionnèrent à merveille, mais quand vint le tour du petit, la came ne s'ajusta pas et le grand couteau déchiqueta de nouveau le poisson.

— Comment est-ce possible ? demanda l'homme sincèrement surpris.

Le deuxième inventeur avoua, avec une bonne foi affligée :

— Nous pensions être prêts pour la campagne 1904. Je suis sûr que nous y parviendrons, monsieur Ross, mais je ne peux pas vous laisser prendre le risque avec la machine telle qu'elle est.

— Il a raison, renchérit l'autre. Je suis absolument certain de pouvoir installer un système à toute épreuve, mais nous ne sommes pas encore prêts.

— Vous feriez mieux d'engager encore des Chinois cette année. Mais en 1905, cette petite merveille fera tout le travail pour vous.

— Avez-vous besoin d'autres fonds ? demanda Ross.

— Oui, répondirent-ils en même temps.

— Nous touchons presque au but, monsieur Ross. J'ai une autre idée pour ajuster les lames à la longueur du poisson. Je préférais cette solution dès le départ mais elle nécessitait des pièces supplémentaires et je voulais que la machine reste le plus simple possible.

— Qu'elle reste simple. Prenez votre temps, mais qu'elle reste assez simple pour que même un Filipino puisse la réparer.

Il se tourna vers Tom.

— Engagez les Chinois. Encore une fois... Mais pas Ah Ting, ajouta-t-il d'un ton rogue. Je ne veux pas de lui sur les lieux.

— Nous ne pourrons pas tenir les Chinois sans lui, répliqua Tom fermement, à sa propre surprise.

L'après-midi même, il organisa le recrutement de quatre-vingt-dix Chinois pour nettoyer les saumons, que l'on pêcherait en beaucoup plus grand nombre.

Au crépuscule, épuisé par sa longue journée de travail, Tom demanda :

— Où vais-je loger ?

— J'ai dit aux hommes d'apporter vos affaires chez moi. Vous logerez avec nous.

Dans la soirée d'hiver les deux hommes, tirés par des chevaux R & R, se rendirent dans la demeure de Ross, sur une hauteur qui offrait une vue splendide des quais de Seattle et de la myriade de bancs et de chenaux, d'îles et de promontoires. Un merveilleux paysage maritime embelli du fait que Tom le voyait d'en haut. Il eut envie d'exprimer son enchantement, mais la prudence lui souffla de se taire de peur que M. Ross interprète son enthousiasme pour une flatterie destinée à se faire nommer en ville. Mais M. Ross parla à sa place.

— N'est-ce pas une vue extraordinaire sur cette grande ville, Tom ? Je ne m'en lasse jamais.

Ils l'admirèrent quelques instants avant de se tourner vers la maison. C'était un de ces manoirs gothiques du dix-neuvième siècle, ni trop prétentieux ni grandiose par sa taille, mais conçu selon le modèle d'un château oublié de la vallée du Rhin. Petites tours, créneaux et gargouilles. Si d'autres bâtiments, moins flamboyants, s'étaient trouvés dans les parages, il aurait sans doute juré ; mais tout seul au milieu des pins, il conservait sa grandeur paisible. Ross avait baptisé son château « Highlands » en souvenir de la belle région d'Écosse de laquelle son père avait été chassé en 1830, à la suite de la loi infâme des

Clearances; ses voisins de Seattle, qui ignoraient l'histoire des Ross, supposaient que ce nom faisait seulement allusion à la hauteur sur laquelle se dressait le château.

Comme l'immeuble de bureaux de la ville, la résidence était gardée par deux lourdes portes de chêne.

— Le chêne vous plaît, monsieur Ross, dit Tom d'un ton approbateur.

— Je n'aime pas du tout le bois blanc, répondit l'Écossais.

Mme Ross, plus jeune que son mari, ne manquait pas de grâce dans sa toilette fort simple. Elle dirigeait la maison avec l'aide de seulement deux servantes. Elle ne prenait pas de grands airs : elle s'avança pour souhaiter la bienvenue au jeune employé invité chez elle sans que son mari la consulte autrement que pour la forme. Au courant des excellentes références de Tom au Klondike, à Nome puis à la conserverie, elle s'étonna de le voir si jeune, et elle ne le cacha pas.

— Comment avez-vous pu accumuler autant d'expérience en si peu d'années ?

— Il se passe beaucoup de choses au cours d'une ruée vers l'or, et je me suis trouvé aux bons endroits.

— Le saumon n'est pas de l'or, répondit-elle.

— C'est le nouvel or de l'Alaska. Et il prendra plus d'importance que celui dont on fait les lingots.

La façon dont il s'exprimait fit monter sur les lèvres de Mme Ross un sourire approbateur.

Pendant trois jours heureux, Tom resta à Highlands pour travailler avec M. Ross sur des projets relatifs à l'Alaska, et il lui montra sur de grandes cartes, souvent peu exactes, les endroits où il pourrait établir avec profit d'autres conserveries. Au terme de leur travail, l'Alaska du Sud-Est, la seule région qui comptait, se trouvait parsemée d'une demi-douzaine de sites éventuels. Ross baissa les yeux sur ce monde d'îles et s'écria :

— Une fortune sans limites se trouve dans ces eaux froides, Tom. Vous allez construire une conserverie par an dès que nous pourrons nous assurer la propriété des sites. L'homme qui arrive demain nous permettra de réaliser cela.

Il n'ajouta rien au sujet de l'inconnu, mais, le vendredi à midi, il se rendit avec Tom à la gare pour accueillir le « conseiller juridique » sur lequel comptait R & R pour l'allocation de concessions vitales pour ses conserveries et, plus important encore, l'exclusivité des droits de pêche sur les rivières à saumon.

M. Ross parut ravi de voir le nouveau venu descendre du wagon-pullman en provenance de Chicago, mais Tom fut abasourdi : c'était Marvin Hoxey, âgé de quarante-neuf ans, pesant dix kilos de plus qu'à Nome, plus effervescent et combinard que jamais. De la gare aux bureaux de R & R il exposa d'un ton grandiloquent qu'il avait obtenu le soutien de l'ensemble du Congrès quant à la nouvelle législation jugée nécessaire par les hommes d'affaires de Seattle pour lancer leurs opérations en Alaska. Pas une fois au cours de son explication volcanique du fonctionnement des nouvelles ordonnances, il ne trahit qu'il avait déjà vu Tom Venn. Mais au moment où ils descendirent du cabriolet pour entrer dans les bureaux, M. Ross présenta le jeune homme :

— Tom Venn, qui dirigera notre projet de conserveries.

— Bien sûr, répondit Hoxey avec une sorte de noble condescendance

Bien sûr... M. Venn et moi avons partagé les détestables expériences de Nome. Une ville horrible, glacée presque toute l'année.

Plus tard, quand Hoxey fut installé dans la principale chambre d'amis à Highlands, Tom essaya de parler à M. Ross.

— Savez-vous que cet homme... a été jeté en prison pour ce qu'il a fait à Nome ?

Ross lui répondit d'un ton guindé, presque glacé :

— Et le président McKinley l'a innocenté, totalement. Le président savait que Hoxey avait été torpillé par des ennemis politiques jaloux.

Tom essaya d'expliquer que cela ne s'était pas passé ainsi, mais Ross le coupa avec un conseil souvent mis à l'épreuve sur la Frontière, dans le creuset de l'efficacité.

— Tom, quand on a à faire un travail qui doit être fait envers et contre tous, le meilleur homme à utiliser est un avocat chassé du barreau. Il doit travailler plus dur.

Au cours du long week-end, Tom observa de près Ross, Hoxey et trois hommes d'affaires importants de la ville qui tiraient des plans destinés à associer indissolublement l'Alaska et ses pêcheries à la ville de Seattle. Dans toutes les manœuvres, Malcolm Ross indiquait la voie :

— Nous devons faire voter par Washington une loi exigeant que tous les produits à destination de l'Alaska passent par Seattle.

— Jamais le Congrès n'acceptera une loi de ce genre, protesta l'un des hôtes.

— Le Congrès, corrigea Hoxey, votera n'importe quelle loi concernant l'Alaska du moment que les États de l'Ouest se mettront d'accord sur ce point. Votre problème, messieurs, c'est de décider exactement ce que vous désirez, dans les limites de la raison.

— Nous commencerons par la loi que je viens de proposer, dit Ross, mais sans la présenter au Congrès sous cette forme.

— Quelle forme suggérez-vous ? demanda le protestataire non sans un soupçon d'ironie.

— Le patriotisme, Sam. Notre loi interdira aux bateaux de toute autre nation de traiter directement avec l'Alaska. Ils devront transborder leurs produits dans un port américain — qui sera naturellement Seattle.

— Ça se justifie, s'exclama Hoxey. C'est raisonnable.

— L'avantage..., commença Ross, puis il s'arrêta pour corriger sa pensée. Il y a, en fait, plus d'un avantage. Nos dockers locaux seront payés pour décharger les bateaux étrangers puis payés de nouveau pour charger les marchandises dans nos bateaux. Comme la concurrence bon marché sera éliminée, nos commerçants pourront fixer librement leur prix. Naviguer dans ces eaux froides et jonchées d'îles revient cher.

Il regarda les autres tour à tour et demanda :

— Avez-vous une idée du nombre de bateaux qui se perdent corps et biens dans les eaux de l'Alaska chaque année ?

— Non.

Il leur énuméra les pertes catastrophiques en remontant à l'époque où les Russes, à qui appartenaient ces terres, perdaient plusieurs bateaux par an sur les récifs et les écueils.

— Les Américains n'ont pas fait beaucoup mieux. Notre compagnie en a déjà perdu deux.

— Des mauvais capitaines, des erreurs de navigation... suggéra un des hommes.

— Plutôt des tempêtes soudaines, des mers démontées et des rochers submergés qui n'apparaissent pas sur les cartes.

Il leur parla du vent furieux qui faisait vibrer les toits de la conserverie de Taku et mettait en danger tous les bateaux de pêche.

— L'Alaska n'est pas un pays pour les faiblards. L'extraction de l'or était difficile. L'extraction du saumon exige autant d'audace. Nous méritons tous les bénéfices que nous retirons des eaux de l'Alaska.

— Mais comment protéger votre accès aux saumons ? demanda un financier que Ross avait sollicité pour couvrir l'expansion rapide des conserveries projetées.

— Tom, allez chercher le modèle réduit du fjord de Taku.

Quand il revint du bureau avec la maquette, Ross lui demanda d'expliquer le fonctionnement du piège.

— Messieurs, ajouta-t-il, il faut vous représenter des barrages de ce genre dans tous les grands cours d'eau à saumon. Bien gérés, ils contrôleront toute la production de saumon.

— Ce n'est pas un projet en l'air, commença Tom. La maquette représente une conserverie qui existe : Totem, sur le fjord de Taku, qui descend du Canada et dans lequel se jette une petite rivière, qui porte le nom des Pléiades. Nos saumons se reproduisent dans ce petit lac, là-haut, et dans cent autres le long du bassin du Taku, la plupart au Canada. Les saumons remontent le fjord de Taku par millions. Ici, à cet endroit stratégique, nous allons faire flotter ce piège. Il ne coûtera pas cher à construire, et nous placerons ensuite cette sorte d'entonnoir pour diriger le poisson vers la nasse. Quand tout sera en place, chaque saumon qui remontera le fleuve pourra être traité par notre conserverie, ici.

C'était un beau système, facile à maîtriser, mais l'un des hommes, plus expérimenté, repéra tout de suite parmi les détails un point important :

— Le Canada ? Si les saumons de Taku se reproduisent surtout dans les eaux canadiennes, ce pays ne va-t-il pas remuer ciel et terre pour éliminer un barrage efficace comme celui-ci, capable d'intercepter les poissons qui se dirigent vers ses torrents ?

— Tom, ordonna M. Ross, allez chercher la grande carte.

Les hommes apprécièrent alors le relief surprenant de la région dont ils parlaient.

— Voici Juneau, la nouvelle capitale de l'Alaska. Et à peine à trente-cinq kilomètres, le Canada. On pourrait franchir la distance en une demi-journée avec un bon cheval. S'il n'y avait ceci. Regardez bien, messieurs, ces montagnes le long de la frontière s'élèvent à plus de deux mille cinq cents mètres. Et de notre côté, toute la région n'est qu'un vaste champ de glace. Si vous partez à pied de Juneau pour aller au Canada, vous ne trouverez aucun autre chemin qu'un glacier, garni de crevasses et de monstrueux blocs de glace soulevés verticalement. Cela vous prendra trois semaines — si vous avez la chance d'être encore en vie.

Les hommes étudièrent ce terrain hostile, puis Ross écarta d'un geste tout le Canada à l'est des torrents à saumons.

— Un désert. Des montagnes géantes. Des champs de glace. Des rivières sauvages. Inaccessibles. Pas un seul homme installé sur trois cents kilomètres carrés. Aucune conserverie nulle part. Et aucune ne s'y installera probablement avant cent ans.

Ils se penchèrent de nouveau sur la carte et l'immense étendue de néant du côté canadien.

— En construisant notre système de conserveries et de pièges, nous pouvons ne pas tenir compte du Canada. Dans notre perspective, il n'existe pas...

Il passa à des questions plus pressantes.

— Hoxey, il vous appartient maintenant d'empêcher que soient votées des lois qui restreindraient notre accès au saumon. Pas d'impôts. Pas de réglementation. Pas d'inspecteurs autorisés à fouiner dans nos conserveries. Et surtout pas de législation contre le fonctionnement de nos barrages.

Hoxey répondit qu'il comprenait sa mission dans ce sens.

— Bien, lança Ross. Alors, exécution... Messieurs, dit-il aux hommes d'affaires, sur des sites comme celui du fjord Taku — et l'Alaska en a des centaines aussi bons ou meilleurs — nous possédons une mine d'or, une mine d'or vivante et nageante, mais nous devons l'exploiter avec précaution. Maintenir la qualité. Pénétrer de nouveaux marchés. Faire du saumon les délices du riche et l'alimentation de base du pauvre. Est-ce possible, Tom ?

— Si les deux professeurs peuvent perfectionner le chinois-de-fer, il n'y a pas de limite.

— Qu'est-ce que ce chinois-de-fer ? demanda l'un des investisseurs en puissance.

— Un secret qui ne doit pas sortir de ces murs. Deux hommes de l'université sont en train de mettre au point une machine qui nous évitera d'employer la main-d'œuvre chinoise.

— Que fait-elle ?

— Les saumons arrivent sans discontinuer sur la courroie de transport et la machine tranche automatiquement la tête et la queue, puis retourne le saumon et le vide. Sans le concours d'un seul de ces maudits Chinois, un poisson est prêt à mettre en boîte toutes les neuf secondes.

— Une machine pareille existe ?

— Pas cette saison-ci. Mais aussi sûr que le soleil se lève à l'est, en 1905 adieu à ces Chinois ! Et bienvenue à des bénéfices dont vous n'avez jamais rêvé.

Un des hommes, qui avait étudié de plus près la maquette de Taku, présenta une objection :

— Une minute ! Si nous lançons ces barrages en travers du courant pour attraper notre poisson, comment les bébés saumons vont-ils sortir du lac pour se diriger dans l'océan ?

Tom se frappa le front.

— J'oublie toujours d'expliquer le plus important. Les barrages mobiles ne restent en place que pendant la partie de l'année où nous attrapons les saumons adultes qui remontent le courant. Quand les jeunes descendent du lac, ils trouvent le fjord ouvert jusqu'à la mer.

Hoxey quitta Seattle le mardi matin, avec dans sa serviette une stratégie complète pour la mainmise de Seattle sur l'Alaska. Selon ce plan mis au point principalement par M. Ross, le fabuleux trésor du saumon serait réservé à sa compagnie et à quelques autres, sans impliquer plus d'une poignée d'habitants de l'Alaska.

— Tout le bois de construction pour les nouvelles conserveries sera préparé ici, à Seattle, où seront également assemblées les machines.

Ensuite nos bateaux les transporteront dans le nord. Des ouvriers de Seattle les accompagneront pour les installer. Le poisson sera pris dans des pièges construits ici, dans notre ville, et mis en place par nos hommes. Plus de palabres avec les pêcheurs tlingits, ni avec les blancs d'ailleurs. Les boîtes seront fabriquées et aplaties ici, puis remises en forme à la conserverie. Plus de ferblantiers. Surtout, l'immense dortoir d'Ah Ting et de ses acolytes sera garni de machines qui travailleront plus vite que leur équipe : notre espace utile sera doublé sans construire un autre bâtiment.

Il sourit à Hoxey et ajouta :

— Quand les boîtes seront soudées et étiquetées, elles reviendront ici dans nos bateaux et nous les réexpédierons dans toute l'Amérique et le reste du monde.

⁂

Dans les deux jours qui suivirent le départ d'Hoxey, Tom, au siège social de R & R, précisa les projets pour la saison suivante. Chaque fois qu'il posait les yeux sur la carte, dans le bureau de M. Ross, et voyait les étoiles rouges indiquant l'emplacement futur des conserveries, il éprouvait un sentiment qu'il ne pouvait confier à personne : « Jamais je ne reviendrai à Seattle ! Je vais passer ma vie à aller d'un fjord à l'autre, pour construire de nouvelles usines. » Il se représentait fort bien les sites : un plan d'eau reculé. Pas de ville à moins de quatre-vingts kilomètres. Pas de femme. Pas d'enfants. Uniquement des pièges à attraper les saumons et le chinois-de-fer pour les nettoyer.

Mais il réfléchit ensuite aux avantages de travailler avec un homme comme Malcolm Ross, qui semblait incontestablement l'être humain le plus efficace qu'il ait jamais rencontré. Il ne possédait pas la chaleur et la spontanéité de Missy Peckham, la personne la plus admirable que Tom ait eu le privilège d'observer, mais il était animé par une vision de l'avenir, et avec lui les choses se réalisaient. Satisfait d'accrocher son wagon à celui de M. Ross, le jeune homme passa en revue les décisions prises au cours des journées précédentes et découvrit qu'il n'avait aucune raison de s'opposer aux projets de Ross pour l'Alaska. Des entreprises positives allaient être lancées et les intérêts de R & R et de Seattle seraient protégés.

Tout simplement, il ne vint pas à l'esprit de Tom de mettre en question la valeur morale d'actes qui maintiendraient l'Alaska dans une sorte de servitude, sans pouvoir politique ni le moindre droit d'autodétermination. Il négligea le fait que si le projet Ross-Hoxey devenait loi, l'Alaska paierait toutes les marchandises importées via Seattle cinquante pour cent de plus que le territoire d'Hawaii (dans une situation similaire) payait ses importations via San Francisco. Il ne mit pas en question non plus une formule qui laisserait l'Alaska dans l'incapacité d'adopter une ordonnance régionale pour protéger ses saumons, ses arbres, ses mines ou même ses habitants. Il ne connaissait pas à ce moment-là le mot féodalisme, mais le concept ne l'aurait nullement troublé : M. Ross avait une vision très claire du développement ultérieur de l'Alaska, alors qu'à Juneau il n'avait rencontré personne ayant la moindre idée à ce sujet.

Mais à peine fut-il parvenu à cette conclusion qu'il sentit la morsure du doute : peut-être Sam Grande-Oreille, sur l'autre berge de la rivière des Pléiades, avait-il une vision claire de la façon dont devaient vivre les Tlingits et lui-même. Il songea alors à Nancy Grande-Oreille en face du grizzly, qui le calmait de la voix : « Peut-être sait-elle, elle aussi... » Il crut la revoir soudain et il éprouva un pincement de remords, car son père et elle ne constituaient pas une facette de l'Alaska facile à écarter de ses pensées.

Pourtant, après son travail, son attention se détourna de l'Alaska : il observa Mme Ross, dont le comportement le surprit beaucoup. D'un côté elle jouait un rôle de premier plan dans la bonne société de Seattle en tant qu'épouse d'un des hommes les plus riches de la ville. Elle connaissait sa puissance et pouvait se montrer impérieuse, comme font souvent les femmes dans sa position, capable de regarder les meilleurs en prenant un air de mépris; mais même lorsqu'elle se montrait dictatoriale, ce qui lui arriva plusieurs fois en présence de Tom, elle faisait preuve d'un sens de l'humour surprenant, d'une sorte d'espièglerie qui pétillait dans son regard et la poussait à rire en douce — d'elle-même et du côté pompeux que prenait parfois son mari.

Au bout de la première semaine dans l'intimité de la maison des Ross Tom s'écria à la table du dîner :

— Vous êtes les deux plus aimables personnes que j'aie jamais rencontrées.

— Très aimable à vous, Tom, répondit Mme Ross en se tournant vers lui. Mais vous avez dû rencontrer beaucoup de personnes gentilles au cours de tous vos voyages.

— Oui, j'ai rencontré beaucoup de gens aimables. Missy Peckham, qui fut comme une mère pour moi, était aussi bonne qu'une personne saurait l'être. Et j'ai rencontré un chercheur d'or, au Yukon... Je partirais n'importe où avec lui. Mais...

— Qu'essayez-vous de nous dire ?

— Eh bien, que ces gens excellents comptaient peut-être parmi les meilleurs, mais que rien ne semblait jamais marcher pour eux.

— Comment cela ?

De toute évidence, Mme Ross s'intéressait sincèrement à ce qu'il ressentait.

— D'abord, ils ne rencontraient jamais la personne qui leur convenait pour se marier. Ensuite, tout ce qu'ils essayaient de faire semblait échouer.

Il hésita, puis parvint au point le plus important.

— Vous êtes les premières personnes de ma vie que je vois...

Il ne savait pas comment terminer sa comparaison des échecs qu'il avait constatés et de ce couple bien assorti et heureux.

— Je crois que je veux dire ceci : j'ai déjà rencontré des gens merveilleux, mais ils n'étaient jamais mariés ensemble.

Sur cet aveu il baissa les yeux vers son assiette.

Mme Ross appréciait ces instants de sincérité. Ils avaient toujours enrichi sa vie, et elle n'avait pas l'intention de laisser la conversation se terminer sur ce genre de note.

— Vous m'assurez, Tom Venn, que vous n'avez jamais vu un couple bien marié ?

— Jamais.

— À votre avis, qu'est-ce qui nous rend si différents ?

— Eh bien, vous exercez tous les deux un certain pouvoir, beaucoup de pouvoir, mais sans en abuser.

— C'est un merveilleux compliment, Tom. Je fais beaucoup d'efforts pour empêcher Malcolm d'abuser du pouvoir qu'il possède... Et il m'empêche de me montrer trop collet-monté, ajouta-t-elle avec un clin d'œil à son mari.

M. Ross toussota.

— Je n'en ai jamais eu besoin, dit-il. Aimeriez-vous savoir pourquoi ?

Tom acquiesça.

— Eh bien, mon jeune ami, Mme Ross n'est pas une femme ordinaire. Au début des années 1860, quand Seattle faisait ses premiers pas, il y avait ici quantité d'hommes à l'esprit d'aventure. Comme mon père, chassé de chez lui, en Écosse. Beaucoup de ces hommes et aucune femme. Et un nommé Mercer, qui voyait loin, eut une idée sensationnelle. Il se rendrait à Washington solliciter l'aide du gouvernement pour financer un bateau, puis irait en Nouvelle-Angleterre — qui subissait de lourdes pertes en hommes à cause de la guerre de Sécession —, où il inviterait plusieurs centaines de jeunes femmes risquant de ne jamais trouver de mari, à partir pour Seattle où les attendaient des emplois et une quantité d'hommes seuls. Les journaux de l'époque firent à l'entreprise une telle publicité qu'à son arrivée à Boston, Mercer trouva des dizaines de femmes prêtes à tenter leur chance dans l'Ouest. Une jeune fille du nom de Lydia Dart, qui travaillait dans une usine, était particulièrement impatiente d'échapper à cette corvée.

» Mercer réussit à convaincre des centaines de jeunes femmes de se lancer dans cette aventure. Il trouva beaucoup d'encouragements en paroles pour son projet mais eut plus de mal à décrocher les fonds nécessaires pour le bateau. Enfin, un financier accepta de subventionner les frais de cinq cents passagères à un taux minime. Tout semblait marcher très bien. Une opération parfaite.

Il s'interrompit, sourit à sa femme et parut hésiter à continuer.

— Que s'est-il passé ? demanda Tom.

— Des journalistes à l'esprit tordu — en fait de vrais salopards — firent courir le bruit que M. Mercer dirigeait une chaîne de maisons de prostitution sur la côte Ouest. Quand les jeunes filles arriveraient à Seattle, il les enfermerait dans ses bordels. Un grand scandale éclata. Des larmes. Des récriminations. Les pères et les frères enfermèrent les jeunes filles dans leurs chambres pour les empêcher de partir. Avant même que Mercer puisse répondre à ces accusations perverses, plus des deux tiers de ses voyageuses en puissance avaient changé d'avis et refusaient de revenir sur leur décision.

» En janvier 1866, le bateau appareilla avec seulement cent passagères, et sur le nombre il n'y avait que trente jeunes filles célibataires. Certaines de l'honnêteté de M. Mercer, elles restèrent avec lui en dépit des sarcasmes de leurs voisins. Elles firent le tour du cap Horn et de l'Amérique du Sud pour établir leurs foyers dans le Nord-Ouest. Lydia Dart devint leur chef. Elle veilla sur elles. Elle écarta les journalistes qui cherchaient à créer davantage de scandale. Et quand les jeunes filles débarquèrent à Seattle, elle leur servit de mère.

— Que leur est-il arrivé ?

— Elles sont devenues l'âme de la ville. C'étaient des femmes raffinées et de bonne éducation, projetées soudain sur la Frontière. Un grand nombre devinrent institutrices et épousèrent dans l'année les meilleurs jeunes gens de Seattle. L'une d'elles, qui ne se maria jamais, ouvrit la première école publique de la ville. Toutes représentaient ce qu'il y avait de meilleur à Seattle et quatre d'entre elles vivent encore aujourd'hui — les fameuses vieilles dames de Seattle.

— Mais, quelle relation avec Mme Ross ?

— Aha ! La jeune Lydia Dart fut la dernière à se marier. Elle voulait étudier le terrain, et en fin de compte elle choisit un jeune avocat d'avenir, nommé Henderson. Leur premier enfant est la charmante dame avec qui nous dînons ce soir.

Un énorme sourire éclaira son visage, tandis que Tom regardait Mme Ross.

— Vous êtes la fille d'une de ces jeunes femmes ?

— Les Filles à Mercer, comme on les appelle dans l'histoire de Seattle. Oui, je suis la fille de l'une d'elles, et aucune ville de l'Ouest n'a reçu un si beau groupe de femmes.

— Si vous aviez connu Lydia Dart Henderson, enchaîna M. Ross, vous comprendriez pourquoi mon épouse ne pourra jamais prendre de grands airs ou manquer d'humour. Parle-lui de la lettre qu'elle a écrite au journal de Boston.

Mme Ross éclata de rire au souvenir de l'espièglerie commise par sa mère, et elle prit un plaisir évident à la raconter.

— Dix ans après l'arrivée des Filles à Mercer à Seattle ma mère les convoqua en assemblée. Je m'en souviens bien, je devais avoir sept ans. Deux douzaines de femmes se présentèrent : des épouses de médecins, d'avocats et d'hommes d'affaires et j'ai écouté leurs récits. Aucun mauvais mariage dans tout le groupe. Le soir même, ma mère envoya sa lettre au journal de Boston qui avait fomenté le scandale des maisons de prostitution.

— Que disait la lettre ? demanda Tom.

M. Ross lui montra, accroché au mur derrière lui, un cadre contenant une coupure de presse.

— Cela vous amusera. J'ai ri la première fois que je l'ai lu, dit-il en faisant signe à Tom de décrocher le cadre.

> *La rédaction vient de recevoir une correspondance intéressante d'une certaine Lydia Dart, qui habitait autrefois cette ville et s'est aventurée à Seattle en 1866. Nous avons pensé que nos lectrices la trouveraient instructive :*
>
> *« Au journal,*
>
> *Hier soir, vingt-cinq jeunes femmes qui avaient bravé la censure de la population pour émigrer à Seattle — les Filles à Mercer — ont célébré le dixième anniversaire de leur aventure. Vingt-quatre d'entre nous sommes mariées aux dirigeants de la communauté et nous avons mis au monde près de quatre-vingt-dix enfants. Lizzie Ordway, qui a préféré rester célibataire, dirige la plus importante école de la ville. Nous sommes toutes propriétaires de nos maisons et tous nos enfants en âge scolaire font de bonnes études. Treize de nos maris ont occupé ou occupent des postes officiels dans notre belle ville.*
>
> *Nous invitons vingt-cinq des jeunes femmes qui ont refusé de venir avec nous en 1866, à se réunir pour nous envoyer une lettre décrivant ce qu'elles ont accompli entre-temps.*
>
> *Lydia Dart Henderson. »*

— Quelle lettre ! s'écria Tom Venn en raccrochant le document.

— Ma belle-mère n'a cessé d'écrire ce genre de lettres jusqu'à la fin de ses jours. La majeure partie de ce qui est bien dans cette ville est issu des Filles à Mercer.

— Quelqu'un devrait organiser un autre bateau de ce genre pour les hommes de l'Alaska, suggéra Tom. Deux ou trois Lydia Dart seraient bien utiles à Juneau en ce moment.

— Un de ces vendredis après-midi, Tom, lui dit Mme Ross en souriant, vous ferez la connaissance de la nouvelle Lydia Dart. Sauf qu'elle a ajouté Ross à son nom.

Au début, Tom ne comprit pas le sens de ces paroles, mais quand il vit M. Ross acquiescer, il lui vint à l'esprit que ses hôtes faisaient allusion à leur fille.

— Elle est à l'école pendant la semaine. En pension dans un couvent, où elle fait d'excellentes études.

— La première Lydia Dart était-elle catholique ?

— Oui, répondit Mme Ross. Mais lorsque son Église voulut l'empêcher de venir à Seattle, elle s'en détacha plus ou moins. Puis elle épousa un presbytérien d'Écosse très strict et j'ai grandi en me croyant à la fois papiste et presbytérienne. Cela ne m'a jamais troublée, mais j'ai toujours aimé les écoles catholiques. On y enseigne quelque chose aux enfants et notre Lydia a tout à gagner de leur discipline.

Tom Venn passa donc le jeudi et le vendredi sur des charbons ardents. Comment serait Lydia ? Comment allait-il lui-même réagir en face de la petite-fille de la femme qui avait écrit cette lettre ? Il craignait de se rendre ridicule, mais quand il rentra du bureau le vendredi soir, ses appréhensions disparurent, parce que Lydia Ross, âgée de dix-sept ans, était une jeune fille à l'esprit vif que sa vie heureuse poussait à se présenter à n'importe qui avec une franchise désarmante. Les tourments de l'adolescence n'existaient pas pour elle ; elle supposait que sa célèbre grand-mère et sa mère parfaitement équilibrée avaient joui d'enfances semblables, et elle entendait devenir une adulte qui leur ressemblerait. Elle adorait son père et s'entendait bien avec son frère cadet, dont le caractère s'annonçait aussi bon. À l'instant même où Tom Venn la vit ouvrir la porte à la volée, ses cheveux blonds remontés pour dégager son cou nerveux, il sentit qu'elle constituait une extension du couple dont le bonheur lui avait fait beaucoup d'effet dès le début de son séjour.

— Salut ! dit-elle sans contrainte en lui tendant la main. Je suis Lydia. Mon père m'a raconté que vous vous étiez bien débrouillé, pour les meurtres de la conserverie.

— Il vous a parlé de ça ? demanda Tom, surpris que M. Ross ait discuté d'un événement aussi déplaisant avec sa fille.

— Il nous parle de tout, répondit-elle en lançant ses livres et ses cahiers, entourés d'une sangle, sur une table du vestibule où elle comptait bien les laisser jusqu'au lundi matin. Il m'a parlé aussi de votre combat contre un ours grizzli.

— En fait, ce n'était pas un combat. Vous n'allez pas me croire, mais une jeune Indienne a dit à l'ours de reculer, et il l'a fait.

— Quelle est la taille d'un grizzli ? Sur notre livre de géographie, on dit qu'ils sont deux fois plus gros que les ours ordinaires.

— Celui-là était moyen. Mais dans un hôtel de Juneau il y en a un de plus de trois mètres. Empaillé, bien sûr.

— S'il ne l'était pas, quel spectacle !

Elle s'intéressait vraiment à l'Alaska mais n'avait pas encore obtenu l'autorisation de s'y rendre avec un des bateaux de son père.

— J'aimerais voir les glaciers dont il nous parle. Sont-ils aussi gros qu'il le prétend ?

— En Alaska, tout est plus gros. Plus grand qu'on ne l'imagine.
Il lui parla de l'énorme iceberg qui avait dérivé jusque sur le seuil du magasin Ross & Raglan à Juneau.
— Dans la rue principale ?
— Dans l'eau, évidemment. Mais oui, on pouvait le toucher avec un bâton.
— Que lui est-il arrivé ?
— Un type a fixé un cordage et l'a entraîné facilement avec un remorqueur.
— Un petit remorqueur comme ça et un iceberg gros comme ça ?
Elle déplaçait ses mains de façon si expressive que Tom tomba sous le charme de sa vivacité, de ses réactions rapides à chaque parole, de son sourire avenant.
Le dîner avec les Ross devint un rituel très apprécié, et le samedi soir Lydia offrit à la tablée une description burlesque de la façon dont deux sœurs catholiques de son école avaient joué un tour de leur façon au jeune prêtre qui faisait office de directeur.
— Il avait l'air si naïf quand elles en eurent fini avec lui, si ridicule en fait, que nous fûmes désolées pour lui.
— Il n'a pas compris ce qui se passait ? demanda Tom.
— Non. Enfin, il ne sait jamais ce qui se passe.
Le frère de Lydia, qui étudiait dans une pension privée, demanda à Tom quel genre d'école il avait fréquentée.
— Une école ordinaire à Chicago, répondit le jeune homme d'un ton confus. Et il a fallu que je la quitte.
— Tom a fait ses études dans la meilleure école qui existe, intervint M. Ross. Celle qu'avait fréquentée mon père : l'école de l'action.
Il sollicita toute l'attention de son fils.
— Jake, le jeune homme assis en face de toi était responsable de notre magasin de Dawson avant d'avoir l'âge de Lydia. Un an plus tard, il a pris la tête de toutes nos opérations à Nome.
— Aux mines d'or ? demanda le garçon.
Tom acquiesça, et les deux jeunes Ross le dévisagèrent avec davantage de respect.
Ce week-end fut l'expérience humaine la plus riche que Tom Venn ait connue jusqu'à cette date, car il fut témoin des relations d'une famille bien organisée. On accordait aux enfants une grande liberté, dans la mesure où ils observaient les règles de base de la politesse ; et il remarqua en particulier que Mme Ross, manifestement fière de sa fille, lui refusa l'autorisation de sortir le dimanche après-midi tant qu'elle n'avait pas terminé ses devoirs du week-end. Les livres descendirent de la table où Lydia les avait jetés, mais deux heures plus tard elle était prête à partir faire un tour dans les collines boisées à l'arrière du manoir.
Jamais Tom n'oublierait cette promenade. Le soleil tiédissait l'air de l'hiver. Le goulet de Puget brillait, puis une averse dériva du détroit Juan de Fuca, et les eaux s'assombrirent.
— Regardez là-bas ! dit Tom. On dirait presque que le cœur de la ville se trouve sans défense.
— Vous vous servez bien des mots, répondit Lydia.
Tom lui expliqua qu'à Dawson et à Nome il avait étudié dans les livres que lui apportait Missy Peckham.
— Qui était-ce ?
— Ma mère, ou presque... répondit-il.

Elle voulut savoir ce qu'il entendait par là. Il rit, gêné, et expliqua :
— Ma vraie mère... était partie avec un autre homme... ensuite mon père s'est marié, pour ainsi dire, avec Missy. C'était une femme merveilleuse... C'est une femme merveilleuse, devrais-je dire. Elle vit en ce moment à Nome.

Il s'arrêta, accablé par le contraste entre la vie chaotique de Missy et l'ordre qui régnait dans la maison des Ross. Il aurait aimé dire pourquoi l'excellente Missy Peckham n'avait pas pu épouser son père et ne pouvait pas non plus épouser M. Murphy ; la raison en était la même, mais ce serait trop compliqué à dévoiler.

— Mon père estime que je dois continuer mes études jusqu'à l'université, dit Lydia, changeant de sujet avec tact. Mais ma mère a des doutes.

— Où iriez-vous ?

— Ici, à Seattle. L'université est excellente.

— Ce serait très bien.

— Mais grand-mère se rappelait toujours la région de Boston avec tendresse, et elle m'a dit avant de mourir...

— Je la croyais lasse de Boston.

— Non ! Elle avait écrit la lettre pour les taquiner. Elle adorait la Nouvelle-Angleterre. C'était à ses yeux « le phare de l'Amérique ». Elle aurait aimé que j'aille faire mes études là-bas.

Lydia se tut, car des pensées diverses s'agitaient dans sa tête, et au bout d'un moment, elle lança :

— Je veux être comme ma grand-mère. Avoir toujours le courage de tenter du nouveau. Je crois que j'aurai besoin d'une forte éducation pour réussir ce que je veux faire.

— Que voulez-vous faire ?

— Je ne sais pas. Il y a plus d'une possibilité et je ne parviens pas à me décider vraiment.

Tom ne put s'empêcher de rire, car il se trouvait en face des mêmes doutes.

— Exactement comme moi. J'adore ce que je fais en Alaska. Et je peux voir devant moi des années sans fin. Mais je me sens davantage chez moi à Seattle, tout en ne voyant pas comment je pourrais trouver une situation ici.

— Mais je crois que si vous faites du bon travail pour mon père en Alaska, il trouvera tout naturel de vous donner un poste ici tôt ou tard. Il a beaucoup de considération pour vous, Tom, ainsi que ma mère.

— Mais il a aussi beaucoup de travail pour moi en Alaska... Avez-vous jamais rencontré Marvin Hoxey ? demanda-t-il pour changer de sujet.

— C'est un homme affreux. Vraiment visqueux. Mon père le sait, mais il dit que l'on doit parfois utiliser les outils à portée de la main. Mon père ne se laisse absolument pas abuser par Hoxey.

Ils se trouvaient maintenant du côté est de la petite colline ; le goulet de Puget n'était plus visible, mais les lacs et les plans d'eau qui délimitaient ce quartier de Seattle avaient pris sa place. À leur manière paisible ils étaient aussi charmants que la baie plus spectaculaire de l'ouest.

— J'ai toujours aimé cette vue, dit Lydia. Moins puissante mais plus sûre.

Le lundi matin, elle dit à Tom :

— Mon père m'a appris que vous serez reparti avant mon retour. J'ai vraiment pris plaisir à parler avec vous. Je vois pourquoi mon père a tellement d'estime pour vous, Tom.

Et elle partit, les cheveux sur les épaules. Au bout de la ceinture ses livres ballottaient contre sa jambe droite.

Le mardi au dîner, M. Ross annonça :

— Vous allez contrôler la livraison et l'installation du matériel pour faire les boîtes. Notre bateau s'en ira jeudi et après l'escale de Juneau, il remontera jusqu'à la conserverie. Les hommes de l'usine vous aideront pour les machines et le nouvel appareil à souder.

À vingt et un ans, Tom était extraordinairement sûr de lui pour son âge. Sans la moindre gêne il proposa :

— Ne pourrais-je pas prendre le bateau du lundi et retrouver les hommes à la conserverie ?

— Et pourquoi donc ?

— J'aimerais beaucoup revoir Lydia.

Le silence se fit dans la pièce. Ce fut Mme Ross qui le rompit en lançant d'un ton léger :

— C'est une excellente idée, Tom... Je suis sûre que Lydia aimera beaucoup vous retrouver, également.

Sans un mot de plus la décision fut prise, et M. Ross ne témoigna aucune irritation de voir ses instructions contrecarrées ainsi. Il aimait beaucoup Tom Venn et appréciait sa franchise.

Le deuxième week-end fut plus sérieux que le premier, parce que tous les Ross, et surtout Lydia, savaient que Tom avait retardé son départ uniquement pour sonder davantage leur amitié. Elle lui avoua en toute franchise, quand ils furent seuls, qu'elle avait annulé deux rendez-vous pour qu'ils puissent passer du temps ensemble. Il protesta qu'elle n'aurait pas dû le faire.

— Oh, mais j'en avais envie, répondit-elle. La plupart des jeunes gens que je connais sont des idiots.

— Ils ne le seront pas quand ils auront quatre ans de plus.

— Il y en a déjà qui ont quatre ans de plus, et ce sont des idiots confirmés, répliqua Lydia.

Ils se promenèrent deux fois sur la colline, ils admirèrent Seattle et ses environs sous ses atmosphères diverses, tout en parlant sans cesse des études, des projets politiques de M. Hoxey et de l'avenir de Ross & Raglan. Le lundi matin, au moment du départ de Lydia à l'école, elle se campa au milieu du vestibule et, en présence de son père et de sa mère, elle embrassa Tom. Elle ne voulait pas qu'il y eût le moindre malentendu sur ce qu'elle ressentait.

Quand les machines à fabriquer les boîtes furent installées à la Conserverie Totem, Tom Venn et Sam Grande-Oreille (qui avait accepté non sans réticences de servir de gardien d'hiver pour les bâtiments vides) se mirent à préparer l'arrivée des Filipinos et des Chinois. On fit venir de Seattle d'énormes quantités de riz, parce que ces groupes se révolteraient si la conserverie essayait de les nourrir aux pommes de terre. On construisit d'autres couchettes pour les Chinois qui allaient arriver en plus grand nombre. Tom traversa l'estuaire un jour pour rendre visite à Sam dont il désirait conserver l'amitié. Sans songer aux conséquences, il lui révéla :

— C'est sans doute la dernière année que nous utilisons des Chinois.

Sam ne gardait jamais rancune à quiconque. La précédente visite de Tom l'avait écœuré, mais il lui demanda :

— Qui d'autre allez-vous avoir ? Jamais les Tlingits ne travailleront dans une usine.

Devinant que des ennuis couvaient, Tom n'ajouta pas un mot ; mais à plusieurs reprises dans les jours qui suivirent, Sam voulut savoir qui remplacerait les Chinois.

— Nous ne voulons ni Japonais, ni Eskimos sur notre territoire. Et tout ira bien mieux si les Chinois et les Filipinos s'en vont.

— Ils s'en iront peut-être un jour, répondit Tom.

Mais fin avril, un gros navire canadien, l'*Étoile de Montréal,* accosta à l'embouchure de la rivière des Pléiades pour déposer quatre-vingt-treize ouvriers chinois. Dès qu'ils se mirent à dévaler l'échelle de coupée, Tom vit ce qu'il espérait : Ah Ting se trouvait encore à leur tête, avec sa longue queue de cochon dans le dos, ses yeux encore plus chargés de défi qu'auparavant, si c'était possible. Cette année un seul de ses ouvriers parlait anglais, et en passant en revue toute l'équipe, Tom se douta que plus de la moitié venaient d'arriver récemment de Chine, car ils n'avaient aucune idée du travail qui leur serait confié.

— Je veux deux de vos meilleurs hommes, ordonna Tom à Ah Ting.

— Pourquoi ? demanda le chef, impliquant qu'il attribuerait lui-même les postes de travail.

— Pour travailler sur une nouvelle machine.

— Moi, je la ferai marcher, répliqua Ah Ting.

— Non. Votre présence est nécessaire ici. Pour maintenir l'ordre.

— C'est vrai, répondit Ah Ting sans animosité.

En tant que chef, il devait travailler à l'endroit où il pourrait surveiller le plus grand nombre d'ouvriers. Il désigna donc deux bons ouvriers, mais quand Tom les entraîna Ah Ting insista pour les suivre, car il jugeait essentiel de savoir tout ce qui se passerait dans l'ensemble de la conserverie. En fait, il se comportait comme si la conserverie lui appartenait, attitude qui agaça Tom, comme elle avait agacé M. Ross pendant les troubles de l'année précédente.

Dès qu'Ah Ting vit les piles de boîtes de conserve aplaties et les machines qui allaient leur redonner leur forme cylindrique, il comprit la menace que le nouveau système faisait peser sur ses Chinois. Il traita les machines avec mépris.

— Pas bon. Aucun Chinois ne travaillera plus ici.

— Nous aurons besoin de deux ouvriers excellents pour les machines, lui assura Tom. Et peut-être deux autres pour le transport des boîtes.

Ah Ting ne voulut rien savoir. L'année précédente il avait contrôlé le travail de seize hommes dans cet atelier. Cette année, il y en aurait quatre tout au plus. Et il était certain que M. Venn réduirait leur nombre à trois ou même deux dès que les hommes sauraient bien faire marcher les nouvelles machines. Mais que pouvait-il faire, sinon pincer le nez ? Et il le fit. La saison s'annonçait difficile.

En face de cette insubordination, Tom fut tenté de licencier Ah Ting sur-le-champ, mais il savait que personne ne pouvait le remplacer pour maintenir l'ordre parmi les quantités de Chinois encore nécessaires pour les tables à éviscérer et les étuves. Contre sa première impulsion, Tom voulut gagner du temps, accepta les protestations d'Ah Ting et fit de petites concessions pour la nourriture et les lits du dortoir, de façon à maintenir satisfait son « contremaître » récalcitrant.

Il y parvint, avec un succès mitigé, mais dut aussitôt affronter la colère des pêcheurs. En effet quand le Pr Starling arriva avec son équipe pour mettre son piège en place, les gens de l'endroit virent les longues branches du barrage qui refermaient presque le fjord. Comprenant que l'époque de leur domination s'achevait, ils commencèrent à créer des ennuis. Les Blancs les plus violents menacèrent de démolir le barrage et de couper les bords de l'entonnoir ; d'autres dirent qu'ils empêcheraient les bateaux d'accoster au dock pour approvisionner l'usine ou emporter les caisses de saumon en boîte. Les Tlingits lancèrent eux aussi des menaces, mais en fin de compte, le grand piège fut mis en place et l'entonnoir installé. Les pêcheurs devinrent superflus et trop faibles pour s'opposer aux changements rapides subis par leur industrie.

Quand les saumons adultes affluèrent dans le fjord de Taku, tout le monde voulut savoir si le piège attraperait assez de poissons pour maintenir les Chinois au travail devant les tables à éviscérer. À la fin de la première semaine on constata que le barrage et son entonnoir fonctionnaient au-delà de tous les espoirs des hommes qui l'avaient installé. En fait, quand le Pr Starling fit le bilan de l'opération, il découvrit un problème qu'il n'avait même pas prévu.

— Le piège fonctionne si bien, monsieur Venn, que le réservoir reçoit plus de poissons que la conserverie ne peut en traiter. Vos hommes ne les sortent pas de l'eau assez vite.

— L'atelier de nettoyage ne peut pas débiter davantage de poissons qu'en ce moment.

— Quand le Dr Whitman aura mis au point son chinois-de-fer, répondit Starling, nous pourrons accélérer la chaîne. Mais que faisons-nous pour l'instant ?

Tandis qu'il parlait, l'entonnoir, qui bloquait le déplacement naturel des saumons luttant contre le courant pour regagner leurs lacs de naissance, continuait de repousser tellement de gros poissons dans le piège qu'une seule solution semblait réalisable :

— Nous laisserons mourir les poissons faibles du fond, et le courant les entraînera vers la mer.

Tout l'été, le piège des Pléiades attrapa tellement de gros « rouges » qu'un nombre affolant de saumons affaiblis se trouva gaspillé pour rien. Les aigles chauves des environs se réunirent alors au-dessus du fjord de Taku pour se repaître des animaux en train de pourrir, et des milliers de poissons qui auraient pu fournir une nourriture délicieuse à des ventres affamés partout dans le monde, non seulement se perdirent mais contaminèrent les eaux de Taku en aval du barrage.

Encore plus menaçant pour l'avenir de l'industrie, le piège était si efficace que des pêcheurs compétents commencèrent à se demander si assez de poissons adultes passeraient l'obstacle pour assurer la continuation de l'espèce.

— Nous ouvrons le barrage pendant le week-end, assura le Pr Starling aux sceptiques, quand il s'arrêta à Juneau le jour de son retour à Seattle. Et si vous aviez vu les hordes de saumons qui s'échappent à ces moments-là, vous sauriez que leur avenir est assuré.

— Mais les poissons que vous laissez mourir dans le réservoir ? demanda un autre homme.

— Dans toute grande opération, il y a un peu de gaspillage. C'est inévitable, et à longue échéance, il n'en résultera aucun dégât important.

Il repartit tirer les plans de six autres barrages énormes pour les futures conserveries Ross & Raglan.

Certaines personnes inquiètes suivirent le conseil du Pr Starling et se rendirent à la rivière des Pléiades pour inspecter le fonctionnement du piège, mais lorsque leurs petits bateaux accostèrent, Tom Venn descendit sur l'appontement pour les avertir qu'ils se trouvaient sur une propriété privée dont l'accès était interdit.

— Mais votre Pr Starling nous a invités à venir voir le fonctionnement du piège.

— Il n'en avait pas le droit, répliqua le jeune homme.

Les rudes pêcheurs de Juneau ne s'en laissèrent pas conter ainsi.

— Nous allons débarquer, Venn, et si vous essayez de nous arrêter vous vous attirerez des ennuis.

On évita l'affrontement car les pêcheurs pouvaient inspecter le barrage et l'entonnoir sans s'introduire sur la propriété de Totem. Tom proposa aux pêcheurs de piloter leurs bateaux en aval du piège ; de là ils pourraient observer le comportement du saumon. Le spectacle aurait stupéfié tout pêcheur ne connaissant pas l'Alaska : des saumons adultes nageaient dans les remous non pas par dizaines ou par centaines mais par milliers, par blocs de trois cents ou de six cents avec le nez pointé contre le courant. Par endroits, l'eau claire était bondée d'une masse compacte de poissons : dix ou quinze mille en rangs serrés, dont les corps fins luisaient sous le soleil à quelques centimètres de la surface. En ces moments d'abondance, la richesse semblait inépuisable, indestructible.

Mais quand cette multitude se rapprochait de l'entonnoir, elle se trouvait confrontée à une situation nouvelle. Ces barrages, ces hautes clôtures, ne ressemblaient pas aux cascades que leurs ancêtres remontaient par bonds depuis d'innombrables générations ; c'étaient des barrières efficaces, et, après avoir essayé de les franchir, les poissons déconcertés suivaient la ligne de moindre résistance. Sans but précis, ils dérivaient vers le piège central et glissaient dans le labyrinthe dont l'accès était si facile et la sortie impossible. Ils s'enfonçaient de plus en plus dans le piège puis débouchaient enfin dans la liberté relative du grand réservoir.

Mais ce réservoir se remplissait si vite que les poissons les plus faibles commençaient à manquer d'eau pour respirer par leurs branchies. A une vitesse surprenante les petits saumons mouraient et leurs cadavres coulaient au fond du réservoir pendant que les ouvriers de Tom Venn prenaient les survivants et les apportaient à l'atelier de nettoyage où les hommes d'Ah Ting les préparaient pour la stérilisation.

Les pêcheurs de Juneau qui constatèrent le succès inouï de cette technique révolutionnaire de pêche au saumon s'aperçurent aussitôt de l'effroyable gaspillage que leur ancien procédé n'aurait jamais provoqué.

— Ils n'ont aucun respect pour le saumon, dit l'un des plus âgés. S'ils continuent ainsi, je ne sais pas ce qui se produira.

Un des bateaux passa la nuit pour voir ce qui se passerait pendant le week-end. Le samedi après-midi, quand on ferma le piège et souleva les vannes de l'entonnoir ils virent la horde de poissons qui remontait le Taku franchir le piège et remonter vers leurs lacs de naissance, dans les bassins desservis par le fjord.

— Il passe assez de poissons pour peupler tout l'Alaska et presque tout le Canada, avoua l'un d'eux.

Rassurés par ces mots, ils envisagèrent la situation sous un jour différent.

— C'est le monde moderne, déclara un jeune.

Et ils convinrent que malgré le gaspillage regrettable de saumons, assez de « rouges » devaient franchir l'obstacle au cours du week-end pour maintenir les réserves.

⁂

En 1904, au moment où les pêcheurs de Juneau parvenaient à cette conclusion erronée sur l'avenir des saumons, Nerka, âgé de trois ans, menait dans l'eau douce du lac des Pléiades une vie de routine. Sans doute croyait-il que cette existence continuerait ainsi sa vie entière. Mais un matin, après une semaine d'agitation, il se lança dans une aventure sans précédent, comme si une cloche avait convoqué tous les « rouges » de sa génération à l'exécution d'un devoir grandiose.

Pour des raisons qu'il était bien en peine d'identifier, ses nerfs s'étaient mis à vibrer comme s'il avait reçu une décharge électrique dans tout le corps. Il se sentait agité, nerveux. Poussé par des impulsions qu'il ne comprenait pas, il se sentit rebuté par l'eau douce, naguère nutritive, de son lac natal, et pendant plusieurs jours il le sillonna en tous sens. Soudain une nuit, suivi par des milliers de poissons de sa génération, Nerka se mit à nager vers le déversoir de son lac et plongea dans les eaux rapides et bouillonnantes de la rivière des Pléiades. Mais à l'instant même de son départ, il eut la prémonition qu'il devrait un jour, dans de lointaines années, revenir dans ces eaux amies où il avait grandi. C'était maintenant un *smolt* ou *tacon,* sur le point de devenir saumon adulte. Sa peau avait pris les reflets brillants des adultes. Il ne mesurait encore qu'une vingtaine de centimètres mais possédait la forme du saumon.

À coups de queue puissants il fila dans le torrent, et lorsqu'il lui fallut affronter des rapides qui balayaient les rochers exposés, il comprit d'instinct la manière la plus sûre de les négocier. Quand des cascades d'une hauteur plus effrayante menaçaient son avancée, il hésitait, évaluait les choix, puis se déchaînait, bondissait presque joyeusement dans l'écume, fonçait, se laissait tomber en bas avec un bruit de gifle, puis se reposait là un moment avant de reprendre son voyage.

Un mécanisme biologique complexe lui permettait-il de fixer ces cascades dans une sorte de mémoire à mesure qu'il les descendait, pour le préparer au jour fatidique, deux années plus tard, où il serait contraint de les remonter dans le sens opposé afin de permettre à une femelle « rouge », aussi déterminée que lui, d'avoir sa laitance fécondée ? Son voyage de retour serait l'un des exploits les plus remarquables du monde animal.

Mais en s'avançant vers l'embouchure de la rivière il lui fallait affronter un danger imprévu. Au passage d'une cascade relativement modeste, qu'il aurait dû descendre facilement, il était si fatigué ou si insouciant qu'il se laissa tomber contre un rocher au milieu du courant, puis rebondit au milieu d'éclaboussures maladroites, au pied de la cascade. Là, à l'affût de ce genre de mésaventure, rôdait un groupe de truites voraces de l'espèce Dolly Varton, toutes plus grosses que les smolts. Comme des flèches, elles se jetèrent sur les smolts étourdis par la chute et en dévorèrent un nombre surprenant ; Nerka, totalement désorienté à la suite de sa rencontre violente avec le rocher, semblait une proie facile, condamnée à disparaître avant même d'avoir atteint l'eau salée qui l'attirait.

Il avait déjà prouvé sa détermination. Son cerveau demeurait confus mais il esquiva d'instinct la première attaque de la truite, puis se glissa au milieu d'herbes protectrices où le poisson plus gros ne pourrait pas le déloger. La truite affamée n'insista pas.

Des quatre mille saumons nés dans le même groupe d'œufs que Nerka au lac des Pléiades en 1901, combien survivaient encore ? Combien terminèrent la descente du torrent pour accomplir leur destin dans l'océan ? La destruction constante atteignait un taux si effrayant que trois mille neuf cent soixante-huit avaient péri. Seuls trente-deux restaient en vie pour l'aventure océanique. Et c'était sur cette pitoyable minorité que se fonderait la grande industrie du saumon en Alaska. Nerka et les autres poissons tenaces, prudents et particulièrement doués pour la survie, assureraient les bénéfices énormes des conserveries comme celle de Totem sur le fjord de Taku.

Enfin, un beau matin, après avoir évité un héron au long bec et des harles plongeurs, il parvint au moment le plus critique de sa vie : ce poisson d'eau douce allait plonger dans les eaux saturées de sel de la mer, non pas centimètre par centimètre ou lentement sur une période de plusieurs semaines, mais d'un seul coup de queue et en activant ses nageoires. Certes, le passage de l'eau du lac à celle de la mer se produisit par degrés, mais malgré tout, le « bond » de l'eau parfaitement douce à l'eau parfaitement marine représentait une cassure totale. Comme si l'on disait à un être humain ayant vécu jusque-là dans l'oxygène bénéfique : « Dans une semaine, vous passerez au méthane. » Aucun homme ne pourrait survivre s'il ne parvenait pas à modifier son métabolisme et sa structure physiologique pour franchir ce « saut quantique ». C'est ce que fit Nerka.

Même ainsi, quand il entra dans le nouveau milieu, ce fut presque un choc mortel. Pendant plusieurs jours il tourna en tous sens, écœuré par le sel, dans un état presque comateux — confronté à un danger terrible. Dans un ciel sinistre planaient d'immenses vols de mouettes blanches et de corbeaux noirs, impatients de plonger sur les smolts à demi conscients, de les prendre dans leur bec et de les soulever dans le ciel pour les dévorer. Ces pillards hurlants faisaient des dégâts impressionnants : des milliers de futurs saumons périssaient entre leurs griffes acérées, et les survivants ne devaient leur chance qu'à un miraculeux hasard.

Nerka, lent à s'adapter à l'eau salée, se montrait particulièrement vulnérable, parce que de temps en temps il se laissait dériver sur le flanc, inerte, et devenait une proie facile pour les oiseaux plongeurs. Ce fut le hasard qui le sauva, non ses propres efforts, et après avoir failli se faire prendre, il se réanima suffisamment pour s'enfoncer vers les ténèbres qu'il aimait. Loin des prédateurs, il fit travailler ses branchies et força l'eau de mer, milieu tout nouveau, à pénétrer dans son appareil respiratoire.

Presque tout l'été, Nerka et ses compagnons traînèrent dans le fjord de Taku où ils se gavèrent des riches bancs de plancton et s'habituèrent à l'eau de mer. Ils commencèrent à grandir, leurs sens devinrent plus vifs. A leur propre surprise, ils cessèrent d'avoir peur de combattre les poissons plus gros. C'étaient maintenant des saumons, et ils descendirent progressivement vers l'embouchure du fjord tandis que leur appétit se tournait vers les seiches, les crevettes et les petits poissons qui y abondaient. Bientôt ils éprouvèrent le besoin de s'élancer au large, vers l'aventure et les eaux agitées du grand océan.

Sur les trente et un compagnons de Nerka parvenus à l'embouchure de la rivière des Pléiades, environ la moitié mourut avant d'atteindre l'océan, mais Nerka survécut. Il passa tout près du rocher du Morse, sortit du fjord de Taku et prit la direction de l'ouest.

*
**

Tandis que Nerka se dirigeait ainsi vers l'océan Pacifique, Tom Venn commettait sa première erreur grave à la Conserverie Totem. Les ouvriers chinois désignés par Ah Ting pour les nouvelles machines à redonner aux boîtes aplaties leur forme cylindrique ne faisaient pas du bon travail. Par incompétence ou mauvaise volonté, ils détraquaient le mécanisme. Tom, persuadé qu'il s'agissait de sabotage, les chassa de l'atelier où ils travaillaient et fit installer les machines dans le bâtiment des Filipinos, où quatre jeunes gens apprirent à les faire marcher.

En découvrant que l'atelier de ferblanterie, où travaillaient naguère seize Chinois, n'en employait plus un seul, Ah Ting fut saisi de rage. Son sourire habituel disparut. Il se précipita dans le bureau de Tom et exigea que les machines retournent dans le bâtiment des Chinois et que six de ses hommes, non quatre, soient affectés à la fabrication des boîtes. Tom ne pouvait pas accepter ce genre d'empiétement sur ses prérogatives de directeur. Il écouta les premières phrases de récrimination d'Ah Ting, et répondit :

— C'est moi qui décide des postes de travail. Retournez à l'atelier de nettoyage.

Au moment où Ah Ting s'éloignait, Tom eut le pressentiment que son refus cassant allait lui attirer des ennuis, et il voulut le suivre pour lui expliquer aimablement les raisons de sa décision. Mais il en fut empêché par l'arrivée d'un des Filipinos affectés à la fabrication des boîtes, et il n'eut pas l'occasion d'apaiser Ah Ting.

Il s'agissait d'une question mineure :

— Monsieur Venn, comment faisons-nous parvenir les boîtes terminées à la chaîne de mise en conserve ?

Ah Ting n'aurait jamais permis à l'un de ses hommes de poser une question si ridicule; il aurait conçu trois ou quatre méthodes de transport, les aurait essayées tour à tour, puis aurait signalé la meilleure à M. Venn. Mais les Filipinos doivent apprendre, se dit Tom, et quand le problème fut résolu exactement comme Ah Ting l'aurait décidé, il retourna dans son bureau. À peine avait-il signé quelques connaissements d'expédition, qu'il entendit des cris sauvages.

Il s'élança vers les ateliers. Deux des ouvriers filipinos qui apportaient des boîtes terminées à la chaîne s'étaient introduits sur ce qui avait toujours été le territoire des Chinois. Les hommes d'Ah Ting les avaient attaqués avec leurs couteaux.

Les Filipinos, deux hommes capables qui avaient eu souvent maille à partir avec des Chinois dans leur pays d'origine où les deux races vivaient dans une semi-hostilité toujours prête à exploser, n'avaient aucune intention de passer sous la coupe de ces Chinois-là. Saisissant tout ce qui leur tomba sous la main, notamment un gros marteau, les deux hommes tinrent leurs agresseurs en respect et appelèrent des renforts en tagalog. Moins d'une minute plus tard une douzaine de Filipinos s'élançaient dans le bâtiment.

Pour les Chinois qui considéraient leur lieu de travail comme inviolable, c'était inadmissible. Quand Tom Venn arriva, les hommes sautaient sur les tables, projetaient leurs adversaires contre les murs et brandissaient leurs couteaux très près des gorges des autres. Sans considérer le danger auquel il s'exposait, il saisit Ah Ting par le bras et cria :

— Il faut arrêter tout ça !

Au bout d'un moment, grâce à l'efficacité du contremaître chinois, il calma les hurlements et réduisit la bagarre à des menaces méprisantes. Par bonheur aucun homme des deux camps ne pouvait comprendre les insultes les plus basses que lui lançait l'adversaire, et les Filipinos retournèrent dans leur domaine, persuadés d'avoir remporté une victoire.

Ce n'était pas le cas : au cours d'une réunion très calme entre Venn, Ah Ting et le chef des Filipinos — comme beaucoup d'habitants de Manille, cet homme raisonnable parlait l'anglais et le chinois —, on mit au point une trêve : les Filipinos continueraient de fabriquer les boîtes mais abandonneraient leur transport jusqu'à la chaîne aux Chinois exclus de l'atelier de ferblanterie. Ah Ting récupéra ainsi les quatre emplois qu'il avait perdus, et quand Tom le revit, son grand sourire plein de dents était revenu.

Mais l'armistice fut de courte durée, parce que les Filipinos qui travaillaient sur les deux machines les enrayèrent l'une après l'autre. Personne de leur atelier n'était en mesure de les réparer. On fit appel à Tom. Il s'attaqua, confiant, aux machines abîmées mais ne s'avéra pas à la hauteur de la tâche. Il dut faire appel à Ah Ting, bricoleur invétéré, pour le sauver et permettre à la conserverie de continuer de tourner.

Avec un air insolent qui semblait dire à Venn et aux Filipinos : « Vous êtes incapables de faire marcher quoi que ce soit sans mon aide », ce maître des machines et des hommes se mit à l'œuvre. En deux minutes il découvrit ce qu'il fallait faire, un quart d'heure plus tard les machines fonctionnaient comme si elles étaient neuves. En fait elles tournaient mieux que dans leur état original, car il avait corrigé une faiblesse dans leur conception.

Malheureusement, quand il eut terminé il dit en chinois, oubliant que le chef des Filipinos comprenait cette langue :

— Maintenant, même ces idiots de Filipinos peuvent faire marcher les machines sans les détraquer.

Quand le contremaître filipino traduisit ces paroles à ses camarades, quatre d'entre eux se jetèrent sur Ah Ting, qui se défendit avec ses outils ; mais si Tom Venn ne s'était pas élancé à son secours, le Chinois se serait écroulé sous l'assaut. Ce soir-là Tom rédigea une lettre à M. Ross, à Seattle.

J'ai donc décidé une fois pour toutes que nous ne pouvons plus continuer de travailler avec ces impossibles Chinois. Je les congédierais demain, s'il existait un moyen de faire fonctionner la conserverie sans eux. Comment avancent les travaux sur le chinois-de-fer ? Pouvons-nous compter sur lui l'an prochain ? Je l'espère de tout cœur.

Quand Ross reçut ces questions, il se précipita au laboratoire du Dr Whitman, et ce dernier fit venir son collègue le Pr Starling qui avait installé le piège efficace à la Conserverie Totem. Ils examinèrent le dernier prototype de leur chinois-de-fer et Ross demanda :

— Pouvons-nous prendre le risque l'année prochaine ?

Les deux hommes considéraient que les anciennes difficultés étaient éliminées.

— La machine fonctionne, déclara le Dr Whitman d'un ton qui n'admettait aucun doute.

— J'aimerais m'en assurer de mes yeux, dit Ross.

On apporta une caisse de poissons d'à peu près la taille des saumons, et quand le volant mit en branle les diverses courroies de cuir qui déplaçaient les couteaux, Whitman commença à alimenter le mécanisme en poissons, petits et gros ; les premiers couteaux coupèrent sans la moindre erreur les têtes et les queues ; l'appareil qui mesurait le corps du poisson se plaça sans défaut et permit au troisième couteau d'éventrer le poisson convenablement.

— Merveilleux ! s'écria Ross.

Il écarta Whitman et se mit à alimenter la machine en poissons de tailles inégales. Pendant plusieurs minutes le chinois-de-fer ne commit pas la moindre erreur.

— Quand pouvons-nous avoir ceci en Alaska ?

Le Dr Whitman esquiva la question.

— Voyez comment elle se présente pour l'instant. Deux fois moins de pièces mobiles qu'au début. Deux fois moins de risques de panne. Et tous les éléments utilisés sont d'une résistance extrême.

Avec un petit marteau, il tapa sur les pièces clés pour montrer qu'elles supporteraient les mauvais traitements que leur imposeraient les ouvriers non expérimentés.

— Excellent. Tout est pour le mieux, lança Ross, impatient. Mais quand pourrons-nous les utiliser ?

— Je crois que nous devrions mettre ce prototype en place tout de suite, répondit le Pr Starling. Pour voir s'il fonctionnera en Alaska — j'en suis certain quant à moi. Nous effectuerons d'éventuelles modifications en octobre, et toute votre conserverie pourra être équipée par ces machines le 1er avril de l'an prochain.

— D'accord ! répondit Ross. De combien de machines croyez-vous que nous aurons besoin à Totem ?

Starling, qui connaissait bien la conserverie, répondit aussitôt :

— Six suffiront pour l'installation telle qu'elle est.

— Mettez celle-ci au point tout de suite et j'en veux huit autres. Nous allons agrandir Totem.

En juillet, le vapeur R & R *Reine du Nord* accosta dans le fjord de Taku avec trois longues caisses mystérieuses que l'on apporta dans un nouvel atelier construit à la hâte pour loger la machine miracle. Tom s'abstint de signaler à Ah Ting ce que ferait le nouveau matériel. On déballa les pièces derrière les fenêtres barricadées avec des planches pour éviter tout espionnage, mais Ah Ting résolut de découvrir le mystère, et ce qu'il vit le troubla. Il regarda furtivement toutes les pièces de la nouvelle machine, en déduisit leurs rôles et comprit comment l'ensemble marcherait. Un soir, quand la machine fut entièrement assemblée, il se glissa dans le nouvel atelier et passa en revue chaque étape du procédé, en s'éclairant avec des allumettes volées dans les cuisines. À la fin de son inspection, il comprenait le fonctionnement presque aussi bien que ses inventeurs.

Et dans le noir, toutes ses allumettes flambées, il comprit la raison du secret de Tom : plus de Chinois. Les boîtes étaient passées aux Filipinos. Bientôt le saumon serait nettoyé par cette maudite invention. Il réfléchit à la situation de plus en plus triste pendant quelques minutes douloureuses, puis exprima la conclusion qui le touchait le plus :

— Bientôt, plus d'Ah Ting.

Le lendemain matin, des Chinois agités se précipitèrent dans le bureau de Tom Venn en faisant de grands gestes, qu'il interpréta aussitôt : de graves ennuis dans leur atelier. Supposant qu'il s'agissait d'une nouvelle bagarre entre Chinois et Filipinos, il s'empara d'un gros bout de bois de la taille d'une batte de base-ball et s'élança vers le hangar du nettoyage. Personne ne travaillait, et il apprit la cause de l'émotion.

Ah Ting avait disparu. Ses hommes assuraient qu'il n'avait pas passé la nuit précédente dans le dortoir des Chinois. La fouille complète de la conserverie, devenue immense, ne révéla aucune trace. Le bruit courait depuis le milieu de la nuit que des Filipinos l'avaient assassiné.

Tom refusa d'accepter cette accusation. Il fit venir l'autre Chinois qui parlait anglais et l'avertit :

— Dites à vos hommes de ne plus répandre ces ragots. Nous aurions une émeute sur les bras. Ah Ting doit se trouver quelque part.

Il se précipita vers le local des Filipinos et s'assura très vite qu'aucune agression n'avait été montée contre Ah Ting. Il aimait bien les Filipinos et voyait pour eux des possibilités rassurantes quand n'existerait plus le facteur de troubles que représentaient les Chinois. Il ordonna à leurs chefs :

— Cessez le travail pour la journée. Et qu'aucun d'entre vous ne s'approche des locaux chinois.

Puis il concentra son attention sur Ah Ting. Mais plus les recherches avancèrent, plus Tom se sentit frustré. Cet homme ne se trouvait pas sur les terres de la conserverie, et, s'il avait été assassiné, Tom supposa que son cadavre avait sans doute été jeté, dûment lesté, au fond du fjord de Taku où il demeurerait à jamais. À trois heures de l'après-midi, il ordonna à tout le monde de prendre le travail, mais mit en place deux gardes blancs pour maintenir séparés les deux groupes d'Asiatiques. Ah Ting avait disparu et il était inutile de spéculer plus longtemps sur ce qui lui était arrivé. Venn s'occupa lui-même des Chinois et, la nuit venue, après avoir essayé en vain de calmer les disputes incessantes qui éclataient parmi ce personnel, il se rendit dans le nouvel atelier, inspecta la machine miracle et murmura :

— Le jour où nous nous débarrasserons d'eux sera le bienvenu.

Il se coucha persuadé que l'année 1905 serait bien meilleure que 1904.

Quand Ah Ting eut déchiffré le mystère de la nouvelle machine et compris qu'elle annonçait que ses jours à la Conserverie Totem étaient comptés, il réfléchit pendant un quart d'heure à ce qu'il allait faire et sa décision définitive fut une solution qu'il n'avait jamais envisagée : « Je veux rester ici. » Il aimait l'Alaska, respectait les hommes qu'il y avait rencontrés, comme Tom Venn, et tenait en haute estime les quelques Indiens qu'il avait côtoyés dans les environs de la conserverie. Plus important encore, il détestait la perspective d'un retour en Chine et gardait de San Francisco un souvenir lamentable.

Sur l'impulsion du moment il adopta la solution que choisissent souvent les hommes résolus en face d'une situation jugée intolérable : il décida de partir seul et de tenter sa chance dans une nouvelle vie, meilleure que ses expériences du passé et du présent. Outre son courage, de premier ordre, il avait plusieurs certitudes : « Personne, même pas M. Venn, ne connaît mieux que moi les machines. Personne ne peut travailler plus dur. Et je me demande s'il y a beaucoup de gens prêts à prendre autant de risques que moi pour quitter la Chine et déjouer tous les assassins de San Francisco. Si un homme peut réussir ici, c'est bien moi. »

Il sortit donc sans bruit du nouvel atelier exactement comme il y était entré — en soulevant une lame du plancher — et il abandonna ses maigres affaires dans le dortoir. Avec seulement les vêtements qu'il portait, il s'en fut d'un pas tranquille dans le noir vers l'embouchure de la rivière des Pléiades, à l'endroit où le torrent s'élargissait pour se jeter dans le fjord de Taku. Il sortit des terres de la conserverie, et se trouva à l'abri d'éventuelles recherches. Il ne se sentait coupable d'aucun délit, mais tous les Chinois savaient qu'aucun Asiatique ne pouvait résider en permanence dans les frontières de l'Alaska : « Vous devez tous repartir à Seattle, sinon vous serez arrêtés. »

Mais il avait accumulé beaucoup de sagesse au cours de son séjour en Amérique. Où qu'il aille, il pourrait gagner sa vie en réparant des choses. Il se jugeait compétent en tant que menuisier, plombier et maçon et il savait que ces gens sont toujours les bienvenus, en dépit de ce que prétendent les lois. Surtout il était prêt, comme toujours, à tenter la chance.

Il avait entendu parler de Juneau à plusieurs reprises, et d'après ce que les gens qui y habitaient en disaient, ce devait être un endroit agréable, justement le genre de communauté en croissance qui offrirait du travail à un homme possédant ses talents. Mais il ignorait comment s'y rendre. À plusieurs reprises il avait posé des questions voilées, mais les contremaîtres blancs répondaient toujours : « Nous venons par bateau. » Ah Ting n'en avait pas. Il savait aussi que Juneau se trouvait de l'autre côté des deux glaciers qu'il connaissait bien. Il avait vu celui du Morse trois fois, quand le bateau qui l'amenait de Seattle avait ralenti à la hauteur du rocher du Morse pour donner quelques coups de sirène dans l'espoir qu'un iceberg se brise sous l'effet de la résonance — cela ne s'était jamais produit. Bien entendu, il avait vu le glacier des Pléiades presque chaque jour depuis son arrivée à Totem. C'étaient des barrières de glace redoutables, et il savait qu'au-dessus d'elles les champs de glace s'étendaient sur des kilomètres. Il n'avait donc aucun désir de confier sa vie à un terrain aussi dangereux.

Trois ou quatre fois pendant son travail à Totem, il avait vu un Indien d'un certain âge et appris qu'il s'agissait d'un Tlingit portant le nom bizarre de Grande-Oreille. Avec sa soif insatiable de réunir des renseignements susceptibles de lui servir plus tard, il avait remarqué que Grande-Oreille n'appréciait pas tellement la présence de la conserverie à côté de chez lui.

Mais où habitait-il ? Toujours aux aguets, Ah Ting avait découvert que sa cabane se trouvait sur le promontoire au nord de la pointe basse occupée par la conserverie. Dans le noir, sans aucun ami à qui se fier, il décida que, s'il pouvait retrouver ce Grande-Oreille, celui-ci lui indiquerait un moyen de gagner Juneau.

Il s'enfonça donc dans les terres jusqu'à un endroit où la rivière des Pléiades rétrécissait, puis il traversa la courte distance vers l'autre rive en marchant dans l'eau puis en nageant dans le courant. Il attendit une heure, dans la nuit tiède d'été, pour que ses vêtements sèchent plus ou moins, et se mit à descendre le long du torrent jusqu'à ce qu'il aperçoive la cabane de l'Indien. Il entrevit de la lumière par la fenêtre, respira à fond deux ou trois fois, rassembla son énergie et frappa à la porte.

Sam Grande-Oreille, l'homme qu'il avait vu à la conserverie, ne vint pas lui ouvrir : il était à Juneau. Mais sa fille apparut et ne trahit aucune surprise en découvrant un Chinois sur le seuil de sa cabane.

— Bonsoir ! Des ennuis à la conserverie ?

Il comprit la question et ce qu'elle impliquait, et il sentit que tout son avenir se jouerait sur ce qu'il dirait ensuite.

— J'essaie de me rendre à Juneau.

— C'est la conserverie qui vous y envoie ? Pourquoi ne vous a-t-on pas donné un bateau ?

— Je me suis enfui. Je ne veux plus travailler là-bas.

Nancy Grande-Oreille, désolée elle aussi par l'installation de l'usine de l'autre côté de l'estuaire, comprit la situation difficile d'Ah Ting.

— Entrez, dit-elle. Maman, un homme est venu te voir.

Mme Grande-Oreille sortit de la pièce voisine et s'avança d'un pas calme. Comme sa fille elle n'exprima aucune surprise à la vue du Chinois.

— Son pantalon est mouillé, dit-elle en tlingit. Demande-lui s'il désire du thé...

Ce fut ainsi qu'Ah Ting fit la connaissance de la famille Grande-Oreille, auprès de laquelle il resta caché trois jours, jusqu'au retour de Sam. En apprenant toute l'histoire, que Nancy s'était fait raconter en détail, Sam accueillit le Chinois de grand cœur, lui promit de lui trouver un moyen de gagner Juneau, et lui apprit que l'on avait besoin de bons ouvriers du bâtiment sur au moins vingt chantiers de construction ou de réparations dans la jeune capitale.

Le jour suivant, Sam Grande-Oreille avoua franchement à Ah Ting :

— Je n'ai jamais aimé les Chinois en Alaska. C'est une bonne chose qu'ils s'en aillent.

— Je travaille dur, répondit Ah Ting.

— Très important, à Juneau, dit Sam.

Dans l'après-midi, il emmena le Chinois à la pêche vers le fond du Taku, loin en amont, et ce fut pendant leur absence que Tom Venn traversa l'estuaire à la rame pour demander à la famille Grande-Oreille s'ils n'avaient pas aperçu son Chinois disparu.

— Il n'a rien fait de mal, expliqua-t-il à Nancy, qu'il avait rarement revue depuis leur promenade romantique. Mais nous avons besoin de lui à la conserverie. Il maintient l'ordre parmi les Chinois.

Sans mentir vraiment, Nancy lui répondit que ni elle ni sa mère n'avaient entendu parler d'un mystérieux fugitif. Et en esquivant ainsi les questions de Venn, elle se dit : « Si Ah Ting veut échapper à cette prison, là-bas, je l'aiderai. » Elle ne révéla rien à Tom.

Comme il s'était donné la peine de traverser l'estuaire et n'avait pas vu Nancy depuis plusieurs mois, Tom s'attarda et accepta le thé de

Mme Grande-Oreille. Il s'intéressait toujours à l'avenir de Nancy et lui demanda :

— Es-tu encore à l'école de Juneau ?

— En vacances.

— Tu apprends quelque chose ?

— Deux bons professeurs, quatre mauvais.

— Les bons professeurs sont des hommes, je suppose.

— Ce sont tous des femmes. Le principal est un homme. Un vrai zozo.

— Et qu'est-ce que cela signifie ?

— Tu ne lui ferais même pas balayer la neige devant ton magasin.

— Ce n'est plus mon magasin. M. Ross va me demander de lancer d'autres conserveries.

— Partout ?

— Dès qu'il obtiendra les autorisations du gouvernement.

— Et tu vas voler les rivières ? Comme ici ?

— Nous vendrons un million de boîtes de saumon. Tout le monde s'enrichira.

Elle tendit le bras dans la direction de la Conserverie Totem.

— Personne ici n'est devenu riche à cause de celle-ci. Tu t'es débarrassé de tous les pêcheurs. Maintenant je suppose que tu vas chasser aussi tous les Chinois.

— Qui t'a dit ça ?

— Les gens parlent. À Juneau, tout se sait très vite. Les deux professeurs d'université qui sont venus ici il y a trois semaines... Ils avaient des dessins d'une nouvelle machine. Que va-t-elle faire, cette machine ?

— Où l'as-tu appris ?

— La femme qui travaille à l'hôtel. Elle a vu les dessins. Elle a compris qu'il s'agissait d'une machine.

Nancy, s'avisant que la situation serait gênante et peut-être même dangereuse si Tom Venn se trouvait encore dans la cabane quand son père ramènerait Ah Ting, lui lança tout à trac :

— Je suppose que tu dois retourner à ton travail.

— Oui, je m'en vais.

Mais tandis qu'il se dirigeait vers le bateau et le rameur qui l'attendaient, il se jugea insatisfait de la tournure prise par cette visite. Il revint sur ses pas. Nancy apparut à la porte et lui demanda de l'accompagner près du totem.

— Qu'y a-t-il Nancy ? Ai-je fait une chose qui t'a offensée ?

Il posait ces questions avec une telle franchise qu'elle eut honte de l'avoir traité de façon si brusque.

— Je croyais que la dernière fois il était entendu que nous suivrions chacun notre chemin. C'est mieux.

— Mais cela ne signifie pas que nous ne pouvons pas être amis. J'admire ton père. Je t'admire.

Et Nancy eut envie qu'il reste, même si Ah Ting devait le rencontrer. Pendant un instant, elle s'appuya au totem, comme si elle en faisait partie, et son visage rond et doux, ses yeux noirs, firent d'elle une image authentique de l'Alaska.

— Tu vas devenir une très belle femme, Nancy, dit-il.

— Tu as rencontré beaucoup de belles femmes l'hiver dernier, à Seattle ?

— Une. L'épouse de M. Ross. Elle est très spéciale.

— En quel sens ?
— Elle est comme toi. Naturelle en tout ce qu'elle fait. Directe. Elle rit également comme toi.
Il ne jugea pas nécessaire de révéler qu'il avait rencontré en outre la fille de M. Ross, aussi séduisante. Et Nancy eut de plus en plus envie qu'il reste.
— À quoi ça ressemble, Seattle ?
— Deux vastes plans d'eau se rencontrent. Beaucoup d'îles, de lacs, de petits cours d'eau. Une ville vraiment belle.
— Travailleras-tu bientôt à Seattle ?
— Pourquoi me demandes-tu ça ?
Il s'appuya au totem à son tour.
— Parce que ton regard s'éclaire chaque fois que tu parles de cette ville.
— J'ai beaucoup de travail à faire ici.
Comme il la regardait droit dans les yeux, il ne put manquer de voir son expression soudaine de stupéfaction ; et quand il se retourna pour voir ce qui l'avait alarmée, il découvrit Sam Grande-Oreille et Ah Ting qui se dirigeaient vers lui.
— Salut ! lança Sam comme si de rien n'était. Tu connais Ah Ting, Tom. Je vais le conduire à Juneau demain.
Tom resta sans voix. Une bonne demi-douzaine de surprises lui tombaient dessus au même instant. Mais il essaya d'éviter un affrontement avec Ah Ting, Sam ou Nancy (qui lui avait menti de manière si éhontée). Il avala sa salive et demanda :
— Que fera-t-il à Juneau ?
— Tu t'en doutes, répondit Sam. Comme moi. Les villes ont besoin d'hommes qui réparent les choses.
— Il s'y entend très bien, dit Tom d'une voix faible. Mais un Chinois n'a pas le droit de rester en Alaska, je suis sûr qu'il le sait.
— Il ne sera pas « un Chinois », répondit Sam. Il sera l'ouvrier dont tout le monde a besoin.
Il regarda avec admiration cet Asiatique courageux, puis se mit à rire :
— Je lui ai dit que s'il coupait cette maudite queue de cochon, personne ne le remarquerait. Mais il m'a montré qu'il pouvait la remonter et la nouer sous un chapeau.
— Pourquoi ne pas la couper ? demanda Nancy, soulagée que Tom n'ait pas fait une scène.
— Elle fait partie de lui-même, répondit Sam. Comme ces mèches font partie de toi.
Il lui ébouriffa les cheveux et demanda :
— Pourquoi ne coupes-tu pas tes mèches ?
— Tous les bons Tlingits ont des mèches comme ça. Toi le premier...
Tom se tourna vers son contremaître chinois.
— Vous allez donc à Juneau ?
Ah Ting hocha la tête. Tom lui tendit la main et ajouta :
— Je vous souhaite bonne chance... Et si vous n'avez pas de chance, revenez. Nous aurons toujours besoin de vous à la conserverie.
Mais à la façon dont Ah Ting le regarda avec ses yeux qui souriaient et ses lèvres pincées en une moue sardonique, Venn comprit que pour l'un comme pour l'autre la dernière phrase sonnait creux.
Suivant son impulsion, Tom saisit la main droite de cet homme très difficile.

— Je vous souhaite vraiment bonne chance, Ah Ting.

Sans un regard pour Nancy, il descendit d'un pas vif vers sa barque

***

Sam Grande-Oreille ne se contenta pas d'accompagner son visiteur chinois à Juneau vers la fin juillet 1904, il le présenta à trois Blancs qui avaient chacun un chantier de construction en train.

— Ce Chinois-là est bon ouvrier. Il a évité beaucoup d'ennuis à la conserverie du fjord de Taku.

Avant la fin de la semaine, il avait trouvé à Ah Ting un logement chez une veuve qui prenait des pensionnaires et qui réclamait le loyer seulement quand ceux-ci touchaient leur salaire. Elle n'eut pas longtemps à attendre car les compétences d'Ah Ting furent nécessaires sur plusieurs chantiers, et au bout de quatre semaines ici et là, les ouvriers lancèrent un jeu qui se poursuivrait à Juneau aussi longtemps qu'il y séjournerait.

Un de ces rudes gars lançait soudain :

— Nom de Dieu ! Tu sais que nous n'autorisons aucun Chinetoque à vivre ici, hein ?

D'un revers de main joyeux, il faisait tomber le chapeau qu'Ah Ting portait toujours, à l'intérieur comme à l'extérieur ; la queue de cochon enroulée tombait dans son dos. Aussitôt un autre homme la saisissait, sans tirer ni faire le moindre mal, puis faisait semblant de traîner le Chinois à la porte. Ah Ting ne protestait jamais. À la fin du jeu, on lui rendait son chapeau, il montrait aux hommes comment il enroulait ses cheveux, et il s'asseyait au milieu d'eux pour partager leur nourriture. Il ne buvait jamais, mais appréciait n'importe quel jeu de cartes. Plus intelligent et plus rapide d'esprit que la plupart des hommes avec qui il travaillait, il gagnait presque toujours. Les autres aimaient bien jouer avec lui, parce que dans les moments de tension, quand une grosse somme dépendait d'une seule carte, il se mettait à prier en chinois. Et s'il gagnait, il sautait de joie. Mais Ah Ting était un homme raisonnable, et quand il s'aperçut qu'il pouvait gagner tout ce qu'il voulait ou presque, il évita de le faire. Il désirait gagner juste assez pour ne rien perdre, jamais des sommes qui susciteraient l'envie.

Tandis qu'Ah Ting s'installait à Juneau, seul Chinois qui parvint à rester en Alaska, Tom Venn traversait de nouveau l'estuaire des Pléiades pour rendre visite à la famille Grande-Oreille. Peu lui importait qui il trouverait au logis car il prenait un plaisir égal à bavarder avec tous, même Mme Grande-Oreille. Elle était très drôle, car elle avait tendance à mimer avec beaucoup d'humour les folies des autres. Elle racontait à Tom des légendes des Tlingits et l'histoire de tel grand bonhomme ou de telle femme prétentieuse à qui il arrivait des mésaventures. Elle prononçait des mots que Tom Venn ne pouvait pas comprendre mais il s'aperçut qu'il interprétait facilement ses gestes pleins d'imagination ; ils riaient beaucoup ensemble.

Son mari préférait parler de politique ou d'affaires, et ses observations sur les efforts maladroits des nouveaux fonctionnaires officiels de Juneau ne manquaient pas de fond. Il estimait que l'Alaska commettait une erreur en déplaçant sa capitale de Sitka à Juneau, mais quand Tom voulut lui demander pourquoi, Nancy intervint :

— C'est seulement parce que le premier des Grande-Oreille vivait à Sitka. Juneau est bien mieux.

Tom préférait cependant rencontrer Nancy. Elle était devenue plus adulte à bien des égards, surtout par sa capacité à percer à jour le comportement des Blancs.

— Ils veulent voler tout l'Alaska, mais en s'assurant qu'ils ont la bénédiction de Dieu pour le faire.

— Que veux-tu dire ?

— Les paroles du principal aux assemblées de l'école, et celles du prêtre à l'église ne concordent pas souvent avec les actes des gens.

— Voler l'Alaska ? Que veux-tu dire ?

Elle lui apprit que Marvin Hoxey était revenu en ville, avec des papiers du gouvernement qui concédaient à Ross & Raglan cinq autres rivières.

Dès que Tom entendit ces mots son intérêt ne se porta pas sur les machinations d'Hoxey, qu'il méprisait, mais sur les sites qu'il se proposait d'obtenir pour R & R.

— À quelles rivières songe-t-il ? Tu as entendu les noms précis ?

— Quelle importance ? Il va les voler, c'est tout.

— Mais c'est très important pour moi. Je dois construire les nouvelles conserveries, et j'aimerais savoir où je vais travailler.

Nancy ne parvenait pas à comprendre comment Tom pouvait mépriser à ce point un homme comme Hoxey et se laisser impliquer dans les mauvaises actions que celui-ci commettait.

— Il ne me plaît pas, Tom. Et je m'étonne que tu le laisses faire des affaires pour toi.

Tom, très concerné par ses postes futurs — comme si un coin solitaire et sinistre où installer une conserverie pouvait valoir mieux qu'un autre ! —, réquisitionna une des petites barques de Totem et deux ouvriers pour le conduire à Juneau. Il s'enquit de l'hôtel où Hoxey était descendu et, à la manière d'un marchand essayant de vendre au grand homme un coupon de tissu pour un costume neuf, il sollicita une entrevue.

Hoxey, qui se rappelait fort bien ce jeune homme capable de Nome et des bureaux R & R de Seattle, le reçut aimablement et déroula ses cartes pour lui indiquer les cinq sites qu'il avait achetés.

— Je croyais qu'il devait y en avoir six, dit Tom.

— Oui. Mais une nouvelle compagnie, George T. Myers, nous a coiffés pour le meilleur de tous, à Sitkoh Bay. Nous en avons donc cinq.

De son index impeccablement manucuré, il montra les endroits reculés et désolés où l'on allait bientôt construire des installations énormes exigeant des milliers de charpentiers. Des millions de boîtes de saumon partiraient de là vers toutes les régions du monde.

— Il n'a jamais rien existé de pareil ! s'écria Hoxey avec un enthousiasme sincère. Jusqu'ici... Prenez l'exemple de l'industrie du coton en Nouvelle-Angleterre : on construisait l'usine près d'une ville, ou même en plein milieu. Mais regardez nos cinq sites ! Pas une agglomération, même insignifiante, à moins de quatre-vingts ou cent vingt kilomètres. Des usines dans le désert, et le saumon obéissant va se jeter droit dans la gueule du loup.

Tom évoqua les rumeurs qui parlaient de nouvelles lois interdisant la mise en place de grands pièges en travers des cours d'eau, en réduisant les dimensions des entonnoirs. Hoxey le rassura.

— Mon travail, c'est de veiller à ce que personne ne vous empêche de faire le vôtre.

— Aucun besoin de ce genre de lois, dit Tom. Vous devriez voir les quantités de saumons qui passent librement pendant les week-ends.

— Il existe toujours des gens désireux d'entraver la marche du progrès..., lança Hoxey avec un geste large. La nouvelle machine, le chinois-de-fer, va-t-elle tenir ses promesses ? demanda-t-il.

Pendant les minutes suivantes, Tom lui raconta ses mésaventures avec Ah Ting.

— Si le chinois-de-fer parvient ne serait-ce qu'à nous débarrasser des Chinois, il vaut son pesant d'efforts.

À son retour à la conserverie, Tom se faisait une idée assez juste de ce que serait sa vie pendant les années suivantes. Il continuait de rêver de Seattle mais la vie sur la Frontière n'était pas faite pour lui déplaire ; les obstacles seraient immenses et les satisfactions à la mesure de ses efforts. En outre, il aimait organiser des hommes et du matériel pour une opération importante dans des lieux improbables, et l'immensité vide de l'Alaska l'attirait. Mais, comme tout jeune homme normal, il se demanda comment il allait trouver une femme et voulut savoir comment les autres directeurs des conserveries du sud-est de l'Alaska avaient résolu ce problème.

Un Blanc qui avait travaillé sur plusieurs sites lui apprit :

— Le directeur n'est obligé de rester sur place que quatre ou cinq mois par an, pendant la saison du saumon. Il se trouve dans la situation d'un marin. Il peut avoir une excellente vie conjugale les sept ou huit autres mois.

Un autre homme lui apprit que deux directeurs de sa connaissance avaient fait venir leurs épouses dans de petites maisons privées voisines de l'usine.

— Ils ont amené aussi leurs gosses, et tous ont pris du bon temps.

Sans révéler de projets précis, Tom répondit aux deux hommes :

— Je crois que je préférerais que ma femme vive à la conserverie.

— Vous ne m'avez pas posé la question, le prévint le premier homme. Mais j'ai vu un type de Ketchikan essayer ça une fois. Un désastre. A la fin de la saison, elle a filé avec le mécanicien qui s'occupait des chaudières.

Mais quelles que fussent ses intentions profondes, Tom traversait de plus en plus souvent l'estuaire pendant ses heures de liberté pour rendre visite à Grande-Oreille, et il acheta un canoë qu'il apprit à manœuvrer avec une telle aisance qu'un jour Sam lui lança, en l'accueillant sur sa plage :

— Tu le manœuvres comme un Tlingit.

— Est-ce bien ?

— Ce qui se fait de mieux en Alaska. As-tu déjà vu un de nos grands canoës ?

Tom n'en avait vu que des petits, au cours du potlatch, mais quelques jours plus tard l'occasion se présenta. Des dizaines d'Indiens se rassemblèrent chez Grande-Oreille et le samedi après-midi, quand le piège fut relevé pour le week-end, deux équipages de Tlingits, chacun avec un très long canoë de bois creusé à la main et pouvant contenir seize hommes assis sur des planches posées en travers, se livrèrent à une série de courses dans le fjord de Taku à partir de l'embouchure de la rivière des Pléiades ; ils descendaient jusqu'au rocher du Morse, en faisaient le tour puis remontaient à la ligne de départ. Dès que les Chinois comprirent ce qui se passait ils engagèrent de très gros paris :

les uns sur le canoë s'ornant d'une étoile rouge clair, les autres sur celui qui avait un aigle en figure de proue.

L'allure des Indiens surprit Tom : avec leur peau plus sombre que Sam Grande-Oreille ou sa fille, ils étaient de plus petite taille. Ils avaient en revanche de larges poitrines et des bras puissants. Leur costume leur conférait un air de fête : grosses chaussures, pantalon de laine sombre assez épais, chemises blanches achetées dans des magasins et boutonnées jusqu'au cou, sans cravate. Mais quand Sam Grande-Oreille tira un coup de revolver pour lancer la course, les Tlingits perdirent leur air compassé, enfoncèrent leurs rames dans l'eau et poussèrent vers l'arrière avec une violence soudaine.

Tom, debout à côté de Nancy, n'en crut pas ses oreilles quand Sam lui apprit :

— Tu vois les deux hommes à l'arrière du canoë-aigle ? Ils sont allés de Seattle à Juneau dans un tout petit canoë. En pleine mer, au milieu de rochers qu'ils ne pouvaient pas voir.

À la fin des courses — après chaque arrivée l'on répartissait différemment les rameurs pour rendre les paris plus intéressants — Tom resta à la cabane de Grande-Oreille et fit la connaissance des rameurs, à l'ombre du totem. Très peu parlaient anglais.

— Tous le comprennent, expliqua Sam. Mais ils sont timides avec les Blancs.

À mesure que la soirée avançait, plusieurs d'entre eux se montrèrent fort volubiles. En apprenant que Tom était associé à la conserverie, ils voulurent savoir pourquoi Totem avait décidé d'adopter le piège à la place de pêcheurs comme eux. Et tandis que Tom commençait à donner des explications apaisantes, il s'aperçut que parmi ces hommes, onze avaient pêché pour la conserverie, puis s'étaient trouvés éliminés par le barrage.

— Vous venez de Seattle. Vous prenez nos saumons. Vous ne nous laissez rien.

— Mais tout l'Alaska profitera des conserveries, protesta Tom.

En entendant cette phrase creuse, Nancy éclata de rire et les hommes se joignirent à elle.

Ce soir-là, pris par l'ambiance des régates et la bonne humeur du pique-nique, Tom s'attarda au milieu des Tlingits et, pour la première fois depuis son arrivée en Alaska, il apprécia pleinement le charme de la vie indigène. Ces hommes lui plaisaient ; il aimait leurs manières franches, leur amour manifeste pour leur pays ; et il admirait la noblesse impassible de leurs femmes, ces épouses au visage rond et aux cheveux noirs, qui restaient à l'écart mais observaient tout jusqu'à ce qu'un des hommes formule une bêtise. Elles se jetaient alors sur l'auteur de l'ânerie et l'invectivaient en lui faisant honte — il fallait parfois qu'il s'enfuie pour éviter leurs quolibets. Se trouver au milieu d'une assemblée de fiers Tlingits n'était pas une expérience banale.

À l'heure où les visiteurs qui restaient près de la cabane de Grande-Oreille commencèrent à se coucher, Tom et Nancy descendirent vers le canoë du jeune homme, et demeurèrent quelque temps dans un rayon de la lune attardée. De l'autre côté de l'estuaire se dressaient les énormes bâtiments de la conserverie, avec deux lanternes éclairées à l'entrée. C'était la première fois que Tom prenait conscience du volume immense de cette étrange construction au milieu du désert. L'apparition en silhouette de ces nombreux bâtiments, avec la lune, à l'est, qui projetait des ombres bizarres, lui ouvrit les yeux.

— Je ne m'étais pas rendu compte que nous avions construit quelque chose de si colossal, dit-il. Pour ne servir que quatre ou cinq mois par an.

— Comme tu l'as dit, c'est une mine d'or. Sauf que tu n'extrais pas de l'or mais de l'argent.

— Que veux-tu dire ?

Mais avant qu'elle lui ait répondu, il ajouta :

— Oh oui, les écailles argentées du saumon ! Je ne les imagine jamais ainsi. Je ne vois que les précieux filets roses des « rouges ». Tels sont mes saumons.

Il eut du mal à lui dire bonne nuit, car ayant vu les femmes tlingits sous leur meilleur jour, il pouvait apprécier davantage les qualités uniques de Nancy Grande-Oreille. La beauté de son visage rond, la séduction mutine de ses mèches noires, le ton chantant de ses paroles.

— Tu es très près de la terre, n'est-ce pas ? demanda-t-il.

— Je suis la terre. Tu as vu ces hommes. Ils sont la mer.

Il savait qu'il ne devait pas le faire, mais il la prit dans ses bras et ils s'embrassèrent. Longuement. Elle le repoussa enfin.

— On m'a raconté que tu étais amoureux de la fille de M. Ross.

— Qui t'a dit ça ?

— Tout le monde sait tout. On m'a dit que tu es allé là-bas en canot pour parler avec M. Hoxey. Pour nous voler nos rivières.

Elle s'écarta et s'appuya contre un épicéa qui poussait au bord de l'eau.

— Il n'y a aucun espoir pour toi et moi, Tom. Je l'ai vu ce soir.

— Mais je t'aime ce soir plus que jamais, protesta-t-il.

Avec la lucidité effrayante que possèdent souvent des Indiennes comme elle, elle lui répondit :

— Tu nous a vus en tant qu'êtres humains pour la première fois. C'était les autres que tu as vus, pas moi.

Elle s'avança sans bruit et l'embrassa doucement sur la joue.

— Je t'aimerai toujours, Tom. Mais nous avons tous les deux beaucoup de choses à faire, et ces choses nous éloigneront l'un de l'autre.

Sur ces mots, elle repartit en sautillant vers sa maison, où son père chantait sous la lune avec trois de ses camarades.

Un maelström est un volume important d'eau de mer qui conserve ses caractéristiques particulières et son mouvement circulaire bien qu'il fasse partie intégrante du grand océan qui l'entoure. Son nom, prononcé *malstreum* avec un *eu* fermé long, vient du hollandais et se compose de *malen*, moudre et de *ström*, courant — allusion évidente au mouvement giratoire de l'eau, comme une meule ou une spirale. La façon dont un maelström peut conserver son identité au sein d'un océan tumultueux pose un problème intéressant dont les premières élucidations remontent au commencement de l'univers. De nos jours le grand courant du Japon lance ses eaux chaudes, du Japon vers les côtes de l'Alaska, du Canada et de l'Oregon, à travers les étendues septentrionales du Pacifique. Il modifie le climat de ces pays et leur apporte beaucoup de pluie. Mais ce courant, et tous les autres courants océaniques, ont été mis en mouvement par des vents planétaires engendrés par les différences de chaleur entre les diverses zones selon leur latitude respective — phénomènes provoqués par la rotation de la

Terre, mise en mouvement au moment où un nuage diffus de matière s'est coagulé pour former notre système solaire. Cela nous ramène au « big bang » originel qui a lancé notre univers dans l'existence.

Un maelström est donc un grand tourbillon qui engendre sur ses bords des tourbillons plus petits dont le mouvement augmente la viscosité, ce qui lui permet de conserver la même forme d'âge en âge. Un professeur d'océanographie, dont le nom a été oublié, offrit à ses élèves, pour les aider à saisir ce concept, le petit poème suivant :

Grands tourbillons dont des petits
Qu'alimentent sa vélocité,
Et les petits font d'autres petits
Jusqu'à l'état de viscosité.

Le Pacifique héberge de nombreux maelströms stables dont l'un des plus importants n'est autre que le tourbillon de l'Alaska qui se trouve juste au sud des îles Aléoutiennes. D'est en ouest il s'étend sur plus de deux mille milles nautiques, en variant légèrement, et du nord au sud il forme un espace marin unique, dont la température douce et la nourriture abondante constituent un appât irrésistible pour les saumons qui ont grandi en Alaska et au Canada. Ce maelström tourne dans le sens inverse des aiguilles d'une montre, et le saumon rouge comme Nerka nage invariablement dans le sens du courant, dès qu'il y pénètre. Bien entendu, les très beaux saumons venus du Japon, partis de la direction opposée, nagent dans le sens des aiguilles d'une montre, contre le courant. Ils passent donc sans cesse au milieu des saumons d'Alaska, en plus grand nombre, et constituent pendant quelques heures d'énormes agglomérations des poissons les plus précieux du monde.

Pendant deux ans, à partir de 1904, Nerka et les onze derniers survivants de son groupe de quatre mille « rouges » nagèrent dans le maelström d'Alaska en mangeant et en se faisant manger, au milieu de la chaîne alimentaire très riche du Pacifique Nord. Des baleines géantes passaient, dont les gueules caverneuses pouvaient engloutir des bancs entiers de saumons. Des phoques, qui ont une prédilection particulière pour le saumon, fonçaient dans le grand tourbillon en décimant leurs rangs. Les oiseaux attaquaient du ciel, et des eaux plus profondes montaient des grands poissons, thon, lieu et espadon, avides de saumon eux aussi. Chaque journée de Nerka était constituée par dix milles nautiques de natation avec le courant, dans un océan qui fourmillait d'ennemis, et par cette lutte perpétuelle, le saumon qui survivait devenait fort. Nerka mesurait à présent plus de soixante centimètres de long et pesait entre trois et quatre kilos. Il semblait presque adolescent comparé aux énormes saumons-rois du Pacifique ou aux membres encore plus gros de la famille Saumon vivant dans l'Atlantique, mais il s'annonçait comme un splendide spécimen de sa race.

La couleur rougeâtre de sa chair provenait en partie de son amour pour les crevettes pélagiques, qu'il dévorait en quantités énormes, bien qu'il se nourrît d'autres formes de plancton avant de passer aux calamars et aux petits poissons. Comme on peut en déduire de ces détails de son existence, il vivait vers le milieu des hiérarchies océaniques. Trop gros pour devenir la proie automatique du phoque et de l'orque, mais trop petit pour constituer un important prédateur. C'était un maître des profondeurs, impitoyable et autonome.

Au cours de ses trois ans et demi de parcours irréguliers dans le maelström de l'Alaska, Nerka allait couvrir environ dix mille milles nautiques, parfois presque seul, et à d'autres moments au milieu d'une masse énorme. Par exemple, à mi-chemin, où des « rouges » plus âgés que lui commençaient à se séparer pour retourner vers leurs torrents respectifs, une concentration importante de saumons, composée des cinq variétés de l'Alaska — *kin, chum, pink, coho* et *sockeye* (le « rouge ») — commença à se former en dérivant le long des hauts fonds de la chaîne Aléoutienne. Elle s'accrut jusqu'à environ trente millions de poissons qui nageaient tous dans le sens contraire des aiguilles d'une montre et se nourrissaient sur ce qu'ils rencontraient.

Mais un vaste troupeau de phoques sur le chemin des terrains de vêlage dans l'océan Arctique tomba au milieu de cette masse et se mit à dévorer à une cadence qui aurait exterminé un poisson moins abondant. Deux phoques femelles qui nageaient à une vitesse stupéfiante se jetèrent sur Nerka. Se sentant condamné, il plongea brusquement. Les deux phoques durent s'écarter pour éviter une collision et Nerka leur échappa ; mais de son poste d'observation au-dessous de la bagarre, il fut témoin de la dévastation opérée par les phoques. Des milliers de saumons adultes moururent au cours de ce massacre impitoyable, et les phoques sortirent du maelström au bout de deux jours pour continuer leur voyage vers le nord. Le groupe de Nerka se réduisait maintenant à neuf.

Nerka était presque un automate, car il se comportait conformément à des impulsions programmées dans son être un demi-million d'années plus tôt. Ainsi, au cours de ces années où il s'épanouissait dans le maelström de l'Alaska, il vivait comme s'il y résidait depuis toujours, et au cours de sa chasse des autres poissons ou de ses aventures avec des mammifères plus gros qui essayaient de le manger, il se comportait comme s'il n'avait jamais connu d'autre genre de vie. Il ne pouvait pas se rappeler qu'il avait vécu en eau douce, et si on l'y avait replongé brusquement, il n'aurait pas pu s'y adapter. C'était aussi irrévocablement un animal du maelström que s'il était né à l'intérieur de ses limites.

Mais au cours de sa deuxième année dans le tourbillon, un changement génétiquement imposé se produisit en Nerka, et l'obligea à rechercher son torrent natal au-dessus du lac des Pléiades. Un mécanisme complexe d'autoguidage, que les savants n'ont pas encore pleinement compris, se déclencha alors en lui pour le diriger sur des milliers de kilomètres vers ce ruisseau particulier, le long de la côte de l'Alaska. Il allait utiliser cette mémoire congénitale pour la première fois de sa vie individuelle, mais il le ferait d'instinct, avec une habileté stupéfiante... Ainsi commença son voyage de retour.

Les indices qui guidaient Nerka étaient très subtils : d'infimes variations de la température de l'eau déclenchaient telle ou telle réaction, à moins que ce ne fussent des modifications électromagnétiques. Sans aucun doute, à mesure qu'il se rapprochait de la côte, son odorat — l'un des plus sensibles de tous les animaux du monde — lui signalait des traces d'éléments chimiques semblables à ceux de sa rivière des Pléiades. Ces différences de concentration chimique n'étaient peut-être que de l'ordre du milliardième, mais elles existaient. Leur influence persistait et augmentait, pour guider Nerka de façon encore plus contraignante vers ses eaux natales. C'est une des manifestations les plus étranges de la nature que ce message extrêmement ténu envoyé dans les eaux du monde pour guider un saumon errant vers son torrent natal.

*
**

La campagne d'été 1905 fut la dernière que Tom Venn passa à la Conserverie Totem, car M. Ross tenait à ce qu'il dirige le lancement de la nouvelle conserverie R & R au nord de Ketchikan. Tom aurait aimé découvrir un peu cette région remarquable de l'Alaska, mais les professeurs qui installaient le chinois-de-fer à Totem insistèrent pour qu'un cadre supérieur expérimenté comme Tom reste sur place pour régler les problèmes qui se poseraient inévitablement au moment de la formation d'une main-d'œuvre nouvelle à ce procédé radicalement différent.

Pour des quantités de raisons, cet été-là devait être inoubliable. Tom avait passé presque tout le mois de février à Seattle avec les Ross ; et les parents de Lydia et la jeune fille elle-même lui avaient fait clairement entendre qu'à la fin des deux années d'université, on pourrait envisager le mariage. Comme pour prouver le sérieux de cette éventualité, au moment où les chinois-de-fer fonctionnaient sans heurt, Mme Ross et Lydia se rendirent au fjord de Taku à bord du paquebot canadien de luxe *Reine de Montréal*, et Tom eut le plaisir de leur faire visiter la conserverie.

— Je suis vraiment surprise, avoua Mme Ross. D'après tous les récits de Malcolm et de vous-même, je m'attendais à voir des centaines de Chinois, et je n'en vois aucun.

— Mais ne m'avez-vous pas vu étudier le chinois-de-fer dans votre salon ? lui rappela-t-il.

— Ce petit truc-là, Tom ? Ce n'était qu'une maquette, vraiment quelconque. Jamais je ne m'étais représenté un monstre mécanique comme celui-ci.

Il entraîna Mme Ross et Lydia à l'écart pour leur expliquer le fonctionnement.

— Ce n'est qu'une de nos machines. Nous en avons trois et les deux autres sont d'un modèle légèrement amélioré...

Il perdit le fil de son raisonnement.

— Ce chinois-de-fer, comme nous l'appelons, peut « sortir » un poisson par seconde, mais nous ne le faisons jamais marcher à ce rythme. À la vitesse où vous le voyez, il nettoie plus de deux mille saumons à l'heure.

— Mais où trouvez-vous tout ça ?

Par la fenêtre il leur montra le piège au centre du fjord avec les deux longs bras en entonnoir — on l'avait agrandi.

— Nous attrapons beaucoup de poissons. Regardez les panières que l'on remonte au palan du réservoir... On ne le voit pas d'ici mais un autre palan au bout du quai les déverse directement sur cette courroie porteuse.

Il leur montra ensuite comment le saumon, une fois étêté et vidé par le chinois-de-fer, était découpé sans enlever les arêtes par des machines extrêmement rapides, sous forme de blocs de chair appétissante qui s'adaptaient avec précision aux célèbres « boîtes hautes » conçues pour exactement une livre de poisson et adoptées dans le monde entier.

— Vous le mettez en boîte tout cru ? s'étonna Lydia.

— Bien entendu !

Il leur montra les boîtes pleines en train de défiler sous une machine à sertir les couvercles.

— Ce n'est pas sain, dit Lydia. Il y a de l'air là-dedans, des bactéries.
— Absolument, convint Tom. D'ailleurs, il y a même un petit trou dans le couvercle... Mais regardez la suite !

Il leur montra un procédé de mise en conserve classique mais que sa conserverie avait amélioré.

— La boîte pleine, avec un trou dans le couvercle, vient ici où une pompe à vide aspire tout l'air qui inquiétait Lydia. Dès que cela se produit, cette autre machine laisse tomber une goutte de soudure, et bang ! le saumon se trouve enfermé dans une boîte étanche.

Il les conduisit ensuite dans un autre bâtiment où s'alignaient seize énormes autoclaves dans lesquels entraient les chariots qui transportaient les boîtes. Après avoir bloqué les portes de fer, on lançait de la vapeur à haute pression et le saumon cuisait pendant cent cinq minutes, jusqu'à ce que même les arêtes deviennent comestibles.

— Je me suis toujours demandé ce qui se passait pour les arêtes, dit Lydia tandis qu'ils se dirigeaient vers un troisième bâtiment immense.

Il y avait un si grand nombre de boîtes de saumon cuit, encore sans étiquettes, que l'on en était tout étourdi. Tout au fond, des équipes de femmes engagées depuis peu collaient les étiquettes Totem, désormais considérées comme preuve de qualité dans les meilleurs magasins des États-Unis, car les boîtes qui les portaient ne contenaient que du « rouge » supérieur du fjord de Taku — le saumon rose.

Ramassant sur la chaîne de production une des boîtes terminées, Tom la tendit à Mme Ross.

— Une femme de Liverpool ou de Boston appréciera cette boîte quand elle parviendra dans sa cuisine, dit-il fièrement. Nous faisons du bon travail par ici.

Des milliers de caisses de bois contenant chacune quarante-huit boîtes de saumon Totem — deux couches de vingt-quatre boîtes —, attendaient de recevoir leur chargement ou d'embarquer vers le sud sur un bateau R & R.

— Combien de boîtes expédiez-vous par an ? demanda Mme Ross.
— Environ quarante mille.
— Seigneur ! Cela fait du saumon !
— Il y en a beaucoup par ici, la rassura Tom.

Mme Ross et sa fille ne purent rester que deux jours, puis durent rejoindre en vedette rapide le *Reine de Montréal* qui appareillait de Juneau. Au moment des adieux, elles invitèrent Tom à passer Noël avec eux cette année-là — et quand ils se séparèrent Lydia l'embrassa de nouveau avec tendresse, fait qui parviendrait inévitablement aux oreilles de Nancy, de l'autre côté de l'estuaire.

Quelques jours après leur départ il se produisit un événement inattendu : l'un des chinois-de-fer se mit à faire des caprices. Il coupait les têtes et les queues en gaspillant la moitié du saumon, puis l'éventrait en enlevant la colonne vertébrale tout en laissant les entrailles attachées. Le poisson à moitié éviscéré salissait tout. Malgré son habileté coutumière à régler les urgences, Tom ne parvint pas à corriger ce fonctionnement défectueux, et il était sur le point de faire venir de Seattle le Pr Whitman quand un des ouvriers lui suggéra de demander à Sam Grande-Oreille d'effectuer la réparation :

— Il est très habile avec les machines.

Sam examina la panne du chinois-de-fer, puis grommela :

— Trop compliqué. Mais je connais un homme capable de réparer ça.

— Qui ? demanda Tom, et la réponse le désola :

— Ah Ting.

Sam insista et en dépit des réticences de Tom partit à Juneau chercher le réparateur miracle. Celui-ci ne trouva nullement déplaisant de revenir travailler sur la machine qui l'avait évincé, ainsi que les autres Chinois.

Tom le reçut sur le quai avec une froideur extrême, dont Ah Ting ne se froissa pas. Avec son habituel sourire plein de dents, il traîna son sac à outils dans l'ancien atelier de nettoyage où il avait régné deux années de suite.

— Oh ! s'écria-t-il en regardant les deux machines en état de trancher en série des centaines de saumons. Bonne machine, je pense. Et qu'est-ce qui ne va pas ?

Tom ordonna à ses hommes de faire passer une demi-douzaine de saumons par la machine en panne, et dès la première minute, Ah Ting repéra l'erreur. Pour déterminer le moyen de la réparer, ce fut plus long. Il mit deux heures à régler ce qui lui avait semblé au début un problème simple. Il se coucha sur une serpillière au-dessous du chinois-de-fer et appela Tom.

— Bien mieux la tige de transmission passe par ici.

— Ne modifiez rien ! cria Tom.

Mais Ah Ting avait découvert un moyen bien plus efficace de transmettre l'énergie aux couteaux, tout en les protégeant de ce qui avait mis la machine en panne. Sans solliciter d'autre permission, il se mit à taper et à scier, en faisant un tintamarre tel que Tom en fut aux cent coups. Mais au bout d'un quart d'heure, Ah Ting ressortit de dessous avec son indélébile sourire, parfaitement sûr de son fait.

— Ça marche, maintenant. Vous voulez je répare les autres ?

— Surtout pas, répondit Tom.

Il paya le Chinois et le raccompagna à grands pas jusqu'au canoë de Sam Grande-Oreille. Mais quelques semaines plus tard, une des autres machines tomba en panne à peu près de la même manière et Ah Ting dut revenir pour réparer l'erreur commise à sa conception. Cette fois, Tom détourna la tête quand le Chinois habile rampa sous la troisième machine pour corriger son défaut. Le soir même, il écrivit une lettre à Starling et à Whitman, à Seattle, pour les informer de ce qu'il venait d'apprendre sur le tas : on pouvait beaucoup améliorer la transmission de l'énergie aux couteaux de leur chinois-de-fer en effectuant les modifications que suggéraient les dessins accompagnant ses observations.

***

Fin juillet, toutes sortes de bonnes choses parurent se produire, chacune plus agréable que la précédente. Aux bureaux du gouvernement à Juneau, où il s'était rendu pour consulter les autorités au sujet d'un agrandissement éventuel de son entonnoir dans le fjord, Tom, penché sur les cartes, reconnut une voix familière. Il se retourna : c'était le révérend Lars Skjellerup de la mission presbytérienne de Barrow, venu dans le Sud avec Virginia, sa charmante épouse, pour supplier le gouvernement d'envoyer des institutrices, non pour sa mission où il accomplissait avec sa femme un travail efficace avec l'argent gagné aux mines d'or de Nome, mais pour tous les Eskimos de la région de Barrow.

Tom invita les Skjellerup à déjeuner, et il se rendit compte pour la première fois de sa vie qu'une des plus grandes joies dans la vie d'un homme est d'apprendre, après une absence prolongée, ce que deviennent les gens avec qui l'on a partagé des dangers. À écouter les aventures de cet homme qu'il avait connu de façon si intime pendant une période troublée, il avait de plus en plus envie d'évoquer le temps passé.

— Lars, tu ne devinerais pas en cent ans qui était assis ici, exactement à ta place, il y a un an. Pour conseiller notre compagnie pour des achats de terrains.

— Matthew Murphy ?

— Non, mais je suis sûr que tu aimerais le voir. Accroche-toi à ton chapeau : c'était Marvin Hoxey.

Avec un cri qui retentit d'un bout à l'autre de la salle, Skjellerup bondit de sa chaise et s'écria :

— Il est sorti de prison ?

Abasourdis, sa femme et lui écoutèrent le récit par Tom. Hoxey exerçait davantage de pouvoir à Washington qu'auparavant et était devenu le conseiller juridique de Ross & Raglan.

Il passa trois jours avec les Skjellerup et apprit comment un homme sans éducation religieuse pouvait se trouver soudain missionnaire dans une immensité glacée. Mais Mme Skjellerup, qui était parvenue à cette mission lointaine de façon encore plus curieuse, l'étonna davantage :

— Vous avez fait preuve de beaucoup de courage en allant au bout de la terre où une nuit d'hiver dure trois mois, lui dit-il.

À cette évocation, elle éclata de rire :

— Je serais aussi heureuse aux Fidji.

L'idée le stupéfia. Il ignorait tout des Fidji et supposait qu'elle n'en savait pas davantage, mais ce devait être aussi différent de Barrow et des plages arctiques qu'on pouvait imaginer.

— Vous le pensez vraiment ?

— Bien entendu. Et c'est la vérité. L'aventure. Travailler dur. Contempler les résultats de son travail. C'est pour cela qu'on vient sur terre.

— Vous êtes religieuse ? demanda-t-il. Je veux dire : vous croyez en Dieu ?

— Ma femme et moi croyons au travail, répondit l'homme qui avait conduit des rennes tout en haut du monde. Et je pense que Dieu croit au travail lui aussi.

— Oui, coupa sa femme. Je crois en Dieu. J'aime bien me Le représenter comme un vieillard à la barbe fleurie assis sur un trône, neuf ou dix kilomètres au-dessus des nuages. Installé devant un gros livre Il inscrit tout ce que nous faisons ; mais heureusement pour des gens comme moi, Il a la vue basse. Normal, n'est-ce pas, après tant d'années passées à écrire comme ça !

Quand les Skjellerup furent repartis vers Barrow, où les minuits de juillet restaient d'un gris argenté, et que Tom décida de rentrer au fjord de Taku, il rencontra en sortant de l'Hôtel Occidental de Juneau huit des plus invraisemblables citoyens de l'Alaska, qui s'avançaient dans la rue en venant des quais : A. L. Arkikov l'éleveur de rennes sibérien, avec sa femme et leurs trois enfants, tous vêtus de costumes d'hiver de Sibérie ; puis derrière eux les deux personnes de sa connaissance que Tom espérait le plus rencontrer, Matthew Murphy et sa compagne Missy Peckham avec leur bébé, une fille.

Il les aperçut tous les huit avant qu'ils ne le remarquent. D'un bond, il descendit les marches de l'hôtel, se précipita dans la rue, saisit Arkikov par la taille et se mit à danser avec lui avant que les autres nouveaux venus puissent le reconnaître. Puis tandis qu'il virevoltait devant elle, Missy le vit. Elle se figea au milieu de la rue, porta la main à sa bouche et retint des larmes. Murphy, en le reconnaissant enfin, se joignit à la danse. Pendant quelques minutes, devant le plus grand hôtel de Juneau, les quatre anciens des mines d'or se firent fête avec une joie bruyante.

Tom insista pour qu'ils l'accompagnent tous dans la salle à manger et commanda un vrai festin. De nouveau il posa son énigme :

— Missy, à ton avis, qui se trouvait assis à ta place il n'y a pas si longtemps ?

Elle baissa le visage et regarda Tom par-dessous ses sourcils noirs.

— Tout de même pas ce salopard de Marvin Hoxey ?

Tom hocha la tête avec enthousiasme, comme si Hoxey était un vieil ami ; Missy, Matt et Arkikov pouffèrent de rire. Pendant l'heure qui suivit, ils comparèrent ce qu'ils savaient de Hoxey et de son disciple le juge Grant, et tout le monde poussa les hauts cris en apprenant que le magistrat était devenu un membre respecté du barreau de l'Iowa.

— Bravo pour la justice ! cria Matt.

Et ces gens, qui avaient tellement souffert des malversations d'Hoxey et de Grant, rirent des prétentions de ces deux margoulins. L'amertume des lointaines journées de folie se perdit dans la joie, puis chacun raconta aux autres ce qu'il avait fait entre-temps.

Missy, Matt et Arkikov s'étaient rendu compte que Nome n'offrait pas de belles perspectives d'avenir maintenant que les plages ne fournissaient plus d'or facile à extraire.

— Nous avons pensé que l'avenir de l'Alaska se déciderait ici, à Juneau, et nous voulons en faire partie, dit Missy.

— Dans quel rôle ?

— Qui sait ? T'attendais-tu à diriger une conserverie de saumon ?

— Jamais de la vie. Ni à tenir un restaurant sur les rives du Yukon.

— Ne faisions-nous pas les meilleures crêpes ? Ah, ce John Klope !

Au nom de leur bienfaiteur, Missy et Tom gardèrent le silence, et Matt proposa un toast à l'homme qui avait fini par trouver sa mine d'or. Puis Missy se mit à rire et expliqua aux Arkikov :

— John Klope avait un levain merveilleux. Je faisais quarante ou cinquante petites crêpes épaisses, je les plaçais dehors par moins vingt-huit ou moins trente et elles se congelaient. Tout ceux qui avaient faim achetaient mes pâtisseries congelées, les faisaient dégeler et se régalaient.

Elle se tourna vers Tom :

— Que crois-tu que j'aie apporté à Juneau ? Oui, un pot de ce levain. Vous êtes tous invités dès que nous aurons trouvé une maison.

— Mais qu'allez-vous faire ici ? demanda Tom, toujours prudent.

Missy et Arkikov répondirent en même temps :

— On trouvera bien quelque chose.

***

Le visiteur qui arriva ensuite à Juneau s'y rendit pour une mission plus austère. C'était la dernière semaine de la saison et Tom, dans son bureau de la conserverie, calculait les estimations préliminaires des résultats de la campagne. Ses menuisiers avaient construit environ cinquante mille caisses, dont plus de quarante-quatre mille seraient remplies avant la fermeture. À quarante-huit boîtes par caisse, cela signifiait que Totem expédierait plus de deux millions de boîtes. Comme chaque saumon « rouge » — qui n'est pas l'un des plus gros de l'espèce — garnissait environ trois boîtes et demie, Totem avait mis en conserve plus de six cent mille poissons.

— Le chinois-de-fer a vraiment tenu ses promesses, dit Tom en repoussant ces calculs. Nous en obtiendrons quatre cents par boîte, que le consommateur paiera seize cents au bout de la chaîne de distribution. Il n'existe pas de nourriture meilleur marché.

L'industrie avait publié récemment une brochure démontrant que le saumon fournissait tous les éléments nutritifs de base à douze cents la livre, contre vingt-deux cents pour le poulet, trente-trois cents le bifteck et trente-six cents les œufs.

— Il s'agit là des catégories bon marché de saumon. Mais même à seize cents la livre, notre « rouge » de choix sera la meilleure affaire possible pour la ménagère.

Il termina ses calculs en estimant que la saison 1905 donnerait aux Conserves Totem des bénéfices supérieurs à soixante-dix mille dollars, somme colossale à l'époque.

Il était encore en train de s'en féliciter quand il s'aperçut que le *Reine de Montréal* débarquait des passagers sur le quai de Totem. Il s'avança à leur rencontre et vit se diriger vers lui un individu de grande taille portant le bel uniforme que Tom connaissait bien depuis l'époque de Klondike : la tenue de la Police Montée du Nord-Ouest. L'homme qui le portait n'était autre que le sergent Will Kirby, suivi par un comité de cinq hommes en costumes de ville assez stricts.

Dès que Tom reconnut Kirby, il s'élança à sa rencontre, mais à sa surprise, Kirby s'arrêta brusquement et prit une attitude raide et officielle.

— Monsieur Venn, vous êtes le directeur de cette conserverie, n'est-ce pas ?

Étonné par la formule sèche de son ami, Tom lui répondit d'un ton réservé, et un des autres hommes s'avança vers lui pour se présenter.

— Sir Thomas Washburn, du gouvernement canadien. Et ces messieurs font partie de la Commission des Pêcheries. Je suppose que Washington vous a prévenu de notre visite ?

— Je ne suis au courant de rien.

— Les lettres officielles sont en chemin. Le capitaine Kirby vous présentera nos accréditations quand nous serons assis. Et je vous l'assure, nous sommes ici sur l'invitation de votre gouvernement.

Tom reçut le comité dans son bureau et Kirby lui montra des documents signés par les autorités de Washington demandant à tous les représentants des conserveries installées dans les eaux de l'Alaska de « collaborer avec cette commission d'experts de notre excellent voisin le Canada ».

— L'objectif de notre visite, déclara Sir Thomas, est de constater les conséquences de vos nouveaux pièges à entonnoir sur les déplacements des saumons vers l'amont et vers l'aval, dans les diverses rivières qui prennent leur source très loin à l'intérieur du Canada et ne franchissent que de courtes distances en Alaska. Votre rivière Taku est un excellent exemple. Puis-je vous montrer notre carte ?

Tom acquiesça, et Sir Thomas demanda à Kirby de présenter à

M. Venn la carte qui exposait la situation : mais à peine la carte fut-elle déroulée qu'un des membres du comité sourit.

— Vous avez pris la carte du bassin de la Stikine, Kirby.

C'était exact. La Stikine coulait pendant des centaines et des centaines de kilomètres au Canada avant de finir son cours non loin de Wrangell après une quarantaine de kilomètres en Alaska.

— Une minute ! coupa Sir Thomas. Gardez cette carte, Kirby. Elle exprime très bien nos problèmes.

Avec son crayon il traça le tour du bassin de la Stikine, et indiqua les nombreux lacs qu'elle alimentait et les affluents en nombre presque infini dans lesquels se reproduisaient les saumons.

— C'est un empire du saumon, si l'on peut dire, conclut-il en terminant sur la longueur très brève du fleuve en Alaska. Mais tout barrage placé inconsidérément sur votre petit territoire peut avoir des conséquences extrêmes sur ces immenses étendues au Canada.

Se penchant en arrière comme s'il avait terminé sa démonstration, il demanda à Kirby d'étaler la carte du bassin du Taku. Quand fut étalé sous les yeux de Tom le réseau complexe de rivières, de ruisseaux et de lacs, le jeune homme dut convenir que la situation était à peu près la même.

— Je vois ce que vous voulez dire, Sir Thomas. D'énormes espaces au Canada, beaucoup moins en Alaska. Vous devez déjà savoir, s'empressa-t-il d'ajouter, que notre piège n'empêche pas les saumons de remonter frayer au Canada.

— Je pensais plutôt que c'était le cas, répliqua Sir Thomas d'un ton très sec.

— Pour vous protéger, nous ouvrons le piège, sans le moindre obstacle, pendant chaque week-end.

— Je suis certain que c'est efficace... Notre mission consiste à vérifier jusqu'à quel point, ajouta-t-il après un temps.

Comme les conserveries avaient des chambres d'hôte où les visiteurs et les inspecteurs de la compagnie pouvaient s'installer dans un confort relatif, Tom invita aussitôt le comité à passer la nuit à Totem. Mais Sir Thomas répondit :

— Nous serons obligés de rester trois jours, je le crains. Nous désirons voir l'influence de l'ouverture du week-end sur les poissons.

Il ordonna à Kirby de faire porter leurs bagages.

Ils passèrent le reste du vendredi à inspecter le piège lui-même, et à comparer le bras est de l'entonnoir, installé en permanence sur pilotis enfoncés dans le lit du fjord, au bras ouest qui flottait. Ils s'aperçurent, à leur stupéfaction, que le bras flottant s'avérait aussi efficace que l'autre. Ils découvrirent aussi la quantité de poissons qui se noyaient dans le réservoir du piège et quand Tom essaya de leur présenter ce gaspillage comme une perte relativement insignifiante, il ne les persuada pas.

Ils demandèrent le nombre de saumons que la Conserverie Totem enlevait chaque année du bassin du Taku ; le total de six cent mille ne les surprit pas outre-mesure, car l'un des experts remarqua :

— Tout à fait raisonnable, si on laisse un nombre suffisant franchir le piège pour se reproduire.

Mais il releva ensuite un fait dont Sam Grande-Oreille s'était souvent soucié :

— Votre piège est disposé de manière telle que même si assez de poissons remontent pendant le week-end pour répondre aux besoins du Canada, votre rivière des Pléiades me paraît complètement coupée.

— Je suis sûr qu'il en remonte assez dans cette rivière également, répondit Tom d'un ton assuré.

Le samedi après-midi, l'ensemble du comité, y compris le capitaine Kirby, monta dans de petits bateaux pour observer la remontée du saumon au-delà du piège et sous les bras de l'entonnoir. Un si grand nombre de beaux poissons nageaient à quelques centimètres de la surface, et donc clairement visibles, que Sir Thomas dut avouer :

— Impressionnant. Vraiment impressionnant.

— Le problème est simple, dit l'un des membres de l'équipe. Il faut entraîner les saumons à remonter le courant seulement le dimanche.

Quand les rires se turent, Tom voulut devancer les doutes qui avaient troublé l'autre groupe pendant qu'il leur expliquait le système.

— Vous vous rendez bien compte, messieurs, qu'au moment où les jeunes saumons descendent de vos torrents vers la mer, ils ne rencontrent aucun obstacle. C'est une saison différente et les pièges ne sont pas en place.

Le dimanche matin, après une autre visite au piège, les Canadiens passèrent à la discussion. Ils posèrent leur carte sur le bureau de Tom et voulurent savoir :

— Qu'allez-vous faire dans vos conserveries d'Alaska pour protéger nos sites de frai canadiens ?

— Les conserveries sont ici, Sir Thomas, répondit Tom sans ambages. Dans toute votre région, vous n'avez pas une seule conserverie. Vous n'avez pas besoin de ces saumons. Et ils nous sont nécessaires.

Sir Thomas ne cilla pas.

— Pour le moment, ce que vous dites paraît exact. Mais nous devons également considérer l'avenir, quand il y aura une population canadienne dans ces régions. Un approvisionnement constant en saumons sera très important, et si l'Alaska limite ou détruit cet approvisionnement, il nous portera un préjudice grave.

Tom ne voulut rien concéder.

— Dans tout l'Alaska, nous ouvrons les barrages. Je suis certain qu'un nombre suffisant de poissons remonte.

— Mais le gaspillage ! Le poisson mort...

— Ce n'est pas excessif en proportion du nombre.

Discuter ainsi avec un homme si jeune agaça vite Sir Thomas, mais la capacité de Tom à défendre les intérêts de sa compagnie lui fit une impression très favorable. Après avoir déclaré non sans emphase que le Canada avait l'intention de solliciter une réglementation internationale pour protéger ses intérêts dans le commerce du saumon, il écouta poliment Tom réfuter ses arguments et exprimer des doutes sur la soumission des États-Unis à un accord de ce genre.

Ne voulant pas prolonger le débat alors que les positions étaient si antagonistes, Sir Thomas demanda à Kirby de lui donner un autre dossier. Après avoir fouillé dans ses papiers il trouva le document désiré.

— Monsieur Venn, connaissez-vous un certain Marvin Hoxey ?

La surprise qui se peignit sur les traits de Tom prouva qu'il le connaissait.

— C'est apparemment notre principal adversaire à Washington. Il ne cesse de nous lancer des statistiques pour démolir toutes nos revendications. Nous soupçonnons que ses éléments d'information sont truqués. Pouvez-vous nous parler de lui ? Est-il vraiment expert en ces matières ?

— Absolument, répondit Tom sans ciller.

— A-t-il inspecté ces pièges ? Je veux dire : le vôtre ?

— Oui.

Sir Thomas ne dit rien mais demanda un autre document, qu'il étudia quelques instants comme s'il calculait comment utiliser ces renseignements. Il se racla la gorge, se pencha en avant et demanda de la voix la plus conciliante :

— N'est-il pas vrai, monsieur Venn, que dans la ville de Nome (Alaska), pendant l'année... Voyons, n'était-ce pas en 1900 ? Si, je crois. N'avez-vous pas fait la connaissance de M. Hoxey à ce moment-là ?

— Si.

— N'avez-vous pas déposé un témoignage qui a contribué à l'envoyer en prison ?

— Si, répondit Tom d'une voix très faible, puis il se hâta d'ajouter : Mais vous devez aussi savoir que le président des États-Unis a blanchi M. Hoxey. Il s'agissait d'une erreur politique.

— J'en suis certain, répondit Sir Thomas et il abandonna le sujet.

Tom n'eut l'occasion de parler seul à seul avec le capitaine Kirby que le dimanche soir. Celui-ci, après les souvenirs du bon vieux temps, demanda franchement au jeune homme :

— Tom, quel genre d'homme est cet Hoxey ? Il soulève beaucoup d'obstacles.

— Entre nous ?

— Comme autrefois.

— Tu pourras utiliser le renseignement, mais sans dire que tu le tiens de moi.

— Je pense que tu peux me faire confiance, répondit Kirby en regardant Tom dans les yeux.

— S'il était arrivé à l'époque où nous étions au Klondike, toi et moi, tu l'aurais abattu au bout de deux jours.

On passa à un autre sujet, mais quand la conversation s'orienta vers les souvenirs du passé, Tom lança :

— Jamais tu ne devineras qui se trouve à Juneau... Missy Peckham.

Les deux hommes crurent revoir la petite bonne femme courageuse en train de grimper au col du Chilkoot, où elle avait rencontré Kirby pour la première fois. Ils évoquèrent ses descentes fulgurantes dans la neige, sur la pelle, la construction de leur bateau et les journées sous la tente, à Dawson et sur les hauteurs de l'Eldorado.

— Elle n'a jamais trouvé d'or, n'est-ce pas ? demanda Kirby, que la malchance de Missy désolait.

— Jamais.

— Bon Dieu ! lança l'officier des Montés en frappant la table de son poing. Cette femme n'a pas eu de chance du début à la fin.

— Pas tout à fait vrai, répondit Tom en racontant l'arrivée de John Klope à Nome avec ses cadeaux pour Missy, Murphy et lui-même.

— J'en suis ravi. Et tu dis qu'elle est à Juneau ?

— Oui. Murphy et elle m'ont dit qu'ils allaient s'y installer.
— Pour faire quoi ?
— Ils n'en avaient aucune idée. Mais connaissant Missy, tu peux être sûr que ce sera intéressant.
Kirby réfléchit quelques secondes puis s'écria :
— Tom, peux-tu nous accompagner à Juneau ? Un bateau vient nous chercher demain matin... Si cela pose un problème à cause de ton patron à Seattle, insista Kirby en voyant Tom hésiter, je demanderai à Sir Thomas de te convoquer là-bas pour la suite de vos conversations. Par écrit.
Le lendemain matin, Kirby remit effectivement à Thomas Venn, directeur de la Conserverie Totem, une requête officielle lui demandant d'accompagner à Juneau la Commission Canadienne des Pêcheries pour la suite de ses consultations.
Pendant la traversée rapide jusqu'à la capitale, Sir Thomas lui dit :
— Monsieur Venn, si j'étais propriétaire d'une conserverie, j'aimerais vous avoir comme directeur... Mais vous vous trompez complètement dans votre interprétation de l'intérêt du Canada en cette affaire, ajouta-t-il. Nous ne cesserons jamais d'intervenir tant que le problème ne recevra pas de solution efficace.
Sir Thomas ne demanda pas à Tom pourquoi Kirby avait voulu l'emmener à Juneau, mais à leur arrivée à l'Hôtel Occidental, il fut témoin de la joie avec laquelle Tom et Kirby accueillirent une femme qui s'y trouvait avec son mari et sa fille, et il estima que les raisons devaient être importantes.
Ce fut une rencontre pleine d'émotion, à laquelle Matt Murphy participa avec autant de joie que les trois autres. Ils avaient connu des journées exaltantes et d'énormes déceptions. Puis le nom de Marvin Hoxey tomba évidemment dans la conversation : Matt et Missy révélèrent toute l'histoire écœurante avec des détails si évocateurs que Will Kirby ne put s'empêcher de demander :
— Tom, comment peux-tu faire des affaires avec cet homme ?
— Ce n'est pas moi. C'est la compagnie.
— Et tu te sens tenu d'être loyal à l'égard de cette compagnie ?
— Oui.
Kirby se tut : ne se sentait-il pas tenu à la loyauté envers la Police Montée ? Il savait quelles pressions pouvait exercer n'importe quelle forme de loyauté. Dans son propre cas, il jugeait les pressions légitimes — c'étaient celles du gouvernement canadien. Dans le cas de Tom, forcément illégitimes car tout ce que touchait Marvin Hoxey le devenait. Mais ces deux hommes scrupuleux subissaient les mêmes pressions, bonnes ou mauvaises, et réagissaient de manière différente.
La conversation passa aux objectifs de la visite des Canadiens, et Missy témoigna un intérêt plus que passif aux pêcheries de saumon. Peu à peu plusieurs choses se firent jour :
— Cela fait partie des raisons de notre présence ici, à Matt et à moi. Je ne songe pas au saumon, mais aux droits des indigènes.
— Qu'entends-tu par là ? demanda Kirby.
— Will, partout où nous sommes allés, au Canada et en Alaska, nous avons vu les indigènes obtenir toujours la plus mauvaise part. Tu devrais voir, à Nome...
— J'imagine très bien.
— Et il nous a semblé, à Matt et à moi qui sommes ce que l'on devrait appeler des indigènes d'Irlande et d'Amérique... Eh bien, nous

nous sommes dit que nous devrions nous ranger du côté des indigènes d'ici. Pour les aider à veiller sur eux mieux qu'ils ne le font.

Conscient de parler contre ses propres intérêts, Tom s'écria impulsivement.

— Quelle coïncidence ! Lars Skjellerup est passé ici il y a plusieurs semaines pour supplier le gouvernement de fonder des écoles pour les indigènes. Il m'a tenu à peu près les mêmes propos que toi, Missy.

— Mais que veux-tu dire ? demanda Kirby à la femme dont il s'était tellement épris autrefois.

Ils se retrouvaient maintenant pleinement adultes et animés l'un et l'autre par le désir de faire de ce monde un espace plus ordonné. Encouragée par le sourire du Monté, Missy exprima en public pour la première fois les principes qui allaient orienter le reste de sa vie :

— Je conçois un Alaska qui ne serait plus dominé par les richards de Seattle. Je désire un Alaska autonome, avec ses propres lois et ses propres libertés... Sais-tu que Matt et moi ne pouvons pas acheter de terres à Juneau ? lança-t-elle d'un ton soudain presque véhément. Pourquoi ? Parce que le gouvernement de l'Alaska n'a pas obtenu le droit de voter des lois agraires, et que le gouvernement des États-Unis refuse de le faire.

Elle passa de cette doléance, qui mettait en rage tous les habitants de l'Alaska car elle faisait obstacle à toute croissance réelle, à un tableau plus vaste de la situation :

— Nous avons étudié les problèmes qui justifient ta venue, ici, Will.

— Qu'avez-vous conclu, tous les deux ? demanda Kirby.

— Que tous les saumons de ces eaux devraient profiter à l'Alaska et non aux hommes d'affaires de Seattle.

Kirby éclata de rire et lança à Tom :

— C'est de toi qu'elle parle.

— Je le pense vraiment. Plus de trente conserveries comme celles de Tom ont fonctionné cet été. Pas une seule n'a laissé le moindre sou pour nous, les habitants de l'Alaska.

Jusqu'à cette phrase, elle désignait les habitants de l'Alaska par *ils,* comme si elle désirait protéger *leurs* droits. Mais à présent, peut-être même sans en prendre conscience, elle était devenue alaskane, et elle le demeurerait.

Au terme de sa tirade animée, Will Kirby lui demanda :

— Est-ce que cela fait de toi et de ton vieil ami Tom des ennemis ?

— S'il continue de travailler pour les marchands de Seattle, oui : des ennemis politiques.

Sans laisser à personne le temps de répondre, Kirby se retourna pour faire signe à Sir Thomas Washburn de se joindre à eux.

— Sir Thomas, il faut que vous écoutiez cette femme.

Le président de la commission canadienne l'écouta, et la similitude des opinions de Missy avec les siennes l'étonna.

— Ma jeune dame, vous avez vraiment la tête sur les épaules.

— J'ai livré des batailles semblables à Chicago au milieu des désespérés, mais jamais sans espoir.

Ils parlèrent longuement ensemble, comme si les autres n'étaient pas là. Et plus ils révélaient leurs aspirations, plus Tom Venn s'aperçut qu'ils pourraient atteindre ce qu'ils désiraient uniquement aux dépens de son propre employeur, Malcolm Ross. Enfin, se sentant provoqué, il intervint :

— Sir Thomas, dans votre position et tout... Comment pouvez-vous tenir de tels raisonnements ?

Le Canadien anobli par la reine Victoria éclata de rire.

— Mon père tenait un petit magasin dans le Saskatchewan. Il aurait applaudi aux propos de cette jeune femme, parce qu'il me disait à peu près les mêmes choses.

Il se détourna brusquement de Tom pour reprendre sa conversation avec Missy.

Tom se faisait une joie de passer Noël avec les Ross et de consolider son amitié avec Lydia. Elle l'accueillit avec chaleur, mais il s'aperçut vite qu'elle s'était liée à un jeune homme assez brillant de vingt-deux ans, nommé Horace, dont elle avait fait la connaissance à l'université. Elle ne semblait pas vraiment fiancée à lui, mais elle s'estimait obligée d'assister avec lui à plusieurs réceptions pendant les vacances. Elle ne tenait nullement à plaquer Tom, mais elle était si occupée que le jeune homme se trouva souvent seul avec ses parents et d'autres cadres supérieurs de la compagnie.

Ceux-ci lui parlèrent des bénéfices considérables de la saison 1905, de la générosité avec laquelle le Congrès des États-Unis avait traité les intérêts de Seattle, et des progrès du projet de conserverie à Ketchikan. Il apprit qu'il prendrait la direction de sa construction à partir de la mi-janvier, et il surprit tout le monde en annonçant qu'il comptait acheter une maison à Juneau. On lui demanda pourquoi, d'un ton de dissuasion.

— La ville me plaît, répondit-il. Elle a beaucoup de caractère. Son site est presque aussi bon que celui de Seattle et c'est la capitale.

— Mais si vous travaillez pour nous, lui dit un vice-président de R & R, il vous faudra vous déplacer beaucoup. Nous avons beaucoup de conserveries en projet, et vous êtes notre spécialiste de la mise en route.

— Ce travail me plaît, répondit Tom, mais je désire aussi un foyer.

Il leur rappela comment se passait une année normale dans une conserverie de saumon.

— Deux mois de préparation, trois mois avec un travail de chien, un mois de fermeture et six mois pour... vivre. Je n'ai pas envie de passer ces six mois enfermé dans un coin perdu au milieu des bois.

— Vous avez raison, reconnut le vice-président. Et je suppose que vous voudrez bientôt vous marier. Votre femme pensera probablement comme vous.

L'allusion au mariage provoqua un froid dans la conversation. À la fin du dîner, après le départ des autres invités, Mme Ross prit la peine d'assurer à Tom que Lydia pensait toujours beaucoup de bien de lui : il fallait qu'il pardonne la légèreté presque grossière de la jeune fille, qui passait tellement de temps avec Horace et si peu avec lui.

— C'est inévitable avec les tentations de l'université, et tout.

Tom répondit qu'il comprenait.

Mais cet hiver-là, il y eut peu de promenades sur la colline avec Lydia et pour ainsi dire aucune conversation prolongée sur des sujets banals, et à plus forte raison sur des questions importantes. Sa déception aboutit à deux conclusions : « Je n'ai jamais rencontré une femme plus raisonnable que Mme Ross, et si elle est l'image de ce que sera Lydia au même âge... » Mais aussi : « On dirait que Lydia est passée à un niveau différent. » Il n'essaya pas de définir quel était ce niveau ni en quoi consistaient les différences manifestes, mais il avait l'impression de l'avoir perdue. Les joyeuses festivités de la soirée de Noël à Seattle et les réceptions sympathiques du lendemain ne modifièrent nullement ses conclusions. Il n'était pas à sa place et il le savait.

Il abrégea ses vacances, sous prétexte qu'il devait retourner à Juneau préparer son déménagement à Ketchikan. Et à son départ les parents remarquèrent sans surprise que cette fois leur fille ne l'embrassa pas au moment des adieux.

À son retour à Juneau, il se trouva confronté à la contradiction évoquée par Missy lors de leur conversation avec le capitaine Kirby : l'Alaska possédait des étendues presque sans limite, mais les quatre villes du Sud (Juneau, Sitka, Ketchikan et Wrangell) étaient tellement coincées sur le bord de l'océan qu'elles donnaient une impression d'exiguïté et manquaient vraiment d'espace. En fait, les terrains utilisables étaient en si petit nombre et si précieux à Juneau que Tom fut incapable de trouver une maison déjà construite ou un terrain à bâtir. La ville lui plaisait et il trouvait pittoresque la façon dont les montagnes plongeaient dans la mer, mais il commença à désespérer de trouver un endroit où s'installer.

Juneau avait alors une population de mille six cents habitants — beaucoup plus que Ketchikan ou Wrangell, avec moins de mille habitants — et Tom rencontrait donc constamment de vieilles connaissances chaque fois qu'il allait en ville. Peu à peu, ses amis lui trouvèrent quelques maisons à vendre entre lesquelles il pourrait choisir. Ils le tinrent également au courant de ce qui se passait dans la capitale, et avec l'aide de Missy, Tom se décida en fin de compte pour une maison appartenant à un capitaine de bateau. Il allait faire un premier versement, mais Sam Grande-Oreille protesta énergiquement :

— Tom ! As-tu regardé l'arrière de la maison ?

Ils se rendirent sur place ensemble, et Tom vit aussitôt pourquoi son ami le mettait en garde. À l'arrière, le sol s'élevait presque à la verticale, comme une falaise. Ce n'était pas rare à Juneau où plusieurs rues venant de la mer n'étaient pas des chaussées ordinaires mais des escaliers de bois grimpant la montagne. Oui, pour vivre à Juneau il fallait avoir de bonnes jambes, car monter et descendre ces escaliers faisait partie de l'existence quotidienne.

Tom ne s'était donc pas inquiété de la pente raide de la montagne, mais Sam lui montra le problème grave : au fond d'une sorte de ravin, dont l'extrémité était braquée droit sur la maison que Tom envisageait d'acheter, se trouvait une nappe de neige glacée si énorme qu'il fallait s'attendre à ce que se déclenche une avalanche capable d'enterrer la maison.

— Regarde par là ! le prévint Sam. Il y avait une maison, mais l'an dernier la neige a glissé, et pouf ! Plus de maison. La même chose peut se produire ici.

Quelques jours après la rencontre de Tom et de Grande-Oreille, Nancy arriva à Juneau. Elle avait dix-huit ans et venait de terminer sa scolarité. C'était un des très rares enfants indiens qui aient fait des études aussi poussées et ses professeurs (Tom fit la connaissance de l'une d'elles à l'hôtel) la considéraient comme une précieuse exception.

— La plupart des Indiens terminent leurs études à la fin de l'école primaire ou après un an d'enseignement secondaire, mais Nancy possède des capacités exceptionnelles. Elle peut chanter aussi bien que les meilleurs, et connaît les anciennes danses indiennes, mais elle est également capable d'écrire des rédactions excellentes, et elle a une sorte d'avidité insatiable pour l'histoire de l'Amérique et la façon dont l'Alaska est devenu ce qu'il est.

Tom interrogea un autre professeur.

— Je suis le seul homme de l'école, en dehors du principal, et je n'ai pas beaucoup de patience avec les Indiens. Je veux que mes gosses étudient, deviennent quelqu'un et presque aucun Indien ne se soumet à cette discipline. Je ne tiens donc guère compte d'eux. Mais cette Nancy Grande-Oreille... Elle est aussi bonne que n'importe quel garçon blanc, peut-être meilleure. Elle devrait poursuivre ses études dans une université.

Tom la revit de plus en plus souvent. C'était maintenant une jeune fille de la ville, vêtue comme les autres jeunes étudiantes et se comportant comme elles — sauf qu'elle avait une conscience précise de ses capacités. Elle étudiait l'histoire de l'Amérique et appliquait toutes ses leçons à l'Alaska. Un jour, comme elle évoquait les injustices dont souffrait son pays, Tom lui lança :

— Tu devrais faire la connaissance de mon amie Missy. Elle est plus âgée mais ses idées ressemblent beaucoup aux tiennes.

Un jour de janvier, il les invita toutes les deux à déjeuner et ils demeurèrent si longtemps autour de la table que les ténèbres descendirent sur les montagnes : le chenal de Gastineau se trouva dans l'ombre avant la fin de leur repas. Ils parlèrent des traditions des Eskimos et des Tlingits, des difficultés suscitées par les façons de faire des Blancs, de l'appropriation des terres et de tous les problèmes manifestes pour une personne habitant longtemps dans des villes comme Nome et Juneau. Les deux femmes entretenaient à elles seules la conversation et ce qu'elles disaient agaçait parfois Tom car elles présentaient les hommes comme lui sous un jour négatif — et il ne pouvait l'accepter.

Une fois, dans sa colère, il exprima pour la première fois l'attitude qu'adoptaient la plupart des Blancs dans la même situation que lui :

— Le temps presse. Il faut faire le travail. Peut-être les Eskimos de Barrow peuvent-ils se conformer aux méthodes d'autrefois. Mais partout ailleurs les Indiens ont intérêt à entrer dans le vingtième siècle, et vite.

— Qu'entends-tu par là, je te prie ? demanda Missy, agressive.

Il s'expliqua volontiers.

— Il n'y a pas beaucoup de vrais Américains en Alaska pour le moment. Je veux dire de vrais Blancs, hommes et femmes. Mais crois-moi, l'avenir de ce pays est de devenir un nouvel Oregon, un nouvel Idaho. Les Indiens devraient recevoir toute la considération qui leur est due, et conserver bien entendu leurs terres, mais ils n'ont qu'une option : laisser entrer le grand courant, oublier leurs coutumes tribales et nous battre à notre propre jeu.

Il prit les mains de Nancy et ajouta :

— Cette jeune dame possède suffisamment de capacités pour montrer la voie à son peuple.

» M. Wetherill m'a dit l'autre jour que Nancy faisait de si bonnes études qu'elle devrait aller à l'université l'an prochain. En Californie, dans le Washington, ou même dans l'Est. Que penses-tu de ça ?

La réponse de Missy le surprit :

— Tom, la solution n'est pas là ! Nancy n'a pas plus besoin d'université que moi. Sa mission, c'est de rester ici, en Alaska, de s'y faire une place, de montrer aux autres comment s'adapter. Et ne t'avise pas, avec ton M. Wetherill, de l'envoyer aux États-Unis : elle y serait pourrie.

Tom se disposait à soutenir que sa façon de voir les choses était la seule capable de sauver les Indiens, mais il n'en eut pas le temps. Sam Grande-Oreille entra à l'hôtel à la recherche de sa fille.

— Plusieurs personnes sont venues chez Harry. On te réclame.

Elle se leva aussitôt et remercia Tom pour le déjeuner, puis Missy pour son soutien.

— Ce sera toujours comme ça, je le crains, dit Missy après le départ de la jeune Indienne. Il y aura toujours une ribouldingue quelque part, et c'est cela qui passera en premier.

Puis, dans l'ombre car la salle à manger n'était pas encore préparée pour le repas du soir, Missy ajouta à mi-voix :

— Je suppose que tu le sais, Tom ?

— Que vous avez raison toutes les deux ? Je n'en crois rien.

— Non... Que tu es amoureux de Nancy.

Choqué d'entendre ces paroles prononcées aussi ouvertement, Tom garda le silence, en proie à des pensées confuses. Il lui vint à l'esprit l'image de Lydia Ross qui se débarrassait de lui avec tant de légèreté, puis celle de Nancy Grande-Oreille débordant d'enthousiasme à Juneau, et il se rappela les heures passées avec elle à côté du totem de la famille, sur le chemin le long de la rivière et le matin où elle l'avait emmené dans son canoë de l'autre côté du fjord de Taku pour monter sur la glace émeraude du glacier des Pléiades... Il comprit que Missy avait raison.

— Seattle est un rêve perdu, Missy. J'ai volé haut et je me suis roussi les ailes.

Il lui adressa un sourire nostalgique et elle écouta en silence pour ne pas interrompre le flot de pensées qu'il avait manifestement besoin d'exprimer.

— Je vais rester ici, travailler dans une conserverie après l'autre, il y aura toujours dans l'ombre Nancy Grande-Oreille, de plus en plus adorable chaque année. Le temps passe et il n'y a rien de mieux à faire. Je lui demanderai de m'épouser.

Puis il se rappela les paroles dures de M. Ross le jour où il les avait vus s'embrasser, et il eut envie de les partager avec Missy.

— Sais-tu ce que Ross m'a dit quand il m'a cru épris de Nancy ? « Venn, croyez-vous que Ross & Raglan vous feront venir au siège social de Seattle si vous prenez une femme indienne ? » Sur le moment cela m'a fait peur.

— Et ensuite, sa fille t'a fait peur dans l'autre sens.

— Comment sais-tu ça ?

— Tom, tu es comme le collégien qui a embrassé une fille pour la première fois. Toutes les autres filles de la classe le savent.

Avec un large sourire, comme s'il changeait de sujet, il lui demanda :

— Qu'allez-vous faire à Juneau, Matt et toi ?

— Nous ne sommes pas pressés. Les Irlandais savent prendre les choses comme elles viennent.

Elle se leva pour partir, mais comme il voulait la raccompagner à la porte, elle lui posa la main sur le bras :

— Tu sais que tu peux le faire, Tom.

— Faire quoi ?

— Épouser une Tlingit merveilleuse. Tu es de premier ordre, elle est de premier ordre. À vous deux, vous atteindriez les sommets.
Avant qu'il puisse répondre, elle avait disparu.

⁂

Pendant les jours qui suivirent, les choses se présentèrent comme Tom l'avait prédit à Missy : Nancy Grande-Oreille demeurait présente dans l'ombre, et presque contre son gré il se sentit entraîné vers elle. Ils se rencontraient beaucoup plus souvent qu'il n'en avait l'intention, et quand elle orientait la conversation vers les sujets qui la touchaient, comme les droits des Tlingits et l'interdiction éventuelle de l'alcool en Alaska, il découvrit que ses paroles trouvaient un écho puissant, quoique dissonant, dans ses propres pensées. Il était rarement d'accord avec elle mais il devait admettre qu'elle ne perdait pas sa vie à tourner autour de futilités.
— J'aimerais refaire un tour au glacier, lui dit-il un après-midi.
Nancy comprit aussitôt qu'il désirait la revoir dans le décor où il avait fait sa connaissance, bien qu'elle eût alors seulement quatorze ans.
— Existe-t-il beaucoup d'États en Amérique, où l'on peut quitter la capitale et se rendre à cheval près d'un glacier en activité ?
— Très peu, répondit-il.
C'était une belle journée de janvier et le courant chaud venu du Japon apportait assez d'air marin tiède sur la côte pour créer une atmosphère presque estivale, bien qu'une petite famille d'icebergs se soit blottie dans le chenal. Ils partirent avec les vitres de la voiture baissées. Au glacier, dont l'ancienne grotte avait depuis longtemps disparu à la suite des effondrements de glace, ils se promenèrent quelque temps, en touchant de temps en temps le nez monstrueux et même en s'appuyant à lui quand ils s'arrêtaient pour parler.
— L'autre jour, sais-tu ce que Missy m'a affirmé, Nancy ? Que j'étais amoureux de toi.
— J'ai toujours été amoureuse de toi, Tom. Tu le sais. Depuis le premier jour ici.
Elle montra l'emplacement de la grotte de glace au plafond bleu.
— Est-ce que le mariage... ? demanda-t-il sans trouver les mots pour exprimer sa pensée.
Nancy l'arracha à son raisonnement par une question qui le prit au dépourvu.
— La fille du patron, à Seattle, t'a-t-elle fait savoir qu'elle n'était plus intéressée ?
Tom fit claquer les doigts.
— C'est Missy qui t'a dit de me poser cette question ?
— Je n'ai besoin de personne pour m'apprendre les choses importantes, lança-t-elle en riant de façon si provocante que Tom ne put s'empêcher d'éclater de rire à son tour.
Il riait si souvent avec Nancy... En se promenant près du glacier, il songea : « Ce que je disais est juste. Nous dérivons l'un vers l'autre, un jour je me demanderai “ Pourquoi pas ? ” et nous nous marierons. » Mais la jeune fille s'arrêta, se tourna vers lui et murmura :
— Ça ne marcherait pas. Pas maintenant en tout cas. Peut-être plus tard, quand nous serons tous plus adultes... Je veux dire : quand l'Alaska sera plus adulte...

Elle se tut et retourna vers l'endroit où le cheval les attendait. Mais Tom resta immobile, près du glacier, avec l'impression d'entrer lentement mais inexorablement dans un âge glaciaire.

Puis il la rattrapa et pendant le trajet du retour à Juneau la nuit tomba sur les montagnes autour d'eux et les souffles d'un été hors saison se calmèrent. À l'entrée de la ville, elle montra une maison tombée sur le flanc.

— Mon père t'a prévenu. Parfois la neige tombe. Comme si nous avions nos petits glaciers intérieurs.

Le lendemain matin, il dit à Grande-Oreille de cesser de lui chercher une maison à Juneau.

— Je m'installerai à Ketchikan pendant l'installation de la nouvelle conserverie. Ensuite...

Le jour suivant il partit vers le sud pour faire face à ses nouvelles obligations.

⁂

Tandis que Tom Venn se dirigeait vers son avenir à Ketchikan, le saumon Nerka recevait des signaux à l'endroit le plus lointain du maelström : il était temps de rentrer au bercail, disait le message — si impératif que malgré la distance qui le séparait du lac des Pléiades, il cessa de nager en cercle sans but mais partit tout droit vers ses eaux natales. Agitant sa queue en arcs puissants avec une vigueur sans précédent, il se mit à filer dans l'eau non pas à dix milles nautiques par jour comme d'habitude, mais quatre ou cinq fois plus vite.

Au cours des circuits précédents dans le maelström, il s'était simplement rapproché des autres saumons, mâle ou femelle indistinctement la plupart du temps ; mais à présent il se mit à éviter les autres mâles, comme s'il comprenait qu'avec ses obligations nouvelles, ils devenaient non seulement des adversaires mais des ennemis en puissance.

De sa position accidentelle dans le maelström au moment où les signaux étaient arrivés, il aurait pu raisonnablement se rendre en Oregon, au Kamtchatka ou au Yukon, mais conformément au système de repérage de direction implanté en lui des années auparavant, il suivit son signal — image d'ombre d'un écho perdu — et, d'une des parties les plus isolées du Pacifique, il se lança précisément dans une direction qui le conduirait au fjord de Taku et au lac des Pléiades, où il exécuterait la mission la plus importante de sa vie.

Au début de septembre il entra dans le fjord de Taku et quand il se trouva immergé dans l'eau douce son corps subit une des transformations les plus extraordinaires du règne animal : un enlaidissement, comme s'il recherchait un physique effrayant pour l'aider dans les batailles qu'il lui faudrait affronter bientôt. Jusque-là, dans le maelström, c'était un beau poisson, magnifique quand il se retournait dans la lumière ; mais à présent, conformément à des signaux internes, il se métamorphosait en un animal grotesque. Sa mâchoire inférieure devint ridiculement prognathe et ses dents s'avancèrent si loin par-dessus celles de sa mâchoire supérieure qu'on aurait dit une dentition de requin. Son museau rentra dans sa tête et se courba pour former un crochet ; comme pour le défigurer davantage, son dos s'arrondit en une grosse bosse et changea de couleur, soudain d'un rouge éclatant. Son corps autrefois svelte et aérodynamique s'épaissit, et dans l'ensemble ce fut désormais une bête féroce poussée par des impulsions qu'il n'avait aucun espoir de comprendre.

Avec une détermination farouche, il nagea vers son lac natal, mais il arriva bientôt à l'endroit où la Conserverie Totem l'attendait avec les bras tendus de son immense entonnoir, qui lui interdisait l'accès à la rivière des Pléiades. Déconcerté par cet obstacle qui n'existait pas quand il était descendu du lac, il s'arrêta, effectua une reconnaissance de la situation à la manière d'un général, et observa des milliers de ses semblables qui dérivaient sur le ventre le long de l'entonnoir puis dans le piège. Il n'éprouva sans doute aucune compassion pour eux, mais comprit qu'il ne devait pas permettre à cet obstacle inhabituel de l'empêcher de regagner son torrent. Tous les nerfs de sa colonne vertébrale, toutes les impulsions de son minuscule cerveau, le prévinrent qu'il devait à tout prix éviter le piège, et qu'il n'y parviendrait qu'en sautant par-dessus la digue mortelle.

Il nagea aussi près qu'il put de la rive droite, encouragé par l'eau douce froide qui venait de la rivière des Pléiades avec un puissant message du lac, mais quand il voulut se diriger pour la deuxième fois vers la source de l'eau rassurante, la digue le repoussa de nouveau. Désemparé, il allait se laisser dériver vers le centre fatal, quand un autre « rouge » un peu plus gros que lui le rejoignit soudain, décela un endroit où la digue s'affaissait un peu, et d'un puissant coup de queue bondit par-dessus et se laissa retomber lourdement dans l'eau libre, au-delà.

Comme lancé par un canon, Nerka s'élança, battit l'eau de la queue et des nageoires, se cambra dans le vide... mais heurta le rebord supérieur du barrage qui le repoussa violemment en arrière. Pendant un instant il essaya de comprendre pourquoi il avait échoué alors que l'autre poisson avait réussi. Puis, au prix d'un plus grand effort il tenta de nouveau sa chance et fut de nouveau rejeté.

Il se reposa quelques minutes dans l'eau fraîche qui descendait des Pléiades et dès qu'il récupéra ses forces il se mit à nager vers la digue à grands coups de queue. Il rassembla toute son énergie, fonça sur la digue comme une balle, se souleva plus haut que les fois précédentes et retomba à grand bruit en amont de l'obstacle.

Il était crucial que Nerka survive pour terminer sa mission, parce que des quatre mille œufs éclos de sa génération, seuls six poissons survivaient, et le destin du saumon « rouge » des Pléiades reposait sur eux.

Comme la nouvelle conserverie R & R de Ketchikan était prévue pour une production plus importante de moitié que celle de Totem, Tom eut tellement à faire à partir du milieu janvier qu'il n'eut guère le temps de songer à la façon douloureuse dont s'étaient écroulés ses deux rêves amoureux. À son arrivée sur le site, les quatre bâtiments principaux étaient déjà dégrossis ; ils étaient immenses, et il resta sans voix quand il s'aperçut qu'il lui appartenait de bâtir les huit ou dix bâtiments annexes indispensables — puis de remplir tous ces locaux de machines. Il passa février et mars à installer les ateliers des caisses, les chaînes de mise en boîtes et les deux éléments de base : les chinois-de-fer et les énormes autoclaves pour la stérilisation. Il préférait ne pas songer au prix qu'allait coûter cette conserverie, peut-être quatre cent mille dollars, mais il savait qu'une fois mise en route, elle pourrait traiter soixante mille caisses par an, ce qui représentait beaucoup de saumons.

Au milieu de mars, quand Tom comprit que plusieurs dortoirs ne seraient pas terminés à temps, il envoya un signal de détresse à Juneau et Sam Grande-Oreille arriva par le premier bateau avec quatre charpentiers compétents.

Ah Ting, à la surprise de Tom, faisait partie du groupe, et quand les ouvriers locaux le virent, ils protestèrent : aucun Chinois n'avait le droit de séjourner en Alaska ; Tom leur expliqua qu'Ah Ting était une exception. L'explication leur déplut, mais ils s'aperçurent vite que le Chinois était capable de faire marcher le capricieux chinetoque-de-fer et eux non, et ils acceptèrent sa présence.

Pendant les heures de travail, Sam Grande-Oreille s'arrêtait souvent pour raconter à Tom ce qui se passait à Juneau, et certains détails amusants lui firent plaisir.

— Ce cinglé de Sibérien, comment s'appelle-t-il déjà ? a acheté une des plus belles maisons de la ville, et il tient une pension de famille avec sa femme. Il touche les loyers et c'est elle qui fait tout le travail.

Il lui apprit aussi que Matt et Missy n'avaient pas encore trouvé la maison qu'ils voulaient, mais que Missy continuait de fourrer son nez partout :

— On l'appelle Madame le Gouverneur : elle dit à chacun ce qu'il doit faire.

— Est-ce que les gens lui en veulent ? demanda Tom.

— Non. Ce qu'elle leur dit leur plaît. Ils aiment qu'elle s'intéresse à eux.

— Elle a toujours été comme ça...

Sam lui apprit qu'elle s'était proposé de travailler à l'une des églises, mais ils avaient refusé parce que personne ne savait si elle était réellement mariée à Matt.

— En tout cas sa fille va à l'école du dimanche de cette église.

Tom ne demanda jamais de nouvelles de Nancy, car il ignorait dans quelle mesure Sam était au courant de leurs sentiments (et il n'avait certainement aucune envie d'en parler), mais chaque fois que Sam évoquait la jeune fille, il écoutait attentivement.

— Elle a gagné un grand concours de littérature, ce qui ne me surprend pas : elle écrit bien. Mais elle a gagné aussi ce qu'ils appellent l'éloquence. Ça m'a étonné. Elle a parlé des « Droits des Tlingits sur leurs terres » et je crois qu'elle a gagné parce que Mme Missy faisait partie du jury. Elle aime ce que dit Nancy. Moi aussi.

Grâce à l'énergie de Tom et au travail d'hommes comme Sam Grande-Oreille et Ah Ting, la conserverie de Ketchikan fut prête à temps. Dans ces eaux du Sud, les saumons passaient en plus grand nombre que dans le fjord de Taku, et les immenses bâtiments fonctionnèrent bientôt à plein rendement. Les hommes de Juneau repartirent. Au moment où Ah Ting s'en alla, plusieurs ouvriers de l'atelier des chinois-de-fer dirent à Tom :

— Quel plaisir de voir partir celui-là ! Pas de Chinetoques en Alaska.

— N'êtes-vous pas de Seattle ? demanda Tom.

Ils en convinrent et Tom lança une réponse qui le surprit lui-même :

— Alors ce n'est pas votre problème.

Regrettant la sécheresse de sa repartie, il ajouta :

— Vous savez bien que nous n'aurions pas pu préparer les locaux à temps sans son aide.

Et l'on en resta là. Mais cet accès soudain d'humeur troubla Tom, parce que dans ses postes précédents, à Dawson, à Nome et à Juneau, il avait une réputation d'homme au tempérament imperturbable. Il se demanda ce qui avait provoqué ce changement en lui et passa en revue son comportement récent. Il parvint à plusieurs conclusions : « Je travaille sous pression depuis trop longtemps. J'ai besoin de repos. » Mais une raison plus profonde fit bientôt surface : « Travailler avec Sam Grande-Oreille m'a rappelé à quel point Nancy est une jeune fille formidable. J'ai envie de la revoir. » Il annonça qu'il repartirait à Juneau avec Sam, acceptant comme un fait acquis l'attrait qu'exerçait Nancy sur lui à son corps défendant — comme il l'avait avoué à Missy.

— C'est inévitable..., murmura-t-il.

Au moment où il prenait des dispositions pour que son assistant dirige la conserverie pendant sa courte absence, un petit cargo R & R arriva de Seattle et le capitaine transmit à Tom un message personnel :

— Mme Ross arrivera bientôt avec le *Reine de Montréal*, accompagnée de sa fille. Elles passeront la journée à visiter la nouvelle conserverie, et quand elles repartiront à destination du fjord de Taku, M. Ross souhaite que vous les escortiez. Elles passeront quelques jours là-bas puis reprendront le *Reine* pour rentrer à Seattle.

Il se demanda aussitôt ce que ce voyage impliquait — personne n'avait fait allusion au projet à Noël — et la perspective de revoir Lydia l'enthousiasma, bien qu'elle l'eût traité fort mal alors. Il essaya de ne pas penser que cette visite avait un sens plus profond, mais il s'affaira d'un bout à l'autre de la conserverie, dans un état d'euphorie manifeste.

La première décision fut vite prise :

— Sam, je ne peux pas remonter avec toi à Juneau.

Il prononça ses paroles de façon presque machinale, comme si sa décision de ne pas aller voir Nancy était un acte libre, sans aucune portée morale ou émotionnelle. Et c'était bien le cas, car il ne lui était pas venu à l'esprit qu'en renonçant à accompagner Sam à cause de Mme Ross, il rejetait aussi Nancy dans l'espoir que quelque chose de mieux puisse se produire avec Lydia.

Les habitants de Ketchikan étaient très fiers quand un gros paquebot accostait dans leur port, et comme le *Reine de Montréal* était le plus beau et le plus récent des bateaux qui desservaient l'Alaska, ils se pressèrent sur les quais quand le paquebot canadien à la ligne racée se présenta dans le chenal. Dès que l'on mit en position l'échelle de coupée, Mme Ross apparut, escortée par un officier — le capitaine Binneford, marin canadien réputé qui avait des années d'expérience de la traversée de l'Atlantique. Il l'accompagna jusqu'à Tom Venn, qui s'élança pour l'accueillir.

— Prenez soin de cette dame, dit le capitaine. Nous désirons la retrouver saine et sauve quand nous ferons escale à la Conserverie Totem à notre retour.

Quand il tendit le bras à Mme Ross, Tom vit Lydia derrière elle, en tailleur blanc à parements bleu marine. On eût dit une de ces jeunes filles qui posent pour la publicité de croisières de luxe en Europe : une voyageuse impatiente de découvrir les paysages.

— Bonjour, Tom ! s'écria-t-elle avec une énergie peu féminine.

À la surprise de sa mère — et à celle de Tom — elle s'élança vers lui au pied de l'échelle de coupée et lui posa sur la joue un baiser enthousiaste.

Elle passa cette longue journée à voir ce que Ketchikan avait à offrir, et la petite ville de six cents habitants se surpassa : un concert de la clique locale, un barbecue et un grand défilé pour le retour au bateau, qui appareilla à la tombée de la nuit.

Les Ross avaient prévu une cabine de luxe pour Tom mais à peine s'y installa-t-il, car Mme Ross lui demanda de l'accompagner pour une promenade sur le pont supérieur. De nouveau la grâce et l'aisance de cette femme l'émerveillèrent.

— Cette croisière est une idée de Lydia. Elle savait... Ma foi, le fait est que je ne l'ai pas félicitée pour la façon dont elle vous a traité à Noël. Non, ne dites rien. Ce genre d'erreur arrive parfois, Tom, et nous n'avons aucun moyen de les éviter. Mais nous pouvons les corriger. Et c'est ce qu'elle désire faire... Je ne suis pas sûre qu'elle le *désirait* vraiment, ajouta-t-elle en souriant, mais je lui ai bien précisé que c'était son devoir.

Ils firent quelques pas en silence.

— Elle a alors suggéré cette croisière. Quelle brillante idée !

— Je respecte énormément votre fille, madame Ross. Jamais je n'ai rencontré une personne comme elle.

— Ni moi. Elle est spéciale, si je peux me permettre de le dire. Mais comme vous le savez, sa grand-mère l'était aussi.

— Elle n'avait nullement à s'excuser.

— Elle a voulu le faire quand je lui ai montré à quel point sa conduite avait été honteuse.

Un peu plus tard, Tom se promena sur le même pont avec Lydia, et celle-ci l'étonna également par la franchise de ses propos :

— À Noël, Tom, je me suis crue très amoureuse d'Horace. Il me semblait répondre à tout ce que je souhaitais. À présent il me paraît, euh... en toc. Et pour te dire toute la vérité, j'ai eu une envie folle de te revoir. Parce que, comme mon père me l'a dit il y a longtemps, tu es vrai.

Tom n'en crut pas ses oreilles. Puis elle lui dit :

— Je ne sais pas si je suis amoureuse de toi, Tom. Je ne sais pas si j'aimerai vraiment avant d'être plus âgée. Mais nos conversations sur la colline, à Seattle, sont les plus belles que j'ai jamais eues. Et quand Horace se mettait à déblatérer sur sa famille, son école et ses bons copains, je ne pouvais pas m'empêcher de penser à toi... à ce qui est vrai.

Ils firent le tour complet du bateau en silence.

— Je ne me suis pas senti vraiment froissé, à Noël, avoua Tom. Je me suis dit que c'était le monde auquel tu avais droit... et je savais que je n'en faisais pas partie.

— Oh Tom !

Les larmes lui montèrent aux yeux et elle s'arrêta pour s'appuyer au bastingage. Elle lui prit la main, la serra fort et murmura :

— Pardonne-moi. C'était Noël, je me suis laissé prendre dans le tourbillon des fêtes et j'ai cru que c'était vraiment le monde auquel j'appartenais...

Ils reprirent leur promenade, et au bout d'un instant elle ajouta :

— Mon univers est beaucoup plus vaste que ça.

Quand ils se dirent bonne nuit, longtemps après une heure du matin, sous le regard des montagnes d'Alaska, un nouvel élan de sincérité ouvrit le cœur de la jeune fille :

— Je ne sais pas ce que signifie ce voyage ensemble, Tom. Vraiment. Nous ne devons pas le prendre trop au sérieux ni l'un ni l'autre. Mais tu dois prendre très au sérieux le fait que je tiens à conserver ton amitié...

Avec un petit rire nerveux, elle ajouta :

— Et mon père aussi. Il semble bien que tu resteras auprès de nous longtemps, et je tenais à faire la paix.

— Le calumet brûle, répondit-il.

Elle l'embrassa et gagna sa cabine.

***

Quand le *Reine de Montréal* remonta majestueusement le fjord de Taku, Tom Venn, près du bastingage avec Mme Ross et sa fille, leur expliqua tout sur les glaciers de la côte Ouest. Le meilleur moment de leur aventure se produisit quand le grand paquebot jeta l'ancre tout au fond du fjord pour débarquer ses passagers et leur faire visiter, à vingt minutes de là, le lac secret et les deux splendides glaciers jumeaux, petits et scintillants, qui l'alimentaient.

Le sentier était raide mais les deux femmes voulurent absolument faire la promenade et elles étaient à bout de souffle en arrivant près des beaux glaciers si différents des autres, pareils à des joyaux. À leur pied, on n'arrivait pas à imaginer qu'ils faisaient partie d'un immense champ vivant de glace.

— Ce sont les filles de la grande dame, là-haut, dit Lydia. Ils donnaient vraiment cette impression.

Quand ils arrivèrent à la conserverie en redescendant le fjord, Tom apprit que Nancy Grande-Oreille était chez elle pour les vacances scolaires, et quand Sam vint présenter ses respects, il avoua à Tom que Nancy n'avait pas encore décidé ce qu'elle ferait. Mme Ross lui demanda quelles étaient les possibilités qui s'offraient à la jeune fille.

— Ses professeurs pensent à l'université, répondit Sam.

Mme Ross s'en réjouit.

— Nous avons toujours souhaité que de jeunes Eskimos fassent des études brillantes.

— Nous sommes des Tlingits, répliqua Sam.

— Désolée, s'écria Mme Ross aussitôt. Personne ne m'a expliqué la différence.

— Il n'y a pas d'offense. Il y a dans mon peuple plus d'un homme dont on ne saurait être fier.

— Mais j'imagine que vous êtes fier de votre fille.

— Oh, oui !

— Eh bien, monsieur Grande-Oreille, si elle est aussi bonne élève que vous le dites, nous trouverons le moyen de la faire entrer à l'université. Pouvez-vous lui demander de venir pendant notre séjour ici ?

Par une belle journée d'été, alors que la conserverie travaillait à plein, Sam Grande-Oreille et Nancy traversèrent l'estuaire pour rencontrer les deux femmes sur lesquelles la jeune Indienne savait déjà tant de choses. À leur entrée dans le bureau, Nancy, boudeuse et craintive sous sa frange raide, regarda d'abord Mme Ross qui lui souriait pour la mettre à l'aise, puis Lydia, sa rivale qu'elle voyait pour la première fois. Mme Ross comprit que la réunion, où tout le monde regardait la jeune Indienne en attendant ce qu'elle avait à dire, ressemblait trop à un procès dans les règles. Elle voulut lui donner un tour plus aimable.

— Nancy, asseyez-vous près de moi. Nous avons entendu des rapports si élogieux sur votre travail au collège, que rencontrer une fille si douée nous fait honneur.

En prenant le siège indiqué, Nancy se dit : « Ils continuent de m'appeler " fille ". Je suis plus adulte que tous ces gens. » Mais Lydia, comprenant l'intention de sa mère, prit la relève.

— Vous savez, il y a moyen de vous faire entrer à l'université.

— L'Alaska a besoin... En fait, nous avons tous besoin, poursuivit Mme Ross, de jeunes gens brillants qui apporteront ici des méthodes modernes dans tous les domaines.

Sentant que cela paraissait condescendant, elle se hâta d'ajouter :

— Comme M. Venn... quand il a dirigé cette usine.

Nancy ne vit nullement l'analogie, car elle regardait Tom, de l'autre côté de la pièce. Et à son regard, Lydia Ross comprit aussitôt que la jeune Indienne était amoureuse de lui.

— Mme Ross m'a dit que ce serait un privilège de faire ta connaissance, dit Tom, et je lui ai assuré qu'elle ne serait pas déçue.

— Êtes-vous l'épouse du propriétaire de la conserverie ? demanda Nancy.

— Oui.

— Eh bien, il faudra dire à votre mari qu'il ne doit pas empêcher mon peuple de pêcher dans notre rivière des Pléiades comme nous l'avons toujours fait.

Mme Ross, surprise par cette attaque de front mais nullement désarçonnée, se retourna vers Tom.

— Est-ce exact ?

Tom dut expliquer que selon la loi, quand une conserverie obtenait le droit de placer ses pièges au confluent...

— C'est mal, madame Ross, et cela devrait absolument cesser. Ma famille pêchait dans cette rivière depuis plus de cinquante ans.

Elle présenta une défense si éloquente des droits des indigènes que Mme Ross dut convenir du bien-fondé de ses arguments. Mais quand la jeune Indienne se tut, elle dit :

— Nancy, nous désirons savoir deux choses : aimeriez-vous aller à l'université ? Et avez-vous assez bien réussi vos études secondaires pour vous lancer dans les études supérieures ?

— Je n'ai pas vraiment envie de savoir ce qu'est une université, madame Ross. Mais mes professeurs ne cessent de répéter que je pourrais réussir si j'y allais.

Après cette déclaration sincère, Mme Ross se mit à lui poser une série de questions pour apprécier le niveau des connaissances de la jeune Indienne. La maturité des réponses la surprit, et étonna davantage Lydia. Elle avait étudié plusieurs œuvres excellentes de la littérature et connaissait mieux que la moyenne l'histoire de l'Amérique. Elle savait ce qu'était la chapelle Sixtine et pouvait expliquer la structure d'un opéra. Mais quand Mme Ross l'interrogea sur l'algèbre et la géométrie, Nancy lui répondit en toute sincérité.

— Je ne suis pas très bonne en arithmétique.

— Moi non plus ! lança Lydia en écho.

Mais Mme Ross refusa cette dérobade facile.

— Si vous voulez accéder au niveau supérieur, Nancy, vous devez vraiment être capable de résoudre une équation simple du second degré.

— C'est ce que Mlle Foster ne cesse de me répéter, répondit Nancy avec une franchise désarmante.

Nancy et Tom apprirent à Mme Ross, profondément déconcertée, que très peu de Tlingits continuaient l'école jusqu'à la fin des études primaires. Nancy était la première jeune Indienne à terminer des études secondaires.

— Elle a donné un bel exemple, répondit Mme Ross.

Et Tom en fut aussi ravi que s'il avait été l'un des professeurs de Nancy.

Personne ne douta plus que Nancy pourrait faire son chemin dans une université, et Lydia assura qu'elle possédait déjà plus de connaissances que beaucoup d'étudiants de première année.

— L'université vous plaira énormément, Nancy, dit-elle.

Et Mme Ross précisa à Nancy et à son père qu'une bourse d'études serait offerte, d'une manière ou d'une autre.

— Non seulement elle a besoin de l'université, mais l'université a besoin d'elle.

Mais de toute évidence, Nancy, la première de sa race à se lancer dans une aventure aussi téméraire, conservait des doutes sur l'importance de ces études.

— Je ne sais pas, répondit-elle, sur la défensive.

Fier de son attitude pendant cette réunion, son père lança, sans s'adresser à personne en particulier :

— Si c'est gratuit, elle acceptera.

— Ce ne sera pas complètement gratuit, se hâta de préciser Mme Ross. Pourrez-vous l'aider avec de petites sommes ?

— Je l'aide bien en ce moment, répondit Sam.

Tout le monde rit. À la fin de la réunion, qui s'était passée mieux que quiconque l'avait escompté, Mme Ross et sa fille prirent une décision qui surprit Tom Venn et l'enchanta.

— Quand le *Reine de Montréal* accostera ce soir à destination de Seattle, je partirai comme prévu. Mais Lydia me demande de rester ici plusieurs jours — elle prendrait notre cargo R & R vendredi... Monsieur Grande-Oreille, ajouta-t-elle en se tournant vers Sam, ma fille peut-elle habiter avec votre famille jusqu'à l'arrivée du bateau ? Elle ne peut absolument pas rester ici avec M. Venn.

Elle prononça ces paroles avec une telle grâce et d'un ton si désarmant que chacun se sentit à l'aise. Sam demanda à Lydia :

— Êtes-vous prête pour un authentique potlatch tlingit ?

— Je ne sais pas si c'est l'endroit où l'on mange ou celui où l'on dort, mais je suis prête.

À l'arrivée du bateau, quand sa mère embarqua, elle resta sur le quai avec Nancy et Tom. En haut de l'échelle de coupée, Mme Ross s'arrêta, plus aimable que jamais.

— Merci, monsieur Grande-Oreille, de veiller sur ma fille. Nous vous verrons à Seattle en septembre, Nancy. Tom, vous nous avez reçues de façon parfaite. Et vous tous, braves gens qui travaillez à la conserverie, que Dieu vous bénisse. Nous avons besoin de votre aide.

***

Le *Reine de Montréal,* joyau de la ligne canadienne qui desservait Seattle, Vancouver et les ports de l'Alaska, avait presque soixante-dix mètres de long, déplaçait mille cinq cents tonnes et était agréé pour le transport de deux cent trois passagers. Comme de nombreux hommes désiraient retourner à Seattle en cette fin de saison d'été, le paquebot avait aménagé à la hâte des couchettes de bois et naviguait avec à son bord trois cent neuf passagers payants et un équipage de soixante-six personnes. Il ne restait que deux places libres quand le bateau quitta Juneau, et à l'arrêt à la Conserverie Totem pour embarquer Mme et Mlle Ross, Mme Ross expliqua que même si Lydia ne repartait pas avec elle, elle paierait les deux cabines retenues. Le commissaire du bord soumit le problème au capitaine Binneford et celui-ci décida, qu'étant donné les liens de M. Malcolm Ross avec la ligne, on ne ferait pas payer la cabine non utilisée.

Le paquebot quitta la Conserverie Totem dans le crépuscule argenté d'une belle journée d'août. Comme il avait pris du retard, il navigua plus vite que de coutume pour rattraper le temps perdu et profiter de la marée dans les parties encombrées de rochers du fjord. Le capitaine Binneford savait très bien — car le chenal avait été clairement défini par le service des Douanes des années auparavant et même en partie balisé — qu'au passage du Morse il fallait rester très à l'ouest, en laissant le rocher loin par bâbord. Il le fit, mais pour une raison que l'on ne connaîtra jamais, il diminua la marge de sécurité. À sept heures et demie le soir du mercredi 22 août 1906, alors que la lumière était encore largement suffisante, le beau paquebot heurta de plein fouet une plate-forme rocheuse submergée qui s'étendait jusqu'au Morse. L'étrave du bateau se déchira et il avançait à une telle vitesse que la déchirure se prolongea de presque vingt-cinq mètres du côté bâbord. Au même instant le *Reine de Montréal* se bloqua sur le Morse et comme la marée descendait, sa plaie béante apparut.

Quand le bateau heurta soudain le rocher, Mme Ross était encore en train de ranger ses bagages. Le choc la projeta en avant, mais comme elle avait de bons réflexes, elle se protégea la tête et ne fut pas blessée. Elle monta sur le pont parmi les premiers et comprit très bien ce qui s'était produit. Elle rassura les passagers qui l'entouraient :

— Mon mari dirige une compagnie maritime dans ces eaux, il arrive souvent des accidents de ce genre. Mais nous avons une radio et d'autres bateaux viendront très vite se porter à notre secours.

Elle ne voyait aucune raison de s'affoler, et elle le dit à maintes reprises.

Toutefois, pendant qu'elle parlait ainsi, le capitaine Binneford envoyait et recevait des messages qui allaient avoir des conséquences importantes sur le destin du *Reine de Montréal*. Quand le siège social de la compagnie reçut la nouvelle de l'échouage, il répondit par une note qui deviendrait célèbre dans l'histoire de l'Alaska :

> SI DEGÂTS NE METTENT PAS NAVIRE TOTALEMENT EN DANGER, VOS ORDRES SONT ATTENDRE ARRIVÉE *REINE D'ONTARIO* ENVOYÉ URGENCE RECUEILLIR PASSAGERS. ARRIVERA VENDREDI SOIR.

Si Mme Ross avait pu prendre connaissance de ce message, elle aurait, en tant que femme d'armateur, compris tout ce qu'il impliquait. En fait la compagnie ordonnait au capitaine du paquebot échoué de ne pas autoriser un sauvetage par ses bâtiments d'une autre ligne ou par des marins aventureux de Juneau ou de Ketchikan. La loi de la mer précise que si un navire en perdition permet à un autre bâtiment de l'aider, cet autre bâtiment possède certains droits sur l'épave. Dans ce cas, dégager le *Reine* des rochers et le remorquer à Juneau serait interprété comme de l'assistance, et qualifierait le sauveteur pour une part sur le navire sauvé.

Si le *Reine de Montréal* ne pouvait pas tenir jusqu'à l'arrivée du *Reine d'Ontario*, envoyé de Vancouver, la compagnie canadienne perdrait une somme considérable. Le capitaine Binneford étudia donc l'état de son bateau et prit la décision hasardeuse qu'il resterait bloqué sur place, en parfaite sécurité, pendant les journées du jeudi et du vendredi, jusqu'à l'arrivée du *Reine d'Ontario* pour ramener les passagers à Seattle. C'était une décision risquée mais nullement stupide, car tous les officiers à bord du *Reine* estimèrent le navire suffisamment bloqué pour tenir indéfiniment sur les rochers.

Le capitaine Binneford demanda à ses officiers de l'annoncer aux passagers, qui dînèrent ce soir-là sur des tables penchées et dormirent dans des couchettes qui les faisaient rouler vers tribord.

La nouvelle de l'échouage parvint à la Conserverie Totem le jeudi matin, seulement une heure après que Juneau fut mis au courant. Le temps que Tom Venn, Sam Grande-Oreille et d'autres lancent tous les bateaux de la conserverie pour effectuer le sauvetage de Mme Ross et de tout ce qu'ils pourraient entasser dans le faible espace des barques, un grand nombre de petites embarcations venues de Juneau se trouvait déjà sur les lieux. Au moment où Tom et Grande-Oreille arrivèrent au Morse, un caboteur de bonne taille qui déchargeait sa cargaison à Juneau arriva à toute vapeur.

— Nous avons assez de bateaux pour sauver tout le monde, annonça Sam.

Ils convinrent de ramener Mme Ross à Totem, où elle attendrait l'arrivée du cargo R & R, le lendemain.

Mais quand toutes les embarcations — du gros caboteur au plus petit canot de Totem — s'avancèrent vers le *Reine de Montréal* échoué, ils se trouvèrent bloqués eux aussi par une loi démente. Pour protéger sa compagnie d'éventuelles réclamations au titre du droit d'épave, le capitaine Binneford refusa d'autoriser une seule personne, passager ou équipage, à quitter le bateau pour monter sur un autre bâtiment, quelle que soit sa taille. Les trois cent neuf passagers du *Reine* purent donc s'aligner le long du bastingage de leur paquebot gravement endommagé et presque serrer la main de leurs sauveteurs en puissance, mais non quitter le bateau pour accepter leur aide.

Tom et Grande-Oreille repérèrent très vite Mme Ross au milieu d'un groupe de femmes, à qui elle assurait que le sauvetage était imminent. De toutes les femmes c'était elle qui paraissait le moins tendue. En apercevant Sam, elle s'écria :

— Oh ! monsieur Grande-Oreille ! Quel soulagement de vous revoir !

Elle voulut descendre dans sa cabine pour chercher ses bagages, mais un officier canadien lui barra le passage, en s'excusant poliment :

— Personne ne peut quitter le bateau. Mes excuses, madame.

— Mais la barque de notre conserverie vient d'arriver. C'est notre barque. Notre conserverie se trouve à quelques kilomètres d'ici...

— Je suis au regret, madame, ainsi que le capitaine Binneford, mais personne ne peut quitter le bateau. Nous sommes responsables de votre sécurité, le sauvetage est imminent.

Incapable de comprendre la stupidité de cet ordre, Mme Ross demanda à parler au capitaine, mais l'officier lui répondit, non sans raison :

— Vous devez comprendre l'état de tension dans lequel il se trouve Il a assez à faire en ce moment avec l'équipage.

On interdit même à Mme Ross de lancer ses bagages dans le bateau de Tom, de peur de compromettre la position juridique de la compagnie.

Tom et Grande-Oreille restèrent près du paquebot échoué toute la journée du jeudi, certains que le bon sens finirait par s'imposer. Ce ne fut pas le cas. Puis un deuxième bateau de Juneau, encore plus grand, arriva dans le fjord et plusieurs hommes des petites embarcations montèrent à son bord pour apprendre du capitaine les raisons de cette situation.

— Si l'on nous autorisait à transborder tous les passagers, cela coûterait à la compagnie canadienne environ deux mille dollars.

— N'y aurait-il pas de droits d'épave sur le bateau lui-même ?

— Jamais de la vie. Il s'agit de deux mille dollars, tout au plus.

Sans hésitation, Tom Venn s'écria :

— J'offre ces deux mille dollars.

Et une demi-douzaine d'autres proposèrent de se cotiser, car un des marins habitués à ces parages les mit en garde !

— On ne sait jamais quand le vent du Taku va plonger soudain du Canada. Il vaudrait mieux transborder tout le monde avant le coucher du soleil.

Le capitaine du bateau qui venait d'arriver, celui du bateau précédent et Tom Venn au titre de représentant de Ross & Raglan, décidèrent de prendre le taureau par les cornes. Ils se présentèrent au capitaine Binneford et en tant que leur porte-parole, Tom offrit de payer toutes les dépenses impliquées par le transbordement immédiat des passagers. Binneford refusa d'envisager cette proposition car il venait de recevoir de nouvelles instructions de son armateur, lui assurant que le *Reine d'Ontario* arriverait au Morse deux heures plus tôt que prévu. Le message radio s'achevait sur ces mots :

> TOUS PASSAGERS SERONT EN SÉCURITÉ À BORD *ONTARIO* VENDREDI SEIZE HEURES.

Se sentant personnellement responsable de Mme Ross, Tom resta près du paquebot échoué. Il se disait que le capitaine Binneford, dont il avait apprécié le bon sens pendant la traversée de Ketchikan à Totem, désirerait tout de même assurer la sécurité de ses passagers, en dépit d'ordres qui risquaient de les mettre en danger. Et il tenait surtout à se trouver sur place pour assurer la protection de Mme Ross. Il envoya Sam Grande-Oreille à la conserverie, dans une autre barque de Totem, pour rassurer Lydia sur la situation de sa mère.

À peine Sam s'était-il éloigné du paquebot échoué qu'un vent frais se leva du Canada et prit de la vitesse en s'engouffrant dans le fjord.

— Si ça continue, annoncèrent deux marins expérimentés, nous allons avoir un vrai « taku ».

Prudent chaque fois qu'un coup de vent menaçait, Sam fit demi-tour dès son arrivée à la conserverie pour aider les passagers à débarquer si le vent prenait de la violence.

Dans les cabines qui craquaient, plus d'un passager écrivit ce soir-là à tel ou tel parent les impressions qu'il ressentait. La lettre de Mme Ross s'adressait à Lydia :

Cette aventure me prouve une chose, et j'espère que tu en tireras la même leçon. Aucun désastre, et l'échouage de ce paquebot en est un, ne justifie la stupidité. En fait, à ces moments-là nous devons agir avec une intelligence surhumaine, et je suis certaine que tu le feras en toute circonstance.

Il est stupide de nous emprisonner sur ce bateau même avec certaines assurances que l'autre paquebot arrivera à temps. Il est stupide de permettre à quelques dollars d'entraver le fonctionnement de l'intelligence naturelle. Et il est toujours extrêmement stupide, Lydia, de permettre à une considération mineure de voiler la juste décision à prendre au sujet d'un problème majeur. Si nous sortons en vie de cette lamentable coque de noix — ce dont je commence à douter — je demanderai à ton père (et crois-moi je l'y aiderai de tout mon soutien, d'exiger le renvoi de ce capitaine Binneford, et jamais plus il ne naviguera dans les eaux d'Alaska. Voici que le vent commence à se lever, et son attitude est indéfendable.

Oui, le vent a pris beaucoup de violence et le bateau craque plus fort que jamais. Une assiette glisse en travers de ma table pendant que je t'écris ceci, et au lieu de s'arrêter, elle prend de la vitesse. Mais je suis si heureuse, Lydia, d'avoir fait ce voyage avec toi. Je crois que nous avons vu toutes les deux le jeune M. Venn sous un nouveau jour — ni favorable ni défavorable, simplement nouveau. Cette Nancy Grande-Oreille est une perle : ne m'a-t-elle pas sermonnée avant que je puisse lui offrir mon aide ? Veille à ce qu'elle s'en sorte bien à l'université. Et veille surtout sur toi. Prends les bonnes décisions et accroche-toi à elles.

J'ai beaucoup moins d'appréhensions que cette lettre ne le laisse paraître. Je suis certaine que nous serons sauvés demain.

Quand elle s'avança vers le bastingage pour lancer à Tom sa lettre convenablement lestée, un officier essaya de l'en empêcher, en prétendant de nouveau que la position juridique du bateau en serait compromise. Elle le repoussa en lui lançant sèchement :

— Je vous en prie, jeune homme, cessez de faire l'idiot.

À son retour, Sam Grande-Oreille chercha la barque de Tom, mais ne put la trouver au milieu de vingtaines de petites embarcations prêtes à sauver les passagers. Puis il aperçut Tom en train de parler à Mme Ross appuyée au bastingage. Ne voulant pas alarmer celle-ci avec la nouvelle qu'il apportait, il attendit qu'elle se retire, puis monta dans la barque de Tom.

— J'ai peur. Et les hommes de la conserverie aussi.

— Ah bon ?

— Le vent de Taku arrive. Pas de doute.

— Assez violent pour arracher le *Reine* au rocher ?

— Si l'eau monte, peut-être.

— Il y a des chances ?

— Peut-être, oui.

Tom et Grande-Oreille se glissèrent donc entre les barques pour réunir les deux capitaines qui avaient discuté avec Binneford quelques heures plus tôt.

— Sam Grande-Oreille a vécu toute sa vie dans le fjord de Taku. Il le connaît mieux que personne. Et il affirme... Explique-leur, Sam.

— Le grand vent de Taku va se lever. Peut-être avant le jour.
— En repoussant les eaux devant lui ?
— Bien entendu.
— Et la marée sera forte, ajouta Tom.
Les deux capitaines n'avaient nul besoin d'en apprendre plus. Ils emmenèrent Tom et Grande-Oreille, se rapprochèrent du *Reine* et crièrent :
— Nous voulons parler au capitaine Binneford.
— Il est occupé.
Un des capitaines se mit en rogne.
— Vous direz à ce stupide salopard de se « désoccuper » pour venir nous parler.
— Il ne veut plus rien entendre.
— Il entendra quand même quelque chose ! Parce que le vent de Taku va se lever, et ça va faire du bruit. Il va soulever son gros cul de ce rocher.
Comme le jeune officier refusait d'interrompre le capitaine Binneford, le capitaine de Juneau sentit la moutarde lui monter au nez. Il sortit son revolver et tira deux balles en l'air, dans la direction du *Reine.* Binneford apparut sur-le-champ.
— Que se passe-t-il, monsieur Proudfit ?
— Des ennuis, cria le capitaine du bateau de sauvetage. Le vent se lève en tempête. Vous feriez bien d'abandonner votre bâtiment.
— Le *Reine d'Ontario* arrivera demain avant quatre heures de l'après-midi.
— Il risque de ne pas vous retrouver.
Binneford voulut quitter le bastingage mais le deuxième capitaine de Juneau lui cria :
— Binneford, cet homme a vécu dans le fjord de Taku toute sa vie. Il le connaît, et il sait que par vent de tempête votre situation est très dangereuse.
Dans le noir, le capitaine Binneford, ébranlé par ces paroles, regarda l'homme dans le bateau au-dessous de lui comme s'il était prêt à écouter. Mais à cet instant, le faisceau de lumière de la lanterne de Tom tomba sur le visage de Grande-Oreille, et quand le marin canadien vit que Sam était tlingit, il tourna les talons et s'en fut.
Mais Sam ne s'était pas trompé. À minuit le vent avait pris une telle violence que la plupart des bateaux vraiment petits, dont les patrons connaissaient bien ces eaux, se mirent à l'abri dans une anse protégée, au nord du glacier du Morse. Tom et Sam s'estimèrent obligés de rester aux abords du *Reine* au cas où le capitaine entendrait enfin la voix de la raison. À trois heures du matin, les rafales tombant du Canada devinrent si puissantes que Grande-Oreille avertit son ami :
— Si nous ne partons pas, nous coulerons nous aussi.
Non sans réticences, Tom conduisit sa barque vers une anse au sud du glacier du Morse.
— Que va-t-il se passer ? demanda-t-il tandis qu'il s'écartait du *Reine.*
— Je crois qu'il va couler.
— Ces deux gros bateaux ne pourront-ils pas assurer le sauvetage ?
— S'ils ont un grain de bon sens, répondit Sam, ils partiront tout de suite.
Horrifié, Tom vit dans l'obscurité que les deux gros bateaux appareillaient vers un endroit protégé, car leurs capitaines savaient que dans

peu de temps éclaterait dans le chenal du Morse une bourrasque assez violente pour les dresser contre les rochers.

Dans sa cabine, au milieu des hurlements du vent, avec le bateau qui gîtait de plus en plus, Mme Ross écrivit une dernière lettre, que l'on remettrait à sa fille quelques semaines plus tard — mais tachée d'eau.

> *Je suis certaine, Lydia, que ta grand-mère a dû vivre des moments comme celui-ci, où tout paraît perdu. Rappelle-toi les accusations violentes lancées contre elle et ces autres jeunes femmes courageuses. Elles ont survécu et je survivrai aussi. Mais le vent devient vraiment très fort et nous attendons l'aurore avec une sorte de terreur qui nous paralyse. C'est tellement lamentable ! Je ne peux pas retenir mes larmes, parce que tout ceci n'était nullement nécessaire. Ton père et moi aurions résolu ce problème en trois minutes, et je te supplie d'acquérir la même forme de caractère et de rester toujours prête à assumer les responsabilités. Ce sont là de grandes vertus, peut-être les plus grandes. Je t'aime. Ce soir mes espoirs doivent se reporter sur toi.*

Le vendredi matin à l'aurore, tous les bateaux de sauvetage dispersés constatèrent dans l'horreur que la tempête déchaînée soulevait les eaux du fjord et les couvrait d'écume. Tom et Grande-Oreille quittèrent leur refuge en dépit d'une houle furieuse et tentèrent de s'approcher du paquebot en perdition. Quand la lumière fut assez vive pour qu'ils voient le bateau prendre une gîte dangereuse sur bâbord, le vent se déchaîna avec une rage telle que Tom cria :

— Revenons !

— Nous devons sauver Mme Ross ! répliqua Grande-Oreille.

Il continua de diriger leur petit bateau dans les énormes vagues. Puis, brusquement, l'association des violentes rafales de vent et de vagues déferlantes beaucoup plus hautes que les précédentes décrocha le *Reine de Montréal* du rocher et le fit basculer sur son flanc béant.

En quelques minutes le beau paquebot disparut dans les eaux sombres du fjord, et à cause du formidable effet de succion qu'il engendra, pas un seul des trois cent neuf passagers ne survécut. Pour éviter une perte financière de deux mille dollars, tous les passagers du *Reine de Montréal* périrent, l'équipage aussi.

Tom et Grande-Oreille restèrent près de l'endroit où le paquebot venait de couler, espérant — comme une douzaine d'autres barques — sauver au moins quelques passagers. Ils comprirent vite qu'ils n'auraient personne à sauver. En fait le bâtiment avait chaviré d'une façon si brusque qu'il restait à peine quelques bouts d'épave pour signaler l'endroit où se trouvait le bateau. À environ trois heures de l'après-midi, juste au moment où Tom allait décider de rentrer à Totem, Sam Grande-Oreille lui cria :

— Regarde !

Le jeune homme se retourna : majestueux, le *Reine d'Ontario* remontait le fjord, avec une heure d'avance.

À la conserverie, Tom fut incapable de dire ce qui s'était produit aux gens qui attendaient. Grande-Oreille monta sur le quai, se dirigea vers la foule et embrassa Lydia Ross.

— Tout le monde a coulé. Tout le monde. Tom a une lettre.

Quand Tom s'avança à son tour vers les gens, Lydia s'était reprise. En voyant ce garçon courageux qu'elle avait naguère traité si mal, elle courut vers lui, éclata en sanglots et se jeta dans ses bras.

Au retour de la jeune fille à Seattle, son père soupçonna non sans raison qu'elle était encore sous le coup de l'émotion lorsqu'elle lui annonça qu'elle allait épouser Tom Venn. Il la supplia d'attendre, le temps lui permettrait de voir les choses plus clairement.

— J'ai vu les choses de façon très claire au cours de ce voyage. Si maman avait vécu, elle t'aurait dit que j'étais restée là-bas parce que je ne veux pas que Tom épouse Nancy Grande-Oreille — tu verras, elle est formidable. Je le veux pour moi. Et je le veux pour la meilleure raison du monde : je l'aime.

Elle ajouta plus tard :

— Je l'ai vu pendant la tempête. Il s'est conduit comme tu l'aurais fait, papa.

— La plupart des hommes se conduisent courageusement pendant une tempête.

Son père parvint cependant à la raisonner au sujet de la date du mariage.

— Je me moque des apparences, comme tu le sais. Mais la vieille expression « un délai raisonnable » ne manque pas de sens.

— Le 10 octobre sera raisonnable, répliqua-t-elle. Tom et moi avons beaucoup à faire.

Nancy Grande-Oreille, étudiante à l'université, assista au mariage. Une certaine gêne subsistait entre Lydia et elle, mais non avec Tom. Elle l'aimait encore, Lydia et Tom le savaient, et ils l'aimaient tous les deux en retour. C'était la première jeune femme tlingit qui tentait sa chance dans le monde des Blancs, et ils désiraient qu'elle réussisse. Elle leur demanda où ils passeraient leur lune de miel.

— À la conserverie de Ketchikan, répondit Lydia. Tom a du travail.

Nancy les embrassa tous les deux.

Quand Nerka, le saumon, avait sauté au-dessus du bras droit de l'entonnoir de Tom Venn pour remonter dans la rivière des Pléiades, il dut affronter le problème inverse de celui qui l'avait mis en danger trois ans auparavant. Poisson acclimaté à l'eau salée, il lui fallut réapprendre à vivre dans l'eau douce, et cette modification soudaine lui imposa deux journées de nage lente dans le nouveau milieu. Il s'adapta progressivement, et l'excédent de graisse accumulé dans sa bosse au cours de son accès de voracité devint un atout : il le maintint bien vivant et assez fort pour remonter les rapides du torrent. En effet, après son entrée dans l'eau douce il ne pourrait plus se nourrir : l'ensemble de son système digestif s'était atrophié et ne pourrait plus fonctionner.

Il lui fallait négocier quatorze kilomètres de courant violent avant d'atteindre le lac, et c'était incomparablement plus difficile que de se laisser porter vers l'aval, comme jadis, car il devait non seulement franchir des obstacles énormes, mais se protéger des ours venus en grand nombre sur le bord de l'eau attendre le passage des saumons gras.

Au premier rapide, il fit preuve de ses capacités, car il nagea en plein milieu, affronta la pleine puissance du torrent et se propulsa à grands coups de queue. Mais à la première cascade, d'environ deux mètres cinquante de haut, son habileté hors du commun se fit jour : après avoir rassemblé ses forces dans le bassin du bas, il s'élança soudain vers le rideau d'eau qui tombait, se projeta dans les airs et sauta les deux mètres cinquante d'un bond, en agitant frénétiquement la queue. D'un effort rarement égalé dans le règne animal, il franchit cet obstacle considérable.

Sa performance la plus remarquable se produisit à la troisième cascade, non pas une chute verticale mais une sorte de long toboggan d'eau turbulente, ruisselant à une vitesse folle sur une distance de plus de cinq mètres. La pente était telle qu'aucun poisson ne semblait capable de la remonter, en tout cas d'un seul bond.

Nerka utilisa une autre tactique. Il s'élança le plus vite qu'il put au milieu du courant descendant et, dans l'eau même, se mit à nager, à bondir et à frétiller jusqu'à ce qu'il repère un appui précaire à mi-chemin. Il s'y coinça pour se reposer quelques instants et rassembler son énergie pour la grande épreuve à venir.

Bloqué au milieu du toboggan, il ne pouvait évidemment pas prendre le moindre élan : il s'élança presque à la verticale, à coups de queue frénétiques, et put reprendre l'assaut. De nouveau il nagea, sans sauter en plein cœur du courant et, au prix d'un effort prodigieux, il se projeta enfin dans l'eau calme. Il s'y reposa longtemps.

La partie la plus dangereuse de son voyage de retour, en ce qui concerne les agents extérieurs, allait se présenter aussitôt. En effet, dans l'état d'épuisement où il se trouvait, il négligea les précautions qui l'avaient maintenu en vie pendant six ans; tandis qu'il se laissait dériver doucement, il glissa à portée d'un groupe d'ours réunis là justement parce qu'ils avaient appris depuis des siècles qu'après leur bataille avec le toboggan, les saumons sur le chemin du retour flottaient dans ce bassin pour reprendre leurs forces et devenaient une proie facile.

Un gros ours s'était avancé de plusieurs pas dans le courant, où il réussissait à ramasser des saumons épuisés et à les jeter sur la berge où d'autres ours bondissaient sur eux et arrachaient leur chair à coups de griffes. Cet ours, voyant en Nerka un des plus beaux saumons de la matinée, se pencha en avant comme un pêcheur passionné et lança sa patte droite dans l'eau, prit Nerka sous le ventre et dans le même mouvement le lança loin derrière lui, à la manière du pêcheur qui dépose à terre une truite de choix.

Au moment où Nerka se trouva dans le vide, il prit conscience de deux choses : les griffes de l'ours avaient accroché son flanc droit mais sans le déchirer mortellement; et la direction dans laquelle il volait possédait des zones qui ressemblaient à de l'eau. Dès qu'il atterrit sur la terre sèche avec un bruit sourd, au moment où deux gros ours bondissaient déjà pour le tuer, il frétilla tant qu'il put et fit appel à toute la puissance de sa queue, de ses nageoires et des muscles de son corps. À l'instant où les ours s'avancèrent avec leurs griffes menaçantes, il frétilla et tituba à la manière d'une mouche ivre qui voudrait se poser sur des pattes instables, et quand les ours voulurent se saisir de lui, il bondit vers une des surfaces brillantes. C'était un bras vaseux du torrent : il était sauvé.

Il continua donc vers le lac et le signal unique, composé de traces minérales, lié à la position du soleil, peut-être à la rotation de la Terre et peut-être associé aussi à quelque force électrique particulière, devint de plus en plus impérieux. Pendant plus de trois mille kilomètres il avait obéi à l'appel de ce signal, et maintenant, il le sentait vibrer dans tout son corps vieillissant : « C'est le lac des Pléiades. Je suis chez moi. »

Il arriva au lac le 23 septembre 1906, et dès qu'il entra dans le plan d'eau scintillant comme un joyau au milieu des montagnes protectrices, il trouva son chemin jusqu'au petit affluent contenant la qualité particulière de gravier dans laquelle il était né six ans auparavant; pour la première fois de sa vie passionnante il se mit à chercher autour de lui non pas n'importe quel saumon, mais une femelle, et quand d'autres mâles nageaient non loin, il vit en eux des ennemis et les chassa. Le point culminant de son existence se rapprochait, mais sur les quatre mille de son groupe originel, seul lui-même et deux autres avaient survécu jusqu'à leurs eaux natales. Le reste avait péri au milieu des dangers imposés par cet incroyable cycle du saumon.

Mystérieusement, d'un creux où régnaient les ombres profondes qu'aime le saumon rouge d'Alaska, *elle* arriva — femelle adulte qui avait partagé les mêmes dangers que Nerka. À sa manière elle avait évité les digues flottantes de l'estuaire; et elle avait remonté les cascades avec ses propres astuces. Elle était son égale à tous égards, sauf qu'il lui manquait la redoutable mâchoire prognathe qu'il avait acquise. Elle aussi était prête pour le dernier acte.

Elle s'approcha doucement de Nerka comme pour lui demander sa protection, puis se mit à agiter lentement la queue et les nageoires pour ôter la fine couche de vase déposée sur les graviers qu'elle comptait utiliser. Ensuite, sans hâte, en utilisant seulement ces mouvements, elle se creusa une frayère, un nid, d'environ quinze centimètres de profondeur et deux fois plus long qu'elle — elle mesurait maintenant plus de soixante centimètres. Une fois la frayère prête, elle l'essaya une dernière fois pour vérifier que le courant ascendant constant d'eau froide porteuse de vie sourdait encore de la rivière souterraine. Quand elle sentit sa présence rassurante, elle fut prête.

Aussitôt débuta la danse nuptiale, solennelle et onirique. Nerka se rapprocha... davantage... encore plus... frotta ses nageoires à celles de la femelle, puis s'écarta à quelque distance avant de revenir de plus belle. D'autres mâles conscients de la présence de la femelle se précipitèrent, mais chaque fois que l'un d'eux se présentait, Nerka le chassait, et la danse émouvante recommençait.

Puis un changement surprenant se produisit : les deux saumons ouvrirent la bouche autant que leurs mâchoires le permettaient, et formèrent de grandes grottes pour que l'eau douce les pénètre. Comme s'ils voulaient se purifier, se laver de vieilles habitudes en préparation de ce qui allait se produire. Quand ce rituel fut terminé, ils éprouvèrent de vifs accès d'émotions : leurs corps se tordirent au même instant, ils claquèrent des mâchoires et leur queue frissonna. À la fin de leur ballet aquatique, la bouche de nouveau béante, la femelle libéra environ quatre mille œufs, et précisément en même temps Nerka éjecta sa laitance (ou sperme) sur tout l'espace de la frayère. La fécondation se produirait au petit bonheur, mais la quantité incroyable de laitance permettrait à chaque œuf de recevoir du sperme. Nerka et sa compagne avaient joué leur rôle dans la continuation de l'espèce.

Leur destinée était accomplie, leurs mystérieux voyages s'achevaient, l'impensable couronnement de leur vie allait se produire. Ils n'avaient rien mangé depuis qu'ils avaient quitté l'océan, même pas une épinoche. Ils étaient tellement épuisés par leur remontée du fjord de Taku, leur bataille contre les pièges, leur nage à contre-courant dans les cascades et les rapides, que leur force vitale se trouvait en lambeaux. Ces efforts fabuleux avaient usé leur volonté : ils se mirent à dériver sans but et les courants les emportèrent, ballottant de-ci de-là, vers le déversoir du lac dans la rivière.

L'entrée dans les eaux tourbillonnantes du torrent leur rendit un instant la vie et leur queue frétilla à l'accoutumée, mais ils étaient si faibles que rien ne se produisit : le courant les entraîna, passifs tous les deux, vers les chutes et les rapides.

À l'endroit fatal où les ours attendaient, près du bassin supérieur du long toboggan, Nerka put encore rassembler assez de forces pour s'écarter mais sa compagne, à deux doigts de la mort, n'en fut pas capable. L'un des gros animaux lança sa patte, la saisit dans ses griffes puissantes et la jeta à terre, où d'autres ours se jetèrent sur elle. L'instant suivant, elle n'existait plus.

Si Nerka avait été en possession de toutes ses facultés, jamais il n'aurait laissé le long toboggan s'emparer de lui et le projeter bon gré mal gré sur ses pentes les plus raides et contre ses rochers les plus dangereux. Mais c'est ce qui se produisit. Le dernier choc fut si fracassant qu'il sentit les derniers fils de la vie se briser en lui. Il tenta mais en vain de reprendre le contrôle de son destin, mais l'eau ne cessait de le lancer de rocher en rocher sans répit. Les dernières choses qu'il vit de la Terre et de ses eaux, au milieu desquelles il avait joué un rôle si joyeux, furent un grand tourbillon d'écume où il fut aspiré contre sa volonté, et le rocher qui s'avançait à une vitesse inouïe. Un bruit sourd, puis plus rien...

Il était revenu dans le bassin du lac des Pléiades le 21 septembre 1906. Il avait fécondé la génération suivante de « rouges » le 25 du même mois, et le 31, il mourut. Il avait vécu cinq ans et six mois et rempli toutes ses obligations avec courage, de la manière dont la nature l'avait programmé.

Pendant cinq kilomètres, son cadavre descendit le courant à la dérive, puis un remous l'envoya dans le refuge d'un bras mort où des corbeaux, connaissant les habitudes de la rivière, l'attendaient déjà. Il parvint dans leur domaine vers quatre heures de l'après-midi, par une journée froide où les oiseaux avaient besoin de se nourrir davantage. À la tombée de la nuit, il ne restait plus que ses arêtes.

Sur les cent millions de « rouges » nés en même temps que Nerka en 1901, seuls cinquante mille parvinrent à revenir sur les lieux de ponte, et comme il est raisonnable de supposer qu'ils étaient en nombre à peu près égal dans chaque sexe, il y avait donc environ vingt-cinq mille couples capables de se reproduire. Comme chaque femelle produisait environ quatre mille œufs, un total d'exactement cent millions d'œufs serait disponible pour assurer la génération de 1907, et nous avons vu que c'était précisément le nombre requis pour maintenir la population normale du lac. Toute diminution du nombre des survivants mettrait l'espèce en péril.

Si l'on rehaussait les bras de l'entonnoir l'année suivante, comme il était prévu, le nombre de saumons capables de les franchir diminuerait, et chaque année, la carence s'aggraverait.

La rapacité de Tom Venn et de ses maîtres de Seattle avait condamné à l'extinction, à plus ou moins longue échéance, l'une des plus nobles espèces du règne animal : le saumon rouge du lac des Pléiades.

⁂

En novembre, quand M. et Mme Thomas Venn, comme on disait, procédèrent à la fermeture de la conserverie de Ketchikan pour l'hiver après une excellente campagne, un agent de Ross & Raglan, qui arrivait des bureaux de Seattle, apporta une nouvelle déprimante :

— M. Ross m'a demandé de vous dire que Nancy Grande-Oreille, au bout de quelques semaines à l'université, vient de s'embarquer sur un de nos bateaux pour retourner à Juneau. Quand il a voulu savoir pourquoi elle abandonnait ses études, elle a répondu : « Ces cours n'apportent rien à quelqu'un comme moi. »

— Que va-t-elle faire ? s'écrièrent Tom et Lydia.

Pour être certain de donner la réponse juste, l'agent sortit de sa poche une note que M. Ross lui avait remise :

— « Deux semaines après son arrivée à Juneau, Nancy a épousé un réparateur chinois, un nommé Ah Ting. »

11

Matanuska

Pendant l'été 1919, Malcolm Ross, âgé de soixante-sept ans, se sentit mourir. Il savait qu'il laissait son entreprise, Ross & Raglan, dans la situation la plus florissante de son histoire. Dans ses trois domaines d'activité — service maritime vers l'Alaska ; entrepôts à Anchorage, Juneau et Fairbanks avec des magasins de détail dans la plupart des villes ; pêche et mise en conserve du saumon — R & R demeurait sans égal. La compagnie passait pour l'affaire la mieux gérée de Seattle, et les commentateurs ne se trompaient guère en disant : « R & R c'est l'Alaska et l'Alaska c'est R & R », car la relation profitait aux deux partenaires. R & R gagnait de l'argent, de grandes quantités d'argent, et l'Alaska avait les marchandises qui lui étaient nécessaires et bénéficiait d'un service de transports très fiable que l'on appelait la Route du Nord. Aucune route ne reliait l'Alaska aux régions industrielles du Canada et des États-Unis et l'on n'imaginait pas qu'il puisse en exister dans un avenir prévisible. Toutes les marchandises dont l'Alaska avait besoin parvenaient donc presque inévitablement dans le Nord à bord d'un bateau R & R. Tout voyageur désireux de quitter l'Alaska pour le Sud devait utiliser la même voie d'accès.

Mais depuis quelque temps, Ross avait pris conscience d'une faiblesse potentielle dans le monopole bienveillant de sa compagnie, et il tenait à discuter de la situation. Il fit donc venir à son chevet sa fille Lydia et lui demanda de se faire accompagner par son mari, Tom Venn, qui dirigeait la chaîne de conserveries de saumon depuis dix ans. Dès leur entrée dans la chambre, ils s'aperçurent de l'état précaire du malade, épuisé par le surmenage lié aux derniers mois de la récente guerre mondiale. Ils s'alarmèrent, mais Ross ne permit aucune effusion de sentiments :

— Je ne suis pas très vaillant, comme vous pouvez voir. Mais je garde toute ma tête.

— Ne t'en fais pas, père, dit Lydia. Le personnel du bureau tient les choses bien en main.

— Je ne vous ai pas fait venir ici pour parler du bureau. C'est l'insécurité de nos lignes maritimes pour l'Alaska qui m'inquiète.

— La navigation est impeccable, répondit Tom.

En pleine force de l'âge à trente-six ans, il avait navigué sur les bateaux R & R davantage que n'importe quel cadre de la firme. Il savait que la ligne fonctionnait parfaitement.

— Pour le moment, oui. Mais quand j'envisage l'avenir, je vois du danger.

— D'où viendrait-il ? demanda Lydia.

Son père se souleva sur le coude.

— De la concurrence. Pas des compagnies américaines, nous les avons mises au pas et aucune d'elles ne peut nous atteindre. Mais du Canada : ils ont des hommes capables. Et du Japon : les Japonais sont encore plus capables.

— Nous avons effectivement constaté certains signes, dut avouer Venn. Nous pouvons les tenir en respect, j'en suis certain, mais qu'avez-vous en tête ?

— *Le cabotage,* répondit le malade en retombant sur le lit. Savez-vous ce que c'est ?

Il avait employé le mot français et les deux jeunes gens secouèrent la tête.

— Cherchez ! dit-il.

Ils se mirent donc à étudier le mystérieux droit de la mer et des eaux côtières. Le mot français caboter, l'équivalent de l'anglais *coasting along,* a pris au cours des siècles une application précise dans les milieux diplomatiques : le cabotage est le droit de transporter des marchandises entre deux ports au sein du même pays. D'après le code maritime appliqué par les puissances commerciales, un bateau japonais, armé au Japon et pourvu d'un équipage japonais, avait le droit de quitter Yokohama avec une cargaison de produits japonais et de se rendre à Seattle, où, en payant les droits de douane prévus, il pouvait décharger ses marchandises et les vendre aux États-Unis. Le même bateau avait également le droit de charger des produits américains et de les transporter au Japon, en Chine ou en Russie.

Mais quand le bâtiment japonais finissait de décharger à Seattle, il lui était interdit de se lancer dans le cabotage : il ne pouvait embarquer ni fret ni passagers à Seattle pour les transporter vers un autre port américain, par exemple San Francisco. En particulier, il n'avait pas le droit d'apporter des marchandises américaines en Alaska. Tout fret, tout passager transporté d'un port américain à un autre devait l'être par des bateaux américains, avec des équipages américains. Aucune infraction, même légère, n'était permise. Les hommes d'affaires de Seattle révéraient ce principe du cabotage comme les Saintes Écritures, car il leur assurait une protection efficace contre les bateaux asiatiques qui, avec leurs équipages mal payés, transportaient le fret à bas prix. Plus les deux jeunes Venn s'enfoncèrent dans le dédale des réglementations sur le cabotage, mieux ils comprirent que l'avenir de Seattle (et en particulier les bénéfices dont profitait leur entreprise familiale) reposait sur le respect, la consolidation et l'application stricte de la loi du cabotage.

Lorsqu'ils revinrent au chevet de Malcolm Ross pour discuter du sujet, celui-ci fut ravi de voir qu'ils maîtrisaient bien la question mais désolé qu'ils n'aient pas senti quelle démarche Seattle devait entreprendre pour se protéger davantage.

— Tom, la population de l'Alaska ne supportera aucun durcissement de la loi sur le cabotage. En fait, tout le monde va essayer de la faire annuler. Au Congrès.

Venn en convint :

— Leurs marchandises seraient bien meilleur marché si des bateaux d'Europe et d'Asie avaient le droit de les transporter. Même des bateaux du Canada pourraient offrir des prix plus bas que les nôtres.

— J'ai surtout peur des Canadiens. Donc, ce que vous devrez faire quand le Congrès abordera la question — et les gens d'Alaska exigeront qu'il le fasse —, c'est obtenir une forme de soutien que nous n'avons jamais eue jusqu'ici.

— Je ne comprends pas. Le cabotage est une question qui concerne le transport maritime. Nous sommes pour le cabotage. Les hommes d'affaires de Seattle aussi. Les armateurs de la côte Ouest également. Mais qui d'autre ?

— C'est là qu'intervient la politique. Cessez de songer aux côtes. Mobilisez une nouvelle armée de partisans dans des villes comme Pittsburgh, Chicago et Saint Louis.

— Comment y parvenir ?

— Par les syndicats. Ajoutez une autre stipulation fort simple aux décrets sur la navigation, et tous les syndicats d'ouvriers accorderont leur soutien à votre loi sur le cabotage.

— Quelle est cette stipulation magique ? demanda Lydia.

— Exigez que le bâtiment américain, armé par un homme d'affaires américain et naviguant avec des marins et des officiers américains, soit entièrement construit dans des chantiers américains par des travailleurs américains.

À la fin de cette « ordonnance » pour la croissance assurée de Seattle et la ligne maritime R & R, il reposa la tête sur ses oreillers et sourit, persuadé que la loi pourrait passer devant le Congrès. Ainsi serait éliminée définitivement la possibilité que l'Alaska puisse échapper au contrôle autoritaire de Seattle.

Mais son gendre vit aussitôt le danger de compter sur le Congrès pour voter une loi qui profiterait à une infime minorité et ferait du mal au plus grand nombre.

— L'Alaska se battra à corps perdu pour faire échec à une loi pareille.

Le vieil homme hocha la tête à cette mise en garde.

— Ils protesteront, c'est certain. Ils n'ont jamais compris, là-haut, qu'ils devaient compter sur nous pour leur bien-être. R & R n'a jamais pris à l'Alaska un sou qui ne lui était pas dû. Il en fera de même avec le décret dont je vous parle. Nous le ferons voter pour protéger l'Alaska contre lui-même.

— Comment ? demanda Tom.

Il reçut une recommandation qu'il n'apprécia guère :

— Nous ferons comme nous avons toujours fait. La côte Ouest n'a pas assez de pouvoir au Congrès pour y parvenir à elle seule, mais nous avons des amis dans d'autres États. Il faudra mobiliser ces amis, et un seul homme en est capable.

Tom sentit son estomac se contracter, et non sans raison.

— Faites venir Marvin Hoxey, lança Malcolm Ross d'un ton ferme.

— Mais c'est une fripouille ! s'écria Tom.

— Il continue d'exercer une influence certaine à Washington. Si vous désirez protéger nos intérêts en Alaska, engagez Hoxey.

Tom ne voulait pas en entendre parler, mais dans les journées d'inquiétude qui suivirent, le conseil d'administration de R & R se réunit pour décider du successeur de Malcolm Ross à la tête de la compagnie. Manifestement, Ross n'accorderait pas sa bénédiction à Tom Venn si celui-ci n'engageait pas Marvin Hoxey, le lobbyiste incontournable, pour faire voter par le Congrès une nouvelle ordonnance de la mer. Ross avertit carrément Lydia :

— Si Tom ne fait pas venir Hoxey sur-le-champ, je dirai au bureau qu'il n'est pas digne de me remplacer.

— Mais Hoxey est un salaud, papa. Il l'a prouvé plus d'une fois.

— C'est un salaud *capable.* Il fait ce qu'il promet de faire, et c'est tout ce qui compte.

— Et tu feras obstacle à Tom s'il refuse ?

— Je dois songer à la sécurité de mon entreprise. Je dois faire ce qui est bien.

— Et tu trouves bien d'engager une fripouille ?

— Dans ces circonstances, oui.

Ce soir-là, Lydia dit à son mari :

— Je crois que tu devrais téléphoner à Hoxey.

— Je ne le ferai pas.

— Mais Tom...

— Je ne m'humilierai pas une fois de plus devant ce sale type.

Le silence se prolongea, puis Lydia murmura :

— À la mort de mon père, je serai le principal actionnaire de la compagnie... Les actions de ma mère et celles qu'il me léguera. Je dois donc intervenir pour protéger mes intérêts. Je vais téléphoner à Hoxey.

Tom, écœuré, quitta la pièce. Mais tandis qu'il arpentait le couloir, saisi de rage, il s'aperçut qu'il était en train de provoquer une rupture entre sa femme et lui-même — et cela au moment où elle méritait tout son soutien. Il retourna donc dans la chambre. Lydia venait juste d'obtenir la communication. Tom lui prit l'appareil des mains et lança, en maîtrisant sa colère :

— Marvin Hoxey ? Ici Tom Venn... Oui, nous nous sommes rencontrés à Nome à la belle époque, et pour les concessions de sites pour le saumon... Oui, j'ai épousé Lydia Ross... Désolé de vous apprendre que son père est malade... Oui, il veut mettre au point quelque chose d'important avant sa mort... Il a besoin de vous. Tout de suite... Oui, l'Alaska.

Suivit un long silence, pendant lequel Hoxey se lança dans un discours. Puis :

— Je le lui dirai.

Tom raccrocha puis regarda Lydia d'un air penaud.

— Quel vieux salopard ! Il avait déjà deviné les modifications que Seattle désirait apporter au code maritime. Il en a déjà parlé à plusieurs membres du Congrès, car il était certain que nous l'appellerions.

— Qu'a-t-il dit d'autre ? Pendant le long silence.

— Qu'il connaissait l'Alaska comme sa poche et que tout se passerait bien.

Peu de temps après, le vieux renard des antichambres du pouvoir vint à Seattle consulter Malcolm Ross. Âgé de soixante-quatre ans, imposant par son poids, le visage rubicond et toujours rasé de près, il entra en coup de vent dans la chambre du malade, braqua l'index comme un pistolet et tira une balle imaginaire sur Ross :

— Je veux vous voir hors de ce lit avant la nuit. C'est un ordre.

— J'aimerais vous obéir, Marvin. Mais la mécanique...

Il posa la main sur sa poitrine en souriant.

— Prenez une chaise et écoutez-moi.

Et le marchand, à l'article de la mort, complota sa dernière grande manœuvre pour défendre les intérêts de Seattle.

En ces années, l'État du Washington était représenté au Sénat des États-Unis par un républicain appliqué et courtois, Wesley L. Jones, que sa dévotion à son devoir avait élevé à la présidence de l'importante Commission du Commerce du Sénat. Toujours attentif aux intérêts de son, État d'origine il avait prêté une oreille attentive quand Malcolm Ross l'avait consulté sur les différents moyens de conserver à Seattle tous les transports à destination ou en provenance de l'Alaska. Il savait qu'il fallait éliminer des pays comme le Japon et le Canada de ce commerce profitable, et il ne voyait vraiment pas pourquoi le Washington, État développé, ne garderait pas ses privilèges sur un territoire sans structures comme l'Alaska. Il prévint cependant Ross et ses concitoyens de Seattle :

— Messieurs, ce n'est plus comme au bon vieux temps. L'Alaska commence à faire entendre sa voix dans la capitale de l'Amérique. Ce petit salopard de Sheldon Jackson, pas plus gros qu'une tête d'épingle, a monté le cou à toute une armée de chrétiens, là-bas. Nous ne pourrons pas faire voter votre loi sans difficultés, cette fois. Oui, nous aurons du mal. Beaucoup de mal.

En avril de cette année-là, les hommes de Seattle avaient pris conscience de l'opposition à leur politique au sein des États industriels et des États du bassin du Mississippi. À leur dernière réunion avant sa maladie, Ross avait signalé :

— Vous seriez surpris d'entendre les accusations dont nous sommes victimes. On nous traite de voleurs, de pirates qui essayons de garder l'Alaska pour nous. Nous devons mettre au point une tactique nouvelle.

L'histoire n'a pas retenu le nom de la personne qui eut l'idée de faire intervenir les syndicats pour maintenir l'Alaska dans son statut de colonie ; Ross ne se trouvait pas à la réunion où ce fut proposé pour la première fois, mais dès que les membres de son comité apportèrent cette suggestion à son chevet, il en reconnut aussitôt la portée.

— Insistez toujours là-dessus : nous ne cherchons pas à protéger nos intérêts, mais uniquement ceux des travailleurs américains et des marins américains.

Dans les dernières semaines de sa vie, il esquissa donc devant Marvin Hoxey et Tom Venn la stratégie qui permettrait au sénateur Jones d'imposer une nouvelle loi sur les transports maritimes en 1920, loi qui resterait appliquée presque jusqu'à la fin du siècle. Elle maintiendrait l'Alaska dans un véritable carcan. Même les mesures répressives de George III, qui avaient été à l'origine de la révolte des colonies américaines contre la couronne d'Angleterre, n'avaient pas été aussi dures et aussi contraignantes.

Personne, dans les milieux politiques américains, n'exerça plus d'influence pour le vote de cette loi que Marvin Hoxey. Plus jeune que Malcolm Ross de seulement trois ans, il avait quatre fois plus d'énergie que lui et un culot dix fois plus éhonté. En moins de trois minutes, il comprit qu'embrigader les syndicats dans la lutte était un coup de génie, et avant la fin de la première réunion il avait mis au point une argumentation qui éblouirait l'imagination de membres du Congrès dans l'ensemble du pays. Il sillonnerait les couloirs de Washington pendant que Tom Venn se rendrait dans les capitales des États dont les députés pouvaient apporter des voix décisives.

Cette mission déplut souverainement à Tom, car il serait obligé de téléphoner à Washington chaque soir pour tenir Hoxey au courant de la situation. Peut-être aurait-il refusé de servir d'assistant à cette fripouille si l'état de Malcolm Ross n'avait soudain empiré. Lydia et Tom vinrent aussitôt à son chevet, et le vieux lutteur leur donna ses derniers conseils :

— Toute industrie d'une certaine ampleur se trouve confrontée à des moments de crise... Où il faut prendre des décisions dont risquent de dépendre la vie et la mort. Un bon choix, et l'on monte au Ciel. Un mauvais choix et c'est la chute aux enfers.

Il toussa, puis leur lança avec le sourire qui lui avait si souvent servi quand il s'efforçait de convaincre.

— Et la difficulté, c'est qu'en général nous avons du mal à découvrir à quel point la décision est vitale. Nous nous aveuglons.

De nouveau il toussa, et ses épaules se mirent à s'agiter violemment. Son sourire abandonna ses lèvres serrées et il dit à mi-voix :

— Mais cette fois, nous savons... La prospérité de cette région du pays dépend du vote de la loi du sénateur Jones.

Il demanda à Tom de promettre de faire l'impossible, pendant les mois décisifs qui s'annonçaient, pour le triomphe de leur campagne.

— Laissez la compagnie se diriger toute seule. Vous devez partir pour aligner les voix au Congrès.

Il décrocha son téléphone et appela Marvin Hoxey, à qui il ordonna de prendre le train de nuit. Mais au milieu de l'après-midi, Tom lui passa un autre coup de fil.

— Marvin ? Ici Tom Venn. Annulez votre départ. Malcolm est décédé il y a quarante minutes.

La loi Jones de 1920 fut votée avec ses trois stipulations essentielles : aucun bateau appartenant à / ou affrété par / des étrangers n'avait le droit de transporter des marchandises américaines d'un port américain à un autre ; seuls des bâtiments appartenant à / et naviguant avec / des Américains en avaient la possibilité ; le bateau lui-même, même s'il appartenait à des Américains, devait avoir été construit aux États-Unis par de la main-d'œuvre américaine pour bénéficier de ce droit. L'avenir de Seattle était assuré.

On peut très bien illustrer les conséquences de la loi Jones par l'exemple d'une épicerie modeste d'Anchorage. Sylvester Rowntree venait d'investir ses économies dans un magasin neuf, plus grand de moitié que l'ancien et, en 1923, il doubla encore de volume. Le propriétaire aurait donc pu commander ses marchandises avec profit à des fournisseurs de l'ensemble des États-Unis. Mais ce n'était pas possible, à cause d'une routine insensée qui s'était établie : les marchandises à destination de l'Alaska devaient être acheminées d'une façon fort curieuse par voie ferrée, et selon des principes aberrants passer par les quais de Seattle. Avant même que le fret de Rowntree fût prêt à embarquer sur un cargo R & R, il lui faudrait payer cinquante pour cent de plus d'affrètement que si ses marchandises devaient partir vers une destination de la côte Ouest, comme Portland ou Sacramento.

Et les stipulations de la loi Jones n'étaient pas encore entrées en jeu : utiliser les docks de Seattle pour un envoi en Alaska coûtait presque deux fois plus que les mêmes services à destination, par exemple, du Japon. Et quand le cargo R & R était chargé, le prix au mille nautique des marchandises vers l'Alaska dépassait de beaucoup le prix de transport d'un fret comparable à destination des autres ports américains, par d'autres compagnies maritimes. Le monopole exercé par R & R leur permettrait d'imposer des prix supérieurs d'au moins cinquante pour cent pour chaque article envoyé en Alaska, et le Territoire ne possédait aucun moyen d'éviter cette majoration, car il n'existait aucune autre voie d'accès : ni route ni chemin de fer et pas encore d'avions.

— Cette maudite loi Jones nous étrangle ! gémissait Sylvester Rowntree.

Non sans raison, car la loi exerçait sa tyrannie de plusieurs manières fort inattendues. Les forêts d'Alaska auraient pu fournir des caisses de bois pour les conserveries de saumon, mais le coût du transport de matériel de scierie américain demeurait à un niveau si excessif, qu'il valait mieux acheter du bois en Oregon qu'utiliser des arbres à cinquante mètres des conserveries. De la même manière, les droits de douane éliminaient les étrangers.

Dans les années qui suivirent le vote de la loi, une douzaine d'entreprises d'extraction tout à fait profitables firent banqueroute à cause des prix exorbitants imposés par la nouvelle réglementation — bien que des bateaux canadiens fussent prêts à transporter du matériel lourd à un prix raisonnable et à charger en retour des produits finis à des taux assurant d'excellents bénéfices à l'Alaska.

Marvin Hoxey esquivait ces contradictions chaque fois qu'il tentait de défendre la loi qu'il avait mise au point : il s'agissait d' « inévitables difficultés mineures, très faciles à corriger ». Comme aucune tentative n'était lancée pour les rectifier, il déclara au Congrès :

— Ce ne sont que les inconvénients mineurs inhérents à un territoire reculé comme l'Alaska, et qu'il doit supporter s'il veut profiter des avantages du système américain.

Dans sa vieillesse, Hoxey faisait figure d'oracle rescapé, toujours prêt à justifier les mesures honteuses auxquelles on forçait l'Alaska à se soumettre.

Ce qui mettait en rage les habitants d'Alaska comme l'épicier Rowntree, davantage que les déclarations pompeuses d'Hoxey et celles de Thomas Venn (qui prêchait pour la même paroisse), c'était le fait qu'Hawaii, beaucoup plus éloigné de San Francisco que l'Alaska ne l'était de Seattle, recevait ses marchandises à des taux nettement moins élevés. Oliver Rowntree, âgé de dix-sept ans, fit observer à son père Sylvester :

— Papa, si un négociant de Honolulu passe une commande de cent dollars à un grossiste de New York en même temps que toi, quand les marchandises arriveront sur les quais de la côte Ouest, elles lui coûteront cent vingt-six dollars, alors que tu devras en payer cent quarante-sept. Comme les frais d'entreposage et de manutention sont très différents, quand les marchandises seront embarquées, les siennes lui coûteront cent trente-sept dollars, mais les tiennes, cent soixante-trois... Pire encore, comme les tarifs de R & R sont les plus élevés du monde, quand les marchandises arriveront à Honolulu et à Anchorage, elles coûteront cent cinquante-deux dollars à Hawaii et cent quatre-vingt-onze en Alaska.

Le jeune homme passa l'été de sa dernière année d'études secondaires à effectuer des calculs similaires concernant diverses sortes d'affrètements à destination et en provenance de l'Alaska. Partout, il découvrit les mêmes incohérences, les mêmes contradictions, et pour sa thèse de fin d'études d'anglais il rédigea une dissertation enflammée intitulée *L'Esclavage continue.* Il y traça un parallèle entre la servitude économique dont souffrait l'Alaska et le chaos de la période 1867-1897. Heureusement pour lui — comme on le découvrit plus tard — ce plaidoyer ne fut pas publié dans le journal de l'école. Mais le père d'Oliver, fier de l'intuition de son fils et de sa vision juste des affaires de l'Alaska, fit faire trois copies non signées de ce texte, et en envoya une au gouverneur du Territoire, l'autre au délégué (sans droit de vote) de l'Alaska au Congrès, et la troisième au journal d'Anchorage, qui la publia. Les arguments d'Oliver Rowntree jouèrent un rôle dans l'attaque ininterrompue que lançaient les citoyens de l'Alaska contre les stipulations cruelles de la loi Jones, mais rien ne s'améliora car à Seattle, Thomas Venn, de plus en plus actif à la tête de R & R, et à Washington le vieux cheval de retour Marvin Hoxey empêchèrent toute révision de la loi Jones et même toute discussion raisonnable sur ses conséquences désastreuses pour l'Alaska.

Le jeune Rowntree couva donc son ressentiment et passa l'été à ruminer un moyen d'exercer des représailles. À l'automne, quand il obtint une bourse, il avait un plan. Dorénavant à chacun de ses voyages sur les bateaux R & R, il se mit à les saboter, sans hâte et sans se faire prendre. Il volait de l'argenterie dans les salles à manger pour les lancer par-dessus bord pendant la nuit. Il bloquait les toilettes avec des taies d'oreillers. Il arrachait les boules sur les pilastres des escaliers, salissait les documents sur lesquels il tombait et jetait de grandes quantités de sel dans les plats pour les rendre immangeables. Toujours à l'insu de tous. Et sur certaines traversées, avec un peu de chance, il arrivait à voler et à vandaliser jusqu'à cent dollars.

Chaque fois qu'il commettait une de ces représailles il se disait : « Voilà pour avoir volé mon père... et les autres. » Deux fois par an, il exerçait ces déprédations.

Tom Venn, au siège social de Seattle, étudia les rapports sur ces sabotages et en fut intrigué. Il déclara un soir à sa femme :

— Quelqu'un mène une campagne de vandalisme contre nous et nous n'avons aucun moyen de trouver le coupable.

Elle examina le dossier à son tour et observa aussitôt :

— Tom, les cas les plus graves se produisent à l'automne sur les bateaux à destination de Seattle, et à la fin du printemps à destination d'Anchorage.

— Quelle importance ?

— Ne vois-tu pas ? Ce doit être un étudiant. Il a une dent contre notre ligne.

S'accrochant à cet indice, Tom demanda une étude sur les passagers qui avaient pris les bateaux sabotés ainsi, et son personnel releva les noms de dix-huit jeunes gens ayant voyagé pendant au moins trois des six traversées en question et sept qui avaient effectué toutes les six.

— Je veux un rapport complet sur chacun des dix-huit, avec des détails encore plus précis sur ces sept-là, ordonna Tom.

Pendant les semaines qu'il fallut pour réunir ces renseignements, Oliver Rowntree réfléchissait de son côté. Il avait appris dans ses cours de mathématiques sur les probabilités qu'un esprit habile peut analyser de plus d'une manière des données à première vue capricieuses. Un détective privé rusé pouvait examiner les listes de passagers et établir des corrélations ; s'il était vraiment brillant, il pouvait repérer quatre ou cinq suspects probables et rétrécir encore son champ en faisant quelques démarches intelligentes. Oliver savait que son nom apparaîtrait si l'on s'attaquait au problème dans ce sens, et une chose dans son passé mettrait les détectives R & R en alerte : sa dissertation sur les maux de la loi Jones. Toute personne qui lirait ce texte comprendrait : ce n'était pas seulement une attaque contre une loi, mais une gifle à Ross & Raglan. Il se félicita que son père ait enlevé son nom de l'article.

Il parvint à ces déductions pendant sa dernière année à l'université : « J'ai fait quatre traversées vers le sud et trois vers le nord, se dit-il. Mais je ne suis pas le seul à avoir effectué ces mêmes voyages. Donc le problème se réduit à : Comment détourner de mes basques les pieds-plats de R & R ? »

Pendant plusieurs semaines d'inquiétude, en 1924, il considéra des mesures de diversion, et décida bientôt que le mieux serait d'entraîner dans son complot une personne qui effectuerait les mêmes sabotages que lui, pendant une traversée vers le nord à laquelle il ne participerait pas. Il suivrait sur le bateau suivant sans rien faire. Mais à qui demander ? À qui faire confiance pour une mission si délicate ? Pour pouvoir expliquer la situation, il lui faudrait révéler sa culpabilité, ce qui représentait un gros risque.

À l'université même, il tomba sur plusieurs petits groupes d'étudiants originaires d'Alaska ; la plupart venaient naturellement d'Anchorage et de Fairbanks. Il eut peur des jeunes de la première ville, trop proches du magasin de son père ; et il n'éprouvait aucune sympathie particulière pour ceux de la seconde. Mais il y avait également quatre étudiants de Juneau avec qui il s'entendait bien parce qu'ils semblaient aussi sérieux que lui. Il eut l'impression qu'au moins l'un d'eux comprendrait son problème peu banal. Il se mit donc à les fréquenter de plus en plus, et découvrit qu'ils se sentaient politiquement concernés par la façon dont Seattle écrasait leur propre ville. À la fin du printemps, il jugea bon de se confier à l'une des filles.

C'était une belle jeune fille d'environ dix-neuf ans dont on avait du mal à déceler l'origine. Son nom semblait suivre la mode des années vingt, où l'on recherchait certaines consonances et allitérations entre nom et prénom : Tammy Ting. Elle aurait donc pu passer pour chinoise si elle n'avait pas tant ressemblé à une Indienne.

— Tammy Ting ? Quel genre de nom est-ce donc ? demanda le jeune Rowntree un jour au moment où ils quittaient une réunion d'étudiants, après avoir bavardé plusieurs fois avec elle.

— Je m'appelle Tammy Grande-Oreille Ting, répondit-elle avec un sourire franc.

Elle lui parla de son père étonnant — « le seul Chinois autorisé à rester en Alaska après la grande expulsion » — et de son non moins remarquable grand-père tlingit. « Sa famille a combattu les Russes pendant cinquante ans et il se bat à présent contre le gouvernement de Washington. » Ces paroles hypnotisèrent le jeune Rowntree.

— Puis-je te faire confiance, Tammy ? Je veux dire : pour une chose importante ?

Plus âgé qu'elle, il terminait sa dernière année alors qu'elle en était encore à la première, et passait d'un cours à l'autre pour déterminer les sujets qui lui plairaient le plus.

— Ma mère est venue dans cette université, autrefois. La seule indigène de l'Alaska sur le campus. Mais elle n'est restée que quelques semaines et quand je suis partie de Juneau, elle m'a avertie : « Si tu rentres à la maison sans diplôme, je te casserai les deux bras. »

— Quelle horreur ! Dire une chose pareille à sa propre fille...

— Le plus horrible c'est qu'elle le pensait vraiment. Et elle le pense encore, renchérit Tammy.

Rassuré par ce commentaire sincère, Oliver décida de faire confiance à cette jeune fille du nouvel Alaska. Avant qu'il eût terminé de lui poser son problème, elle comprit la situation dans laquelle il se trouvait et quelle en serait la solution.

— Vous voudriez que je parte dans un autre bateau que vous, et que je fasse tout ce que vous faisiez ?

Il acquiesça :

— Quel défoulement ! s'écria-t-elle. Je méprise Ross & Raglan pour leur façon hypocrite d'écraser l'Alaska.

L'alliance fut scellée.

— Trois actes qui sont ma signature, lui expliqua Oliver : Vol de couverts, boules d'escaliers, et blocage des toilettes.

— Mais vous faisiez toujours la même chose ! Ils devaient forcément deviner qu'il s'agissait d'un seul vandale. Ne croyez-vous pas ?

— Je voulais qu'ils le sachent... Mais jamais je n'ai eu envie de me faire prendre, ajouta-t-il après un instant d'hésitation. Je désirais leur prouver que la population de l'Alaska méprisait leur façon d'appliquer leur ignoble loi Jones.

— Papa et maman éprouvent les mêmes sentiments. Je suis votre « homme »... lança-t-elle.

Oliver Rowntree ne fera plus partie de cet épisode de notre récit. Il obtint un diplôme avec mention d'excellence à l'université du Washington en 1925, repartit chez lui à Anchorage sur un bateau R & R qu'il ne vandalisa pas, pour brouiller toutes les pistes qui pourraient aboutir à lui, passa l'été 1925 à la maison, puis trouva un bon emploi en Oregon, où il devait se marier en 1927 sans jamais retourner en Alaska. Avant son départ, sur le quai, son père lui avait dit :

— Ne reviens pas, Oliver. À la façon dont les salopards de Seattle et de Washington D.C. manipulent la situation à nos dépens, il est impossible de gagner bien sa vie par ici.

Et en 1928, le vieux Rowntree s'installa lui aussi en Oregon où, après avoir échappé à la tyrannie économique dont l'Alaska était victime, il monta une épicerie avec beaucoup de succès.

Le cas de Tammy Ting évolua de façon fort différente. Sur le paquebot R & R *Pride of Seattle* qui la conduisait vers le nord à la fin de sa première année d'études, elle accomplit en douce les trois actes de sabotage qui servaient de signature au vandale inconnu qui harcelait Ross & Raglan depuis quatre ans, plus deux ou trois autres déprédations pleines d'imagination et fort coûteuses. Un soir ou elle se préparait à saccager un pilastre d'escalier sculpté de grand prix, un jeune homme se précipita vers elle à l'improviste et elle ne put s'esquiver, manifestement gênée.

— Désolé de vous avoir fait peur, s'excusa-t-il.

Et en la regardant mieux il découvrit qu'elle était d'une beauté saisissante.

— Êtes-vous russe ? demanda-t-il.

— Moitié tlingit, moitié chinoise.

Elle expliqua comment c'était possible et ils se promenèrent au clair de lune, avec les montagnes du Canada qui s'élevaient sur la droite. Le jeune homme s'arrêta soudain.

— Grande-Oreille ! Mais j'ai toujours entendu parler de votre famille... Votre mère est allée à l'université, n'est-ce pas ? Elle n'y est pas restée plus de quelques semaines. Vers le début du siècle.

— Comment savez-vous ça ?

— C'est ma grand-mère qui s'était occupée de sa bourse d'études.

Tammy s'arrêta, s'appuya au bastingage et braqua son index menu vers son jeune compagnon.

— Vous vous appelez Ross ?

— Malcolm Venn. Je porte le prénom de mon grand-père Ross. C'est lui qui a fondé cette ligne.

Ils discutèrent un moment de l'extraordinaire coïncidence qu'était leur rencontre, puis le jeune Venn avoua :

— Vous ne croirez pas non plus la raison de ma présence ici. Je joue sur ce bateau le rôle d'un détective. Je ne sais quel imbécile commet des sabotages sur la ligne de l'Alaska, et mon père m'a envoyé dans le Nord pour jeter un coup d'œil... Et rendre compte de toute attitude suspecte.

Sans lui laisser le temps de répondre, il ajouta :

— Nous avons des hommes comme moi sur tous les bateaux. Nous attraperons les coupables.

Innocemment, Tammy demanda :

— Pourquoi quelqu'un aurait-il envie de saccager un bateau R & R ?

Le jeune homme lui fit un long sermon sur les âmes mal intentionnées qui refusent d'apprécier les belles choses que d'autres font pour elles. Il expliqua que le bonheur de l'Alaska dépendait de la bienveillance des génies de Seattle — industriels et commerçants — qui veillaient sur les intérêts de tout le monde en Alaska. Enchanté d'avoir un auditoire si attentif et apparemment du même avis, il poursuivit en déclarant que jamais l'Alaska ne pourrait accéder au statut d'État, mais qu'il pourrait toujours compter sur Seattle pour un parrainage constructif et paternel.

Quand elle eut assez entendu d'idioties de ce genre, elle l'interrompit :

— Le peuple de ma mère, il y a longtemps, s'est battu contre les Russes, puis contre les États-Unis, et maintenant contre vous, les gens de Seattle. Je crois que mes enfants et mes petits-enfants poursuivront le combat.

— Mais pourquoi ?

— Parce que nous avons droit à la liberté. Nous sommes assez intelligents pour diriger notre État.

Elle dévisagea l'héritier de R & R d'un regard enflammé puis demanda :

— Votre père ne vous a-t-il jamais appris que le mien, un émigrant illettré qui travaillait pour soixante dollars par an, résolvait les problèmes mécaniques de la conserverie R & R ? Puis qu'il l'a quittée pour s'établir à son compte ? Qu'il a appris à lire tout seul, et à se servir d'une règle à calcul. Qu'il a acheté des quantités de terrains que personne d'autre ne jugeait utiles ? Monsieur Ross, si mon père était assez intelligent pour faire tout ça, il l'est certainement assez pour gouverner un État. Et j'en connais des centaines d'autres comme lui... dans toutes les régions de l'Alaska.

Ces paroles enchantèrent le jeune Venn et il rechercha la compagnie de la jeune Indienne pendant le reste du voyage, désireux de partager cette image d'un Alaska dont personne ne lui avait parlé. Ces attentions flattèrent Tammy, mais, la dernière nuit de la traversée, pendant que les autres faisaient la fête, elle évita le jeune homme, attendit avec précaution un moment convenable, puis arracha la décoration très coûteuse du pilastre de l'escalier d'honneur et la jeta dans les eaux glacées du goulet de Cook.

Les éclaboussures qu'elle fit dans les eaux sombres reflétèrent la lumière d'un des hublots de bâbord. À peine s'étaient-elles calmées que Tammy sentit des bras forts la forcer à se retourner, puis des lèvres passionnées se poser sur les siennes. Malcolm Venn l'entraîna pour une promenade sur le pont supérieur.

— Chaque fois que mon père parlait de ses débuts à la Conserverie Totem, du naufrage du *Reine de Montréal,* des saumons de la rivière des Pléiades, j'ai toujours pensé...

Il s'arrêta un instant, craignant d'en dire trop, puis avoua d'un trait :

— Je suis sûr que mon père était amoureux de votre mère.

— Oh ! mais bien entendu ! répondit Tammy. Tout le monde le savait. Maman m'a dit : « Mme Ross l'a compris au premier instant où elle m'a vue. Et elle n'allait pas laisser une maudite Tlingit épouser un garçon sur lequel sa fille avait des vues ! »

Le jeune Malcolm éclata de rire à l'idée que quelqu'un ait envie d'empêcher un mariage avec une jeune fille comme Tammy Ting, et ils s'embrassèrent de nouveau.

Pendant l'hiver glacial de 1935, en janvier, les petites villes de l'ouest du Minnesota, du côté de Thief River Falls près de la frontière canadienne, connurent les horreurs de la Grande Dépression. À Solway, John Kirsch, Rose et leurs trois enfants survivaient avec un repas par jour. Dans le hameau de Skim, Tad et Nelly Jackson, trois enfants eux aussi, ne tarderaient pas à mourir de faim. Et à Robbin, juste sur la frontière du Dakota du Nord, Harold et Frances Alexander devaient se soucier de quatre enfants, sans aucune sorte de revenu. Cette partie du Minnesota avait le couteau sous la gorge.

Au carrefour de Viking, moins de deux kilomètres au nord-ouest de la Thief River, un grand paysan dégingandé, du nom d'Elmer Flatch, laissa son épouse, Hilda, et leur fille dans leur cabane nue que chauffait une cuisinière à bois et emmena son fils de seize ans, LeRoy, dans les forêts au nord du village en l'avertissant solennellement :

— Petit, nous ne ressortirons pas de ces bois sans avoir tué un cerf.

Les deux Flatch s'avancèrent donc avec précaution dans la modeste forêt, sachant bien que la chasse était fermée.

— Si un garde essaie de nous arrêter, LeRoy, je lui flanquerai mes chevrotines en pleine gueule. Fais attention.

Et avec ces deux résolutions — tuer un cerf wapiti et se protéger des conséquences — les deux chasseurs abandonnèrent le chemin de terre et s'enfoncèrent dans les arbres.

En terrain découvert, il restait des plaques de neige, dont certaines assez profondes, mais dans la forêt basse — rasée au début des années vingt — la neige de janvier se faisait rare et juste assez épaisse pour retenir les traces des animaux qui l'avaient traversée. Pendant les quatre-vingt-dix premières minutes de la chasse, dans les ombres d'argent, Elmer rappela à son fils la façon de reconnaître les divers animaux qui partageaient ces bois avec eux.

— Ça, c'est un lièvre, regarde les traces des pattes de derrière. Le genou laisse comme un point. Et ça ? Peut-être un mulot. Ça, un lapin, c'est sûr. Et ça, un renard, je crois. Pas beaucoup de renards dans le coin.

Comme chaque fois qu'il sondait les secrets de la forêt, le père éprouvait une sensation de bien-être, bien qu'il n'eût pas pris un seul repas complet depuis trois jours.

— Rien n'est meilleur dans ce monde, LeRoy, que de chasser par une journée d'hiver. Il y aura forcément un cerf un peu plus loin.

Depuis son arrivée au Minnesota, il était convaincu qu'il y avait un wapiti derrière la colline suivante, et qu'il le trouverait. Son assurance se justifiait : n'avait-il pas tué plus d'une de ces bêtes alors que personne n'en voyait ? Et en ces journées où abattre un de ces beaux animaux n'était pas un plaisir de sportif mais une question de vie ou de mort, il chassait avec des précautions particulières.

— Vers là-bas, pas beaucoup de chances, LeRoy. Plutôt par là-haut.

Mais la matinée passa sans qu'ils aperçoivent une seule trace du passage d'un wapiti, et les deux hommes — car à seize ans, LeRoy était un chasseur responsable qui maniait son arme d'une main sûre — commencèrent à afficher les premiers signes de panique, sans grandes démonstrations car ce n'était pas le genre de la famille Flatch, mais ils sentirent leur estomac se nouer.

— LeRoy, je suis crevé. Qu'est-ce que tu penses ?

— Il y a forcément des cerfs. Vickaryous en a tué un le mois dernier. On me l'a dit au magasin.

En entendant le nom de son voisin finlandais, Elmer Flatch se raidit. Il ne pouvait pas sentir les Finnois, les Norvégiens et les Suédois, très nombreux dans ce coin du Minnesota. Comme voisins, ils passaient pour assez convenables, mais ce n'était pas le genre des Flatch. Elmer se liait avec des gens qui portaient des noms plus américains, comme Jackson, Alexander et Kirsch. À l'origine les Flatch venaient du Kentucky, par l'Indiana et l'Iowa, « Américains aussi loin qu'on puisse remonter. »

— Où Vickaryous prétend-il qu'il a tué son cerf ? demanda Elmer à son fils.

— Je ne l'ai pas vu lui-même. Mais au magasin, des gens disaient que c'était au bord de la clairière.

Comme s'il avouait une sorte d'échec, Elmer répondit :

— Dirigeons-nous vers cette clairière, la grande.

— C'est celle-là, si j'ai bien compris.

À la clairière, ils ne rencontrèrent rien, pas la moindre piste, et la panique augmenta car ils n'osaient pas rentrer à la maison sans apporter de quoi manger.

— Si nous voyons un lapin ou un lièvre, LeRoy, n'hésite pas. Il faut que les femmes aient quelque chose à se mettre sous la dent.

Le jeune homme ne répondit pas, mais les ombres s'allongeaient déjà et son angoisse grandit. Quel désespoir dans leur cabane s'ils rentraient les mains vides ! Aucun des Flatch n'avait goûté à de la viande depuis plus d'une semaine, et le sac de haricots n'était plus assez plein pour tenir debout dans son coin.

Le crépuscule tomba, aucun signe de wapiti... Ce qui aurait sans doute été quinze minutes de spectacle sublime tandis que la nuit enveloppait les hauteurs enneigées du Minnesota, devint au contraire une cause de frayeur. Elmer Flatch, qui se flattait avant tout de ses capacités de chasseur pour nourrir sa famille, devait affronter une situation désastreuse : non seulement il ne trouvait pas de viande, mais il était également incapable d'acheter les plus modestes boîtes de conserves au magasin de Viking.

Il faisait de plus en plus sombre, mais comme la plupart des bons chasseurs, Elmer suivait les phases de la lune et savait qu'allait apparaître bientôt ce qu'il appelait « le bon trois quarts » et il ordonna à son fils :

— LeRoy, nous restons jusqu'à ce que nous ayons notre cerf.

Le jeune homme acquiesça car il n'osait pas lui non plus retourner bredouille auprès des femmes de la famille. Ils avancèrent donc tous les deux avec précaution dans le noir, et le père rappela à LeRoy :

— Reste à côté de moi, hein ? Je n'ai pas envie de te tirer dessus dans les ombres en te prenant pour un cerf.

Il pensait en réalité : « Ne t'écarte pas parmi les arbres, tu me tirerais dessus si je fais un bruit soudain », mais par égard pour la jeunesse de son fils, il avait évité de le vexer.

Ils tombèrent sur une clairière dégagée où ils auraient dû trouver un cerf, mais aucun ne se montra et à leur retour dans les bois, ils restèrent dans des ténèbres presque totales pendant une demi-heure. Puis, au moment où ils arrivaient dans un autre espace dégagé, la lune à son déclin se leva enfin au-dessus des arbres entourant la clairière et une lumière douce se diffusa entre les branches. Sans révéler de traces d'animaux... À minuit, comme la lune continuait de monter, les deux hommes au milieu de la forêt vide commencèrent à désespérer. Le père se sentait de plus en plus faible, terrassé par la faim, mais il essayait de dissimuler son état à son fils. Il s'arrêtait de temps en temps pour souffler, ce qu'il n'avait jamais fait jusque-là, à cause de sa minceur et de son endurance.

À deux heures du matin, les Flatch tombèrent sur un dégagement éclairé par la lune, où un wapiti venait de passer. En reconnaissant sa piste, Elmer sentit toutes ses forces lui revenir. Il lança un ordre sec pour envoyer LeRoy sur la droite, sans le quitter des yeux pour éviter tout accident, puis il avança avec précaution sous la futaie.

Ils virent le wapiti. Au milieu des ombres il les devina et il fila comme une flèche. LeRoy eut envie de pleurer quand il vit la croupe de l'animal disparaître en lieu sûr. Son père se mordit simplement la lèvre inférieure pendant un instant, puis lança :

— Nous sommes sur leur piste, LeRoy. Par là ! Nous en attraperons un.

Avec un courage qui étonna son fils, Elmer Flatch se mit à la poursuite du wapiti dont il avait un besoin absolu.

— Nous le suivrons jusqu'à demain soir s'il le faut.

Une heure avant l'aurore, les deux Flatch tombèrent sur un cerf solitaire qui se découpait parfaitement dans la faible lumière de la lune qui se couchait. Faisant appel à toute sa maîtrise de soi, Elmer murmura à son fils :

— Tire quand mon coude droit retombera. Vise un peu en avant au cas où elle bondirait... Petit, nous allons l'avoir, ajouta-t-il.

Méticuleusement, les deux Flatch braquèrent leurs fusils, en les protégeant de la lune de peur qu'un reflet sur le métal effraie soudain la biche. Elmer fit signe avec son coude droit, ils tirèrent ensemble et l'animal s'affaissa, comme frappé par la foudre. Quand Elmer la vit s'écrouler il sentit qu'il s'écroulait lui aussi, d'épuisement mais aussi de soulagement : il avait trouvé de quoi manger. Au moment où il glissait, la main de LeRoy le retint.

— Assieds-toi sur un tronc, papa. Je vais lui trancher la gorge.

Elmer s'assit dans le clair de lune glacé et faillit s'évanouir de faim. LeRoy traversa la clairière et se mit à préparer le wapiti de façon qu'ils puissent le porter.

Le trajet fut long jusqu'à la cabane des Flatch, et les quartiers de cerf semblaient lourds, mais les deux hommes marchèrent comme si la joie les poussait ; la simple présence de la viande sanglante sur leur dos leur redonnait apparemment des forces. Quand ils arrivèrent près de leur destination ils virent les volutes de la fumée matinale que donnait le bois tout juste jeté sur les braises. LeRoy se mit à courir en criant :

— Maman ! Flossie ! Nous avons eu un cerf.

Malheureusement ses cris alertèrent les Vickaryous, de la ferme voisine, et quand les Finnois apprirent que leurs voisins avaient tué un wapiti, deux hommes et deux femmes se rendirent chez les Flatch.

— Nous n'avons pas mangé depuis trois jours, monsieur Flatch.

Les paysans affamés se regardèrent : les quatre Flatchs venu des États de l'Est et les deux couples Vickaryous qui avaient quitté la Finlande vingt ans plus tôt. Ils étaient grands et bien droits tous les huit, minces et durs à la tâche. Leurs vêtements semblaient encore présentables, surtout ceux des Finnois, mais ils se trouvaient au bout du rouleau.

— Il faut que vous nous en donniez un peu, monsieur Flatch, dit une des femmes Vickaryous.

— Bien sûr, répondit Hilda Flatch en s'avançant, un couteau à la main.

Elle s'agenouilla pour découper un beau morceau de venaison, et l'une des femmes Vickaryous fondit en larmes.

— Dieu sait que nous avons honte de mendier. Mais par ce froid...

Tandis que les quatre femmes découpaient l'animal, un ange gardien apparut — comme envoyé par Dieu pour venir en aide à ces familles. Il apparut dans une Ford usée, qui en avait vu de dures depuis quinze ans, et au début les hommes de la cabane crurent qu'il s'agissait d'un garde-chasse.

— Il n'aura pas ce cerf-là ! chuchota Elmer aux autres hommes.

— Attention, dit l'un des Vickaryous à son groupe. Mais ne le laissez pas toucher à cette viande. Empêchez-le, c'est tout.

Le visiteur se nommait Nils Sjodine et faisait partie d'un bureau du gouvernement, à Thief River Falls. Il apportait un message étonnant et de nombreux documents pour confirmer son authenticité. Il s'assit dans la cabane, au milieu des huit personnes, et lança :

— Ravi de voir que vous avez un cerf. La viande est rare par ici.

— Qui êtes-vous ? demanda Hilda Flatch.

— J'apporte la bonne nouvelle.

Sur ces mots, il posa sur la table de bois une pile de papiers qu'il invita tout le monde à feuilleter. Comme les paysans de cette partie du Minnesota respectaient l'instruction, tous savaient lire, même la jeune Flossie Flatch, et dans les minutes qui suivirent, ils découvrirent la révolution qui allait les happer, ainsi que leurs voisins de cette région du nord des États-Unis.

— Oui ! lança M. Sjodine avec l'enthousiasme d'un pasteur méthodiste ou d'un vendeur de matériel agricole. Chaque mot de ce qui est écrit ici est exact. Notre gouvernement va choisir huit ou neuf cents personnes de régions comme celle-ci, des gens qui n'ont pas eu de chance sans que ce soit de leur faute, et nous allons vous expédier, tous frais payés, dans une vallée de l'Alaska... où les choux pèsent trente kilos chacun... On n'a jamais rien vu comme ça.

— Dans quel but ? demanda Hilda Flatch.

Toute sa vie elle avait eu affaire à des artistes de l'esbroufe, et elle se disait que ce M. Sjodine était le suivant de ce défilé.

— Pour commencer une vie nouvelle dans un monde nouveau. Pour peupler un paradis. Pour bâtir une région très importante pour les États-Unis — notre nouvelle « Frontière », l'Alaska.

— Mais il n'y a que de la glace, là-haut ! lança Elmer.

M. Sjodine n'attendait que ces mots. Il prit trois autres brochures et les étala aux yeux de tous. Pour la première fois de leur vie, les Flatch et les Vickaryous virent le mot magique : Matanuska.

— Regardez vous-mêmes, dit Sjodine avec une fierté qui aurait été justifiée si la région qu'il allait décrire lui avait appartenu. La vallée de Matanuska. Dans un écrin de hautes montagnes. Entourée de glaciers qui dévalent mystérieusement des hauteurs. Une terre fertile. Des récoltes comme vous n'en avez jamais rêvé. Regardez cet homme à côté de ces choux et de ces navets. Et regardez cette déclaration sous serment, signée par un haut fonctionnaire du gouvernement des États-Unis : « Je soussigné, Jean Dickerson du ministère de l'Agriculture, certifie que l'homme debout à côté de ces légumes est moi-même et que les légumes sont authentiques et en aucune façon truqués. »

Les paysans émerveillés regardèrent les produits de cette vallée de l'Alaska, puis les crêtes de merveilleuses montagnes couronnées de neige, enfin une maison pilote bâtie à côté d'un torrent d'eau vive. Ils avaient sous les yeux un pays de cocagne et ils le savaient.

— Où est la faille ? demanda Hilda Flatch.

M. Sjodine pria tout le monde de s'asseoir, parce qu'il savait que personne n'allait croire ses paroles.

— Notre gouvernement, et je travaille pour lui dans le domaine de l'agriculture, a décidé de faire quelque chose pour aider les paysans comme vous, durement frappés par la Dépression. Et voici ce que nous allons faire.

— Qui êtes-vous, au juste ? demanda Mme Flatch.

— Je viens d'une famille de paysans exactement comme vous. J'ai fait mes études à l'université d'État du Dakota du Nord, à Fargo. J'ai exploité une ferme moi aussi dans le Minnesota, avant d'être engagé par les autorités fédérales. Mon travail actuel ? Aider les familles comme vous à se lancer dans une nouvelle vie.

— Vous ne nous connaissez même pas, répliqua Hilda Flatch.

M. Sjodine la corrigea poliment, mais d'un ton sec :

— J'ai beaucoup travaillé sur le cas des Flatch et des Vickaryous. Je sais exactement combien vous devez encore à la banque pour vos fermes, ce que vous avez payé votre matériel, quelles sont vos créances à la banque, ainsi que l'état de santé de chacun. Je sais que vous êtes honnêtes. Vos voisins disent du bien de vous, et vous êtes tous complètement fauchés. Savez-vous ce que m'a raconté l'épicier de Thief River ? « Ces Flatch, je leur donnerais la chemise que j'ai sur le dos. Aussi honnêtes que les jours sont longs. Mais je ne peux plus leur accorder de crédit. »

Les hommes des deux familles baissèrent les yeux vers le sol.
— Donc, vous avez été choisis, continua Sjodine. Je pense que vous pouvez tous compter sur ce projet.
— Les enfants aussi ? demanda Hilda.
— Surtout les enfants. Les enfants comme les vôtres seront le bon grain du nouvel Alaska.
Ayant captivé leur attention, il passa aux détails.
— Nous assurerons votre transport à San Francisco par le train, sans un sou de dépenses pour vous. Nous vous embarquerons sur un bateau à destination de l'Alaska, sans un sou à payer. Et quand vous débarquerez en Alaska nous vous accompagnerons à Matanuska à nos frais. Puis nous vous accorderons à chacun seize hectares, vous choisirez l'emplacement vous-mêmes. Nous vous construirons une maison toute neuve, avec une grange, et nous vous remettrons gratuitement les semences et le début de votre cheptel vif. Nous établirons également un centre urbain avec des magasins, des médecins et une route vers le marché.
— Et tout cela sans rien payer ? demanda Elmer.
— Au début, oui. Vous ne dépenserez pas un sou. Même les cuisinières seront gratuites. Mais nous inscrirons à votre débit trois mille dollars, sur lesquels vous n'aurez rien à payer pendant votre installation. À partir de la quatrième année, il y aura trois pour cent d'intérêt sur votre hypothèque. Soit quatre-vingt-dix dollars par an. Et à la manière dont tout pousse dans cette vallée, vous pourrez payer non seulement les intérêts mais le principal.
Il termina d'un geste grandiloquent et sourit aux quatre Finnois comme s'il désirait les convaincre particulièrement.
— Le gouvernement fédéral nous a demandé de choisir en particulier les paysans suédois, norvégiens et finlandais âgés de vingt-cinq à quarante ans, avec des enfants. Vous êtes parfaits si vous avez des enfants.
— Nous en avons sept à nous tous, dit l'une des Finnoises.
Mais avant que M. Sjodine ait le temps de lui confirmer qu'ils avaient de grandes chances de passer la sélection, un bruit sourd, derrière lui, l'incita à se retourner. Elmer Flatch venait de s'évanouir.
— Il n'a rien mangé depuis quatre jours, dit Hilda. Flossie, mets-toi à la cuisine.
Elle demanda à M. Sjodine de l'aider à porter son mari sur un lit. Il n'avait plus que la peau et les os.

À la surprise émerveillée des deux cent quatre-vingt-dix-neuf paysans du Minnesota sélectionnés pendant l'hiver 1935 pour cette aubaine offerte par le gouvernement fédéral, M. Sjodine tint toutes les promesses qu'il avait faites. Un train baptisé *Special Alaska* les conduisit dans un confort relatif jusqu'à la gare Pacifique-Sud de San Francisco. Aux divers arrêts, les gens de l'endroit, désireux de voir les Nouveaux Pèlerins, envahissaient les gares avec des bonbonnes de café chaud, des sandwiches et des gaufres. Les journalistes interrogeaient les voyageurs et écrivaient des articles que l'on aurait pu classer en deux catégories distinctes : ou bien les gens du Minnesota faisaient figure d'aventuriers audacieux qui se lançaient dans l'inconnu d'une Frontière glacée ; ou bien ils participaient sans vergogne à une autre combine socialiste du président Roosevelt, destinée à désorganiser l'Amérique. Rares furent les journalistes assez pénétrants pour maintenir un équilibre entre ces deux extrêmes, mais une jeune femme du Montana écrivit :

> *Ces âmes valeureuses ne plongent pas en aveugles dans je ne sais quel désert arctique, où ils ne verraient pas le soleil pendant six mois de suite. J'ai vérifié personnellement les conditions climatiques à Matanuska et découvert qu'elles étaient à peu près les mêmes que dans le nord du Maine ou dans le sud du Dakota du Nord. La vallée elle-même ressemble aux meilleures campagnes de l'Iowa, sauf qu'elle est entourée par une chaîne de beaux sommets couverts de neige. En fait, nous avons de bonnes raisons de croire que ces émigrants s'en vont vers une sorte de paradis.*
>
> *La grande question est la suivante : pourquoi eux et personne d'autre ? Le gouvernement fédéral leur offre toutes sortes d'avantages pour rien, ou presque rien. Et ce seront en fin de compte les contribuables du Montana qui régleront la note. Nous n'avons rien trouvé qui puisse justifier toutes ces largesses en faveur de ce groupe particulier de paysans, sauf qu'ils viennent tous d'États du Nord, sont scandinaves pour la plupart, et ont vraiment l'air de connaître leur travail. Les personnes de notre comté qui sont allées les voir à la gare leur ont souhaité bonne chance, car ils se lancent vraiment dans une grande aventure.*

À San Francisco, M. Sjodine avait, comme promis, un bateau pour les transporter dans le Nord. C'était un des bâtiments les plus laids de la flotte — un vieux rafiot de l'armée aux flancs écorchés, le *Saint Mihiel*, — mais il flottait tout de même, la nourriture y était copieuse et chaque famille avait un coin où dormir. Dans cette première cargaison de colons de Matanuska, il n'y avait aucun homme sans femme, et presque aucune famille sans enfants. Ils formaient un groupe homogène, ces émigrants de l'ancien monde du Minnesota partis en quête d'une nouvelle vie en Alaska. Même âge, même milieu, cinquante hommes pris au hasard : ils semblaient presque interchangeables. La majorité, de taille moyenne, pesait environ quatre-vingts kilos ; tous se rasaient le visage et avaient l'air capable. Leur plus grande similitude tenait aux vêtements, car à la différence des femmes qui s'habillaient de façon variée, ces hommes travailleurs portaient tous des costumes sombres, veste et pantalon coupés dans le même drap de laine, avec chemise et cravate — la première invariablement blanche, la seconde toujours d'une couleur discrète. Ce qui les distinguait le plus des gens qui vinrent les voir à San Francisco et dans les autres villes où leur train s'était arrêté, c'était leur casquette d'ouvrier, en tissu mais avec une visière dure. Par leur allure, ces aventuriers formaient le groupe le plus terne qui eût jamais tenté de coloniser un nouvel espace vierge : rien de comparable avec les conquistadors d'Espagne qui s'étaient emparés du Mexique et du Pérou à la pointe de l'épée ; ils ne portaient aucun des costumes pittoresques et variés caractéristiques de Jamestown en Virginie ; ils n'avaient ni les tenues colorées des Hollandais débarqués à New York, ni la digne austérité des Pèlerins du Massachusetts. C'étaient des hommes de l'Amérique moyenne qui partaient à une époque où le costume était d'une suprême banalité. Dans leur similitude terne, ni les hommes ni les femmes ne semblaient en route pour une grande exploration.

Mais une fois le *Saint Mihiel* en pleine mer, des différences radicales se firent jour dans le groupe. Une minorité de passagers était constituée par des Américains ordinaires comme les Flatch et leurs amis, les Alexander de Robbin, les Kirsch de Solway et les Jackson de Skim ; et presque automatiquement ces familles se serrèrent les coudes, comme pour se protéger des Scandinaves arrogants : les Kertulla, les Vasanoja et les Vickaryous. En fait les Scandinaves n'étaient nullement arrogants, c'était seulement une apparence : ils restaient entre eux, parlaient dans leur langue maternelle et prenaient involontairement l'air supérieur de personnes qui ont à leur actif une traversée en mer pour gagner le Minnesota. Ils se déplaçaient sur le *Saint Mihiel* avec une telle assurance que le bateau semblait leur appartenir.

Malgré ce clivage qui se manifesta à tout propos pendant le voyage vers le nord, toute animosité mesquine fut oubliée dès que le rafiot entra dans les eaux d'Alaska. Les grandes montagnes qui montaient la garde sur la côte occidentale de la péninsule apparurent dans toute leur splendeur, et comme Vitus Béring deux cents ans auparavant, puis James Cook entre 1770 et 1780, les nouveaux venus admirèrent d'un œil émerveillé les montagnes imposantes et leurs glaciers qui tombaient dans le Pacifique.

— C'est pas le Minnesota ! lança M. Jackson au groupe américain.

— Difficile à croire qu'il y a des champs cultivables derrière des montagnes pareilles, répliqua M. Alexander.

Elmer Flatch, les yeux rivés sur ces énormes masses de rocher, demanda aux Kirsch :

— Ne nous a-t-on pas roulés ? Il ne peut pas y avoir de terres arables dans le coin.

À Anchorage, M. Sjodine, qui maintenait de bonnes relations avec les deux groupes malgré son origine scandinave, les fit monter dans les wagons d'un train moderne, « aussi beau, leur dit-il, que l'Union Pacific ». Tous s'étonnèrent, ils s'attendaient à des traîneaux à chiens, non à des wagons de chemin de fer bien meilleurs que pour leur voyage du Minnesota en Californie. Leur surprise augmenta quand ils virent sur les routes proches de la voie ferrée des quantités d'automobiles semblables à celles qu'ils avaient vues au Minnesota. Le jeune LeRoy remarqua cependant une différence.

— Regarde, tous les pare-chocs sont rouillés. Pourquoi ?

— L'air salé de la mer, sans doute, répondit M. Alexander qui s'y connaissait en voitures.

Ils quittèrent Anchorage à neuf heures du matin pour le trajet de soixante-cinq kilomètres jusqu'à Matanuska. Pendant les trois quarts du voyage ils ne virent rien qui suggérât la possibilité de cultures : à l'ouest de sinistres marécages salés, à l'est des montagnes imposantes. Même le plus hardi des Scandinaves habitués aux terres du Nord se mit à désespérer, tandis que les paysans des pays plats, comme les Flatch et les Jackson, baissaient déjà les bras.

— Aucun homme ne peut cultiver ces terres-là ! s'écria M. Jackson en parcourant des yeux les plaines occidentales, sans herbe ni arbres.

Hilda Flatch partageait son avis et leur découragement augmenta quand le train s'avança vers le Knik, fleuve indiscipliné d'un kilomètre six cents de large et apparemment profond d'à peine quinze centimètres.

Mais quand leur wagon parvint au milieu du pont, la jeune Flossie Flatch, qui regardait vers l'est, s'écria :

— Maman ! Papa ! Regardez donc !

Les Flatch virent s'ouvrir devant eux le genre de paysage que s'attendent à trouver les voyageurs européens quand ils se risquent en été dans les Alpes. D'abord, une ceinture presque circulaire de montagnes resplendissantes dont les cimes blanches scintillaient sous le soleil matinal. Puis des arbres, par milliers, des arbres de bois dur et des conifères, une telle abondance qu'on ne pourrait jamais épuiser ce bienfait. Enfin, à la plus grande joie des paysans, des étendues de champs et de prés, des milliers d'hectares n'attendant que la charrue.

Dans leurs langues variées, les Scandinaves exprimèrent leur exaltation : tous convinrent qu'ils étaient tombés sur un pays de cocagne aussi beau que tout ce qu'ils avaient pu voir en Norvège et en Suède ; la majesté des éléments les éblouit. Un des Vickaryous courut vers l'endroit où se trouvaient les Flatch, prit Elmer par le bras et s'écria :

— Avec de la terre comme ça, tout est possible !

Il embrassa Hilda Flatch, que cette familiarité stupéfia.

Pendant une demi-heure environ, le train se fraya lentement un chemin le long du rebord occidental de la vallée, et les voyageurs purent voir successivement toutes les merveilles. Ce qui plut surtout aux nouveaux venus, ce fut la quantité de petits ruisseaux qui se creusaient un passage à travers les terres plates.

— Tout le monde peut établir sa ferme au bord d'un cours d'eau, dit Elmer.

— Et se faire inonder quand toute cette neige fond ? lança son épouse.

Elmer ne l'entendit pas car juste à ce moment-là le contrôleur passa en criant :

— Préparez vos affaires. On arrive.

— C'est giboyeux par ici ? lui demanda Flatch. Pour la chasse, je veux dire.

— N'importe qui peut ramener un élan ou un ours, dans ces collines. Pas besoin de savoir chasser. Même le frère de ma femme, Hermann, a tué un élan.

Pendant les derniers moments du voyage à Matanuska, Elmer s'imagina en train d'arpenter ces hauteurs, si proches des terrains plats, en suivant les traces d'un orignal.

Quand le train s'arrêta enfin, à une gare du nom de Palmer, après trois hoquets, les wagons se bousculèrent les uns contre les autres avant de se stabiliser en grinçant. Puis les émigrants s'entassèrent sur le quai de bois, semblable à celui qu'ils auraient trouvé dans une gare du Minnesota. Le contrôleur dit au chauffeur :

— Regarde, ils sont vraiment différents. La plupart ont des valises en carton.

De la gare, les familles se dirigèrent à pied vers l'endroit où, au milieu d'un champ vide, un spectacle surprenant les attendait : Tent City, agglomération d'une cinquantaine de tentes blanches de l'armée, pourvues chacune de couchettes et d'un tuyau de poêle noir qui dépassait en haut.

— Et voilà ! cria M. Sjodine, enthousiaste. Ce seront vos demeures le temps que vos maisons soient construites.

Certains Scandinaves voulurent protester.

— Regardez donc ! répliqua Sjodine. Ce sont d'excellentes tentes. Vos fils qui sont dans l'armée utilisent tout le temps les mêmes.

— Mais pas en Alaska, répondit une voix.
Sjodine éclata de rire.
— Montez à Fairbanks ! Vous les verrez sous la tente à cet instant même. Et ils y sont restés tout l'hiver.
— Vous allez vivre dans une d'elles ? demanda un Suédois. Je parie que vous avez une vraie maison.
— Tente numéro sept. Ici même, répliqua Sjodine. Vous y viendrez souvent, car je suis à votre disposition.
Les Flatch et les Jackson reçurent une tente dans la deuxième rangée à partir de la route, au numéro dix-neuf. Comme chaque famille avait une fille d'un âge où elle ne pouvait plus dormir dans la même chambre que les garçons, ils tendirent une corde au milieu de la tente et y suspendirent un drap. Les quatre femmes dormirent d'un côté et les cinq hommes de l'autre. Dans toutes les tentes occupées par deux familles, on adopta les mêmes dispositions. Quand tous les groupes furent déterminés, M. Jackson fit remarquer :
— Pas une fois des « vrais » Américains ne sont mêlés aux Scandinaves.
Ce clivage se renouvellerait au moment de l'attribution des parcelles de terre.
Ce jour passionnant survint relativement tard à Matanuska, car il fallait arpenter les terres, les diviser en propriétés rationnelles, et les desservir par la construction de chemins. Mais quand tout fut prêt, M. Sjodine et ses trois supérieurs annoncèrent que l'allocation allait avoir lieu comme prévu, par tirage au sort. Cet après-midi-là, Elmer Flatch rendit une visite discrète à la tente numéro sept pour consulter l'homme qui était parvenu de façon si exemplaire à établir à Matanuska ces cultivateurs du Minnesota.
— J'aimerais connaître votre opinion, monsieur Sjodine.
— Je suis là pour ça, répondit-il, et sans laisser à Elmer le temps de placer un mot, il lança d'un ton chaleureux : Vous vous souvenez du matin où je suis venu vous voir ? Vous veniez de tuer un wapiti avec votre fils. Vous le partagiez avec les Vickaryous. Et maintenant vous voici tous en Alaska. Merveilleux, non ?
— Jamais je n'aurais cru que ça se produirait. Mais à présent, Hilda et moi aimerions choisir nos terres. Qu'est-ce que vous nous conseillez ?
Doué d'un sens exceptionnel pour deviner les situations particulières — capacité qu'il avait acquise en dirigeant l'équipe de football universitaire en Dakota du Nord puis comme agent régional du ministère de l'Agriculture au Minnesota — Sjodine comprit qu'Elmer Flatch avait probablement des désirs et des projets différents des autres agriculteurs, et il avait l'intention de les respecter.
— Pour que je puisse vous conseiller, monsieur Flatch, vous devez me mettre au courant en toute sincérité de ce que vous espérez accomplir en Alaska.
— Oh ! comme tous les autres...
— Je ne parlais pas de tous les autres, mais de vous.
Pendant presque une minute, Elmer demeura les yeux fixés sur le sol, ses deux poings serrés sous son menton, à se demander s'il pouvait vraiment mettre son cœur à nu devant ce Suédois. Mais il fallait bien qu'il se confie à quelqu'un, et il dit lentement :
— Nous ne déménagerons plus jamais, monsieur Sjodine. C'est fini.
— Enchanté de l'apprendre. Mais dites-moi ce que vous espérez de mieux, et voyons ensemble si c'est possible.

— J'en ai plein le cul de cultiver la terre, éclata Elmer Flatch. C'est le paradis des crétins.

— Pas pour un paysan de naissance, comme mon père ou moi. Mais pour vous, peut-être. Continuez.

— Je suis chasseur. Ma vie c'est mon fusil. Je voudrais une propriété à côté des bois. Avec un bon torrent. Pour être près des élans, des ours et des cerfs. Mais il me faut un ruisseau d'eau vive.

Avant de satisfaire cette ambition légitime, Sjodine lui demanda :

— Mais comment gagnerez-vous votre vie ? Avec une femme et trois enfants...

— Deux.

— Comment ?

Flatch garda de nouveau le silence, puis déclara d'une voix hésitante :

— Je travaillerai pour les autres.

— Quel genre de travail ?

— N'importe quoi. Je peux faire presque tous les travaux. Construire une maison. Travailler sur les chemins.

Puis vint l'aveu le plus difficile, dont M. Sjodine allait peut-être se moquer.

— Peut-être pourrais-je guider les gens riches qui veulent tuer un orignal ?... Je sais me servir d'un fusil, vous savez, ajouta-t-il aussitôt.

Nils Sjodine se pencha en arrière et songea à tous les immigrants qu'il avait rencontrés, hommes et femmes audacieux qui avaient quitté l'Europe pour affronter les blizzards du nord des États-Unis. Il lui vint à l'esprit que presque tous les plus braves avaient été poussés par une sorte d'image intérieure de ce qu'il (ou elle) pourrait accomplir dans un monde nouveau. Ils n'étaient pas parvenus à la dérive sur les champs de neige du Nord, mais aiguillonnés par de grandes visions et des aspirations nobles ; presque aucun n'était parvenu à réaliser son rêve mais le nombre de rêves réalisés au cours des années demeurait étonnant. Pour Sjodine, le rêve d'Elmer Flatch avait un sens.

— Je connais deux ou trois endroits écartés, que j'ai vus pendant l'arpentage. J'aurais bien aimé m'y installer moi-même. Mais il faut que je reste à côté de la future ville. Pour vous, avec ce que vous avez en tête, ce serait parfait.

Il emprunta la voiture affectée au projet, un camion Ford, et traversa avec Flatch à ses côtés la rivière Matanuska qui sillonnait la vallée avant de se jeter dans le Knik. Après un assez long trajet sur des routes presque inexistantes, ils parvinrent dans une vallée resserrée, protégée au sud par un magnifique sommet, le pic du Pionnier de plus de deux mille mètres d'altitude, avec des montagnes beaucoup plus élevées à l'ouest. Le genre de torrent que désirait Flatch traversait la vallée.

— Le ruisseau du Chien. Il vient d'un beau lac dans des hauteurs, le lac du Chien. Alimenté de ce côté-là, à distance de marche, par le grand glacier Knik. On m'a dit qu'au moment où les lacs formés par le glacier se déversent, en juillet, le spectacle est à voir.

— Il y a des terrains ici ?

— Une douzaine — je parle des bons, bien sûr.

— Déjà pris ?

— Personne n'en veut. Trop loin. Vous pourriez en prendre un sans passer par le tirage au sort.

Tandis qu'ils se promenaient sur les berges du ruisseau du Chien, un orignal s'avança pour voir quelle espèce animale s'était hasardée sur son terrain : l'étrange chose brillante dont les côtés reflétaient le soleil. Préoccupé par le camion, il ne vit même pas les deux hommes à quelque distance, et pendant sept ou huit minutes il flaira le Ford, puis s'éloigna vers les hauteurs d'un pas majestueux.

— Je prendrais bien celui-ci, dit Flatch en montrant le site arpenté au confluent.

— À votre place, je n'en ferais rien, monsieur Flatch, répondit Sjodine. Quand le ruisseau et la rivière sont en crue tous les deux, vous serez envahi par l'eau. Regardez ces poignées de brindilles coincées dans les arbres.

— L'eau monte à cette hauteur ? s'étonna Flatch après avoir examiné les traces des crues précédentes.

Sjodine le lui confirma, et avec l'aide du Suédois, Elmer alla reconnaître un terrain sur la rive droite du ruisseau du Chien, en face du pic du Pionnier qui semblait prêt à basculer sur les deux hommes, avec ses grands glaciers, ses ours bruns et ses orignals en balade. C'était un endroit d'une beauté naturelle suprême, le rêve de n'importe quel chasseur, assez loin de l'endroit où s'élèverait la nouvelle ville pour assurer un certain isolement pendant plusieurs décennies. Aidé par Sjodine, Flatch marqua les angles avec des tas de pierres. Il possédait maintenant seize hectares de nouvelle vie, attribués par le gouvernement qui attendrait quatre ans pour toucher les premiers intérêts, puis étalerait les remboursements sur trente ans au taux de trois pour cent par an : la politique de la Frontière sur une grande échelle ! Tout ce que l'on exigeait des neuf cent trois pionniers, c'était de travailler dur, d'établir une économie viable, et de supporter l'hiver de l'Alaska à plus de soixante et un degrés de latitude nord, environ au même niveau que le sud du Groenland.

Comme toujours dans un village de pionniers, le plus gros du labeur échut aux femmes. Quand Elmer Flatch renonça à sa chance d'obtenir un des beaux lots proches du centre de la ville — ceux qui vaudraient une fortune quelques années plus tard — et choisit à la place le décor romantique au pied du glacier, son épouse comprit qu'elle aurait pour tâche d'organiser la vie de famille pendant la construction de leur cabane et de l'école pour les enfants. Comme plus d'une autre immigrante, elle trouva le travail beaucoup plus pénible qu'elle ne s'y attendait. Son mari, véritable homme de la Frontière, était toujours prêt à aller couper un nouveau tas de bûches ou à aider un voisin à le faire. Les problèmes étaient décuplés par le fait que des charpentiers du gouvernement construisaient les maisons neuves de tous ceux qui avaient obtenu les bons terrains proches de la ville (la construction faisait partie de leur contrat de trois mille dollars). Les francs-tireurs invétérés comme Elmer Flatch devaient construire leur cabane tout seuls.

Les courses posaient un problème spécial pour Hilda car il se produisit un de ces accidents géographiques que même les hommes les plus brillants ne peuvent pas toujours prévoir. Comme la colonisation se faisait dans la vallée de la Matanuska, les nouveaux venus supposaient que leur ville porterait ce nom et se trouverait au milieu d'eux. Mais le village de Palmer existait déjà, à peu de distance au nord. Tout à fait banal, mais possédant un atout maître : une gare du chemin de fer d'Alaska. Comme cela s'était très souvent produit auparavant dans tous les États-Unis, ce fut le chemin de fer et non les fondateurs de la ville qui décida de l'endroit où se concentrerait la civilisation.

Un village du nom de Matanuska s'établit malgré tout, mais Palmer devint vite la métropole locale. Et Palmer se trouvait loin de la propriété des Flatch : il ne serait pas facile de faire venir le médecin ou les livreurs à cette distance ; d'autant qu'aucune route digne de ce nom ne desservirait les Flatch pendant longtemps.

— C'est ici que je veux être ! insista Elmer, et il laissa à Hilda le soin de régler le reste.

On dressa une des tentes d'urgence de l'armée sur leur terrain, avec une doublure épaisse pour protéger des vents violents qui tombaient du glacier, puis Hilda alluma un feu de bois dans sa petite cuisinière de fonte. La vie lui parut de nouveau tolérable et, pareille à un cheval de trait, elle aida son mari à nettoyer l'emplacement de leur cabane puis à le niveler. Elmer jura qu'elle aurait un toit avant la première neige.

Parfois, à la fin d'une journée particulièrement longue, Hilda s'asseyait sur une chaise branlante devant la tente, trop épuisée pour se soucier du dîner. Dans ces moments-là elle était tentée de se plaindre, mais elle se retenait toujours par égard pour les autres membres de la famille, qui répétaient à tout instant : « C'est tellement mieux que Thief River Falls ! » Puis un jour où tout allait mal, accablée par une sorte de désarroi, elle ne put s'empêcher de penser que les Flatch n'auraient jamais un vrai foyer. Perchée sur son tabouret, elle décida qu'au retour d'Elmer et de LeRoy — s'ils travaillaient, ce n'était certes pas à leur maison — elle leur lancerait un ultimatum : « Plus question de traînasser. Plus question d'aider les autres tant que notre cabane ne sera pas terminée. »

Mais sa résolution partit en fumée quand les deux hommes descendirent des montagnes à l'est du camp, en hurlant une étonnante nouvelle :

— Hé ! Maman ! Nous avons eu un élan !

Sachant que cela assurerait à la famille de quoi manger pendant longtemps, elle s'écria :

— LeRoy, je suis fière de toi.

— Et tu ne sais pas encore le plus beau, maman. Nous en avons eu deux.

— Ouais, dit Elmer en entrant fièrement dans le camp, du même pas qu'un général romain lors de son triomphe après la soumission de peuplades rebelles sur les frontières de l'empire. J'en ai tué un beau près des glaces. Mais LeRoy en a aussi abattu un, plus gros de moitié. Il sait chasser, ce gosse.

À cette nouvelle revigorante, tout s'arrêta et Hilda prit le commandement.

— Flossie, cours chez les Vasanoja. Demande-leur s'ils pourront nous prêter le cheval. LeRoy, va demander aux Kirsch si Adolf nous aidera à dépecer les bêtes demain. Je vais moi-même chez ces gens qui ont six enfants : ils n'ont jamais trop à manger. S'ils nous aident à rapporter la viande... Elmer, à quelle distance sont les deux bêtes ?

Elles se trouvaient à cinq kilomètres environ, vers le glacier, et pendant un moment Elmer envisagea d'aller à la place de sa femme parler à la famille des six enfants. Puis il se dit : « J'ai chassé l'orignal toute la journée et elle n'a sûrement pas fait grand-chose. Qu'elle y aille. » Elle partit partager la bonne nouvelle avec ses voisins, en longeant le cours du Knik, et tout en courant vers l'ouest elle se disait : « Tout ira bien. Si Elmer peut bien chasser, nous aurons à manger et il sera heureux. »

Les femmes comme Hilda, qui travaillaient si dur à l'établissement de Matanuska, de plus en plus habitable chaque semaine, reçurent une aide considérable de la part d'une extraordinaire pionnière de l'Alaska. Comme elle possédait une vaste expérience, le gouvernement de l'Alaska l'avait désignée pour représenter ses intérêts dans la nouvelle colonie fédérale. Elle venait d'avoir la soixantaine. De petite taille, elle possédait malgré ses cheveux blancs une énergie qui stupéfiait même les travailleuses les plus aguerries comme Hilda Flatch. Elle se nommait Melissa Peckham mais tout le monde l'appelait Missy. Quand il la présenta d'un bout à l'autre de la vallée, Sjodine expliqua aux familles deux faits remarquables :

— Elle n'a pas besoin de cette place. Elle a fait sa pelote sur les gisements d'or dans les années quatre-vingt-dix, et elle travaille pour rien. Alors ne roulez pas trop les mécaniques devant elle, parce qu'elle peut vous rabattre le caquet à tous, et elle ne s'en privera pas.

Les épouses des émigrants découvrirent que Missy était une de ces femmes capables d'affronter n'importe quel problème sans ciller. Elle gérait une petite somme d'argent confiée par le gouvernement territorial, et elle l'utilisait dans les cas d'extrême urgence ; mais elle avait aussi une somme plus importante qu'elle prélevait sur ses propres économies. Elle s'installa dans la tente numéro sept et apporta à M. Sjodine une aide précieuse. Elle disposait d'un cheval, acheté de sa poche, et elle se rendait dans les coins les plus éloignés de la colonie pour travailler avec des femmes comme Mme Flatch et la mère des six enfants, un peu plus bas. Ce fut elle aussi qui organisa la bibliothèque de prêt de Matanuska, en réunissant tous les livres qui ne servaient plus dans chaque foyer, puis en les déposant dans une tente avec une jeune fille de quinze ans pour s'en occuper. Elle aida les églises à obtenir des parcelles au croisement de deux routes puis participa à la construction de leurs bâtiments, mais les femmes de Matanuska remarquèrent qu'elle n'assistait à aucun service religieux — et le bruit courut que Missy n'avait jamais été mariée à l'Irlandais avec qui elle vivait et qui l'aidait pour ses œuvres de charité.

On délégua deux hommes d'Église auprès des Murphy, comme on les appelait, et Missy répondit à leurs questions sans ambages.

— J'ai fui Chicago pendant les mauvaises années. Sans être mariée, mais ce n'est pas la question. Sur les gisements d'or de Dawson, j'ai rencontré Matthew, et son histoire est deux fois plus intéressante que la mienne. Mais c'est également hors du sujet. Il était déjà marié dans sa lointaine Irlande. Il n'a pas revu sa femme depuis quarante ans. Nous avons travaillé ensemble à Nome et à Juneau. Nous avons eu une fille, et beaucoup de bonheur.

Ce récit scandalisa le pasteur presbytérien mais le pasteur baptiste, endurci par la vie sur les gisements de pétrole d'Oklahoma, désira en savoir plus long sur l'aventure de ce M. Murphy. Il posa des questions ici et là, et apprit que non seulement l'Irlandais avait passé deux hivers sur le Mackenzie, mais avait aidé le mineur John Klope à découvrir l'un des plus grands trésors de Dawson. Ensuite il s'était rendu de Dawson à Nome à bicyclette — oui, vous m'avez bien compris : avec un vélo — presque deux mille kilomètres en plein hiver. Le pasteur, dont les paroissiens se plaignaient qu'ils devaient puiser l'eau avec une poulie de bois qui tirait un seau lourd d'une profondeur considérable, leur avait répliqué : « D'accord, utilisez un puits moins profond et mourez de la typhoïde. » Lassé par leurs jérémiades il alla demander à Missy Peckham :

— Est-ce que votre mari... Je veux dire : est-ce que M. Murphy accepterait de parler dans notre église de son voyage sur le Mackenzie et de son trajet à bicyclette ?

— Si vous le lancez là-dessus, vous ne pourrez plus l'arrêter, répondit Missy.

Et ce fut ainsi que Matthew Murphy de Dawson, Nome et Juneau prit la parole, un soir d'automne, dans l'église baptiste de Matanuska.

— Nous sommes ici entre émigrants, pas vrai ? commença-t-il.

Ses auditeurs acquiescèrent et sa voix résonna avec une force nouvelle. À près de soixante-dix ans, il se tenait extraordinairement droit. Il parla des journées d'enthousiasme à Edmonton, où tant de jeunes gens comme lui s'étaient lancés à la conquête de l'or, et il énuméra les centaines d'éliminés pour une raison ou une autre.

— S'ils partaient par voie de terre, ils n'arrivaient jamais. S'ils optaient pour le cheval, leur cheval crevait en moins de cinq semaines. S'ils remontaient les rivières faciles, ils se perdaient dans des marécages. Et s'ils tentaient ce que nous avons tenté...

Il se tourna vers un groupe de jeunes.

— Souvent, dans la vie, se présentera à vous le choix entre deux chemins : le bon et le mauvais. Mais vous ne saurez pas lequel des deux sera le bon. Si vous prenez le mauvais vous passerez à coup sûr quelques années à piétiner dans le désert, pendant que vos compagnons dont le choix s'est révélé juste seront arrivés aussitôt à leur but.

Un Norvégien l'interrompit :

— Mais M. Sjodine nous a dit qu'au moment où vous êtes arrivé au Klondike vous avez trouvé une fortune.

— Je n'ai rien trouvé du tout. Sur les centaines d'entre nous qui sont partis d'Edmonton à la recherche d'or facile, pas un seul n'a trouvé un sou vaillant. Nous avons tous échoué.

— Mais on nous a dit que vous étiez riche.

— Un homme pour qui j'avais travaillé a trouvé de l'or. Des années après que je l'eus abandonné, complètement fauché, il est venu chez nous à Nome et nous a donné, à Missy et à moi, beaucoup d'argent. À mon avis, pour une seule raison : il était encore amoureux de Missy.

Ce n'était pas pour entendre ce genre de choses que le pasteur avait fait venir Murphy. Il toussa bruyamment et dit :

— Monsieur Murphy, parlez-nous de votre voyage à bicyclette.

— Au cœur de l'hiver, bloqué à Dawson, sans argent. Il fallait que j'aille à Nome, à presque deux mille kilomètres de là. J'ai convaincu un marchand canadien de me vendre un vélo bon marché. « Bon Dieu, m'a-t-il répondu, vous ne savez pas monter dessus. » Excusez-moi, monsieur, mais c'est ce qu'il m'a dit. En moins d'une semaine, j'ai pris le coup. Et je suis parti avec quelques outils, une chaîne de secours et plusieurs rayons. Vers les nouveaux gisements d'or. Pas de routes, pas de pistes, seulement le Yukon gelé. J'ai roulé en moyenne soixante kilomètres par jour, certains jours quatre-vingt-dix. Une rivière glacée est meilleure qu'une route nationale. Bien sûr quand les grands blocs de glace se soulèvent, ce n'est pas très drôle. Le fait est que j'ai fait mille six cents et quelques kilomètres entre le 22 février et le 29 mars, comme le prouve cette coupure d'un journal de Nome.

Il leur montra une page jaunie confirmant que Matthew Murphy, arrivé à Dawson en 1899, s'était rendu de Dawson à Nome en bicyclette en trente-six ou trente-sept jours.

— Calculez vous-même, mais souvenez-vous que l'année 1900 n'a pas été bissextile alors qu'elle aurait dû. Ceux d'entre vous qui vivront jusqu'en l'an 2000 auront une année bissextile cette fois-là.

Le pasteur crut que l'homme perdait le fil de son récit mais il n'en était rien.

— Maintenant, ne vous faites pas tout un cirque de cette balade à vélo, continua Murphy. L'année suivante, en 1901, plus de deux cent cinquante personnes descendirent le Yukon à bicyclette. L'année suivante, un cycliste nommé Levie fit les mille six cents kilomètres de Point Barrow à Nome en quinze jours. Deux fois plus vite que moi. Est-ce croyable ? À vélo sur la glace ?

Les Murphy devinrent alors un centre d'intérêt à Matanuska. Quand on connut les aventures de Missy, ses descentes du Chilkoot sur une pelle et la façon dont elle avait bravé les rapides du bassin du Yukon, on les considéra tous les deux comme d'admirables exemples de l'esprit alaskan. Et l'on continua de prétendre que Matt avait découvert au Klondike une mine d'or si riche qu'elle lui payait encore des dividendes.

En 1937, la deuxième année qu'ils occupaient leur cabane, Flossie devint le point de mire de la famille Flatch. Âgée de douze ans, belle enfant qui partageait avec son père l'amour des animaux, elle vit un jour par la fenêtre un petit ours brun sortir de la forêt conduisant au glacier. Elle alerta la famille :

— Regardez l'ours !

Son frère saisit son fusil, selon le principe établi du Minnesota : « On tire sur tout ce qui bouge. » Cette fois Flossie l'arrêta, et au lieu de recevoir une balle sur le front, l'ours errant tomba sur une fillette qui s'avançait vers lui avec deux pommes de terre et une tête de chou.

L'ours s'arrêta, l'examina d'un œil soupçonneux, se retourna et s'en fut plus loin. Mais au bout de quelques minutes, comme Flossie ne bougeait pas, il revint. Il sentit son odeur, celle des patates et celle du chou. Le mélange était troublant, et l'ours s'enfuit de nouveau. Mais, curieux de nature, il s'avança une troisième fois vers l'endroit aux odeurs alléchantes. Au milieu du sentier qu'il suivait il trouva une pomme de terre crue, il la renifla plusieurs fois puis la mâcha pour la réduire en pulpe savoureuse.

Les jours suivants, l'ours réapparut, toujours en fin d'après-midi, toujours sur le qui-vive, mais visiblement à la recherche de cette fillette qui lui apportait de bonnes choses. Un jour, il lui prit des mains le chou pommé qu'elle lui tendait, et avant la fin de la deuxième semaine il devint évident que Flossie avait apprivoisé un ours. La nouvelle circula dans le village et plusieurs personnes vinrent voir le miracle. M. Murphy exprima cependant la voix de la raison :

— On ne peut pas faire confiance aux ours. Surtout aux ours bruns.

— Je croyais que c'était un grizzli, répondit Flossie.

Et Murphy lui donna une brève leçon sur une des particularités de l'Alaska :

— Si l'on trouve un ours à moins de quatre-vingts kilomètres de l'océan, on l'appelle « ours brun ». Au-delà de quatre-vingts kilomètres dans les terres, les gens l'appellent plutôt grizzli. Le même ours, avec les mêmes habitudes.

— J'aimerais que mon ours soit un grizzli, s'entêta Flossie.

— Des bras de mer s'avancent vers nous de tous les côtés, c'est forcément un brun.

Voyant la déception de la fillette, il ajouta :

— Mais il existe plus d'une manière de mesurer, n'est-ce pas ? Et selon certaines, nous sommes à plus de quatre-vingts kilomètres de l'océan. Tu peux donc l'appeler grizzli. Je parie que tu ne connais pas son nom latin : *Ursus horribilis.* Terrifiant, non ?

Elle secoua la tête.

— Ce grizzli-là est mon ami.

Quand l'ours apparut cet après-midi-là, Flossie s'avança à sa rencontre sous les yeux de Murphy horrifié. La fillette se mit à jouer avec lui et lui donna encore du chou. Il avait manifestement grossi depuis sa première apparition, et si Murphy était tombé soudain sur lui au coin d'un bois, il serait resté pétrifié.

L'année avança et l'amitié entre la fillette et son grizzli se renforça. Mais tout l'émoi provoqué par l'aventure s'estompa quand une chose encore plus surprenante se produisit chez les Flatch. Comme Flossie restait de plus en plus longtemps avec l'ours, elle perçut bientôt la présence dans les parages d'un animal beaucoup plus gros. Un jour, en fin d'après-midi, au moment où son grizzli disparaissait au bout de sa piste, elle vit descendre dans la direction opposée une énorme silhouette noire ; au début elle crut qu'il s'agissait d'un autre grizzli, vraiment énorme. Comme elle avait eu du succès avec le premier, elle supposa qu'elle pourrait agir de même avec le deuxième. Mais quand l'animal se rapprocha, elle vit qu'il s'agissait d'un orignal, au corps énorme. C'était une femelle, créature immense et disgracieuse, qui se déplaçait gauchement mais avec une telle majesté qu'elle forçait l'attention de tous ceux qui la voyaient, animaux ou humains. Flossie supposa que si son ours apprivoisé avait rencontré cette bête imposante, c'est lui qui se serait écarté, non l'élan.

Lors de cette première rencontre, l'orignal s'avança à quelques dizaines de centimètres de Flossie avant de s'arrêter. La bête, qui n'avait pas de bons yeux, examina longuement la fillette ; puis, avec une curiosité qui fit sursauter Flossie, elle s'avança pour sentir mieux. Et la légende merveilleuse en laquelle croyaient jadis les hommes des bois se réalisa une fois de plus.

— Papa, cet élan a compris à l'odeur que je ne n'avais pas peur. Peut-être a-t-il même senti que je jouais avec l'ours. Il est venu droit sur moi. Je crois qu'il a deviné que j'étais son amie.

À peine Flossie avait-elle raconté sa version « Matanuska » de la vieille légende, qu'Elmer saisit son fusil en criant :

— Où est-il ?

S'apercevant que son père allait tuer son orignal, Flossie hurla :

— Non !

Cette réaction violente surprit tellement Elmer qu'il recula d'un pas, lâcha le loquet de la porte et dit doucement :

— Enfin, Flossie, cet élan a de la viande que nous pourrions vendre. Nous en avons besoin.

De nouveau elle poussa le cri d'angoisse d'une fillette qui avait appris à aimer tous les animaux qui partageaient avec elle le pied de ce glacier. Elle ne faisait qu'un avec l'ours et savait qu'avec de la patience elle pourrait apprivoiser cette grande femelle d'orignal dix fois plus lourde qu'elle, et plus grande de moitié au garrot. Elle se jeta devant la porte pour empêcher son père de sortir avec son fusil. Après un instant de tension, où il envisagea de la repousser, il céda. Il laissa sa fille lui retirer le fusil des mains.

— Si tu vas au lit avec la faim au ventre, grommela-t-il, ne m'en fais pas le reproche.

— Il y en a bien d'autres dans la montagne.

— Mais si l'un d'eux vient jusqu'à notre cabane, c'est qu'il veut recevoir une balle. Il en a bien le droit, non ?

— C'est une femelle, répondit Flossie.

Dans les jours qui suivirent, elle rencontra l'orignal à plusieurs endroits différents et l'énorme bête flairait toujours longtemps pour s'assurer que cet être humain était bien celui à qui elle pouvait faire confiance. Lors de la septième visite de l'animal, Flossie lui attacha un grand ruban blanc dans la crinière derrière l'oreille gauche. Elle annonça à l'école et à tous les gens de la ville que l'orignal au ruban blanc, près du glacier, était apprivoisé et appartenait à Flossie Flatch.

Malheureusement le tissu blanc que le vent rabattait sur son œil irrita l'animal, et le lendemain soir, il l'avait arraché en se frottant contre une branche de mélèze. Mais il s'avança vers Flossie avec une affection manifeste et laissa la fillette lui attacher un autre ruban beaucoup plus loin sur son flanc gauche. Celui-ci resta en place assez longtemps pour qu'à Matanuska, tout le monde connaisse l'histoire de l'amie de Flossie.

Mildred, l'orignal femelle, posa certains problèmes car si elle se présentait à la cabine des Flatch elle escomptait qu'on la nourrisse et elle avait un appétit insatiable : carottes, choux, laitues, pommes de terre, céleris, sa grande gueule engloutissait tout. Elle prenait les choses en les enroulant dans son immense lèvre supérieure, puis faisait tout disparaître dans son énorme gorge comme par magie. Cependant, si le repas exigé se révélait maigre, elle demeurait d'une humeur égale et sa présence amicale autour de la cabane semblait intégrer l'endroit davantage au sein des merveilles naturelles de Matanuska.

Flossie fut donc extrêmement désolée quand elle entendit à l'école les enfants Atkinson se plaindre constamment de la dureté de l'existence dans cette vallée, et protester contre le gouvernement fédéral qui avait entraîné toutes ces familles dans un désert sauvage. Flossie rembarra les quatre Atkinson pour leur manque d'esprit aventureux, mais ils lui répliquèrent qu'elle était idiote de jouer avec un ours et un orignal alors que le reste de Matanuska souffrait — parce que le gouvernement ne tenait pas ses promesses de prendre soin des immigrants.

Quand Flossie raconta la chose à ses parents, son père se mit vraiment en rogne.

— Ces Atkinson ! Quand ils habitaient à Robbin, ils n'avaient même pas un pot pour pisser. Et maintenant ils se donnent de grands airs !

Hilda lui fit observer qu'on ne devait pas parler ainsi devant les enfants, mais il répéta que ces gens l'écœuraient : on leur offrait un nouveau départ dans la vie et ils se plaignaient de petits inconvénients.

Il s'estimait en droit de les juger, parce qu'aucun des nouveaux venus n'avait travaillé plus dur et plus longtemps que lui pour s'installer à Matanuska. Il avait construit sa propre maison, sur un terrain qu'il avait choisi en fonction de ses ambitions particulières. Il s'était refusé à cultiver et avait calculé une vingtaine de manières imaginatives de gagner sa vie. Il travaillait pour les autres tantôt comme charpentier, tantôt comme boucher, et il labourait les champs avec les chevaux ou les tracteurs fournis par les propriétaires ; il se rendait à Anchorage avec les voitures des autres pour aller chercher des médicaments et de l'outillage urgents. Il travailla même de temps en temps à l'aérodrome de Palmer, dont la piste était de gravier : il démontait les roues des avions et installait des patins en hiver pour atteindre des camps situés en haute montagne. Mais surtout, il chassait, et rapportait dans sa cabane des carcasses d'orignal, d'ours et de wapiti, qu'il vendait dans toute la région.

Un soir où il rentrait en traînant un quartier d'orignal sur la neige, Hilda lui annonça :

— On nous attend à une réunion ce soir. Harold Atkinson lance une protestation officielle ou je ne sais quoi.

Elle força Elmer à l'accompagner en ville, et ils écoutèrent dans un silence rigide les Atkinson et trois ou quatre autres couples protester contre tous les aspects de l'existence à Matanuska. Entendre la litanie de leurs déceptions montrait bien comment des gens peuvent interpréter la même situation de façon différente.

— À tous égards, se lamentait Harold Atkinson, nous avons été dupés par notre gouvernement. Pas de routes, pas d'écoles dignes de ce nom, pas d'assistance agricole, aucun plan pour l'écoulement des récoltes que nous faisons pousser, pas d'argent à emprunter à la banque.

Missy et Matt, en entendant ces plaintes mesquines, ne purent pas se retenir, et en l'absence des responsables de la colonie qui avaient fait un excellent travail jusqu'ici bien que les projets prissent toujours du retard sur les prévisions, ils décidèrent d'intervenir — unis par les mêmes pensées, comme si souvent au cours de leurs années d'Alaska.

— Tout ce que vous dites est vrai, monsieur Atkinson, mais n'a rien à voir avec le lancement d'une ville nouvelle ici, à Matanuska. Et pour tout vous dire, cela n'a rien à voir avec l'établissement de votre famille sur des bases solides. Je crois que les choses sont dix fois plus faciles ici qu'à Dawson City en 1898 ou à Nome en 1900 — et pourtant c'est là que l'Alaska a pris son départ.

— Nous ne sommes plus en 1898. Nous sommes en 1937, cria John Krull du fond de la salle. Et ce qu'on nous a fait subir est une honte !

Matt Murphy, qui à soixante-dix ans voyait toutes les situations avec du recul, évita toute allusion à ses propres prouesses dans des conditions cinquante fois plus mauvaises que celles de Matanuska. Il raconta d'une voix chantante les privations et les souffrances des gens que les grandes famines avaient chassés d'Irlande, puis lança aux Atkinson :

— Vous avez le droit de vous plaindre de promesses non tenues, mais non de critiquer toute l'opération. Cela n'a aucun sens.

Il ne réussit qu'à mettre les protestataires en fureur et la réunion se termina dans le chaos. À la fin de la semaine suivante, les Flatch apprirent que les Atkinson, les Krull et trois autres familles avaient quitté Matanuska en abandonnant tout, pour retourner au Minnesota. Peu de temps après, la colonie reçut un déluge de coupures de journaux envoyées par des amis qui disaient : « Ce doit être un pur enfer de vivre dans une colonie socialiste où tout est allé de travers. » Et un ancien voisin bien intentionné écrivit à Elmer Flatch : « Je suppose que nous allons te revoir ici un de ces jours. À ton arrivée, viens me voir. Les choses vont beaucoup mieux au Minnesota qu'à ton départ et je pourrai te trouver une excellente ferme pour pas cher. »

Ce qui irrita le plus les gens comme les Flatch, qui restèrent à Matanuska, et les représentants du gouvernement comme les Murphy qui se décarcassaient pour que l'expérience réussisse, ce fut de voir tous les journaux conservateurs, l'un après l'autre, dans l'ensemble des États-Unis, reproduire les plaintes injustifiées des « revenants » comme on les appela, et fustiger à la fois les gens de Matanuska et du gouvernement Roosevelt qui avaient lancé le projet, en les traitant de communistes qui essayaient d'introduire des procédés venus d'ailleurs dans une économie purement américaine. En 1937 et 1938, la reprise était si bien lancée après les années de la Grande Dépression, que tout le monde oubliait à quel point la situation avait été dramatique deux ans plus tôt. Et nombre de journaux et de revues utilisèrent le prétendu « échec » de Matanuska pour démontrer que le socialisme ne fonctionnerait jamais.

Il n'existait pas en Amérique deux êtres humains moins vulnérables que Missy Peckham et Elmer Flatch à une accusation de « socialisme », mais le grand public l'ignorait. Ces deux êtres, selon la grande tradition des individualistes américains, s'étaient lancés à l'aventure avec à peine trois sous en poche, ils avaient triomphé d'obstacles énormes contre toute attente et accompli des miracles sans faire de tapage ni de battage. À Matanuska, il en allait de même. Missy, au sommet de sa vie mouvementée, aidait une nouvelle génération d'aventuriers à établir une société où chaque famille posséderait sa ferme, vendrait sa production, et apprendrait à ses enfants à agir de même. Elmer, qui avait travaillé en Alaska comme peu d'hommes travaillaient ailleurs dans le monde, avait vu ses seize hectares du gouvernement s'arrondir à plus de cent vingt. Plus d'un s'était moqué de lui, au début, quand il annonçait qu'il voulait devenir un guide « pour les riches qui aimeraient tuer un élan », mais il avait acquis la réputation de meilleur chasseur d'Alaska, et il commençait à attirer justement le genre de chasseur des grandes villes désireux d'apprendre toutes les ficelles qu'Elmer avait maîtrisées. À la veille de la saison de chasse 1938, il était tellement recherché qu'il suggéra à sa femme :

— Pourquoi ne servirais-tu pas des repas à ces coyotes affamés ?

Et les gens de Los Angeles et de Denver commencèrent à parler d'Elmer et de Hilda Flatch.

Un de leurs clients apporta quatre coupures sur la « communauté communiste financée par le gouvernement en Alaska », et Elmer crut nécessaire de prendre la défense de Matanuska. Avec l'aide de Missy Peckham, il rédigea une lettre qui fut reproduite à plusieurs exemplaires et envoyée à une trentaine de journaux, au sud du Quarante-Huitième parallèle — comme on disait en parlant du reste des États-Unis. Le premier paragraphe donnait le ton :

> *J'ai lu l'autre jour dans votre journal que nous sommes tous des communistes à Matanuska, et comme je ne connais pas grand-chose de la Russie, c'est peut-être vrai. Mais je désire vous dire comment nous passons la journée ici, nous les*

« communistes ». Nous nous levons à sept heures, chaque famille sur la ferme qui lui appartient personnellement ; ceux d'entre nous qui possèdent des vaches les traient et d'autres ouvrent des magasins qu'ils ont payés avec le fruit de leur travail. Nos enfants vont à l'école que nous finançons avec des impôts locaux, et à la fin de la semaine nous réunissons notre production et l'expédions à Anchorage chez un grossiste privé qui nous vole comme au coin d'un bois. Et quand les temps sont durs, nous empruntons de l'argent à ce même grossiste qui accepte notre récolte suivante en garantie.

Le paragraphe suivant expliqua ce que les « communistes » de Matanuska faisaient de leurs heures de liberté, et il cita Flossie et ses animaux apprivoisés, ainsi que l'Irlandais Carmody de l'aérodrome, qui économisait pour un premier versement sur l'avion de 1927 dont il se servait comme cargo pour livrer des marchandises aux mines d'or dans les montagnes. Ces mines appartenaient à des prospecteurs privés, précisa Elmer, et certains cherchaient de l'or sans résultat depuis cinquante ans.

Mais ce fut le dernier paragraphe que l'on cita le plus dans le débat qui suivit sur l'efficacité de Matanuska. À cause du premier tir de barrage lancé par les commentaires hostiles d'hommes comme Harold Atkinson, la plupart des lecteurs en dehors de l'Alaska considéraient l'expérience comme un échec lamentable. Mais au sujet d'Atkinson et des autres « revenants », Elmer et Missy déclarèrent :

Nous savons qu'au moment où Christophe Colomb partit découvrir l'Amérique et rencontra des ennuis, plus d'un homme de son équipage lui conseilla de revenir en arrière. Quand les premiers colons à destination de l'Oregon et de la Californie rencontrèrent les Grandes Plaines vides et les Indiens hostiles, des quantités rebroussèrent chemin. Et chaque fois qu'on a tenté une chose d'importance sur cette terre, les faiblards ont tourné le dos. En 1898, combien de chercheurs d'or sont revenus sur leurs pas après un seul regard au Chilkoot Pass ? Ceux qui ont persévéré ont trouvé de l'or et bâti un nouveau pays. Nous sommes en train de bâtir un nouveau pays ici, et dans dix ans, Matanuska sera une vallée prospère remplie de grandes fermes, de gens en bonne santé et de gosses qui n'auront nulle envie d'aller vivre ailleurs. Ouvrez les yeux sur ceux qui travaillent et vous verrez. N'écoutez pas les « revenants ».

Pendant qu'Elmer rédigeait non sans peine sa défense de Matanuska, LeRoy prenait du bon temps à Palmer. Au cours des dernières journées de sa dix-neuvième année, il venait d'aborder deux des expériences les plus passionnantes pour un jeune homme : les filles et les avions. Il rencontra d'abord Lizzie Carmody dans une épicerie, où les cheveux roux et le sourire irlandais de la jeune fille le séduisirent à tel point qu'il la suivit furtivement chez elle et découvrit qu'elle vivait dans une cabane au bord du grand champ nivelé qui servait d'aérodrome à Palmer. Les jours suivants, il apprit que son père, Jake Carmody, était propriétaire d'un des avions qui desservaient les mines isolées dans divers canyons des monts Talkeetna, non loin — un petit avion célèbre dans l'histoire de l'aviation, un Piper J-3, surnommé le *Cub*. Une paire d'ailes passait au-dessus de la tête du pilote et offrait une protection improvisée à la cabine où une autre personne pouvait s'asseoir. L'intérieur du fuselage, une fois aménagé, permettait de transporter le maximum de fret pour les vols dans les montagnes.

Pendant trois semaines, LeRoy ne put sincèrement décider s'il traînait du côté du terrain d'aviation pour voir Lizzie Carmody ou l'avion de son père, mais vers la fin de cette période, ce fut ce dernier qui l'emporta.

— Quel genre d'avion est-ce là ? demanda-t-il un jour en abordant Carmody.

— Un survivant de 1927.

LeRoy voulut comprendre et l'Irlandais lui montra les bosses, les creux et les accrocs qui symbolisaient sa vie de pilote en Alaska.

— Un Piper-Cub qui a appris à survivre. Cette longue cicatrice, là, c'est un atterrissage sur sapin en plein brouillard. Celle-ci, un atterrissage sur la berge d'une rivière qui était boueuse alors que je comptais sur du gravier. La grande déchirure, sur le côté, une dynamo de rechange qui s'est dégagée de son logement, derrière ma tête, un jour où je me suis posé trop vite sur un lac, par là-haut.

Les dégâts subis par le Cub semblaient si graves que LeRoy s'écria :

— On dirait que voler, c'est avant tout essayer d'atterrir.

Carmody lui lança une bonne claque dans le dos.

— Petit, tu viens d'apprendre tout ce qu'il y a à savoir sur l'aviation. N'importe quel connard peut lancer un avion dans les airs. Le hic, c'est de le reposer.

— Vous vous êtes déjà trouvé vraiment en danger? demanda LeRoy.

Le pilote ne répondit pas, il se contenta de montrer de nouveau les huit ou neuf balafres : chacune représentait un flirt avec la mort.

— Faut-il que vous soyez brave..., murmura LeRoy, émerveillé.

— Non. Seulement prudent.

Cela semblait contradictoire, étant donné l'état du Cub.

— Prudent ? s'étonna LeRoy. Avec tellement d'accidents ?

Carmody éclata de rire.

— Petit, tu ne tournes pas autour du pot ! Je suis prudent. Je fais très attention de ne jamais me poser en catastrophe tant que je n'ai pas vu un moyen de survivre. Tout atterrissage est le meilleur possible du moment que tu t'en sors.

— Cet appareil est une épave, dit LeRoy. Pourquoi ne le réparez-vous pas ?

— Il vole encore. De toute manière, je transporte surtout du fret.

Il regarda son antiquité cabossée et ajouta :

— Je commence à en avoir ma claque de l'Alaska. Un de ces jours je vais me payer un Cessna à quatre places et voler en Californie ou je ne sais où. À l'Extérieur.

— L'Extérieur ? Que voulez-vous dire ?

— Les nouveaux venus comme toi appellent les États-Unis le Sud du Quarante-Huitième. Pour nous qui sommes nés ici, c'est l'Extérieur.

— Que ferez-vous avec cet avion-là ? Si vous en achetez un autre.

— Écoute, petit, répondit Carmody en montrant un des boulons. Quand j'en aurai fini avec ce zinc, je tire sur ce boulon et flac ! tout tombera en miettes.

Le jour où Carmody se fut assuré que LeRoy passait pour un jeune homme convenable et s'intéressait sincèrement à la fois à Lizzie et aux avions, il lui demanda juste avant de partir avec du fret pour les mines :

— Petit, t'es déjà monté dans un avion ?

— Non monsieur.

— Alors saute !

Carmody emmena donc LeRoy dans son Cub réduit à la peau et aux os, pour un vol capable de bouleverser les conceptions qu'un adolescent se fait du monde. Il s'éleva lentement de la petite piste de gravier puis obliqua vers le nord le long des monts Talkeetna couverts de neige, en penchant de temps en temps l'appareil pour permettre à son passager de plonger le regard dans de magnifiques canyons invisibles autrement.

— On n'a pas vu l'Alaska tant qu'on ne l'a pas vu du ciel.

Puis ils s'élevèrent au-dessus du glacier Matanuska scintillant et prirent à l'ouest pour s'enfoncer dans les défilés des imposants Chugach.

— On ne peut pas survivre en Alaska sans avion. Ils sont faits l'un pour l'autre.

Sur le chemin du retour, LeRoy cria :

— Là ! Oui, là ! C'est chez nous.

Carmody descendit trois fois en piqué sur la cabane pour faire apparaître Hilda à la porte, son tablier entre les mains. Elle leva les yeux pour voir passer son fils qui criait à tue-tête en se penchant au-dessous de l'aile supérieure.

***

La défense passionnée de Matanuska par Elmer Flatch provoqua un déluge de lettres venues du Sud du Quarante-Huitième. Soixante pour cent contenaient des messages d'encouragement, les autres le traitaient de communiste et le condamnaient sans procès. Missy Peckham, qui s'occupa de ce courrier pour les Flatch, brûla ces dernières et répandit les avis favorables d'un bout à l'autre de la vallée, ce qui valut à Elmer une relative célébrité — hélas de courte durée, car une triste affaire vint rappeler aux immigrants la nature de l'existence dans toute colonie de Frontière. Matt Murphy, ravi de l'attention que lui valaient ses aventures d'autrefois, passait souvent la journée à la cabane des Flatch pour les aider à construire une aile où les chasseurs pourraient passer la nuit, ou bien pour baliser avec des poteaux un sentier vers le glacier qui dominait la vallée. Il éprouvait une joie spéciale à s'occuper des animaux avec Flossie. Le grizzli s'insurgeait contre sa présence et grondait parfois dans sa direction, mais Mildred l'orignal voyait en lui un ami de plus et parcourait parfois de grandes distances avec lui, en le poussant de temps en temps d'un coup de museau.

Un jour où elle l'avait guidé ainsi vers la berge du Knik, Matt déclara à Flossie :

— Sais-tu ce qu'elle veut ? Que nous allions voir les lacs George.

Et sur cette vague suggestion, le vieil Irlandais organisa une expédition vers l'un des trésors de l'Alaska.

Quand les quatre Flatch et les Murphy traversèrent le Knik glacé avec leur pique-nique et remontèrent la rive gauche du fleuve vers le museau du glacier Knik, Matt profita des périodes de repos pour décrire ce qu'ils allaient voir.

— Tout là-haut, une vallée encaissée. Le lac devrait se déverser directement dans le Knik, mais le mur du glacier le bloque, et les eaux retenues forment une série de trois beaux lacs. Les lacs George d'En-Haut, du Milieu et d'En-Bas. Ils restent bloqués ainsi jusqu'à la fin du froid, parce que le glacier les arrête.

Les grimpeurs reprirent leur marche vers la hauteur de laquelle ils pourraient contempler la merveille promise par Murphy. Mais à la halte suivante, il leur expliqua ce qui se produirait un de ces jours :

— À l'arrivée des beaux jours, la glace du barrage glaciaire se met à fondre, n'est-ce pas... L'eau des trois lacs qui forme alors un seul lac immense de plus de cinquante mètres de fond — une pression fantastique, vous vous en doutez bien — se met à filtrer à travers le mur de plus en plus poreux du glacier, et l'affaiblit très vite. Enfin, en juillet, le jour vient où la pression devient trop intense et... bang ! le lac creuse une brèche, les murs du glacier explosent et le torrent s'engouffre dans la gorge sur deux cents mètres de large et plus de deux cents mètres de profondeur.

— Nous allons voir ça ? demanda Flossie.

— On ne sait jamais quand la brèche se produira. Peu de personnes l'ont vue. Mais le déversoir coule pendant environ six semaines. Les lacs se vident et d'énormes icebergs flottent dans le courant. Des ingénieurs ont calculé le débit : dix millions deux cent vingt mille litres à la seconde, au moment de la brèche. Ça fait beaucoup d'eau.

Les Flatch n'avaient pas la moindre idée de ce qu'ils allaient voir quand ils atteignirent le belvédère dominant les trois lacs réunis en un seul. Mais comme Murphy les conduisait au sommet, ils entendirent de l'eau rugir. Murphy cria :

— Le glacier vient de se briser !

Ils assistèrent donc à ce miracle de la nature, circonstance unique dans le monde : un immense lac qui explose au visage d'un glacier vertigineux et lui arrache des « glaçons » beaucoup plus gros que le *Saint Mihiel* sur lequel ils étaient venus en Alaska.

Flossie fut la première à retrouver la parole :

— Regardez ! Cet iceberg qui arrive vers nous est plus gros que notre maison !

— Regarde l'autre, derrière, répondit son frère doucement.

Ils demeurèrent tous silencieux, l'eau torrentielle du lac découpa tout un côté du glacier, cathédrale de glace qui resta debout pendant cent mètres puis bascula lentement sur le flanc sous l'effet du courant violent. Elle était si énorme qu'au lieu de tourner sur elle-même comme les autres, elle descendit majestueusement dans la gorge tourbillonnante.

Plus bas le long du cours d'eau, les Flatch virent la grandeur suprême de ce spectacle extraordinaire ; d'énormes icebergs, n'ayant plus assez d'eau pour flotter, se perchaient comme de grands oiseaux blancs abandonnés tandis que les flots plus paisibles glissaient en silence autour d'eux. Il faudrait des semaines de beau soleil d'été pour les faire disparaître.

— Cela se produit chaque année ? demanda Flossie sur le chemin du retour.

— Autant que je sache. Ça s'est produit chaque année depuis la première fois que je l'ai vu.

— C'était il y a combien de temps ? voulut savoir la jeune fille.

— Une vingtaine d'années. Nous venions souvent à Matanuska à l'époque. Pour chasser. Nous savions déjà que c'était un bon coin. Nous savions que des braves gens s'y installeraient un jour... Et regardez qui vient nous voir par cette belle journée ? s'écria le vieil homme.

Mildred l'orignal s'avançait à petits pas prudents sur le sentier pour accueillir les gens qu'elle avait appris à aimer. Cet après-midi-là, c'était une bête splendide, beaucoup plus grande qu'un cerf ou un caribou, beaucoup plus lourde que son ami le grizzly, toujours gauche à la manière charmante d'une fillette de treize ans aux jambes immenses et aux gestes brusques qui semblent mal coordonnés.

Puis, baigné de soleil, l'animal fit une embardée soudaine et l'on entendit un coup de feu venu d'en bas.

— Non, hurla Flossie comme le premier jour où son père avait voulu tuer l'orignal.

Elle s'élança vers Mildred encore debout. Il y eut un second coup de fusil et l'animal tomba sur les genoux. Il essaya, mais en vain, de ramper vers les Flatch, puis culbuta. Mildred respirait encore, un embrun de sang sortit de ses narines, mais avant que Flossie puisse lui prendre la tête dans ses bras, elle mourut.

— Vous, là-bas ! cria Matt Murphy.

Avec une énergie surprenante, il se mit à courir vers les deux chasseurs, sans doute des hommes d'Anchorage à en juger par leurs fusils très chers. Mais quand ils s'aperçurent qu'ils avaient abattu un orignal apprivoisé, ils décampèrent. Murphy, scandalisé par un comportement aussi cruel, voulut les poursuivre, mais à peine avait-il parcouru une centaine de mètres qu'il s'écroula brusquement comme le barrage du glacier. Et pendant que Flossie, bouleversée, s'occupait de son élan mort, Missy s'élança auprès de son homme gisant sur le sentier rocailleux.

Quand les autres Flatch arrivèrent à côté de l'homme tombé, ils s'aperçurent que son état était grave et Elmer lança quelques ordres cassants :

— LeRoy, aide ta sœur. Hilda, trouve-moi deux bonnes gaules. Missy, défaites un peu ses vêtements. Aidez-le à respirer.

Et avec l'efficacité qu'il avait toujours montrée dans les moments de crise, cet homme des bois compétent mit en place son groupe de sauvetage. Voyant que sa fille refusait d'abandonner son amie morte — la créature du fond des forêts — il conseilla sagement à son fils :

— Reste près d'elle tant qu'elle en aura besoin.

Avec l'aide des deux femmes, il transporta le vieil Irlandais jusqu'à sa maison.

Flossie et Le Roy ne rentrèrent pas avant la mort du vieux lutteur. Et quand la jeune fille comprit qu'elle n'avait pas seulement perdu son orignal mais le pionnier qu'elle aimait tant, elle poussa un cri de désespoir et tomba à genoux, sentant qu'à cet instant affreux le passé s'achevait : l'époque où une gamine pouvait apprivoiser un orignal sur les rives de la Matanuska, l'époque où les enfants pouvaient entendre à l'église un homme expliquer ce qu'il avait ressenti au cours de deux hivers dans un trou creusé dans la neige au cœur de l'Arctique. Et là, sur le plancher de sa cabane, elle se mit à trembler.

Sur un méchant bout de papier, Matt Murphy avait griffonné son testament au crayon : « Tout à Missy Peckham sauf cinq cents dollars chacun à LeRoy et Flossie Flatch, amis fidèles de mon grand âge. » Les tribunaux d'Anchorage reconnurent la validité du document, et de même que le cadeau inattendu de John Klope à Missy et à Matt à Nome un beau jour de 1902 leur avait permis de refaire leur vie, de même la donation de Matt incita LeRoy à repenser son avenir. Le lendemain de la décision du juge de lui remettre ses cinq cents dollars, LeRoy fila sur-le-champ à l'aérodrome de Palmer, chercha Jake Carmody, lui montra le Piper-Cub en loques et demanda :

— Combien ?

— Je ne comptais pas le vendre.

— Vous m'avez dit que vous partiez. Que vous alliez acheter un Cessna neuf.

— Trois cents dollars, il est à toi.

Et à la surprise du pilote, Le Roy étala six billets de cinquante dollars.

— Les leçons de pilotage font partie du marché, dit Jake.

Cet après-midi-là, LeRoy se mit à apprendre toutes les ficelles qui permettaient de maintenir le vieux zinc dans le ciel. Élève doué, il fit son premier vol en solo pendant le week-end, et après deux autres semaines de leçons intensives, il se sentit qualifié pour offrir ses services aux divers camps de mineurs. Au bout d'une semaine de vol sans la moindre anicroche, il accorda de nouveau toutes ses attentions à Lizzie Carmody, qui commença à trahir quelque intérêt pour le jeune pilote. Mais quand il lui suggéra de venir faire un tour avec lui, Jake s'élança en rugissant de la salle où attendaient les pilotes de la ville.

— Nom de Dieu ! Tu ne vas tout de même pas emmener ma fille dans cette caisse, hein ?

Il interdit à Lizzie de s'approcher du vieux zinc dangereux. Deux jours plus tard, Jake fit exactement ce dont il parlait depuis si longtemps : il emmena sa femme et leurs trois enfants à Portland, où il acheta un Cessna neuf et s'introduisit dans le milieu des avions-taxis.

LeRoy, pilote de son avion personnel et impatient de montrer ses talents à quelqu'un, demanda à sa mère de monter avec lui.

— Jamais de la vie ! Avec personne ! répliqua-t-elle.

Il fit donc la même proposition à Missy Peckham, qui sauta aussitôt sur l'aubaine. Ils survolèrent ensemble la vallée du Knik pour voir d'en haut les trois lacs George s'attaquer à la face du glacier.

À leur retour dans un pré aplani non loin de la cabane, les parents de LeRoy lui donnèrent un unique conseil au sujet de son avion :

— Ne te tue pas avec !

Une « vieille tige », qui se posa à l'aérodrome de Palmer un après-midi après un vol effrayant dans les montagnes, lui offrit un avis plus précis :

— Mon petit gars, les recrues comme toi sont les bienvenues. Mais si tu veux encore t'asseoir à cette table quand tu auras mon âge, rappelle-toi une chose : il y a des pilotes hardis comme toi et des pilotes âgés comme moi. Mais on n'a jamais vu un pilote hardi âgé.

LeRoy lui adressa un regard perplexe, mais l'homme répondit :

— Pendant que je rentrais, avec précaution parce que j'étais encore secoué par le brouillard dans les montagnes, je t'ai vu manœuvrer avec ton zinc. Vraiment de la fantaisie, hein. Et quand j'ai atterri, j'ai demandé : « Quel est ce jeune canard dont on voit encore le duvet au milieu des plumes ? » On m'a répondu que c'était toi, en train d'essayer un coucou que tu venais d'acheter.

Il dévisagea LeRoy et agita l'index sous son nez.

— On se croit malin, mais on ne l'est jamais assez pour se permettre de ne pas respecter les règles.

— Quelles règles ?

— Pas beaucoup. Cinq ou six... Rester loin des hélices qui tournent, elles te réduisent en chair à pâté. Ne jamais monter dans ton avion sans contrôler l'essence, un réservoir vide ne pardonne pas. Faire un tour pour vérifier que la glace est bien solidifiée ou la bande de sable le long du cours d'eau bien ferme. En partant, étudier tous les détails visibles du décor, on en aura besoin au retour. Ne pas hésiter à passer la nuit sous l'aile, parce qu'essayer de retrouver son chemin dans la nuit par brouillard n'est pas vraiment efficace. Et, pour l'amour de Dieu, fixer solidement son fret. Garde toujours beaucoup de corde dans ton avion pour attacher tout ce qui risque de s'envoler, ou tu peux être sûr qu'une chose ou une autre te tombera sur le coin de la gueule à cent à l'heure.

LeRoy essaya d'imaginer les situations où ce genre d'instruction pourrait s'appliquer, mais le vieux de la vieille en ajouta une dernière, particulière à l'Alaska :

— Et puis, LeRoy, tu n'y songerais peut-être pas, mais en hiver garde toujours une brassée de branches de mélèze à l'arrière de ton zinc — bien attachées évidemment.

LeRoy Flatch pénétra grâce à son Piper-Cub dans un monde magnifique. C'était un appareil robuste, si complètement révisé après sa série d'accidents qu'il ne restait presque plus rien de ses structures d'origine. Son moteur, le sixième de la série de ce modèle particulier, était maintenant un Lycoming de 75 CV, mais il avait été fortement modifié après plusieurs aventures. Sa consommation au kilomètre demeurait intéressante mais il avait volé de nombreuses heures avec des mélanges surprenants — y compris un vol moitié pétrole, moitié essence ordinaire, et l'homme qui le pilotait à l'époque ajoutait toujours :

— Plus une moitié d'alcool. Mais l'alcool était dans mon ventre.

Il fallait le piloter pour ainsi dire « à la force du poignet » : aucun pilote automatique, aucun de ces instruments élaborés qui faciliteraient plus tard la tâche des pilotes. Il réagissait lentement aux ordres, et ses commandes n'écoutaient que la force pure. Mais il avait une caractéristique qui forçait le respect de ses anciens pilotes : il pouvait atterrir sur n'importe quel terrain, rester debout et repartir après des réparations sommaires. C'était presque un appareil idéal pour un pilote en Alaska, mais après plusieurs centaines d'heures de vol, LeRoy s'aperçut que, pour que le Cub lui rende vraiment service comme il l'entendait, il fallait effectuer deux modifications simples, et il dépensa le reste de la donation de Matt Murphy à les effectuer.

— Ce qu'il me faut, expliqua-t-il à Flossie quand elle l'accompagna dans un camp de mineurs perdu dans la montagne, c'est une paire de flotteurs pour me poser sur l'eau dans la région des lacs. Un lac lisse vaut bien mieux qu'un champ caillouteux. Et j'ai également besoin de gros skis pour atterrir sur la glace en hiver.

— LeRoy, lui fit observer la jeune fille, il te faudrait démantibuler ton appareil tous les quatre mois : tantôt des roues, tantôt des flotteurs, tantôt des patins.

— Ça vaudrait le coup, répondit-il.

Mais quand il se renseigna sur ces accessoires, il découvrit qu'ils n'étaient pas donnés, et dut en fin de compte s'adresser à Flossie.

— Je n'ai qu'un seul moyen d'obtenir l'avion que je veux : prête-moi l'argent pour que j'achète les autres trains d'atterrissage.

Elle avait les fonds nécessaires, grâce au legs de Matt Murphy, mais l'idée que son frère songe sérieusement à gagner sa vie comme pilote ne lui plaisait guère. Puis il se précipita à la maison un après-midi et lança :

— Floss ! Un type de Palmer vend son avion et repart à Seattle. Son acheteur n'a pas envie de ses trains d'atterrissage suplémentaires. C'est une affaire ! Une bouchée de pain...

Elle l'accompagna à l'aérodrome. LeRoy lui avait dit la vérité, car un vieux pilote lui confirma :

— Ce sont les meilleurs flotteurs que l'on trouve dans le coin, et les skis sont pour ainsi dire neufs.

— Et mon frère pourrait les monter et les démonter ?

— Je lui montrerai le truc en dix minutes.

Affaire conclue. Avec cette acquisition de flotteurs et de skis, LeRoy devint pilote du Grand Nord à part entière, capable de se poser sur la terre, la neige ou un lac. Mais comme Flossie l'avait prédit, passer d'un train à l'autre exigeait du travail. L'homme qui avait encouragé Flossie à prêter l'argent à son frère lui montra comment aborder cette opération difficile.

— Trouve-toi un long poteau de sapin et une petite souche de chêne comme point d'appui. Regarde comme c'est simple de soulever le Cub dans les airs !

Quand l'avant eut quitté le sol, il reprit :

— Maintenant glisse cet autre gros tronc sous le milieu de l'appareil et lâche ton levier mollo-mollo. Ton avion se trouve en équilibre en l'air, et tu peux travailler dessus.

Le vieux pilote ajouta :

— Bien entendu, tu auras chaque année quatre matinées pénibles. À la mi-mars, adieu les skis, tu poses les roues. En juin, tu mets en place les flotteurs pour les lacs. En septembre tu auras encore besoin des roues et au début décembre, retour aux skis.

Grâce à ces échanges relativement aisés, LeRoy possédait un appareil très adaptable, et il l'utilisa de façon intelligente, en volant n'importe où, n'importe quand, presque par n'importe quel temps. Son affaire prospéra et lui assura de beaux revenus.

À l'aérodrome de Palmer, où il laissait son avion quand il avait des roues, il se lia à plusieurs têtes brûlées qui exécutaient des exploits saisissants. Ils se posaient sur les glaciers avec leurs skis, atterrissaient sur des lacs reculés qui n'existaient sur aucune carte ou transportaient d'énormes cargaisons beaucoup plus lourdes que la charge utile officielle de leur appareil. Et ils se couvraient de gloire — jusqu'au soir où ils se perdaient et se plantaient, sans essence, dans une région boisée. Si on les retrouvait le lendemain matin et si leur appareil était réparable, on parlait beaucoup d'eux sur tous les aérodromes, alors que les fils de paysans comme lui n'attiraient aucune attention. Mais il remarqua deux faits importants : les pilotes vraiment grands, comme Bob Reeve, les frères Wien et Bud Helmericks, ne prenaient aucun de ces risques inutiles, et les jeunes téméraires qui défiaient bruyamment le Grand Nord avec leurs appareils fragiles faisaient invariablement de jeunes morts. Ils nourrissaient des légendes héroïques, le cœur même du charisme des pilotes du Grand Nord, mais ils étaient bien morts.

Chaque fois qu'un des Flatch se trouvait à la maison quand LeRoy partait pour un vol, il lui disait : « Ne te tue pas ! » et il ne leur en voulait nullement de ce que cela impliquait. Mais bien qu'il fût un pilote très prudent quand il atteignit sa vingtième année, il ne put éviter les aventures normales qui semblaient attendre tous les pilotes de la région. Au cours d'un vol vers un grand lac dans les monts Talkeetna, au nord de Palmer, où un homme de Seattle possédait une cabane de chasse, il transportait une cargaison de courrier et de courses achetées dans un magasin local. Il avait mis ses flotteurs et, au bout de vingt-deux minutes, il repéra les abords du camp. Avec précaution, il descendit en piqué, fit le tour du lac pour s'assurer que sa surface ne contenait pas des obstacles inattendus (comme des radeaux ou des barques à la dérive) et effectua un atterrissage parfait contre le vent, pour que celui-ci le ralentisse bien. Il régla son hélice à la plus basse vitesse utilisable et pilota son Cub d'une main experte jusqu'à l'appontement flottant, où l'attendaient le propriétaire du camp et son épouse.

— LeRoy, déclara l'homme de Seattle, vous avez fait sur ce lac un meilleur atterrissage que tous ces beaux messieurs. Dès que vous aurez un quatre-places, Madge et moi ne volerons plus qu'avec vous.

Il entendait constamment le même refrain : « Trouvez un appareil à quatre places et vous aurez trois fois plus de clients. » Mais un quatre-places Waco d'occasion avec flotteurs et skis ne coûterait pas moins de quatre mille cinq cents dollars. En plus du Cub. Et il ne pouvait pas se le permettre.

— Je fais les livraisons d'épicerie, répondit-il à l'homme de Seattle. Ou les matériaux si vous voulez ajouter une aile à votre cabane.

Quand il faisait ce genre de livraisons, il essayait toujours d'aider de son mieux au moment du déchargement. Et quand c'était terminé il avait toujours le temps de demander à l'épouse :

— Madame, aimeriez-vous faire un petit tour pour voir le pays par ici ?

Presque jamais on ne lui refusait. Il prenait alors sa place et montrait à la femme comment enjamber les haubans pour monter à côté de lui. Quand elle avait bouclé sa ceinture, il conduisait l'avion lentement tout au bout de la zone de décollage.

— Pas besoin de me regarder, madame. J'ai fait ça des milliers de fois, et pour moi ce n'est que routine. Penchez-vous bien, le visage contre la vitre, et regardez comment nous utilisons la marche.

— La quoi ? demandait en général la dame.

— La marche. Le flotteur n'est pas droit, vous savez. Au milieu il y a une « marche », une cassure dans la ligne, et tant que nous ne pouvons pas faire monter l'appareil sur cette « marche, », où l'adhérence à l'eau et la friction sont inférieures, nous ne sommes pas capables de le soulever.

Quand il voyait qu'elle avait plus ou moins compris, il lançait :

— Regardez bien, nous allons attaquer cette bonne vieille marche.

Parfois l'espace dont LeRoy avait besoin sur le lac pour que son avion « monte la marche » était incroyable, et plus d'une fois la femme criait :

— Allons-nous réussir ?

— Tôt ou tard, hurlait-il toujours.

Et chaque fois, au moment où l'on avait l'impression que l'avion ne s'envolerait jamais, il se hissait mystérieusement sur la marche et aussitôt la longueur de flotteur s'accrochant à l'eau diminuait de moitié. Quelques instants plus tard, de cette position surprenante, l'avion se libérait complètement, sifflait en lançant des gerbes d'embruns et s'élevait majestueusement dans le ciel tandis que la passagère battait des mains et lançait parfois des cris de triomphe. Le fait est que LeRoy avait lui aussi envie de crier chaque fois que se produisait ce miracle de l'hydravion. Mais il suivait attentivement la manœuvre ; il n'arrivait pas à croire qu'il faille un si long élan pour que les flotteurs se détachent, et il restait en alerte car à trois reprises, à sa plus grande confusion, son avion avait refusé de monter la marche et s'était planté deux fois sur la plage, au bout de sa tentative. Pour cette raison, il avait ajouté une précaution supplémentaire à celles que lui avait inculquées le vieux pilote : « Quand tu décolles d'un lac, examine toujours la côte en face, pense que tu risques d'y arriver plus tôt que tu ne penses. »

En général, pour un de ces vols « touristiques », il ne restait pas plus d'un quart d'heure, en l'air, mais cet après-midi-là, la dame eut envie de voir toute la région entourant le domaine de sa famille. Et elle cria à LeRoy :

— Offrez-moi une vraie balade. Je paierai pour une heure.

Il fut enchanté de l'occasion, car il aimait beaucoup ce genre d'exploration. C'était une belle journée ensoleillée avec quelques nuages qui venaient de l'océan lointain, et les lacs nichés par dizaines entre les hauteurs scintillaient ainsi que des émeraudes quand le soleil les frappait. Veillant à conserver son cap au milieu des montagnes, il passa plus d'une heure dans le ciel et cela l'entraîna loin vers le nord.

— Merveilleux ! cria la passagère. Rentrons maintenant.

Quand il atterrit sur le lac et la reconduisit à l'appontement, elle lança à son mari qui attendait :

— Donne le double à ce garçon. Jamais je ne m'étais aperçue que nous vivions au milieu d'une telle splendeur.

Cette excursion imprévue signifiait qu'il avait pris environ deux heures de retard pour son retour à Matanuska. Cela ne posait aucun problème car en juillet il y avait encore beaucoup de lumière — lever du soleil à trois heures quatorze, coucher à vingt heures cinquante-sept — mais la situation devint plus compliquée quand les nuages noirs qui s'accumulaient vers le sud se mirent soudain en mouvement à cette vitesse étonnante qui rend le temps si imprévisible en Alaska. Un ciel peut être chaud et clair à cinq heures, froid et menaçant à cinq heures trente. Ce soir-là, il était menaçant.

Il devait être huit heures du soir quand LeRoy arriva dans la vallée de Matanuska. Il lui restait encore presque une heure de lumière, mais c'était sans importance car il n'avait plus que pour quarante minutes de carburant. Quand il repéra le glacier Knik et sut exactement où il était, des nuages d'orage se précipitèrent pour obscurcir toute la région, et il comprit que toute tentative de trouver son lac et de se poser dessus sans assez de lumière serait vaine. Il se mit aussitôt à chercher une autre solution, et il y avait dans la région une douzaine de lacs envisageables. Ils étaient bloqués eux aussi par l'orage qui se déchaînait.

« Il sera passé dans une heure, se dit-il, mais ça me fera une belle jambe ! » Ou bien il devait repartir au plus vite vers le nord en espérant prendre la tempête de vitesse et se poser sur un des lacs voisins de

Palmer, où plusieurs avions avaient leur base, ou bien continuer vers le sud et tenter d'atterrir sur le Knik ou même dans le goulet de Cook, beaucoup plus vaste. Mais cette deuxième option comportait des risques, car si la tempête s'accompagnait de vents violents, elle risquait d'engendrer des vagues trop hautes, que le Cub ne parviendrait pas à négocier. La situation se présentait mal.

Que faire ? Il resserra sa ceinture, décontracta ses mains, les secoua deux fois, puis agrippa le manche d'une main plus ferme et se donna des instructions mûries par le temps : « C'est le moment de respirer à fond, LeRoy. Tu sais qu'on peut toujours poser ce zinc sur la terre. Les flotteurs seront fichus, mais ça se remplace ; ta vie ne se remplace pas. »

Il vit sur la droite les cimes menaçantes des monts Talkeetna. « Sortons de là ! » Il vira brusquement à gauche en essayant de gagner autant d'altitude que possible, mais à ce moment-là il cessa de voir le sol au-dessous de lui.

En cette extrémité, il ne chercha aucune solution miracle, aucune révélation soudaine d'un lac inconnu. Il était en péril grave et il le savait. Il ne survivrait que s'il volait en acceptant les risques du hasard, comme le vent, des rafales soudaines et de l'eau agitée — et s'il volait avec un seul objectif bien déterminé : poser l'appareil. « Encore huit minutes. »

Il n'oublierait jamais ces huit minutes-là, au bout desquelles son réservoir serait vide. Il se dirigea vers le sud jusqu'à ce qu'il fût certain que le fleuve Knik se trouvait au-dessous de lui, à un kilomètre près. Il descendit exactement comme si le sol était bien visible, et demanda à la tempête de souffler de façon constante. Surtout, il conserva le contrôle de son avion, en le réglant contre le vent comme s'il avait des roues et une belle piste d'atterrissage devant lui. Quand l'altimètre lui montra qu'il n'y avait plus guère d'espace au-dessous de lui, il ne serra pas les dents et ne se prépara pas à un choc inattendu : il continua de respirer normalement, exerça avec ses mains la même pression qu'auparavant et se prépara à atterrir sur ce qui se trouvait au-dessous.

En fait, il n'était pas aussi fataliste : « J'aurai un peu de visibilité. Je verrai si c'est de l'eau ou de la terre, et si c'est de la terre, j'aurai à peu près deux minutes pour trouver de l'eau. » Il n'ajouta pas qu'au cours de ces minutes, il serait vital de décider s'il fallait chercher l'eau à basse altitude vers le nord ou vers le sud.

À la fin de la sixième minute, il sortit des nuages à l'altitude de douze mètres et ne vit que de la terre autour de lui — comble de malheur, un terrain accidenté. Poser un avion dans ce mélange d'arbres et de collines serait une folie. Mais dans quelle direction se trouvait le fleuve ? Calmement, sans raison qu'il aurait pu expliquer, il estima qu'il était dans son dos, vers le nord. Il vira de cent quatre-vingts degrés sur l'aile, descendit davantage et au tout dernier moment il aperçut devant lui les eaux agitées du Knik. Il respira à fond, stabilisa le manche, s'aperçut qu'il allait atterrir avec, par le travers, un vent qu'il ne jugea pas excessif, et avec la dernière tasse d'essence il posa le Cub impeccablement puis, sans ralentir les moteurs, glissa sur toute la largeur du fleuve jusqu'à ce que les flotteurs montent doucement sur l'herbe de la berge opposée. Avec les cordes à bagages qu'il emportait toujours, il amarra son avion à un groupe d'arbres et partit à pied chercher quelqu'un pour l'aider à le haler plus loin de l'eau.

⁂

À bien des égards, LeRoy prenait davantage de plaisir avec son Cub quand celui-ci chaussait ses skis. Après une forte tempête de neige, il planait au-dessus de l'Alaska central avec l'impression de pouvoir voler n'importe où et atterrir presque dans n'importe quel coin de ce monde majestueux. Au cours des premières journées d'essais et d'erreurs, il avait appris les limites en altitude de son petit appareil et les façons les plus efficaces de se poser sur de la neige poudreuse.

— Eh ! s'écria-t-il un matin en volant vers un lever de soleil éblouissant. Tout ceci m'appartient.

Mais voler sur skis offrait aussi un avantage financier, comme l'expliqua l'un de ses clients dans une lettre à son épouse, restée dans le Maryland :

> *Comme je désirais beaucoup voir l'expérience de Matanuska, je me suis rendu sur un petit terrain d'aviation du voisinage et j'ai demandé leur meilleur pilote. Tout le monde estimait qu'un nommé LeRoy n'était peut-être pas le meilleur mais certainement le plus sûr, et je l'ai donc engagé. Il volait dans un vieux coucou déglingué qui, m'assura-t-il, ne tombait jamais en panne, et quand j'eus inspecté la célèbre vallée, il me demanda : « Voulez-vous voir nos glaciers ? » J'acquiesçai. Nous nous trouvions encore à des kilomètres, au-dessus de la neige, quand il cria soudain : « Regardez ! » il fit tomber l'avion en spirale, ce qui me souleva le cœur, ouvrit brusquement le cockpit et saisit à tâtons un fusil de chasse derrière lui — il pilotait l'avion avec ses genoux sans faire attention à l'endroit où nous allions.*
>
> *« Regardez ce loup ! » dit-il. Avec une habileté étonnante, il fit tourner notre avion, se mit à la hauteur de l'énorme bête, et l'abattit d'une seule balle. Puis, manœuvrant l'appareil comme si c'était une feuille morte, il se posa à moins de trois mètres du loup mort. Il m'ordonna de descendre pour lui libérer le passage, ramena l'animal et le lança dans la cabine derrière nous.*
>
> *Il reprit son vol. Or à peine étions-nous dans les airs depuis quelques minutes qu'il se mit à brailler : « Hé ! son frère ! », et nous retombâmes dans cette même spirale écœurante. Les genoux coinçant le manche, il abattit son loup du premier coup cette fois aussi. En remontant dans l'avion, je lui fis remarquer : « Il y a du sang sur mon siège. » Il se confondit en excuses, sortit un chiffon propre d'une petite boîte et nettoya aussitôt ma place. Je m'aperçus qu'il attachait les deux loups à l'arrière avec autant de soin que s'il s'agissait de cargaisons d'or. Je lui lançai : « J'espère que vous ne verrez plus de loups », et il m'expliqua : « Pour ce vol, je vous demande quarante dollars ; pour chacun de ces loups le gouvernement me donnera cinquante dollars de prime. » Je lui demandai où il avait appris à tirer ainsi, comme un professionnel. « J'ai appris les fusils au Minnesota, les avions en Alaska », me répondit-il. J'ai découvert par la suite qu'il avait seulement suivi deux semaines de leçons ! Crois-moi, Elinor, voler en Alaska n'a rien à voir avec un vol dans la banlieue de Baltimore...*

Quelques jours après cette fructueuse chasse au loup, LeRoy tomba sur l'aventure qui allait modifier sa vie d'une manière qu'il ne pouvait guère prévoir. Il traînait, sans travail, sur l'aérodrome de Palmer, quand un homme d'affaires de belle allure, bien habillé, âgé de plus de cinquante ans, l'aborda soudain :

— C'est vous, LeRoy Flatch ?

— Mais oui.

— Le type qui a fait ce remarquable atterrissage sur le fleuve, l'été dernier ?

— Grâce à la chance et à un appareil costaud.

— Pourrais-je le voir ?

Déconcerté par cet inconnu qui désirait voir un vieux cheval de peine comme son Cub, LeRoy répondit :

— Celui-là, là-bas... sur ses skis. Beaucoup de kilomètres. Il en connaît un rayon.

L'inconnu examina l'extérieur de l'appareil pendant quelques minutes, puis demanda :

— Je peux jeter un coup d'œil à l'intérieur ?

— Je vous en prie...

À la fin de son inspection, l'homme voulut savoir :

— Jeune homme, pourquoi n'achetez-vous pas un quatre-places ?

— Je me serre la ceinture pour m'en payer un.

L'inconnu éclata de rire et tendit la main à LeRoy.

— Tom Venn, de Ross & Raglan. Nous aménageons, ma femme et moi, une sorte de refuge de chasse sur les pentes du Denali. Nous aurons besoin d'y déposer notre matériel en plusieurs fois.

— Ça m'intéresse. Quelle distance ?

— Cent vingt, cent trente kilomètres au nord-ouest, c'est faisable ?

— Oui, mais il faudra que je rajoute un peu d'essence avant de repartir.

— Facile à organiser. Quand pouvez-vous partir ?

— Dix minutes après que vos affaires arriveront ici. Vous les accompagnerez ?

— Oui, j'aimerais explorer un peu, en chemin et sur place.

— Vous savez que je n'ai pas le droit de survoler le Parc National...

— Il y a beaucoup d'espace autour.

Sur ces mots, Venn se hâta de gagner le bâtiment et téléphona au camionneur qui attendait près de la gare. Il lui demanda d'apporter d'abord le matériel électrique. À treize heures trente le Cub était plein à craquer, avec tout le fret solidement attaché. Venn, qui était entré dans le fuselage et travaillait comme un manœuvre, demanda :

— Ne pouvons-nous pas jeter ces branches ?

— Jamais de la vie ! lui cria LeRoy. Rappelez-vous bien où elles sont. Dès qu'on vole en montagne, on risque d'en avoir besoin.

Venn s'installa sur le siège du passager et l'appareil lourdement chargé décolla impeccablement de l'aérodrome de Palmer, s'éleva aussitôt à une altitude de douze cents mètres et mit le cap aux trois cent vingt degrés. Dès qu'il fut à l'horizontale, Venn demanda :

— À propos, avez-vous déjà volé dans la région du Denali ?

— Non, répondit LeRoy, mais j'en ai toujours eu envie.

— Parfait, répondit Venn sans le moindre sarcasme, nous l'explorerons ensemble.

À mi-chemin de leur destination LeRoy sursauta, le souffle coupé. Venn devina que son pilote n'avait jamais vu le décor extraordinaire qui s'étalait devant eux. S'élevant majestueusement au-dessus d'une couronne de nuages, qui bloquait les pentes basses, se dressait la masse des hautes montagnes : Russell, Foraker, Denali, Silverthrone, dans cet ordre du sud-ouest au nord-est. Russell excepté, c'étaient les plus hauts sommets d'Amérique du Nord, et le Denali dominait les autres.

Ils formaient une stupéfiante barrière couronnée de blanc, en travers du cœur de l'Alaska, et après les avoir regardés quelques instants bouche bée, LeRoy avoua à son passager :

— On peut venir quarante fois en Alaska et longer ces montagnes de tous les côtés sans jamais voir le Denali.

— Je sais, répondit Venn.

Mais il se trouvait là, dans toute sa gloire glacée : non seulement le plus haut sommet du continent mais aussi le plus loin vers le nord, et de beaucoup. Quand on présente ses respects au Denali, on frappe à la porte du cercle arctique, qui se trouve à moins de quatre cents kilomètres au nord.

Pendant vingt minutes environ la grande montagne se dressa, solennelle, si imposante que seuls deux groupes d'alpinistes l'avaient conquise. En 1913, pour la première fois, un pasteur menana avait atteint le sommet; et la deuxième fois, en 1932, un groupe de quatre hommes particulièrement audacieux, avec leurs skis et leurs équipages de chiens (association surprenante), avait dominé les vents hurlants et les pentes sillonnées de crevasses. Lorsque l'avion se rapprocha de la limite du Parc National, LeRoy expliqua :

— Savez-vous, monsieur Venn, que la montagne n'est pas visible d'en bas?

— En tout cas rarement. Je suis venu ici huit fois avant de voir ce maudit sommet.

Flatch se mit à descendre, mais quand il pénétra l'écran de nuages qui semblait se regrouper toujours autour de la montagne comme pour refuser méchamment de dévoiler ce trésor, il s'aperçut que les nuages demeuraient denses jusqu'au sol, couvert de neige d'exactement la même couleur qu'eux. En évitant d'alarmer son passager, LeRoy annonça calmement :

— Je crois que nous voilà partis pour le brouillard blanc. Resserrez votre ceinture.

— Allons-nous avoir un accident? demanda Venn avec le sang-froid qui l'avait toujours caractérisé dans l'adversité.

— Pas si je peux l'éviter.

Mais lorsqu'il commença à perdre de l'altitude, très doucement, il devint manifeste que ni lui ni aucun autre pilote, si expérimenté fût-il, ne pourrait déterminer où s'achevaient ces nuages semblables à la neige, et où commençait la neige ferme qui recouvrait le sol. En d'autres termes, il n'y avait aucun horizon discernable, et Flatch se rappela le nombre étonnant d'aviateurs d'Alaska qui, dans les mêmes circonstances, avaient lancé leur avion de plein fouet dans la montagne, sans le moindre indice de leur position. Dans ces accidents, l'avion explosait. Dans un ou deux cas seulement, des jeunes pilotes audacieux avaient pu se vanter :

— Je me suis planté dans la neige, et je suis reparti tranquillement à pied.

Dans une extrémité comme celle-ci, il était essentiel que le pilote ne se laisse pas aller à la panique. Venn, qui observait LeRoy attentivement, fut ravi de voir qu'il réagissait avec un calme admirable. Trois fois Flatch essaya de se poser sur la neige, et trois fois, il se trouva plongé dans la confusion totale, incapable de préciser où prenait fin le nuage et où débutaient les rochers couverts de neige. Il décida donc de gagner une altitude plus élevée au-dessus de l'endroit où il supposait que se trouvait le sol et dit à Venn :

— Nous devons essayer de trouver un point de repère sur le sol. N'importe quoi. Un caribou, un arbre, peu importe.

Les deux hommes tentèrent donc de déterminer où se trouvait le sol, mais en vain.

— Monsieur Venn, ôtez votre ceinture, glissez-vous à l'arrière et attrapez les branches d'épicéa.

Après une bagarre au milieu des bagages, Venn réapparut avec une grosse rbassée de branches.

— Ouvrez de votre côté, remettez votre ceinture, et quand je crierai « Allez-y ! » vous lancerez les branches l'une après l'autre. D'abord les plus fournies.

Pendant quelques instants ils volèrent en silence comme s'ils retenaient leur souffle. Puis l'ordre vint :

— Lancez !

La première branche tomba, et il n'y eut besoin d'aucune autre : en la voyant se poser presque aussitôt — ils se trouvaient donc dangereusement rpès du sol — LeRoy s'écria seulement :

— Bon Dieu !

Avec la maigre information sur sa position que venait de fournir la branche, il se cala dans son siège, fit monter son avion presque à la verticale, puis tourna de plus en plus bas jusqu'à ce qu'il s'aligne avec la branche de sapin visible sur la neige comme une grande balise. Il avait rarement été aussi satisfait de voir quelque chose de dur.

— Votre ceinture est serrée ? Bien. On risque de casser du bois, mais il faut espérer que la neige sera bien plane.

Flatch cessa de s'occuper de son passager, qui se comportait bien, baissa ses ailerons, fit piquer le nez du Cub, et éprouva un accès de joie triomphante à l'instant où les skis se posèrent sur la neige lisse qui s'étendait dans toutes les directions.

L'avion glissa puis s'arrêta. Tom Venn détacha sa ceinture, s'étira et demanda aussitôt :

— Et maintenant, que fait-on ?

— D'abord, je vais envoyer un signal radio, pour que tout le monde nous sache en sécurité. Puis nous attendrons que la tempête de neige se calme.

Il se mit en devoir de lancer son message.

— Toute la nuit ? demanda Venn.

— Peut-être.

Sans ajouter un mot sur leur situation désolante, les deux hommes s'organisèrent pour une longue attente. Ils durent effectivement passer toute la nuit, et le lendemain matin à l'aurore, quand le ciel s'éclaircit, un avion de sauvetage passa au-dessus d'eux et descendit très bas pour vérifier si Flatch et son passager étaient en sécurité. Puis il traça de larges cercles au-dessus d'eux pendant que LeRoy faisait tourner son moteur, roulait au bout de ce qui semblait un espace relativement de niveau, et sur un tiers de la distance qu'il fallait au Cub pour décoller sur l'eau avec ses flotteurs, les skis filèrent à une vitesse surprenante et l'avion se retrouva dans les airs.

Le Denali et ses frères, comme pour railler les deux hommes, se dressaient dans toute leur splendeur sur le ciel clair.
— Restons un moment visiter la région, suggéra Venn.
— J'ai assez d'essence. Ça me plairait beaucoup.
Pendant une demi-heure ils explorèrent la chaîne de glaciers remarquables qui tombait du massif vers le sud, spectacle époustouflant et exaltant pour tout esprit amoureux de la nature. Quand Flatch posa enfin son avion dans la neige près du refuge des Venn dans les hauteurs du piémont, le millionnaire de Seattle le félicita :
— Jeune homme, vous savez vous servir d'un avion.
Son épouse, Lydia Ross Venn, s'élança à leur rencontre : c'était une belle dame aux cheveux gris qui venait juste d'avoir cinquante ans.
— Je te présente LeRoy Flatch, lui dit Tom Venn. Un pilote très doué. Nous allons financer pour lui un appareil à quatre places et donéravant c'est lui qui nous conduira.
Pendant ce premier voyage, LeRoy resta trois jours avec les Venn, pour conduire d'abord l'un, puis l'autre en promenades d'exploration qui lui permirent de se familiariser avec les grandes montagnes. À la fin de son séjour, Tom Venn lui demanda :
— LeRoy, accepteriez-vous d'aller chercher notre fils et sa jeune épouse à Anchorage ? Ils viennent passer ici une partie de leurs vacances.
— J'en serais ravi. Donnez-moi vos instructions. Mais mon avion ne peut transporter qu'une personne.
— Vous louerez un quatre-places. Essayez-les tous, et vous me direz quel modèle convient le mieux à cette région de l'Alaska.
Ainsi donc, LeRoy Flatch, dans un Fairchild de location avec lequel il avait volé seulement quelques heures, se rendit à l'aéroport d'Anchorage et fit appeler M. et Mme Malcolm Venn. Dès que le jeune homme parut, LeRoy comprit que ce devait être le fils de Tom Venn car la ressemblance était saisissante. Mais il ne s'attendait pas du tout à ce que Mme Venn ne soit pas une Blanche. Presque aussi grande que son mari, extrêmement mince avec des cheveux très noirs, impossible de dire si elle était eskimo, aléoute ou athapascane, trois tribus que LeRoy avait encore du mal à classer dans son esprit — et il était trop poli pour demander. Mais le jeune Venn résolut le problème, car tout en chargeant leurs bagages dans l'avion, il lança :
— Ma femme aimerait décoller tout de suite. Elle a envie de voir ce pays. Elle est à moitié tlingit et pour elle tout ceci est un territoire neuf.
Puisque le sujet avait été abordé, LeRoy demanda :
— Et quelle est l'autre moitié ?
— Chinoise. Un bon mélange. Elle est très intelligente, comme vous vous en apercevrez.
Quand le Fairchild arriva près du refuge des Venn, au pied du Denali, les trois voyageurs avaient déjà sympathisé.
— Quel est le nom de la propriété de votre père ? demanda LeRoy pendant qu'il déchargeait l'avion avec Malcolm.
— Pourquoi ne le lui avez-vous pas demandé ?
— J'ai pensé que ce serait indiscret.
— Mais vous me le demandez à moi ?
— Ce n'est pas vous le patron de la compagnie, c'est lui.
— Il l'a appelé Filon Venn.
— Filon a-t-il bien le sens que je crois ?
— Oui. Il dit que dans le temps des gens venaient ici prospecter de

l'or... essayer de trouver leur filon. Ma mère et lui sont ici à la recherche de leur propre filon : le bonheur. Il adore l'Alaska, vous savez. Il a vadrouillé dans tous les coins du pays toute sa vie.

⁂

Pendant l'automne 1939, LeRoy Flatch était fort occupé à dénicher un quatre-places d'occasion à un prix abordable pour lui (même avec l'aide des Venn) et il ne s'aperçut pas qu'une guerre d'importance majeure venait d'éclater en Europe. Au prix raisonnable de trois mille sept cents dollars, il trouva un assez beau Waco YKS-7 qui avait servi dans la région de Juneau, et dès qu'il en prit possession il découvrit à quel point l'Alaska avait besoin de transports aériens. Des soldats américains se présentaient soudain pour se faire piloter aux endroits les plus étranges, et les mines d'or déjà installées exigeaient du matériel plus moderne. La construction de routes démarrait en flèche, de nouveaux magasins ouvraient partout leurs portes, et là où s'épanouissait le commerce ou le bâtiment les pilotes comme LeRoy étaient très demandés.

— Que se passe-t-il ? demanda-t-il aux hommes qui travaillaient sur l'aérodrome.

En 1940, par une nuit d'hiver, il le découvrit. Des amis l'entraînèrent à une réunion publique dans l'école de Palmer, où un jeune officier d'aviation, tiré à quatre épingles et la boule à zéro, fit un exposé succinct qui mit les choses au clair.

— Je suis le capitaine Leonidas Shafter, et je suis prêt à rosser le premier qui se moquera de mon prénom. Mon père a fait West Point et m'a donné le nom du héros des Thermopyles. Il y a perdu son contingent et la vie. Je me propose de faire mieux.

À l'aide de cartes reportées sur diapositives qui, à la projection, s'étalaient sur le grand pan de mur blanc derrière lui, il traça à son public de pilotes, de conducteurs de bulldozers et d'ouvriers ordinaires, un tableau clair et précis de la guerre en Europe et de ses répercussions éventuelles sur l'Alaska.

— La guerre là-bas s'est peut-être réduite à ce qu'ils appellent d'un côté la *Sitzkrieg* et de l'autre la drôle de guerre, où chaque camp essaie d'attendre l'effondrement de l'adversaire. Mais croyez-moi, ça va exploser d'un moment à l'autre, et si j'en crois le passé, nous serons entraînés dans le conflit.

» Je ne saurais prédire ni quand ni comment nous interviendrons mais de toute manière, la Russie soviétique sera impliquée. À l'heure actuelle les communistes sont les alliés de l'Allemagne nazie. Cela ne peut pas durer, mais quoi qu'il en soit par ailleurs, pouvez-vous imaginer que les actes de la Russie n'impliqueront pas l'Alaska ? Ici, aux îles Diomède, l'Union soviétique se trouve à un mille et demi de l'Alaska. D'accord, ce sont des îles minuscules qui ne comptent guère. Mais traverser la mer de Béring de Russie en Alaska ne représente presque rien pour un appareil moderne. Le contact est presque inévitable et quand il se produira, votre Alaska sera plongé au milieu de la guerre.

Un pilote qui avait servi naguère dans l'aviation demanda :

— Parlez-vous de la Russie en tant que notre ennemie ou notre alliée ?

— Je ne l'ai pas précisé parce que je ne peux pas le deviner, lança

Shafter. Au point où en sont les choses ce soir, c'est notre ennemie. Mais cela ne continuera pas peut-être longtemps et elle pourrait très bien devenir notre alliée.

— Mais comment pouvez-vous vous préparer ?

— Dans des cas de ce genre, on tire des plans pour toutes les circonstances éventuelles. Et quoi qu'il arrive, je suis sûr d'une chose : vous vous adapterez.

Il posa la main sur la région où les frontières soviétiques et américaines se rencontrent, et passa au cœur de son exposé surprenant :

— Regardez, je vous prie, cette carte de l'Amérique du Nord et de la partie orientale de la Sibérie. Supposons que l'Union soviétique continue d'être notre ennemie. Comment ses armées peuvent-elles frapper le plus efficacement des villes comme Seattle, Minneapolis et Chicago ? En traversant en masse l'Alaska et le Canada, directement vers leur objectif : nos régions industrielles. Les premières batailles, qui décideraient peut-être de tout, seraient livrées à des endroits comme Nome et Fairbanks, ou bien au-dessus de l'aérodrome auprès duquel nous nous trouvons.

» Mais supposons que les Soviets se retournent contre Hitler, ainsi que le veut la logique, et deviennent de ce fait nos alliés. Comment les aiderons-nous avec notre matériel ? Comment des avions construits à Detroit parviendront-ils à Moscou ? Je crois qu'ils suivront un « grand cercle » modifié : à travers le Wisconsin et le Minnesota jusqu'à Winnipeg, puis peut-être vers Edmonton, Dawson, Fairbanks, Nome et la Sibérie. Messieurs, votre piste de gravier pourrait très bien servir de terrain de secours pour d'énormes bombardiers.

Les hommes se dévisagèrent, stupéfaits, et le capitaine d'aviation leur montra une belle carte de la région entre Edmonton et Fairbanks.

— Que l'Union soviétique se révèle notre ennemie ou notre amie, ce que nous devons faire sur-le-champ, c'est construire une route capable d'assurer le transport de matériel militaire de l'endroit où se termine la voie ferrée (il montra Dawson Creek, au nord-ouest d'Edmonton)... jusqu'ici, au milieu de ces marécages.

Sans tenir compte du terrain très difficile entre les deux points, il traça une ligne droite à travers le Canada et dans le cœur de l'Alaska jusqu'à Fairbanks.

— Ne me racontez pas qu'on a déjà essayé de le faire. Ne me racontez pas que cela soulèvera toute sorte d'obstacles. Sachez qu'il *faudra* construire cette voie.

— Pourquoi ? demanda un pilote.

Shafter commença à perdre patience.

— Parce que c'est une question de vie ou de mort pour une grande république. Pour deux grandes nations, les États-Unis et le Canada. Il faudra que nous déplacions du matériel de guerre de Detroit et Pittsburgh jusqu'aux rivages de la mer de Béring.

Il prononça ensuite une phrase étrange et prophétique, une idée en l'air que n'oublierait aucun des hommes présents :

— Il faut nous préparer à repousser toute tentative d'agression d'origine asiatique.

Le silence se prolongea, puis Shafter rit de lui-même, se tapa sur le genou droit et lança d'un ton jovial :

— Il paraît que les premiers Américains, les Eskimos et tout le monde ici, sont venus de là-bas à travers la mer de Béring quand ce n'était pas encore une mer. Ils auraient traversé à pied sec. Peut-être la mer va-t-elle de nouveau baisser. Peut-être tomberont-ils sur nous à travers je ne sais quel pont terrestre. Mais ils viendront, messieurs, ils viendront.

⁂

Dans les mois qui suivirent, LeRoy Flatch ne s'intéressa nullement à l'évolution du conflit en Europe et perdit de vue les prédictions effarantes du capitaine Shafter : il devait maintenant s'occuper de ses deux appareils, le vieux biplace Piper-Cub et le Waco à quatre places, relativement récent. Il laissa les flotteurs sur le Cub, qu'il amarra sur un lac voisin, et mit au point un système de changement rapide pour faire passer le quatre-places des roues aux skis. Ayant deux cordes à son arc, il les utilisait au maximum. Il pouvait s'engager au cœur de l'Alaska aussi efficacement que tout autre pilote du Grand Nord en activité, car en dépit de sa jeunesse, il avait acquis un sens parfait de ce que feraient ses avions s'il les maintenait en bon état et avec de l'essence dans les réservoirs.

En douze mois consécutifs, il avait l'occasion de poser un de ses avions sur les surfaces suivantes : large piste macadamisée d'un aéroport officiel comme celui d'Anchorage, macadam étroit et cahoteux d'un aérodrome de campagne comme celui de Palmer, gravier tassé dans un camp de mineurs, gravier mou et poussière dans un autre, herbe près d'une cabane de chasse, berge de galets le long d'un fleuve, boue et gravillons le long d'un ruisseau, glace, neige et — le plus dangereux — glace couverte par une fine couche de neige, herbe couverte par du givre, ou herbe couverte par de la neige et du givre sous une pluie continue. Il atterrissait aussi sur des lacs, des rivières, des marais et autres plans d'eau trop exigus pour permettre un redécollage ; il traînait alors son appareil sur la terre sèche et partait chercher un autre pilote audacieux qui le ramènerait avec une paire de roues pour remplacer les flotteurs et quelques outils pour couper de petits arbres et aplanir une piste.

Et il lui arrivait aussi, inévitablement, de se poser dans les branches d'un arbre ; dans ce cas, il se hâtait de descendre au sol et attendait qu'on lui dépose non loin une aile de rechange par exemple, qu'il vissait soigneusement au moignon intact. Et il redécollait. Étant donné les itinéraires de ses vols, il se trouvait constamment en danger, mais avec une intuition remarquable il veillait à ce que tous ces accidents inévitables se produisent avec son vieux biplace et non avec son zinc neuf.

Sa mission la plus agréable ? Chaque fois qu'un télégramme l'invitait à aller chercher l'un des Venn à l'aéroport d'Anchorage, car c'était reprendre contact avec cette famille passionnante. Il les aimait tous : le père, froid et réservé, qui dirigeait un empire ; la mère, pleine de vivacité, qui semblait prendre de nombreuses décisions ; le jeune homme qui hériterait un jour de l'empire ; et surtout la jeune femme, si jolie et si sûre de ce qu'elle désirait faire.

— Elle ne ressemble nullement à tous ces sang-mêlé dont on entend parler dans la presse, disait LeRoy à ses collègues pilotes. N'importe quel homme serait fier de l'avoir pour épouse.

— Pas moi ! ronchonna un vieux du pays. Ces sang-mêlé, ces femmes indigènes, elles conduisent tôt ou tard leur bonhomme en enfer.

Lors de ces rendez-vous comme ceux d'Anchorage, jamais LeRoy ne pouvait savoir à quelle heure juste l'avion arriverait ; en Alaska, les horaires étaient sujets à des changements imprévus, et les retards se comptaient parfois en journées entières. Par exemple, quand Bob Reeve pilotait ses avions insensés jusqu'au bout de l'archipel des Aléoutiennes, jamais on ne pouvait savoir quand il reviendrait à sa base, à cause de l'imprévisibilité du temps dans la région.

— Je ne te blague pas, raconta à LeRoy un des pilotes de Reeve. Un jour où nous survolions Atka, comme d'habitude, un williwaw s'est levé soudain de la mer de Béring : le calme une minute avant, la tempête l'instant d'après. Nous voici subitement retournés la tête en bas. Les assiettes, les hôtesses, les passagers, tous au plafond... Et moi aussi, si je n'avais pas bouclé ma ceinture.

— Combien de temps as-tu volé comme ça ?

— Une demi-minute. Ça m'a paru deux heures ! La rafale suivante d'air glacé nous a remis droits.

— J'aimerais survoler ces îles avec toi un de ces jours.

— Avec plaisir.

Pendant les longues heures d'attente, LeRoy aimait lire des récits sur les vieux pilotes, les pionniers des itinéraires qu'il couvrait. Les meilleures histoires mettaient en scène les jeunes gens qui partaient d'endroits bien établis, comme Sitka et Juneau, mais les plus passionnantes à ses yeux racontaient les exploits des pilotes du centre du pays — Fairbanks, Eagle et les petites colonies des rives du Yukon, comme Nulato et Ruby — et ceux des aviateurs intrépides qui distribuaient le courrier dans les plus minuscules hameaux des versants nord et sud de l'impressionnante Brooks Range — Beetles, Wiseman, Anaktuvuk et les camps du bassin de la Colville.

Ces types avaient vraiment des tripes, se disait souvent LeRoy en lisant leurs prodiges, mais tous les récits avaient, hélas ! presque la même fin. Harry Kane était sans doute le meilleur des pilotes. Le premier à atterrir dans dix ou douze nouveaux endroits, qu'il y ait ou non un terrain. Il adorait les berges de rivière si le sable et le gravier ne formaient pas de « tôle ondulée ». Mais s'ils étaient en tôle ondulée il atterrissait quand même. Il avait aidé trois femmes à mettre leur bébé au monde à deux mille sept cents mètres d'altitude. Il ne prenait jamais de risques. On pouvait voler n'importe où avec le bon vieux Harry Kane. Le meilleur de tous.

Puis, dans les deux dernières pages du chapitre, on apprenait qu'une nuit par une tempête de neige aveuglante le bon vieil Harry, le meilleur de tous... crac ! « Juste une seule fois, songeait LeRoy, j'aimerais lire l'histoire d'un pilote qui compte parmi les grands et qui est mort à soixante-treize ans dans son lit. »

Avec l'aide de Tom Venn, LeRoy avait aménagé l'intérieur du Waco pour installer un siège supplémentaire à l'arrière, entre les bagages. Il pouvait donc attendre les avions de ligne en provenance de Seattle et déposer les quatre Venn à leur refuge. Un jour où l'avion de Seattle avait du retard, il dut passer la nuit au Filon Venn, et le matin venu Tom Venn lui fit observer :

— Savez-vous, LeRoy, qu'écouter les informations de huit heures en Alaska n'est pas folichon ?

— Pourquoi ? C'est la même chose qu'au Sud du Quarante-Huitième, non ?

— Pas du tout. Chaque matin, on entend une litanie ininterrompue d'endroits où des petits avions se sont plantés la veille au soir : « Le biplace d'Harry Janssen, au lac Untel, à l'ouest de Fairbanks. Huit cent quarante mètres d'altitude. Dans la neige. Les signaux indiquent la présence de survivants. » Ou bien le message qu'ils viennent de diffuser, sur un nommé Livingston : « Quatre-places près d'une cabane à huit kilomètres à l'ouest de Ruby. De la neige. Aucun signal. L'appareil semble gravement endommagé et sur le côté... »

— S'agirait-il de Phil Livingston ? demanda LeRoy. C'est un des meilleurs. Il ne risque pas de se planter dans une tempête de neige. Il ne sort jamais par tempête de neige.

— Il l'a apparemment fait hier...

Quand Flatch retourna à Palmer, on lui confirma qu'il s'agissait bien de Phil Livingston, un des meilleurs, et il se mit à écouter le bulletin de huit heures avec davantage d'attention. Les messages presque quotidiens signalant les accidents d'avion, leur emplacement et leur altitude, ainsi que la présence confirmée ou non de survivants, lui firent vite comprendre à quel point voler dans de petits avions en Alaska était dangereux.

— Dangereux mais inévitable, lui dit un vétéran de l'air dans la salle des pilotes de Palmer, où LeRoy attendait un passager désireux d'explorer les magnifiques vallées nichées au milieu des glaciers se déversant du Denali.

Dangereux ou non, voler ainsi au centre de l'Alaska demeurait une des professions les plus exaltantes du monde, les systèmes atmosphériques prenaient des dimensions gigantesques : des continents entiers d'air froid jaillissaient en furie de la Sibérie. Les montagnes n'avaient pas de fin, de grandes hordes de sommets dont plus d'un n'avait même pas de nom s'étalaient à perte de vue. Les glaciers ? Comme disait un pilote formé au Texas, « rien de commun avec ce qu'on peut voir en décollant de Tulsa ». Et la diversité des gens qui peuplaient les petits villages ou travaillaient sur les gisement, paraissait infinie et d'un intérêt extrême.

— Les êtres les plus déments qui existent dans le monde civilisé (si on peut appeler ça de la civilisation), expliquait le pilote texan, se trouvent ici en Alaska.

LeRoy rencontra certains d'entre eux quand on l'engagea pour transporter de lourdes pièces détachées de matériel minier dans un coin reculé des monts Talkeetna, au nord de Matanuska. C'était la première fois que cette mine l'engageait et, avec l'aide d'une carte dessinée par un camarade pilote qui y avait déjà atterri, il trouva l'endroit et se posa dans la neige. Trois montagnards typiques de l'Alaska l'attendaient au bord de leur piste improvisée : un vieux de l'Oregon, un gars de l'Oklahoma arrivé assez récemment, et un jeune sang-mêlé aux boucles d'un noir de jais qui lui tombaient sur les yeux. LeRoy apprit qu'il était né dans un autre campement de mineurs, plus loin vers le nord, où son grand-père, trimard originaire du Nouveau-Mexique, avait épousé une Athapascane qui ne savait ni lire ni écrire. Leur fils s'était lié à une autre Athapascane, et Nathanael Coop, comme il se nommait, devait avoir un quart de Blanc et trois quarts d'Indien. Son nom lui-même ne manquait pas d'étrangeté : à son arrivée en Alaska son grand-père du Nouveau-Mexique s'appelait Coopersmith ou Cooperby, mais les camarades de son fils avaient rebaptisé celui-ci Coop. Le nom apparut ainsi sur les listes à chaque recensement. Et son petit-fils n'avait jamais été que Nate Coop.

Nate, au seuil des vingt ans, taciturne, n'avait apparemment aucun point commun avec ses compagnons ; son seul ami, un énorme chien marron baptisé Killer, avait été entraîné à attaquer tout inconnu qui se serait aventuré vers le terrain des mineurs. Il prit LeRoy en grippe dès le premier instant, et sauta deux fois sur lui avant que Nate lui grogne « Assis ! », puis il bondit sauvagement contre les skis de l'avion en essayant d'attraper dans ses propres mâchoires d'abord l'un puis l'autre. « Assis ! » cria Nate une deuxième fois. De toute évidence, Killer adorait son maître car sur l'ordre de Nate, il s'éloigna de l'avion pour prendre position à un endroit où il pourrait surveiller, de son œil injecté de sang, à la fois LeRoy et le Cub.

On déchargea le fret, puis LeRoy apprit qu'au retour, il devait déposer Nate dans une autre mine, un peu plus loin dans les Talkeetnas.

— Personne ne me l'a dit.

— Et après ? Dix dollars de plus, et vous vous arrêtez.

— Je n'ai aucune idée de l'endroit où c'est.

— Nate vous l'indiquera.

Avec un minuscule bout de crayon, l'homme de l'Oregon ajouta quelques griffonnages tortueux à la carte et demanda :

— Nate, tu crois que tu pourras reconnaître le coin ?

— J'imagine, répondit le jeune homme.

Ainsi préparé, LeRoy s'enfonça dans des montagnes qu'il n'avait jamais négociées.

— Monte, Nate. Si tu connais les points de repère, je suis sûr que nous réussirons.

— Je ne les ai jamais vus d'en haut, répondit Nate sans la moindre inquiétude, mais j'imagine qu'ils ne peuvent pas être très différents.

À la stupéfaction de LeRoy, Killer sauta lui aussi à l'intérieur.

— Eh ! Attendez ! Je ne peux pas prendre un chien...

— Il reste sur mes genoux, aucun ennui.

Non sans appréhension, LeRoy laissa le chien à bord, tout en sachant que l'hostilité de l'animal à son égard demeurait aussi vive. Tandis que l'appareil décollait de la neige, il lança par hasard un regard en coin et remarqua à quel point le chien et son maître paraissaient semblables avec leurs cheveux dans les yeux. Nate et Killer, attention ! Quelle paire... Pendant que l'avion prenait de l'altitude, il prévint le mineur.

— Ce chien continue de m'en vouloir. S'il essaie de me mordre, nous risquons des ennuis.

— Non, dit Nate d'un ton rassurant. Il ne pense qu'à me protéger.

Mais comment savoir en quels termes Killer interprétait sa mission ? L'animal menaçant demeurait de son côté de l'habitacle, tranquille dans les bras de Nate, mais il conservait son nez si près du poignet droit de LeRoy qu'il pouvait le saisir dans sa gueule au moindre faux mouvement. Killer n'était pas un bon passager : dès que l'avion pénétra dans une couche agitée d'air glacé qui se mit à le secouer, le chien se mit à gémir. Nate donna deux coups secs sur le front de l'animal et lança :

— Ta gueule, Killer.

Les plaintes cessèrent.

Dans cette position inconfortable, Flatch s'enfonça au milieu du massif, son attention détournée par la façon hostile dont Killer montait la garde. Après plusieurs minutes de vol dans la même direction, il dit à Nate :

— Je suis perdu. Où se trouve le campement que nous cherchons ?

Nate, pas plus inquiet que son pilote à l'idée de se trouver à la dérive dans les grandes montagnes enneigées — car c'était un incident banal en Alaska —, lui répondit gaiement :

— C'est forcément quelque part par ici.

Désirant aider LeRoy, il ouvrit son côté du cockpit et se pencha vers le bas au moment où ils survolaient un col en rase-mottes. Aussitôt, Killer vit le genre d'occasion sur laquelle il avait souvent sauté quand il se trouvait au sol : une chance de s'échapper de l'endroit où on le maintenait enfermé. D'un élan de ses pattes puissantes il tourna le dos au pilote détesté, se libéra des bras de Nate, proféra un aboiement de triomphe et bondit par la fenêtre ouverte.

LeRoy, sur le côté opposé de l'appareil, ne le vit pas mais entendit l'aboiement et le cri angoissé de Nate.

— Bon Dieu ! Il tombe...

L'avion vira sur l'aile et les deux occupants virent le gros Killer, dans le vide, tendre instinctivement les pattes pour ralentir sa chute et essayer de la contrôler.

— Il va se tuer ! hurla Nate. Faites quelque chose !

Mais que pouvait faire LeRoy, hormis tracer des cercles et regarder Killer s'écraser sur les rochers, en bas ? Cependant, le chien semblait posséder un système d'orientation stupéfiant ; en effet, avec la masse de son corps parallèle au sol et la force de la pesanteur diminuée d'autant, il dériva et glissa vers une crevasse garnie de neige, une sorte de vallée encaissée très haut dans la montagne.

Les deux hommes le virent se poser, demeurer étourdi pendant quelques instants puis se lever et se mettre à japper.

— C'est un miracle, murmura Nate.

Le problème devint alors : « Comment allons-nous sortir ce chien de là ? » Un seul regard convainquit les deux hommes qu'atterrir dans cette vallée resserrée serait impossible. L'appareil avait des skis, mais il n'y aurait pas assez d'espace pour les manœuvres d'atterrissage et de décollage. Killer se trouvait en carafe dans le massif des Talkeetnas et pour le moment il n'existait aucun moyen de le sauver.

Ils restèrent cependant au-dessus de lui pendant plusieurs minutes, se refusant à abandonner un animal ami — malgré son mauvais caractère — dans une situation aussi désespérée. Au cours d'un des passages, LeRoy se rappela le paquet de sandwiches que lui préparait en général Flossie quand elle le savait dans une région où la nourriture serait rare.

— Trouvez ce paquet, ordonna-t-il à Nate. Du papier attaché avec une ficelle. Détachez-le.

Pendant leur dernier cercle au-dessus de l'animal tout déconcerté, qui avait apparemment atterri sans blessure car il courait en tous sens, Nate laissa tomber adroitement le paquet non loin du chien, debout dans la neige avec son museau affreux relevé vers l'avion.

— Je vous ai dit que Killer avait le cerveau d'un homme ! exulta Nate en voyant le chien repérer l'objet qui descendait.

L'animal nota l'endroit de la chute et courut dans cette direction. Cet acte trahissait une telle intelligence que LeRoy s'écria :

— Ce chien survivra !

Et sur les indications de Nate, il dirigea l'avion vers le camp.

Mais dès ce soir-là tout l'Alaska fut au courant du drame du chien éjecté, et le lendemain, plusieurs alpinistes déterminés décidèrent de lancer un sauvetage. Mais la vallée dans laquelle le chien se trouvait enfermé était si inaccessible qu'on pouvait le maintenir en vie seulement par des lâchers de nourriture avec le Cub. Aucun accès par voie de terre n'était manifestement praticable, et de tous les coins du territoire des suggestions parvinrent au campement.

La personne la plus profondément touchée par le destin de Killer ne fut pas son propriétaire, Nate, mais Flossie, la sœur de LeRoy, qui avait perdu son orignal apprivoisé de façon si cruelle et dont l'affection pour les animaux n'avait pas diminué. Il était donc naturel qu'au moment où son frère et Nate partaient pour donner à manger au prisonnier, elle demande à les accompagner. Ils lui ménagèrent un siège à l'arrière.

Le troisième jour où Killer se trouvait dans sa prison des montagnes, Flossie aperçut au cours d'un des vols quotidiens une chose qui l'exalta :

— Nate ! Regardez. Il est passé au-dessus de cette bosse et il est descendu dans un meilleur endroit.

LeRoy décrivit plusieurs cercles et ils s'aperçurent que le chien remontait effectivement le long du torrent conduisant à l'origine de la vallée. Ils le virent traverser la ligne de partage des eaux et redescendre en suivant un autre torrent qui conduisait à une surface couverte de neige.

— Je crois que je pourrais atterrir dans celle-là.

Ce soir-là les auditeurs avides apprirent la nouvelle rassurante que Killer, le chien prisonnier des glaces, s'était déplacé vers une zone d'où l'on pourrait éventuellement le sauver. Des journalistes louèrent un avion à Palmer pour interviewer LeRoy et Nate au camp.

Ce fut au cours de cette nuit agitée, avec le camp des mineurs envahi de nouveaux venus, que LeRoy prit conscience de l'intérêt particulier que sa sœur portait soudain à Nate Coop. Frappée par la dévotion du jeune homme pour son chien et son amour pour les animaux en général, attirée par sa belle allure virile — cheveux d'un noir de corbeau, visage fort avec des creux sous les pommettes, dents blanches scintillantes quand il souriait, regard sombre étincelant —, elle fut incapable de dissimuler son intérêt croissant pour ce jeune homme en train de devenir un héros, et elle commença même à se demander ce que serait sa vie avec ce genre d'homme. Elle s'avoua qu'elle était sérieusement éprise de Nate, et une fois qu'elle l'eut admis, elle s'avéra incapable de cacher ce fait à son frère.

— Je le trouve tellement bien, dit-elle simplement.

— C'est un sang-mêlé, répondit LeRoy.

— Ne sommes-nous pas tous des sang-mêlé ?

La partie philosophique de la conversation s'acheva, car LeRoy passa à un sujet plus terre à terre :

— Nous ferions mieux de filer d'ici, Floss. Un blizzard de montagne se prépare.

Il avait maintenant une raison de plus d'accélérer le sauvetage, et le matin du quatrième jour, il déchargea tout le matériel dont le Cub pourrait se passer et décolla vers les montagnes. Ils trouvèrent Killer, comme ils s'y attendaient, à une altitude beaucoup plus basse, où il y avait des étendues de neige assez vastes pour qu'un avion pourvu de skis puisse se poser. Mais la qualité de cette neige invitait à la méfiance.

— Elle n'a pas l'air tassée, cria LeRoy aux autres en tournant non loin de l'endroit où le chien attendait. Et elle n'est pas assez plane.

— Tu peux réussir, dit Flossie.

Ce fut une chance qu'elle parle en premier, car Nate aurait juré que la pente de la neige était trop forte pour qu'un avion atterrisse. Quant à LeRoy il avait des doutes. Dans le silence qui accueillit la déclaration enthousiaste de la jeune fille, celle-ci se garda d'ajouter un mot. Elle n'avait que seize ans cette année-là, et son caractère semblait trop doux pour qu'elle exprime hardiment ses idées en face de deux hommes plus âgés. Mais quand elle eut l'impression qu'ils allaient rebrousser chemin, elle répéta son verdict :

— Tu peux réussir, LeRoy. Regarde ici ! Tu as atterri dans de pires conditions.

En silence, les trois aventuriers se dirigèrent vers l'espace plus ou moins plan que Flossie avait indiqué ; mais quand celle-ci le vit de plus près, elle commença à avoir des doutes à son tour.

À cet instant, Killer s'aperçut qu'il se produisait quelque chose de spécial puisqu'on ne lui avait rien lancé à manger. Il se mit à sauter et à aboyer comme un fou. Les trois sauveteurs, assourdis par le moteur, n'entendirent pas ses cris d'encouragement mais comprirent ce qu'il faisait.

— Descendons, dit Nate.

LeRoy respira à fond pour calmer ses nerfs, puis régla à trois ou quatre reprises son siège de pilote.

— Nate, tu as ta ceinture ? Floss, les cordes qui te retiennent te serrent bien ?

Il se racla la gorge, agita les épaules pour s'assurer qu'il avait une assez grande liberté de mouvement, puis se prépara pour un atterrissage de montagne qui aurait intimidé n'importe quel pilote bien entraîné et effrayé même les meilleurs pilotes de l'Alaska.

Au-dessus d'une crête de rochers, puis d'un champ de neige très ondulée, il se posa sur l'espace relativement plat où Killer attendait. Au moment où l'avion se rapprocha du sol, ses occupants s'aperçurent qu'il était beaucoup plus incliné vers la droite qu'ils ne s'en étaient rendu compte d'en haut. Pendant un instant, LeRoy jugea qu'il ferait mieux de mettre fin à cette tentative dangereuse.

— C'est parfait ! cria Flossie de l'arrière. Le terrain est meilleur devant !

Un petit coup d'accélérateur et son frère maintint l'avion en vol jusqu'à qu'il voie l'endroit où il pourrait se poser.

Avec un coup de sifflet qui terrifia Killer non loin, les deux skis de l'avion touchèrent la neige ; le Cub pencha dangereusement sur la droite, comme s'il allait basculer et capoter le long du versant, puis il atteignit une zone plus plate et se redressa. Les skis ralentirent puis s'arrêtèrent doucement. Avant même que la porte s'ouvre, Killer bondissait sur les traverses et aboyait sa joie de revoir cet objet qu'il avait détesté.

Nate fut le premier dehors, bien entendu, car la porte d'accès se trouvait de son côté. Dès qu'il l'aperçut, Killer bondit dans ses bras et gémit l'équivalent de sanglots de joie. Et lorsque LeRoy se glissa hors du cockpit à son tour, le chien s'élança également vers lui, et le lécha comme si toute inimitié était pardonnée. Mais quand Flossie descendit — une personne qu'il n'avait ni vue ni flairée auparavant — Killer se mit à gronder d'un air menaçant.

— Assis, bougre d'idiot ! lança Nate en lui donnant un bon coup de pied dans les côtes. C'est elle qui t'a sauvé.

À la stupéfaction de Killer, son maître se détourna de lui et prit Flossie dans ses bras.

*
**

Quand les deux Flatch retournèrent à leur cabane, à Matanuska, LeRoy réunit d'urgence un conseil de famille, à qui il signala :

— Flossie a embrassé un sang-mêlé. Un nommé Nate Coop.

— Le patron du chien ? demanda Elmer.

— Lui-même.

Tous les regards se posèrent lourdement sur Flossie qui gardait le silence. Elmer fit observer que « d'un bout à l'autre des deux Dakotas et du Minnesota entier, pas un seul mariage entre un Blanc et une Indienne, ou *vissé-versé,* n'avait jamais été heureux. C'est contre la loi de la nature. »

Hilda Flatch, pourtant généreuse dans la plupart de ses jugements, avertit sa fille :

— Tu le connais depuis quatre jours ! C'est ridicule ! Et puis les Indiens boivent. Ils battent leurs femmes et ne tiennent aucun compte de leurs enfants.

Et LeRoy ajouta, avec une perspicacité qui surprit tout le monde :

— Pourquoi ne t'intéresses-tu à un sang-mêlé alors que tu as sous la main l'excellent fils Vickaryous ?

Soudain Paulus Vickaryous, rejeton de la famille finnoise avec laquelle les Flatch étaient toujours restés en froid, devint un parangon de toutes les vertus, un jeune homme qui savait tenir ses terres et qui venait d'acheter une propriété à son nom, un petit gars responsable qui fréquentait régulièrement l'église luthérienne et économisait son argent. À entendre la famille de Flossie, ce devait être le meilleur jeune Américain ou Canadien de sa génération, et on commença à l'inviter à dîner.

De grande taille, avec les beaux cheveux blond clair que la nature a donnés aux Finnois dont la peau diaphane attire le moindre rayon du soleil qui tombe sur leur pays austère, il avait une bonne éducation et de bonnes manières ; comme Elmer se plaisait à le répéter c'était un bon agriculteur. Il n'existait aucune raison concevable pour qu'une jeune fille comme Flossie refuse d'épouser un candidat aussi engageant — sauf qu'elle avait perdu son cœur pour l'amour de Nate Coop, de ses montagnes et de son chien.

Après trois ou quatre rebuffades sans équivoque, le jeune Vickaryous cessa de revenir chez les Flatch, et la rage contenue de la famille commença à se déverser sur la pauvre Flossie. Jour après jour, elle entendit des histoires sur des Indiens qui maltraitaient leurs épouses ; à les entendre, aucun Indien ne pouvait rester sobre trois semaines d'affilée ; et sur cent mineurs pris au hasard, indiens ou blancs, quatre-vingt-seize n'arrivaient jamais à rien. En entendant les Flatch morigéner leur fille obstinée, un inconnu aurait conclu qu'elle était une de ces jeunes délinquantes qui méritent le traitement qu'elles subissent. Et l'inconnu aurait certainement supposé que la jeune Flossie n'aurait jamais plus le droit de parler à son Indien sang-mêlé.

Mais en cette extrémité, elle trouva un défenseur puissant, une personne préparée à balayer toutes les toiles d'araignée du passé et tous les malentendus du présent. Après son veuvage, Melissa Peckham était restée à Matanuska en tant que représentant du gouvernement territorial de l'Alaska, et c'était souvent ses conseils qui permettaient à la ville encore chancelante de trouver un équilibre stable.

Ce fut cette ancienne des campements de mineurs, encore sur la brèche à soixante-six ans, qui intervint pour la défense de Flossie Flatch. Quand elle se trouva en face de la famille Flatch désemparée, elle leur lança un regard noir.

— Vous me rappelez la façon dont on rendait la justice sur les gisements d'or avant l'intervention de la Police Montée du Nord-Ouest. Si un mineur faisait une chose que les autres n'approuvaient pas, ceux-ci se réunissaient dans un bar, et huit hommes qui avaient souvent commis des fautes plus graves décidaient de la sentence. Ridicule.

Elle fusilla du regard les deux parents.

— Vous faites de même avec Flossie. Vous n'êtes nullement qualifiés pour juger. Nous sommes dans un monde nouveau avec de nouvelles règles.

Elle ajouta :

— Bien entendu, c'est un sang-mêlé. Mais presque tout l'Alaska est de sang-mêlé, d'une manière ou d'une autre. J'ai vu des dizaines d'excellents mariages entre Eskimos et Indiens de « sang pur ». Toi, LeRoy, tu as promené les Venn dans tous les coins, non ? Tu t'es tout de même aperçu que la femme du jeune Venn était une sang-mêlé, non ? Chinoise et tlingit. Et ces richards de Juneau, les Arkikov ? Un Sibérien et une Iupik. Ma fille a épousé un fils Arkikov et je suis drôlement fière de sa famille.

Puis elle exprima toute sa pensée en une phrase simple qui résumait si bien la vie en Alaska :

— Si on veut être heureux ici, mieux vaut apprendre les règles.

— Mais les Indiens boivent toujours trop, non? demanda Hilda Flatch.

— Ça arrive, lança Missy sèchement. L'alcool et le suicide — les deux plaies jumelles des indigènes. Mais dans les bons mariages, le risque n'est pas plus grand qu'avec les hommes et les femmes en général.

— Mais comment un sang-mêlé comme lui pourrait-il trouver un emploi stable ? demanda Elmer, ce qui mit en fureur la vieille dame pétulante.

— Monsieur Flatch, vous me coupez le souffle. À ce que je vois, vous n'avez pas d'emploi stable, hein ? Mon pauvre mari me disait souvent : « Pourquoi un homme aussi droit qu'Elmer Flatch ne se trouve-t-il pas un emploi stable ? » Et je lui ai toujours répondu : « Regarde : il gagne sa vie mieux que toi. »

Pour détendre tout le monde après cette attaque violente, elle demanda à boire.

— N'importe quoi, ce que vous avez sous la main.

Et avec une gentillesse sans relation avec ses arguments précédents, elle se tourna vers Flossie.

— Maintenant, écoute-moi toi aussi. Il y a des années à Chicago, j'étais une jeune femme d'allure tout à fait acceptable. Dents droites, beaux cheveux, bonne éducation. Je ne me suis jamais mariée. Je suis toujours tombée amoureuse d'hommes qui l'étaient déjà. Des hommes excellents, merveilleux, les meilleurs du monde, mais jamais libres pour m'épouser. Donc... La vie se présente à chacun sous mille formes diverses et on a tout intérêt à l'accepter comme elle vient. Parce que si l'on rate le coche, les années se déroulent sans fin, tristes, solitaires et dénuées de sens.

Comme personne ne répondait, elle lança avec une intensité renouvelée :

— Vous, les braves Flatch, vous n'êtes pas vraiment aussi braves que vous le pensez. Ni moi. Ni les Vickaryous à qui vous avez fait des avances... Le hasard — peut-être un hasard cruel — a voulu que cette Flossie, une si bonne petite, aille dans ce camp de mineurs et rencontre Nate Coop. C'est toi qui as emmené ta sœur là-bas, LeRoy le flambard, c'est donc toi le responsable. Et c'est peut-être la meilleure chose que tu aies faite de ta vie, parce que je vais faire des pieds et des mains pour aider ta sœur à épouser ce garçon.

Quand elle vit les visages sincèrement inquiets et tourmentés de tous les Flatch sauf Flossie, elle tenta tout de même de leur faire comprendre la situation.

— Très bien ! Je suis d'accord avec vous. À entendre LeRoy c'est un lourdaud illettré avec les cheveux dans les yeux qui vous salue d'un grognement. Mais il a vécu seulement dans les bois, avec des gens qui ne connaissaient rien de mieux. En Alaska, un mariage est souvent la rencontre d'une femme douée de bon sens et d'une dose excessive d'humanité avec un péquenot comme ce Nate, qu'elle réussira à civiliser. Car si votre Flossie a apprivoisé un élan, elle est sûrement capable de civiliser le jeune M. Coop.

Quand Missy repartit de la maison à grands pas, elle escomptait bien que les Flatch feraient un geste conciliant envers leur fille, mais Hilda lui lança seulement :

— Si tu épouses ce maudit sang-mêlé, ton père te jettera à la porte de cette maison... et je l'aiderai.

Puis Nate descendit à Matanuska dans l'avion d'un autre pilote pour se présenter à la famille Flatch, et ceux-ci durent reconnaître qu'il avait une allure virile, avec de bonnes manières malgré sa gaucherie. Mais sa peau était si foncée... À faire peur. Et ses traits paraissaient irrémédiablement indiens. Si Flossie désirait vivre dans le désert, il serait acceptable comme gendre ; mais pour une existence ordinaire de village, au milieu des autres gens, il semblait douloureusement inférieur à Paulus Vickaryous. Et quand Nate, en balbutiant entre ses dents, demanda la main de Flossie, avec Killer qui ronchonnait à deux pas, tous les Flatch répondirent carrément : « Non ! »

Refusant d'accepter que cette réponse fût sans appel, Nate demeura plusieurs jours dans les parages, puis disparut. Il écrivit bien entendu à Flossie, mais Mme Flatch s'appropria les lettres, et quand la jeune fille le découvrit — en demandant à la poste s'il n'y avait pas eu du courrier pour elle — elle en informa Missy Peckham, qui se précipita aussitôt vers la cabane :

— Hilda Flatch, si vous empêchez le courrier des États-Unis de parvenir à son destinataire indiqué, vous êtes passible de prison. Remettez-moi ces lettres tout de suite, car j'agis ici en tant qu'agent du gouvernement. Et ne faites plus l'idiote !

Quand Flossie reçut les lettres, elle les apporta chez elle sans les ouvrir, et dit à sa mère :

— Je ne suis pas folle. Tu as fait ce que tu croyais bien. Mais je veux les lire ici, chez moi, sous tes yeux.

Avec un long couteau de cuisine elle les ouvrit l'une après l'autre et les lut en silence. Chaque fois qu'elle en terminait une, elle la tendait à sa mère, assise en face d'elle à la table de cuisine. Et ce soir-là elle écrivit à Nate.

À la suite de cet échange de lettres, Nate Coop revint en avion à Matanuska. C'était l'époque de l'année où les trois lacs George devaient briser le barrage vertical du glacier, et Flossie lui avait dit qu'elle désirait voir l'événement se produire cette année-là. Il revenait pour la conduire le long du fleuve Knik. Il logea chez Missy Peckham et ne se présenta à la cabane Flatch que deux fois — la deuxième les parents lui firent aussitôt comprendre qu'il n'était pas le bienvenu, et il repartit.

Quel choc ce fut, trois ou quatre jours plus tard, quand Flossie disparut ! Personne ne put imaginer où elle était partie. Missy révéla que son pensionnaire avait disparu lui aussi, et elle supposa qu'ils avaient pris l'avion de Seattle pour se marier. Mais Hilda, qui était tout particulièrement hostile à Coop, fouilla le courrier de sa fille et trouva dans une des lettres de Nate une allusion à la brèche spectaculaire creusée dans le glacier par les lacs, avec en commentaire : « Ce serait vraiment formidable à voir. » Tremblante, elle essaya de joindre son fils, mais LeRoy avait décollé pour Filon Venn, et le temps qu'il revienne, il ferait trop sombre pour qu'il tente quoi que ce fût au sujet de sa sœur.

Le matin, il céda aux lamentations échevelées de sa mère, lança son Cub qui était équipé de ses roues, et partit explorer les hauteurs environnantes. En survolant le Knik en direction du glacier, il vit, près du promontoire sur lequel on pouvait admirer le mieux l'effondrement fracassant du glacier, une tente de toile blanche. Il passa très bas au-dessus de l'endroit et fut à la fois soulagé et désespéré de voir deux jeunes gens sortir — manifestement de sacs de couchage, car leurs têtes semblaient échevelées et ils portaient ce qui pouvait passer pour un pyjama ou l'équivalent, enfilé à la va-vite. Trop loin pour reconnaître le couple, il aurait cependant juré qu'il s'agissait de Flossie et de Nate. Puis son incertitude cessa, d'une manière qui le mit en fureur : le chien Killer sortit de la tente et se mit à japper en direction de l'appareil.

Il leur fit signe en penchant les ailes, puis traça un autre cercle, si bas qu'il put voir leurs deux visages. Mais au même instant son attention fut distraite par une gigantesque colonne d'écume jaillissant dans les airs. Les bouchons de glace qui avaient maintenu captifs les trois lacs au cours des dix mois précédents avaient explosé, et les eaux emprisonnées depuis si longtemps rugissaient de se sentir en liberté. LeRoy dans son avion, sa sœur et Nate sur le seuil de leur tente, regardèrent, émerveillés, le déchaînement de cette force titanesque. Au moment où les eaux frappèrent le mur du glacier, elles découpèrent de gigantesques icebergs et les emportèrent dans le lit tortueux du torrent en furie. Chaque fois qu'ils heurtaient les rochers et faisaient des embardées pour se frayer un chemin vers l'aval, des icebergs de plus petite taille se formaient. C'était la manifestation de la Nature la plus violente que chacun des trois ait pu voir, et LeRoy tourna au-dessus des eaux jaillissantes et des glaciers cascadant pendant une demi-heure. Ensuite il passa de nouveau au-dessus de la tente, moteur à fond, et pencha les ailes vers les amants et leur chien enthousiaste.

Lorsqu'il atterrit à Palmer, il se précipita vers la cabane, ouvrit la porte à la volée, regarda ses parents paralysés d'inquiétude et lança :

— Eh bien, maintenant, il va falloir les marier vite.

*
**

Les quatre Flatch, préoccupés par leurs affaires personnelles, ne s'étaient pas souciés de la manière irrésistible dont l'histoire mondiale rampait vers eux. En juin 1941, la prédiction du capitaine d'aviation Shafter entra dans les faits. L'Allemagne nazie lança une guerre totale contre la Russie soviétique. L'alliance que Shafter jugeait parfaitement illogique prit fin soudain.

— La Russie sera probablement notre alliée si nous entrons un jour dans le coup, commentèrent plusieurs pilotes à l'aérodrome.

Et les plus bavards, que LeRoy ne fréquentait guère, se mirent à étudier de plus près la très étroite bande de la mer de Béring séparant l'Union soviétique de l'Alaska.

Vers la même époque, LeRoy lui-même se rendit compte que quelqu'un, Canadien ou Américain (jamais il ne le sut avec certitude) s'intéressait vivement à une chaîne d'aéroports futurs — en fait des pistes sommaires dans le désert — pour relier Edmonton (Canada) à Fairbanks (Alaska). Il se demanda ce qui se tramait. Puis Leonidas Shafter, devenu commandant, apparut à Palmer pour inviter — mais peut-être s'agissait-il d'un ordre — tous les pilotes de la région à venir l'écouter.

— La participation de l'Amérique à la guerre est inévitable. Comment et quand interviendrons-nous ? À chacun de faire ses conjectures personnelles. Je pense que Hitler commettra une erreur stupide en Europe. Le coup du *Lusitania* une fois de plus. Ou bien la Russie commencera à flancher. Bref, une chose ou une autre. Quand ça se produira, l'endroit même où nous sommes en Alaska prendra une importance extrême.

» Qu'allons-nous faire en prévision ? Lancer cette série d'aérodromes — disons plutôt des pistes d'atterrissage d'urgence — de Great Falls, au Montana, jusqu'à Fairbanks au Canada. Ensuite nous nous servirons des petits terrains de la vallée du Yukon, de Ladd Field (à Fairbanks) jusqu'à Nome. Pour y parvenir nous avons besoin de la coopération de pilotes comme vous, qui connaissez parfaitement le territoire.

Cette fois il s'était muni d'une carte portant le cachet « Secret », et après avoir demandé à toute personne qui ne serait pas pilote en activité de quitter la salle, il la fixa au mur derrière lui. Elle était presque identique à l'une de celles qu'il avait montrées lors de la réunion précédente, sauf qu'elle portait cette fois une chaîne d'une douzaine d'étoiles rouges accolées à des villages ou des gués peu connus du nord du Montana, du Canada occidental et de l'Alaska oriental.

— Suivre à pied la dernière partie de cet itinéraire, d'Edmonton à Fairbanks, exigerait environ deux ans, à supposer que vous disposiez d'un bon guide indien et d'un avion pour vous parachuter des vivres. En voiture, il faudrait attendre quinze ans, et espérer que les deux pays s'éveillent assez aux réalités pour construire une route à travers ces étendues vides... à supposer qu'elles puissent le faire si elles le décidaient. Nous allons donc simplement installer onze bases d'urgence. Tout de suite. Et comme il n'y a aucune route sur la majeure partie du trajet, c'est vous, messieurs, qui transporterez le matériel nécessaire. Sans délai.

» Bien entendu, depuis le côté opposé, à Edmonton, un autre groupe de gars exactement comme vous transporteront leur part de fret. Donc, à partir de ce soir même, vous êtes mobilisés pour l'un des projets les plus insensés que l'Alaska ait jamais vus. Construire des terrains d'atterrissage dans des endroits où il n'y avait absolument rien auparavant. Nous avons besoin de vous, et nous avons besoin de vos avions. Un bureau va s'installer à Anchorage, et j'ai demandé à deux officiers de travailler dans cette pièce, à partir de tout de suite. Capitaine Marshal de l'armée de l'air. Commandant Catlett, du génie militaire... commencez à leur faire signer leurs engagements.

Les deux officiers furent ravis d'apprendre que LeRoy Flatch possédait, plus ou moins, deux appareils : le Piper-Cub, à deux places et le Waco à quatre places. Mais ils furent soufflés quand il leur proposa de louer le quatre-places et de garder le vieux Cub pour lui-même.

— On peut transporter plus de poids et faire davantage de choses. Et en cas d'accident, on s'en tire vivant plus souvent.

Il renonça donc à toutes ses autres obligations, sauf transporter à toute vitesse les Venn dans leur campement du Denali, en réempruntant son quatre-places. Sans relâche il se mit à transporter de lourdes caisses pour les aérodromes en construction dans les régions désertes. Ce système d'aéroports en chaîne, aussi primitif et provisoire qu'il fût, portait le titre ronflant de Pont Aérien du Nord-Ouest. Comme les divers éléments nécessaires s'installaient à des dates imprévisibles — une base extrêmement difficile devenait opérationnelle cinq mois avant une autre jugée plus aisée — les vols sur ce « pont » restèrent longtemps irréguliers, mais les pilotes de transport, durs au labeur comme Flatch, s'habituèrent à des escales comme Watson Lake, Chicken et Tok, avec parfois des vols vers des endroits parfaitement inconnus entre Fairbanks et Nome.

— Quand nous aurons terminé cette maudite entreprise, expliqua le lieutenant-colonel Shafter à ses équipes des différentes bases en construction, nous posséderons une liaison de premier ordre entre Detroit et Moscou. Parce que je peux vous promettre que les Russes sont en train de faire la même chose de leur côté de la mer de Béring.

Quand LeRoy eut volé pendant six mois pour le Pont Aérien du Nord-Ouest, le colonel Shafter, qui semblait capable de travailler vingt-quatre heures d'affilée quand tout se passait bien et trente-six heures en période de crise — ce qui lui valait une promotion tous les trois mois —, apporta à l'aérodrome de Palmer une nouvelle surprenante.

— Flatch, je vous ai bien observé. Il n'y a pas meilleur que vous. Vous allez reprendre votre Waco quatre-places et donner à son pilote votre vieux Cub. Vous êtes désormais mon pilote personnel pour toute la chaîne : de Great Falls (Montana) à Nome.

— Cela signifie-t-il que je suis mobilisé dans l'armée de l'air ?

— Pas encore. Plus tard. Probablement quand nous entrerons dans la danse.

Mais ce nouveau poste signifiait que LeRoy devait apprendre de nouveau à piloter, car la mission de Shafter lui imposait de se rendre dans de vastes régions inexplorées au nord de la « ligne des arbres » où les vieilles consignes de sécurité des pilotes du Grand Nord n'avaient plus cours.

— Jeune homme, lui dit Shafter au milieu d'un vol dangereux, tu as des roues sous ton zinc ainsi que des skis et tu pourrais installer des flotteurs, mais aucun de ces trains ne serait utilisable si nous étions forcés d'atterrir sur cette toundra.

Deux jours plus tard, il fit venir un jeu de pneus « toundra ». Gigantesques, pareils à de gros ballons et gonflés à basse pression, ils permirent à Flatch d'atterrir sur une toundra irrégulière ou même légèrement marécageuse. Mais ils étaient si énormes qu'ils modifiaient les caractéristiques de vol de tous les appareils. Cela obligea LeRoy à éviter des manœuvres qu'aurait normalement effectuées n'importe quel pilote prudent.

Un aviateur qui connaissait bien ces pneus « toundra » lui expliqua :

— Comme tu ne peux plus rentrer ton train avec ces pneus, pas de virages serrés à basse ou même moyenne altitude. Les « toundra » te feraient descendre en spirale. Ton altitude maximale diminuera d'environ soixante mètres. Quand tu atterriras, pas de précipitation, tu te laisses glisser. Et le plus important, la traînance de ces monstres diminue sensiblement le rayon d'action d'un réservoir plein.

— À t'entendre, les « toundra » font du Waco un appareil complètement différent..., fit observer LeRoy.

— C'est ça. Tu as pigé la leçon. Et tu as intérêt à la respecter.

Mais quand il se fut adapté à cet avion aux pneus monstrueux, Flatch parvint au sommet absolu de sa carrière de pilote du Grand Nord. Il pouvait désormais atterrir presque n'importe où.

Confiant mais sans présomption, il survolait les paysages les plus impressionnants et atterrissait sur des sites capables de faire frémir un pilote moyen. En vol, il exerçait une autorité directe ; quoi que puisse lui crier un général affolé, il répondait doucement :

— Adossez-vous à votre siège, je vous prie. Je vais me poser sur ce truc-là, au-dessous de nous, alors gardez votre ceinture bien serrée.

Cinq ou six fois, il fit à Shafter une peur bleue ; mais après qu'un de ces vols se fut terminé en toute sécurité, l'officier supérieur lui dit :

— Tu as fait ce qu'il fallait, petit. Vraiment, les pilotes ici semblent opérer selon leurs propres lois de l'aérodynamique.

Tandis que les formalités de mise en route du Pont Aérien se terminaient, Flatch subit trois expériences qui le marquèrent. La première se produisit le dimanche où la nouvelle du bombardement de Pearl Harbor parvint à la base temporaire de Chicken à peu près en même temps qu'un chasseur P-40 parti d'un aérodrome voisin de Pittsburgh. La guerre que le capitaine Shafter avait si clairement prévue avait éclaté. Le soir même, en présence d'un juge abasourdi qui faisait escale à Chicken, LeRoy Flatch prononça son serment et fut engagé dans l'armée de l'air avec le titre de sous-lieutenant, après exemption des qualifications ordinaires.

Le deuxième événement qu'il n'oublierait jamais survint en janvier suivant quand il apprit l'accident fatal de son vieux biplan Piper-Cub à Fort Nelson (Canada). Il pilota le général Shafter sur les lieux, pour son enquête, et découvrit qu'un jeune pilote frais émoulu d'un centre de formation en Californie avait été englouti dans un brouillard blanc aveuglant.

— Mon général, on ne pouvait rien voir. Le ciel, la neige, le sol, tout était pareil. Nous avons eu deux avions abattus par la foudre. Ce garçon ne pouvait pas savoir où il était mais il est resté aussi calme qu'on peut l'être. J'étais à l'écoute de la radio : « Une vraie purée ici... partout. » Deux minutes plus tard il s'était planté dans la neige. Nous l'avons ramené.

L'avion n'était qu'une épave. Et sa perte parut à Flatch beaucoup plus douloureuse, du fait que s'il avait été aux commandes, il aurait sans aucun doute sauvé l'appareil.

— Tu veux une photo ? lui demanda le général.

— Sûrement pas !

— Voyons, petit. C'était une partie de ta vie. Dans cinquante ans le souvenir de cette journée te sera précieux.

Il conduisit LeRoy vers l'avion aplati, trop informe pour qu'on distingue sa marque et son type. Ils furent photographiés ensemble : le jeune général sans pitié, le jeune lieutenant silencieux et le Cub de 1927 qu'ils avaient respecté tous les deux.

La troisième expérience fut extraordinaire. Des détachements imposants de jeunes pilotes russes commencèrent à se déverser sur Ladd Field (Fairbanks) à la fin de 1942 pour prendre livraison des avions américains qu'ils piloteraient en Sibérie, et le général Shafter détacha Flatch en mission spéciale à Nome où une vaste étendue des gisements d'or historiques venait d'être convertie en base aérienne, la dernière escale avant la traversée en Sibérie. LeRoy était chargé de donner toute l'assistance dont ils auraient besoin aux audacieux aviateurs russes qui conduiraient les avions jusqu'à Moscou puis sur le meutrier Front de l'Est. Un matin où il était de permanence, un pilote russe hors du commun se présenta à lui. Son anglais n'était pas parfait mais largement suffisant.

— Lieutenant Maxime Voronov. C'est un de mes ancêtres, Arkadi Voronov, qui a remis l'Alaska à l'Amérique en 1867. Aucun avion n'arrive en ce moment. J'aimerais aller voir Sitka. Pouvez-vous m'y conduire ?

L'idée semblait si insolite que Flatch essaya de joindre Shafter ; mais cela se révéla impossible et il répondit au Russe :

— J'ai reçu l'ordre de faire tout ce qui était en mon pouvoir pour vous aider. Si vous présentez une requête dans les règles, je le ferai.

Voronov présenta donc sa requête ; LeRoy l'inscrivit sur son registre et une recrue de la base de Nome téléphona le message à Fairbanks. Sans attendre de réponse, Flatch et Voronov s'envolèrent vers la grande base d'Anchorage où ils obtinrent un hydravion avec son pilote pour continuer vers Sitka, où l'on ne pouvait à l'époque se poser que sur les eaux du goulet.

Le soleil faisait briller les glaciers, les nombreuses petites îles scintillaient sur le Pacifique comme des gouttes de cristal tombées sur du satin bleu. Voronov avait manifestement étudié fort bien l'histoire de l'Alaska russe car une fois l'hydravion en altitude, il se tourna vers le pilote sur le siège voisin à l'avant et lui demanda :

— J'aimerais beaucoup que vous me montriez l'île de Kayak.

Quand l'avion survola l'étrange île toute en longueur où les Russes de Vitus Béring avaient été les premiers à accoster, LeRoy sur le siège arrière s'aperçut que Voronov avait des larmes dans les yeux. Flatch n'avait jamais entendu parler de l'île de Kayak et voyait seulement en elle un endroit désolé auquel personne n'aurait dû s'intéresser. Il demanda ce que signifiait cette île. Voronov, qui étudiait le terrain avec une attention extrême, lui fit signe qu'il le lui expliquerait plus tard.

Cette visite à Sitka, où LeRoy ne s'était posé que deux fois pour prendre des cadres de l'armée à la demande du général Shafter, fut pour les deux hommes une expérience fantastique. Voronov essaya de repérer les endroits où avaient vécu ses ancêtres. Il reconnut l'église russe avec son clocher à bulbe et il aurait beaucoup aimé monter sur la colline où s'élevait autrefois le Château Baranov. Mais pendant ces années de guerre, où une invasion par les Japonais appartenait au domaine du possible, l'accès était limité au personnel militaire qui servait les batteries de canons.

Voronov stupéfia Flatch par sa connaissance dans les détails les plus précis de toutes les batailles qui avaient marqué la longue lutte entre les Russes et les guerriers tlingits. Il lui montra l'emplacement probable des palissades qui encerclaient jadis la ville. Il savait où se trouvait l'ancien village tlingit hors-les-murs, et où se situait le lac où l'un de ses ancêtres découpait de la glace pour la vendre à San Francisco. Il s'intéressa en particulier à l'endroit où l'on avait construit les bateaux qui faisaient commerce avec Hawaii et il stupéfia à la fois Flatch et le pilote de l'hydravion, en lui demandant s'ils pouvaient se rendre aux célèbres sources chaudes, du sud de Sitka.

La permission ne fut pas facile à obtenir, mais l'on désigna pour escorter les trois voyageurs un Aléoute qui portait un nom russe. Quand l'hydravion se posa dans la baie en face du versant d'où jaillissait la source, le pilote resta près de l'appareil pendant que les autres remontaient vers les sources. Dans une cabane branlante construite des décennies auparavant, ils se déshabillèrent et se plongèrent dans les eaux sulfureuses brûlantes.

Tout en paressant ainsi, Flatch songea à l'étrangeté de la situation. Il avait fallu une guerre mondiale pour ramener ce Russe sur ce bout de terre où ses ancêtres avaient servi leur pays de façon si brillante. Mais le plus ému de tous fut le guide russe-aléoute. Il ne parlait pas russe bien entendu, mais il expliqua à Voronov que ses propres ancêtres se trouvaient au service des Russes à l'île de Kodiak puis, un peu plus tard, juste au nord de San Francisco. Voronov l'écouta attentivement et lui posa de nombreuses questions sur la façon dont les maîtres américains avaient traité les Aléoutes lorsqu'ils avaient occupé la région.

— Assez bien, répondit le guide. Ils nous ont laissé notre église ici. Jusqu'à la révolution de 1917, notre prêtre recevait son salaire de Moscou.

Et Voronov acquiesça, en s'éclaboussant le visage d'eau chaude.

Au moment du départ de Sitka, une femme de l'île qui fréquentait l'église russe s'avança vers Voronov avec un curieux souvenir qui évoquait l'époque russe : une invitation à un bal annuel de Sitka. Elle portait la date de 1940 mais était lancée aux noms du prince et de la princesse Maksoutov comme s'ils occupaient encore le « palais » :

— Quand nous dansons, monsieur, nous imaginons que la noblesse est encore assise sur le bord de la piste, comme autrefois au château, où ils nous regardaient d'un œil approbateur... Nous nous rappelons très bien votre grand ancêtre, ajouta-t-elle en baisant la main de Voronov. Nous vous souhaitons de remporter la victoire.

Après son départ, Flatch demanda :

— Quel grand ancêtre ?

— Un Voronov qui desservait cette église là-bas. Un homme merveilleux, proche de Dieu, je crois. Il était prêtre ici, au bout du monde, et il devint tellement saint qu'on le fit appeler à Moscou pour le mettre à la tête de toutes les églises de Russie.

— Catholique ? demanda LeRoy.

— Pas romain, orthodoxe. Il a épousé une Aléoute, une des grandes messagères de Dieu. Je suis donc en partie aléoute, c'est pour cela que l'homme du bain...

Et il surprit Flatch en lui demandant :

— En retournant à Nome, pourrons-nous nous arrêter près de la Conserverie de saumon Totem, dans le fjord de Taku ?

— Vous connaissez ces eaux mieux que moi ! répondit LeRoy.

— C'est un fils de ce saint, je crois, qui a découvert l'endroit où se trouve la conserverie. Notre famille conserve toutes les archives.

Ils firent donc le bref détour vers le fjord de Taku et remontèrent vers le fond, où les glaciers viennent plonger leur museau. Flatch put voir les bâtiments de la conserverie, dont il ignorait jusque-là l'existence.

— Ils sont immenses ! cria-t-il vers le siège de devant.

— Vous voulez que je me pose ? demanda le pilote.

— Inutile, répondit Voronov, mais pouvez-vous suivre cette petite rivière ? Un membre de ma famille, Arkadi, a écrit un poème à son sujet. Le lac à sa source s'appelle Pléiades.

L'hydravion parcourut la courte distance jusqu'au lac des Pléiades, où les trois hommes virent les sept montagnes splendides et les eaux froides où se reproduisait le saumon. De là, ils suivirent la chaîne des glaciers vers Anchorage, où l'avion de Flatch les attendait pour le retour direct à Nome.

C'était là que des pilotes américains livraient des avions spécialement équipés pour le Front de Moscou. Le lieutenant Maxime Voronov, vingt-deux ans, monta dans l'un d'eux, écouta quinze minutes d'explications techniques et décolla vers la Sibérie. Il n'adressa à LeRoy Flatch aucune tirade émue mais lui dit simplement : « Merci ! » et partit pour la guerre. Au cours des journées qui suivirent, une quarantaine de ces appareils spéciaux passa par Nome, et à chaque Russe qui les recevait, un Américain lançait : « Faites bouffer sa merde à Hitler ! », ou « Tenez bon, on arrive ! », ou un encouragement du même genre.

Le lendemain matin en se rasant, LeRoy réfléchit à sa rencontre, à bien des égards surprenante, avec le lieutenant Voronov et conclut qu'il devait en rendre compte au général Shafter :

— Il s'est présenté sous le nom de lieutenant Maxime Voronov et je crois qu'il faudrait noter son nom, car il reviendra par ici, à n'en pas douter.

Mais Voronov ne réapparut pas et LeRoy supposa qu'il avait été tué au cours des combats aériens au-dessus de Moscou.

La Seconde Guerre mondiale disloqua gravement l'existence des hommes de la famille Flatch. Chacun d'eux contribua de façon remarquable à la défense de l'Alaska et donc du reste des États-Unis : LeRoy en participant à la construction du Pont Aérien qui aida les Russes à sauver Moscou ; son beau-frère Nate Coop comme fantassin dans l'une des batailles les plus confuses et les plus douloureuses de toute la guerre ; et le père, Elmer, dans une activité à laquelle il ne s'attendait guère. Les deux jeunes gens vécurent dans la guerre une sorte de prolongement de leur vie civile, l'aviation pour l'un, le travail en plein air pour l'autre. Mais Elmer se trouva propulsé dans une existence à laquelle il n'était nullement préparé. Il savait conduire, et c'était d'automobile qu'il s'agissait.

Missy Peckham le recruta d'office pour le service civil. Représentante du gouvernement territorial, elle l'aborda un beau matin avec une nouvelle étonnante :

— Elmer, les États-Unis se réveillent enfin. Les gros imbéciles de Washington se rendent tout de même compte que l'Alaska est d'une importance vitale. Les Japonais peuvent débarquer ici d'un moment à l'autre et couper notre cordon ombilical avec la Russie.

— LeRoy construit ces bases aériennes d'urgence...

— Vous allez vous-même construire bien mieux qu'une poignée de pistes ridicules.

— Ah bon ? Quoi ?

Elle esquiva la question directe.

— Les Alaskans rêvent toujours d'autre chose. Dans ma jeunesse, nous voulions un chemin de fer d'Anchorage à Fairbanks. Rien — la terre vide ! Mais en 1923, le président Harding en personne est venu ici planter un clou d'or dans la dernière traverse. Comme il est mort peu après, on a accusé des palourdes empoisonnées qu'il aurait mangées ici ; d'autres prétendent que c'est sa petite amie de Californie qui a fait le coup.

— Et que voulez-vous nous faire construire à présent ?

— Une grande route pour les voitures. À travers le terrain le plus désolé du monde. Pour nous relier avec le Sud du Quarante-Huitième.

— Ah ? Tout le monde disait que ce serait impossible. Vous désirez une bière ?

Ils s'installèrent dans la cuisine des Flatch, et Hilda les observa depuis son coin. Missy déroula une carte fournie par un détachement de l'armée stationné à Anchorage.

— Nous allons construire une route militaire de premier ordre, parallèle à la chaîne d'aéroports qu'installe votre fils.

Elle lui montra le mince trait rouge qui relierait Fairbanks à Edmonton, au Canada, en passant par tous les aérodromes en train de naître à travers la partie la plus sinistre du Nord-Ouest. Si l'aménagement des petits terrains d'aviation dans ce désert avait fait trembler le général Shafter et ses aviateurs, la construction d'une grande route présenterait des difficultés inimaginables.

— Ce n'est pas faisable, répondit Elmer carrément.

— En temps de guerre, si ! répliqua Missy.

Sur sa carte, elle lui montra les résultats des réflexions des Alliés sur cette route qui associerait à jamais les États-Unis et le Canada si l'on parvenait à la construire.

— Les Canadiens désiraient que la route suive plus ou moins la côte, pour qu'elle desserve leurs régions occidentales déjà habitées — c'est ce qu'on a appris au cours de la réunion d'information. Les aventuriers qui adorent l'Arctique désiraient suivre l'itinéraire infernal pris par mon mari Murphy en 1897, en remontant le Mackenzie presque jusqu'au cercle arctique, puis en traversant les montagnes vers Fairbanks. Les Américains à la tête bien carrée ont décidé : « Nous prendrons le moyen terme : la route de la Prairie, où il existe déjà des pistes d'atterrissage. » Et voilà la route que vous allez construire, Elmer.

— Moi ?

— Vous et votre camion. Vous devez vous rendre à Big Delta le plus tôt possible avec votre outillage au complet, et commencer la construction de ce côté-ci.

— Je n'y connais absolument rien !

— Vous apprendrez.

Et elle repartit sur-le-champ mobiliser les hommes d'âge moyen, chez les Vickaryous, les Vasanoja et les Krull. Au total quatre cents civils d'Alaska « s'engagèrent » plus ou moins de force dans les équipes qui construiraient presque deux mille kilomètres de route au Canada et plus de trois cent cinquante kilomètres en Alaska. On leur ordonna de terminer cette tâche colossale en moins de huit mois.

— Nous comptons voir des camions de l'armée garnis de matériel militaire rouler sur cette route le 1er octobre, rugissait le colonel chargé du tronçon d'Elmer dès que la moindre chose se passait de travers.

Pour y parvenir, les Américains fourniraient un contingent de presque douze cents hommes en uniforme, les Canadiens un contingent aussi nombreux que le permettrait leur faible population.

On l'appela officiellement Alcan Highway (Alaska-Canada). Les gens du Nord en avaient toujours rêvé, mais dans des circonstances normales il n'aurait probablement pas été réalisé avant le début du vingt et unième siècle : le coût était effrayant et les obstacles plus effrayants encore. En temps de guerre il serait construit, si incroyable que cela paraisse, en huit mois et douze jours.

Quand Elmer Flatch se présenta au QG de l'armée à Fairbanks, on lui demanda de laisser son camion au dépôt central, et de prendre livraison personnellement d'un énorme Caterpillar assez puissant pour renverser des arbres ou pour arracher à des fossés des camions de cinq essieux lourdement chargés.

— Jamais je n'ai pris le volant d'un truc comme ça ! protesta-t-il.

Le lieutenant du dépôt brailla :

— C'est le moment ou jamais.

Trois des régiments détachés dans les différents secteurs de l'Alaska se composaient uniquement de Noirs, à l'exception des officiers blancs. Un grand Noir aux épaules tombantes, qui avait conduit des bulldozers en Georgie, enseignait aux civils comme Flatch les subtilités de ces mastodontes qui traceraient une route au milieu de terrains jugés jusque-là infranchissables. Le colosse, répondant au nom de sergent Hanks, fournissait ses précieuses instructions avec un accent de Georgie très prononcé que les Alaskans avaient du mal à comprendre :

— Changer de vitesse, même les lardons peuvent le faire. Apprendre à rester en vie, plusieurs d'entre vous n'y arriveront pas. Vous bilez pas, on vous enterrera.

Sans se lasser et en illustrant ses propos d'images évocatrices, il répétait volontiers que c'est avec son cul, pas sa tête, qu'un conducteur doit sentir si une pente est trop forte pour que son bull la négocie.

— Pas vers le haut ou le bas, mais les lardons savent faire ça.

— Qu'est-ce que c'est un lardon, merde ? lança un Suédois.

— Les lardons, les mouflets, les mômes. J'ai quatre lardons à la crèche. Vous en avez combien ? répondit Hanks.

Les pentes dangereuses contre lesquelles il les mettait en garde, celles qui tuaient par dizaines les conducteurs imprudents, étaient celles que l'on attaquait en biais, surtout quand le Caterpillar penchait vers la gauche.

— Tu culbutes ton Cat sur la droite, t'as encore une chance. Si tu tombes sur la gauche, t'es foutu à tous les coups.

Et sans cesse le même refrain : un conducteur devait sentir dans son cul, et non par son cerveau ou ses yeux, quand la pente sur la gauche ou la droite devenait trop raide pour se laisser négocier.

— Quand tu sens le message, tu recules aussi sec. T'essaies pas de tourner. Tu recules pour quitter vite fait la pièce sombre où tu entends un fantôme.

Grâce aux instructions répétitives de Hanks, Elmer Flatch et les autres hommes ordinaires comme lui maîtrisèrent bientôt les finesses des grands engins à chenilles et, après une période de formation qui parut dangereusement brève, on les expédia sur le chantier. Début mai,

Flatch se retrouva à quinze kilomètres à l'est du village de Tok, à l'endroit où la route d'Eagle descend vers Chicken. À peine était-il arrivé depuis quelques heures qu'un commandant du Génie se mit à lui hurler :

— Toi, là-bas. Avec la toque en raton laveur. Ramène ton Cat par ici pour nous aider à remonter ce bidule sur ses chenilles.

Elmer s'exécuta : il tomba sur deux engins plus gros que le sien enlisés dans la boue en essayant de remettre sur ses chenilles un petit bull qui avait dérapé en bas d'une petite pente.

On fixa un câble entre son Cat et le bulldozer tombé, les trois engins se mirent à tirer à l'unisson et le monstre, en bas de la pente, se redressa lentement.

— Retenez-le ! brailla le commandant. Vous, là-bas, allez chercher le corps.

Et tandis qu'Elmer restait avec son câble tendu, les deux infirmiers dégagèrent le cadavre en bouillie du siège où le conducteur imprudent s'était fait écraser. En les regardant faire leur sinistre devoir, Elmer lança à haute voix :

— Son cul ne lui a pas envoyé le message.

Et, après un silence :

— Ou bien le message est arrivé mais il ne l'a pas écouté.

Le plus utile des membres de l'équipe de Tok n'était ni le sage sergent Hanks, ni l'efficace commandant Carnon mais un petit Indien athapascan du nom de Charley. Il avait bien entendu un nom de famille, probablement un nom anglo-saxon comme Dawkins ou Hammond (le nom du chercheur d'or de la première heure qui avait épousé son arrière-grand-mère à Fort Yukon) mais personne ne le connaissait. Le travail de Charley consistait à graisser les chenillards et les bulldozers, ou à installer des chenilles neuves quand les vieilles se coinçaient, se cassaient ou s'usaient. Mais sa principale valeur résidait en son aptitude à prévenir les majors, les colonels et les généraux du Sud du Quarante-Huitième chaque fois qu'ils allaient faire une chose qui marchait très bien en Oklahoma ou au Tennessee, mais qui, tout simplement, ne pouvait pas se faire en Alaska. Ainsi, quand il vit le commandant Carnon, avec les meilleures intentions du monde, préparer la construction de sa route à l'est de Tok comme il l'avait toujours fait en Arkansas, il se sentit obligé de prévenir ce garçon énergique qu'il commettait une seule erreur, mais de taille.

— Mon commandant, chez vous, c'est peut-être très bien de racler la couche supérieure pour trouver une plate-forme solide. Mais ici, nous ne faisons pas comme ça.

— Faites avancer ces bulls ! brailla Carnon.

— Mon commandant, ici on ne fait pas comme ça, répéta Charley avec une force tranquille.

— Continuez d'avancer !

Charley décida d'attendre, revint à son atelier et se remit à installer une chenille neuve à un bull qui avait brisé la sienne sur la droite, en essayant de déraciner un bouquet d'arbres un peu trop résistant pour lui. Écœuré, l'Indien vit le major Carnon racler le sol jusqu'à une base ferme. Et comme cette hérésie n'avait pas l'air de cesser, il parla à Elmer Flatch dont il avait souvent graissé et vidangé l'engin.

— Flatch, tu dois prévenir le major. Ça ne se fait pas comme ça par ici.

Un autre conducteur de bull, venu de l'Utah, intervint dès qu'il entendit cet avertissement.

— On enlève toujours le sol meuble jusqu'à une base ferme. Ensuite on construit. Sinon, aucune solidité.

— Ici, on fait autrement ! s'obstina Charley.

Mais comme personne ne voulait l'écouter, il reprit son travail, certain qu'après quelques journées tièdes de mai où le soleil ferait son œuvre sur l'assiette de la route du commandant Carnon, les Blancs omniscients prêteraient davantage l'oreille.

L'avertissement de Charley se vérifia le 31 mai. En tout début de matinée, quand Elmer se présenta au chantier, un spectacle surprenant l'attendait : son énorme Caterpillar s'était enfoncé de deux mètres dans la terre, pourtant ferme la veille. On ne voyait plus que le toit de la cabine. En fait la terre n'était pas vraiment ferme. Elle l'était trois jours plus tôt quand on avait raclé la couche supérieure et mis à nu le permafrost. Mais le soleil avait fait fondre la terre glacée à une vitesse alarmante : ce qui formait une base presque rigide — idéale pour l'assiette d'une route — s'était changé en bourbier. Le Cat de Flatch n'avait pas été le seul à disparaître : trois autres commençaient de sombrer dans la fosse creusée par le dégel du permafrost.

Les trois journées suivantes furent un enfer : l'été s'annonçait, la chaleur augmentait et le permafrost continua de fondre aux niveaux inférieurs, en aspirant les engins énormes de plus en plus bas. Bien entendu, partout où la couche supérieure était restée en place et protégeait la terre gelée du soleil, toute la structure du sol et du sous-sol avait conservé sa solidité. Heureusement car cela permit à un contingent de bulldozers plus lourds de se déplacer sur le sol ferme pour arracher les autres engins engloutis. Mais l'effet de succion de la boue, qui semblait inépuisable et déterminée à retenir tout ce qui tombait entre ses mâchoires, rendit la récupération fort difficile.

En pestant, jurant et grognant, les hommes du régiment noir durent s'éreinter pour sauver leurs précieux Caterpillar, et certains jours ils ne réussissaient qu'à arracher un ou deux engins de plus à la boue tenace. Le commandant Carnon passa trois journées démentes à essayer telle ou telle combine pour libérer de leur prison visqueuse les énormes engins qu'il voyait s'enfoncer désespérément dans leurs tombes collantes.

Le troisième soir, visiblement impuissant à faire cesser les dégâts, il fit venir Charley près de lui.

— Je ne t'ai pas écouté, Charley, mais tu m'avais averti. Qu'est-ce que c'est que ce terrain ?

L'Indien lui expliqua les problèmes que posait le permafrost aux constructeurs en Alaska.

— Pas partout. Seulement dans le Nord. Dans quelques centaines de kilomètres par là, plus rien, répondit-il en montrant le sud. Pourquoi n'avons-nous pas construit là-bas ?

— Trop près de l'océan. Si les bateaux japonais arrivent, la route de coquillages sera perdue.

En prenant bien soin de ne pas tirer vanité de la déconfiture de l'officier blanc, Charley répondit :

— Ce chemin du milieu est bien meilleur. Si l'on utilise le permafrost comme il faut, on obtient une sacrée bonne route.

— Et comment faut-il l'utiliser ?

Comme s'il n'avait pas entendu la question, Charley lui parla de son expérience d'apprenti maçon à Fairbanks.

— Une ville étrange. La ligne du permafrost passe en plein milieu, je crois. Ici des maisons avec des quantités de permafrost. Dans la même rue un peu plus loin, plus rien. Très important à savoir. Supposez que vous ayez du permafrost sous votre dalle de ciment... La chaleur des corps humains suffit : pas besoin de chaudière ni rien, seulement les gens. Tout est récupéré par la dalle et commence à se communiquer au permafrost. Celui-ci se met à fondre ici et là, la maison penche. Parfois beaucoup. Parfois il faut l'évacuer.

— Comment l'éviter?

— Comme pour notre route. Laisser en place la couche supérieure. N'enlever rien. Assez loin sur le côté enlever d'autre terre de la couche supérieure et l'entasser par-dessus la route, très haut. Ensuite on tasse. Vous connaissez ce qu'on appelle les *pieds de mouton?*

— Oui. Un cylindre avec un grand nombre de petit bouts de fer qui dépassent. Ça dame la terre comme si un troupeau de moutons l'avait tassée.

— Il faut tasser la terre rapportée. Très dur. Et ça fait une bonne assiette de route.

Dès que Carnon connut la solution, il vit le problème :

— À quelle distance de la route faudra-t-il aller chercher la terre supplémentaire? Trop près, tout le secteur dégèlerait.

— Ha, ha! commandant Carnon! Vous êtes malin. Oui, certains creusent trop près et tout fond. Je dirais : au moins cent mètres.

Il réfléchit un instant puis demanda :

— Vous avez beaucoup de câbles métalliques?

— Jamais assez. Mais nous en avons quand même.

— Demain matin, placez vos meilleurs bulls assez loin de la route, pour trouver un meilleur appui. Ils tireront facilement les engins enlisés.

Le matin venu trois bons bulls se placèrent à une cinquantaine de mètres de la roue boueuse où les Caterpillar s'étaient enlisés et l'on installa de longs câbles à l'un des géants disparus. C'était celui de Flatch et il assista à l'opération. Il s'enfonça dans la boue presque jusqu'à la taille pour vérifier que les câbles étaient bien en place, puis il recula et trois bulls se mirent à haler de toute leur force. Lentement, et avec de grands craquements quand il se dégagea, l'engin d'Elmer commença son ascension magique hors de sa prison.

Les hommes applaudirent dès que l'on aperçut de nouveau la cabine, et le major Carnon se mit à courir en tous sens pour ordonner à tel ou tel bulldozer de tirer plus fort. Au bout d'une heure de tentatives acharnées, le géant de Flatch revint à la vie. Complètement couvert de boue, il ne ressemblait guère à un bulldozer, mais il demeurait intact et serait réutilisable une fois lavé.

Ce soir-là, quand tous les engins furent de nouveau en état de fonctionner, le major Carnon fit rédiger par son secrétaire un rapport au QC d'Anchorage pour demander l'envoi de lettres de félicitations aux deux civils Elmer Flatch et Charley... Il envoya un planton dénicher le nom de l'Indien.

***

Jamais ceux qui travaillaient à l'Alcan n'oublièrent cet été-là. Un Noir, licencié ès sciences de la Fisk University mais simple soldat du 97e Régiment, écrivit à sa fiancée d'Atlanta :

Notre bateau nous a déposés à Skagway après l'une des traversées les plus magnifiques que l'on puisse imaginer. De hautes montagnes tombant dans la mer, des glaciers qui lançaient vers nous des icebergs, de belles îles de tous les côtés. Mais la plus belle partie de tout le voyage se fit avec le vieux train de Skagway qui nous a emmenés dans un bruit de ferraille jusqu'à une ville canadienne du nom de Whitehorse, à travers les plus hautes montagnes que l'on puisse voir. À la fin de la guerre, nous passerons notre lune de miel ensemble dans ce train. Économise ton argent, j'économiserai le mien. Parce qu'il n'y a rien de pareil au monde.

Ce fut la fin du bon temps. De Whitehorse, nous avons continué vers l'ouest jusqu'à un incroyable tronçon de la route. Des moustiques de la taille d'une soucoupe, des marécages sans fond, des forêts entières à abattre avec des bulldozers, puis on s'attaque aux souches brisées à la scie. On dort sous la tente, et pas un seul repas chaud pendant des jours et des jours. Pourras-tu croire que dans ces circonstances nous arrivons à construire plus de six kilomètres les beaux jours et quand même trois si la pluie nous ruisselle jusque sous les aisselles ?

Tu me manques. J'ai besoin de toi, mais presque personne ici n'a le cafard. Il y a une route à construire — et elle sauvera peut-être le pays un jour.

Elmer Flatch était l'un des nombreux Alaskans à qui les conditions horribles dans lesquelles se construisait l'Alcan Highway ne donnaient nullement le cafard. Il appréciait son importance mieux que personne.

Au plus fort de l'été, sept groupes de travail se trouvaient le long de la route en train de naître, en des lieux encore fort éloignés. Chacun avait la moitié de ses hommes qui travaillait vers l'est, l'autre moitié vers l'ouest.

Vu du ciel, des avions des pilotes qui succédaient à LeRoy Flatch, l'Alcan ressemblait à une longue série de chenilles arpenteuses se dirigeant en bonds précis à la rencontre de leur voisine. En fait quatorze routes se construisirent simultanément cet été-là.

À quarante-cinq ans, Elmer Flatch commençait déjà à sentir le poids des années, et pour lui juillet et août 1942 furent les pires mois d'enfer qu'il vivrait sur cette terre. Les quinze à seize heures de travail par jour se passaient dans une routine épuisante : franchir un bouquet d'arbres en ligne droite, abattre des conifères assez gros pour faire des mâts de navire, attacher des filins aux souches pour les arracher, pousser de la terre du voisinage, enlever le tout, aller et venir sans fin au milieu de la poussière pour damer la surface, se battre contre les moustiques toute la journée et encore plus la nuit, manger des repas sans goût, et, avec l'aide des bons soldats noirs et de leurs officiers blancs efficaces, terminer six kilomètres avant de rentrer épuisé pour une nuit de repos trop souvent sans sommeil.

Un soir, non loin de la frontière canadienne, l'infatigable commandant Carnon se révéla vraiment très fatigable. Près d'Elmer et de Charley qui regardaient un autre bulldozer que son chauffeur, imprudent malgré les ordres, avait enlisé dans un ragoût noirâtre dont il risquait de ne jamais ressortir, Carnon sentit des larmes lui monter aux yeux et sa voix se briser.

— Dans quarante ans, si nous gagnons cette guerre, cette route sera goudronnée et des gens passeront ici en Cadillac. Voici trois semaines boueuses que nous sommes sur ce maudit lac et nous n'avons pas accompli grand-chose. Ils fileront en trois minutes sans même le voir. Mais il le fallait...

Le lendemain matin il perdit son calme et cria à un autre conducteur incompétent qui n'arrivait pas à participer efficacement au sauvetage :

— Descends de cet engin. Donne-le à un homme, un vrai !... Montre-lui ce qu'il faut faire ! ajouta-t-il à l'adresse d'Elmer Flatch.

Elmer ne savait manœuvrer que son propre engin ; il avait une stabilité remarquable créée par sa propre masse et Flatch ne se sentait pas à l'aise à bord d'un engin plus petit, doué d'une maniabilité plus grande mais beaucoup moins fiable. Il grimpa néanmoins sur l'engin plus petit, vérifia les commandes, et recula doucement jusqu'à ce que les deux câbles métalliques se tendent. Attendant le signal qui lancerait les deux autres bulls de sauvetage, il se cala dans le siège qu'il connaissait mal et dit :

— À toi, mon cul, de m'envoyer les messages.

Le message vint et l'avertit qu'il mettait l'engin plus léger dans une position dangereuse, étant donné la tension des câbles et l'angle sous lequel se faisait la traction. Mais il arriva dans un langage qu'Elmer ne comprit pas sur-le-champ. Sans tenir compte des signaux, il accéléra davantage pour ne pas être en reste avec les deux autres. Le tracteur enlisé se dégagea soudain, et sauta presque de sa prison. Les deux autres chauffeurs, qui connaissaient bien leur engin, relâchèrent aussitôt la tension. Elmer ne le fit pas. Son bulldozer bondit aussitôt en arrière, oscilla à cause de la torsion due à l'angle que formait le câble, bascula sur le côté et coinça les deux jambes d'Elmer dans sa chute.

En le voyant tomber sous le bull, le commandant Carnon le crut mort. Terrifié il fut le premier à parvenir à l'endroit où Elmer gisait, pris au piège, le corps parcouru par de grandes flammes de douleur.

— Sortez-le de là ! hurla Carnon.

Mais c'était manifestement impossible tant que le bull restait au-dessus de lui.

— Par ici ! cria Charley.

Quand les deux autres bulls furent en position, il fixa les câbles métalliques avec le major Carnon, puis ce fut lui, et non le major qui donna aux deux chauffeurs les instructions efficaces :

— Une fois démarrés, vous ne vous arrêtez pour rien au monde. Vous devez continuer de tirer. Si vous vous arrêtez, le bull lui retombera dessus et il sera fichu.

— Attendez ! cria le commandant Carnon. Vous avez compris ce que Charley vient de dire ?

— C'est vu ! répondit un des conducteurs.

Sous le soleil tiède, les cinq acteurs de ce drame se figèrent un instant : Flatch coincé dans la boue, le major Carnon qui essayait désespérément de lui sauver la vie, l'Indien Charley qui vérifiait les câbles métalliques, et les deux conducteurs qui se préparaient à démarrer lentement mais inexorablement.

— Je compte jusqu'à trois puis je crie : « Ho ! » Et, nom de Dieu, tirez en même temps ! Si le tracteur dérape d'un côté, il sera réduit en purée.

Il s'agenouilla près du visage de Flatch pour pouvoir leprotéger de tout ce qui risquait de glisser de l'engin renversé.

— Prêt, Flatch ?

Elmer hocha la tête. Le commandant lança d'une voix forte le compte préliminaire puis cria : « Ho ! » Les deux conducteurs, en suivant les signaux manuels de Charley, soulevèrent et écartèrent le bulldozer renversé, d'un mouvement régulier et sans rotation. Flatch se tirerait d'affaire — mais sa guerre était terminée. L'infirmier qui examina ses jambes en partie écrasées lui annonça d'un ton presque joyeux :

— C'est la boue qui t'a sauvé. Sur un sol dur, tes jambes auraient été pulvérisées. Une chance fantastique, ajouta-t-il en tâtant doucement les tissus. Je suis sûr qu'on n'aura pas besoin de t'amputer, soldat.

— Je ne suis pas soldat, répondit Flatch, bien décidé à ne pas s'évanouir.

Il avait contribué à la construction de quatre-vingt-dix-huit kilomètres sur les deux mille deux cent soixante-cinq de l'Alcan Highway. Vingt-deux hommes comme lui avaient trouvé la mort sur le chantier ; sept avions s'étaient écrasés en essayant de livrer à divers camps du matériel lourd ; et de nombreux soldats noirs américains et canadiens blancs avaient été gravement blessés.

Mais le 20 octobre 1942, près d'un ruisseau canadien si petit qu'il n'apparaissait sur aucune carte ou presque — Bearer Creek en Territoire du Yukon —, le commandant Carnon, qui s'avançait de l'Alaska vers le sud avec ses soldats noirs, rencontra les ouvriers canadiens qui remontaient vers le nord. La grande route, une des merveilles du génie civil et militaire de notre temps, était achevée. Des camions, transportant les hommes et les armements nécessaires à la protection du continent, pourraient prendre position sur les confins occidentaux de l'Alaska.

Elmer Flatch, hospitalisé, ne serait pas présent pour assister à ce triomphe de la volonté humaine, mais l'Indien Charley se trouvait à quelques pas derrière le commandant Carnon quand celui-ci s'avança pour la rencontre officielle avec les Canadiens. La brève cérémonie s'acheva, et Charley chuchota au major qu'il avait si fidèlement servi :

— Par ici, dans le Nord, nous faisons les choses autrement. Mais nous les faisons.

***

Le matin du 3 juin 1942, tandis qu'Elmer et les soldats noirs n'en étaient qu'aux premiers kilomètres de l'Alcan Highway, le peuple des États-Unis et en particulier les habitants de l'Alaska apprirent avec stupéfaction qu'une audacieuse flotte japonaise comprenant deux porte-avions s'était glissée tout près d'Unalaska sous couvert des nuages d'orage qui bloquaient presque en permanence cette région des Aléoutiennes. Unalaska, une des premières grandes îles au large de la péninsule d'Alaska, abritait la base de Dutch Harbor, et les bombardiers japonais l'attaquèrent sans vergogne — comme leurs appareils, six mois plus tôt, avaient bombardé Pearl Harbor.

Cette fois les dégâts ne furent pas graves, car entre-temps la XIe armée de l'air américaine avait construit en secret dans la région de Dutch Harbor des bases aériennes difficiles à détecter. Le débarquement que les Japonais avaient prévu ne put avoir lieu : en apprenant qu'un nombre effrayant d'avions basés à terre étaient prêts à attaquer, l'état-major japonais ordonna la retraite et rechercha la protection efficace du brouillard.

Mais cette tentative d'invasion avait fait suffisamment de dommages pour que l'état-major de l'Alaska ait froid dans le dos ; parce que les généraux savaient que si les Japonais s'étaient présentés en plus grand nombre et avec davantage d'avions, ils auraient très bien pu établir une tête de pont proche d'Anchorage. À partir de cette base, ils auraient pu s'emparer de tout l'Alaska et donc exercer des pressions intenses sur des villes comme Seattle, Portland et Vancouver. Ainsi que le futur général Shafter l'avait prédit en 1940, quand il organisait des réunions d'information dans tout le territoire, les envahisseurs venus d'Asie arrivaient.

La réaction fut rapide, mais guère efficace pendant les trois premiers mois. Les villes maritimes comme Sitka construisirent sur la côte des défenses pour contenir les éventuelles forces de débarquement. Les petits aérodromes du Pont Aérien du Nord-Ouest furent renforcés et les grandes bases aériennes de Fairbanks, Anchorage et Nome patrouillées jour et nuit avec des chiens, des jeeps et des avions de combat. Les pionniers de la Frontière d'Alaska s'engagèrent dans un groupe appelé Éclaireurs d'Alaska, dépendant officiellement des forces armées américaines. Les hommes les plus audacieux, jeunes ou d'âge moyen, participèrent à des missions de reconnaissance impliquant des dangers extrêmes.

Le 10 juin 1942, une semaine après le bombardement de Dutch Harbor, un de ces éclaireurs, dans un petit avion, envoya par radio au quartier général d'Anchorage un renseignement affolant :

— La flotte japonaise qui a bombardé Dutch Harbor s'est dirigée vers l'ouest sous couvert du brouillard et a envahi l'île d'Attu... On dirait qu'ils se sont également emparés de Kiska.

Un territoire américain, d'importance non négligeable étant donné sa position stratégique, venait d'être occupé par une armée ennemie — pour la première fois depuis la guerre de 1812. Toute l'Amérique trembla.

Ce fut cette semaine-là que le jeune Nate Coop, le gendre sang-mêlé que les Flatch avaient cru illettré, quitta Matanuska pour s'engager dans les Éclaireurs d'Alaska. Les officiers de l'armée qui assuraient la liaison avec les éclaireurs comprirent aussitôt que Nate n'avait pas un niveau d'études suffisant pour être affecté à certaines tâches. Mais ils remarquèrent qu'il se conduisait toujours de façon responsable et conclurent : « Il est fort et dur. Il a visiblement des tripes. Et il connaît le pays. Il pourra faire un bon éclaireur. » Quatre soirs plus tard, un officier au visage grave (un ancien bûcheron de l'Idaho) annonça leurs instructions aux trois volontaires les plus prometteurs :

— Nous devons savoir ce qui se passe dans les îles entre ici et Attu et Kiska. Je ne peux pas vous indiquer nos plans, et vous préférerez ne pas les connaître... au cas où vous seriez capturés. Mais vous avez le droit de savoir que nous n'avons aucune intention de permettre aux Japs de rester sur ces deux îles. Et si vous êtes pris, vous avez le droit de le leur dire.

Les trois jeunes gens devinèrent aussitôt en quoi consisterait leur mission.

— Techinov, tu connais bien les Aléoutiennes. Nous te déposerons sur l'île Amlia. Avec un petit bateau lancé par un contre-torpilleur d'escorte. Au milieu de la nuit. Les vivres. La radio. Le code. Tu nous diras ce qui s'y passe.

Techinov, pur Aléoute à part un arrière-arrière-grand-père russe, salua.

— Nous sommes à peu près certains que tout le monde a quitté cette île. Mais nous avons besoin d'une confirmation.

L'officier envoya Kretzbikov, un autre Aléoute, dans l'île importante d'Atka. Puis ce fut le tour de Nate Coop.

— Il nous faut des renseignements sur Lapak. Deux de nos avions éclaireurs ont signalé qu'il y avait des gens. Ce pourrait être fort ennuyeux s'il s'agissait de Japs.

Il regarda les trois éclaireurs et se dit : « Mon Dieu, qu'ils ont l'air jeune ! »

— Vous comprenez bien vos missions ?

Ils acquiescèrent et il leur lança sa dernière instruction :

— Apprenez bien à manipuler vos radios et vos codes. Si vous ne nous envoyez pas de rapports codés, votre présence là-bas ne servira à rien.

Mais au moment où ils sortirent du bureau, un appentis branlant qui servait naguère à saler le poisson, le bûcheron de l'Idaho éprouva soudain une émotion paternelle pour ces petits gars et leur fit une promesse :

— L'armée ne laisse jamais tomber un de ses éclaireurs... Jamais.

Nat passa une semaine de plus à Dutch Harbor pour se familiariser avec la radio et étudier deux vieilles cartes, fort différentes, de l'île de Lapak, et au début août il rassembla son matériel et se dirigea vers la plage où l'attendait la chaloupe qui le conduirait à un contre-torpilleur. Il salua les officiers qui étaient venus l'escorter et qui iraient le rechercher à Lapak huit jours plus tard — à supposer que les Japonais, s'il y en avait dans l'île, ne lui fassent pas la peau entre-temps. Au moment où il monta dans le bateau, l'officier de l'Idaho lui dit :

— L'île doit avoir trois cent quarante kilomètres carrés. Des tas d'endroits où se cacher si les Japs sont là-bas.

Nate n'était jamais monté sur un bateau, et pour une initiation, on pouvait choisir mieux que le sale temps des Aléoutiennes. Une heure après son départ de Dutch Harbor, il avait un mal de mer à crever — mais presque tout l'équipage en était au même point. Un marin épargné lui donna un bon conseil tandis que le contre-torpilleur s'enfonçait dans le brouillard épais et la grosse mer, cap à l'ouest :

— Allonge-toi dès que tu peux. Mange beaucoup de pain, et lentement. Surtout pas de boissons comme le cacao. Et si l'on te sert des pêches ou des poires en conserve, avale tout.

Quand Nate demanda, entre ses crises de vomissements, comment ce petit bateau de guerre pouvait rester à flot dans des houles pareilles, le marin lui expliqua :

— Ce baquet reste droit dans n'importe quoi. Pour pencher, il penche. Mais il revient toujours droit. Il a été construit comme ça.

— D'où viennent ces vagues ? demanda Nate.

Il abordait un sujet que le marin adorait évoquer.

— Par là, sur tribord, la mer de Béring où les grands vents de l'Arctique soulèvent les houles énormes. Ici, par bâbord, l'immense Pacifique avec ses grosses mers. Au-dessus un flot constant de nuages effarants venus d'Asie. Tu mêles tout ça et tu obtiens un des chaudrons du monde où le temps est le plus horrible.

À ces mots, Nate dut se précipiter de nouveau vers le bastingage et, en voyant la violence de la mer qui martelait le contre-torpilleur, il admit que telle était l'origine de ce temps pourri. Mais quand il revint s'appuyer à la cloison de la cabine du capitaine, le marin lui annonça une bonne nouvelle :

— Tu as une sacrée chance, soldat, de ne pas être aviateur. Tu t'imagines en train de voler dans ce truc-là ? lança-t-il en montrant le ciel.

Une heure plus tard, entendant un avion qui les survolait au milieu de l'incroyable tempête, le marin revint.

— Faisons une prière pour les salopards qui participent à cette mission-là.

— Que veux-tu dire ? lui demanda Nate.

— Je ne sais pas qui a la plus mauvaise part : les types dans cet avion ou les hommes à la mer.

— Je ne comprends pas, répondit Nate.

Le marin tendit le bras dans la direction du bruit de moteur :

— Un patrouilleur de la marine. S'il est sorti par un temps pareil, c'est qu'un bâtiment est en perdition quelque part en mer. Dans ces eaux-là, si le sauvetage n'a pas lieu dans le quart d'heure, tout le monde crève.

Il écouta le ronronnement des moteurs du gros avion lent et baissa la tête.

Le contre-torpilleur, en zigzaguant pour tromper tout sous-marin japonais qui risquait de le prendre en chasse, attendit les premières lueurs du matin pour repérer la silhouette du volcan Qugang, qui montait la garde au nord de Lapak. Dès que le cône magnifique se montra, le navigateur indiqua au capitaine :

— Cap au deux cent dix degrés, droit sur le promontoire central. La reconnaissance aérienne n'a annoncé aucune batterie de canons japonais dans la région.

Le contre-torpilleur entra donc dans le beau port de Lapak protégé de tous côtés, ses canons prêts à tirer sur tout avion japonais en maraude. Dès que la situation parut sans danger, on mit à la mer un canot pneumatique avec des rames coincées sur les tolets, retenu par une amarre fixée à la proue. Avec mille précautions, Nate se laissa tomber dans le canot, régla ses avirons et partit vers la côte.

Le contre-torpilleur s'éloigna et disparut derrière le promontoire de l'est pour rentrer au plus vite à Dutch Harbor. Nate rama vers le promontoire central et chercha l'anse profonde qui devait en principe se trouver vers la côte occidentale. Soudain il aperçut un homme entre deux âges qui s'avançait sans crainte, accompagné de ce qui semblait être un jeune homme ou une fille en vêtements de garçon. Pendant un instant d'angoisse, Nate craignit d'être forcé de se servir de son revolver s'il s'agissait de deux Japonais. Mais l'homme cria en bon anglais :

— Qu'est-ce que c'est que toutes ces manœuvres furtives ?

Quand Nate arriva près de la plage, l'homme et son compagnon s'avancèrent dans l'eau pour l'aider à haler son canot. Nate vit aussitôt que le compagnon de l'homme était une jeune fille.

— Je m'appelle Ben Krickel, dit l'homme, visiblement irrité. Et voici ma fille Sandy. Pourquoi ce bateau n'a-t-il pas... Et d'où venait-il, d'abord ?

Nate jugea prudent de ne pas révéler qu'un contre-torpilleur américain l'avait déposé.

— Vous êtes américains ? demanda-t-il.

— Et comment !
— On veut savoir s'il y a des gens sur cette île.
Krickel se mit en rogne.
— Bien sûr, c'est habité ! rugit-il. Ils le savent, à Dutch Harbor. Vous venez de Dutch ?
Nate refusa de répondre, et l'homme poursuivit :
— Les autorités de Dutch savent que j'ai loué Lapak. Pour le renard bleu.
— Pardon ?
— Toute l'île est à moi. J'élève des renards.
— Vous voulez dire... les petits animaux ?
— J'ai loué toute l'île. Je laisse les renards en liberté.
— Et qu'est-ce que vous en faites ?
— Je les envoie à Saint Louis. On y achète nos fourrures des Aléoutiennes depuis soixante-dix ans.
Nate changea de sujet.
— Où se trouve le meilleur endroit pour m'installer ?
— Notre cabane, répondit Krickel. Là où se trouvait le village. Vous nous emmenez avec vous ?
Ils remirent le canot à la mer, le rechargèrent et la jeune fille s'assit à l'arrière tandis que les deux hommes prenaient les avirons pour longer la baie, protégés par les hautes montagnes de Lapak. Au moment d'accoster, Nate mit ses passagers au courant.
— Vous savez que les Japs ont bombardé Dutch Harbor ?
Ils tombèrent des nues.
— Et ils se sont emparés d'Attu et de Kiska, ajouta-t-il.
— Kiska ! s'écria Ben. J'avais mes renards gris à Kiska. C'est à moins de cinq cents kilomètres d'ici. Beaucoup moins.
Pour la première fois la jeune fille prit la parole. Elle avait dix-sept ans, et son visage rond, placide, trahissait l'origine indigène de sa mère. Son sourire réchauffait l'air de l'île. Elle n'était ni grande ni svelte, mais son port de tête ne manquait pas de grâce. Elle la penchait sur le côté comme si elle allait éclater de rire, ce qui lui donnait une allure charmante de lutin, malgré les vêtements grossiers qu'elle portait. On était en plein été et sa chemise d'homme mal boutonnée révélait une peau brune qui avait l'air d'attendre des baisers.
— Nous sommes contents que vous soyez ici, dit-elle depuis l'arrière du canot, avec un sourire si engageant que Nate comprit qu'il devait clarifier la situation sur-le-champ.
— Ma femme a un sourire comme le vôtre, mais elle est de l'Extérieur. Je suis athapascan.
La jeune fille rit et fit semblant de cracher dans la baie.
— Les Aléoutes et les Athapascans ne font pas un bon mélange.
— Vous êtes aléoute ? demanda Nate.
— Tu parles ! intervint son père. Sa mère ne jure que par les orthodoxes russes. Je l'appelle Sandy mais c'est Alexandra, le nom de la dernière tsarine, celle qu'on a assassinée dans la cave... À quelle date déjà, Sandy ?
— À Iekaterinbourg, le 17 juillet 1918. Chaque année Maman m'habillait en noir. Comme elle. Et elle m'appelait sa petite tsarine.
— Elle s'appelait Poletnikova. Ma femme, je veux dire.
À leur arrivée à la cabane abandonnée que Ben occupait quand il venait trapper ses renards à Lapak, Nate leur expliqua juste ce qu'il

fallait de l'objet de sa mission pour calmer les appréhensions qu'ils risquaient d'avoir.

— Le gouvernement a évacué tous les Aléoutes sur le continent. Dans des camps du Sud. Nous pensons que les Japonais ont fait de même pour Attu et Kiska. Des camps quelque part au Japon. Je suis venu voir si cette île et Tanaga sont libres.

— S'ils sont à Kiska, observa Krickel, ils viendront ici ensuite. Peut-être devrions-nous partir... tout de suite.

Nate expliqua que les militaires reviendraient seulement dans huit jours, et Sandy gloussa avec cette spontanéité si séduisante.

— Notre bateau ne devait revenir que dans huit semaines, dit-elle. Et si c'est la guerre, comme vous dites, il ne passera probablement jamais.

— Et si les Japs viennent vers l'est avant que vos hommes viennent vers l'ouest ? demanda Krickel.

Nate leur montra sa radio.

— À n'utiliser qu'en cas d'extrême urgence. Ils ont promis de venir nous chercher...

À ces mots il s'arrêta. Il n'y avait aucune raison de mettre ces inconnus au courant des deux autres explorations.

Mais Sandy remarqua le lapsus :

— Nous ?

— Oui. Ils pensaient qu'il y aurait peut-être quelqu'un dans l'île.

— Si les Japs sont si près, observa Krickel, ils peuvent envoyer des avions à tout moment. Nous avons intérêt à cacher votre bateau.

Il prit les avirons. Nate et Sandy traînèrent le pneumatique loin de la mer et le dissimulèrent derrière des arbres sous un petit nid de branches.

Deux jours plus tard, un avion, suivi de deux autres, vola bas au-dessus de l'île ; mais ils appartenaient à la 11e Escadrille, de Dutch Harbor, et Nate courut dehors et leur fit signe avec deux mouchoirs blancs, comme on le lui avait enseigné. Son message était simple : « Pas de Japonais. Aucune trace. » Il n'avait pas de code préétabli pour signaler la présence des deux Américains, mais quand les avions revinrent pour vérifier le message il fit de nouveau le signal : « Pas de Japonais. Aucune trace. » Puis il conduisit Krickel et sa fille à un endroit où les pilotes pourraient les voir clairement. L'avion de tête battit des ailes puis repartit dans la direction de Dutch Harbor.

Ses dernières journées sur Lapak comptèrent pour Nate parmi les plus belles des années de cette étrange guerre, car Ben Krickel était un conteur passionnant de la vie aux Aléoutiennes — et Sandy une jeune femme intelligente, au courant de bien des choses sur la vie en Alaska.

— Les Églises de Kodiak se bagarrent tout le temps. Les orthodoxes russes, dont je fais partie, se jugent tellement au-dessus des autres ! Et les catholiques se croient supérieurs à tous. Les presbytériens sont impossibles. Papa est presbytérien.

Nate trouva un plaisir sans réserve à bavarder avec Sandy et à se promener avec elle jusqu'aux anciens sites de l'île. Un matin, quand ils rentrèrent pour déjeuner, son père les fit comparaître devant lui dans la vieille cabane.

— Nate, tu nous as avertis en toute sincérité que tu étais marié. Tu me parais bien jeune, mais ainsi soit-il. Ma fille et toi, pas de bêtises, hein ? T'as bien entendu, Sandy ?

Il expliqua que la mère de Sandy était morte, et que si la guerre n'avait pas éclaté, Sandy serait allée à l'école Sheldon Jackson de Sitka lorsqu'ils seraient retournés à Dutch Harbor avec leurs fourrures.

— Pas de bêtises, compris ?

Ils comprenaient, mais dans l'après-midi, tout fut oublié : un avion tout seul survola l'île et quand ils coururent pour le saluer, ils s'aperçurent qu'il portait des marques étranges. Il devait être japonais.

— Mon Dieu ! cria Ben. Ils nous ont vus !

Il avait raison, car l'avion vira et revint plus bas, avec ses mitrailleuses en pleine action. S'il y avait des gens à Lapak, c'étaient forcément des Américains, et donc des ennemis du pilote.

Il ne toucha personne à la première attaque, mais lors de la deuxième il passa dangereusement près de la cabane, et lors de la troisième, plus bas et encore plus près. Il les aurait sans doute supprimés si deux avions américains n'étaient pas arrivés de l'est au même moment. La bataille aérienne s'engagea, avec tous les avantages du côté des Américains, car ils volaient plus haut et en formation serrée, l'un protégeant l'autre. Le pilote japonais fit preuve de compétence et de courage. Il détourna l'un des poursuivants de son cap, braqua son nez vers le ciel, accéléra brusquement et essaya de fuir vers l'ouest, vers Attu.

Mais cette manœuvre n'avait pas abusé le deuxième avion américain et lorsque le Jap essaya de le passer à pleine vitesse, l'Américain vira brusquement et envoya une rafale sur le fuselage et le moteur de l'appareil japonais. Il explosa et retomba en fragments qui se dispersèrent d'un côté à l'autre de l'île. Le cadavre du pilote atterrit quelque part dans les hautes montagnes de l'ouest. D'un coup d'aile gracieux, les deux avions américains reconstituèrent la formation, firent un tour à l'ouest pour authentifier la disparition de l'appareil ennemi, puis revinrent saluer les trois témoins américains de l'accrochage.

Le fait d'avoir vu la mort de près, pour la première fois de sa vie, provoqua un changement profond en Nate Coop ; mais si quelqu'un lui avait fait remarquer ce qui se produisait — et surtout pourquoi — il n'en aurait pas cru ses oreilles. L'hostilité affichée par les colons de Matanuska quand il avait désiré épouser une de leurs filles l'avait traumatisé ; il avait accepté leur jugement : les sang-mêlé ne valaient rien et n'avaient pas droit au respect réservé aux Blancs. De plus de vingt manières insultantes, on lui avait fait entrer à coups de marteau dans la tête qu'il appartenait à une catégorie inférieure, et il avait admis ce verdict. Mais il découvrait maintenant en Sandy une jeune femme supérieure — sage, au courant de la vie, impeccable quand elle le désirait, et qualifiée à tous égards pour occuper sa place dans la société de Matanuska ou de n'importe où ailleurs, malgré son état de sang-mêlé. Cela l'incita à se réévaluer lui-même : si une Aléoute peut apprendre, un Athapascan en sera bien capable. Et il se considéra, ainsi que Sandy, comme un citoyen américain à part entière. N'étaient-ils pas tous les deux de vrais Alaskans liés à cette terre, et pour ainsi dire ses enfants ? En apprenant à respecter Sandy, il en vint à se respecter lui-même.

La nuit avant le retour du contre-torpilleur, Nate emprunta la lanterne de Ben Krickel et, à sa lumière vacillante, il composa une lettre à son beau-frère LeRoy pour lui parler de sa rencontre, dans une île reculée, d'une jeune fille merveilleuse, du nom de Sandy Krickel : « Elle a exactement l'âge qui te conviendrait, et il faut que tu la rencontres au plus tôt, parce que tu ne trouveras jamais mieux. » Puis il ajouta une phrase qui trahissait son ressentiment envers le traitement que lui avaient fait subir les Flatch : « Tu seras surpris de l'apprendre, c'est une Aléoute-Américaine, comme moi, et je te le dis bien que tu aies mené à ta sœur une vie d'enfer parce qu'elle voulait sortir avec moi. » Il termina avec une prédiction : « Quand tu la verras, LeRoy, tu l'épouseras aussitôt, je te servirai de témoin et plus tard tu me remercieras. »

Mais ce ne fut pas la fin de la lettre, car il la montra à Ben Krickel pour obtenir son approbation, et Ben inscrivit un post-scriptum : « Jeune homme, votre beau-frère dit la vérité. Signé : le père de Sandy. »

Le huitième jour, comme prévu, le contre-torpilleur était de retour à Lapak Bay et les trappeurs de renard dirent adieu au volcan. Le commandant, un très jeune capitaine de corvette, cria à Nate au moment où celui-ci quittait le pneumatique :

— Qui diable sont ces deux-là ?

— Ben Krickel et sa fille Sandy. Ils élèvent des renards dans l'île.

Tout le monde s'étonna et le commandant répondit :

— On m'avait bien prévenu : aux Aléoutiennes, tout peut arriver.

Au dîner ce soir-là, les jeunes officiers insistèrent pour que Mlle Krickel mange dans leur carré, un réduit où six personnes tenaient difficilement à table. Nate observa la scène et vit même le commandant faire sa cour à Sandy. Il se dit : « Cette jeune beauté sera capable de bien se comporter n'importe où. »

***

Les jours de rêve que Nate passa avec les éleveurs de renard furent pour lui les derniers instants agréables jusqu'à l'année suivante. Dès que le contre-torpilleur le débarqua à Dutch Harbor, ses supérieurs l'interrogèrent sur la possibilité de construire une piste d'atterrissage à Lapak. Il ne put leur répondre que par monosyllabes :

— Aucune chance. Un peu de sol plat près de la plage, mais non. Trop de bosses.

Ben Krickel, en revanche, était prêt à leur chanter toutes les louanges possibles sur Lapak, mais après avoir écouté ses dithyrambes pendant une heure, ils conclurent :

— Il en connaît un rayon sur les renards, mais absolument rien sur les terrains d'aviation. Lapak est exclu.

Ils concentrèrent donc leur attention sur Adak, au milieu des Aléoutiennes, une grande île attirante — mais dont ils ne savaient presque rien.

On se passa le mot : « Quelqu'un connaît-il bien Adak ? » Et Krickel se présenta :

— J'y ai élevé des renards.

On organisa une mission de reconnaissance, sous la direction d'un fougueux capitaine d'aviation nommé Tim Ruggles, que ses amis appelaient « le héros en puissance ». Il choisit comme guides alaskans Krickel et Nate Coop.

Comme nul ne savait si les Japonais n'avaient pas déjà occupé Adak, les trois hommes subirent un entraînement intensif pour les armes de poing, les armes automatiques, la cartographie et l'envoi de messages codés par radio.

***

Pendant l'entraînement, Nate apprit que Sandy Krickel avait bénéficié d'un traitement inhabituel : au lieu de l'envoyer dans le Sud dans un camp d'internement comme les autres Aléoutes, on l'avait classée « Blanche Caucasienne » temporairement à cause de son père, et elle avait obtenu un emploi de dactylo au quartier général — long bâtiment de bois appartenant à une pêcherie. Nate la revit deux fois et la trouva encore plus ravissante dans sa robe que dans ses vêtements d'homme sur l'île.

Elle se trouvait donc dans le bureau quand le général Shafter et deux autres généraux du Sud du Quarante-Huitième arrivèrent à Dutch Harbor en avion pour mettre au point les plans pour l'occupation d'Adak. Ces gros bonnets étaient venus aux Aléoutiennes dans l'avion du général Shafter, et LeRoy Flatch occupait donc le siège du pilote. Quand les généraux entrèrent au QG, LeRoy leur emboîta le pas. Les officiers s'enfermèrent dans leur sanctuaire pour les discussions, et il resta dans la pièce où Sandy tapait à la machine. Oisif, il l'observa depuis sa chaise en équilibre contre le mur et se dit : « Ce doit être le genre de demi-Aléoute dont Nate m'a parlé dans sa lettre. Si sa fille est aussi jolie que celle-ci, ma foi, il a bon goût. » Il passa quelques minutes à analyser la jeune dactylo : « On remarque qu'elle est orientale. Bon Dieu, on pourrait la prendre pour une Jap ! Elle n'est pas trop sombre, et elle a du style, c'est certain. Et ces dents ! Avec le sourire assorti... Ouais ! »

La jeune fille le fascina à tel point qu'il finit par se lever, tourna en rond un moment puis s'arrêta devant le bureau.

— Pardonnez-moi, mademoiselle, mais seriez-vous une de ces Aléoutes dont j'ai entendu parler ?

Elle sourit aussitôt sans la moindre gêne.

— Oui. Aléoute et Russe. Avec j'imagine, un peu d'Anglais et d'Écossais.

— Vous parlez... Je veux dire... mieux que moi.

— Nous allons à l'école.

Elle tapa quelques mots puis sourit de nouveau.

— Qu'est-ce qui vous amène ici de l'autre bout du monde ? Secret militaire, je suppose ?

— Ouais.

Ne sachant que dire ensuite mais peu désireux de quitter son bureau, il garda le silence un instant, puis s'écria :

— Vous étiez ici quand la ville a été bombardée ?

— Non.

Elle allait répondre qu'elle se trouvait alors sur une île reculée avec son père pour « récolter » les fourrures de leurs renards bleus — ce qui aurait révélé qu'elle était bel et bien la jeune fille de la lettre de Nate — quand l'équipe de reconnaissance, dirigée par le capitaine audacieux, entra dans le bureau pour se présenter aux trois généraux. Nate, surpris par la présence inattendue de son beau-frère, s'écria :

— LeRoy ! Que fais-tu ici ?

Il s'arrêta, regarda Sandy.

— Vous avez fait connaissance ?

LeRoy acquiesça.

— C'est Sandy Krickel, dit Nate. Et voici son père qui a ajouté un mot à ma lettre.

— Et je pensais ce que j'ai écrit, lança Krickel, avant de disparaître dans la salle de conférences en entraînant Nate à sa suite.

Comme les généraux passèrent la nuit à Dutch Harbor, LeRoy eut le temps de se promener avec Sandy, qu'il trouva encore plus passionnante que Nate le lui avait annoncé. Ce soir-là, les deux Krickel, Nate et LeRoy empruntèrent la cabane d'un ingénieur, un civil chargé de rassembler le matériel nécessaire à la construction de l'aérodrome. Avec des vivres d'origine diverse, ils se préparèrent un repas agréable, au cours duquel il devint manifeste que LeRoy s'était déjà épris de cette jeune fille des îles qui tantôt repoussait ses avances muettes et tantôt les encourageait.

Le matin venu, les généraux désirèrent voir Adak du ciel et insistèrent pour que Ben Krickel les accompagne pour leur montrer les points remarquables de l'île dont il se souvenait depuis le temps où il avait loué tout un secteur pour y élever des renards roux ordinaires. La journée fut agitée, avec de grands vents qui se précipitaient de Sibérie, et il paraissait inutilement téméraire que trois officiers généraux prennent ce genre de risque. Mais LeRoy avait appris que le général Shafter n'avait peur de rien et il supposa que les deux autres étaient de la même trempe.

Ce fut Ben qui lui cria d'un des sièges arrière :

— Vole droit, nom de Dieu !

C'était impossible. Mais LeRoy apprécia que deux gros avions militaires, sans doute des bombardiers, se soient joints à lui et protègent ses ailes. Les avions entrèrent et ressortirent des nuages lourds, puis tombèrent dans de la pluie violente. Il lança, à personne en particulier :

— Ce serait plus sûr s'ils rentraient à la base.

À Adak, ils ne virent presque rien, car des nuages d'orage glissaient très bas sur l'île.

— Un avant-goût de ce que nos gars devront affronter quand ils essaieront de débarquer, murmura un des généraux.

— Quand ils débarqueront, corrigea Shafter.

Les trois officiers, qui essayaient de regarder à travers les nuages malgré les embardées, éclatèrent de rire. Pas Krickel.

— Je vais être malade, cria-t-il à l'avant.

— C'est ton problème ! lui répliqua LeRoy. Mais il y a une règle : tu dois tout nettoyer à l'atterrissage.

Et Ben fut vraiment très malade.

Déçu par ce survol, un des généraux, qui serait personnellement impliqué dans la progression par bonds d'île en île jusqu'au bout des Aléoutiennes, proposa :

— Ne pouvons-nous faire un petit tour ? Il y aura peut-être un accroc dans les nuages.

LeRoy vérifia sa réserve de carburant et regretta de ne pas pouvoir consulter les deux autres pilotes de la formation, mais il n'était pas question d'utiliser la radio. D'un signe de la main, il fit signe à l'homme sur sa gauche qu'il allait descendre et tourner. L'autre pilote fit signe : « OK. »

Ils eurent de la chance : au bout d'un quart d'heure d'ennui, une déchirure se produisit dans les nuages bas, et pendant une dizaine de minutes, ils purent survoler leur objectif dans des conditions de visibilité suffisantes. Ben Krickel se ressaisit et cria les caractéristiques de tous les sites, l'un après l'autre :

— Oui, c'est ici que le terrain plat commence le long de la plage. Là-haut, c'est mieux mais pas assez long. Je ne reconnais pas ça. Je suis un peu perdu... Vous voyez les rochers, là-bas ? À éviter. Oui, c'est bien Adak. Vous avez trouvé la bonne île, pilote.

Le troisième général, qui n'était pas aviateur, désirait surtout voir les plages. En peu de temps il constata ce qu'il avait besoin de savoir :

— Encore un de ces coins d'enfer ! On patauge jusqu'à terre, et on espère que l'autre camp ne sera pas arrivé le premier.

Pour certains officiers supérieurs, l'ennemi était invariablement « ils », pour d'autres c'est simplement « l'ennemi », mais pour cet ancien joueur de rugby de la marine, c'était « l'autre camp ».

Ils restèrent encore à Dutch Harbor cette nuit-là pour terminer leurs plans d'attaque, et tandis qu'ils se plongeaient sur les cartes avec Krickel, LeRoy et Sandy bavardèrent longuement ensemble. Suivit une promenade au clair de lune d'août, au terme de laquelle ils comprirent qu'ils étaient vraiment sur le point de tomber amoureux. LeRoy trouvait la jeune fille aussi désirable que son beau-frère l'avait indiqué dans sa lettre, et ses conversations avec Nate à Lapak avaient déjà convaincu Sandy que LeRoy était un jeune homme sérieux de bonne famille et un pilote aux talents exceptionnels. À la fin de leur promenade, ils s'embrassèrent. Sandy, heureuse d'avoir trouvé un homme qui lui plaisait et qu'elle respecterait de plus en plus à mesure qu'elle le connaîtrait davantage, s'attarda dans ses bras pour lui chuchoter :

— Tu es venu ici porté par un vent doux.

— Dans ces îles, murmura-t-il, il n'y a pas de vents doux. Je l'ai appris aujourd'hui... À la dure.

Le matin venu, les visiteurs se préparèrent au départ. Un général annonça une mauvaise nouvelle : un bureau de vérification de Seattle avait reclassé Sandy Krickel aléoute, et il fallait donc l'évacuer avec les autres. Sans appel. On l'enverrait aux points où avaient été rassemblés des quantités d'îliens.

— Vous avez le choix entre quatre camps, lui expliqua le commandant de Dutch. Tous dans le sud de l'Alaska, que les indigènes appellent le pays des bananes. Un excellent climat.

Il se mit à énumérer des noms que la jeune fille n'avait jamais entendus, mais LeRoy l'arrêta soudain :

— N'avez-vous pas dit : Conserverie Totem ?

L'officier acquiesça.

— Sur le fjord de Taku ?

— Je crois, oui.

LeRoy se tourna vers Sandy.

— Je connais l'endroit. Grand. Pas mal du tout. Je viendrai t'y voir.

Au moment du décollage, le général Shafter proposa :

— Puisque cette demoiselle est évacuée, pourquoi ne viendrait-elle pas à Anchorage avec nous ?

En quelques minutes, Sandy réunit les quelques affaires qu'elle avait à Dutch Harbor, fit ses adieux à son père et se dirigea vers ce qui deviendrait en fait une version américaine des camps de concentration.

***

Au cours de la dernière semaine d'août 1942, le haut commandement américain reçut des renseignements si précis sur l'imminence de l'invasion d'Adak par les Japonais, pour y construire une base d'où ils bombarderaient l'Alaska continental, qu'il lança un ordre péremptoire : « Prenez Adak sans délai, construisez une piste d'atterrissage d'urgence, et c'est nous qui les bombarderons. »

Moins d'une heure après l'arrivée de cette instruction le capitaine Ruggles et ses hommes montèrent à bord d'un contre-torpilleur qui s'éloigna en roulant et tanguant dans les eaux agitées de la mer de Béring.

— Un morse ivre essayant de retourner chez lui, commenta Ben Krickel.

Affaibli par le mal de mer, Nate débarqua enfin et s'avança non sans précautions vers la grève, dans l'eau jusqu'aux genoux, sans oser même demander à mi-voix :

— Et maintenant ?

Mais Ruggles, aussi flambard qu'un boy-scout, cria :

— Par ici !

Il les conduisit vers un banc de vase plus élevé et à l'instant où ils y parvinrent, des coups de feu jaillirent de tous les côtés à la fois. Les balles traçantes se frayaient des chemins lumineux dans la nuit.

Ils étaient tombés sur un groupe de quatre éclaireurs japonais aussi audacieux qu'eux, partis en reconnaissance de leur côté. Pendant l'escarmouche confuse qui suivit, l'ennemi organisa sa retraite en bon ordre vers une autre plage où un sous-marin les attendait. Ruggles, libre d'étudier l'île à son gré, courut partout et, peu après le lever du jour, envoya en code le message qui lancerait une énorme flotte d'invasion : « Aucun Japonais à Adak. Sites possibles pour piste de bombardiers : Able, Baker et Roger. »

Deux jours plus tard, les trois hommes se rendirent sur un promontoire d'Adak pour accueillir une importante force de débarquement, qui déferla à terre avec de gigantesques bulldozers prêts à s'attaquer à l'île à la manière d'une armée de fourmis. Dix jours plus tard, quand les premiers bombardiers lourds affluèrent en route vers leur objectif Attu, les trois éclaireurs au garde-à-vous reçurent des médailles « pour actes d'héroïsme qui ont permis d'assurer plus vite le débarquement à Adak ».

Ce soir-là, Ruggles et ses hommes se couchèrent tôt, épuisés par le combat et les fatigues des journées suivantes. Avant de s'endormir Ruggles lança :

— Ils nous tartinent de belles paroles et nous filent des médailles, mais je me demande s'ils ont la moindre idée de ce que c'est que monter sur une plage glissante à minuit sans savoir si les Japs ne vous attendent pas en haut.

— C'est pas difficile, répondit Krickel. On respire trois fois à fond, on fonce comme un pantin, et quand on les voit... ta-ta-ta.

— Si jamais je suis affecté à un truc pareil sur une autre plage, je veux vous avoir tous les deux avec moi, poursuivit le capitaine.

— Je ne suis pas volontaire ! cria Krickel.

Une fois que la base avancée américaine d'Adak fonctionna normalement, les Éclaireurs d'Alaska n'eurent plus rien à faire dans l'immédiat, et Nate fut nommé chauffeur à titre provisoire, pour aider un homme tout à fait hors du commun : un civil très maigre et irascible portant rang de caporal, grosse moustache noire, cheveux d'un blanc de neige hérissés comme un paillasson, de grosses lunettes et un humour grinçant. À la vue de son costume négligé ou en écoutant sa voix éraillée ironique, on devinait sur-le-champ que « ce type-là n'était pas fait pour la vie militaire ». Sorcier de la machine à écrire, qu'il martelait avec une étrange gymnastique des doigts, il publiait le journal polycopié destiné à la troupe, et Nate fut chargé de le piloter dans les diverses installations militaires où il recueillait les nouvelles. À certains égards travailler avec lui était difficile, mais d'un autre côté l'accompagner constituait un privilège, car il était capable de voir de l'humour, des contradictions ou de la folie pure et simple jusque dans les situations les plus sinistres.

Nate remarqua vite que partout où se rendait ce reporter inhabituel se trouvaient un ou deux soldats ou aviateurs qui le connaissaient de réputation. Ils le harcelaient aussitôt de questions et écoutaient attentivement lorsqu'il daignait répondre, ce qui n'arrivait pas souvent. Ces conversations apprirent à Nate que ce caporal Dashiell Hammett avait travaillé autrefois à Hollywood, mais comme l'Athapascan n'avait jamais vu un seul film, il avait du mal à comprendre ce que faisait en réalité ce bonhomme.

— Est-ce un acteur ? demanda-t-il à des aviateurs qui venaient de discuter avec Hammett.

— Non. Pire : un écrivain.

— Et qu'est-ce qu'il écrit ?

Les aviateurs trouvèrent étrange qu'un garçon de l'âge de Nate n'ait jamais entendu parler de Hammett, et ils énumérèrent les titres de plusieurs films qui lui avaient valu la réputation d'être l'écrivain le plus recherché du métier.

— Des films de durs : *La Clé de verre, Moisson rouge, Le Faucon maltais...*

— Jamais vu ça.

Les hommes en furent si surpris qu'ils lancèrent :

— Monsieur Hammett, votre chauffeur n'a pas vu *Le Faucon maltais.*

L'idée que le jeune homme si proche de lui pendant plus d'une semaine ne savait ni qui il était ni quels films il avait signés (il n'en avait pas vu un seul) fascina Hammett. Pendant le reste de l'affectation de Nate, il s'enquit du milieu d'où sortait ce garçon à la fois presque illettré et extrêmement intelligent. Il ressentit pour lui un intérêt paternel :

— Que racontes-tu là ? Tu n'es jamais allé à l'école ?

— Dans les forêts et les mines, on...

— Tu dis que tu as déjà débarqué sur Lapak et Adak.

— Oui.

Hammett recula d'un pas, toisa ce garçon au regard intense d'à peine plus de vingt ans et dit :

— Je les écris, tu les vis.

Il demanda si Nate avait une petite amie, et la réponse le surprit :

— Je suis marié.

Ensuite, Hammett s'intéressa vivement aux problèmes du mariage d'un sang-mêlé avec une jeune fille blanche de Matanuska. Après avoir exploré le sujet, il voulut connaître les détails sur la vie économique et sociale de la vallée. Et comme Nate n'en savait absolument rien, Hammett lui dit :

— Jack London t'aurait apprécié, Nate.

— Qui est Jack London ?

— Peu importe.

Hammett vit en Nate un authentique diamant brut. Mais quand il vit certaines notes que prenait Nate, il explosa :

— Tu sais lire ? Je veux dire les mots difficiles ? Tu sais écrire ?

Il dispensa Nate de travailler pour lui permettre d'étudier avec le matériel pédagogique que l'armée fournissait à ses illettrés, et, sous la férule de Dashiell Hammett, Nate commença par apprendre dix mots nouveaux par jour, puis se mit à parler sans interruption pendant cinq minutes debout avec les bras ballants sur le côté, sur des sujets du genre : « Comment mon oncle a trouvé une mine d'or. » Sur le tard, il était en train d'accéder à l'éducation.

Quand Nate disparut pendant deux jours, Hammett piqua une colère.

— Où étais-tu passé ?

Il se calma vite quand Nat le lui expliqua :

— Ils vont me détacher, caporal.

— Pourquoi ?

— Je n'en sais rien. Mais peut-être plus près de Kiska. Peut-être à Amchitka.

— Bien sûr, à Amchitka. Tout le monde est au courant. Qu'est-ce que cela a à voir avec toi ?

— Je vais sans doute partir avec Ben Krickel, comme éclaireur. Un débarquement amphibie.

Hammett en fut épouvanté :

— Bon Dieu, tu as déjà débarqué sur deux îles en reconnaissance. Un homme n'a pas de la chance à tous les coups.

Dans sa rage froide il alla se plaindre au commandant de la base, mais celui-ci le rembarra sèchement : il fourrait son nez dans une chose qui ne le regardait pas.

Nate revit cependant une fois ce caporal plein d'esprit et à l'humeur changeante. Au moment où on allait l'envoyer à un stage d'entraînement intensif pour Amchitka, Hammett vint le voir et lui lança d'un ton ronchon :

— Tu as une sacrée paire de couilles, Nate. Jamais je n'aurais assez de tripes pour une mission comme la tienne. Et tu en es à ta troisième !

— J'imagine que si nous sommes éclaireurs, c'est justement pour ça.

En suivant son entraînement pour sa nouvelle mission, il se demanda souvent pourquoi, si Dashiell Hammett était aussi brillant que le prétendaient les jeunes aviateurs, il restait simplement caporal. Il ne trouva aucune réponse à cette énigme. Puis, dans la deuxième semaine de janvier 1943, il oublia Hammett : la vieille équipe s'était reformée. Une fois encore, le capitaine Ruggles, Ben Krickel et Nate lui-même partirent en canot pneumatique vers un contre-torpilleur d'escorte qui les attendait. Celui-ci évita les tempêtes aléoutiennes jusqu'à la longue île basse et plate qui pouvait offrir une base aérienne splendide pour le bombardement de Kiska et d'Attu, si les Américains parvenaient à occuper l'île avant l'ennemi.

Comme Amchitka se trouvait à moins de cent kilomètres à l'est de la principale base aérienne japonaise de Kiska, les trois éclaireurs devaient supposer que l'ennemi patrouillerait les eaux — et ce fut le cas. Pendant trois jours et trois nuits de danger, Nate et son équipe se déplacèrent dans l'île. Ils entendaient parfois les Japonais, et essayaient d'éviter tout contact avec eux. Dans des tempêtes de vent hurlant, le visage fouetté par la neige et la grêle, les Américains restèrent à couvert tout en explorant les plages de l'île. Une nuit, tapi dans le noir, le capitaine Ruggles s'écria :

— En Sibérie, la neige tombe. Mais à Amchitka elle atterrit... parallèlement au sol... à cent trente à l'heure.

Les avions de reconnaissance japonais, qui quadrillaient l'île en bombardant tous les endroits susceptibles de dissimuler des espions américains, constituaient un danger supplémentaire. Un jour où ils durent décamper pour éviter une de ces attaques, ils se précipitèrent vers un endroit occupé par un camp de sept éclaireurs japonais. Le cœur battant, les trois Américains reculèrent en rampant avec précaution et évitèrent de se faire repérer.

Une guerre difficile, aussi difficile que partout ailleurs dans le monde, quoique différente : de fortes mers, des blizzards ravageurs, des nuits sans fin et toujours de violentes tempêtes qui fouettaient les plages où n'importe quel envahisseur devrait débarquer. Mais des hommes résolus, Américains et Japonais, s'accrochaient à Amchitka pour envoyer leurs messages à leur quartier général. Ruggles annonça en code : « Aviation japonaise survole constamment. Posera problèmes graves aux péniches de débarquement. »

Nate se trouvait en sentinelle quand la flotte américaine s'avança vers l'île : des centaines de bateaux de toute taille, et il s'attendait à ce que les avions japonais les mitraillent sans merci. Mais les tempêtes devinrent si violentes qu'aucun avion ne put quitter le sol. Péniblement, les gros vaisseaux se rapprochèrent de la terre.

Malgré l'absence d'aviation ennemie, le débarquement fut un enfer. Le *Worden* coula, et quatorze hommes se noyèrent. Un groupe qui s'élança à terre repéra les éclaireurs japonais, les prit pour l'avant-garde d'une forte armée japonaise et les détruisit au lance-flammes. Un autre groupe américain essaya quatre fois de débarquer, mais fut repoussé à tout coup par des vagues géantes qui s'écrasaient sur la plage. La brève journée glissa vers une nuit menaçante, mais ils continuèrent d'essayer. À leur cinquième tentative, à la lumière de projecteurs, ils réussirent.

Le lendemain le quartier général du Pacifique, à Hawaii, publia un bref communiqué : « Hier, nos troupes ont effectué avec succès un débarquement sur l'île d'Amchitka » et les journalistes commentèrent : « C'est le prélude de notre reconquête d'Attu et de Kiska » — mais sans ajouter un mot sur les souffrances horribles subies par les Américains pour s'assurer cette tête de pont vitale pour l'issue de la violente bataille des Aléoutiennes.

De janvier à mi-mars, des hommes comme Nate et Ben Krickel travaillèrent ainsi que des bêtes de somme. Ils halaient les caisses de la côte vers l'intérieur, les entassaient, puis pataugeaient de nouveau dans l'eau glaciale pour décharger d'autre matériel. Une corvée éreintante, qu'il fallait faire en général pendant qu'un vent sibérien formait des flocons sur vos sourcils. Quand tout l'équipement fut enfin à terre, on détacha aussitôt les deux dockers d'occasion vers la zone plate où la piste d'atterrissage émergeait peu à peu de la toundra. Quel que fût leur travail, Nate et Ben menaient une vie de chien : les bateaux de vivres n'arrivaient pas toujours, et lorsqu'ils apparaissaient enfin, leurs cales étaient garnies de conserves et de vêtements destinés aux tropiques. Pendant des journées d'affilée, Nate, qui travaillait tout au bout de la piste, ne prit aucun repas chaud. Et lorsqu'on faisait cuire une gamelle, c'était souvent un plat auquel il n'avait jamais goûté.

Un jour, le capitaine Ruggles se donna un mal de chien pour voler un grand sac de farine pour pain complet, qui fournirait d'excellentes miches croustillantes, et les boulangers se mirent au travail. Mais

Nate et les autres hommes de son groupe refusèrent d'en manger. Un paysan de Georgie leur servit de porte-parole :

— Capitaine Ruggles, nous sommes ici, en Alaska, et c'est notre devoir. Nous sommes forcés de nous geler le cul parce que l'ennemi est à deux pas, et nous devons prendre des repas froids parce qu'il n'y a pas de popote à portée. D'accord. Mais, nom de Dieu, on n'est pas obligés de manger du pain dégoûtant comme ça, c'est de la bouffe de nègre ! Nous voulons du pain blanc.

Ruggles essaya d'expliquer que le pain complet était deux fois plus nourrissant, bien meilleur pour un homme qui ne prenait pas assez de fibres non assimilables, mais il ne parvint pas à convaincre les gars de la campagne, pourtant bien intentionnés.

— Manger du pain sale comme ça n'est pas convenable pour un Blanc.

Mais ce qui angoissait le plus ces hommes qui travaillaient à Amchitka, c'était autre chose :

— Ça nous fend le cœur, expliqua le paysan de Georgie. On travaille ici, sur la piste. Les petits gars grimpent dans leur avion, nous disent au revoir, s'envolent vers Kiska ou Attu, rencontrent un orage. Bon Dieu, il y a toujours un orage ! Ils foncent tout droit dans une de ces maudites montagnes — trois ou quatre, certains jours — et on ne les revoit plus.

Le pourcentage de pertes était terrifiant. Comme un aviateur désespéré le précisa à sa petite amie à la fin d'une lettre pourtant optimiste et joyeuse depuis le début : *Voler dans les Aléoutiennes n'a pas son équivalent dans le monde. Nous avons déjà perdu tellement d'hommes que monter dans mon avion me flanque une trouille mortelle. Les chances sont trop minces.*

Il lui écrivit une autre lettre deux jours plus tard, pour s'excuser d'avoir flanché ainsi. Puis elle n'en reçut plus.

Ce fut dans ces conditions que Nate reprit ses études avec les manuels que le caporal Dashiell Hammett lui avait donnés. Soumis à la règle d'Hammett, il continua de mémoriser dix nouveaux mots par jour. Son vocabulaire devint plus civilisé mais il continuait de parler par bribes, car il doutait des vastes connaissances qu'il était en train d'acquérir.

Il faisait tout son possible pour se protéger des blizzards, mais il évitait de se lier d'amitié avec les aviateurs qui arrivaient à Amchitka tout fringants, sortis du centre d'entraînement dix jours plus tôt. Il s'aperçut qu'ils souffraient de problèmes spéciaux, que les gars de la campagne n'avaient pas. Il se dit : « Il faut que je supporte ce sacré hiver. J'apprends des trucs, comme utiliser des bâtiments presque entièrement souterrains. Le vent ne peut pas vous fouetter en tous sens. Mais ces types dans leurs zincs, il faut qu'ils foncent dans la tempête. En plein cœur. Et ils n'y survivent pas longtemps. »

Bien entendu, il avait ses cauchemars personnels. Quand le bruit courut que l'île suivante ne serait pas Kiska, toute proche, mais la lointaine Attu, il comprit que les grosses légumes voudraient envoyer des éclaireurs à terre pour vérifier la situation. Il se rendit donc au bureau du capitaine Ruggles et lui annonça :

— Cette fois, s'ils prennent des volontaires, je ne partirai pas.

— Attends une minute, Coop. Tu es notre meilleur homme. Tu ne connais pas la peur.

— Oh, mais si !

À sa propre stupéfaction et à celle du capitaine, ses yeux s'emplirent de larmes.

— Nate, lui dit Ruggles doucement après un long silence, je suis sûr qu'on m'enverra à Attu pour estimer dans quel délai après le débarquement nous pourrons disposer d'une piste d'atterrissage. Je n'aimerais pas partir sans toi.

— Peut-être..., balbutia Nate.

Quand il devint manifeste que les trois mêmes hommes seraient envoyés d'office en reconnaissance à Attu, l'Athapascan éprouva vraiment de la peur. « On ne peut pas continuer à aller sur des îles occupées sans se faire tuer », se dit-il. Mais il se rongea les ongles et garda ses appréhensions pour lui-même. Un soir, l'ordre arriva : « L'hydravion est au large de la plage sud. Les pilotes connaissent un endroit sûr où ils vous déposeront. Vous ramez sans bruit. Ensuite, à vous de jouer. » Nate, qui tremblait violemment, suivit le capitaine Ruggles et Ben Krickel dans le noir, mais la difficulté de grimper dans l'hydravion l'occupa à tel point que sa nervosité diminua et il passa le vol vers Attu à concentrer ses forces et son courage pour la tâche extrêmement dangereuse qui l'attendait.

Parfaitement compétent, le pilote évita Kiska, s'enfonça dans les orages puis en ressortit et atterrit dans une mer agitée à moins de seize cents mètres de la partie sud de la baie du Massacre, où Trophime Jdanko le cosaque avait débarqué avec sa douzaine de marchands de fourrures en 1745. Les trois hommes descendirent dans leur canot pneumatique, ramèrent dans les hautes vagues, accostèrent et dissimulèrent leur bateau sous un fourré de branches et de buissons bas. Enchantés par la facilité de leur débarquement, ils s'avancèrent vers l'intérieur, sur un terrain qu'utiliseraient par la suite les principales unités de débarquement. Ils parvinrent enfin sur une légère éminence de laquelle Ben put étudier un secteur qu'il avait très bien connu autrefois.

— Aucune position de défense, ici. Nos hommes débarqueront sans tracas. Les Japs sont là-haut, dit-il en indiquant les collines à huit cents mètres vers le nord. Et en force...

Pendant ce temps, dans le jour naissant le capitaine Ruggles étudiait avec ses jumelles la piste d'atterrissage que les Japonais se hâtaient de terminer avant le début de l'assaut prévu.

— Bien, murmura-t-il. Ils l'auront bien dégrossie quand nous arriverons pour prendre leur place.

Les avions de reconnaissance, à la recherche d'audacieux comme ces trois-là, survolèrent l'île mais sans rien voir.

Pendant deux jours de concentration intense, les Américains notèrent mentalement tout ce que l'invasion d'Attu allait nécessiter, et leurs conclusions les rassurèrent. Ruggles confirma les plans qu'on lui avait confiés au quartier général.

— À l'instant où nous débarquerons à Massacre, nous devons nous enfoncer vers le nord et Holtz Bay. Nous les contiendrons là-bas le temps de nettoyer les poches dans l'est.

Il demanda à Ben et à Nate de mémoriser le relief montagneux du terrain et, à la tombée de la deuxième nuit, les trois hommes redescendirent vers leur canot et se dirigèrent vers le lieu de leur rendez-vous, au sud.

Quand ils furent sains et saufs à bord de l'avion, avec les bols de bouillon brûlant pour leur réchauffer les mains, Ruggles lança un coup de coude dans les côtes de Nate.

— Un vrai pique-nique, non ?

— Facile : les Japs nous ont évités. Mais quand vous voudrez pique-niquer à Siska, oubliez de m'inviter.

***

La reconquête d'Attu par les Américains, qui commença le 11 mai 1943, fut une des batailles décisives de la Seconde Guerre mondiale. Relativement peu de troupes furent impliquées mais elle mit fin aux espoirs du Japon d'utiliser une tête de pont en Alaska pour attaquer les États-Unis et le Canada. Les Japonais chargés de la défense d'Attu formaient une unité résolue de deux mille six cents soldats de premier ordre, conscients de l'importance de cette tête de pont en territoire américain. Sous les ordres d'officiers pleins d'audace et de jugement, ils avaient construit une ligne de positions qui représentaient le summum de l'art de la guerre défensive. Mais il y avait aussi dans la terre des trous creusés par la nature et aménagés sommairement, dans lesquels des soldats japonais se réfugieraient, sachant bien qu'à part un miracle inconcevable, ils n'avaient aucune chance de quitter l'île. Des grottes capables de loger deux hommes flanquaient les accès que les Américains utiliseraient probablement, et il existait une série de positions redoutablement bien tracée, qui garantissait la mort des attaquants mais aussi la mort certaine des défenseurs japonais. Vaincre des Japonais héroïques comme ceux-là au milieu des orages de l'Arctique et des bourrasques sibériennes serait un avant-goût de l'enfer.

Pour remporter cette victoire, seize mille fantassins américains, aidés par quelques Éclaireurs d'Alaska et des forces aériennes américaines illimitées exercèrent une pression sans relâche, au prix de pertes effrayantes dans les rangs des attaquants comme dans ceux des défenseurs. À la veille de cette bataille étrange, livrée aux confins des empires, l'issue de toute la guerre du Pacifique demeurait en suspens : le Japon, agresseur audacieux jusque-là, allait devenir un défenseur enragé ; tandis que l'Amérique, géant ensommeillé surpris en perte d'équilibre, rassemblait tardivement ses forces pour une série de coups de boutoir mortels. Quand le soleil se coucha ce soir-là pour faire place à une pénombre maussade, nul ne pouvait prévoir comment la bataille d'Attu se déroulerait ; mais dans chaque camp les hommes impliqués rivalisaient en bravoure et en détermination : ils défendraient jusqu'au bout leurs modes de vie divergents.

À l'aurore, une flotte de guerre redoutable apparut à travers les brumes, cap vers la pointe nord-ouest d'Attu. Nate et Ben, de leur péniche de débarquement, regardèrent émerveillés l'énorme cuirassé *Pennsylvania* mettre ses gros canons en batterie pour pulvériser la plage où les troupes allaient bientôt débarquer. D'énormes obus de cent cinquante balayèrent la plage mais sans tuer un seul Japonais, car leurs défenses étaient si résistantes que seul un coup direct pouvait les dévaster — et même ainsi les dégâts proviendraient de la chute de débris que l'on enlèverait aussitôt.

La plus importante section de la flotte américaine sortit des brumes qui ensevelissaient la baie du Massacre, et d'énormes bateaux purent vider leur chargement et leurs hommes sans opposition sérieuse. Mais une fois à terre — comme Nate l'avait prédit, et comme il le vit maintenant depuis son bateau — les attaquants durent remonter les collines en direction d'Holtz Bay, autour de laquelle les Japonais avaient établi leur périmètre de défense. Ce qui avait paru au début une opération facile se transforma en un assaut douloureux, balayé par la pluie et enlisé dans la boue, avec des centaines d'Américains qui recevaient les balles presque toujours mortelles de tireurs embusqués. Un nombre incroyable d'Américains mourut ainsi sans avoir vu l'ennemi.

Pendant dix-neuf jours de terreur, en général sans repos et souvent sans vivres, les Américains attaquèrent. Pendant cet assaut sans répit Nate Coop et Ben Krickel se couvrirent mutuellement, partagèrent leur terrier ou coururent ensemble lancer des grenades activées dans la gueule des grottes d'où provenait le feu des tireurs d'élite.

— Toujours pareil, dit Ben haletant après l'attaque d'une grotte. Tu lances ta grenade et tu entends trois explosions. Les deux hommes à l'intérieur l'ont vue arriver, et ils ont dégoupillé leurs propres grenades... Ils aiment le travail propre.

Pendant une de ces périodes d'enfer, le groupe de Nate nettoya les grottes de tout un versant, une à la fois, la plupart du temps avec cet écho rythmé effarant de trois explosions par grenade américaine. On ne faisait aucun prisonnier, on mangeait peu, personne ne dormait dans des vêtements secs. Ce fut une bataille poignante contre des ombres : pas de baïonnettes, presque pas de coups de mortiers, simplement le nettoyage méthodique et terrifiant d'installations que l'on ne pouvait attaquer d'aucune autre manière. Aucun soldat américain ne se battit jamais dans des conditions plus difficiles que celles d'Attu ; aucun soldat japonais ne défendit ses positions avec un plus grand sens de l'honneur.

Après huit journées consacrées à cette élimination grotte par grotte, quinze cents ennemis étaient morts — mais aussi plus de quatre cents Américains. Puis vint l'assaut final où disparaîtraient onze cents Japonais de plus, et cent cinquante autres Américains. Dans les deux camps, ils mourraient sous une pluie glacée, au milieu de vents soufflant en tempête et dans la boue. Aucun ne perdit la vie d'une manière plus cruelle que le brave officier américain à la tête du détachement de Nate et de Ben lors de l'attaque d'une colline — même pas les six Japonais responsables de sa mort.

Comme le capitaine Ruggles appartenait à l'aviation, il aurait dû se trouver en plein ciel, dans un avion secoué par la tempête, mais à cause de ses capacités à décider de l'emplacement d'une piste d'envol dans les premières heures d'un débarquement, on l'avait détaché pour ainsi dire en permanence à un des postes les plus dangereux, car une fois sa principale mission accomplie, il devenait un fantassin comme les autres — sauf que sa bravoure exceptionnelle le faisait remarquer de tous.

La responsabilité que se donna Ruggles semblait un simple travail de routine. Les attaquants américains formaient un cordon au bas d'une pente qui grimpait brusquement vers le nord ; les défenseurs japonais s'étaient enfoncés dans une ligne de grottes le long de la crête de la colline. Au premier abord, la tâche des Américains paraissait impossible, mais Ruggles avait conçu une solution depuis longtemps ; elle exigeait une coordination précise.

Ruggles et un ou deux de ses hommes de confiance avançaient en plein centre de la colline, protégés par un feu de couverture de leur groupe pour chasser les Japs de l'entrée de leurs grottes. Pendant ce temps, des grimpeurs habiles, le plus loin possible à gauche et à droite, formaient une sorte de mouvement de tenaille qui aboutirait à une position sur un niveau supérieur à celui de la ligne des grottes ; de là ils redescendraient vers les grottes en rampant de l'arrière et détruiraient l'ennemi avec des grenades lancées dans les ouvertures.

Cette manœuvre coordonnée réussissait quand toutes les parties fonctionnaient parfaitement, et Ruggles était l'un des meilleurs.

— On termine cette ligne de grottes et on va se chercher un peu de bouffe chaude.

Mais cette fois, il y aurait une différence subtile. En effet, au milieu de la pente s'élevait une bosse légère mais assez large, à peine observable d'en bas. En la voyant on aurait supposé que les Japonais y avaient creusé des trous orientés vers le bas pour ralentir la montée des Américains. Mais ils avaient procédé autrement : ils avaient creusé six refuges sur le versant opposé du monticule, tous orientés *vers le haut*. Quand ces abris furent prêts, le colonel à la tête de l'unité lança d'un ton solennel :

— L'empereur demande douze volontaires.

Douze jeunes Japonais, loin de leur foyer et décharnés par manque de nourriture, s'avancèrent, saluèrent, et descendirent deux par deux dans les abris condamnés.

Ils étaient condamnés parce que la tactique qu'ils devaient exécuter partait d'un principe suicidaire :

— Vous laisserez les attaquants américains dépasser vos positions. Attendez qu'un nombre important soit passé, puis ouvrez le feu dans leur dos au moment où ils s'y attendront le moins.

De nombreux Américains périraient ainsi, mais bien entendu, les douze hommes des refuges seraient massacrés dès que leur position serait connue.

Comme il fallait s'y attendre, Ruggles prit la tête de l'assaut au centre du terrain, flanqué de Nate à gauche et de Ben à droite, pendant que deux groupes spécialisés grimpaient de chaque côté de l'escarpement pour redescendre sur les grottes d'en haut en les prenant à revers. Tout se passa comme prévu, sauf qu'au moment où Ruggles et son groupe du centre dépassèrent le monticule à mi-pente, les Japonais les laissèrent remonter d'une douzaine de mètres puis leur tirèrent dans le dos, presque à bout portant. Comme bien souvent, la plupart des tireurs visèrent le chef de groupe, et le capitaine Ruggles tomba avec sept balles dans le corps. Une autre balle toucha Ben Krickel à l'épaule gauche. Trois autres rafales tuèrent deux des compagnons de Nate et une dernière balle frôla l'oreille de Nate lui-même.

Quatre Américains survécurent, y compris Krickel blessé, et pendant un instant ils demeurèrent en pleine confusion. Mais Nate vit aussitôt ce qu'il fallait faire.

— Ben ! On recule derrière la bosse.

Il entraîna les restes du groupe sur le côté inférieur du monticule, où les hommes des grottes ne pourraient plus les attaquer. Ils se regroupèrent, et en voyant leur capitaine déchiqueté dix mètres au-dessus de la bosse, une rage froide s'empara d'eux. Même Ben Krickel, grièvement blessé, insista pour participer à l'action suivante. Par hasard, sembla-t-il, Nate prit le commandement.

— On rampe à plat ventre, on amorce des grenades et dès qu'on arrive en haut de la bosse on les balance dans leurs trous.

Et c'est ce que firent ces quatre vengeurs résolus : ils s'avancèrent vers les refuges pour les prendre à revers, sans tenir compte des balles qui pleuvaient depuis la crête supérieure, ils lancèrent leurs grenades mortelles dans l'ouverture des abris, puis reculèrent en attendant les trois explosions.

Les deux refuges aux extrémités droite et gauche demeuraient en activité.

— Je prends celui-ci ! lança Nate. Ben, à toi l'autre.

Mais à l'instant où il criait cet ordre, il s'aperçut que Ben venait de s'évanouir et il braqua l'index vers un jeune gars du Nebraska.

— Nettoie-moi tout ça.

Seulement il ne restait plus de grenades. Deux des hommes déchirèrent leurs chemises en longues bandes que le troisième arrosa de pétrole (ils en emportaient toujours pour ce genre de situation). Puis ils allumèrent ces brûlots à l'entrée des deux trous. Dès que les quatre Japonais voulurent sortir pour pouvoir respirer, les Américains les assommèrent à coups de crosse qui leur ouvrirent le crâne.

La prise de cette colline constitua l'une des dernières batailles rangées des forces américaines sur Attu. Ce soir-là, chacun supposa que les Japonais étaient enfin vaincus. À minuit, personne ne montait donc la garde, on entendit pourtant de faibles bruits sur le flanc d'une colline où n'aurait dû se trouver aucun Japonais ayant son bon sens. Puis ce fut une sorte de piétinement, et enfin les cris d'une charge *banzaï :* des hommes déterminés à tuer ou à mourir. L'enfer explosa sur ce coin de front mal défini. Les Japonais, rendus fous par l'imminence de leur dernière heure, se jetaient en tous sens, saisissaient les fusils braqués vers eux, tailladaient avec leurs épées courtes, mettaient le feu à tout ce qu'il leur tombait sous la main.

Irrésistibles, ils envahirent des positions qu'aucun être humain ordinaire n'aurait pu attaquer, encore moins soumettre. Et en arrivant, ils hurlaient. Près d'une heure s'écoula avant que Nate et ses hommes établissent un semblant de ligne de défense. Puis des choses surprenantes commencèrent à se produire. Un Japonais, ne brandissant qu'une branchette de quarante centimètres de long, se jeta sur un soldat américain en armes, écarta le fusil, gifla l'Américain stupéfait avec son rameau, poussa un cri et disparut dans le noir. Deux autres Japonais, avec des baïonnettes plus ou moins bien attachées au bout de bâtons, se précipitèrent sur Ben Krickel, pour le poignarder avec leurs armes branlantes. Ils le touchèrent, mais les baïonnettes glissèrent et avec son bras valide il assomma les deux hommes à grands coups sur le crâne.

Le plus fou de tous les Japonais fut le dernier. En psalmodiant un chant sauvage, un pistolet au poing, il surmonta tous les obstacles pour se jeter sur Nate Coop, qui ne parvint pas à l'écarter. Il braqua le pistolet contre le visage de Nate, poussa un cri et appuya sur la détente. Nate entendit le déclic et se crut mort. Mais rien ne se produisit. D'un coup de baïonnette l'Indien tua le Japonais. Quand il prit entre ses mains le pistolet de l'homme, il s'aperçut que c'était un jouet d'enfant, garni de capsules ! Il arracha l'arme inoffensive des mains du mort, appuya sur la détente deux fois et les échos des capsules se répercutèrent dans l'aube boueuse. La bataille d'Attu était terminée.

***

Restait seulement Kiska, beaucoup moins vaste qu'Attu mais beaucoup mieux défendue : les rapports des services de renseignements signalaient deux fois plus de Japonais sur Kiska — cinq mille trois cent soixante — et des installations défensives dix fois plus puissantes. Pour s'emparer de l'île, plus de trente-cinq mille soldats américains se lancèrent vers les Aléoutiennes avec l'armada la plus colossale qui ait jamais opéré sur ce front. Cette fois, on n'envoya aucun éclaireur en reconnaissance, et Nate s'en félicita. C'était inutile, les puissantes installations japonaises étaient visibles du ciel.

À la place, la 11e Escadre aérienne lâcha sur l'île une quantité incroyable d'explosifs puissants — certains avions décollaient de la base récemment mise en service sur Attu, plus à l'ouest. Et une imprimerie d'Anchorage livra cent mille tracts implorant les Japonais de se rendre, mais ceux-ci eurent encore moins d'effet que les bombes — qui ne servirent à rien. De nouveau, pour la dernière fois dans les Aléoutiennes, les Japonais s'enfoncèrent dans la terre, et les en déloger s'annonça comme l'action culminante de cette campagne meurtrière.

Dix semaines après la chute d'Attu, la colossale force de débarquement était prête. De nouveau, le général Shafter se rendit dans les Aléoutiennes avec son pilote LeRoy Flatch, pour participer aux dernières réunions d'état-major. LeRoy voulut voir son beau-frère, et il trouva Nate morose et nerveux.

— Si les Japs bougent le petit doigt, je suis certain qu'on va me désigner pour aller voir, avec Ben si son bras est guéri.

— Où est Ben ?

— À l'hôpital militaire. Pour soigner son bras.

L'agitation inhabituelle de Nate inquiéta LeRoy :

— Quelque chose ne va pas ?

— Non ! Pourquoi ? se rebiffa Nate.

— Tu sais, toutes ces batailles... et la blessure de Ben.

Ils trouvèrent le vieil éleveur de renards, très fatigué, dans le poste de secours où l'on finissait de bander sa blessure. Il paraissait beaucoup plus âgé que ses cinquante et un ans. Comme Nate, il était extrêmement inquiet. Il se montra cependant fort surpris en voyant LeRoy claquer des talons, saluer et lui dire d'un ton officiel :

— Monsieur Krickel, je suis venu en avion jusqu'à cette station balnéaire estivale pour vous demander la main de votre fille.

Le poids des ans déserta le visage de Ben, marqué par les combats. La douleur de son bras blessé disparut. Il dévisagea le jeune Flatch et lui demanda d'une voix douce :

— Où est Sandy ?

— A Anchorage. Elle a un bon travail. Avec l'appui du général Shafter, j'ai pu la faire sortir du camp de concentration, et nous allons nous marier... avec votre permission.

Ben et Nate, ravis, se mirent à lui lancer des bourrades, mais il les arrêta :

— Sandy m'a dit qu'elle ne se marierait jamais sans votre consentement, Ben. Vous êtes son père et sa mère à la fois. J'ai votre autorisation ? demanda-t-il en regardant le vieil îlien dans les yeux.

— Tu l'as, petit, répondit Ben sans sourire. Et cela dit, allons nous saouler.

Ils n'en eurent pas le temps. Un planton arriva de la conférence des généraux : Nate et Ben devinèrent ce que cela signifiait. Oui, si Ben était rétabli, ils devaient faire une dernière sortie derrière les lignes ennemies.

— Les Japs ont un comportement étrange. Nous devons savoir quel genre de problème vont poser ces plages de Kiska. Jamais vous ne nous avez mal renseignés, messieurs.

Le général qui commanderait l'opération donna à Ben une claque sur le bras :

— Assez bien réparé pour que vous fassiez l'essai ?

Ben et Nate comprirent qu'un seul instant d'hésitation leur permettrait d'éviter cette mission dangereuse, mais l'éleveur de renards répondit :

— Je suis prêt.

Avant l'aurore, ces deux hommes loyaux de la Frontière, prototypes même de tous les Alaskans, se retrouvèrent donc dans leur pneumatique, en train de ramer doucement avec l'hydravion en attente, que les vagues sombres des Aléoutiennes ne cessaient de soulever et d'engloutir. Comme le capitaine Ruggles n'était plus, ils se trouvèrent sous les ordres d'un jeune lieutenant enthousiaste de l'armée de terre, du nom de Gray.

— Pas question de rangs entre nous, leur dit-il quand ils se rapprochèrent de la plage. Vous en connaissez plus long que moi sur ce boulot... Mais quand vous vous élancerez, je serai là, ajouta-t-il comme pour les rassurer. Vous pouvez compter sur moi.

Tandis qu'ils ramaient dans le noir vers ce qui risquait d'être une confrontation violente, Gray murmura :

— Merde ! Débarquer sur une petite île occupée par une armée entière de Japs !...

Comprenant que le jeune officier essayait de se donner du courage, Ben répondit dans un murmure :

— Kiska a presque trois cents kilomètres carrés. Nous aurions peut-être du mal à trouver les Japs même si nous le désirions.

Puis, pour soulager la tension, il ajouta :

— Vous étiez à Attu, mon lieutenant ?

Gray répondit qu'il avait commandé une des attaques de nettoyage à Holtz Bay.

— Dans ce cas, vous n'avez rien à prouver, lui dit Ben avec beaucoup de chaleur.

Et Ben avait raison, car au cours des premiers instants dangereux où les trois hommes bondirent sur la plage et se mirent à courir, au cours des secondes fatales où des mitrailleuses dissimulées auraient pu les couper littéralement en deux, ce fut Gray, désormais sans peur, qui prit la tête et continua d'avancer jusque loin dans les terres. Mais quand ils eurent traversé la plage et se trouvèrent miraculeusement en sécurité, une chose affreuse se produisit : Gray, qui exultait de s'être parfaitement comporté, se tourna pour demander à son conseiller :

— Que faisons-nous à présent, Ben ?

Or l'éleveur de renards, qui était si calme dans le canot, s'était mis à trembler — il grelottait comme s'il était secoué par un violent blizzard — et Gray et Nate comprirent aussitôt que, à bout de résistance, il ne pourrait plus jouer son rôle au sein de l'équipe.

Pendant un instant, le jeune lieutenant resta sans voix, comprenant que son groupe se trouvait dans une position fort risquée avec un tiers de son effectif immobilisé. Mais Nate dissimula Ben derrière un rocher, et lui chuchota d'un ton de consolation :

— Tout va bien. Attends ici. Nous reviendrons.

Puis il se dirigea vers Gray et lui dit :

— Nous nous séparons. Sans bruit. Nous traçons le cercle pour nous écarter puis nous nous dirigeons vers ce gros machin là-bas. Je ne vois pas ce que c'est.

Sans se sentir dépossédé de son autorité, Gray répondit :

— Excellente idée.

Puis il décampa comme un lapin.

Les deux hommes se retrouvèrent auprès d'un groupe électrogène abandonné, et ni l'un ni l'autre n'eut l'audace d'exprimer ce qu'il avait en tête. Nate fouina de tous les côtés puis se trouva obligé de parler :

— Je crois qu'il n'y a personne ici.

— Moi aussi, murmura Gray.

Mais des échos de sa formation refirent surface. Un survivant ronchonneur des premiers jours de combat à Guadalcanal les avait prévenus lors d'un passage au centre d'entraînement de Gray, au Texas : « Messieurs, le soldat japonais est le salopard le plus rusé de la Terre. Il trouve des dizaines de façons de vous blouser. Des mines piégées, des tireurs d'élite embusqués dans les arbres, des bâtiments vides pour vous faire croire qu'ils les ont abandonnés. Si vous mordez à l'appât une seule fois, vous êtes mort... mort... mort. »

Les bâtiments devant eux, menaçants ne fût-ce que par leur silence de mort, semblaient un exemple parfait de la perfidie japonaise, et les genoux de Gray faiblirent :

— Tu crois que c'est un piège ?

— Nous avons intérêt à le découvrir, chuchota Nate.

— Couvre-moi ! ordonna Gray en reprenant le commandement.

Avec une bravoure dont peu d'hommes se seraient montrés capables, il s'élança tout droit vers un groupe de bâtiments qui avaient dû abriter réfectoire, cuisine et laverie. Dès qu'il y parvint, il sauta en l'air en agitant les bras et cria :

— C'est vide.

Avant que Nate puisse le rattraper, il se mit à courir en tous sens et à faire un tapage invraisemblable en courant d'un bâtiment à l'autre... Tous vides. Puis il se rappela qu'il assumait le commandement, mais il était tellement excité qu'il eut du mal à lancer un ordre.

— Essayons encore celui-là, et s'il est également vide, nous enverrons notre signal.

Les deux hommes rampèrent vers ce qui aurait dû servir de poste de commandement, qui était souterrain et vide. Gray saisit le bras de Nate dans le noir.

— On leur dit ? demanda-t-il.

— Envoyez le message, répondit Nate.

Gray mit sa radio en marche et cria :

— Ils sont tous partis ! Il n'y a personne ici.

— Répétez ! leur parvint la voix sèche du commandant de la flottille.

— Il n'y a aucun ennemi ici. Je répète : personne ici.

— Vérifiez. Rendez compte dans dix minutes. Puis retournez à votre hydravion.

Ce furent dix minutes étranges, dans la nuit des Aléoutiennes avec les vents qui déferlaient de Sibérie : deux Américains abasourdis essayaient d'imaginer comment une armée japonaise entière avait pu quitter l'île sous le nez des Américains dont les bateaux patrouillaient les mers et les avions, le ciel.

— Ils ne pouvaient pas tous filer ! s'écria Gray, avec un mouvement d'humeur. Et pourtant ils l'ont fait.

Il se mit à courir pour savourer sa grande découverte, mais Nate

Coop revint vers la plage auprès de Ben Krickel. Quand il vit l'état pitoyable dans lequel son ami se trouvait, il se mit à trembler à son tour. Puis le lieutenant Gray arriva en criant :

— Les dix minutes sont écoulées. Nous pouvons confirmer.

— Allez-y ! répondit Nate.

Mais la nouvelle fracassante ne lui donna aucune joie, et pendant le retour vers l'hydravion il rama machinalement sans trop savoir où il était.

Ainsi donc, une armée américano-canadienne parfaitement équipée de trente-cinq mille hommes débarqua sans rencontrer aucune opposition. Cependant, le premier après-midi, un bombardier américain d'Amchitka, qui n'avait pas appris la nouvelle, effectua sa mission comme prévu, vit ce qu'il prit pour des soldats japonais se déplacer et lâcha ses bombes. Deux morts.

Le général, refusant de croire que les Japonais avaient pu évacuer une île entière alors que les bombardiers ne cessaient de la survoler en mission d'inspection, détacha des patrouilles armées jusqu'aux dents pour s'assurer qu'il ne restait aucune poche de Japonais cachés dans des grottes et prêts à contre-attaquer. Cette précaution se justifiait, et le ratissage se fit avec la prudence de rigueur. Mais les hommes venus de si loin pour se battre avaient tellement envie de le faire qu'en entendant les bruits suspects qui montaient d'un autre groupe dans un repli de terrain, un caporal américain nerveux ordonna une fusillade, à laquelle répliqua un sergent canadien également nerveux. Dans l'accrochage insensé qui s'ensuivit, vingt-cinq soldats alliés trouvèrent la mort sous des balles alliées, et plus de trente furent blessés.

Telle fut la dernière bataille de la campagne des Aléoutiennes. La tentative d'invasion de l'Amérique par le nord, lancée par les Japonais, avait échoué.

⁂

À peine la paix fut-elle rétablie dans le Pacifique, qu'une guerre d'importance égale pour l'Alaska éclata soudain. Pour apprécier toute sa portée, il faut suivre ce qui allait arriver aux deux jeunes couples de la famille Flatch dans les mois qui suivirent les explosions de deux bombes atomiques sur le Japon et l'effondrement consécutif de l'effort de guerre japonais.

Nate Coop, que l'expérience de la guerre avait endurci et mûri, étonna tout le monde en annonçant :

— Je vais toucher ma solde de fantassin et suivre les cours de l'université de Fairbanks.

— Pourquoi ? demanda la famille entière presque à l'unisson.

— Pour étudier les problèmes de conservation des espèces sauvages.

— Qui t'a mis en tête une idée aussi folle ? lancèrent-ils en chœur.

— Un caporal, Dash Hammett, répondit-il sans s'expliquer davantage. Il m'a dit : « Quand la guerre sera finie, magne-toi le cul et apprends quelque chose. »

Après le premier choc, sa femme le soutint, car elle se rappelait le conseil de Missy Peckham : « Si tu as pu apprivoiser un orignal, tu pourras civiliser Nate. » Elle l'accompagna à Fairbanks.

LeRoy Flatch, devenu capitaine d'aviation, se vit offrir par son supérieur, le général Shafter, un poste qui lui assurerait une promotion aux grades de commandant et de lieutenant-colonel.

— Ensuite, tout dépendra de l'impression que tu feras sur tes supérieurs, mais j'ai confiance : tu deviendras général un de ces jours... si tu complètes un peu ton éducation.

Malgré les conseils similaires de ses collègues officiers, LeRoy préféra quitter l'armée et reprendre sa carrière de pilote du Grand Nord. Pour satisfaire cette ambition, il décida d'utiliser sa prime de démobilisation comme premier versement sur l'achat d'un quatre-places d'occasion, un Stinson Gull-Wing (prix total, dix mille dollars), dont l'ancien propriétaire était un génie de la mécanique. L'avion une fois modifié avait des roues et des skis fixés en permanence. LeRoy pouvait donc décoller avec les roues, voler vers un terrain couvert de neige en haute montagne et activer un système hydraulique qui escamotait les roues au milieu des grands skis de bois. Au retour, il pouvait décoller sur skis, appuyer sur un bouton hydraulique et sentir les roues descendre par les fentes. Bien entendu, comme le système était fixe, il ne pouvait plus monter des flctteurs pour les lacs en été. Et pour s'assurer un maximum de flexibilité, il acheta aussi une version modernisée de son ancien Waco YKS-7, qui avait des flotteurs. L'augmentation des prix le choqua : il avait payé trois mille sept cents dollars son premier Waco, il lui fallut six mille trois cents dollars pour le remplacer. Il le laissa sur un lac près de sa cabane.

Mais il avait maintenant une épouse, Sandy — ex-Krickel, habituée à la vie libre en plein air des Aléoutiennes, et surtout aux expéditions où elle accompagnait son père dans des îles isolées comme Lapak. Elle n'envisagea pas d'un cœur joyeux de se trouver enfermée dans une cabane de Matanuska avec ses beaux-parents.

Matanuska avait connu un tel succès, malgré la publicité négative au départ, que la moitié des gens qui venaient en Alaska désiraient s'installer dans la vallée. LeRoy et Sandy ne pourraient donc rien trouver qui leur convienne. Sandy proposa d'acheter de la terre plus haut vers le glacier pour y construire leur maison bien à eux, mais LeRoy lui fit remarquer qu'avec deux avions il ne pouvait pas se mettre une maison sur les bras.

— Pourquoi ne pas acheter un seul avion ? demanda-t-elle.

— Roues, skis, flotteurs, pneus « toundra »... Un type comme moi doit tout avoir.

Et l'éventualité d'une maison s'estompa.

Or au même moment, un vieil ami, ou plutôt quatre vieux amis l'aidèrent à prendre une décision radicale, dont il allait se féliciter. Tom Venn, de Seattle, dont les entreprises R & R prospéraient depuis la reprise des affaires au lendemain de la paix, désirait se réinstaller au Filon Venn, non loin des grands glaciers du Denali.

— J'aimerais y passer davantage de temps. Lydia aussi. Et les jeunes, Malcolm et Tammy, insistent aussi. J'aimerais que vous déposiez là-bas tout ce qu'il faut, LeRoy, et que vous puissiez surveiller la maison pendant nos absences.

— Je suis pilote, pas agent immobilier, répondit LeRoy d'un ton abrupt.

— C'est vrai, répondit Venn. Mais dans les années qui viennent, votre type de trafic devrait se centrer sur un endroit beaucoup plus au nord d'Anchorage. La concurrence des grands avions vous tuera si vous restez à Matanuska.

Comme Venn avait démontré plus d'une fois son sens aigu des

affaires, LeRoy prêta l'oreille et enregistra ce que son ami plus âgé lui expliqua lorsqu'ils consultèrent des cartes du centre de l'Alaska.

— Cette étendue entre Anchorage et Fairbanks s'appelle à juste titre la Railbelt parce que la voie ferrée, telle qu'elle existe, relie tout ensemble. C'est là que la vitalité de l'Alaska se concentrera à l'avenir, et c'est là que vous devez vous installer désormais.

Le doigt impérieux de Venn se posa sur le Filon.

— Notre propriété est ici, près des montagnes. Matanuska, votre base actuelle par là, se trouve beaucoup trop loin pour nous desservir correctement. Fairbanks me semble beaucoup trop au nord, mais il existe ici, au milieu, une charmante petite ville qui porte le nom des montagnes : Talkeetna. À distance facile de chez nous. Beaucoup de mines ont besoin d'avions dans la région. Beaucoup de lacs avec une ou deux cabanes sur les berges ont besoin d'épicerie. La voie ferrée passe au milieu, mais pas la route, ce qui est excellent. Talkeetna reste à l'écart. Calme. La Frontière.

— Vos arguments sont convaincants, remarqua LeRoy.

— J'ai réservé le plus convaincant pour la fin, répondit l'homme d'affaires rusé. Installez-vous à Talkeetna et je financerai vos deux avions sans intérêt.

— Talkeetna vient à l'instant de devenir ma base d'opération, répondit LeRoy, et il ajouta après un temps de réflexion : Vous savez, monsieur Venn, quand on a été capitaine d'aviation responsable de gros avions, on commence à voir grand et on a envie de faire quelque chose de sa vie ; j'ai une femme et tout. La meilleure chose que je puisse imaginer, c'est d'être un pilote du Grand Nord vraiment bon, le roi de cette Frontière.

Il posa la main sur la Railbelt, qui deviendrait désormais son territoire, avec ses aérodromes reculés, ses brouillards de neige aveuglants, ses lacs cachés, ses orages, ses merveilles.

Venn claqua des doigts et loua une voiture. Ils parcoururent ensemble les cent trente kilomètres de route lugubre jusqu'à la ville endormie de Talkeetna, avec ses maisons de bois — population : cent habitants. Pendant le trajet, LeRoy se désola du caractère sinistre de la région mais dès qu'ils quittèrent la grand-route pour s'engager dans la déviation de Talkeetna, ils montèrent une petite colline du haut de laquelle il y avait une vue splendide de la grande chaîne du Denali, haute, blanche, sévère : la sentinelle de l'Arctique. Le spectacle était si majestueux (et si rare étant donné qu'en général les nuages bouchent la vue) que les deux hommes s'arrêtèrent, rangèrent la voiture sur un côté et admirèrent cette révélation spectaculaire du cœur de l'Alaska.

— On dirait que les montagnes vous lancent une invitation, LeRoy.

Le jeune ancien combattant entrevit beaucoup mieux ce que serait la vie dans cette région au cours de son âge mûr.

Mais alors même qu'ils admiraient cette journée si parfaite, un front d'orage se précipita de Sibérie à une vitesse effarante et en quelques minutes les montagnes se perdirent. LeRoy comprit qu'en déplaçant sa base à Talkeetna il s'attaquait à toute une nouvelle série de problèmes. Il lui faudrait encore voler vers des lacs reculés où des vieillards se mouraient, où de jeunes femmes se préparaient à accoucher, et il courrait toujours le risque de se faire prendre dans des tempêtes soudaines. Mais au nord-ouest s'élèverait cette chaîne prodigieuse de montagnes enneigées, et s'il voulait réellement voler, il faudrait qu'il les maîtrise : qu'il atterrisse à skis à deux mille cinq cents mètres pour amener et aller chercher les alpinistes, ou qu'il vole à cinq mille mètres pour explorer les pentes du grand Denali à la recherche d'un cadavre. Tel était le genre de vol qu'un pilote non seulement acceptait comme une gageure, mais recherchait.

À l'instant où disparurent ces grandes montagnes qui deviendraient ses balises blanches dans les années à venir, il dit à mi-voix :

— Je vais le faire.

— Vous ne le regretterez jamais, répondit Venn.

Ainsi fut décidée l'installation à Talkeetna, avec sa piste de terre et les lacs dans les environs.

Sandy ne trouva pas une maison à leur portée, mais avec le prêt des Venn, ils purent en faire construire une : et quand ils furent installés ce fut elle qui proposa de s'occuper du Filon Venn pendant que son mari volait. Elle acheta aussi ce qu'elle appelait « son beau petit bidule », une radio qui lui permettait de parler à son mari quand il volait vers un site reculé, ou se hâtait de rentrer devant un orage.

Cette installation de Talkeetna fut l'une des meilleures décisions de LeRoy Flatch, car elle l'initia au cœur même de l'Alaska, la Railbelt qui reliait les deux plus grandes villes. En tant qu'aviateur il avait considéré le chemin de fer comme une double ligne salvatrice à suivre par temps de visibilité nulle. Mais à présent, plusieurs trains quotidiens s'arrêtaient à Talkeetna, et permettaient de gagner facilement Fairbanks. Il admira aussi le travail fantastique fourni par les Alaskans pour construire cette voie, la plus septentrionale du monde. Et la beauté exceptionnelle qui baignait le pays au cours de quelques semaines fugitives, en fin août et novembre, l'enchantait particulièrement.

Les aulnes nains devenaient d'un or flamboyant et les buissons d'airelles d'un rouge feu, tandis que les épicéas majestueux offraient une toile de fond verte se détachant sur le blanc pur et glacé du mont Denali dans le lointain. C'était l'Alaska sous son meilleur jour, et LeRoy dit à sa femme :

— On ne peut le voir que depuis le train. Quand on se penche de l'avion tout se brouille.

— De l'endroit où je suis, lui répondit-elle, ce n'est pas si mal.

Plus tard, lorsqu'ils volèrent au Filon pour dîner avec les Venn, ils apprirent que d'autres avaient des rêves fort différents sur l'avenir de l'Alaska.

— On commence à beaucoup parler de cette idée insensée d'accorder un statut d'État à l'Alaska, dit Tom Venn après le dîner, en regardant fixement les deux jeunes gens. Vous soutenez une bêtise pareille ?

Comme la question ainsi formulée impliquait une réponse négative, Sandy Flatch préféra temporiser. En faveur du statut d'État, mais de manière vague et sans passion, elle exprima une opinion que l'on entendrait beaucoup dans les mois à venir :

— Je me demande si nous avons une population assez nombreuse...

— Absolument pas ! répondit Venn d'un ton ferme. Et vous LeRoy ?

Comme il devait encore aux Venn beaucoup d'argent pour ses deux avions et sa maison, et dépendait d'eux pour les affaires qui maintenaient à flot sa compagnie d'un seul homme, il jugea plus sage de se montrer évasif. Mais il adhérait fortement à l'opinion toute militaire qu'il offrit :

— La principale valeur de l'Alaska pour les États-Unis, peut-être même sa seule valeur, c'est de constituer un bouclier stratégique dans l'Arctique. Avec nos ressources limitées, jamais nous ne pourrons défendre ce territoire contre l'Asie. Et avec le communisme russe en train de faire tache d'huile partout, les Asiatiques peuvent nous tomber dessus à tout moment.

— Vous avez vraiment tapé dans le mille..., lança Venn avec enthousiasme. Lydia, explique-leur l'autre grande idée qu'ils n'ont pas vue, ajouta-t-il en se tournant vers sa femme.

Lydia entra dans la conversation avec une vigueur surprenante.

— Mon père le voyait ainsi dans le temps. Je le constate à présent. Jamais l'Alaska n'aura les hommes, le pouvoir ou les finances pour opérer en tant qu'État indépendant comme les autres. Il doit forcément dépendre de l'aide du Sud du Quarante-Huitième.

— Et cela signifie Seattle, aujourd'hui comme toujours, enchaîna son mari. Nous pouvons, à Seattle, réunir l'argent des autres États. Et quand nous l'avons, nous savons toujours quoi en faire.

— Ma famille, par exemple, ajouta Lydia d'un ton persuasif, a toujours essayé d'agir pour le bien de l'Alaska. Nous veillons sur les gens d'ici comme s'ils appartenaient à notre propre clan. Nous contribuons à leur éducation. Nous défendons leurs droits au Congrès. Et nous traitons leurs indigènes beaucoup mieux qu'ils ne le font eux-mêmes.

Pendant la majeure partie des deux heures, les deux Venn exposèrent sans répit la doctrine devenue sacro-sainte à Seattle : un statut d'État serait néfaste pour la population de l'Alaska, néfaste pour l'industrie, néfaste pour l'avenir de la région — et naturellement, bien que les Venn ne l'eussent jamais dit de façon si claire (même entre eux), encore plus néfaste pour les intérêts de Seattle. Les deux Flatch, qui avaient abordé cette conversation fortuite sans convictions bien arrêtées, repartirent de chez les Venn, persuadés qu'il fallait absolument éviter le statut d'État.

La deuxième famille Flatch, mûrie par ses études universitaires, entra dans l'autre camp pour cette bataille. Flossie Coop ne gardait du Minnesota que des souvenirs vagues et en général désagréables, bien qu'elle eût déjà dix ans lors de sa dernière année dans cet État.

— Il y faisait vraiment très froid, dit-elle à Nate qui n'était jamais allé à l'Extérieur. Beaucoup plus mauvais qu'à Matanuska. Et nous n'avions jamais assez à manger. Papa devait braconner pour nous ramener un wapiti de temps en temps. Je l'ai quitté sans regret, sans le moindre regret.

— Où veux-tu en venir ?

— Eh bien, j'étais comme on dit « encline » à aimer l'Alaska. Pour moi, ce fut la liberté, des légumes énormes, un glacier au fond de la vallée et un orignal apprivoisé. De la joie, un monde nouveau en train de naître, des voisins fantastiques comme Matt Murphy et Missy Peckham, l'impression de faire partie de l'Histoire...

Elle s'interrompit, les larmes aux yeux et se pencha pour embrasser son mari.

— ... tout ce que tu as fait pendant la guerre, ajouta-t-elle.

Aigrie soudain, elle se leva pour arpenter la cabane :

— Et ce que mon père a fait pour la route. La façon dont LeRoy a piloté ses avions partout et par tous les temps. Et voici que des gens ont le front de me demander si nous sommes prêts pour le statut d'État ? Nous étions prêts le jour où je suis descendue de ce *Saint Mihiel,* et nous sommes beaucoup plus prêts aujourd'hui.

Nate Coop n'avait nul besoin des débordements surprenants de sa femme. Tout seul, il avait observé l'ennemi sur l'île de Lapak. Souvent seul, il avait espionné à Adak, Amchitka, Attu et Kiska. Il parlait rarement de ses exploits et jamais de la mort du capitaine Ruggles, un des meilleurs hommes qu'il ait rencontrés. Mais il sentait que ces expériences et ses années comme mineur au cœur du territoire lui avaient enseigné plus d'une chose sur l'Alaska et son potentiel. Il était partisan du statut d'État. Des hommes comme lui, comme son beau-père à l'Alcan Highway, comme son beau-frère dans ses avions, avaient mérité le statut d'État et bien davantage. Il participait rarement aux discussions publiques qui commençaient à se répandre dans le Territoire, mais si on l'interrogeait, il ne laissait planer aucun doute sur son opinion fondamentale.

— Je suis pour. Nous avons assez de bon sens pour diriger nos affaires.

Quand la paix revint à Matanuska, elle modifia très peu la vie des Flatch de la génération précédente. Ils continuèrent de vivre dans la même cabane, et pendant la période où ils durent la partager avec LeRoy et sa femme, ils n'en ressentirent aucune gêne, surtout parce que chacun restait beaucoup de temps debors. Comme les jambes cassées d'Elmer avaient du mal à guérir et restaient très faibles, il ne pouvait plus reprendre sa vie de guide pour les groupes de riches chasseurs venus d'Oregon et de Californie. Quand le jeune Nate proposa de le remplacer, il lui en sut gré. Les ennuis commencèrent quand ils parlèrent de leurs projets à Flossie.

— Je ne veux pas avoir affaire à des chasseurs qui tuent les animaux.

— Tu n'aurais qu'à les nourrir, répondit Nate.

Il l'encouragea à réserver une partie des terres aux animaux orphelins ou blessés par des balles mal tirées.

Ce fut au cours d'une de ces chasses que Nate s'enhardit un jour à révéler ouvertement son désir du statut d'État. Il guidait trois chasseurs riches de Seattle dans les monts Chugach ; ils avaient voulu camper dehors, à l'ancienne : tente et couvertures. Il avait rarement eu l'occasion d'accompagner une équipe aussi représentative de l'esprit sportif : chacun portait tout son matériel, ils lavaient la vaisselle tour à tour, et faisaient de même pour fendre le bois de feu. C'était des hommes remarquables, et le troisième soir, après la chasse de la journée, l'un d'eux prit la parole — un banquier qui avait contribué au financement de l'expansion récente de Ross & Raglan en Alaska et qui avait accepté avec enthousiasme l'interprétation de l'histoire du pays par Tom Venn.

— Ce serait une honte de gâcher cette nature sauvage par une imbécillité aussi coûteuse que cette folie de statut d'État dont on ne cesse de parler. Il faut conserver ce paradis tel qu'il est.

— Absolument ! convint l'un des autres chasseurs.

Et le troisième, associé aux affaires d'assurance des cargaisons à destination de l'Alaska, renchérit également :

— Dans cent ans, une région comme celle-ci n'aura même pas les moyens de survivre.

— L'important n'est pas de compter en dollars et en *cents,* répondit le banquier, qui avait combattu en Italie pendant la Seconde Guerre mondiale. Ces choses-là se négocient. Il faut tenir compte de la situation militaire des États-Unis. Nous avons besoin de l'Alaska comme bouclier de protection avancée. L'Alaska devrait être placé sous l'autorité de nos forces armées.

Les trois chasseurs avaient combattu pendant la guerre, mais pas en Alaska. Et chacun avait des opinions arrêtées sur la défense qu'il fallait à l'Arctique.

— Le grand danger, c'est la Russie soviétique. Les gens font grand cas du fait qu'aux deux petites îles Diomède, l'une américaine, l'autre russe, le communisme ne se trouve même pas à deux kilomètres cinq cents de notre démocratie. Cela n'a aucun sens, de la bonne propagande mais guère plus. Il n'en reste pas moins qu'à un endroit important, il n'y a que cent kilomètres entre la vraie Sibérie et le vrai Alaska. Cela constitue un danger réel.

— En aucune manière, l'Alaska ne pourrait se défendre si les Russkofs décidaient de l'envahir, lança l'assureur.

— Quelle est sa population ? demanda le banquier.

— J'ai vérifié, répondit l'assureur. Le recensement fédéral de 1940 fait état d'une population totale de soixante-douze mille. Plusieurs banlieues de Los Angeles ont davantage d'habitants.

— Il faut voir l'Alaska comme une sorte de cul-de-jatte. Il aura toujours besoin de notre aide et lui accorder le statut d'État serait un égarement criminel.

Nate, qui rangeait du matériel pendant que cette conversation se déroulait, se sentit finalement obligé d'intervenir.

— Nous nous sommes très bien défendus contre les Japonais.

— Attendez une minute ! protesta le troisième chasseur. J'ai fait Guadalcanal, et nous avons eu un peur bleue en apprenant que les Japonais avaient capturé si facilement vos îles Aléoutiennes. Ils lançaient un remarquable mouvement de tenaille : Pacifique Sud, Pacifique Nord.

— Nous les avons repoussés, non ?

Nate ne voulait pas dire que les Alaskans avaient battu les Japonais à eux seuls, mais l'homme de Guadalcanal se méprit.

— Vous et cinquante mille soldats de la métropole pour vous aider.

Nate éclata de rire.

— Je n'ai pas eu beaucoup d'aide en provenance des États-Unis quand j'allais en reconnaissance dans les îles avec mon ami, l'éleveur de renards.

L'expression éleveur de renards détourna la conversation, car les hommes de Seattle voulurent savoir ce qu'elle signifiait. Nate passa donc une demi-heure à leur expliquer comment, sur les Aléoutiennes désertes, des hommes comme Ben Krickel prenaient à bail des îles entières et les peuplaient avec une seule espèce de renard, « par exemple les argentés, ils rapportent davantage, ou des bleus qui sont plus prolifiques, ou même des roux tout simples ou des gris assez clair ». Il expliqua que les Krickel, le père et la fille, « récoltaient » les renards bleus sur l'île de Lapak et les expédiaient à un grossiste de Saint Louis.

— Mon beau-frère est devenu officier dans l'aviation. Il a épousé la fille de Krickel.

Ce récit captiva l'assureur. Avec l'enthousiasme bouillonnant qui lui attirait la sympathie des gens à qui il essayait de vendre des polices, il s'écria :

— Que le diable m'emporte ! Deux mariages dans votre famille, avec chaque fois un des époux parfaitement classique, originaire du Minnesota, et l'autre à moitié indien. C'est quelque chose, non ?
— Je suis à moitié indien. Sandy Krickel est à moitié aléoute.
— Et vous pouvez dire la différence au premier coup d'œil ?
— Moi ? s'esclaffa Nate. Je peux distinguer un Aléoute d'un Indien à cent pas. Mais quand je fais quelque chose qui lui déplaît, Sandy assure qu'elle peut sentir un Indien à cent cinquante mètres. On ne gaspille pas souvent son affection entre indigènes d'origine différente.
— Mais tous n'ont-ils pas des ennuis avec les Blancs ? demanda le banquier.
Nate esquiva la question.
— Vous savez, il y a aussi une demi-douzaine de groupes différents parmi les Eskimos. Et un Iupik ne se lie pas d'amitié avec un Inupiat.
— Et qui sont ces gens-là ?
— Les Inupiats vivent au nord, le long de l'océan Arctique ; les Iupiks au sud, sur la mer de Béring. Je préfère les Iupiks, mais ils se ligueraient volontiers avec les Inupiats contre moi, s'ils croyaient avoir le dessus sans encombre.
— Pourquoi ne peuvent-ils pas ? demanda l'assureur.
— Deux ne suffiraient pas. Peut-être trois.
Le banquier, qui faisait son lit, leva les yeux.
— Avec toutes ces différences et ces divergences, vous n'êtes sûrement pas partisan du statut d'État, je pense ?
— Oh si ! répondit Nate sans hésiter.
— Avec seulement soixante-dix mille habitants ?
— Ici, répondit Nate, c'est comme entre moi et les Eskimos dans une bagarre de bar : chacun compte pour deux, ou peut-être pour trois.

***

La personne de Matanuska qui prit le plus au sérieux le combat pour le statut d'État fut Missy Peckham. Toujours active à soixante-quinze ans, elle était restée à Matanuska parce que la plupart de ses amis y habitaient. En partie parce que personne d'autre ne semblait éligible dans la région, le gouvernement territorial l'avait nommée représentante locale du Comité en faveur du statut d'État, dont la fonction consistait à organiser le soutien du statut d'État sur le plan local et à représenter les aspirations de l'Alaska lors de réunions du Sud du Quarante-Huitième. Beaucoup considérèrent une nomination de ce genre comme un titre honorifique n'impliquant aucun travail et très peu d'obligations. Mais pour Missy cela devint la passion dévorante du restant de ses jours. En effet, elle avait appris en grimpant le col du Chilkoot ou en se battant pour obtenir justice à Nome, que l'autonomie politique n'avait rien à voir avec la taille d'une population, l'assiette des impôts ou la soumission à des règlements rigides, mais relevait plutôt du degré de flamme dans le cœur humain. Or le sien était en feu, car elle avait constaté de très près le zèle avec lequel les colons de Matanuska avaient construit un monde nouveau. Elle avait vu des hommes ardents bâtir une grande route à travers le désert. Elle savait que le peuple de l'Alaska était prêt pour le statut d'État et que son courage avait établi son éligibilité.
Elle prit donc sa mission au sérieux et devint bientôt une autorité civile de l'Alaska sur l'un des aspects du problème : l'industrie du

saumon. Jamais elle n'avait travaillé dans une conserverie, mais au cours de son long séjour à Juneau elle était entrée en contact avec une douzaine d'entreprises comme la Conserverie Totem du fjord de Taku. Grâce à ses rapports avec leurs propriétaires (originaires de Seattle) et avec les hommes qui y travaillaient, elle avait une connaissance profonde des données économiques de cette industrie fondamentale. Une fois tous les éléments réunis elle fut en mesure de présenter un portrait écœurant de cette situation indéfendable, et elle le fit lors d'une première intervention passionnée au cours d'un meeting à Anchorage.

Les faits sont les suivants : les conserveries ont toujours appartenu à des hommes riches de Seattle, rarement et peut-être jamais à des gens d'Alaska. En restant de mèche avec de puissants intérêts de Washington, ces magnats ont toujours évité de payer des impôts à notre gouvernement d'Alaska. Ils importent des ouvriers dans nos régions pendant les mois d'été mais ne paient aucune taxe sur leurs salaires. Oh pardon ! J'allais oublier; ils paient cinq dollars par tête, cinq malheureux dollars pour une sorte de taxe scolaire. Nullement ce qu'ils devraient verser alors qu'ils volent une de nos plus précieuses ressources naturelles.

Ce qui me révolte et devrait vous révolter, c'est qu'avec leurs pièges et leurs roues à poisson, ils détruisent nos saumons. Dans l'État de Washington et au Canada, ces massacres inconsidérés ne sont pas autorisés. Et le nombre des saumons s'y accroît d'année en année. Les nôtres sont en train de mourir. Parce que les pouvoirs fédéraux ont toujours été manipulés par des intérêts de Seattle, et n'ont jamais tenu compte des nôtres. Parce que nous ne sommes pas un État, nous n'avons ni sénateurs ni représentants au Congrès pour prendre notre défense.

Elle parla cette fois-là pendant un quart d'heure, et fit une très forte impression à cause du caractère irréfutable des faits qu'elle avait réunis pour condamner la situation. Plus tard, quand les spécialistes concernés lui firent parvenir des données plus précises, son discours classique sur le saumon dura environ vingt-cinq minutes. Un défenseur du statut d'État, qui l'admirait, l'appela « notre orateur incendiaire », mais au plus fort de la popularité de cette frêle femme batailleuse dont l'éloquence demeurait toujours très vivante, un habitué des campagnes politiques la mit en garde :

— Missy, vous parlez toujours de faits et de chiffres. Si nous vous envoyons au Sud du Quarante-Huitième, il vous faudra insister sur le facteur humain.

Comme elle n'avait jamais travaillé sur un bateau de saumon ou dans une pêcherie, elle se trouvait désavantagée, mais elle reçut par hasard une aide à laquelle elle ne s'attendait guère. Un soir où elle avait pris la parole à Anchorage — l'on s'y agitait beaucoup en faveur du statut d'État — elle remarqua dans le public une femme très bien habillée, proche de la cinquantaine, penchée en avant pour mieux suivre les accusations lancées par Missy. Sa présence était surprenante, car Missy ne put déterminer à quelle race elle appartenait : ce ne pouvait être une Blanche, mais elle ne semblait ni eskimo, ni athapascane. « Elle doit être aléoute, se dit-elle. Avec ces yeux. »

À la fin du meeting, la femme étrange ne partit pas avec les autres, mais resta à l'écart tandis que plusieurs personnes s'avançaient vers Missy pour la féliciter de son discours vibrant. Quand la salle fut presque vide, la femme s'avança en souriant et lui tendit la main.

— Nous nous sommes rencontrées à Juneau, madame Peckham. J'étais Tammy Ting. À présent Tammy Venn.

— La fille d'Ah Ting ? La petite fille de Sam Grande-Oreille ?

— Oui. Ah Ting et Sam ont toujours pensé beaucoup de bien de vous, madame Peckham.

— Mademoiselle.

Soudain, comme si on l'avait surprise en train de chaparder des petits fours, Missy porta la main à ses lèvres.

— Ai-je dit quelque chose d'affreux ce soir ? Au sujet des Venn ?

La réponse de Tammy allait sceller l'amitié entre ces deux femmes.

— Rien que je n'aurais pu dire moi-même. Je suis fortement partisane du statut d'État, mademoiselle Peckham.

Missy la regarda : des ombres charmantes, chinoises et tlingits, donnaient à son visage une expression provocante. Elle se pencha soudain pour l'embrasser.

— Je crois que nous devrions bavarder.

Elles se rendirent à l'hôtel de Tammy et y discutèrent de saumons, de conserveries et des rapports d'Ah Ting et de Sam Grande-Oreille avec le poisson et sa mise en boîtes.

— Cela m'a toujours confondue, avoua Tammy. Mais en anglais le nom de mon père aurait dû se dire Ting Ah. Il était M. Ah, mais on l'appelait toujours M. Ting. Et moi de même. Je lui ai posé la question et il a ri, un peu amer : « M. Ah par-ci, M. Ah par-là. On a toujours l'impression d'éternuer. M. Ting fait tranchant, homme d'affaires. »

— C'était assurément un homme d'affaires, répondit Missy. Parlez-moi de la vie à la conserverie.

Il fallut des heures pour raconter toutes les histoires qu'Ah Ting et Sam Grande-Oreille avaient apprises à Tammy. Par la suite, la harangue de Missy sur le saumon prit un tour beaucoup plus personnel, avec notamment le récit d'une visite de son ancien amoureux Will Kirby dans le fjord de Taku pour persuader les propriétaires de Seattle d'accorder aux saumons une meilleure chance de survie, puis le naufrage tragique du *Reine de Montréal*. De fait, le discours de Missy devint l'un des éléments vedettes de la campagne en faveur du statut d'État, car en rentrant des meetings chacun disait à ses voisins :

— Vous devriez entendre cette vieille Peckham. Elle sait de quoi elle parle.

Le point culminant de la campagne personnelle de Missy, en ce qui concernait les saumons, fut une grande réunion à Seattle, où il était essentiel d'obtenir le soutien des sénateurs Magnuson et Jackson. Elle téléphona à Tammy Venn dès qu'elle descendit de l'avion.

— Tammy, c'est très important. Je désire faire bonne impression et j'ai besoin de votre avis.

La réponse de Tammy la stupéfia :

— Vous n'aurez aucun problème. Je dois prendre la parole aussitôt après vous. Si vous faites des erreurs, je les couvrirai.

— Vous allez parler en faveur du statut d'État ? A Seattle ?

— Bien sûr !

— Merveilleux.
Ces deux femmes, qui passèrent vers la fin du programme — la petite vieille dévouée d'un village aux confins du désert blanc, et la charmante Chinoise-Tlingit appartenant à la haute société de Seattle —, firent sensation par leur puissant tir de barrage en faveur du statut d'État. Bien entendu les journaux locaux montèrent en épingle le fait que Tammy Venn était la belle-fille de Thomas Venn, président de Ross & Raglan et adversaire invétéré du statut d'État pour une région arriérée comme l'Alaska, où la plupart des intérêts Venn étaient concentrés. Le lendemain matin, aux journalistes qui voulurent connaître sa réaction à la bombe lancée par Tammy, Tom Venn répondit d'un ton austère :
— Ma belle-fille parle en son nom personnel. Mais comme elle a quitté l'Alaska dans sa première jeunesse, elle n'a pas pu suivre l'évolution récente.
Quand les mêmes journalistes trouvèrent Malcolm Venn, celui-ci s'écria :
— Ma femme a pris position publiquement en faveur du statut d'État ?
— Oui, répondirent-ils en chœur.
— Elle est un peu timbrée. Il va falloir que je lui parle à ce sujet..., lança-t-il. Puis il éclata de rire : Je ne vous souhaite pas d'essayer de la faire changer d'avis sur quoi que ce soit !
— Vous êtes donc opposé au statut d'État pour l'Alaska ? lui demanda-t-on carrément.
— Évidemment. Cette région merveilleuse est destinée à demeurer déserte, répondit-il sérieusement. Avec soixante-dix mille habitants, ils sont incapables de gérer un conseil municipal, et encore moins un État.
Le lendemain matin, les journaux imprimèrent la réponse de Tammy.
— J'ai toujours soupçonné mon mari de connaître très mal le pays où je suis née. Le recensement de 1950 montre que nous avons maintenant cent vingt-huit mille six cent quarante-trois citoyens, et je suis certaine de le convaincre avant la fin du mois que nous avons droit au statut d'État.
Mais pendant le week-end les journaux publièrent une photo de Tom et Lydia Venn, accompagnés de Malcom, debout d'un côté, pendant que de l'autre une Tammy à l'air frondeur posait avec une banderole que lui avait donnée Missy Peckham : STATUT D'ÉTAT - TOUT DE SUITE.
Ces persiflages par voie de presse provoquèrent le plus surprenant des dénouements : un homme d'affaires de cinquante ans, en complet bleu marine et chaussures noires rutilantes, se présenta à l'hôtel de Missy. Oliver Rowntree s'occupait d'affrètements à San Francisco, et se trouvait à Seattle pour des négociations avec les chemins de fer, très importantes pour l'ensemble de la côte du Pacifique. Il fut manifestement surpris de voir une femme aussi âgée remuer ciel et terre pour ce statut d'État, mais il passa tout de suite au vif du sujet.
— Je suis avec vous cent pour cent, mademoiselle Peckham. Je n'ai aucun poste dans le gouvernement, et je ne détiens aucune autorité, mais je dispose de renseignements amassés au cours de toute une vie, et je suis écœuré de voir des gens comme Ross & Raglan conspirer avec les chemins de fer pour empêcher l'Alaska d'accéder au statut d'État.
— Pourquoi cet intérêt particulier ? Je veux dire en dehors du fait que tout citoyen digne de ce nom doit se sentir concerné.

— Je suis né en Alaska. À Anchorage. J'ai vu mon père essayer de gérer une épicerie, là-bas. Une des meilleures, comparables à n'importe quel magasin de l'Extérieur existant à l'époque.

— Maintenant, nous disons le Sud du Quarante-Huitième.

— J'ai beaucoup travaillé avec Hawaii. Là-bas, on dit « la Métropole ». Et ce sont mes relations avec Hawaii qui m'ont rendu si amer au sujet de l'Alaska. Je désire que les gens de là-haut, comme vous, aient au moins des chances égales.

— Vous faites ça pour votre père, je pense ?

— Peut-être. Je l'ai vu se battre pour gagner chaque sou parce qu'il était pris dans un nœud coulant. Il est parti en Oregon, où les lois étaient raisonnables, et il n'a eu aucun mal à fonder la meilleure épicerie au nord de San Francisco. Il est mort riche, avec une chaîne de huit magasins de taille moyenne, chacun plus profitable que l'autre.

— Venons-en aux faits. Je me suis aperçue que les généralisations et les sentiments jouent un très petit rôle en cette affaire. Affamer des Eskimos aujourd'hui n'est pas mieux qu'affamer des Belges pendant la Première Guerre mondiale.

Les faits que révéla Rowntree étaient tellement stupéfiants que Missy lui demanda de les répéter.

— Je peux mieux faire, dit-il. Je vous enverrai des rapports.

Mais quand elle les reçut, ils ne remplacèrent nullement la litanie écœurante qu'il avait récitée lors de leurs première rencontre.

— Tout commence par la loi Jones en 1920. En avez-vous entendu parler ?

— Vaguement. Je sais que ce fut un mauvais coup pour l'Alaska, mais je n'ai jamais connu les détails.

— Eh bien, le père de cet armateur dont la photo se trouvait dans le journal ce matin, le vieux Malcolm Ross, a joué un rôle décisif dans l'adoption de la loi Jones. Le sénateur Jones du Washington la fit voter par le Sénat à la force du poignet. Elle plaçait en fait Hawaii et l'Alaska dans une camisole de force, avec l'Alaska beaucoup plus mal loti qu'Hawaii. Tout fret venant des ports de la côte Ouest à destination d'Hawaii ou de l'Alaska ne pouvait être transporté que par des bateaux construits aux États-Unis, appartenant à des compagnies des États-Unis et manœuvrés par des équipages des États-Unis. Quel désavantage pour Hawaii et l'Alaska, par rapport à des ports comme Boston ou Philadelphie, où des vaisseaux européens et battant pavillon étranger peuvent apporter des produits d'outre-mer ! Mais Hawaii se trouva en meilleure posture que l'Alaska, parce que plusieurs lignes maritimes en concurrence maintinrent les tarifs assez bas. L'Alaska n'avait que Ross & Raglan, et ils continuèrent d'étrangler les gens de là-haut, comme ils avaient étranglé mon père.

— Je ne peux pas croire qu'un pays fasse une chose pareille à une de ses régions, s'écria Missy.

Rowntree fournit alors l'argument massue.

— Voici où j'entre dans le tableau — et par la grande porte. Je fais transporter par train, d'un bout à l'autre des États-Unis, une quantité énorme de marchandises. À cause de mesures abusives glissées dans la loi Jones par les gens de Seattle, ce qui me coûte un dollar de fret jusqu'à San Francisco pour embarquement vers Hawaii vous coûte un dollar quatre-vingt-quinze pour arriver à Seattle, avant d'embarquer vers l'Alaska. Si l'on ajoute tous les désavantages dont souffre l'Alaska, on arrive à peu près à trois contre un.

— Pourquoi Hawaii a-t-il obtenu un traitement ainsi favorable? demanda Missy dégoûtée.
— Ils sont plus malins, répondit Rowntree en plaisantant (mais seulement à moitié). Ils ont appris à se protéger dans ce genre de corps à corps.
— Nous allons faire venir quelques malins d'Hawaii, se jura Missy.
Elle demanda à Rowntree de l'aider à rédiger et à parfaire le célèbre discours qu'elle prononcerait plus de soixante fois dans toute les régions au Sud du Quarante-Huitième : *L'Alaska étranglé.*
La première fois qu'elle le prononça, dans une salle de Seattle, il eut une conséquence imprévisible. Tammy Venn apparut dans le public, avec son mari toujours en verve. Avant le meeting, des gens qui les connaissaient taquinèrent Tammy parce que Malcolm l'avait accusée publiquement d'être « un peu timbrée ». Comme on insistait, il répondit à un journaliste qui prêtait l'oreille :
— Je me suis excusé tant et plus pour ce lapsus. C'était idiot. J'aurais dû dire : « Complètement timbrée. »
De la meilleure humeur du monde, ils expliquèrent qu'ils n'étaient pas du même avis sur bien des choses.
— Tammy est démocrate, je suis républicain. Elle voulait que nos enfants aillent à l'école publique, moi je souhaitais une des bonnes écoles privées de l'Est.
— Qui a gagné?
— Match nul : la fille est dans l'Est, le garçon à Seattle.
— Qui va gagner dans cette question du statut d'État?
— Les sénateurs de notre grande république ont assez de bon sens pour ne pas voter pour ce non-sens, répondit-il.
Et tandis qu'il parlait ainsi Tammy, devant les caméras, lui fit des oreilles d'âne avec deux doigts.
Après le discours, que Tammy trouva merveilleux et son mari ignoble, « justifiant l'arrestation de Missy pour la façon dont elle calomniait son père », ils firent la connaissance d'Oliver Rowntree. Oliver et Tammy échangèrent un regard, claquèrent des doigts et s'écrièrent :
— Mais je vous connais!
— Comment est-ce possible? demanda Malcolm Venn en les entraînant pour prendre un verre.
— C'est une longue histoire, commença Tammy d'une voix hésitante. Mais te souviens-tu de notre rencontre, en 1925, sur le bateau R & R qui montait en Alaska?
Il parut surpris.
— Tu ne te rappelles pas? Tu travaillais comme détective privé pour pincer le vandale qui sabotait les bateaux de ton père?
— Bien sûr! Une traversée si romantique, si je peux me permettre de l'avouer. Mais je n'ai jamais attrapé le saboteur.
En essayant de ne pas trop sourire, Tammy braqua l'index vers elle-même.
— Toi? s'écria son mari assez fort pour que les autres tables l'entendent.
Elle hocha la tête puis fit signe à Rowntree de donner du corps à son aveu.
— Elle dit vrai. Pendant sept traversées, c'est moi qui ai lancé les boules d'escalier à la mer et bloqué les toilettes.
— Il m'a rencontrée par hasard à l'université et m'a demandé de

détourner les soupçons qu'il sentait peser sur lui. J'ai fait, en son absence, la même chose que lui. Les mêmes indices et tout...

— Mais pourquoi ? demanda Venn à Rowntree.

— Parce que les gens de Seattle comme vous, avec la loi Jones dans la poche, étrangliez le commerce honnête et légitime en Alaska. Mon père avait tout perdu à cause de votre père. La seule vengeance à ma portée était le vandalisme.

Malcolm Venn, sur le point de devenir président de R & R, regarda fixement cet inconnu surgi du passé et lança avec un sourire généreux :

— Salopard ! Je devrais vous faire arrêter.

— Il y a prescription.

— Et tu l'as aidé ! lança-t-il à Tammy hilare.

— Bien entendu. Mes parents étaient vraiment montés contre R & R à l'époque. Depuis, ils se sont calmés.

Ils bavardèrent longuement d'autrefois, puis Venn avoua :

— Mon père a dû s'acoquiner à un type qui avait eu des ennuis avec la justice, nommé Marvin Hoxey, pour faire voter la loi Jones dans l'intérêt de l'Alaska ; et aujourd'hui je vais m'associer à des hommes d'affaires comptant parmi les plus honnêtes du monde pour combattre le statut d'État, afin de protéger cette merveilleuse région de sa propre folie. Vous n'avez aucune chance, tous les trois, de faire passer ce statut — si persuasive que soit votre éloquence, mademoiselle Peckham. Les bonnes gens des États-Unis sont trop malins pour tomber dans votre piège.

Une fois de plus, les États de l'ouest semblaient savoir ce qui serait le mieux pour l'Alaska : dans les escarmouches préliminaires, le Congrès écouta des leaders comme Thomas Venn et les magnats de l'industrie de Seattle, Portland et San Francisco. Une des déclarations les plus négatives vint de l'Alaska lui-même, car au cours d'audiences publiques de nombreux habitants du Territoire affirmèrent que leur région n'était pas prête pour le statut d'État, auquel ils s'opposaient pour diverses raisons.

Au cours d'une série de ces audiences organisées par des membres du Congrès venus jusqu'en Alaska sonder les sentiments de la population, on remarqua des dépositions convergentes, malgré la différence des arguments :

Général Leonidas Shafter de l'aviation américaine (à la retraite) habitant sur la péninsule de Kenai : « Vous avez raison, sénateur, j'ai participé à la construction des aérodromes de l'Alaska et j'ai combattu aux Aléoutiennes pendant la Seconde Guerre mondiale. Cette expérience m'a appris l'importance stratégique de l'Alaska. C'est l'autoroute par laquelle la Russie attaquera un jour l'Amérique du Nord, et la région doit rester sous contrôle militaire. Le statut d'État serait désastreux pour la sécurité de notre nation. »

Thomas Venn, industriel de Seattle qui possède une résidence près du Denali : « En raison de ma longue association avec l'Alaska et des nombreuses années où j'y ai vécu avec des fonctions diverses, je suis contraint de m'opposer au statut d'État pour ce vaste territoire vierge, sans liaisons et insuffisamment peuplé. Le système actuel a subi l'épreuve du temps et démontré qu'il pouvait assurer le bien-être des rares habitants et animer le développement des régions encore vierges. »

Mme Henry Watson, ménagère à Haines : « Je ne connais pas six contribuables qui désirent le statut d'État. Bien entendu, il y a quelques Indiens et sang-mêlé qui ne paient pas d'impôts. Ceux-là en sont de chauds partisans ! »

John Karpinic, épicier à Ketchikan : « Personne, par ici, n'a envie de perdre son latin avec un gouvernement d'État. Nous avons déjà assez d'ennuis avec les fédéraux. »

Contre le tir de barrage des défenseurs du *statu quo* plusieurs voix puissantes s'élevèrent en faveur d'un gouvernement d'État. Trois d'entre elles se révélèrent importantes :

John Stamp, journaliste à Anchorage : « Je pourrais vous donner quatre-vingts raisons pour lesquelles l'Alaska devrait avoir obtenu le statut d'État depuis longtemps, mais je ne saurais trouver meilleur argument que les paroles de James Otis à la veille de la révolution américaine : *Taxation sans représentation est tyrannie.* Si vos cœurs ne réagissent pas à ce cri de guerre, vous aurez failli à l'esprit de la grande nation née de ce même cri. Pourquoi l'Alaska ne possède pas autant de routes que d'autres parties de l'Amérique ? Parce que personne au Congrès ne se bat pour elles. Pourquoi nos chemins de fer ne sont-ils pas convenablement subventionnés par le gouvernement fédéral ? Pourquoi n'avons-nous pas les aérodromes qui nous seraient tellement nécessaires ? Pourquoi manquons-nous d'écoles, d'hôpitaux, de bibliothèques publiques, de palais de justice ? Parce que vous nous avez dénié le droit de taxer les industries qui, dans d'autres parties des États-Unis, contribuent au paiement de ces services publics. Comme les colons de notre passé, je réclame l'autonomie. »

Henry-Louis Dechamps, professeur de géographie à l'université de Californie (Berkeley), citoyen américain ayant fait ses études à l'université McGill (Canada) : « Messieurs, quand vous déciderez de l'avenir de l'Alaska, je vous supplie de ne pas considérer seulement Juneau et Sitka, en croyant que vous percevez là le cœur de l'Alaska. Ne considérez pas seulement Anchorage et Fairbanks. Je vous conjure de porter vos regards sur la partie septentrionale de ce vaste pays à l'endroit où il touche l'océan Arctique, car c'est le long de ces côtes et dans cette mer glacée que se produira l'histoire déterminante pour la destinée de l'Amérique du Nord. Nos connaissances sur la façon de vivre et de se comporter dans l'Arctique sont dangereusement insuffisantes. Je vous assure que l'Union soviétique organise constamment des expériences dans cette zone climatique : ses connaissances dépassent largement les nôtres. Nous devons la rattraper, car à l'avenir l'océan Arctique ne demeurera pas un espace marin bloqué par les glaces, mais une mer secrète au sein de laquelle rôderont des sous-marins et d'autres vaisseaux que nous ne saurions imaginer aujourd'hui. Ce sera une voie royale pour les avions, une tête de pont pour des hommes audacieux prêts à s'attaquer à nos moyens de communication, à nos bases avancées, à nos côtes et à la sécurité même de notre pays. Au siècle prochain, l'Alaska sera l'une des possessions les plus précieuses des États-Unis. Si vous détournez la tête, vous mettrez votre nation en danger. Si vous le développez, notre bouclier sera plus puissant. Accordez-lui le statut d'État, tout de suite. »

Mlle Melissa Peckham, ménagère à Juneau. Après avoir expliqué les monstruosités de la loi Jones et les abus perpétrés au détriment de l'Alaska par les chemins de fer et les installations portuaires de Seattle, elle conclut en ces termes : « Je me demande si une seule personne qui a déposé pendant ces trois journées passionnantes possédait de l'Alaska une plus vaste expérience que la mienne. J'y suis arrivée assez jeune pour voir les gisements d'or, le développement du Yukon, l'industrie du saumon au sud, la croissance des bourgs et des villes, l'expérience pleine de noblesse de Matanuska, l'arrivée du chemin de fer, la construction de l'Alcan, l'essor de l'aviation. Mais surtout, j'ai vu la naissance d'un peuple nouveau, avec des aspirations nouvelles. Nous en avons assez de rester une colonie. Nous désirons une législature à nous, pour voter nos propres lois. Nous voulons nous libérer de l'autorité condescendante de Seattle. Nous croyons que nous avons mérité le droit d'être considérés comme des citoyens à part entière, avec les mêmes prérogatives que tous les autres. »

Mais en fin de compte les témoignages les plus efficaces vinrent de personnes aux noms étrangers et aux visages plus étranges encore qui défilèrent devant les micros avec des déclarations si simples qu'elles crépitèrent comme des balles sur les murs du tribunal de Frontière où se tenaient les audiences.

Saül Chythlook, Eskimo ioupik, chauffeur de taxi à Nome : « Démobilisé à San Francisco après guerre à Iwo Jima. Travaillé quelque temps dans campagne au nord du grand pont. Vu beaucoup de petites villes. Pas si terrible. Elles se gouvernent toutes. Pourquoi pas nous ? »

Stepan Kossietski, tlingit, professeur au collège Mount Edgecumbe de Sitka : « J'ai obtenu ma licence de lettres à l'université de l'Alaska à Fairbanks et ma maîtrise à l'université de Californie à Berkeley. Je suis entièrement d'accord avec la femme de Shishmaref qui a témoigné ce matin. De nombreux indigènes ne sont pas prêts pour le statut d'État. Mais j'imagine que dans un État comme le Dakota du Sud, il y a aussi plus d'un habitant qui n'est pas prêt non plus... Ils boivent trop. Ils sont paresseux. Ils ne lisent pas les journaux. Mais permettez-moi de vous le dire, les *bons* indigènes que je connais ne sont pas seulement prêts, mais impatients. Sont-ils capables de gouverner ce qui serait l'État d'Alaska ? Perrmettez-moi de vous le dire : ils y sont beaucoup mieux préparés que certaines personnes envoyées par vous du Sud du Quarante-Huitième pour nous administrer. »

Norma Mercouliev, russe-aléoute, ménagère dans l'île de Kodiak : « Mon mari pêche le gros crabe. Avec deux autres, il est propriétaire du bateau — cent quatre-vingt mille dollars, entièrement payés, et les impôts aussi. Vous croyez qu'ils ne sauraient pas, ces trois-là, organiser un conseil municipal ? Mais s'ils sont trop bêtes, c'est nous, les femmes, qui nous occuperons du conseil, et ils piloteront leur bateau. Ils vont en acheter un neuf l'an prochain, un quart de million de dollars, et ils s'en sortiront très bien. »

Malgré toutes les protestations, les opposants au statut d'État l'emportèrent et le projet parut tombé à l'eau. Mais très vite diverses choses se produisirent, certaines d'une importance nationale, d'autres de dimension contestable et parfois même ridicule. Les citoyens des États-Unis commencèrent à penser à l'échelle de la planète, et plus d'un qui n'avait jamais rêvé jusque-là d'Hawaii ou de l'Alaska commença à s'apercevoir de ceci : plus tôt le pays réunirait ces précieux avant-postes au sein maternel, mieux ce serait. En outre, de nombreux Américains s'étaient battus dans le Pacifique et avaient appris à apprécier son immensité et ses richesses. Tous ceux qui l'avaient sauté d'île en île avaient découvert l'importance d'un îlot de rien du tout comme Wake ou Midway — des bancs de sable où se décidait le destin des nations, des rochers minuscules invisibles à quinze kilomètres de distance, dont dépendraient les lignes aériennes du monde entier — et il n'était pas question qu'ils abandonnent des îles aussi importantes qu'Hawaii.

L'idée d'accorder le statut d'État à Hawaii avait toujours été mieux accueillie que dans le cas de l'Alaska, ce qui n'a rien d'étonnant étant donné leurs populations et leurs richesses respectives. Mais des hommes aux vues larges comme le professeur Dechamps qui avait déposé devant la commission du Congrès, continuaient de parler de l'importance des Terres du Nord, et les militaires commencèrent à utiliser de nouveaux globes à la place de leurs cartes plates, ce qui leur permit d'apprécier la valeur énorme d'un périmètre de défense dans le Nord. Les défenseurs de l'Alaska se multiplièrent.

Aussitôt, la politique entra en ligne de compte, et de très curieuses erreurs de calcul surgirent : les plus grands experts virent tout à l'envers. Ils se dirent qu'Hawaii, très bien établi avec des hommes et des femmes responsables à la barre, voterait assurément républicain si on lui accordait le statut d'État ; alors que l'Alaska, État frontière encore turbulent, voterait probablement démocrate. Au bout du compte, ce fut l'inverse qui arriva à la surprise de beaucoup — et peut-être même des experts.

À ce moment crucial, les militaires prévoyants de l'entourage d'Eisenhower et les conservateurs de Seattle et de l'Ouest se trompèrent sur l'importance des atouts qu'ils avaient en main : ils persuadèrent le président que l'Alaska, en tout cas les quatre-vingt-dix pour cent de son étendue vers le nord, devait conserver son statut de Territoire sous contrôle militaire. Un après-midi, convaincu par leurs arguments, il fit à la presse de Washington une déclaration au pied levé, laissant entendre que la région habitée au sud-est de l'Alaska — Juneau, Sitka, Ketchikan, Wrangell, Petersburg — était peut-être assez peuplée pour qu'on lui accorde le statut d'État un jour, dans un avenir lointain, mais que les grandes étendues vides du Nord n'y auraient probablement jamais accès.

Cette erreur criante permit aux Alaskans loyaux de toutes les régions de publier des mises au point surprenantes :

> *Le président Eisenhower comprend peut-être les questions militaires, mais ne connaît vraiment pas grand-chose sur la situation de l'Alaska. Le recensement préliminaire de 1960 montre que le Sud-Est, prétendu suffisamment peuplé, possède — si l'on excepte les cinq villes — une population totale de dix-neuf mille habitants alors que dans la Railbelt — entre Fairbanks et Anchorage sur la péninsule de Kenai — où passe notre unique voie ferrée, la population sera supérieure à cinquante-sept mille personnes. Soit trois fois plus, exactement. C'est la Railbelt qui est prête pour le statut d'État et non les petites bourgades préférées du général, dans le coin oublié du Territoire.*

À cet instant critique, où l'approbation du statut d'État se trouvait en balance, il se produisit un de ces coups de hasard qui contribuent parfois à déterminer le cours de l'histoire. Le gouverneur du Territoire était un ancien étudiant en médecine et ancien journaliste de qualité, Ernest Gruening, de Harvard, auteur en 1928 du meilleur livre publié sur la révolution du Mexique. Son analyse perspicace avait attiré l'attention du président Roosevelt, qui l'avait nommé directeur de la Division des Territoires et des Possessions Insulaires. À ce titre, il avait découvert l'Alaska et reconnu son potentiel. Il parlait si souvent et si fort de l'avenir de l'Alaska, qu'on le nomma gouverneur territorial en 1939. Plus tard, il fut choisi comme « sénateur sans voix » au Congrès des États-Unis — il assistait aux séances mais n'avait pas le droit de voter — en attendant qu'avec le statut d'État l'Alaska puisse élire des sénateurs à part entière.

Ayant appris le bien que pouvait faire le livre qu'il fallait au moment où il le fallait, Gruening, toujours à la recherche de bonne publicité, sollicita une de ses amies, la romancière Edna Ferber, avec une proposition surprenante.

— Venez en Alaska écrire un livre sur nous. Vous ferez pour nous tout ce que vous venez de faire pour le Texas.

Giant, le roman extrêmement populaire de Mlle Ferber, avait catapulté sur l'avant-scène nationale les faiblesses et la grandeur de l'État du Texas. Gruening supposait qu'un ouvrage du même genre par le même auteur aurait le même effet pour l'Alaska.

Mlle Ferber, qui avait supporté sans broncher la tempête de critiques hostiles dont l'avaient accablée les loyalistes texans, accueillit avec joie l'idée de s'attaquer à un autre sujet en litige. Elle se rendit aussitôt en Alaska, y séjourna peu de temps et écrivit *Le Palais de Glace* à la hâte. Le livre eut un succès énorme. Et les conséquences furent précisément celles que le rusé Gruening escomptait. Il écrirait plus tard au sujet de cet ouvrage :

> Le Palais de Glace *a défendu activement le statut d'État sous une forme romancée. Certains critiques littéraires ont jugé l'ouvrage inférieur aux meilleures œuvres d'Edna Ferber, mais l'un d'entre eux l'a appelé, non sans raison,* « La Case de l'Oncle Tom *du statut d'État pour l'Alaska* ». *Des milliers d'Américains qui ne se seraient jamais intéressés à un article de revue en faveur du statut d'État — j'en avais écrit moi-même plusieurs pour* Harper's, The Atlantic Monthly *et* The New York Times Magazine — *lurent aussitôt le roman.*
>
> *Dans les dernières semaines de notre campagne en faveur du statut d'État, des vingtaines de personnes me demandèrent si j'avais lu* Le Palais de Glace. *On attira sur le livre l'attention de nombreux membres du Congrès. Je suis certain qu'il a contribué à modifier de nombreux votes.*

En 1958, quand le débat s'échauffa, un gentleman d'un certain âge à la réputation sans tache entra d'une allure princière dans une salle d'audience du Sénat, à Washington, pour témoigner contre l'attribution du statut d'État à l'Alaska. C'était Thomas Venn, soixante-quinze ans, venu protéger les intérêts commerciaux de Seattle. Cheveux blancs, d'une raideur très puritaine dans son comportement, il faisait l'effet d'un homme qui tolérait mal les idiots et leurs opinions stupides, mais sans repousser personne car il souriait d'un air affable quand des connaissances le saluaient de la tête. Il savait très bien que cette impression de distinction était rehaussée par la présence de son épouse Lydia Ross Venn.

Quand ils prirent place au bout de la rangée réservée aux personnes qui devaient présenter une déposition, Mme Venn chuchota discrètement à son mari, et celui-ci se tourna vers l'autre côté :

— Mon Dieu ! Comment est-elle arrivée ici ?

C'était Missy Peckham de Juneau, dont la détermination enthousiaste avait contribué à maintenir à la première page des journaux la campagne en faveur du statut d'État. Elle avait un sourire mutin et un esprit mordant. Elle ne se laissa impressionner ni par la salle d'audience du Sénat, ni par les dignitaires qui entraient maintenant en file indienne pour ouvrir la séance où elle déposerait pour la dernière fois dans le cadre de la croisade à laquelle elle avait dédié ses dernières années. Elle s'aperçut que Tom Venn la regardait fixement, et elle inclina la tête avec un sourire innocent comme pour l'accueillir à sa propre réception. Raide, les joues encore pâles, il s'inclina. Il s'assit et écouta l'huissier expliquer à l'audience ses longues relations avec l'Alaska et Ross & Raglan. Sans jamais élever la voix ni se lancer dans la polémique, il définit le point de vue des adversaires du statut d'État, pour le moment et dans un avenir prévisible :

— Messieurs, personne dans cette salle ne peut parler de l'Alaska avec davantage d'affection que j'en éprouve. J'ai connu chaque recoin de ce vaste territoire depuis que j'ai franchi le redoutable col du Chilkoot en 1898, et pendant les décennies qui ont suivi, j'ai toujours agi de façon à promouvoir l'intérêt de l'Alaska. Je vous assure que, selon mon jugement raisonné, l'Alaska n'est pas prêt pour le statut d'État. Ce serait une erreur grave de le lui octroyer, et son avenir sera mieux garanti en continuant dans la ligne du protectorat bienveillant dont il a profité dans le passé.

» Les militaires connaissent les moyens de protéger l'Alaska. Les hommes d'affaires de la côte Ouest connaissent les moyens de satisfaire ses besoins industriels et financiers. Les experts compatissants du Bureau des Affaires Indiennes connaissent les meilleurs moyens d'aider la population indigène. Et le ministère de l'Intérieur a démontré que l'on peut compter sur lui pour la sauvegarde des ressources nationales. Nous avons en place tous les instruments requis pour un système de gouvernement sage et protecteur, qui a fonctionné admirablement dans le passé et continuera de le faire de la même manière à l'avenir. Comme des milliers d'hommes et de femmes raisonnables qui songent seulement au bonheur de ce grand territoire, je vous supplie de ne pas accabler l'Alaska sous une forme de gouvernement qu'il n'est pas en mesure d'appliquer. Je vous exhorte à repousser le statut d'État.

Quand Venn quitta le siège des témoins après sa déposition contre le statut d'État, il dut passer devant Missy qui l'avait élevé, lui avait servi de mère, l'avait encouragé dans son travail et lui avait inculqué sa merveilleuse échelle de valeurs. Si on le lui avait demandé à cet instant-là, il aurait sans doute avoué sans hésitation : « Mlle Peckham m'a enseigné presque tout ce que je sais. » Amis de longue date, ils se saluèrent de la tête et auraient même pu s'embrasser, car chacun d'eux devait beaucoup à l'autre. Mais Missy prit place devant la table qu'il venait de quitter pour réfuter tout ce qu'il venait de dire.

— Éminents sénateurs... (Elle s'interrompit et demanda : Est-ce qu'on peut mettre ce bidule en marche ? Vous pouvez m'entendre à présent ? Bien !) Réglons d'abord le problème le plus important. L'orateur précédent, un éminent ami de l'Alaska, a prétendu que nous n'avons pas une population suffisante pour justifier un statut d'État.

Eh bien, quand les furies de la guerre de Sécession parurent sur le point de détruire notre nation, le président Abraham Lincoln comprit qu'il lui suffirait de deux voix de plus au Sénat pour protéger sa stratégie de victoire. Comment parvint-il à les dénicher ? Tournant le dos à toutes les normes associées à la création de nouveaux États, il rédigea ses propres règles et invita le Nevada à se joindre à l'Union. Ensuite, il força la main au Congrès pour qu'il accepte cette proposition, et cet acte décisif contribua à sauver le pays. Quelle était la population du Nevada en ce moment historique ? Je viens de le lire : « Six mille huit cent cinquante-sept habitants. » En ce moment l'Alaska est trente-trois fois plus peuplé, et l'Alaska est aussi indispensable à l'ensemble de la nation que le Nevada à l'époque.

» Pourquoi avez-vous besoin de nous ? Parce que nous serons toujours votre voie d'accès vers l'Asie, nous serons toujours votre avant-poste dans l'Arctique. Vous avez besoin de notre compétence à vivre dans le Nord glacé et à le conquérir. Le jour viendra également où vous aurez besoin de nos ressources naturelles : nos immenses réserves de pulpe de bois, nos gisements de minerais, notre poisson. Et nous avons peut-être de riches gisements de pétrole. Mon ami Johnny Kemper, qui a fait ses études à l'école des Mines du Colorado, m'a affirmé que nous avions d'importantes couches pétrolifères sur le socle continental de l'Arctique.

Quand elle quitta la table, elle passa d'un pas décidé devant son ancien enfant recueilli, Tom Venn, qui lui murmura :

— Merci de ne pas avoir traîné Ross & Raglan dans la boue.

— Nous nous occuperons de vous quand nous aurons notre statut d'État, répliqua-t-elle doucement.

Ils se sourirent et se saluèrent de la tête, acceptant de bon gré leurs divergences.

⁂

Fin juin 1958, il devint manifeste que l'Alaska avait une forte chance d'accéder au statut d'État avant Hawaii car le mélange racial de ce dernier territoire jouait contre lui. La Chambre avait déjà voté pour l'Alaska par 210 voix contre 172, avec les abstentions stupéfiantes de 51 représentants incapables d'admettre que l'Alaska presque vide ait autant de voix au Sénat que l'État de New York, surpeuplé. Certains refusaient aussi d'accorder le titre de citoyen et le droit de vote à une population que l'un d'eux qualifia : « Une bande de métis pris au piège dans une glacière. »

Encore fallait-il que le Sénat approuve, et pendant quelque temps cela parut douteux. Certains sénateurs tentèrent de limiter l'Alaska à un statut d'autonomie du type Commonwealth : ils furent battus par 50 voix contre 29. D'autres assurèrent de façon convaincante que les militaires étaient le mieux à même de décider de l'avenir de l'Alaska : battus par 53 voix contre 31, et un contingent bruyant, dirigé par le sénateur Thurmond, soutint la proposition en l'air du président Eisenhower tendant à exclure toute la région du Nord même si les districts du Sud devenaient un État : battus par 67 voix contre 16. Missy Peckham, en écoutant le débat, eut l'impression que ses adversaires pouvaient citer cinquante arguments contre le statut d'État, alors qu'elle n'en avait qu'un seul pour le défendre : le moment était venu où l'Union devait accueillir sans réserve un nouveau membre qui en était digne.

Le 30 juin, il devint impossible de repousser plus longtemps le vote décisif en proposant des amendements d'obstruction. L'appel commença.

Résultat final : pour, 64 ; contre, 20 ; abstentions, 12. L'Alaska était devenu le quarante-neuvième État, 2,2 fois plus grand que le Texas avec une population totale comparable à celle de Richmond (Virginie). En apprenant le résultat du scrutin, Tom Venn déclara :

— L'Alaska s'est condamné à la médiocrité.

Mais Missy Peckham, qui célébrait la victoire dans un restaurant élégant de Washington avec des amis, se leva (non sans difficulté), brandit son verre et s'écria :

— À présent, ils vont voir !

Elle passa le reste de la longue soirée à discuter des innovations politiques et sociales surprenantes qui donneraient à l'Alaska son caractère unique parmi tous les États.

— Je veux une école pour chaque enfant de l'Alaska, quel qu'en soit le prix. Je veux un logement pour chaque Eskimo, chaque Tlingit. Nous devons reprendre le contrôle sur nos saumons, nos orignals et nos caribous. Nous devons construire des routes, des usines et des villes comme Matanuska...

Elle continua sans relâche à projeter les rêves qu'elle avait exprimés pour la première fois pendant la Crise de 1893, et auxquels elle avait consacré la deuxième moitié de sa vie.

Sa vision d'une utopie arctique (sans parler des verres d'alcool qu'elle but, elle qui n'en prenait jamais) la mit dans un tel état de félicité qu'à l'instant où ses amis l'aidèrent à se coucher, elle tomba dans un profond sommeil de bonheur — dont elle ne se réveilla pas. Quand on découvrit son corps, des proches prévinrent aussitôt Thomas Venn, dont ils connaissaient les longues relations amicales avec Missy. Il se rendit en toute hâte dans l'hôtel modeste où elle était descendue. Il demeura au pied du lit pendant vingt minutes, pris par le souvenir des jours lointains où elle avait apporté espoir et nourriture à une famille affamée... Puis il s'inclina, posa les lèvres sur le front pâli, et il l'embrassa de nouveau pour chacun des hommes dont elle avait illuminé la vie : Buchanan Venn, le mari abandonné de Chicago ; Will Kirby, le policier canadien solitaire ; John Klope, l'âme perdue dans le Klondike ; Matt Murphy l'inépuisable Irlandais.

— Je sais qu'elle aurait souhaité revenir dans la terre de l'Alaska, dit Venn en sortant. Faites parvenir son corps à Juneau et envoyez-moi la note.

12

La Ceinture de Feu

En 1969, le gouvernement des États-Unis se mit à accorder une attention spéciale au problème de la défense des droits des indigènes alaskans sur leurs terres anciennes. Un seul principe, tout à fait honnête, motiva les décisions prises. Et nous devons une de ses meilleures formulations au sénateur du Dakota du Nord, qui déclara au cours des débats :

— Quelle que soit la manière d'aborder le problème délicat de la garantie des droits des tribus indigènes d'Alaska, nous devrons faire mieux que naguère pour nos Indiens du Sud du Quarante-Huitième. Tout système envisagé devra éviter l'octroi de ces réserves qui se sont avérées si destructrices pour l'âme indienne. Il devra garantir aux indigènes la possession de leurs terres ancestrales. Il devra les protéger contre les Blancs rapaces qui les dépouilleraient de ces terres. Et, si possible, il devra permettre à ces hommes du Nord de sauvegarder et de pratiquer leur mode de vie traditionnel.

Deux termes contradictoires dominèrent les discussions qui suivirent : *réserve* et *intégration* — ce dernier souvent utilisé sous sa forme verbale :

— Moi, je dis : plus tôt nous intégrerons les Indiens, mieux ce sera. Refusons tout soutien aux réserves. Accordons de l'aide à ces hommes en cas de besoin, mais encourageons-les à entrer dans le grand courant de notre vie nationale et à déterminer eux-mêmes leur propre niveau.

Pour appuyer leur recommandation, les partisans de l'intégration citaient volontiers les statistiques effrayantes de la politique des réserves au long des années :

— Une réserve indienne est un ghetto, et toutes les belles paroles du monde ne sauraient maquiller ce fait. La réserve détruit l'initiative, encourage l'ivrognerie, et empêche les Indiens d'évoluer. Maintenir nos Indiens dans des réserves, c'est les emprisonner. Sur cent jeunes Indiens qui se lancent dans des études supérieures dans les conditions les plus favorables — bourses d'études, conseils personnels, cas particuliers — trois seulement continuent au-delà des premières années. Pourquoi échouent-ils ? Certainement pas par manque d'intelligence. Ils échouent parce que l'horrible système des réserves s'oppose à ce qu'ils continuent. À leur retour dans la réserve, les autres jeunes se moquent d'eux et leurs parents gémissent : « Pourquoi aller à la faculté ? Tu n'obtiendras pas un bon emploi même si tu réussis tes examens. Les Blancs t'en empêcheront. »

» La seule solution, à mon sens, serait de fermer toutes les réserves et de lancer les Indiens dans la masse : cela permettra à chacun de couler ou de surnager selon ses capacités. Je vous l'accorde, la première génération connaîtra des mauvais moments. Celle qui suivra se composera d'Américains comme les autres.

Ces recommandations draconiennes furent écartées d'emblée par tous ceux qui jugeaient, à l'instar des hommes politiques du siècle précédent, que le système actuel fonctionnerait parfaitement si les réserves étaient mieux gérées :

— Si vous chassez les Indiens de leurs réserves où un gouvernement bienveillant s'efforce de les protéger, de sauvegarder leurs anciens modes de vie et de leur assurer une existence décente, où iront-ils ? Vous l'avez vu : dans les quartiers pourris de Seattle, dans les taudis surpeuplés de Minneapolis, toujours dans les bas-fonds, d'une ville ou de l'autre... Les intégrer dans le grand courant, comme vous dites, revient à les désintégrer, à les inviter à se noyer.

Le débat se serait peut-être arrêté là, dans l'impasse où il macérait depuis un siècle, si deux personnes remarquables n'étaient venues déposer devant le Sénat. Le premier était un père jésuite assez jeune, principal d'un lycée catholique dans une réserve du Wyoming :

— Quel plaisir amer de voir nos jeunes indigènes, garçons et filles, au début de leur adolescence ! L'Amérique ne possède pas de meilleurs enfants. Les garçons sont virils, excellents aux jeux d'équipe, pleins d'ardeur et de bonne volonté pour apprendre. Les filles ? Il n'existe pas de créatures plus belles dans ce pays. Quand on leur offre notre enseignement, tous débordent d'espérance et promettent de devenir des adultes capables de monter aux premiers rangs de la nation.

» Oui, ils sont ainsi à l'âge de quatorze ans. À vingt-huit ans, les jeunes femmes conservent encore un peu d'espoir et sont prêtes à travailler pour s'assurer une existence convenable. Mais leurs maris se sont mis à boire, à flemmarder, à dégénérer. Souvent, ils rentrent ivres et battent leurs épouses, que l'on voit passer avec un œil au beurre noir et des dents de devant en moins. Alors elles se mettent à boire à leur tour, et très vite tout espoir est détruit. Le couple est devenu prisonnier de la réserve.

» A trente-six ans ils sont perdus, hommes et femmes. Ils continuent de tisser leur vie, mais avec des fils emmêlés, et ne produisent rien. Voir cette déchéance inexorable vous fend le cœur — et permettez-moi de préciser ce que j'entends par déchéance.

» Il y a quatre jours des fonctionnaires de la réserve se sont présentés dans mon bureau du Wyoming pour discuter de l'avenir des enfants de John et Mabel Harris. Le nom indien de John était Oiseau-Gris et, dans des conditions normales, il serait devenu un chef important dans notre communauté, mais sa femme et lui s'adonnent tellement à l'alcool qu'ils ne peuvent plus mener une vie normale. Leurs deux enfants, une fille de treize ans et un fils de onze ans, ont fait ce qu'ils pouvaient, avec notre aide, pour maintenir la cohésion de la famille, mais de toute évidence ils allaient à l'échec. J'ai donc recommandé, bien à contre-cœur, que l'on enlève les enfants aux Harris pour les confier à une famille plus stable. Tout le monde, y compris les enfants et l'autre famille, convint que c'était la seule solution, mais je leur précisai bien : « Une école religieuse ne peut pas accepter la responsabilité d'enlever des enfants à leurs parents, même si je le recommande à titre personnel. » Les responsables de la réserve firent donc leur devoir et conduisirent les enfants dans leur nouveau foyer.

» Ce soir-là, John Harris, ivre comme un tonneau, se rendit chez la nouvelle famille et se mit à hurler et à tempêter qu'il voulait ses enfants. Les enfants eux-mêmes, non les parents adoptifs, réussirent à le convaincre qu'ils désiraient rester où ils étaient. Il partit donc en pestant, et s'élança en titubant sous les roues d'un camion d'éboueurs de la réserve, qui klaxonnait à tout va. Il fut tué.

» Ses propres enfants, en entendant le bruit, coururent aussitôt sur les lieux de l'accident et arrivèrent près du cadavre écartelé juste au moment où le chauffeur du camion expliquait à l'attroupement : « Il était ivre mort. Il était toujours ivre mort. » Dans la même nuit — il y a trois nuits de cela — sa femme s'est tuée. L'ivresse et le suicide, tel est l'avenir que nous avons légué aux Indiens par suite de nos lois, ici même. N'appliquons surtout pas des lois semblables en Alaska.

Des Indiens comparurent également devant les divers comités pour supplier le Congrès d'établir en Alaska un meilleur système que celui en vigueur dans des États comme le Montana, le Wyoming et les Dakotas :

— Il doit exister des méthodes plus efficaces. Vous avez la responsabilité de les découvrir.

Le deuxième témoin décisif fut une Alaskane de quarante et un ans, aussi différente que possible d'un père jésuite : Melody Murphy, la petite-fille de la célèbre Melissa Peckham. Morte « sous le harnois » en se battant pour le statut d'État et l'affranchissement de tous les Alaskans, celle-ci avait légué à sa petite-fille non seulement son obstination à combattre l'ignorance et l'injustice, mais aussi son indifférence au sujet des mœurs matrimoniales.

Missy Peckham avait vécu en dehors des liens du mariage, comme on dit, avec quatre hommes différents, et au moment où le compagnon de presque toute sa vie, Matthew Murphy, avait été enfin libre de l'épouser, ni Missy ni lui n'avaient vu la moindre utilité de le faire. Sa petite-fille Melody, belle femme issue de quatre sangs différents, avait évité de même le mariage mais non les hommes. À trente ans elle avait acquis à Juneau la réputation d'une maîtresse femme. Sa mère — la fille de Melissa —, beaucoup plus conventionnelle, avait épousé très jeune le fils d'un Sibérien excentrique, Abraham Lincoln Arkikoy, et d'une Eskimo. Les quatre grands-parents de Melody étaient donc : l'Américaine Melissa, l'Irlandais Murphy, le Sibérien Arkikov et Nellie, l'Eskimo — pas une seule mauviette dans ce quatuor. Pour des raisons qu'elle n'expliqua jamais, elle avait pris très jeune le nom de Murphy.

Lorsqu'elle se rendit à Washington — à ses propres frais, car elle profitait des bénéfices provenant de la surprenante habileté de son grand-père Arkikov à acheter tous les terrains de Juneau dont personne ne voulait avec l'intuition que « quelqu'un en aurait envie un jour » — elle présenta au Congrès sa vision personnelle de l'Alaska, très différente de celle qu'ils imaginaient.

— Le recensement officieux de l'an dernier a montré que nous avons maintenant une population de deux cent quatre-vingt-onze mille huit cents habitants, et je vous assure que ce chiffre doublera avant le prochain recensement officiel. Si nous découvrons du pétrole en quantité comme certains le prédisent, elle risque de quadrupler. Nous possédons déjà le plus bel État de l'Union, celui qui a le plus grand potentiel de croissance. Je ne vois aucune limite à l'avenir de l'Alaska.

Mais pour lancer cet avenir sur la bonne voie, il nous faut d'abord régler la question des terres, et aucun élément de cette question n'est plus complexe que la nécessité de garantir à nos indigènes leurs droits à la terre qu'ils ont occupée depuis toujours.

À ces mots, un sénateur demanda :

— Mademoiselle Murphy ? C'est bien mademoiselle Murphy, n'est-ce pas ?

— Absolument.

— Dites-nous, mademoiselle Murphy, êtes-vous une indigène ? Ne retirerez-vous pas certains avantages si nous accordons des terres aux indigènes ?

Elle ne put retenir son rire, libre et ouvert comme celui de tous ses ancêtres d'Alaska. Et lorsqu'elle se pencha en avant pour convaincre les sénateurs, elle était d'une beauté étonnante :

— Dans les curieux mélanges qui se produisent en Alaska, je pourrais être considérée comme à moitié indigène. Un de mes grands-pères était un prospecteur irlandais du Yukon. Il n'a rien trouvé. L'autre un Sibérien un peu fou qui a cherché de l'or à Nome. Il en a découvert une plage entière. Une grand-mère d'origine anglo-saxonne, l'autre eskimo. Moi ? Je suis alaskane. Et parce que mon grand-père sibérien a trouvé cet or, je peux me permettre de me désintéresser de mes droits personnels à la propriété du sol. Mais les droits des autres m'intéressent d'autant plus.

Le président dut intervenir pour empêcher les spectateurs d'applaudir.

— On peut classer « indigène » treize pour cent de notre population totale. Ils se divisent en trois grandes catégories : les Indiens, les Eskimos et les Aléoutes. Mais dans la vie des indigènes de l'Alaska, rien n'est jamais simple. Les Indiens, que l'on devrait appeler en fait Athapascans, sont divisés en plusieurs groupes, dont l'un des plus importants est celui des Tlingits. Et il y a deux sortes d'Eskimos : les Inoupiats et les Ioupiks. Même les Aléoutes forment deux classes : les Aléoutes des îles et ceux qui se disent Aléoutes mais vivent sur le continent.

— Et qu'êtes-vous vous-même ? demanda un sénateur.

— Ma grand-mère eskimo était certainement une Ioupik. Mon grand-père sibérien ? C'est un charmant problème. Ses ancêtres lointains devaient être d'origine athapascane. Plus tard, ils ont peut-être engendré les Inoupiats. Et si vous creusez assez loin du côté de mes ancêtres anglais, Dieu sait ce que vous trouverez. Je me plais à croire que je suis un peu picte.

Le public essaya de rire discrètement mais ne put s'empêcher de s'esclaffer quand la jeune femme conclut :

— Disons que je constitue un bon mélange. Si j'étais un chien, vous m'appelleriez Corniaud et vous seriez ravis de m'avoir.

Elle reprit :

— L'Alaska se compose donc de huit groupes principaux d'indigènes. Quatre groupes d'Indiens, deux d'Eskimos, deux d'Aléoutes — et nous vivons ensemble sans problème. La solution que vous choisirez devra s'appliquer équitablement à tous, et je vous assure que les divers groupes seront prêts à des concessions, même si certaines mesures se révèlent contraires à leur tradition particulière. Le problème fondamental ? Les indigènes doivent avoir des terres. Deuxième principe ? Il faut les protéger dans leurs droits de propriété jusqu'à l'époque —

probablement au début du siècle prochain, 2030 par exemple — où ils seront capables de prendre des décisions au sujet de leurs terres sans cette protection.

À la fin de son témoignage, un sénateur posa la question qui les intriguait tous :

— Mademoiselle Murphy, avez-vous déposé aujourd'hui en tant qu'indigène ou que non-indigène ?

— Comme je vous l'ai dit, messieurs, je suis l'un et l'autre par moitié. Quand j'ai prêté serment de vous dire la vérité, j'ai tenu compte du fait que l'Alaska se compose de quatre-vingt-sept pour cent de Blancs ordinaires comme vous et de treize pour cent d'indigènes comme les Eskimos purs et les Athapascans. Votre mission consiste à trouver une solution qui permettra aux deux groupes de progresser dans la sécurité et l'espoir.

L'ANCSA — Alaska Native Claims Settlement Act — de 1971 fut une des lois les plus compliquées (et les plus originales par l'absence de précédents) que le Congrès américain ait adoptées. Ses décisions généreuses s'expliquent avant tout par le complexe de culpabilité dont souffrait le peuple américain à la suite des traitements honteux infligés aux Indiens dans les autres États. Tout le monde désirait faire mieux pour les indigènes de l'Alaska. Le peuple américain pouvait être fier de cet ensemble de lois. L'ANCSA n'était peut-être pas une solution pour l'éternité, mais un premier pas en avant, généreux pour l'époque.

L'Alaska, avec 1 518 807 kilomètres carrés, représentait 2,19 fois la superficie du Texas. On en donnerait dix-huit millions aux indigènes — soit 12 % de l'ensemble du pays — plus un capital financier de 962 500 000 dollars. Jusqu'ici, fort bien. Mais pour réaliser certains des objectifs exposés par Melody Murphy, et en particulier pour empêcher toute extravagance dans l'euphorie qui succéderait à l'octroi des terres, ces superficies gigantesques ne seraient pas distribuées à des individus mais confiées à douze énormes compagnies indigènes, chacune dans une région, pour que les biens attribués soient répartis entre elles dans tout l'État, plus une treizième compagnie comprenant tous les indigènes d'Alaska vivant en dehors de l'État et donc sans lien avec une région précise.

Tout indigène alaskan né avant 1971 et vivant où que ce fût dans le monde deviendrait donc membre d'une des treize énormes compagnies et recevrait des documents lui donnant droit à une part proportionnelle du capital de cette compagnie. Par exemple Melody Murphy, résidant à Juneau, devint actionnaire de la puissante Sealaska Corporation, l'une des mieux gérées, privilégiée par la qualité des terres qu'elle reçut. Vladimir Afanasi, à Desolation Point, l'un des endroits les plus reculés, devint propriétaire de parts dans la vaste Arctic Slope Regional Corporation, dont les terres étaient plus vastes que bien des États au Sud du Quarante-Huitième. Des clauses intéressantes protégeaient la compagnie centrée sur la région très peuplée d'Anchorage, car la plupart des meilleures terres étaient déjà passées entre les mains de propriétaires privés : le Congrès autorisa les chefs indigènes à choisir des terres de qualité comparable, dont le gouvernement demeurait propriétaire dans diverses parties des États-Unis. De sorte qu'un Eskimo habitant un village des environs d'Anchorage se retrouvait propriétaire (par l'entremise de sa compagnie régionale) d'un immeuble fédéral de Boston ou d'un entrepôt inutilisé d'Honolulu.

La terre avait été rendue aux indigènes mais individuellement ils ne reçurent rien, en raison de deux dispositions prévues dans la loi : aucune terre acquise par la compagnie ne pourrait être vendue, hypothéquée ou aliénée avant 1991 ; mais d'un autre côté, l'État ne percevrait sur ces terres aucun impôt foncier. Le Congrès croyait que cette période de « sommeil » de vingt ans permettrait aux indigènes de maîtriser les subtilités de la gestion de leur capital au sein de la société américaine contemporaine. Tous espéraient et certains escomptaient que pendant ces deux décennies les indigènes connaîtraient une telle prospérité qu'à la fin de la période de tutelle ils n'auraient plus envie de vendre leurs actions dans leur compagnie ni d'aliéner leurs dix-huit millions d'hectares de quelque manière que ce fût.

Mais, comme pour compliquer la règle du jeu à plaisir, le Congrès avait également encouragé l'établissement d'environ deux cents filiales de ces treize compagnies pour gérer les terres et les propriétés au niveau du village. La grande majorité des indigènes appartenait donc à deux sociétés. Par exemple, à Desolation Point, Vladimir Afanasi avait des parts à la fois dans l'énorme Arctic Slope Regional Corporation avec ses vastes espaces, et dans Desolation Management, minuscule compagnie qui s'occupait des affaires du village. Dès le début du nouveau régime, il s'aperçut que les intérêts de la petite compagnie ne coïncidaient pas toujours avec ceux de la grande, dont il faisait également partie. Un jour où il chassait le morse avec des amis, très loin sur la glace, il dit à ceux-ci :

— Il faudrait un ingénieur du MIT et un gestionnaire de la School of Business pour résoudre toutes ces complexités.

Il avait fait deux ans d'études à l'université de l'Alaska, à Fairbanks, mais se sentait incapable de préciser les orientations que ses deux sociétés devaient adopter.

— Et je me demande s'il existe un seul Eskimo assez au courant pour le faire.

Les chasseurs de morse réfléchirent un moment, les yeux perdus sur la mer glacée.

— En vingt ans, nos gosses peuvent apprendre, si quelqu'un leur donne l'éducation nécessaire.

— Nous allons vivre les vingt années les plus passionnantes de l'histoire eskimo, répondit Vladimir.

Quand des avocats et des hommes d'affaires rapaces du Sud du Quarante-Huitième apprirent que les tribus indigènes d'Alaska, souvent illettrées et sans éducation, allaient se retrouver à la tête de presque un milliard de dollars sans parler d'immenses terres, ils se découvrirent un intérêt passionné pour l'Arctique. Des aventuriers sans vergogne de villes comme Boston, Tulsa, Phoenix et Los Angeles, surgirent bientôt dans les villages reculés, avec l'intention généreuse de guider les indigènes au milieu des écueils de leurs responsabilités nouvelles, tout en réclamant bien entendu des honoraires effarants.

Un jeune ambitieux, licencié de Dartmouth en 1973 et sorti de Yale avec un beau diplôme de droit en 1976, n'avait aucune intention de passer sa vie en Alaska ; en fait, il n'avait jamais dû prononcer une seule fois le nom du nouvel État en dehors de la classe de géographie. Mais lorsqu'il passa brillamment son dernier examen au seuil de l'été 1976, son père lui offrit en récompense soit une voiture neuve, soit une expédition de chasse dans le nord du Canada. Jeb Keeler, qui avait arpenté les hautes terres du New Hampshire au nord de Dartmouth à la recherche du wapiti à queue blanche, opta en faveur de l'aventure canadienne. Il se rendit en plein nord de Dartmouth dans l'île canadienne reculée de Baffin, avec le projet bien arrêté de tuer un caribou.

Il se lança hardiment sur la toundra au nord du cercle polaire, mais n'aboutit à rien. Un soir de juillet sans nuit, alors qu'il s'attardait au bar du pavillon de chasse de Pond Inlet, un grand bonhomme jovial portant une tenue de chasse d'un luxe extrême s'assit en face de lui sans y être invité et lui lança :

— Jeune homme, vous en faites une tête !

— Normal, non ? Je suis venu ici pour un caribou... Rien !

Le visiteur inopiné tapa sur la table.

— Étonnant ! Je suis venu ici pour la même chose. Et je n'ai rien trouvé. Je m'appelle Poley Markham, de Phoenix, Arizona.

— Quelqu'un a tout de même eu un caribou. Regardez-le qui pend là-bas.

— C'est moi, dit Markham fièrement. Mais pour le trouver j'ai dû aller en avion à la péninsule de Brodeur.

— Où est-ce ?

— Assez loin vers l'ouest.

Il se pencha en arrière, admira son caribou, puis déclara :

— C'est un des animaux les plus importants que j'aie jamais tués.

Jeb lui demanda ce qu'il entendait par là. L'homme de Phoenix commanda une tournée et se lança avec enthousiasme dans un monologue remarquable aux péripéties tellement inattendues que Jeb fut captivé.

— Vous vous en êtes déjà aperçu, les gens disent que les caribous sont très communs. Il y en a partout, paraît-il. Sauf quand on veut en tirer un. Et ils n'étaient nullement communs quand j'ai essayé d'en chasser un en Alaska. Il y a des années, sur le Yukon, j'avais décidé de « faire les Huit Grands » et j'avais déjà sept trophées sur mes murs à Phoenix — ceux que les chasseurs appellent « les durs » —, mais du diable si je pouvais accrocher à côté la huitième tête, la plus facile de tous, celle du caribou.

»Les Huit Grands de l'Alaska ? Une collection merveilleuse, et quel défi pour un chasseur sérieux ! Les deux ours formidables, le polaire et celui de Kodiak, je les ai eus dès le début. Dans chaque cas d'énormes efforts, mais je les ai ramenés. Ensuite, l'orignal et le bœuf musqué de l'Arctique. Difficile mais faisable. Puis les deux grands animaux de montagne, peut-être les plus pénibles à chasser de tous : la chèvre et le mouton de Dall. Cela fait six. Restent le plus difficile — le morse — et le plus facile — le caribou.

» Je suis allé en avion sur un site connu au nord du cercle polaire, un endroit du nom de Desolation Point où vit un chasseur que je vous recommande si vous vous rendez un jour par là-bas. Un excellent garçon, un Eskimo au nom russe, Vladimir Afanasi. Il m'avait aidé pour l'ours polaire et il allait m'aider pour les morses. Quatre journées difficiles, mais j'ai tué une bête splendide. Et quand j'ai préparé la tête et les défenses pour le voyage de retour, j'ai lancé d'un ton désinvolte : “ Il ne me reste plus qu'un caribou et j'aurai terminé mes Huit Grands. ”

» Vous savez, j'ai arpenté tout le nord de l'Alaska à la recherche de ce maudit caribou, sans en voir un seul. Il paraît qu'un demi-million de caribous se promènent entre le Canada et l'Alaska, mais je n'en ai jamais vu un, sauf par le hublot d'un avion, avant l'autre jour sur la péninsule de Brodeur.

— Vous les appelez les Huit Grands de l'Alaska, fit observer Keeler, mais vous avez tué votre caribou au Canada.

— C'est l'animal qui compte, pas l'endroit où on le tue. J'ai peut-être abattu mon ours polaire dans des eaux soviétiques.

Ravi de l'intérêt que le jeune Keeler manifestait pour la chasse, Markham lui demanda :

— Vous venez de passer vos examens de droit? À Yale? Avec d'excellentes notes? Jeune homme, si j'étais à votre place, savez-vous ce que je ferais? Je prendrais le premier avion à destination de l'Alaska. Et comme vous semblez passionné de chasse, une fois là-bas, je continuerais vers Desolation Point.

— Écoutez, je n'ai pas encore débuté et vous parlez là de grosses sommes.

— Oui, je parle de grosses sommes.

— Personne ne gagne de grosses sommes en chassant. On dépense de grosses sommes.

— Qui parle de chasser?

— Mais... nous!

— Pas du tout, répliqua Markham. Nous parlons de l'Alaska, et quand vous aurez gagné vos grosses sommes en Alaska, vous les dépenserez à la chasse des Huit Grands.

À l'instant où il prononça ces mots, Jeb Keeler, vingt-cinq ans, blond, athlétique et célibataire, s'imagina sur la glace au large de Desolation Point en train de chasser l'ours ou le morse, ou bien sur les hautes crêtes, à la poursuite du mouton de Dall ou de la jolie chèvre blanche des montagnes. Mais comment se payer ce genre d'aventure avant la cinquantaine?

— Depuis 1967, expliqua l'homme de Phoenix, je suis conseiller auprès d'une commission du Sénat sur la question des terres réclamées par les indigènes d'Alaska. J'ai obtenu mon diplôme de droit à l'université de Virginie et je me suis toujours intéressé aux affaires indiennes. Où je veux en venir? En 1971 le Congrès a voté une loi si complexe qu'aucun être humain ordinaire ne sera jamais capable de la comprendre et à plus forte raison de l'appliquer. Le soir du vote, plusieurs avocats comme moi se sont réunis au dîner et le plus âgé d'entre nous a levé son verre pour porter un toast « à la loi votée aujourd'hui : elle donnera à nous tous du travail jusqu'à la fin de ce siècle ». Il ne se trompait pas. Vous devriez aller là-haut et vous tailler une part du gâteau.

— Pourquoi n'y êtes-vous pas? demanda Keeler avec le côté direct qui caractérisait son attitude, à la chasse comme pendant ses études.

— J'y suis. Conseiller d'une des plus grandes compagnies existant sur l'océan Arctique. Je passe trois ou quatre semaines à démêler les affaires pour eux. Leurs émissions d'obligations et le reste. Puis pendant trois semaines je chasse et je pêche, avant de rentrer chez moi à Phoenix.

— Ont-ils les moyens de vous payer? Une bande d'Eskimos?

— Jeune homme, avez-vous entendu parler de Prudhoe Bay? Du pétrole! Ces Eskimos vont gagner tellement d'argent qu'ils ne sauront plus quoi en faire. Ils auront besoin d'hommes comme vous et moi pour les guider.

— Est-ce bien vrai ?

— C'est ce que je fais. Ainsi que plusieurs membres de l'équipe avec laquelle je travaillais à Washington. Les compagnies indigènes sont bourrées de fric, et des hommes de loi brillants comme vous et moi ont bien droit à une part, non ?

Markham était un gros bonhomme bien en chair qui semblait assez mou. Mais il adorait les rigueurs de la chasse, et sur le terrain il surprenait ses compagnons beaucoup plus athlétiques car il était bien plus résistant que la plupart sur la piste de l'animal qu'il désirait. Il fit soudain une proposition surprenante :

— Keeler, vous me plaisez. Je vois que vous comprenez la chasse. Je serais fier de vous aider à tuer votre premier caribou. J'ai travaillé dur en Alaska et une autre balade dans le désert me fera plaisir. Voulez-vous m'accompagner ?

Il proposa de louer à ses frais un guide local avec un hydravion pour traverser la mer jusqu'à l'île Bylot où l'on pouvait s'attendre à trouver des caribous au pied du glacier. Le vol fut d'une extrême beauté quand on aime les endroits désolés qui vous donnent une impression de fin du monde. Quand ils survolèrent l'île de Baffin ils repérèrent plusieurs troupeaux de caribous.

— Comment peut-il y en avoir autant au-dessous de nous, et si peu quand j'aimerais en trouver un ? demanda Jeb.

— Tel est l'attrait de la chasse. Vous verrez quand vous vous attaquerez à la chèvre de montagne... Vous allez chasser les Huit Grands, n'est-ce pas ? C'est le plus beau palmarès qui soit dans tous les domaines de la chasse.

— Mais les lions, les tigres, les éléphants ?

— Voyons ! N'importe qui peut se balader dans les jungles chaudes pour un safari sans danger. Mais pour obtenir votre ours polaire, il faut vous attaquer à l'Arctique, à l'hiver de l'Alaska. Et croyez-moi, il faut être un homme.

Quand ils atterrirent, le guide les conduisit à un endroit où il avait souvent vu des caribous au cours de leurs migrations annuelles.

— Ils traversent le chenal à la nage, ou bien attendent qu'il gèle. Des animaux fantastiques.

Le troisième jour, assez loin de leur campement, les deux hommes tombèrent sur un beau mâle portant de grands bois. Jeb allait tirer, mais Markham le retint :

— Bon, mais pas parfait. Avançons par là. Sans bruit.

Depuis la crête voisine ils aperçurent ce que le chasseur expérimenté avait deviné : un énorme mâle à la tête d'un petit troupeau.

— Celui-là ! murmura Markham :

Keeler abattit son trophée d'un coup de feu parfait, appris à Dartmouth en chassant le cerf. Il essaya d'affecter un air nonchalant tandis que le guide prenait une photo Polaroïd.

Ce fut ce cliché qui détermina l'avenir de Jeb Keeler. Il la regarda longuement pendant le vol de retour à Pond Inlet, et dit à Markham :

— J'aimerais réunir mes Huit Grands.

— Si vous venez en Alaska, je vous aiderai à démarrer. Mais les règles sont un peu plus strictes à présent. Les types du Sud du

Quarante-Huitième comme vous et moi n'ont plus le droit de tirer le morse, l'ours polaire et le phoque. Ces animaux sont protégés pour assurer la subsistance des indigènes.

— Alors pourquoi m'en avez-vous parlé ?

Markham lui exposa alors une loi fondamentale de la vie dans le Nord :

— En Alaska, il existe toujours un moyen de contourner le règlement désagréable qui vous coince.

— L'obstacle à surmonter me plaît, dit Jeb.

— Les emplois à gros salaires dans les grandes compagnies indigènes sont déjà pris, l'avertit Markham, mais vous trouverez de nombreuses occasions auprès des compagnies des villages. Comme celle de Desolation Point. Je signalerai votre arrivée à Afanasi.

Quand l'avion se posa, il était entendu que Keeler mettrait de l'ordre dans ses affaires, ferait ses tendres adieux aux belles de Wellesley et de Smith, puis partirait ouvrir son cabinet en Alaska.

À son retour aux États-Unis, avec la tête de caribou dans la cale de l'avion, il fit un détour par New Haven pour consulter le professeur qui l'avait orienté dans ses études de droit et pour ses examens. Le Pr Katz était un de ces intellectuels juifs qui considèrent le droit comme un lien entre l'expérience humaine du passé et les aspirations de l'avenir. Avant même que Jeb ait fini de décrire la question des indigènes d'Alaska, Katz l'interrompit :

— J'ai suivi les débats au Congrès. Un texte de loi aussi compliqué est une honte. Jamais les indigènes ne seront capables de gérer leurs compagnies et de les défendre contre les rapaces venus des États-Unis.

— Vous estimez donc, comme M. Markham, qu'ils ont besoin d'avocats ?

— Et quel besoin ! Il leur faut des guides pour les orienter, une assistance technique méticuleuse et des conseils avisés pour protéger leurs capitaux. Un jeune homme brillant comme vous pourrait leur être extrêmement précieux.

— Vous parlez comme si vous aviez envie d'y aller vous-même.

— J'irais. Pour un certain temps, si j'étais plus jeune. Si vous entrez dans un grand cabinet juridique de New York à l'automne, quelle expérience allez-vous acquérir ? Un prolongement de ce que nous vous avons enseigné ici, à Yale. Rien à redire, sauf que cela vous limitera. Mais si vous allez en Alaska, vous affronterez des problèmes qui n'ont pas encore été définis. C'est une vraie frontière, une occasion de battre de nouveaux sentiers.

— Cet homme de Phoenix donnait l'impression que ce serait passionnant. À vous entendre, ce serait un défi. Je vais y réfléchir.

Le Pr Katz se leva pour raccompagner Jeb et le prit par le bras. Il le serra contre lui comme il l'avait fait au cours des dernières semaines avant les examens.

— Monsieur Keller, vous êtes devenu un adulte mais vous conservez l'enthousiasme de la jeunesse. Et dans une société de Frontière comme celle de l'Alaska, cela risque de vous faire tomber dans un piège : celui de l'écart de conduite. Là-bas, les lois sont plus flexibles pour le Blanc, les règles plus faciles à contourner. Si vous entreprenez de redresser les torts, prenez double et triple précaution pour agir honorablement. Je ne connais pas d'autre mot qui convienne. Je ne parle pas d'honnêteté parce que ce côté est couvert par la loi. Ni de sagacité parce que cela implique de faire tourner les choses à votre avantage. Par honorablement, j'entends la manière dont doit se conduire un homme d'honneur.

— Je crois que j'ai déjà appris cela de vous, monsieur, et de mes parents.

— On ne sait jamais si on l'a vraiment appris avant que la réalité vous mette à l'épreuve.

Ce fut dans ces conditions que Jeb Keeler abandonna la côte Est pour l'Alaska, en emmenant ses deux chiens de chasse, son matériel de plein air et les recommandations de ses deux conseillers. Katz, son mentor de Yale, lui avait dit : « Agissez honorablement » ; Markham, son mentor de Phoenix, lui avait annoncé « un paquet de fric ». Il entendait associer les deux, et par la même occasion inscrire à son actif le reste de ses Huit Grands de l'Alaska.

⁂

Quand Jeb arriva à Juneau pour présenter ses références d'avocat dans la capitale de l'État, il s'aperçut que Poley Markham lui avait facilité la tâche en l'engageant comme membre de sa firme : cela évitait au jeune homme de passer l'examen du barreau local et lui permettait de travailler cinq jours après sa descente d'avion. Comme Markham l'avait prévenu, les meilleurs morceaux étaient pris, mais deux des compagnies indigènes les mieux gérées, Sealaska de Juneau et l'importante Doyon de Fairbanks, lui confièrent de petites affaires, et ce fut en les réglant que Jeb apprit les rudiments du métier de conseiller juridique en Alaska.

Il avait réalisé un bon coup en protégeant les biens de ces compagnies pour un contrat avec une entreprise de construction du Sud du Quarante-Huitième, mais au moment où il allait présenter sa note, Markham arriva de Phoenix pour vérifier une négociation de la compagnie dont il s'occupait dans le Grand Nord.

— J'aimerais voir votre facture, dit Poley. Il faut être cohérent.

En voyant les honoraires que Jeb se proposait de réclamer, il sursauta.

— Vous ne pouvez pas soumettre une note comme ça !

— Qu'est-ce qui cloche ?

— Tout.

Et d'un coup de plume décidé il raya les chiffres modestes de Jeb, les multiplia par huit et lui rendit la feuille.

— Refaites-la taper.

Quand Jeb présenta sa facture, on la lui paya sans sourciller.

Au cours de ses déplacements dans tout l'État pour ces affaires mineures, Jeb découvrit que Markham avait fait un long apprentissage dans ce genre d'opérations banales avant de dénicher son poste actuel auprès de l'une des grandes compagnies. Il était allé partout et il avait apparemment offert aux Eskimos, aux Athapascans et aux Tlingits l'assistance fraternelle dont leurs petites compagnies avaient besoin au départ. Jeb découvrit que, s'il citait le nom de Markham dans les petits villages, les indigènes souriaient immanquablement, car avec ses manières sympathiques, Poley avait donné à ces gens modestes non seulement des conseils précieux mais le sentiment de leur propre valeur. Il les avait convaincus qu'ils seraient capables de gérer leur richesse soudaine, et un week-end où Jeb avait affaire à Anchorage, il écouta attentivement Poley esquisser sa théorie de la situation enviable où se trouvaient les avocats venus du sud du Quarante-Huitième :

— Prenez la société d'un village d'importance moyenne — et il y en a plus de deux cents. Il faut faire certaines choses, la loi l'exige. Et pas un homme du cru n'en a la compétence. Il faut déclarer la société, la faire enregistrer, et vous savez toutes les paperasses que cela implique. Puis il faut organiser des élections pour les diverses fonctions, avec des bulletins de vote imprimés et tout le cirque. Mais il faut d'abord établir la liste complète des membres du village et pour y parvenir formulaires, adresses et lettres sont nécessaires. Quand nous savons qui a droit aux actions, il faut imprimer celles-ci, les émettre et les enregistrer, et pour chaque opération, les avocats sont indispensables.

» Et la farce commence, parce que le village doit déclarer les terres qu'il va choisir, et cela exige l'intervention de géomètres experts, des actes de cessions et de dépôt légal des actes et des plans auprès du gouvernement. Ensuite, la compagnie est tenue à des vérifications comptables et il nous faut engager des commissaires aux comptes, compiler des minutes, organiser des réunions publiques. Sans parler de la question la plus délicate, à mon avis : tenir le public et les actionnaires au courant des opérations de la nouvelle compagnie.

» L'Alaska est le paradis des avocats — et ce n'est pas nous qui en avons décidé ainsi. C'est le Congrès. Mais ce qui est fait est fait, l'argent attend à la banque et nous avons le droit d'en soutirer notre part. Quelle est notre part ? Ma foi, le gouvernement a donné aux sociétés presque un milliard de dollars. Je prétends que nous avons bien droit à vingt pour cent.

— Mais ce serait deux cent millions de dollars ! s'exclama Jeb. Vous le pensez sérieusement ?

— Sans le moindre doute. Si vous et moi n'en prenons pas notre tranche, quelqu'un d'autre s'en chargera.

— Mais vous personnellement ? Qu'escomptez-vous, je veux dire en chiffres ronds... Qu'est-ce qui est possible ?

— Entre une chose et l'autre, je ne devrais pas retirer de l'Alaska moins de dix millions.

— « Entre une chose et l'autre » ? Qu'entendez-vous par là ?

— Rien de particulier. Je songeais à la façon dont toutes ces affaires se présentent. Mais j'ai vraiment plusieurs choses fort intéressantes en train de mijoter au nord du cercle polaire.

Jeb comprit qu'il n'obtiendrait jamais un tableau clair et net de la façon dont opérait cet aimable bonhomme. Au moment où il allait conclure que les manipulations de Poley se trouvaient aux extrêmes frontières de la légalité, l'avocat de Phoenix posa le bras sur les épaules de Jeb et lança en riant :

— Vous devriez suivre la même règle que moi : Ne serait-ce que pour quatre sous versés en espèces, laissez une trace de reçus écrits d'un mètre de large.

— Je n'ai pas l'intention de voler.

— Moi non plus, mais dans trois ans un salopard ou un autre essayera de prouver que vous l'avez fait.

Plus tard, à la réflexion, Jeb se rendit compte que Poley n'avait pas dit carrément comme le Pr Katz : « Ne faites rien de contraire à l'honneur. » Seulement : « Quoi que vous fassiez, laissez des traces écrites pour prouver que vous ne l'avez pas fait. » Mais sur le moment, Poley le détourna de ce genre d'euphémismes :

— Vous êtes allé dans le Nord prendre contact avec Afanasi ? lança-t-il soudain en claquant des doigts. Non ? Comment avance votre collection des Huit Grands ?

— J'en reste au caribou que vous m'avez aidé à tuer.

— Bien. Nous monterons à Desolation pour votre morse.

— Mais le morse est illégal pour nous.

— Oui... et non.

Sur l'insistance de Poley, Jeb annula ses rendez-vous et accompagna l'avocat de Phoenix à Barrow, où celui-ci le présenta à Harry Rostkowsky et à son vieux monomoteur Cessna-185.

— Nous allons voler avec ça ?

— Toujours. Et dans deux semaines, il emportera votre tête de morse.

En apprenant que Desolation n'était qu'à soixante-cinq kilomètres de Barrow, il espéra éviter le vol dans la vieille caisse de « Rosty », mais quand ils prirent de l'altitude, Poley lui montra la toundra lugubre au-dessous d'eux, sans un seul arbre en vue, des kilomètres et des kilomètres de monticules de glace, de semi-marécages et de lacs peu profonds.

— Aucune route par ici. Il n'y en aura probablement jamais. Ou on vole, ou on n'y va pas.

Pour préparer son atterrissage à Desolation, Rostkowsky s'éloigna au-dessus de la mer, vira à gauche et revint en rase-mottes sur le village de trente maisons, un magasin et une école en cours de construction. À sa stupéfaction, Jeb s'aperçut que, malgré les milliers d'hectares de terre inutilisée, l'agglomération s'était perchée à l'extrême pointe sud d'une langue de terre exposée à la mer d'un côté et à une lagune de l'autre.

— Intime, non ? cria Rostkowsky en passant deux fois à pleins gaz pour aviser les gens du village.

Il se posa habilement sur la piste de gravier et roula vers l'endroit où des gens commençaient à se rassembler. Avant même que quiconque descende de l'avion, il ouvrit son côté et fit tomber deux sacs de courrier et plusieurs colis. Puis il déverrouilla la porte et dit à ses passagers :

— Oui. Avec l'aide de Dieu, nous sommes tout de même arrivés.

En voyant descendre leur vieil ami Poley Markham, les gens de Desolation s'avancèrent sans bruit, sans le moindre geste de bienvenue. « S'ils traitent un vieil ami avec autant de réserve, se dit Jeb, comment accueillent-ils une personne qu'ils n'aiment pas ? » Puis il regarda par-dessus l'épaule de Poley les petites maisons du premier village eskimo qu'il voyait, et il aperçut à l'écart de tous un petit homme rond d'environ quarante-cinq ans, tête nue avec des cheveux grisonnants qu'il coiffait à la Jules César, courts et peignés vers l'avant sur son front brun.

— Est-ce Afanasi ? dit-il en lançant un coup de coude à Poley.

— Oui. Il ne paie pas de mine.

Quand tous les gens du village eurent salué Markham, car il avait souvent eu une action charitable à Desolation, les deux avocats se dirigèrent vers l'homme qui leur servirait de guide pour la chasse au morse.

— Je vous présente mon jeune ami Jeb Keeler, avocat..., annonça Poley.

— Vous ne rencontrez donc jamais personne qui travaille pour vivre ? demanda Afanasi.

Les trois hommes rirent de bon cœur.

Dans les jours qui suivirent, Jeb découvrit que cet Eskimo tranquille et compétent, propriétaire du seul camion de l'endroit, était remarquable à de nombreux égards :

— Vous avez fait deux années d'études à l'université ?
— Oui.
— Et vous avez travaillé deux ans à Seattle ?
— Oui.
— Et vous êtes abonné à *Time* ?
— Oui. Il arrive avec trois semaines de retard.
— Et vous êtes le président du conseil de l'école ?
— Oui.

La dernière question trahit l'étonnement de Keeler, mais ne troubla nullement Afanasi :

— Mais vous préférez vivre selon les anciennes traditions de « subsistance » ?

En prononçant ce dernier mot, extrêmement important, Jeb Keller se catapultait en plein cœur de l'Alaska contemporain, car une grande bataille venait de commencer et continuerait pendant le reste du siècle entre les Alaskans indigènes. Certains acceptaient comme inévitable de se nourrir la plupart du temps avec des conserves achetées dans les magasins, mais désiraient améliorer leur sort en chassant un phoque ou un caribou de temps en temps, à la manière traditionnelle. Mais les forces du gouvernement et les défenseurs de la modernité s'attachaient à imposer aux indigènes un mode de vie urbain et une économie fondée sur l'argent. Dans les couloirs du Congrès, on avait présenté ce conflit comme celui du système des réserves contre l'intégration. Mais si cette opposition avait un sens réel dans le cas des Indiens du Sud du Quarante-Huitième, en Alaska où aucune réserve n'avait jamais existé, cette façon de voir semblait hors de propos. Dans le Grand Nord le conflit se manifestait sous forme de choix entre « subsistance traditionnelle » et « urbanisation moderne ». Afanasi, qui avait vécu le meilleur des deux systèmes, essayait de se montrer éclectique :

— Je désire la pénicilline et la radio, mais je trouve aussi de grandes satisfactions spirituelles dans la vie de subsistance.

En apprenant ce que cela supposait, Jeb fut aussitôt séduit.

— Vous entendrez beaucoup parler de subsistance si vous travaillez en Alaska, monsieur Keeler. Vous avez donc intérêt à bien connaître le sens de ce mot. Au Sud du Quarante-Huitième, il paraît que cela signifie « se débrouiller grâce aux allocations du gouvernement ». Subsister au niveau de la pauvreté. En Alaska, il n'en va pas de même. Le mot implique de nobles modes de vie qui remontent à vingt-deux mille ans, à l'époque où nous vivions tous en Sibérie et où nous apprenions à survivre dans un des horizons écologiques les plus difficiles du monde.

L'utilisation de cette expression par Vladimir Afanasi — et son vocabulaire en général — incita Keeler à lui demander :

— Êtes-vous bien un Eskimo ? Votre vocabulaire est d'une telle ampleur !

— Je suis un Eskimo aussi pur que vous pourrez en trouver à notre époque, lança Afanasi en riant.

— Mais votre nom russe ?

— Remontons cinq générations, en me comptant. Ce n'est pas difficile quand on est eskimo. Un Sibérien épouse une Aléoute. Leur fils devient le célèbre père Fedor Afanasi, la lumière spirituelle du Nord. Tard dans sa vie, il épouse une Athapascane de la mission où il travaille. Son Eglise l'envoie ici pour évangéliser les Eskimos païens, qui l'assassinent presque aussitôt. Son fils Dimitri devient missionnaire. Et le fils de Dimitri aussi : c'était mon père. Moi ? L'œuvre missionnaire ne m'a pas attiré. J'ai pensé que notre problème était la rencontre avec le monde moderne. Mais vous voulez savoir ce que je suis ? Russe pour un seizième sans parler du tout la langue. Aléoute pour le même pourcentage, et aussi illettré dans ce domaine. Athapascan pour un huitième, et pas un mot de la langue. Eskimo pur ? Les trois autres quarts, mais quand je dis que douze de mes ancêtres sur seize sont de purs Eskimos, Dieu seul sait ce que cela signifie en réalité. Il y a peut-être là-dedans du sang de marin de Boston... ou de Norvégien.

» Mais quelle que soit la vérité, je suis un Eskimo partisan d'une vie de subsistance. Je désire aider mon village à prendre une baleine ou deux chaque année. Je désire chasser l'ours polaire et le morse quand je peux. Je veux deux ou trois caribous quand ils passent en troupeaux. Et nous vivons aussi avec les canards, les oies, les algues et le saumon. Surtout, ce qui est important à présent, je tiens à avoir de grands espaces pour attraper ce dont j'ai besoin pour manger — ce qui me met en conflit avec des chasseurs de l'extérieur comme vous. Je n'aime pas vous voir arriver ici en avion et tuer mon gibier pour votre collection de trophées : vous emportez les têtes dans le Sud et laissez pourrir les carcasses.

Tel était en bref le sens du mot subsistance pour un Eskimo, un Aléoute ou un Athapascan. Keeler l'entendrait souvent répéter. Et dans les jours suivants, quand il partit avec Markham très loin sur la banquise chasser le morse sous la direction d'Afanasi, son respect pour ce mode de vie augmenta. Un soir où ils préparaient leur repas du soir dans une tente plantée à cinq kilomètres de la terre, il avoua :

— Je me suis toujours considéré comme un chasseur. Les lapins quand j'étais gosse, le wapiti au New Hampshire. Mais vous, vous êtes un vrai chasseur. Vous chassez ou vous crevez de faim.

— Pas tout à fait, répondit Afanasi. J'ai toujours la possibilité d'aller à Seattle ou à Anchorage travailler dans un bureau. Mais est-ce un choix viable pour un Eskimo ? Pour un homme comme moi qui a connu tout ce que signifie la vie ici, sur la glace ? Revenez quand nous ferons une chasse à la baleine, vous verrez le village entier se joindre à la cérémonie de remerciements à l'animal. Ensuite nous débitons notre prise et tout le monde, même les plus vieilles femmes, se présente pour recevoir sa part du don de l'océan : le lard de baleine, essence même de la vie.

Le quatrième jour sur la glace, quand ils parvinrent tout au bord de la banquise à l'endroit où l'on apercevait l'eau bleue dégagée au loin, Poley Markham repéra un morse en train de se hisser sur la glace. Afanasi, avec ses jumelles Zeiss, confirma la présence de l'animal. Puis, avec une maîtrise apprise de ses oncles eskimos, il dirigea son groupe de façon que le plus jeune des trois, Jeb Keeler, puisse tirer une balle dans le cou de l'énorme animal. Mais juste au moment où Jeb tira, Afanasi et Markham, en arrière et à l'écart, tirèrent aussi pour s'assurer qu'un animal blessé ne serait pas condamné à agoniser dans les profondeurs marines. Les trois coups furent si bien synchronisés que Jeb ne s'aperçut pas que les deux autres avaient tiré. Lorsqu'il s'élança vers l'animal abattu, il exultait comme s'il avait abattu tout seul ce spécimen admirable. À peine avait-il atteint le morse qu'Afanasi repartit au village en annoncer la capture.

Jeb et Poley restèrent sur la glace cette nuit-là pour protéger leur proie. Le matin venu, une file de villageois les réveilla : hommes et femmes étaient venus dépecer la bête et rapporter chez eux l'excellente viande nutritive. Ce fut une journée de triomphe. Même les enfants participèrent aux réjouissances. Quand on répartit la viande, plusieurs jeunes apportèrent une portion aux personnes alitées. Dans l'après-midi, on dansa, avec à la place d'honneur la tête du morse et ses énormes défenses. Mais un jeune Eskimo jeta une ombre sur la fête quand il annonça à Keeler :

— Vous savez que vous ne pourrez pas emporter la tête...

— Ah bon ?

— Interdit par la loi. On ne chasse pas le morse pour le sport.

Jeb, surpris et déçu, se rendit aussitôt auprès de Poley Markham qui dansait une sorte de gigue avec une vieille Eskimo et son mari — on aurait dit trois canards pataugeant dans de la terre détrempée.

— Ils m'ont dit que je n'ai pas le droit de rapporter la tête à Anchorage.

— C'est la loi, répondit Markham en sortant de la danse.

— Alors pourquoi sommes-nous venus ici ? Simplement pour nous vanter d'avoir tué un morse ?

— Nous ne sommes pas contraints *d'obéir* à la loi.

— Je ne veux pas d'ennuis. Un avocat en début de carrière...

— C'est le moment ou jamais d'apprendre à manœuvrer avec les lois stupides que les assemblées législatives ne cessent de voter, répondit Poley.

Quand la tête du morse apparut mystérieusement dans l'appartement de Jeb à Anchorage, le jeune avocat ne posa pas de questions sur la manière dont elle y était parvenue : il l'accrocha simplement à la place d'honneur.

En travaillant avec les diverses compagnies de villages en Alaska, Jeb observa deux faits : partout où des combines financières mijotaient, il pouvait discerner l'orchestration subtile de Poley Markham, l'oracle de Virginie, Phoenix et Los Angeles. Des procès contre une société, des plaintes déposées pour le compte d'une autre, des mandats contestés pour protéger telle grande compagnie, des mandats défendus pour soutenir les espérances de telle autre... Dans tous les conflits de justice, Poley se trouvait impliqué, et Jeb se rendit compte que le bonhomme n'avait aucun principe de moralité. Il se contentait, semblait-il, d'engendrer des disputes entre les sociétés indigènes pour pouvoir les résoudre ensuite — et toujours avec des honoraires vertigineux. Le bruit courait qu'il ramassait à peu près un million de dollars par an, en séjournant en Alaska trois ou quatre mois au plus. Il constituait la preuve vivante que la loi de 1971 « serait une manne pour la profession juridique », surtout si l'avocat, comme Poley Markham, paraissait dénué de scrupules.

Mais en même temps, chaque fois que Jeb acceptait l'aide de Poley pour compléter sa collection des Huit Grands, il constatait en cet homme l'essence même de la générosité et de l'esprit sportif.

— Pourquoi perdez-vous votre temps si précieux à m'aider à tuer une chèvre de montagne ? demanda Jeb le jour où ils grimpèrent dans les crêtes dominant la vallée de Matanuska.

— J'aime l'altitude, répondit Poley. Et la poursuite du gibier. Je prends autant de plaisir à vous regarder chasser un mouton de Dall que la première fois, quand j'ai tué le mien.

En matière de chasse, il ne tolérait aucune facilité. Quand on partait avec Poley, on ne louait pas d'hélicoptère pour vous déposer sur une corniche au-dessus des chèvres, où il suffisait de vous agenouiller pour tirer sur l'animal. Pas du tout. On suivait Poley sur les pentes abruptes, en haletant alors qu'il semblait infatigable, et on se mettait à l'affût à l'endroit où l'on croyait que ces créatures insaisissables passeraient. On attendait, à contre-vent de l'endroit où les chèvres risquaient de se cacher — et on gelait jusqu'à l'os. Et quand on rentrait sans avoir aperçu une seule bête, on appréciait le profond respect de Poley pour les animaux et pour les émotions de la chasse.

— De tous les Huit Grands, dit-il un soir après leur retour bredouilles de la chasse aux chèvres, je crois que l'animal dont je garde le souvenir le plus excitant reste la chèvre de montagne.

— Plus intéressant que l'ours polaire ?

Jeb avait déjà tué un gros ours de Kodiak en suivant son guide, mais non l'ours polaire.

— Je le pense. Pour abattre un ours polaire il suffit de s'entêter. De sortir sans relâche sur la banquise. Avec le temps on en trouve un. Mais pour une chèvre de montagne, il faut monter aussi haut qu'elle. Il faut avoir le pied sûr. Et se montrer plus malin. C'est dur.

Il réfléchit un instant avant d'ajouter :

— C'est sans doute pour cette raison que l'animal est si beau. Quand on aperçoit une chèvre de montagne dans son viseur, le cœur cesse de battre. Si belle, si petite, si haut dans la montagne.

Il se tapa sur la jambe, jeta plusieurs bûches dans le feu et dit :

— Appliquez par exemple le test de l'attention. Je vous ai observé, chez moi à Phoenix. Les têtes de mes Huit Grands aux murs. Et sur laquelle vos yeux sont-ils revenus le plus souvent ? Sur cette splendide chèvre blanche. Comme si elle représentait le véritable Alaska.

Au cours de trois longues expéditions dans diverses montagnes d'Alaska, Jeb et Poley ne parvinrent pas à s'approcher d'une seule chèvre à portée de fusil. La collection de Keeler resta donc bloquée à six des Huit Grands : caribou, bœuf musqué, ours de Kodiak, morse, mouton de Dall et orignal. Il lui manquait l'ours polaire et la fuyante chèvre de montagne.

— Nous les aurons, lui promit Poley.

Il insistait pour l'aider dans sa chasse et restait ainsi toujours en contact avec le jeune avocat. Ce qui l'incita naturellement à offrir de plus en plus de travail à Jeb. Par exemple, quand la compagnie basée a l'île de Kodiak se lança dans d'atroces contestations juridiques pour déterminer qui aurait le droit de siéger au conseil d'administration, Poley se trouvait trop pris par les compagnies pétrolières en train de mettre en exploitation les énormes réserves de Prudhoe Bay pour accorder toute son attention aux divers conflits des mandataires. Il confia donc à Jeb cette affaire lucrative de Kodiak et celui-ci passa presque une année entière et environ quatre cent mille dollars de son temps à démêler un problème qui n'aurait jamais dû se poser au départ. À la fin de sa troisième année de conseils aux compagnies indigènes à l'occasion de leurs querelles intestines, il se trouvait sur le point de devenir millionnaire en dollars.

L'argent arriva en masse quand Poley le fit entrer dans les batailles juridiques complexes centrées sur le grand gisement de pétrole de Prudhoe Bay. Il se rendit dans cet endroit reculé de la mer septentrionale et sortit sur la banquise, qui la bloquait dans les glaces dix mois sur douze, pour voir des hommes de l'Oklahoma et du Texas qui faisaient tourner les carottes des derricks vingt-quatre heures sur vingt-quatre. Sa première visite à Prudhoe se passa en janvier, pendant la longue nuit polaire, et son corps cessa de lui signaler l'heure de dormir... Une expérience insolite, dont le clou fut sa visite à l'équipe de Californie responsable du logement et de la nourriture des hommes.

— Nous avons appris que pour garder ici des hommes venus d'endroits comme le Texas, il faut leur offrir trois luxes. Un bon salaire, disons deux mille dollars par semaine. Des films vingt-quatre heures sur vingt-quatre pour qu'ils puissent se distraire quelle que soit l'heure à laquelle ils finissent de travailler. Et la table à desserts.

— Pardon ? demanda Jeb.

— Notre cafétéria est ouverte à temps plein, expliqua le restaurateur californien. Petit déjeuner à toute heure, dîner complet servi à la demande. Mais ce qui rend la vie tolérable, c'est la table à desserts.

Il conduisit Jeb vers un vaste espace au bout du réfectoire. Sur une table de la taille d'un grand billard se trouvaient au moins seize desserts comptant parmi les plus succulents que Jeb ait jamais vus : chaussons, tartes à la noix de pécan, cakes, blancs-mangers, salades de fruits...

— Et par là ce qu'ils aiment le mieux.

À côté du billard, dans un nid de glace, six bacs d'acier de cinquante litres, chacun rempli d'une crème glacée différente : vanille, chocolat, fraise, crème de pécan, cerise (avec cerises entières) et un merveilleux assortiment baptisé tutti-frutti. Pour attiser davantage l'appétit se trouvaient dans deux immenses plats, non loin des bacs à glace, des monceaux de biscuits aux copeaux de chocolat et de galettes aux flocons d'avoine.

— Regardez, lança le Californien non sans orgueil. Le colosse, là-bas. Il a déjà dévoré un dîner qui aurait suffi à trois personnes normales. Maintenant, il plonge sur la table à desserts.

Le Texan prit une part de tarte, une tranche de cake, une énorme coupe de tutti-frutti et six biscuits au chocolat.

— Si l'on satisfait leur ventre, expliqua le Californien, ils sont satisfaits du reste. Ce sont les biscuits qui ont emporté le morceau pour nous. Les glaces, ils s'y attendaient. Mais ils ont considéré les biscuits comme une prime, une attention de notre part... Les gourmands prennent toujours ceux au chocolat ; ceux qui veillent à leur petite santé choisissent les flocons d'avoine, ajouta-t-il d'un ton professionnel.

Lors du second voyage de Jeb pour régler des questions juridiques à Prudhoe Bay, Poley Markham l'accompagnait, et les deux avocats vécurent l'une des aventures les plus terrifiantes de leur existence. On était en mars et la lumière du jour revenait dans l'Arctique, mais comme c'est souvent le cas pour l'aviation, cela s'avéra un obstacle et non un avantage. Aux abords de Prudhoe le pilote amorça sa descente. La lumière était d'un gris argenté et le vent soulevait juste assez de neige poudreuse pour donner à l'ensemble du monde visible la même teinte exquise de pastel — pas d'horizon, pas de ciel, pas de piste d'atterrissage couverte de neige. Plus de temps, de saison, d'heure de la journée. Plus rien de perceptible, uniquement ce mystérieux et splendide brouillard blanc, fatal en puissance.

Impossible de discerner dans quelle direction — vers le haut, le bas ou les côtés — se trouvait le sol. Le pilote, apparemment incapable de déduire de ses instruments de vol l'endroit où il était et son altitude (ou bien refusant de le faire), réduisit brusquement les gaz et essaya de se glisser sous la brume. Il volait au ras du sol quand Poley Markham lui hurla :

— Bulldozer !

Au dernier moment le pilote se releva en écrasant l'accélérateur, manquant d'un cheveu un énorme bulldozer noir garé à cent mètres de la piste, réduite à sa plus simple expression.

Malades de peur, l'aviateur et ses passagers tournèrent en rond dans une grisaille indistincte. Mais peu à peu l'omniprésente et inévitable pesanteur commença à se manifester, et à l'aide de ses instruments le pilote précisa sa position relativement au sol enneigé. Il vola très loin au-dessus de l'océan, puis prit son cap à l'aide de son cadran d'alignement et cria à Markham et à Keeler :

— Ouvrez l'œil. Dieu merci les signaux radio que je reçois sont forts et précis.

Avec précaution, l'avion se fraya un chemin dans la grisaille mortelle. « J'ai vu une illustration du même genre dans un livre de contes, il y a très longtemps, songea Jeb. Le héros s'avançait vers un château, avec la visière de son heaume baissée, sans rien voir. Et il y avait de la brume, une belle brume grise... »

Bon Dieu ! La piste enneigée se trouvait quinze mètres plus près que le pilote ne s'y attendait. L'avion toucha alors qu'il était encore en position de vol. Il rebondit vers le ciel, retomba, rebondit de nouveau, puis roula longtemps avant de s'arrêter tout tremblant. Le personnel au sol arriva dans une jeep montée sur d'immenses pneus neige, et le chauffeur lança au pilote :

— Le sol t'a sauté à la gueule, hein ?

— Et comment !

— Pas de bobo, pas de tracas, répondit l'homme, d'un ton d'encouragement.

Au déjeuner ce jour-là, Jeb prit une énorme coupe de tutti-frutti et quatre grosses galettes aux flocons d'avoine.

*
**

Jeb gagna des sommes énormes pour son travail à Prudhoe et plus tard, chaque fois qu'il rencontrait Poley Markham lors des peu fréquentes visites de ce dernier en Alaska, il disait :

— Nous n'avons pas encore tué la chèvre de montagne.

— J'ai mis trois ans à avoir la mienne, lui rappelait Poley. Pas de panique.

Jeb découvrit alors que Poley n'avait pas la même attitude que lui.

— Vous aimez la chasse en elle-même, n'est-ce pas ? Moi, j'ai envie de ramasser mes Huit Grands et d'en finir.

— On n'en finit jamais, répondit Poley. Le mois dernier, j'ai emmené un jeune gars sur l'île Baranov, où se trouve Sitka, pour essayer de trouver une chèvre. Et j'y ai pris autant de plaisir que lors de ma première chasse.

— Poley, lui dit Jeb un autre jour, j'ai entendu plusieurs hommes... des gens de Barrow, Blancs et Eskimos, parler de votre travail par ici. Qu'est-ce qui se prépare ?

Pour la première fois depuis le début de leurs agréables et profitables relations, Poley ne se montra pas seulement évasif (il l'était toujours quand il n'avait pas envie de répondre à une question directe), mais presque fuyant et agacé. Comme s'il avait honte de ce qu'il faisait.

— Oh ! ils ont de grandes idées, par là-haut ! Ils ont besoin de conseils.

Il refusa d'en dire plus, mais dans les mois qui suivirent Jeb vit de moins en moins souvent son mentor, et de nouveaux personnages du Sud du Quarante-Huitième firent une apparition à Anchorage et parfois à Prudhoe Bay. Ils étaient difficiles à identifier et à situer dans le décor de l'Alaska. Quand on rencontrait à l'aéroport de Fairbanks trois hommes ressemblant à des ouvriers du pétrole de Tulsa (Oklahoma) ou d'Odessa (Texas), on pouvait parier soit qu'ils se rendaient à Prudhoe Bay soit qu'ils désiraient ouvrir un snack-bar à Fairbanks pour des ouvriers du pétrole en vacances. Mais les visiteurs de Poley Markham formaient un groupe très mélangé : un entrepreneur de routes du Massachusetts, un entrepreneur en bâtiment de Californie du Sud, un directeur de centrale électrique de Saint Louis — tous à destination du nord du cercle arctique.

Puis Markham disparut pendant six mois et des rumeurs filtrèrent : il se trouvait à Boston pour lancer l'émission d'obligations pour un montant colossal.

— Un ami associé à une petite banque de Boston vient de m'écrire. Il m'a dit que Markham — pas d'erreur possible sur la personne — mettait la dernière main à une émission d'obligations de l'ordre de trois cents millions. Mon ami ignorait pourquoi.

Telle fut la deuxième découverte de Jeb Keeler concernant Poley : il s'était lancé dans des négociations très sophistiquées pour le compte de certains officiels de Barrow, et les sommes impliquées étaient renversantes. Au début, Jeb crut que Poley et ses acolytes avaient découvert un nouveau gisement de pétrole, mais ses contacts à Prudhoe Bay le détrompèrent :

— Impossible. Nous le saurions en moins de six heures.

— Alors que fait-il ?

— Qui sait ?... Dites-vous bien, Keeler, expliqua l'homme du pétrole, que le gisement de Prudhoe injecte des sommes énormes dans le bas de laine de la North Slope. Impôts. Salaires... Il y a beaucoup de fric dans la nature par ici. Markham a toujours été un homme attiré par l'argent.

— Moi aussi, répondit Jeb sur la défensive. Et vous aussi. Sinon nous ne serions ni vous ni moi dans cet endroit perdu.

— Oui... dit d'un ton pensif le directeur du site pétrolier. Mais apparemment, vous et moi travaillons dans des limites bien définies. Ce n'est pas le cas de Markham.

Pendant presque un an, Jeb n'eut pas l'occasion d'interroger Poley, car ce dernier passa tout son temps à Los Angeles et à New York pour organiser le financement des énormes opérations en cours au nord du cercle polaire. Mais un jour où Jeb démêlait un contrat complexe à Prudhoe, il reçut un message urgent de Markham : « Rendez-vous vendredi à Anchorage. Je crois que nous allons avoir votre chèvre de montagne. »

Jeb, ravi, s'envola dans le sud sur un avion de l'ARCO. Poley l'attendait dans une suite du tout nouveau Sheraton Hotel.

— Un homme m'a téléphoné. On a vu un grand troupeau de chèvres dans les monts Wrangell. Allons-y.

Ils se rendirent en voiture à Matanuska puis à Palmer, où ils achetèrent chacun un permis de chasse de non-résident à soixante dollars, et Jeb paya deux cent cinquante dollars la plaque métallique qu'il devrait attacher à la carcasse de la chèvre qu'il tuerait. Puis, dans un petit avion que Markham avait utilisé pour aller chasser sa propre chèvre des années auparavant, ils partirent dans les basses collines du pied de la grande chaîne Wrangell, de quatre mille huit cents mètres d'altitude. Le pilote, toujours à l'affût d'un petit supplément, proposa aux deux hommes de les déposer beaucoup plus haut dans la montagne, près de l'endroit où se trouveraient probablement les chèvres, mais Poley ne voulut rien savoir :

— Déposez-nous où la loi prévoit que nous devons aller.

Une fois leur tente et leurs fusils à terre, il se dirigea vers le haut de la vallée où l'on avait signalé les chèvres.

Quand il arriva enfin au cirque qui fermait la vallée, Jeb regarda derrière lui. Ce fut l'un des plus beaux tableaux de sa carrière de chasseur : un troupeau de plus de quatre-vingt-dix mères avec leurs chevreaux — pas un bouc en vue — en train de paître sur des pentes rocheuses parsemées de larges bandes d'herbe succulente. Une vision comme celle-là valait toute une vie de chasse : les chèvres surveillant leurs petits qui batifolaient dans le soleil, leur pelage d'un blanc éclatant, leurs cornes d'un noir de jais, avec les montagnes comme un mur protecteur derrière le troupeau.

— Merveilleux ! murmura Jeb en se rapprochant des animaux. Où sont les mâles ?

Son instinct de chasseur reprenait le dessus.

— Ils se cachent, encore plus haut.

Bien qu'il eût quinze ans de plus, Markham entraîna Jeb sur la pente raide dominant le creux où paissaient les chèvres, pour accéder aux flancs du mont Wrangell à trois cents mètres au-dessus des femelles, sur le glacier.

— Avec les boucs, expliqua Markham pour la troisième fois car Jeb n'avait rien tiré lors de leurs deux expéditions précédentes, le truc consiste à passer très au-dessus d'eux parce qu'ils s'attendent à des ennuis venant d'en bas. De cette manière on peut se rapprocher sans qu'ils nous voient.

La tactique ne réussit pas ce jour-là : les mâles qui se déplaçaient par groupes de deux ou de trois depuis la fin de la saison du rut, en décembre, les repérèrent assez facilement et décampèrent hors de portée de leurs armes.

— Étrange, n'est-ce pas ? dit Markham en les voyant filer. À la saison du rut, ils se battent avec rage et se font de longues cicatrices avec leurs cornes pointues, au point de s'entre-tuer parfois. Mais dès que la passion se calme, ils redeviennent amis comme avant. Trois semaines de combats et d'accouplement, quarante-neuf semaines de balade, copain-copain.

— J'aimerais que plusieurs d'entre eux viennent faire copain-copain de mon côté.

— À propos, Jeb, quand tombe donc votre saison de rut ?

Ils redescendaient dans la vallée, à la hauteur du magnifique troupeau de mères et de chevreaux, d'un blanc de neige.

— J'invitais de charmantes personnes en week-end à Dartmouth...

— Des filles ?

— Le genre que j'invitais n'aimait pas qu'on les appelle « filles ». Et elles le disaient clairement : « Vous êtes des hommes, pas des garçons. Nous sommes des femmes, pas des filles. »

— Très difficiles à vivre, les filles comme ça, je m'en suis aperçu.
— Ce sont les seules qu'un type comme moi peut tolérer près de lui, répondit Jeb — ce qui fit rire Poley.
— Ce n'est jamais facile, mon garçon. Quelles que soient les règles actuellement en cours, ce n'est jamais facile.
— Vous êtes divorcé ?
— Jamais de la vie ! c'est le meilleur moyen de se ruiner. Ma femme vit à Los Angeles, où elle participe aux réunions culturelles de l'université de Californie du Sud. Ceci va peut-être vous surprendre, mais c'est elle qui gère notre argent.
— On m'a raconté à Prudhoe que vous alliez faire un malheur dans le Grand Nord.
— Les Eskimos ont besoin de conseils. Ils méritent les meilleurs avis qu'ils puissent obtenir et je les leur fournis.
— Émission d'obligations, rivalités entre mandataires, magouillage au Congrès ?
— Si les États-Unis décident : « Cessez de bouffer du lard de morse, il est temps d'entrer dans le monde moderne », quelqu'un doit leur montrer comment s'orienter.

Ils abandonnèrent le sujet et, dans les deux journées suivantes au cours desquelles ils ne purent jamais se rapprocher d'un seul mâle mais restèrent non loin des femelles et de leurs chevreaux, ils n'en reparlèrent pas. Jeb n'en savait pas plus qu'avant le début de la chasse. Pendant qu'ils rangeaient leur matériel en attendant l'avion qui les ramènerait à Anchorage, Poley lança :

— Jeb, vous pourriez me rendre un grand service, et vous en rendre un du même coup. Vladimir Afanasi m'a demandé de monter à Desolation Point pour démêler les problèmes de sa compagnie de village. Je n'en ai pas le temps, mais je dois beaucoup à Vlad. Voudriez-vous monter là-haut et régler les questions ?
— J'aimerais revoir ce coin-là, répondit Jeb. Et peut-être ramener mon ours polaire. J'ai l'impression que je n'arriverai jamais à tuer ma chèvre de montagne.
— Un seul problème, Jeb. Jamais je ne fais payer Afanasi pour l'aide que je lui apporte. C'est le genre de charité qui me donne bonne conscience. Et je ne veux pas que vous le fassiez payer non plus. Mais bien entendu un avocat ne saurait travailler pour rien. Je paierai donc vos honoraires.

Et dans l'avion qui survolait le majestueux glacier de Matanuska en direction d'Anchorage, Markham remplit un premier chèque de dix mille dollars.

Au cours des premières années de l'accession de l'Alaska au statut d'État, plusieurs groupes d'Américains différents partirent vers le nord en quête d'aventure et de fortune. Avec la découverte du pétrole à Prudhoe Bay en 1968, des ouvriers peu qualifiés de l'industrie pétrolière arrivèrent en masse de l'Oklahoma et du Texas pour s'adjuger les énormes salaires payés sur la mer de Beaufort, bras glacé de l'océan Arctique. Plus remarquables étaient les avocats et les hommes d'affaires, comme Poley Markham et Jeb Keeler, qui parlaient souvent de prendre une résidence permanente mais ne le faisaient jamais. En 1973, quand le président Nixon autorisa la construction d'un pipe-line géant de Prudhoe Bay à Valdez, des ouvriers déferlèrent sur Fairbanks d'où ils partirent vers le nord et le sud pour réaliser ce miracle d'ingénierie. Et la famille Flatch de Matanuska entra dans le tableau.

LeRoy, le fils aviateur, n'aurait pas demandé mieux que de participer au mouvement. Mais au moment où les compagnies pétrolières de Prudhoe réclamaient à cor et à cri des avions locaux pour servir de courriers — pièces détachées nécessaires sans délai, visiteurs importants à amener de Fairbanks, évacuation d'un ouvrier blessé — LeRoy eut la malchance d'accidenter son Waco YKS-7 d'après-guerre. Et il ne put profiter de l'aubaine.

Pris de panique, il chercha partout un avion adapté au travail en Alaska — il tenait au modèle équipé, amélioration révolutionnaire, des skis de neige fixes, entre lesquels on pouvait faire descendre des roues —, et la meilleure affaire qui se présenta fut un quatre-places neuf Cessna-185 au prix affolant de quarante-huit mille dollars, bien audessus de ses moyens. Il réunit sa famille :

— Il me faut ce Cessna. Nous perdons une fortune chaque jour.

Sa femme suggéra de demander un prêt à une banque, mais il répondit que ce serait impossible puisqu'il venait de démolir son unique nantissement. Et les économies associées des parents Flatch, de son épouse Sandy, de sa sœur Flossie et de son beau-frère Nate Coop ne suffiraient pas, et de loin, à couvrir le premier versement.

Et le miracle de Prudhoe Bay se produisit. Il fallait tellement de monde sur le site que même Elmer Flatch, infirme de soixante-dix ans passés, fut engagé comme trésorier-payeur sur les derricks. Sandy Flatch obtint un poste au centre de coordination de Fairbanks pour assurer le départ rapide de la main-d'œuvre et du matériel vers Prudhoe. Mais ce furent Flossie et son mari, amoureux de la nature, qui obtinrent les meilleurs emplois.

— Le directeur s'est adressé à nous en particulier, expliqua Nate. Il avait déjà chassé chez nous et il se rappelait que Flossie comprenait les ours et les élans. Il nous a fait une proposition que vous n'imagineriez jamais. Il a dit : « Les défenseurs de la nature commencent à nous harceler au sujet de l'avenir du caribou. Ils prétendent que si nous construisons ce pipe-line en plein milieu de leurs itinéraires de migration, les caribous se trouveront coupés de leurs habitats naturels. Et ils mourront tous. » Ils nous demandent de travailler avec les zoologistes de l'université pour voir ce qu'on pourrait faire pour aider les caribous.

Ils devaient se mettre au travail sans délai, et les Flatch pourraient économiser pour ainsi dire tout ce qu'ils gagneraient car la nourriture, le logement et le transport sur les lieux du travail seraient payés en plus de leurs salaires.

La solution devint très simple pour LeRoy : il leur fit un emprunt, descendit en avion à Seattle pour prendre livraison de son beau Cessna-185 neuf équipé de skis permanents et de roues rétractables, puis repartit avec lui à Fairbanks où il devint le courrier le plus demandé de l'opération Prudhoe. Comme tous les frais d'entretien et de carburant étaient couverts par la compagnie, il fit un bénéfice net de cent soixante-cinq mille dollars la première année.

Un soir, en totalisant le revenu de sa famille, Hilda Flatch, qui servait de banquier pour tous, éclata de rire.

— Qu'y a-t-il de si drôle ? lui demanda son mari.

— Tu te rappelles ce que nos voisins nous disaient quand nous crevions de faim au Minnesota? « Si vous partez en Alaska, vous ne pourrez rien cultiver et les ours blancs vous boufferont. »

Des salaires aussi énormes attirèrent de la main-d'œuvre de l'ensemble des États-Unis, et Fairbanks se trouva animé par cent accents étranges. Des ouvriers du Nebraska et de la Georgie déboursaient au moins douze dollars cinquante pour un petit déjeuner : une tasse de café, une galette, un œuf et une tranche de bacon. Le dîner, bien entendu, coûtait presque trente dollars. Un très petit nombre de cette main-d'œuvre importée à la hâte s'installerait en Alaska quand on viendrait à bout de ces Golcondes jumelles qu'étaient le gisement du pétrole et le pipe-line, mais ceux qui restèrent ajoutèrent énormément à la vitalité et à l'animation de la vie alaskane. C'étaient surtout des hommes de plein air qui adoraient les modes de vie du Nord et représentaient la version vingtième siècle de l'Homme de la Frontière. Ils furent les bienvenus.

Spécialistes du pétrole, conducteurs de bulldozers, fondeurs de pipelines, avocats à l'imagination vive — ils continuaient la tradition des immigrants chercheurs d'or, des audacieux qui avaient bâti les premières villes et des marins qui avaient servi jadis à bord du *Bear* de Mike Healy. De nouveau, ils donnaient l'impression que l'Alaska était un pays d'hommes. Mais il y avait aussi des femmes qui cherchaient fortune sur cette frontière sauvage, tout comme au bon vieux temps : infirmières, épouses, danseuses de bouibouis, fugitives comme Missy Peckham, et quelques intrépides désirant simplement voir de quoi avait l'air l'Alaska.

Au cours de ces années une jeune femme, en particulier, subit le charme de l'Alaska, et sa venue dans le Nord mit en branle plus d'un engrenage.

⁂

Un maire excentrique de New York s'opposa à la censure un jour en assurant : « Aucune vierge n'a jamais été séduite par un livre. » Mais, en 1983, une jeune femme de Grand Junction (Colorado) fut abusée par une couverture de magazine. Kendra Scott, âgée de vingt-cinq ans, préparait un cours de géographie sur les Eskimos du Grand Nord, quand Mlle Deller, la bibliothécaire, déposa sur son bureau deux livres que Kendra avait réclamés :

— Je les ai sortis à votre nom. Vous pouvez les garder jusqu'en avril.

Kendra la remercia, car il n'était pas facile de trouver des bons documents sur les Eskimos.

— Je vous ai également apporté notre dernier exemplaire du *National Geographic*, le numéro de février. Mais vous ne pourrez le garder que deux semaines. On nous l'a déjà réclamé.

Comme Kendra savait déjà ce qu'elle trouverait dans les deux livres, elle regarda d'abord la revue... et elle fut perdue sans retour. Sur la couverture se trouvait l'une des plus ravissantes photos d'enfant qu'elle ait jamais vues. Sur le fond blanc d'un blizzard du nord de l'Alaska, une fillette — ou peut-être un garçon car on ne distinguait guère que les yeux — s'avançait vers la neige balayée par le vent, couverte de la tête au pied dans la tenue pittoresque de son peuple : grosses pantoufles de fourrure, pantalon de toile rêche bleue sur deux épaisseurs, tunique colorée bordée de fourrure, ceinture de perles brillantes et deux coiffures, l'une de laine blanche, la plus grande de velours épais bordé de fourrure de glouton pour chasser la glace et la neige ; un énorme cache-nez tricoté lui enveloppait trois fois la tête. Elle avait les mains protégées par des mitaines de couleur claire et Kendra se douta que sous la tunique, elle devait porter trois ou quatre autres couches de vêtements.

Ce qui donnait à cet enfant un air adorable — et Kendra se convainquit que c'était forcément une fille — c'était la manière résolue dont elle fonçait dans la tempête, son petit corps penché dans la direction du blizzard. Ses yeux déterminés (tout ce que l'on pouvait voir) fixaient devant elle le but à atteindre malgré la neige tourbillonnante. Un merveilleux portrait de l'enfance, un symbole de la volonté de survivre, et Kendra perdit son cœur pour cette enfant en train de se débattre contre les éléments.

Pendant un long moment d'enchantement, elle ne se trouva plus dans la confortable école primaire de Grand Junction mais sur les versants nord de l'Arctique. Sa classe ne se composait plus de jeunes Américains blancs de la moyenne bourgeoisie, avec quelques Mexicains intéressants dans le tas, mais d'un groupe d'Eskimos vivant dans le noir la moitié de l'année et l'autre moitié du temps sous le soleil pendant presque vingt-quatre heures par jour. Kenda était prisonnière d'une enfant enveloppée de fourrure sur une couverture de magazine. Elle ne serait plus jamais la même.

Depuis quelque temps, elle avait pris conscience de la nécessité de changer. Sa vie s'orientait vers une telle stérilité que, si elle n'accomplissait pas un changement radical, elle serait condamnée à une existence mesquine et désolée. Elle en était responsable, elle le reconnaissait volontiers, mais elle savait que sa mère y avait contribué. Cette femme anxieuse et craintive vivait avec le père de Kendra à Heber City (Utah) à une cinquantaine de kilomètres au nord-est de Provo. Les Scott n'étaient pas mormons mais partageaient la discipline stricte imposée par cette religion. Quand Kendra termina ses études secondaires, ils l'inscrivirent sans qu'elle leur demande rien à la respectable université Brigham Young de Provo, où l'on préparait les jeunes gens à la carrière d'agent du FBI et les jeunes filles à celle d'épouse soumise à son mari et à Dieu. En tout cas, c'était ce que croyaient les Scott.

— Ce qu'il y a de bien avec l'université Brigham Young, disait Mme Scott à ses voisines, c'est que Grady et moi pouvons nous y rendre en voiture presque tous les week-ends pour voir ce que fait Kendra.

Et ils n'y manquaient pas, car ils voulaient savoir quels cours elle suivait et si ses professeurs étaient « convenables et pieux ». Ils surveillaient en particulier ses camarades de chambre, trois jeunes filles venant de milieux si divers que les Scott nourrissaient des soupçons sur au moins deux d'entre elles. L'une était une mormone de Salt Lake City, et donc très bien ; mais la deuxième venait d'Arizona, où tout peut arriver ; quant à la troisième, originaire de Californie, mieux valait ne pas y penser.

Mais Kendra assura à ses parents que les deux « étrangères », comme les appelait Mme Scott, étaient plus ou moins respectables, et que jamais elle ne se laisserait « corrompre ». Le verbe corrompre occupait une place centrale dans la hiérarchie des valeurs des Scott, car Mme Scott considérait le monde comme un endroit mauvais. Plus des trois quarts de ses habitants ne songeaient apparemment qu'à corrompre sa fille, et elle nourrissait des soupçons morbides à l'égard de tout homme qui gravitait plus ou moins dans l'orbite de Kendra.

— Je tiens à ce que tu me parles de chaque homme qui te fait des avances, Kendra. Tu dois te tenir sur tes gardes à ce sujet, et une jeune fille n'est pas toujours le meilleur juge du caractère d'un jeune homme.

Ainsi durant ses visites hebdomadaires à l'université Brigham Young, Mme Scott arrachait à Kendra un rapport détaillé sur tout jeune homme dont le nom faisait surface pendant les longs interrogatoires de sa fille.

— D'où vient-il ? Quel âge a-t-il ? Qui sont ses parents ? Que font-ils ? Pourquoi étudie-t-il la géologie ? Que me dis-tu : il a passé les dernières vacances d'été en Arizona ? Que faisait-il en Arizona ?

Après huit ou dix examens de ce genre, Kendra s'arma de tout son courage et demanda à sa mère :

— Comment as-tu pu trouver un mari avec ce genre de soupçons sans fin ?

Mme Scott ne vit rien d'impertinent dans la question, car elle estimait que c'était le plus grand problème de n'importe quelle jeune femme.

— Ton père a grandi dans une famille pieuse du Dakota du Sud et n'a pas été contaminé par la fréquentation d'un collège ou d'une université.

Kendra songea : « Il n'a pas été contaminé non plus par autre chose — comme des livres, des revues et des conversations dans un coin de bistrot ! » Mais dès qu'elle exprima cette opinion à part soi, elle en eut honte. Grady Scott, brave homme honnête qui dirigeait une bonne quincaillerie à Herber City, n'avait peut-être pas assez de courage pour s'opposer à sa femme, mais possédait assez de cran pour diriger son affaire et sa vie dans l'honneur. Au cours de ces longs interrogatoires de sa fille dans le dortoir de Brigham Young, il n'intervenait jamais.

Au cours de ses quatre premières années d'études supérieures, Kendra n'accepta de rendez-vous que de deux hommes, et ils étaient si semblables qu'on les aurait crus jumeaux : frêles de stature, les cheveux d'un blond délavé, ils parlaient d'un ton hésitant et semblaient gauches dès qu'ils bougeaient. Le premier l'invita trois fois ; le second sept ou huit. Mais ces soirées furent ennuyeuses et sans suite : Kendra estima qu'elles n'en valaient pas l'effort — d'autant que sa mère posa au moins quinze questions sur chaque jeune homme, et finit par se rendre en voiture à Nephi (soixante-cinq kilomètres au sud) pour enquêter sur les parents du deuxième garçon. Le couple fit beaucoup d'effet sur Mme Scott : « La meilleure société mormone et ce n'est pas un mince compliment. » Elle encouragea énergiquement Kendra à développer son amitié avec le candidat, mais cette façon de faire gêna tellement les deux jeunes gens — ils s'intéressaient déjà très peu l'un à l'autre au départ — que « le flirt de Kendra » (selon l'expression de Mme Scott) s'acheva sans bruit ni pleurs. En fait il ne s'acheva pas : il n'avait même pas commencé.

Kendra passa son diplôme à l'âge de vingt et un ans avec une excellente note en pédagogie, et donc le choix entre quatre ou cinq bonnes écoles publiques. Ce fut l'occasion de la première crise de sa vie, car l'une de ces écoles se trouvait à Kamas (Utah), soit à moins de quarante kilomètres de chez ses parents, et ceux-ci estimèrent bien entendu qu'elle devait opter pour celle-là, au moins pour les cinq ou six premières années de sa carrière.

— Tu pourrais rentrer à la maison le week-end, déclara Mme Scott.

Par un acte de défi qui stupéfia et alarma ses parents Kendra accepta, sans discuter de la question avec eux, un emploi dans l'école la plus éloignée de la maison : à Grand Junction, dans l'État voisin du Colorado. Mais cette ville restait dans le rayon d'action des Scott d'Herber City, et au cours du premier automne dans la nouvelle école, Mme Scott fit les quatre cent et quelques kilomètres pendant six week-ends pour discuter avec sa fille des problèmes qu'elle rencontrait, des institutrices avec lesquelles elle se liait, et surtout des hommes de l'école et de la ville qu'il lui arrivait de rencontrer. Mme Scott jugeait bien entendu que les hommes du Colorado étaient plus dangereux que ceux de l'Utah et elle conseilla à sa fille de les éviter.

— Je ne comprendrai jamais pourquoi tu as plaqué ce charmant garçon de Nephi.

— Je ne l'ai pas plaqué, maman, puisque rien ne me liait à lui.

Certains que leur enfant manifestait des tendances à l'obstination, les Scott modifièrent subtilement l'orientation de leurs prières au pied du lit : « Dieu tout-puissant, garde Ta fille Kendra dans l'observance de Tes préceptes, protège-la des jugements arrogants et hâtifs, et sous Ta surveillance constante, aide-la à demeurer pure. »

⁂

La bibliothécaire, Mlle Deller, remit donc à Kendra l'exemplaire du *National Geographic* le mardi matin, et pendant trois jours la fillette qui courait vers le blizzard hanta la jeune institutrice. Elle ne fit pas passer la revue parmi ses élèves mais la laissa sur son bureau le mercredi et le jeudi, pour pouvoir la regarder de temps en temps. Le jeudi soir elle l'emporta chez elle et l'examina avec une grande intensité avant de s'endormir. Le vendredi, elle se leva tôt, posa la revue à côté de son miroir et se compara à cette enfant extraordinaire. Dans la glace, elle se vit clairement, sans embellissement ni critique exagérée ; mais chaque fois qu'elle regardait de nouveau l'enfant dans le blizzard, elle devait reconnaître, non sans chagrin, qu'elle ne faisait pas le poids à côté de la gamine : « Je suis intelligente, j'ai toujours eu de bonnes notes, et je suis capable de participer efficacement à un projet collectif. Je veux dire, je ne suis ni idiote, ni recluse, ni malade de la tête. Je n'ai pas un physique de cover-girl mais je ne suis nullement repoussante. Des hommes se retournent sur moi de temps en temps, et je crois que si je les encourageais... Mais non, le problème ne se situe pas sur ces plans. Une belle peau, une certaine élégance, la coiffure un peu vieux jeu mais il suffirait que je coupe ces nattes, pas de caries — Dieu merci —, pas un kilo de trop, aucun défaut rédhibitoire. Côté sourire, pas grand-chose, mais ça peut s'arranger. Et mes élèves m'aiment. Vraiment. Le reste du corps enseignant aussi. »

Puis, la petite Eskimo devant elle, elle éclata en sanglots nerveux et prononça des paroles qui la choqueraient sur le moment et l'épouvanteraient quand elle se les rappellerait plus tard :

— Je suis une connasse ratée : de la merde !

Reculant comme si elle avait reçu une gifle, elle regarda son image dans le miroir, porta brusquement la main à sa bouche et bredouilla :

— Qu'ai-je dit ? Qu'est-ce qu'il m'a pris ?

Puis son exaltation s'atténua et elle comprit exactement ce qu'elle avait dit et ce qui l'avait poussée à le penser. « Comparée à cette gamine, je suis d'une lâcheté éhontée. J'ai laissé ma mère me dominer d'une façon écœurante. Je crois en Dieu, mais je ne le conçois pas armé d'une loupe pour observer le moindre des actes d'une institutrice d'école primaire à Grand Junction. J'ai toujours eu peur de sortir quand la neige tombe dans ma vie, à plus forte raison par un violent blizzard. »

Elle prit la revue, la porta à ses lèvres et embrassa la jeune Eskimo dans ses gros vêtements bordés de fourrure. « Petite, tu m'as sauvé la vie. Tu m'as donné ce que je n'avais jamais eu : du courage. »

Elle s'habilla à la hâte et se dirigea d'un pas décidé vers Terrence's Tresses, le coiffeur le plus réputé des environs. Elle se cala d'un air sombre dans le fauteuil et lança :

— Terrence, coupez-moi ces maudites tresses.

— Mais, mademoiselle, protesta le coiffeur choqué, personne n'a d'aussi belles nattes que vous.

— Ma mère s'en est servi pour m'étrangler.

Terrence resta sans voix.

— Chaque fois qu'elle vient me voir, expliqua Kendra, elle tient absolument à tresser mes nattes. Elle me fait asseoir devant elle... pour renforcer son emprise et me tenir captive.

— Mais que voulez-vous à la place ? Quelle coupe, je veux dire ?

— Nous verrons plus tard.

Au moment où les ciseaux tranchèrent, elle exulta :

— Enfin, je respire.

Libérée de son fardeau, elle étudia avec Terrence une vingtaine de photographies.

— Si je puis me permettre cette audace, mademoiselle, cette coupe à la garçonne serait parfaite pour vous. Elle est propre et nette comme votre personnalité.

— Adopté !

Avec peigne, ciseaux et laque, il modela une coiffure qui faisait paraître Kendra plus sophistiquée, mais aussi plus aventureuse et dynamique.

— Ça me plaît ! déclara-t-elle en se précipitant vers l'école.

Elle traversa le hall en sautillant et entra en coup de vent dans la bibliothèque.

— Mademoiselle Deller, j'exagère vraiment mais...

— Kendra ! On vous reconnaît à peine. Quelle coiffure merveilleuse ! Mais... vos longues tresses si jolies ?

— Merci, mais mon problème est très délicat, et je suis gênée, oui vraiment, de le déballer ainsi...

— Parlez donc ! Les bibliothécaires sont censées tout savoir.

Mlle Deller avait les cheveux courts, le ton et les gestes brusques ; elle venait, disait-on, d'Arkansas... Kendra s'assit, respira à fond et se lança :

— Le week-end, certains week-ends en tout cas, vous vous rendez dans ce chalet de Gunnison, n'est-ce pas ?

— Plusieurs d'entre nous le font. Tarifs spéciaux pour le corps enseignant. Il en vient de tous les environs : Salida, Montrose...

— De quoi s'agit-il au juste ?

— Une sorte de séminaire. Nous invitons des conférenciers de l'université. Des gens nous projettent des diapositives d'Arabie, d'Uruguay, ce genre de chose. Le dimanche matin, la plupart d'entre nous assistent au service, puis nous rentrons chez nous tout frais, remontés.

— Il faut y aller... avec un homme, n'est-ce pas ?

— Mon Dieu, non ! Certaines le font. Et parfois une institutrice d'ici rencontre un brave type de Salida, mais c'est le coup du hasard...

— Je pourrais y aller ? demanda Kendra après avoir rempli ses poumons. Je veux dire : ce week-end ?

— Bien entendu ! Plusieurs d'entre nous ont déjà songé à vous le demander, mais nous vous trouvions plutôt... comment dirais-je ?... Distante, peut-être.

— Je l'étais.

Elle remercia Mlle Deller si simplement, en baissant la tête, que celle-ci, plus âgée de huit ans, se leva de son bureau pour prendre Kendra par les épaules.

— Qu'y a-t-il donc ?

— Ma mère. Elle attaque si fort !... Comme une bombe à neutrons, nouveau modèle familial.

— Oui, plusieurs d'entre nous l'ont remarqué.

— Je veux aller avec vous à Gunnison. Je laisserai un mot sur ma porte pour signaler mon absence pour le week-end.

— Dites-lui que vous êtes partie à Kansas City avec un chauffeur de poids lourd.

— Attention ! Au fond, c'est une excellente mère.

— Je suis sûre que chaque bombe à neutrons est convaincue qu' « au fond, elle est excellente ». Et que sa présence et son action tendent à l'amélioration de l'humanité. Kendra, envoyez-la au diable ! Ne demandez aucune permission, ne présentez aucune excuse. Signalez-lui simplement votre départ. Nous comptons sur vous.

Pendant un instant, Kendra craignit qu'en sollicitant l'aide de Mlle Deller, elle fût en train de « se perdre ». Que savait-elle de la bibliothécaire ? Était-ce une « brave fille » comme sa mère aurait dit ? Et que se passait-il au juste au chalet de Gunnison ? Mais Mlle Deller, comme si elle devinait les pensées de Kendra, lui serra l'épaule et lui dit :

— Ce n'est jamais aussi mauvais qu'on croit, sauf quand c'est vraiment pire. Si vous voulez mon avis, Kendra, vous avez intérêt à vous libérer.

Elle retourna à son bureau, claqua des doigts et ajouta :

— Je crois que vous avez vraiment eu la meilleure idée. Laissez simplement une note. Faites-le trois ou quatre fois et elle cessera de vous harceler.

Au petit déjeuner ce vendredi-là, Kendra passa chez elle et tapa une note toute simple.

Chère mère,

Je suis obligée d'assister à un séminaire pédagogique à Montrose. Désolée. On m'a prévenue à la dernière minute.

Kendra.

Elle réunit à la hâte quelques vêtements de rechange, emporta son équipement de neige et retourna sur-le-champ à l'école, où elle fit un cours passionnant sur les Eskimos.

***

Quatre enseignants partirent ensemble à Gunnison : deux cent dix kilomètres de magnifiques routes de montagne. Mlle Deller, une femme qui enseignait les sciences, un entraîneur de football américain et Kendra — une joyeuse bande. L'entraîneur était marié mais sa femme, qui connaissait déjà Gunnison et n'appréciait ni les sports de neige ni les discussions intellectuelles, avait préféré rester chez elle. Après une analyse de ce qui n'allait pas dans l'administration des écoles de Grand Junction et une critique acerbe de la politique dans l'ouest du Colorado, la conversation s'orienta vers les problèmes nationaux et tous convinrent que le président Reagan représentait un retour très sain à la droite.

— Il est grand temps que l'on insuffle un peu de discipline à ce pays, dit l'entraîneur. Reagan indique la bonne voie.

À la surprise de Kendra, les trois autres s'intéressèrent vivement à ce qui se passait dans une université mormone. Comme elle avait apprécié ses études à Brigham Young, elle fit un rapport positif.

— Mais ne font-ils pas de discrimination contre les Noirs ? demanda l'entraîneur. À l'heure actuelle, on ne peut réunir une équipe de football à peu près potable sans des Noirs.

— Tout ça, c'est du passé, assura Kendra. Je n'ai subi aucune discrimination, et je ne suis pas mormone.

Quinze minutes après leur arrivée à Gunnison se produisit une de ces choses qui prouvent à quel point des événements déclenchés par le hasard peuvent modifier une vie. Un jeune homme qui enseignait les mathématiques à Canon City, environ cent soixante-dix kilomètres à l'est, se joignit au groupe avec lequel Kendra bavardait. Il avait à la main six feuillets polycopiés agrafés ensemble.

— Salut, Joe ! J'ai suivi ton conseil : j'ai écrit au ministère de l'Éducation de l'Alaska. Regarde ce qu'ils m'ont envoyé par retour de courrier.

— Qu'est-ce que c'est ? demanda Joe.

— Des renseignements. Et un formulaire d'inscription...

Le groupe exprima un tel intérêt pour sa documentation qu'il s'assit, enleva l'agrafe, et distribua les feuilles venues d'Alaska. Plusieurs enseignants du Colorado se mirent à lire à haute voix certains détails des pages qu'ils avaient en main et des murmures, des sifflets et des vivats emplirent la salle du café.

— Mon Dieu ! Écoutez ça : « Trois années d'expérience dans un bon lycée. Recommandation du centre pédagogique de votre université. École rurale. Vous enseignerez dans toutes les classes, sur tous les sujets. »

À cette allusion à un système pédagogique disparu depuis cinquante ans dans la plupart des pays du monde, des protestations s'élevèrent :

— Ils espèrent des miracles. Quatre classes différentes, huit sujets différents, et je parie qu'il n'y aura qu'une salle de cours.

— Exactement ! répliqua celui qui lisait. Écrit noir sur blanc : « Une seule salle de classe mais les élèves n'y seront nullement entassés. »

Le protestataire se mit à ronchonner mais la ligne suivante le réduisit totalement au silence :

— « Salaire annuel de débutant : trente-six mille dollars. »

— Quoi ?

Le cri émanait de six personnes différentes, et la feuille passa de main en main. Oui, le chiffre était exact : trente-six mille dollars pour un débutant, avec des augmentations annuelles jusqu'au niveau de soixante-treize mille dollars pour les classes supérieures, davantage pour un proviseur. Ces enseignants du Colorado — et ils constituaient un groupe très compétent — gagnaient en moyenne dix-sept mille dollars : apprendre qu'en Alaska de simples débutants recevaient plus du double — « Oublions les conditions de travail » — semblait vraiment troublant. Et pour Kendra Scott qui débutait avec un salaire de onze mille cinq cents dollars, la différence était scandaleuse.

Mais l'unique feuillet qui passa entre ses mains véhiculait un message plus profond que le niveau du salaire. Il venait d'une organisation dont elle n'avait jamais entendu parler, le North Slope Borough School District, et avait été rédigé par une équipe de petits génies qui savaient utiliser tous les trucs employés par les organisateurs de croisière pour appâter leur clientèle éventuelle.

> *Vous volerez jusqu'à Seattle où un jet élégant vous emmènera en un clin d'œil à Anchorage. Un représentant des services d'enseignement de l'Alaska vous pilotera vers votre hôtel moderne, où vous participerez avec vos collègues débutants à un séminaire intitulé « Introduction au Nord », accompagné de projections en couleurs. Le lendemain matin, le même représentant vous accompagnera à l'aéroport où un jet de plus petite taille vous fera franchir le Denali couronné de neige jusqu'à la métropole septentrionale de Fairbanks, puis à Prudhoe Bay où le pétrole jaillit du sol et offre à l'Alaska ses millions.*
>
> *De Prudhoe vous partirez vers l'ouest, au-dessus du pays d'un million de lacs, avec sur votre droite un bras de l'océan Arctique. Vous atterrirez à Barrow, le point le plus septentrional des États-Unis. Vous passerez trois jours à visiter l'un des plus beaux lycées du pays. Ensuite un petit avion vous conduira vers le sud, à votre école de Desolation Point, site d'événements importants dans l'histoire de l'Alaska et village eskimo passionnant dont les habitants auront à cœur de vous offrir un nouveau foyer.*

À la fin de ce paragraphe, Kendra se sentit tellement impatiente de s'envoler sur-le-champ, qu'elle parcourut la page à la recherche d'un numéro de téléphone. Elle le trouva au verso : « Appelez en PCV Vladimir Afanasi, Desolation Point, Alaska, 907.851.3305. » Le nom de l'homme suscitait des interrogations. Le prénom semblait manifestement russe. Mais le nom de famille ? Probablement eskimo, et si musical ! Elle le répéta à haute voix plusieurs fois. Cependant ce furent les deux paragraphes suivants qui captèrent son imagination — exactement comme les insidieux rédacteurs l'avaient souhaité.

> *Vous n'enseignerez pas dans une cabane de Frontière. Pas du tout ! Desolation Consolidated, une des écoles les plus modernes et les mieux équipées d'Amérique, offre pour l'enseignement primaire et secondaire des locaux construits il y a trois ans sur un budget de neuf millions de dollars. Ils se trouvent sur une hauteur modeste qui domine la mer des Tchouktches, et par une belle journée vous verrez depuis votre salle de classe des baleines jouer au large.*
>
> *Ce qui fait de l'enseignement à Desolation une expérience sans prix — ne vous laissez pas abuser par le nom, parce que*

nous adorons Desolation et le village vous plaira aussi — ce sont les enfants. Vous aurez dans votre classe des enfants dont les origines sont passionnantes — leurs ancêtres étaient eskimos, russes, baleiniers de Nouvelle-Angleterre qui fréquentaient alors Desolation — mêlés à des jeunes de parents comme vous, missionnaires et hommes d'affaires installés dans la région. Quand vous regarderez dans votre classe le matin ces petits visages éclairés par la lumière arctique, vous y verrez un échantillon de ce que l'Amérique a de mieux à offrir. Ils auront besoin de votre aide. Voulez-vous vous joindre à nous dans notre belle école neuve ?

Cette invitation si alléchante éblouit Kendra. Elle se vit aussitôt en train de monter l'escalier de la vaste école neuve, que l'on avait dû construire en marbre, pour justifier le devis de neuf millions de dollars, puis de longer les splendides corridors jusqu'à sa classe bien équipée où l'attendaient deux douzaines d'élèves de toutes les couleurs — sauf qu'ils ressemblaient tous à la fillette du *National Geographic :* gros capuchons de fourrure, larges cache-nez autour du visage. Seuls leurs yeux avides d'apprendre la regardaient fixement.

Quand elle quitta sa chambre du chalet pour le repas du vendredi soir, pris en commun, elle chercha des yeux le jeune homme de Canon City et se dirigea vers lui avec une audace dont elle n'avait jamais fait preuve.

— Est-ce bien vous qui avez écrit en Alaska ?

— Oui. Dennis Crider, de Canon City. Venez avec nous.

Elle expliqua qu'elle appartenait au groupe de Grand Junction.

— Kendra Scott, des classes primaires. Je peux prendre cette chaise ?

— Bien sûr. L'Alaska vous intéresse ?

— Je l'ignorais avant de franchir ces portes. Mais cette documentation que vous nous avez remise... Vous envisagez de monter là-haut ?

— J'y pense. C'est pour cela que j'ai écrit. Étant donné la rapidité avec laquelle ils m'ont répondu, ils doivent être fort intéressés eux aussi.

— Mais comment avez-vous trouvé à qui il fallait s'adresser ?

— J'ai simplement écrit au ministère de l'Éducation de l'État d'Alaska, à Juneau. Je ne savais même pas si c'était le nom et la bonne adresse. Ils ont envoyé ma demande dans les districts d'Eskimos.

— C'est un projet sérieux ?

Les questions de la jeune femme devinrent si précises que Dennis et elle oublièrent les autres convives pour étudier de plus près la possibilité de quitter leurs emplois au Colorado pour se diriger vers la North Slope of Alaska, où que ce fût. Ils n'avaient aucune carte de la région mais déduisirent des documents que cela se trouvait sur les bords de l'océan Arctique, sans rien entre ces villages et le pôle Nord.

Ils passèrent la soirée du vendredi et presque tout le samedi à analyser sérieusement les démarches à entreprendre pour partir dans le Grand Nord. Et plus ils en parlèrent, plus le changement leur parut facile et avantageux. Puis Dennis fit remarquer une condition que Kendra n'avait pas lue car elle ne se trouvait pas sur sa feuille.

— Si l'on est accepté, il faut arriver sur les lieux à la fin de la première semaine de juillet pour s'organiser à temps avant l'hiver.

— Pas de problème, répondit Kendra.

Mais lorsqu'elle alla se coucher enfin, elle fut incapable de s'endormir. Les idées et les images se bousculaient avec fracas dans sa tête.

Après une nuit agitée, Kendra se leva tôt pour prendre le petit déjeuner, trouva Mlle Deller toute seule et lui demanda :

— Puis-je vous parler ?

— Oui. J'ai remarqué que vous étiez en délibération approfondie avec Dennis Creder. On dirait que ça marche très fort entre vous deux...

— Non. Nous parlions de l'Alaska. Ce que je voulais vous demander, c'est quel est le décalage horaire entre ici et l'Alaska ?

Comme beaucoup de gens, Kendra supposait qu'une bibliothécaire sait tout, mais la confusion qui suivit aurait désabusé n'importe quel témoin. Les deux jeunes femmes passèrent une dizaine de minutes à décider si l'Alaska était en avance ou en retard par rapport au Colorado, puis quinze minutes de vives controverses pour savoir ce que signifiait au juste en avance et en retard. Elles se disputèrent même sur la place exacte de la ligne de changement de date — à l'est ou à l'ouest de l'Alaska — et sur ce qu'elle signifiait indépendamment de son emplacement.

Un professeur de géographie plutôt pédant, venu de Montrose, se porta à leur secours.

— Votre question sur la ligne de changement de date n'est pas du tout ridicule, leur expliqua-t-il. En théorie, elle devrait couper les Aléoutiennes en deux. La partie orientale serait encore lundi quand la partie occidentale serait déjà mardi à la même heure, comme en Sibérie. Mais on a décidé de laisser tout l'Alaska vivre le même jour. La ligne se tortille donc allègrement, au début vers l'est pour que toute la Russie soit le mardi puis encore plus à l'ouest pour que l'Alaska reste le lundi. Plus bas la ligne reprend sa direction normale.

— Mais le décalage horaire ? demanda Mlle Deller.

Il demanda une feuille de papier à la serveuse et prit le stylo à trois couleurs qui faisait partie de son équipement professionnel. Il esquissa un contour étonnamment précis de la péninsule d'Alaska et traça huit méridiens.

— Je sais qu'il y en a huit d'est en ouest, mais j'ai oublié leurs numéros. Disons que la ligne de changement de date passe par ici. C'est cent quatre-vingts degrés de longitude comme vous le savez.

— Je l'ignorais, avoua Mlle Deller.

— Donc le méridien d'après sera cent soixante-dix degrés Est, du côté de la Russie. Et de l'autre côté, l'extrême est de l'Alaska sera donc à cent trente degrés Ouest. La distance est tellement vaste qu'il devrait y avoir quatre fuseaux horaires différents. Géographiquement parlant, l'Alaska y a droit : la même différence d'est en ouest que dans le reste des États-Unis. Quand il est midi à New York il est neuf heures du matin à Los Angeles. Et quand il est huit heures du matin dans l'Alaska de l'Est, il devrait être cinq heures à la pointe occidentale d'Attu.

— Et ce n'est pas le cas ?

— Non. Tout est embrouillé. L'Alaska avait jadis trois fuseaux horaires différents : l'est était à la même heure que Seattle, la plupart du pays avait une autre heure, et les Aléoutiennes une heure encore différente. Mais j'ai lu l'autre jour que tout a changé, et je ne sais plus ce qu'il en est. Je vous propose d'appeler la compagnie des téléphones.

C'est ce qu'ils firent.

— Je n'en ai pas la moindre idée ! répondit la jeune standardiste, mais je sais où poser la question.

Elle appela Denver : « Anchorage a deux heures de retard sur nous. Neuf heures ici, sept heures là-bas... » Quand le géographe se rassit, Kendra étonna tout le monde :

— Je vais lui téléphoner. Il ne sera peut-être pas sorti du lit, mais il sera en tout cas chez lui.

— Téléphoner à qui ? demanda Mlle Deller.

Kendra leur montra les notes qu'elle avait prises : « Vladimir Afanasi, 907.851.3305. En PCV. »

— Vous êtes folle ! s'exclama Mlle Deller.

— Peut-être, répondit Kendra.

La bibliothécaire héla aussitôt Dennis Crider, qui entrait dans la salle du petit déjeuner.

— Qu'avez-vous fait à cette jeune femme parfaitement normale ?

En apprenant la décision de Kendra, il s'écria :

— C'est insensé. Ce doit être le milieu de la nuit, là-bas.

— Il est sept heures du matin et je vais appeler M. Afanasi.

Et sur ces mots, elle se dirigea vers la cabine publique, glissa une pièce de dix *cents,* composa le zéro et demanda d'une voix mesurée :

— Appel personnel en PCV pour l'Alaska.

Moins d'une minute après qu'elle ait donné le numéro, une voix profonde et rauque parvint à l'appareil.

— Allô. Ici Vladimir Afanasi.

— Je vous appelle au sujet du poste d'enseignant, dit Kendra.

Pendant les cinq minutes qui suivirent, elle énuméra ses références et cita une liste de personnes que M. Afanasi pourrait appeler s'il désirait vérifier. Mais elle demeura bouche bée quand Afanasi lui déclara, en pesant soigneusement ses mots :

— Avant d'aller plus loin, je dois vous informer que je n'ai pas le pouvoir de vous faire une offre précise. Il faut que cela passe par notre inspecteur, à Barrow. Mais comme je suis président du conseil d'administration, je crois pouvoir vous garantir que vous avez l'air d'être exactement la jeune femme que nous cherchons. Vous avez lu tous les détails ?

— Je les ai mémorisés.

Cette réponse fit éclater Afanasi d'un rire qui s'acheva par une déclaration renversante :

— Mademoiselle Scott, je crois que l'inspecteur vous offrira le poste cet après-midi même.

Elle posa la main sur le téléphone, se retourna et annonça :

— Bon Dieu ! Il m'offre un poste !

Puis vinrent deux questions auxquelles elle ne s'attendait pas :

— Avez-vous une tare visible au visage ? Etes-vous infirme ?

Elle apprécia la franchise de ces questions :

— Si j'étais atteinte d'une infirmité légère, m'engageriez-vous ?

— Du moment que vous pouvez vous déplacer sans trop de difficulté, cela ne changerait rien pour nous.

— Monsieur Afanasi, je désire cette place. Je ne suis ni infirme, ni difforme, ni défigurée. Je suis une personne tout à fait ordinaire — à tous égards, je crois. Et j'adore les enfants.

— Envoyez-moi deux photos, et demandez à deux de vos professeurs de l'université Brigham Young — ils ont une sacrée équipe de football —, à votre proviseur actuel et à un ecclésiastique de me faire parvenir des références sur-le-champ. Si tout ce que vous me dites est vrai, je suis sûr que l'inspecteur vous offrira la place. Vous êtes au courant du salaire ?

— Trente-six mille. Ça m'a paru énorme.

— Posez-vous votre candidature pour cette raison ?... (Il n'attendit pas la réponse.) À Barrow, pas loin d'ici, dans un restaurant moyen, un hamburger sans oignons ni fromage coûte sept dollars quatre-vingt-cinq. L'enchilada avec sauce en quantité limitée, dix-huit dollars cinquante.

Elle en fut renversée.

— Mais avec votre expérience, vous devriez obtenir quarante-quatre mille dollars. C'est ce que je recommanderai à l'inspecteur.

Elle se mordit la lèvre pour ne pas dire une idiotie.

— Monsieur Afanasi, ajouta-t-elle doucement. Je ne peux pas vous adresser une recommandation de mon pasteur. Il mettrait ma mère au courant et toute la communauté se liguerait pour m'empêcher de partir.

— Vous n'avez rien dit à votre mère ?

— Non. Et il ne faut pas que je lui en parle avant que tout soit réglé.

Le silence se prolongea, et le visage de Kendra indiquait que personne ne parlait à l'autre bout du fil. Ses amis supposèrent que M. Afanasi avait coupé la communication et ils se préparaient déjà à consoler Kendra, quand ils purent entendre la voix qui répondait enfin :

— Mademoiselle Scott, si vous n'aviez aucun problème, ce poste ne vous intéresserait sûrement pas. Tous ceux qui téléphonent ont des problèmes qui les contraignent à une décision radicale. J'espère que les vôtres peuvent être résolus. Si ce n'est pas le cas, ne venez pas dans le Grand Nord.

— Je vous ai dit que j'étais une jeune femme très banale, répondit Kendra sans hésitation, et mes problèmes sont banals eux aussi.

— Je crois que vous me dites la vérité. Il ne vous reste qu'à le prouver.

Ce fut ainsi que Kendra Scott d'Herber City obtint un poste d'institutrice à Desolation Point (Alaska), avec un salaire de début de quarante-quatre mille dollars par an.

Le vol de Prudhoe Bay vers l'ouest lui révéla l'immensité de son nouveau pays. Un dépliant touristique dans la poche du siège, devant elle, lui apprit : « Vous ne le croirez pas, mais l'Alaska possède un million d'îles et trois millions de lacs. » En baissant les yeux elle vit effectivement le soleil qui se réfléchissait sur une mosaïque de lacs désertiques. Des milliers de lacs, certains de taille immense. Il faut accepter leurs chiffres, se dit-elle. Quel pays !

Elle atterrit à Barrow à dix heures vingt par une belle matinée de juillet, et dès qu'elle entra dans l'aéroport pour prendre ses bagages, une grosse voix la héla :

— C'est vous, mademoiselle Scott ?

Elle vit s'avancer vers elle un homme débraillé de cinquante ans bien sonnés.

— Harry Rostkowsky, lança-t-il en tendant sa grosse patte. C'est moi qui vous pilote à Desolation.

En voyant les trois valises, il s'écria :

— Vous comptez rester longtemps, hein ? La dernière qui s'est pointée n'a pas duré plus de trois semaines. C'est pour ça que la place est libre.

— Mais la brochure disait qu'il y aurait une période de mise au courant, ici à Barrow : trois jours dans une école neuve.

— Normalement, oui..., répondit-il en riant. Mais on a besoin de vous de toute urgence. Montez donc !

Le vol bref à basse altitude fut pour Kendra la meilleure introduction à la région : elle ne vit que la toundra sinistre, sans arbre, avec sa myriade de lacs entre Barrow et Desolation ; puis la mer sombre et menaçante des Tchouktches au-delà. Pendant le trajet entier entre les deux agglomérations, elle n'aperçut pas le moindre signe d'existence humaine. Rosty lui parla par l'intercom et elle lui répondit :

— Plus vide que je ne pensais.

Il braqua la main gauche en arrière vers l'est et dit :

— Par là, tout est aussi vide jusqu'au Groenland.

— À notre arrivée à Desolation, vous voulez bien me montrer M. Afanasi ?

— Inutile. Il *est* Desolation. Et pour le village, c'est une chance de l'avoir... Ce sera votre nouveau patron. Et vous n'en aurez jamais de meilleur.

Puis vint la longue boucle au-dessus de la mer, la brusque chute d'altitude et l'approche en glissade vers la pointe sud de la péninsule que des Eskimos nomades utilisaient comme base, de temps à autre, depuis quatorze mille ans.

— Mon nouveau foyer ! cria-t-elle à Rosty.

Et elle salua Desolation, devenu un village en plein essor. Comme ces habitations fragiles semblaient vulnérables, coincées comme elles l'étaient entre la mer des Tchouktches à l'ouest et une immense lagune à l'est ! Mais elle oublia le site presque aussitôt, pour chercher des yeux l'école neuve de neuf millions de dollars. Elle ne parvint pas à la repérer au milieu des petites maisons. Elle supposa donc qu'elle se trouvait davantage dans les terres pour éviter d'éventuelles inondations... Elle ne la remarqua pas non plus dans les espaces environnants.

Rostkowsky tourna bruyamment deux fois au-dessus du village et la population entière, sembla-t-il, s'élança vers la piste d'atterrissage. Quand le Cessna se posa, tous ceux qui avaient affaire avec la nouvelle institutrice — en fait presque tout Désolation — se trouvaient là pour l'accueillir. Elle sortit à reculons, posa le pied sur l'aile et sauta à terre. Un murmure d'approbation échappa aux villageois quand ils la virent ainsi, jeune et jolie avec sa coiffure de page, son sourire enthousiaste, son ravissement évident et son impatience de connaître les gens qu'elle venait aider. Un début de bon augure, qu'égaya un long coup de sifflet entre les dents, émanant d'un jeune Eskimo qui devait être l'élève le plus âgé de l'établissement. Les autres applaudirent sa témérité et pendant que l'on présentait Kendra aux membres du conseil de l'école, l'un d'eux chuchota à sa voisine :

— Cette fois, je crois que nous en avons une bonne.

Puis Vladimir Afanasi, tête nue, cheveux gris, rasé de près, s'avança de l'arrière de la foule avec son visage asiatique d'un rond presque parfait.

— Bienvenue, mademoiselle Scott. Je suis Afanasi. Nous avons parlé au téléphone. Allons voir votre logement.

Il la conduisit vers le logement des instituteurs, petite maison basse conçue pour deux familles.

— M. Hooker occupe ce côté avec sa femme. Ils sont partis à la pêche. Ce côté est à vous. Il y a tous les meubles nécessaires et de quoi faire le lit.

Il ouvrit la porte et fit entrer Kendra dans un petit appartement-studio — salle de bains, coin cuisine, salon — plus exigu que tout ce qu'elle avait pu voir en Utah ou au Colorado. Mais tout était propre et il y avait un mur vide où elle pourrait accrocher des affiches, des cartes ou des reproductions. Elle apprécia le côté net d'un foyer confortable pour jeune femme célibataire.

Non sans fierté, car c'était lui qui avait prévu les plans de ce logement de l'institutrice, Afanasi lança :

— Ce devrait être un refuge agréable pour une jeune fille.

— Je suis une jeune femme, corrigea Kendra.

— Eh bien, ce sera jeune femme, répondit-il en riant. Je me suis aperçu que si les gens ne sont pas fiers de ce qu'ils sont, ils ne valent pas grand-chose.

On apporta les trois valises, que l'on entassa au milieu de la pièce vide, mais Kendra ne les regarda même pas.

— Où est l'école ? demanda-t-elle. J'en rêve depuis le premier coup de fil.

— Par ici...

Afanasi l'entraîna à l'extérieur et lui montra un bâtiment bas d'un seul niveau, visiblement neuf mais qui avait déjà besoin d'un coup de peinture. Kendra crut voir un magasin de campagne abandonné dans un trou perdu d'une région minière du Colorado au filon épuisé.

— Neuf millions de dollars ! laissa-t-elle échapper.

Dès qu'elle prononça cette remarque péjorative, Afanasi bondit.

— Il est essentiel que vous compreniez, dès la première minute, le pays où vous venez d'arriver.

Il se tourna en montrant les points cardinaux.

— Que voyez-vous, mademoiselle Scott ? Des arbres ? Un centre commercial ? Un entrepôt de matériaux de construction ?... Rien. La mer, où avec un peu de chance nous capturons de temps en temps un morse ou peut-être une baleine. Le ciel, qui est sombre la moitié de l'année. Et dans cette direction, aussi loin que l'esprit puisse l'imaginer, la toundra sans un seul buisson à brûler.

Il entraîna sa nouvelle institutrice dans l'école nue et triste, qui se composait de deux vastes classes séparées par un mur insonorisé, et d'un gymnase beaucoup plus grand que le reste du bâtiment — ce que Kendra fit remarquer.

— Nous avons besoin de la salle de gym, dit-il. C'est le cœur de notre communauté.

Puis débuta l'instruction de l'institutrice. Il montra un clou planté dans le mur.

— Ce clou, ce panneau de bois, ces vitres, d'où supposez-vous qu'ils viennent ? Nous ne sommes pas allés les acheter à la quincaillerie, car il n'y a pas de quincaillerie. Chaque élément de ce bâtiment a dû être commandé spécialement à Seattle puis livré ici par bateau.

— Je l'ignorais, dit Kendra, comme pour s'excuser de sa futilité.

Afanasi accepta cette politesse en inclinant la tête, puis prit le bras de la jeune femme et expliqua le désavantage que représentait la position de Desolation, tout en haut d'une ligne de transports maritimes dans l'Arctique.

— Vous devez comprendre, mademoiselle Scott, que le bateau de Seattle monte ici seulement une fois par an, généralement fin août. Si l'entrepreneur qui construit cette école a besoin de clous, il doit le prévoir presque un an à l'avance, car si le paquet de clous manque le bateau annuel, il lui faudra attendre une année de plus. Dans un système aussi rigoureux, les coûts de construction augmentent.

— L'entrepreneur ne peut-il pas faire venir ses clous par avion ?

— Ah ! Vous voyez les possibilités... Croyez-moi, mademoiselle Scott, ce genre de calculs constituera pour vous un problème majeur. Vous le ruminerez plus de cent fois l'an prochain.

— Je ne comprends pas.

— On peut faire venir par avion presque tout ce dont on a besoin. Mais le fret — le paquet de clous, par exemple — doit être mis en caisse et amené à l'aéroport d'Anchorage. De là, il va à Fairbanks. Changement d'avion pour Prudhoe, et nouveau transbordement vers Barrow. De Barrow, Rostkowsky lui fait franchir la toundra dans son petit Cessna. Par bateau, votre paquet de clous vous reviendra à environ trente dollars. Par avion, quatre cents dollars.

Il la regarda longuement pour lui laisser assimiler cette énorme différence. Quand il crut qu'elle avait bien compris, il montra les petites choses qui rendaient son école sinistre un peu plus sympathique.

— Nous avons fait venir ça par avion. Nous avons fait venir par avion les panneaux de bois qui tiennent les paniers du terrain de basket-ball. Nous avons fait venir par avion beaucoup de choses que vous apprécierez. Et au bout du compte, cela nous a coûté neuf millions de dollars.

Pendant ses explications Kendra n'avait cessé d'acquiescer de la tête. Sa soumission aux réalités de l'Alaska était si sincère qu'Afanasi l'entraîna dehors en riant. Pour lui montrer les soixante pilotis de béton sur lesquels reposait le bâtiment.

— Pourquoi supposez-vous que nous avons dépensé deux millions de dollars à bâtir ces piliers avant de poser une seule planche ?

— Des inondations au printemps ?

— Le permafrost quatre saisons par an.

Il expliqua que si un bâtiment lourd était construit à même le sol, la chaleur accumulée ferait fondre le permafrost et toute la bâtisse sombrerait dans la boue, puis éclaterait par suite des glissements.

Il lui montra la maison où elle allait vivre.

— Combien croyez-vous que nous a coûté la construction de votre logement ? Devinez.

Pendant son enfance, sa famille occupait une maison moderne d'Heber City et elle se rappelait son prix, car ses parents s'étaient souvent reproché ce qu'ils considéraient comme une extravagance : seize mille dollars.

— Nous avons en Utah une maison semblable, dit-elle doucement. Seize mille dollars.

— Nous en avons dépensé deux cent quatre-vingt-dix mille... Pour que vous vous y sentiez bien quand le vent se mettra à hurler.

Elle remarqua que la maison était construite sur une vingtaine de pilotis.

— Est-ce vous qui prenez ces décisions ? En tant que président du conseil ou à un autre titre ?

— Le président est à Barrow. Mais il écoute mes recommandations.

— Cela ne vous cause-t-il pas certains...

Elle chercha en vain le mot juste. Elle n'avait même pas parlé dix minutes avec Afanasi, mais elle voyait bien que cet homme avait des convictions fortes — et elle dépendrait de lui pendant les années à venir.

— Vous vous demandez si je n'ai pas peur de me tromper ? Jamais. Pas le moindre remords. Le Grand Nord reçoit de Prudhoe Bay des millions inespérés. J'ai persuadé la population que le meilleur moyen de dépenser cette fortune tombée du ciel était l'*éducation*.

Il la raccompagna vers sa maison en lui expliquant avec une fierté paisible :

— J'ai déposé dans l'affaire Molly Hootch.

— Pardon ?

— Une cause célèbre devant la Cour Suprême de l'Alaska. Molly Hootch était une fillette eskimo dont l'affaire a permis de clarifier les lois du pays. Notre Constitution — j'ai participé à sa rédaction — prévoit que tout enfant d'Alaska a le droit de recevoir un enseignement dans sa propre communauté. Mais quand j'étais jeune, si un enfant d'un village indigène désirait faire des études secondaires, il devait quitter ses parents pendant un an entier pour descendre à Sitka. Le choc affectif était effarant. Le décret qui a suivi l'affaire Molly Hootch a changé tout ça. À présent nous avons de bonnes écoles dans toutes les régions désolées, certaines avec six élèves, d'autres avec douze mais toutes avec des maîtres de premier ordre.

— L'école de Desolation est-elle une « école Molly Hootch » ?

— Nous avions déjà une école ici avant le jugement. Molly Hootch nous a permis d'en faire un établissement secondaire.

— Combien d'étudiants avez-vous ? demanda-t-elle, et la réponse la stupéfia :

— Dans le secondaire, où vous enseignerez, trois élèves, deux garçons et une fille. Dans les petites classes où enseignent le directeur, Karisme Hooker, et sa femme... Il vous plaira, c'est un gros nounours. Il préfère l'école primaire car il ne veut pas s'occuper des grands qui risquent d'en savoir plus que lui...

— Combien ont-ils d'élèves ?

— Treize.

Ces chiffres étonnèrent tellement Kendra qu'elle s'immobilisa un instant. Afanasi l'attendit.

— Seize élèves dans une école de neuf millions de dollars ! s'exclama-t-elle en le rattrapant.

— C'est l'Alaska. Nous faisons passer en premier ce qui compte le plus.

Mais une surprise plus grande encore attendait Kendra. Afanasi l'accompagna dans son logement, plaça deux chaises devant le bureau mural et feuilleta les papiers qu'il y avait déposés pour la jeune femme.

— Oui. Voici. Et nous sommes presque en retard. Mais préparez votre commande et je la téléphonerai demain à Seattle. Juste à temps pour qu'elle prenne le bateau.

Kendra ne comprenait pas un mot de ce qu'il racontait. Il lui remit un catalogue de quatre-vingt-seize pages, couvertes de minuscules lettres, énumérant tous les articles de ménage et l'épicerie, les détergents, le papier hygiénique et les objets de toilette.

— Tout ce qu'il vous faudra pour un an. Ross & Raglan, à Seattle, ont un service qui s'occupe uniquement de l'expédition de produits dans le Nord à des gens comme vous et moi.

Pendant les deux heures qui suivirent, Kendra Scott, élevée dans des régions civilisées comme l'Utah et le Colorado, s'initia donc à sa future existence au nord du cercle polaire. Le catalogue R & R, qui avait subi l'épreuve du temps, prévoyait tout ce dont un individu ou une famille normale risquait d'avoir besoin au cours des douze mois. Et outre les formules de commande (dont la première version conçue par Buchanan Venn datait de la fin des années 1890), Kendra disposait des sages conseils de Vladimir Afanasi, qui avait aidé plusieurs jeunes institutrices à faire leur première commande.

Les quantités suggérées par Afanasi stupéfièrent Kendra, habituée à faire ses courses deux fois par semaine pour une seule personne.

— Mademoiselle Scott, je vous conseille instamment de commander un quintal et demi de pommes de terre.

— Où les mettrai-je ?

— Dans la cache.

Il se leva, ouvrit une porte à l'arrière du logement et montra à la jeune femme une réserve presque aussi vaste que la pièce où elle se trouvait : elle était tapissée d'étagères et aménagée avec des plates-formes où poser les fûts et les sacs. Un énorme congélateur permettait de conserver la viande et les surgelés. Ce fut seulement en voyant toutes les étagères qu'elle comprit la tâche dans laquelle elle s'était lancée.

— Il faut que je commande des vivres pour une année entière !

— Pas forcément. C'est comme pour les clous. Si vous tombez à court de quelque chose, vous pouvez toujours demander à R & R de vous l'envoyer par avion. Une boîte de patates douces : deux dollars par bateau, six dollars par avion.

Quand Kendra eut terminé sa liste, Afanasi fit un calcul rapide du coût et la note s'éleva à environ trois mille dollars. Kendra regarda le total, bouche bée.

— Je n'ai pas assez d'argent pour une facture comme celle-là.

— C'est pour cela que l'école vous verse une avance tout de suite... aujourd'hui.

Il lui tendit un chèque de cinq mille dollars émis sur une banque de Barrow.

Au moment de prendre congé, il se figea un instant et montra la porte du logement voisin, occupé par le directeur, Karisme Hooker.

— Beaucoup le considèrent comme l'un des meilleurs instituteurs du Grand Nord, opinion que je partage sans réserve. Début de la quarantaine, long comme un haricot vert, marié à une femme qui l'adore. Il est venu du Dakota du Nord, il y a Dieu sait combien d'années. Sa plus grande valeur, mademoiselle Scott — ne l'oubliez jamais — c'est ce qu'il fait pour le basket-ball. Aidez-le dans ce domaine et votre contribution à notre école sera remarquable.

— Il a un curieux prénom. Est-il religieux ?

— Oh, non. Hooker vient d'un milieu très modeste. Pas du tout littéraire. Quelques jours après son arrivée il a parlé du charisme de je ne sais quel président, et il a prononcé le ch comme le mot chat. La faute se reproduisit, car il adorait ce mot — à ses yeux le monde entier tournait autour de personnages charismatiques — et un de ses élèves vint me voir. « M. Hooker, me dit-il, parle de charisme, mais prononce mal le mot. » Je suis allé le voir dans sa chambre (il n'était pas marié à l'époque) et je lui ai dit carrément : « Le mot se prononce comme s'il s'écrivait karisme. » Et depuis ce temps-là tout le monde ici l'appelle Karisme Hooker. Vous les entendrez l'encourager pendant les matchs de basket-ball. Il vaut chaque sou des quatre-vingt-quatorze mille dollars que nous lui versons.

Kendra, que ce chiffre renversa, demanda :

— Combien sa femme est-elle payée ?

— Elle a des années d'expérience, répondit Afanasi. Quarante-neuf mille dollars.

Après son départ, la jeune femme totalisa la charge que représentaient les salaires pour son école. « Cent quatre-vingt-huit mille dollars pour seize élèves ! » Et elle n'était pas encore au courant des vingt-deux mille dollars versés à une Eskimo engagée à temps partiel au titre de « spécialiste agréée » pour enseigner aux élèves leur langue maternelle : l'inoupiat, qu'ils oubliaient en faveur de l'anglais. Ni des quarante-trois mille dollars versés au concierge qui maintenait le bâtiment neuf en état. Elle apprendrait le total général plus tard : deux cent cinquante-trois mille dollars, soit presque seize mille dollars par élève, uniquement en salaires.

Cette nuit-là, la première dans son nouveau lit, elle se réveilla à trois heures moins le quart du matin, s'assit brusquement et bondit vers son bureau où se trouvait la commande de R & R, près de son enveloppe. Elle ajouta, sur la demi-page en blanc réservée aux « divers » : noix de pécan, quatre kilos ; sirop Karo concentré, huit boîtes ; kumquats, douze boîtes. Puis, soulagée, elle se remit au lit et s'endormit profondément bien qu'il fît grand jour au-dehors.

Quand l'école commença à l'automne, Kendra était entrée dans les bonnes grâces des deux tiers des familles de Desolation. Toujours enthousiaste, elle aimait les enfants et respectait les traditions des Eskimos. Elle allait d'une petite maison sombre à l'autre et répondait à toutes les questions sur son enfance et sur la vie au Colorado ; elle écoutait aussi les légendes locales sur la chasse aux morses, et elle apprit qui était le plus compétent dans le village pour pister les grosses baleines franches qui se déplaçaient vers le nord ou le sud selon les saisons. Mais si la communauté l'accepta d'emblée, ce fut à cause de la conférence qu'elle proposa un soir, dans le gymnase. La plupart des habitants vinrent voir comment leur nouvelle institutrice se comportait. Le titre annoncé était « L'erreur et la vérité », et plus d'un s'y rendit à regret, s'attendant à subir une harangue de missionnaire.

Quelle surprise pour tous ! Kendra se présenta devant eux comme une jeune femme aimable et naturelle de l'Utah et les tint au courant des conceptions et des idées fausses qu'elle avait à son arrivée sur la vie des Eskimos.

— Pour des raisons que je n'ai jamais connues, le système scolaire américain a décidé il y a des années que la classe idéale pour enseigner aux enfants ce qu'ils devraient savoir des Eskimos était le cours moyen deuxième année. On a écrit des manuels et produit des aides pédagogiques ; une compagnie vend même du matériel pour construire un igloo. J'ai enseigné le cours sur les Eskimos trois ans de suite en mettant l'accent sur les igloos. J'ai fait vivre tout le monde dans des igloos. Et quand je suis arrivée ici dans le superjet de M. Rostkowsky, qu'ai-je trouvé ? Pas un seul de ces fichus igloos.

Le fait qu'elle utilise un mot presque grossier choqua certains mais ravit la majorité. Elle continua donc à ridiculiser irrévérencieusement les idées fausses qu'elle avait sur la vie des Eskimos. Par des exemples vivants et des incidents amusants, elle incita le public à rire d'elle, puis quand tout le monde eut bien ri à ses dépens, elle devint soudain sérieuse.

— Mes manuels m'ont également appris beaucoup de vérités sur vous : que vous aimez la mer, comment vos vaillants chasseurs s'en vont combattre les ours polaires et attraper les morses. Ils m'ont parlé de vos fêtes et de vos aurores boréales, que je n'ai jamais vues. Et j'espère que pendant les années où nous resterons ensemble, vous m'enseignerez d'autres vérités sur votre vie, parce que j'ai envie d'apprendre.

Elle fit des efforts particuliers pour créer des liens d'amitié avec son directeur. Au début elle trouva ce grand bonhomme aux gestes maladroits peu disposé à se lier à quiconque, et notamment à une jeune institutrice entreprenante qui risquait de lui prendre sa place à la tête de l'école. Il demeura si distant qu'un jour de fin août, après plusieurs rebuffades, elle le coinça sous leur porche commun et lui dit carrément :

— Monsieur Hooker, voulez-vous entrer un instant ?

Il s'assit, mal à l'aise, dans le petit studio.

— Monsieur Hooker..., commença-t-elle.

— Appelez-moi Karisme

Elle éclata de rire.

— On m'a mise au courant de votre prénom. Je dois dire que vous le portez avec élégance.

Il lui adressa l'ombre d'un sourire.

— Je suis venue de très loin pour enseigner dans votre école, et je ne pourrai pas faire mon travail dans de bonnes conditions sans votre aide et vos conseils.

— Ma coopération vous est acquise.

Elle refusa de se contenter d'une vague assurance.

— Les enfants m'ont dit que vous aviez perdu votre dernière institutrice parce que vous la traitiez comme une paria.

— Qui vous a raconté ça ?

— Les enfants de l'école. Ils m'ont dit que vous la faisiez pleurer.

— Elle était incompétente et M. Afanasi le savait. C'est lui qui a suggéré qu'elle serait bien mieux au Sud du Quarante-Huitième.

— Mais vous auriez pu l'aider, monsieur Hooker... Pardon ! Karisme...

Le directeur demeura les mains crispées sur ses genoux dans une attitude de légitime défense jalouse.

— Peut-être, dans des circonstances différentes..., avoua-t-il à regret.

— Vous n'aurez pas le même problème avec moi, Karisme. Je me plais ici. Je suis impatiente d'enseigner mais j'ai encore plus envie de vous aider, M. Afanasi et vous, à diriger une bonne école.

Ce rappel discret du nom d'Afanasi rappela à M. Hooker que Kendra s'était déjà liée d'une solide amitié avec ce puissant citoyen de Desolation. Il se détendit donc un peu, mais au moment où il allait prononcer des paroles de conciliation retentit dans le village le bruit le plus important de toute l'année : la sirène du bateau, qui signalait son arrivée par une colonne de fumée. Même les habitants les plus sereins du village se mirent à courir dans les rues en criant.

— Le bateau ! Le bateau !

Un vieux remorqueur traînait un énorme chaland chargé de marchandises.

Son arrivée déclencha deux journées de fêtes. Une énorme corne d'abondance se déversa. Comme sur un ordre magique s'offrirent les récompenses des peines passées. Des caisses de boîtes de conserves, un camion, un bateau avec son moteur hors-bord, un chariot élévateur, des tas de bois de construction, des marteaux neufs, des coupons de tissu de couleur claire, des livres, des nouvelles lampes à mèche améliorées en cas de panne d'électricité. Et toujours les inventions modernes qui rendaient les mois sombres plus vivables : un appareil de télévision, plusieurs magnétophones avec deux caisses de piles, douze ballons de basket et une radio à ondes courtes. Regarder la cargaison annuelle se déverser à Desolation Point, c'était déjà participer à la vie eskimo dans un avant-poste reculé, et Kendra fut captivée par toute cette activité. En revanche, elle ne s'attendait nullement au geste d'amitié de M. Hooker. Quand des jeunes gens se mirent à transporter avec leurs camionnettes les caisses et les paquets destinés à Kendra, Karisme se plaça au milieu de la cache de la jeune femme et surveilla le rangement en bon ordre des provisions de l'année.

— Nous tenons à ce que vous commenciez d'un bon pied, dit-il.

Cette année-là, la grande surprise se produisit le deuxième jour, vers la fin du déchargement, quand les nouvelles snowmobiles arrivèrent à terre. À Desolation, même les enfants avaient des skidoos comme on les appelait, et il n'était pas rare qu'une famille possède trois de ces machines bruyantes et dangereuses. Mais quand on en eut débarqué une douzaine, plusieurs gamins qui regardaient sifflèrent : deux matelots descendaient sur la rampe de débarquement avec une Snow-Go-7 rouge et bleu, améliorée de façon radicale : chenilles larges, pare-brise en plastique moulé et guidon de course. Quatre mille dollars tout rond.

— Qui a commandé ça ? s'écrièrent les enfants fous de joie.

Un beau jeune homme, sorti du lycée deux ans plus tôt, s'avança pour réclamer le joyau.

— Jonathan Borodine, murmura une femme à Kendra. Son père et son oncle ont travaillé à Prudhoe. Ils ont gagné une fortune.

Kendra n'avait pas rencontré cette famille mais la connaissait de nom : les fiers Borodine maintenaient les vieilles traditions, contrairement à Vladimir Afanasi qui acceptait de nombreux aspects de la nouvelle vie. Elle se demanda comment les traditionalistes Borodine avaient pu autoriser leur fils à acheter une snowmobile ; c'était une contradiction. Mais la merveilleuse machine venait d'arriver et en voyant le jeune Borodine la pousser fièrement, Kendra comprit qu'elle allait désormais monopoliser l'imagination et la vie du jeune homme. Elle se tourna vers sa voisine.

— Il travaillait bien à l'école ?

— Très bien. Il aurait pu continuer ses études.

— Pourquoi sa famille a-t-elle gaspillé tellement d'argent pour une snowmobile ? Au lieu de l'envoyer à l'université.

— Oh ! il y est allé ! répondit la femme... Dans un bon établissement en Oregon. Mais au bout de trois semaines il a eu le mal du pays. Le *smokin' and jokin'* du soir, dans nos rues de village, lui manquait trop. Il est revenu.

Vers le soir, quand tout fut déchargé, les habitants de Desolation se réunirent sur la plage pour regarder le chaland lever l'ancre et se diriger vers le nord et Barrow où il débarquerait le reste de sa cargaison. Quelle tristesse de voir l'énorme bâtiment s'éloigner pour une année entière ! C'était le cordon ombilical de la région, le rappel lancinant de l'autre univers qui existait, du côté de Seattle. Enfin le chaland donna en guise d'adieu un coup de sa corne de brume. Les échos se perdirent et les habitants de Desolation se dirent : « L'hiver commence. »

Kendra passa le reste d'août et la première semaine de septembre à se familiariser davantage avec le village : les maisons battues par le vent, les longues galeries sombres qui servaient d'entrées protectrices, les fosses creusées dans le permafrost pour garder la viande, le lac au bout de la ville vers le sud, où l'on découperait de la glace d'eau douce pour la faire fondre comme eau de table. Partout Kendra découvrait des preuves de la lutte séculaire de ces Eskimos contre leur milieu arctique. Et ils avaient découvert des solutions valables. Le soir, quand elle jouait au loto avec les femmes du village, elle les regardait avec admiration, sans jamais un soupçon de condescendance.

En retour, elles se chargèrent de la conseiller pour ses nouveaux besoins :

— Il faudra que quelqu'un vous aide à faire des vêtements pour l'hiver, dirent-elles en montrant par-dessus l'épaule la mer des Tchouktches dont les vagues sans glaçons déferlaient à quelques mètres du village. En décembre, quand le vent souffle sur la glace, il faut se mettre au chaud.

Les prix qu'elle devrait payer son équipement étonnèrent Kendra.

— Commençons par les *mukluks,* dirent les femmes. C'est en gardant les pieds au chaud qu'on gagne la bataille.

Elle apprit qu'il y avait deux méthodes.

— Vous êtes une institutrice débutante, sans beaucoup d'argent. Le magasin vend bon marché des Sorrel Packs faits à la machine : caoutchouc, semelles intérieures et doublures de feutre. Pas mal. Mais si vous voulez être comme un Eskimo, prenez des mukluks. Peau de phoque oogruk pour les semelles, caribou pour le haut, qui monte aux genoux, chaussettes de mouton. En tout, à peu près cent cinquante dollars.

Kendra réfléchit un instant.

— Je suis en pays eskimo parce que j'en avais envie. Allons jusqu'au bout. De vrais mukluks.

La parka, âme du costume eskimo visible, offrait les mêmes options.

— J. C. Penney fait une bonne parka de confection à trois cents dollars et beaucoup d'Eskimos la portent, parce que les vraies coûtent trop cher.

— Combien ?

La réponse lui fit tourner la tête.

— Les peaux, la couture, la garniture pour protéger le visage (la liste d'articles étranges s'allongea sans fin)... En tout huit cents dollars.

Le chiffre fit chanceler Kendra, qui ne s'était jamais permis de dépenser plus de quarante-cinq dollars pour une robe. Elle marqua un temps pour reprendre son souffle.

— J'aurai l'air ridicule si je porte de vrais mukluks et une parka achetée en magasin ? demanda-t-elle.

Les femmes se consultèrent sur ce problème important et donnèrent une réponse unanime.

— Oui.

Sans hésiter, Kendra décida joyeusement :

— D'accord pour une vraie parka.

Ne voulant pas blesser les femmes eskimos avec des questions concernant l'argent, elle attendit d'être seule avec les Hooker :

— Comment ces femmes pauvres peuvent-elles se permettre de payer de tels prix ? Et l'argent qu'elles jettent par la fenêtre au loto ?

Mme Hooker éclata de rire :

— Mademoiselle Scott, ces femmes possèdent des fortunes ! Leurs maris reçoivent des salaires énormes sur les gisements de pétrole de Prudhoe. Et bien entendu le gouvernement leur verse leur prime annuelle.

— Quelle prime ?

— Nous ne payons pas d'impôts en Alaska. L'argent du pétrole coule si vite... Le gouvernement nous paie. J'ai entendu dire que ce serait sept cents dollars cette année.

— N'avez-vous pas remarqué, intervint Karisme, que la plupart des maisons eskimos par ici ont deux ou trois snowmobiles abandonnées devant leur porte ?

— J'allais vous poser la question.

— L'argent est si facile à obtenir qu'il revient moins cher d'acheter un appareil neuf que de faire réparer un vieux modèle. Alors ils cannibalisent. Ils prennent les pièces sur une machine pour en réparer une autre.

Quand les couturières livrèrent à Kendra son costume d'hiver neuf, avec la frange du capuchon qui recouvrait son visage, la jeune femme devint une Eskimo comme les autres : un paquet lourd, bien protégé, qui marchait en canard. Aussitôt, elle se mit à transpirer. Les femmes la rassurèrent :

— En décembre, elle ne sera peut-être pas assez chaude. Les vents de Sibérie... Vous verrez.

L'une d'elles ajouta d'un ton solennel :

— Vous vous appelez à présent Kunik. Cela signifie flocon de neige. Elle, moi, toutes, nous vous appellerons Kunik.

Et sous le nom de Kunik, la nouvelle institutrice continua sa campagne pour comprendre les Eskimos et se faire accepter dans leur communauté.

Le jour de la rentrée des classes, Kendra eut une série de surprises — certaines agréables, les autres moins. En entrant dans la classe caverneuse qui aurait pu recevoir quarante élèves, elle trouva sur son bureau un bouquet d'algues et d'une sorte de bruyère de la toundra. Jamais elle n'avait reçu de fleurs qui l'émurent davantage. Elle se demanda qui avait accompli ce geste d'amitié, mais ne parvint à aucune conclusion.

Une cloche de bateau sonna sur le toit de l'école et les seize élèves entrèrent. Treize se dirigèrent à gauche vers les classes élémentaires de M. Hooker, et trois seulement, une fille et deux garçons, s'avancèrent vers Kendra. Ils s'assirent au premier rang et la classe parut très vide. Kendra comprit qu'il lui faudrait la remplir d'activité et d'intérêt. C'était elle, la classe — non les livres ou l'immense bâtiment de neuf millions de dollars. Personne d'autre qu'elle ne pourrait apporter de la vie à ce lieu inanimé. Elle résolut de le faire.

Les jeunes élèves, visage ronds, cheveux noirs, yeux noirs, visiblement avides de savoir, étaient prêts à l'aider à insuffler de la vie dans cette caverne. Elle avait fait leur connaissance pendant l'été, mais elle n'avait pas imaginé à quel point ils paraissaient asiatiques dans le cadre d'une salle de classe. C'étaient des Eskimos, et elle se sentit fière d'être leur institutrice.

D'emblée ses élèves lui plurent, et après une première série d'interrogations pour tester leurs connaissances, elle conclut qu'elle avait en face d'elle trois adolescents d'un niveau supérieur à la moyenne. Mais avant même qu'elle débute vraiment son enseignement, il se produisit une interruption qui modifia toute sa journée, et en fait l'année entière.

Vladimir Afanasi entra dans la classe en tenant par la main une jeune Eskimo effrayée de quatorze ans. Sans même indiquer à l'adolescente terrifiée où elle pouvait s'asseoir il entraîna Kendra sous le porche.

— Elle s'appelle Amy Ekseavik, en quatre syllabes. Ses parents sont les parias du village. Ils partent pêcher dans les rivières de l'intérieur pendant six mois de suite. Ils vivent dans un taudis à la pointe de la péninsule. Amy n'a fréquenté l'école que sept ou huit semaines par an.

— Pourquoi permet-on ce genre de chose ?

— On ne le permet pas, répondit Afanasi. J'ai lancé la police de Barrow à leurs trousses. Il faut qu'elle aille à l'école, et ses parents l'ont ramenée ici. Elle passera l'hiver chez Mme Pelowook.

Ils rentrèrent dans la classe, et Afanasi se pencha vers Amy :

— Voici tes camarades. Et ton institutrice, Mlle Scott.

Il embrassa la petite qui tremblait et fit signe à Kendra de s'occuper de sa quatrième élève.

Mais l'institutrice ne remarqua pas son geste. Dès l'instant où Amy était entrée dans la classe, Kendra avait éprouvé une émotion étrange : « C'est la fillette de la couverture du magazine ! » La ressemblance entre l'enfant de six ou sept ans et cette adolescente de quatorze ans était si frappante que Kendra porta sa main gauche à son visage et se mordit le doigt. N'était-ce pas un miracle ? Le sosie de l'enfant dont la photographie avait attiré Kendra dans cet endroit reculé entrait tout à coup dans sa classe... mais n'était-ce pas également un ordre impératif ? Elle avait été appelée ici pour sauver cette enfant...

— Vous vérifierez ce qu'elle sait, dit Afanasi avant de repartir. Elle sait un peu lire et écrire, mais des mois ont passé depuis son dernier passage à l'école.

Kendra, trop bouleversée pour réagir sur-le-champ, ne bougea pas quand il s'en alla. L'autre fillette de la classe se leva, se dirigea vers Amy et la conduisit vers une chaise que l'un des garçons traîna dans le cercle. Par ce geste de prévenance, ils accueillirent la nouvelle, élevée toute seule aux confins du monde.

Le troisième jour de classe de Kendra, elle trouva par hasard, dans un tiroir de son bureau, une brochure indiquant que le district scolaire du North Slope, dont dépendait son école, s'étendait sur 228 648 kilomètres carrés pour une population totale de 7 600 habitants. Déjà fière de ce qu'elle appelait « mon petit coin de Grand Nord », elle attendit la fin de la classe pour aller emprunter la calculatrice de M. Hooker.

— L'école est censée vous en fournir une, répondit-il d'un ton bourru.

Il fourragea dans son bureau et trouva une excellente calculatrice prévue pour Kendra — qui le remercia.

— Oh ! je dois avoir d'autres trucs pour vous, par ici ! Je vais faire un tri.

Ce cadeau de la calculatrice surprit Kendra, mais mieux elle connaissait cette école remarquable, plus elle était impressionnée par sa générosité. Chaque enfant recevait gratuitement une brosse à dents, du dentifrice, des crayons, un stylo à bille, un cahier de brouillon, tout ce qu'il fallait pour lire, une collation à dix heures, un déjeuner chaud et des services de santé complets. Les instituteurs participaient eux aussi à ces bénéfices : hospitalisation gratuite, assurance vie du double du salaire annuel, pas de loyer, de chauffage et d'électricité à payer, plus le célèbre Plan d'Épargne qu'Afanasi lui expliqua :

— Nous vous invitons à déposer auprès de nous six pour cent de votre salaire, soit dans votre cas deux mille six cent quarante dollars par an. Nous ajoutons un abondement de cinquante pour cent et nous vous verserons onze pour cent par an sur le total. Nous ne voulons pas que nos instituteurs crèvent de faim.

La nouvelle, Amy Ekseavik au visage de poupée, se révéla une petite bonne femme difficile. Pendant les deux premières semaines à l'école, elle repoussa avec une obstination bourrue toute tentative de briser sa réserve que firent les élèves et la maîtresse. Enfant unique qui vivait loin du village, elle n'avait jamais eu d'amis : l'idée même de sympathiser avec des gens ou de leur faire confiance ne lui venait pas à l'esprit. Elle n'éprouvait que soupçons à l'égard de ses condisciples, et comme son père et sa mère l'avaient traitée durement, elle ne pouvait pas imaginer un comportement différent de la part de Mlle Scott. Pendant un certain temps, l'atmosphère de la classe demeura tendue.

Kendra décida alors de consulter son directeur et elle s'aperçut que pour tout ce qui concernait l'école, M. Hooker agissait en vieux troupier prudent blessé dans plus d'une bataille, qui abordait chaque problème avec les questions : « Ceci risque-t-il de me retomber sur le nez ? Et s'il y a des ennuis en perspective, comment les désamorcer ? »

— Amy est une sorte d'animal sauvage, Karisme. Je me demande si elle n'était pas maltraitée chez elle.

— Je n'en crois rien. Afanasi n'aime pas ses parents, mais il affirme que ce ne sont pas des brutes. Les Eskimos ne maltraitent jamais leurs enfants.

— Vous croyez donc que c'est le fait d'avoir grandi dans la solitude ?

— Peut-être. Mais n'est-elle pas la plus jeune de vos élèves ? Elle se sentirait peut-être plus à l'aise si nous la remettions dans la classe primaire. J'ai déjà dégelé ce genre d'enfant.

Instinctivement, et avec une force qu'elle se serait bien gardée de montrer si elle avait songé au sens qu'on lui donnerait, Kendra s'écria :

— Oh, non ! Elle est où elle doit être. Les enfants du même âge qu'elles l'aideront, et je ne songe qu'à la mettre à l'aise... à l'aider à apprendre..., ajouta-t-elle aussitôt, comprenant qu'elle avait abordé un terrain sensible.

Le directeur Hooker sourit, avec une compréhension profonde qui surprit Kendra.

— Vous ne devez pas vous identifier trop avec elle, mademoiselle Scott.

— Appelez-moi Kendra, je vous prie... Je veux dire : si vous voulez que je vous appelle Karisme.

— D'accord. Vous préférez la garder ? Mais apprend-elle quoi que ce soit ?

— Elle est très intelligente. Elle fait preuve de beaucoup de dons pour l'étude.

— Alors, restez près d'elle. Félicitez-la quand elle réussit, mais n'ayez pas peur de la rembarrer en cas d'erreur.

Pendant ces désolantes journées d'automne où le soleil ne cessait de baisser dans le ciel de Desolation comme pour avertir les gens — « Je vais partir bientôt, la nuit va tomber sur vous » —, Kendra s'efforça donc de briser la réserve de cette enfant distante, presque sauvage, que l'on avait jetée ainsi dans sa vie.

Ainsi continua le difficile processus d'éducation que tous les jeunes animaux doivent subir pour devenir des ours polaires ou des aigles de premier ordre. Kendra offrait sans discontinuer amour et rigueur, tandis que la petite Amy, renfermée, résistait de toutes ses forces. Les trois autres élèves, enfants élevés normalement dont l'individualisme avait été réduit de force par le contact avec d'autres enfants aussi têtus qu'eux, faisaient des progrès rapides grâce aux soins de Kendra, et la classe secondaire de Desolation fonctionnait de façon plus que satisfaisante.

À un dîner de la paroisse, qui marqua la fin de l'automne et le début de la longue nuit d'hiver, plusieurs parents dirent à Kendra :

— Nous n'avons entendu dire que du bien de vous. C'est Dieu qui vous a envoyée.

Mais les gens chez qui Amy Ekseavik était pensionnaire demandèrent :

— Elle ne nous parle jamais de l'école. Se débrouille-t-elle bien ?

— Elle rattrapera, répondit Kendra en toute sincérité.

En septembre, octobre et début novembre, les habitants de Desolation faisaient souvent de sombres allusions à « l'approche de l'hiver » et Kendra supposa qu'ils parlaient des problèmes de la nuit continue ; mais un matin de novembre elle apprit le véritable sens de l'expression. Le temps s'était refroidi, dix-huit degrés au-dessous de zéro, et une neige légère recouvrait le sol. Elle décida donc de porter la tenue eskimo, très confortable. Mais ce matin-là, sur le trajet de l'école, elle fut saisie par un vent d'une telle violence qu'elle en eut le souffle coupé. Elle crut sentir son visage se ratatiner.

— Alors, l'hiver vous plaît ? lui lancèrent ses élèves qui arrivaient emmitouflés de vêtements protecteurs.

Le thermomètre demeura à moins quarante, mais le vent hurlant sur la mer des Tchouktches après avoir traversé les déserts de Sibérie avait une telle puissance que la radio de Barrow prédit une aggravation. Jamais Kendra n'avait imaginé un froid pareil.

— Dites donc, les enfants, ça va continuer combien de temps ?

— Quelques jours.

Effectivement, au bout de trois jours à vous glacer les os, le vent s'arrêta et la jeune femme trouva que moins trente sans tempête était tout à fait supportable...

Au plus fort de l'hiver arctique, où les gens doivent se serrer les coudes pour survivre, elle apprit à quel point Karisme Hooker était un éducateur de premier ordre et Vladimir Afanasi un citoyen merveilleux. Désormais le gymnase, qui avait coûté la moitié du devis de l'école, devint le véritable foyer de la communauté. À Thanksgiving et à Noël, il y eut des banquets pour lesquels tous les habitants du village (les parents d'Amy Ekseavik excepté) apportèrent de la viande de baleine congelée, des éperlans, du flétan et de merveilleux ragoûts de canard, d'oie ou de caribou. Mais surtout, il y avait le basket. Kendra eut souvent l'impression que l'âme de Desolation Point, en tout cas en hiver, était ce sport qui attirait presque tout le monde. Mais il s'agissait d'un basket-ball comme elle n'en avait jamais vu. En effet, il n'y avait à

Desolation que les deux garçons de sa classe. Ils dribblaient et tiraient très bien au panier, mais ils avaient besoin d'au moins trois autres joueurs pour composer une équipe de cinq.

Le problème avait été résolu ainsi : toute équipe qui jouait contre Desolation avait accepté comme complément d'équipe deux anciens élèves de l'école, plus M. Hooker à condition que celui-ci ne tente jamais un panier ni ne marque le meilleur joueur adverse. Mais contre quelle équipe Desolation pouvait-elle jouer ? L'école de Barrow possédait une équipe complète et compétitive de quinze membres, mais les six autres petites écoles de North Slope n'en avaient pas. Et l'imagination de Vladimir Afanasi était intervenue. Il expliqua la situation à Kendra avant le premier grand match :

— Nous avons de l'argent, alors nous payons les frais de voyage d'autres écoles jusqu'ici pour jouer une série de trois matchs amicaux, parfois seulement deux. Le village est alors pris de folie. Nos jeunes vivent de grands moments, et les équipes en visite ont une chance de voir la vie dans le nord de l'Alaska. Tout le monde en profite.

La première équipe qui arriva dans ces conditions fut celle de la petite ville de Ruby, sur les rives du Yukon. Huit joueurs, leur entraîneur et le directeur de l'école arrivèrent en avion, et pendant plusieurs journées sans soleil, Desolation n'exista que pour le basket. Comme il n'y avait aucune différence entre le jour et la nuit, les parties se déroulaient à partir de cinq heures de l'après-midi, et c'était un fameux spectacle. L'équipe de Desolation se composait des deux élèves de Kendra, de Jonathan Borodine (l'ancien élève qui possédait une snowmobile), d'un autre garçon sorti de l'école deux ans auparavant, et de M. Hooker (un mètre quatre-vingt-cinq, soixante et onze kilos). Ils se présentèrent en beaux survêtements à quatre-vingt-dix-sept dollars pièce et en maillots bleu clair proclamant en lettres d'or : AURORE BORÉALE. Comme trois joueurs étaient de faible taille, Jonathan Borodine de taille moyenne et M. Hooker immense, ils constituaient une drôle de bande. Mais déjà l'arbitre Afanasi sifflait, lançait la balle en l'air et un jeu de charges violentes et de changements de direction subits s'ensuivait.

L'habileté de ses deux élèves émerveilla Kendra, mais Borodine demeurait le marqueur vedette, comme au temps où il allait encore en classe. À la mi-temps, le score demeurait cependant : Ruby 28, Desolation 21. Bien entendu si M. Hooker avait eu le droit de tenter des paniers ou de marquer la vedette de Ruby, le score aurait été fort différent. Mais Kendra fut néanmoins très fière de son équipe et l'encouragea de toute sa voix.

Ce soir-là, Desolation perdit par 49 à 39, mais le lendemain l'équipe locale, malgré son caractère disparate, marqua panier sur panier et l'emporta sur le score confortable de 44 à 36. Le surlendemain, avant que l'avion en location ramène les joueurs de Ruby sur les rives du Yukon, sept cents kilomètres au sud, les deux équipes partagèrent un énorme petit déjeuner : œufs brouillés reconstitués, saucisses de viandes diverses et petits pains au lait offerts par Mme Hooker. Tous convinrent que la visite de Ruby représentait un succès sensationnel et l'un des joueurs déclara dans son discours de remerciements pour l'hospitalité :

— Je continue de croire qu'après notre départ, le soleil se lèvera.

— Revenez en juin, vous le verrez, répondit un des élèves de Kendra qui avait particulièrement bien joué pendant le second match.

Kendra commença alors à apprécier le miracle de la vie au nord du cercle polaire en hiver, ces semaines apparemment sans fin de nuit prolongée, interrompues seulement par quelques heures de pénombre argentée vers midi. Parfois, quand le soleil grignotait le bord des nuages en suspens au-dessus du Yukon, très loin dans le sud, Kendra pouvait apercevoir à travers la fenêtre de sa classe des silhouettes sombres, pas assez précises pour qu'on leur donne un nom, qui se déplaçaient lentement à travers le village. Elle se disait : « Je suis prise dans un monde de rêve, rien de tout ceci n'est réel. » Mais aussitôt, les vingt-deux heures d'obscurité totale se déroulaient et elle pensait : « C'est l'Arctique, le vrai Nord, celui que je suis venue chercher. » Quel étrange plaisir elle prenait aux ténèbres — de toutes les étudiantes de l'université Brigham Young, n'était-elle pas la seule à avoir osé se lancer dans une telle aventure ?

Elle était donc disposée à profiter au maximum de son expérience à Desolation. Chaque fois que les femmes du village organisaient une fête, quelle qu'elle soit, elles les aidait à décorer le gymnase et à servir des boissons chaudes, et toutes l'acceptèrent comme membre à part entière de leur communauté. Ce que l'on disait de sa classe était rassurant — mis à part cette intraitable Amy Ekseavik, la pensionnaire, qui ne faisait jamais le moindre commentaire.

Fin décembre, en examinant le contenu de sa réserve, Kendra remarqua les articles qu'elle avait ajoutés au dernier moment à sa commande, à l'intention de ses élèves — les noix de pécan, le sirop Karo et les kumquats. Avec l'aide de deux femmes qui avaient des enfants à l'école, elle fit des quantités de galettes aux noix de pécan, sortit de leurs boîtes des chapelets de saucisses et décora des morceaux de biscuits avec le sucre glace de couleur qu'elle avait commandé. Elle n'oublia pas des litres et des litres de jus de fruits, à base de concentré en poudre.

Quand tout fut prêt, Kendra invita l'école entière plus tous les parents et le couple chez qui Amy prenait pension. Bien entendu, on n'empêcha nullement les voisins curieux de venir voir ce qui se passait au gymnase — et parmi ceux qui forcèrent la porte se trouvait Vladimir Afanasi, qui félicita Kendra de son gala et de la façon amicale dont elle avait initié les femmes du village aux kumquats. Mais pour les enfants, le clou de la soirée furent les galettes aux noix de pécan. Et à la fin de la fête, même Amy Ekseavik reconnut (à regret) :

— Elles étaient bonnes.

Kendra remarqua que M. Afanasi, qui allait bavarder d'un groupe à l'autre, était accompagné par un inconnu. Au premier regard qu'elle posa sur ce Blanc, venu apparemment du sud du Quarante-Huitième, elle éprouva une impression qu'elle n'oublierait jamais : c'était un homme important, venu à Desolation non par hasard mais pour un grand dessein. Jeune, de taille moyenne et d'excellente présentation, il avait un sourire avenant. Il ne regardait pas dans la direction de la jeune femme, mais ses cheveux blonds tranchaient tellement au milieu des Eskimos qu'elle ne pouvait pas s'empêcher de le suivre des yeux. A l'entracte du petit spectacle organisé par les élèves, Kendra se dirigea naturellement vers le groupe avec lequel Afanasi discutait, et en la voyant venir celui-ci se dirigea vers elle comme s'il devinait ses intentions, la prit par la main et la conduisit vers le jeune inconnu.

— Mademoiselle Scott, permettez-moi de vous présenter notre conseiller juridique, Jeb Keeler.

— Bienvenue à la fête de l'école, monsieur Keeler...
— Dartmouth et Yale, expliqua Afanasi. Il rend des services précieux à notre communauté.
— Vous travaillez ici ? demanda Kendra.
Profitant de l'occasion, Afanasi exposa la relation unique du jeune Keeler avec le village et ses habitants.
— Vous avez une maison ici ?
— Je loge chez M. Afanasi. Je fais presque tout mon travail avec lui, c'est donc pratique.
Elle s'attarda avec les hommes plusieurs minutes de plus que nécessaire, puis prit conscience de son intrusion et s'excusa maladroitement, révélant ainsi l'impression favorable que lui avait faite le jeune avocat. Ce ne fut nullement gênant car elle avait fait la même impression sur lui. Il avait dit un jour à Poley Markham, son mentor : « J'ai fait mes adieux aux belles de Wellesley et de Smith. » Mais ni à Juneau ni à Anchorage, où il avait fréquenté beaucoup de monde dans le cadre de son travail, il n'avait rencontré une seule femme qui l'intéressât. Et découvrir à Desolation une jeune femme aussi jolie et aussi capable que Kendra semblait une aubaine à ne pas manquer.
À la fin de la soirée, il se faufila vers l'endroit où Kendra souhaitait bonne nuit aux femmes du village, et quand les derniers invités partirent il demanda :
— Accepterez-vous de prendre le petit déjeuner avec moi demain ? Au Grand Hôtel Vladimir, bien entendu, mais nous préparerons une bouffe de première.
— J'en serais ravie, répondit-elle avec un sourire désarmant. Mais vous devez savoir que M. Afanasi est mon grand patron, et que je dois me trouver dans ma classe à huit heures.
— Je passerai vous prendre à six heures.
— Pourquoi si tôt ?
— J'aimerais vous poser des tas de questions.
Elle acquiesça.
Elle se leva avant cinq heures le lendemain et attendait déjà impatiemment quand à six heures moins le quart Jeb Keeler frappa à sa porte pour l'accompagner chez Afanasi pour le petit déjeuner. Ils s'éloignèrent dans le noir, bras dessus, bras dessous, et Kendra sentit que le jeune homme avait autant envie de cette conversation qu'elle-même. L'idée lui plut énormément. C'était son premier vrai rendez-vous. Sans s'expliquer pourquoi, elle fut enchantée que cela se soit produit si loin au nord du cercle polaire.
Après le petit déjeuner, Afanasi eut le bon goût de prétexter une réunion urgente, qui l'obligeait à quitter sa maison sur-le-champ.
— Vous venez ici pour des questions juridiques ? demanda Kendra.
Jeb expliqua ses relations avec Poley Markham et les services rendus par les deux avocats à la compagnie de Desolation. Puis il lui exposa les complexités de la loi sur le retour des terres aux indigènes, pour laquelle il était devenu une sorte d'expert. Et au retour d'Afanasi, la jeune femme put lui demander :
— Que croyez-vous que sera le résultat en 1991, quand les Eskimos obtiendront pleine possession de leurs terres ?
— Vous avez parlé de sujets importants, hein ?
Afanasi se versa du café et pendant l'heure qui suivit, il exposa en toute franchise les problèmes inquiétants auxquels son peuple était confronté.

— Je suis satisfait de la situation de notre communauté, ici à Desolation. Grâce aux conseils raisonnables de Poley Markham au début, puis de Jeb depuis un certain temps, nous nous sommes protégés. Nous n'avons pas perdu d'argent, nous n'en avons pas gagné beaucoup, mais nous nous sommes accrochés à nos terres de façon positive. Mais les grandes compagnies régionales... Là, je suis vraiment inquiet. Les bonnes ont prospéré, les pauvres sont en danger de s'écrouler. Et si elles ne se relèvent pas, elles n'auront qu'une hâte en 1991 : vendre tout aux hommes d'affaires de Seattle.

— Comment est-ce possible ? demanda Kendra.

— Les loups sont déjà autour du feu de camp, intervint Jeb. Ils attendent 1991 et l'occasion de s'emparer de millions d'hectares dans les meilleures terres de l'Alaska. Une fois ces domaines aliénés, jamais les indigènes ne seront en mesure de les récupérer. Un mode de vie sera complètement détruit d'un coup.

Tandis qu'ils évoquaient cette perspective douloureuse, la stratégie de Jeb apparut clairement à Kendra, et elle éprouva pour lui beaucoup de respect.

— Je pense que la moitié des grandes compagnies sont condamnées. Techniquement, elles sont déjà en faillite ou sur le point de le devenir. À mon sens, leurs terres sont déjà perdues à moins que le gouvernement fédéral n'intervienne pour une opération de sauvetage, dans un sens ou dans l'autre. Mais je crois cependant que de nombreuses compagnies de villages pourront être sauvées et leurs terres protégées jusque dans un lointain avenir. C'est ce que j'essaie d'accomplir pour celles que je conseille.

À ces mots, Afanasi défendit de façon éloquente les relations traditionnelles de l'Eskimo avec sa terre :

— Mon pays n'est pas la toundra vide que les Blancs mesurent en hectares. Mon pays, c'est l'océan, gelé en hiver mais libre au printemps et en été : cette autoroute des morses, des phoques et de la baleine franche. Assez de terre garantie pour les maisons de mon village, assez d'océan libre pour assurer la récolte maritime dont nous avons toujours dépendu. Voilà ce que nous demandons.

Il fit claquer ses doigts.

— Allons, mademoiselle Scott. Huit heures moins le quart. Vous devriez déjà être dans votre classe.

Il accompagna Kendra et Jeb jusqu'à l'école.

Le travail de Jeb avec les dirigeants de la compagnie locale l'obligèrent à rester neuf jours à Desolation. Chaque soirée passée avec Kendra augmenta son intérêt pour elle ; il la trouva cultivée et vive, avec des préoccupations parallèles aux siennes et le caractère un peu timide qu'appréciait un homme comme lui. Il désirait une femme qui soit son égale en intelligence, mais qui ne le fasse pas trop sentir. Il apprécia notamment son attitude envers les Eskimos, peuple qu'il avait pris sous sa protection.

— Au début, quand j'ai vu leurs visages sombres et maussades, je me suis dit : « Ils détestent le monde. » Puis j'ai découvert qu'ils attendaient seulement une occasion de me jauger. Dès qu'ils eurent constaté que j'étais à la hauteur, ils se sont épanouis comme des pêchers au printemps.

Il convint qu'il fallait du temps pour comprendre la réticence apparente des Eskimos, et elle tint à lui présenter ses quatre élèves. Il organisa donc son travail avec Afanasi de façon à pouvoir passer un après-midi dans la classe de la jeune femme. Il eut beaucoup de succès auprès des trois élèves de Desolation, mais aucun contact avec Amy Ekseavik, qui le toisa comme s'il s'agissait d'un ennemi.

Cela le surprit tellement qu'après avoir raconté à tous ses histoires de chasse au caribou dans le nord du Canada et ses séjours de ski à Dartmouth, il souhaita le bonsoir aux trois élèves du village mais demanda à Amy de rester quelques minutes pour discuter un peu plus. Elle baissa la tête, le regarda à travers ses mèches brunes et accepta à regret.

— Tu n'as rien dit en classe, commença-t-il, mais j'ai bien vu que tu avais plus de questions à poser que les autres. Je suis certain qu'elles auraient été très intéressantes. Dis-moi maintenant ce que tu désirais demander.

Sans relever le menton coincé contre sa poitrine et les yeux protégés par ses cheveux, la fillette balbutia :

— Est-ce que tous les hommes comme vous ont les cheveux blancs ?

— Ils ne sont pas blancs. Nous disons blonds. Un peu comme ceux de Mlle Scott.

— Dans des magazines, j'ai vu beaucoup de femmes avec des cheveux comme vous. Jamais un homme.

— Il y a beaucoup d'hommes comme moi, Amy.

— Pourquoi venez-vous ici ? Pour quoi faire ?

— J'apporte des papiers du gouvernement de Juneau et de celui de Washington. Tu connais la grande capitale de Washington ?

— Bien sûr.

La fermeté de sa réponse l'encouragea à poser diverses questions calculées pour vérifier le savoir accumulé par l'enfant. La profondeur et l'étendue de ses connaissances surprirent Kendra autant que Jeb. Il passa enfin à l'arithmétique, et la facilité avec laquelle elle répondit les étonna de nouveau.

— Amy, tu es une des plus intelligentes filles de ton âge que j'aie rencontrées. Tu remarques beaucoup de choses dont tu ne parles jamais, n'est-ce pas ?

Manifestement heureuse mais aussi extrêmement gênée par cette intrusion dans ses secrets, Amy releva enfin légèrement son visage, regarda Jeb dans les yeux et lui adressa un des plus larges, un des plus immenses sourires qu'il eût jamais reçus. Dès cet instant, Jeb et Amy furent camarades : alors que Kendra n'était pas parvenue à apprivoiser l'adolescente, Jeb venait de mettre au jour toute la chaleur nichée dans son cœur. Et plus Amy révéla ses pensées et ses extraordinaires dons de perception et de compréhension, plus Kendra et Jeb comprirent qu'ils avaient découvert en germe un être humain capable de réussir presque tout ce vers quoi son esprit exceptionnel se dirigerait.

— Nous devons tout faire pour qu'elle puisse entrer plus tard à l'université, dit Jeb.

— Elle est pratiquement prête. Je suis certaine que l'université de Washington octroiera une bourse d'études pour une fille comme elle.

Le même soir — la dernière soirée de Jeb à Desolation — ils se promenèrent un peu dans l'obscurité, avec le thermomètre à moins trente-quatre. Sans humidité, le froid semblait vivifiant et non hostile, et ils s'y sentirent très bien.

— Peu d'amoureux américains se baladent par moins trente-quatre, dit Jeb.
— Je ne savais pas que nous étions amoureux.
— Nous pourrions l'être ce soir.
Quand ils revinrent vers la maison de Kendra, Jeb eut envie de la suivre à l'intérieur, mais elle le repoussa.
— Non, Jeb.
Mais elle atténua sa réponse en ajoutant :
— Tout le village le saurait demain matin.
— Ah, ah..., murmura-t-il. Vous accepteriez donc si nous étions dans un endroit anonyme comme Anchorage ?
Le silence de la jeune fille révéla qu'il ne se trompait pas. Elle l'enlaça avec passion et s'attarda sur le pas de la porte pour qu'il puisse répondre sans fin à ses baisers. Il était à tous égards le jeune homme le plus désirable qu'elle eût rencontré, un avocat respectant la loi, l'ami des Eskimos. Et comme il venait de le prouver en rassurant adroitement Amy Ekseavik, c'était un adulte capable de se projeter dans le monde des enfants. Elle était amoureuse de Jeb, et dans d'autres circonstances où leur intimité aurait été protégée, elle l'aurait volontiers prouvé. Mais elle partageait la maison avec son directeur, sous les regards inquisiteurs du village entier, et elle se retint.
— Jeb, vous êtes ce qui est arrivé de plus précieux dans ma vie, depuis un certain nombre d'années. Je vous en prie, ne nous perdons pas de vue !
— Si vous éprouvez ce sentiment, et moi aussi, pourquoi ne me laissez-vous pas entrer ?
— Ici, ce n'est pas possible.
— Mais si vous venez un jour à Anchorage, ce sera possible ?
— Ne me bousculez pas, Jeb.
Il interpréta sa réponse : « Probablement. »

Kendra fut occupée par une série d'événements provoqués par Vladimir Afanasi, manifestement décidé à démontrer que l'Alaska était à la fois bizarre et unique. Le 1er janvier, il apprit que les versements des gisements de pétrole de Prudhoe Bay seraient trois ou quatre fois plus élevés que son conseil d'administration ne l'avait prévu. Il l'annonça au cours d'une réunion publique.
— Excellent ! Cela nous donne les mains libres.
Dans l'après-midi il téléphona à Harry Rostkowsky pour que celui-ci le conduise à Barrow, où il prit l'avion de la ligne Prudhoe Bay-Anchorage. Il retint une chambre à l'aéroport et s'entretint longuement avec les chefs d'escale des douze compagnies internationales qui desservent l'Europe via le pôle Nord. Il découvrit que Lufthansa offrait les meilleurs prix pour ce qu'il avait en tête (la ligne allemande ne laissait pas les hommes d'affaires de RFA s'égarer avec une autre compagnie).
Avec un contrat ferme pour autant de billets aller et retour qu'il en aurait besoin, il retourna à Desolation, et au cours d'une grande assemblée au gymnase, il exposa son projet :
— Habitants de Desolation, grâce à une gestion prudente et à notre chance de posséder des enseignants comme Karisme Hooker et Kendra Scott, nous avons dans notre village une des meilleures écoles de l'Alaska.

La foule applaudit et M. Hooker salua de la main.

— Mais il est difficile de soutenir le moral et le niveau d'attention au cours des mois d'hiver qui s'annoncent.

Il s'arrêta pour que tout le monde puisse discuter de cette vérité irréfutable : faire fonctionner une école, même aussi petite, sans lumière du jour était extrêmement difficile.

— Que proposes-tu de faire à ce sujet ? lui demanda un pêcheur.

Afanasi évita une réponse directe, et Kendra se demanda où il voulait en venir. Elle se tourna vers son directeur, en quête d'un indice, mais celui-ci se contenta de hausser les épaules, car il ne savait rien lui non plus.

— Nous désirons que nos enfants comprennent le monde au sud du cercle polaire, pas vrai ? C'est la raison pour laquelle nous envoyons notre équipe de basket jusqu'à Juneau et Sitka, ou nos danseurs et nos athlètes aux concours et aux compétitions de Fairbanks. Cette fois, nous allons élargir leur horizon d'une façon qui n'a jamais été tentée. Dans dix jours, presque tous nos élèves, deux de nos professeurs, trois membres de notre bureau et trois mères pour servir de chaperons, prendront un avion spécial pour Anchorage, où ils monteront à bord d'un super-jet de la Lufthansa à destination de Francfort, en Allemagne. Nous y assisterons à des cours d'histoire de l'Europe centrale, puis nous irons dans six autres villes allemandes pour voir à quoi ressemble un grand pays d'Europe.

Il y eut des exclamations étonnées, des vivats et de l'enthousiasme parmi les élèves, puis une question angoissée :

— Qui va payer tout ça ?

— Le bureau de l'école. Notre budget en a les moyens, répondit Afanasi, et il récapitula : douze élèves — les cinq plus jeunes resteront ici avec Mme Hooker. Deux enseignants. Trois membres du bureau. Trois mères comme chaperons. Cela fait vingt personnes. Et si certains d'entre vous veulent payer leur voyage — son prix est raisonnable — nous pouvons emmener cinq personnes de plus.

Comme les salaires à Prudhoe Bay étaient spectaculaires depuis plusieurs années, cinq volontaires lancèrent leur nom, et Kendra remarqua dans le nombre Jonathan Borodine, l'adolescent de dix-neuf ans à la snowmobile. Au cours de la même réunion, on convint de tous les détails de cette « expédition » en Allemagne et M. Hooker remplit des pages de renseignements importants que M. Afanasi apporterait le lendemain aux services d'immigration de Fairbanks pour la délivrance de passeports. On se hâta de préparer des complets pour les garçons et des robes pour les filles.

Dans leurs classes respectives, M. Hooker et Mlle Scott interrompirent tout leur programme pour donner des cours accélérés sur la géographie, l'histoire et la musique de l'Allemagne. Une mère avait de vieux numéros du *Geographic* consacrés à l'Allemagne, et une autre des enregistrements de la *Cinquième* de Beethoven et des extraits de *Faust*. Des enfants dessinèrent des cartes de l'Allemagne, et la jeune Amy Ekseavik surprit tout le monde en dessinant une belle carte de l'Alaska avec, au beau milieu, l'Allemagne de l'Ouest et celle de l'Est à la même échelle — ridiculement petites comparées à la North Slope et à la vallée du Yukon. Amy ne révéla pas aux autres étudiants pourquoi elle avait dessiné ainsi, mais après la classe, elle murmura à Kendra :

— J'ai envie d'y aller, mais ce n'est vraiment pas grand-chose.

— Tu te trompes, Amy. Depuis deux mille ans cette partie de l'Europe a dominé notre partie du monde. Ce n'est pas toujours la grandeur qui compte.

Impulsivement, elle prit les deux mains de l'enfant.

— Tu es une jeune fille, Amy. Tu pourrais devenir tant de choses! M. Keeler m'a dit : « Elle peut faire tout ce qu'elle désirera. Tout. »

— Vous êtes amoureuse de M. Keeler, n'est-ce pas?

— Je suis amoureuse de l'Alaska et de tout ce que ce pays représente. Les capacités uniques que tu as au fond de toi me passionnent. Quand tu seras en Allemagne, Amy, regarde, juge, écoute. Pour l'amour de Dieu, apprends.

Elle lâcha les mains d'Amy et recula. À la porte de la classe, celle-ci se retourna pour dévisager son institutrice. Elle n'oublierait pas ce que Mlle Scott venait de lui dire.

Le voyage en Allemagne fut un succès sans réserve. Les divers avions décollèrent à l'heure. Les agents de publicité de Lufthansa parsemèrent les journaux européens d'articles et de photos sur les enfants eskimos. Les musées, les zoos, les châteaux et les centres industriels organisèrent des visites spéciales à leur intention, et un journal financier publia une longue analyse de la structure financière de la North Slope, avec son pétrole. Le journaliste calcula que cette remarquable « excursion scolaire » avait coûté à Desolation Point la bagatelle de cent vingt-sept mille dollars, pris sur les droits d'extraction du pétrole. Afanasi fit paraître un démenti : « Seulement vingt d'entre nous ont eu leurs dépenses payées par le conseil d'établissement et l'initiative a été approuvée sans réserve par la population. Les six autres ont payé leur voyage pour pouvoir partager l'expérience. »

Il ne se trompait pas dans ses chiffres : il y avait vingt membres officiels du groupe, plus les cinq volontaires du premier soir mais aussi un voyageur inattendu qui avait désiré se joindre à l'expédition lors de son passage à Anchorage. Jeb Keeler, avocat conseil de la compagnie de Desolation et du bureau de l'école, avait jugé utile de rester auprès d'Afanasi pour le conseiller, sans songer à nier que la pensée de passer quelque temps auprès de Kendra en Europe avait influencé sa décision. Cette preuve d'intérêt sincère flatta la jeune femme, et aucun autre membre de l'expédition n'y prit davantage de plaisir que ces deux-là. En fait la joie que leur donnait leur présence devint si évidente qu'un des chaperons fit observer aux deux autres :

— Nous ne surveillons pas ceux qu'il faudrait.

Mais tout le monde approuvait leur relation, et les élèves les plus âgés commencèrent à se demander si M. Keeler ne se glissait pas dans la chambre de Mlle Scott dans les hôtels où ils descendaient.

Un des sujets dont Kendra discuta avec Keeler aurait surpris les élèves.

— Jeb, je sais que ma question déborde sans doute sur ton obligation au secret professionnel, mais il faut que je sache. La façon dont Afanasi jette l'argent par les fenêtres — ce voyage, par exemple — n'est-ce pas voler la compagnie?

Jeb resta sans voix, puis saisit Kendra par les épaules.

— C'est une question honteuse. Afanasi est l'homme le plus honnête que je connaisse. Il se couperait le bras droit plutôt que de dérober un sou... Et tu pourras crier au monde entier que je te l'ai dit! ajouta-t-il en la secouant.

— D'où tient-il tout cet argent ? demanda Kendra, nullement décontenancée par la violence avec laquelle Jeb défendait son ami.

Il frappa du poing le dossier d'une chaise.

— Bon Dieu, personne ne le croit au Sud du Quarante-Huitième, mais à Prudhoe Bay, le pétrole coule comme de l'eau. L'association scolaire d'Afanasi a de l'argent. J'en ai et mon associé Poley Markham aussi. Tout est légal, confirmé par des reçus. Tu dois accepter les faits, Kendra. En Alaska, il y a beaucoup d'argent.

L'observateur qui s'intéressait le plus à la cour parfois orageuse des deux jeunes gens n'était autre qu'Amy Ekseavik. Elle se sentait des droits de propriétaire en ce qui concernait Mlle Scott, car la fillette avait deviné la première que son institutrice était tombée amoureuse de l'aimable avocat. Au cours de plusieurs promenades sans le reste du groupe, Jeb et Kendra demandèrent à Amy de les accompagner, et ils s'étonnèrent constamment de la vitesse avec laquelle la fillette enregistrait tout ce qui était allemand.

— Amy, s'écria Kendra un jour à la pinacothèque de Munich. Tu parles l'allemand comme si tu l'avais étudié.

— Je l'ai étudié.

Elle leur montra le recueil de phrases pour touristes qu'elle avait acheté bon marché, et presque entièrement mémorisé. Ce soir-là après un interlude romantique qui rapprochait les amoureux beaucoup plus de l'aveu sans réserve de leurs projets, Kendra proposa :

— Si nous nous marions, j'aimerais adopter Amy.

Jeb accepta d'emblée.

— Nous l'enverrons à Dartmouth.

L'expédition offrit deux surprises agréables : l'ambassadeur des États-Unis invita les Eskimos à un déjeuner à Bonn puis organisa une balade en traîneaux dans la campagne environnante avec halte dans une auberge rustique allemande où des musiciens en costume d'autrefois jouèrent de vieux airs du folklore et dansèrent avec les Eskimos.

À mesure que passaient ces journées argentées de l'hiver allemand, les visiteurs songeaient souvent aux mornes ténèbres de leur village, et Kendra s'aperçut d'une chose qu'elle n'avait pas remarquée auparavant : Jonathan Borodine était un jeune homme tout à fait capable. Elle n'avait vu en lui qu'un fanfaron oisif dont la snowmobile bruyante semblait distraire sa classe avec ses échos, chaque fois qu'elle essayait d'expliquer un sujet important. Au cours de ses six premiers mois dans le village, Jonathan lui avait déplu, mais pendant ce voyage, elle observa qu'il s'occupait des plus jeunes enfants à la manière d'un oncle, et elle comprit qu'il y avait des possibilités en lui. Le fait qu'il ne continue pas ses études la troubla tellement que pendant leur excursion à Berlin-Est, elle s'assit à côté de lui dans l'autobus et lui demanda :

— Jonathan, pourquoi avez-vous quitté l'université ?

— La vie du village me manquait.

— Par exemple *smokin' and jokin'* ?

— C'est notre vie.

Elle se mordit la lèvre, sachant que si elle tournait en ridicule cette vision douloureusement limitée des choses, elle n'aurait plus la moindre chance de l'aider.

— Mais je vous ai observé, Jonathan, et vous avez des dons exceptionnels.

— Quoi, par exemple ? répliqua-t-il, d'un ton hostile mais atténué par le désir d'en entendre davantage.

— Vous êtes un excellent organisateur. Si vous continuez vos études, vous pourrez travailler n'importe où : à Anchorage, à Seattle, peut-être comme assistant d'un membre du Congrès à Washington.

Il la regarda, médusé.

— Je le pense vraiment, ajouta-t-elle. Vous avez des talents particuliers, mais si vous ne les développez pas, ils s'atrophieront.

Il lui jeta une réponse arrogante comme de nombreux jeunes Eskimos le font souvent à cet âge :

— Je peux trouver du travail à Prudhoe Bay n'importe quand. Et gagner quatre fois plus qu'une institutrice.

Elle se raidit, refusant d'accepter un argument de ce genre.

— Qui vous parle d'argent ? Je parle de toute votre vie dans l'avenir. Vous dériverez vers Prudhoe, y travaillerez trois ou quatre ans, gaspillerez votre salaire, et que vous restera-t-il jusqu'à la fin de vos jours ? Pensez-y, Jonathan.

Visiblement écœurée, elle alla s'asseoir sur un autre siège.

Le jeune homme ne manquait pas de bon sens : un peu plus tard le même jour, à leur retour à Berlin-Ouest, il chercha Kendra des yeux et lui demanda la permission de s'asseoir près d'elle au restaurant.

— Je vous en prie.

Il étonna la jeune femme en révélant qu'il occupait une place spéciale à Desolation.

— Vous ne connaissez pas mon grand-père; et vous croyez que M. Afanasi est le chef du village. Pour la compagnie, oui. Au conseil de l'école, oui. Mais l'homme qui compte, c'est mon grand-père.

Il se mit à lui expliquer les dons remarquables que possédait son grand-père, et le pouvoir qu'il exerçait sur des événements comme la naissance d'un enfant ou la capture d'une baleine. Kendra posa brusquement son couteau et sa fourchette, et dévisagea le jeune homme.

— Jonathan, essayez-vous de me dire que votre grand-père est chaman ?

Elle avait entendu ce mot à plusieurs reprises depuis son arrivée en Alaska et elle connaissait donc les pouvoirs extraordinaires exercés jadis par les chamans dans ces régions du Nord. Mais jamais elle n'avait songé qu'il puisse encore exister un chaman vivant. Desolation avait un pasteur presbytérien, le onzième depuis le jour fatal où le capitaine Mike Healy du *Bear* avait déposé le Dr Sheldon Jackson sur la grève avec le bois de construction d'une mission presbytérienne qu'il confierait à un converti du nom de Dimitri Afanasi. Tout le monde au village était presbytérien de naissance : n'était-il pas stupéfiant qu'un chaman de jadis coexiste avec l'Église et dirige une forme clandestine de religion à laquelle les villageois adhéraient en cachette ? C'était du paganisme. C'était impossible. Et c'était passionnant.

Quand le groupe revint à Munich, l'Office allemand du Tourisme, ravi des excellents commentaires de la presse sur les Eskimos, offrit des billets gratuits aux quatre élèves de niveau secondaire, aux instituteurs et aux adultes pour une représentation à l'Opéra de la ville.

— Je regrette que ce ne soit pas pour une œuvre facile comme *Carmen,* expliqua la dame qui accompagnait le groupe, mais les effets sont magnifiques et je vous expliquerai l'action. C'est *La Walkyrie* de Wagner. Vous n'oublierez jamais la musique.

Amy Ekseavik se procura bien entendu un exemplaire du livret et prépara ses camarades et ses aînés à ce qu'ils allaient voir. Avec l'assistance de leur guide, les Eskimos de Desolation purent suivre l'intrigue compliquée. Kendra, qui n'avait jamais vu un opéra, s'assit derrière les élèves, entre Jeb Keeler à sa gauche et Afanasi à sa droite. Jonathan Borodine se trouvait dans la rangée devant elle mais décalé de deux sièges sur le côté, de sorte qu'elle pouvait très bien voir son visage. Quand la musique lancinante débuta et que les coutumes des anciens peuples du Nord commencèrent à se dérouler, elle s'aperçut que cela faisait sur Borodine un effet profond. Aucun autre jeune, aucun adulte ne suivit la grandeur mystérieuse du drame wagnérien avec autant d'intensité. Et cela incita Kendra à demander à Afanasi, pendant le premier entracte :

— Est-il exact que le grand-père de Jonathan Borodine est un chaman ?

La question fit l'effet d'une bombe sur le leader, sage et cultivé, de la communauté de Desolation. Il se tourna brusquement vers Kendra et lui demanda avec force :

— Qui vous a appris ça ?

Elle indiqua du regard le jeune Borodine, isolé par une sorte de transe, les yeux fixés vers le grand rideau qui masquait la scène.

Afanasi garda le silence quelques instants, puis se pencha vers Kendra pour que Borodine ne puisse pas entendre la conversation.

— Nous vivons dans un monde double. Le pasteur presbytérien nous rappelle les valeurs chrétiennes que nous respectons depuis cent ans. Mais les anciens nous rappellent des valeurs que nous avons suivies depuis dix mille ans.

Il ne désirait ajouter rien d'autre, mais comme Kendra ne disait rien, il lui prit la main et lui assura :

— Un chaman ? Au mauvais sens de ce mot, non. De la magie ? Des guérisons miraculeuses ? Des malédictions ? Pas du tout. Simplement la conservateur des anciennes valeurs précieuses que nous avons respectées de tout temps. Oui.

On en resta là — sauf qu'au cours des deux derniers actes de l'opéra, Kendra observa que la majesté du décor, la suprématie des dieux, le merveilleux des effets de scène et la puissance du chant, de l'action et des innovations, exerçaient sur Jonathan une fascination profonde. Comme tous les Eskimos, y compris Afanasis, il avait reconnu une interprétation de la vie du Nord, irréelle et étrangère mais pourtant familière. Leur guide s'était excusé en annonçant le titre de l'opéra ; elle ne se doutait guère qu'il n'y aurait pas eu de meilleur choix possible pour ce groupe venu d'un autre monde nordique.

Quand ils sortirent du vaste théâtre, le plus imposant des bâtiments dans lesquels ils fussent entrés, Kendra se trouva à côté de Borodine, et elle lui demanda ce qu'il pensait de l'opéra.

— Ils auraient pu être eskimos, répondit-il. C'était comme nos légendes.

— Ils vivaient dans un pays froid eux aussi, n'est-ce pas ? demanda la petite Amy Ekseavik en les rattrapant.

La magie de la représentation continua de se manifester pendant tout le souper et la conversation qui suivit.

Au cours du vol de retour, Kendra reçut — un peu tard — de bons conseils concernant deux sujets de discussion *verboten* dans une communauté eskimo ; et l'avertissement lui vint de l'homme le plus ouvert du village de Desolation : Vladimir Afanasi. Elle alla s'asseoir près de lui pendant une partie du trajet pour le féliciter du succès de l'expédition.

— Vous avez réussi. Quand vous avez proposé d'emmener pour ainsi dire toute l'école en Allemagne, je me suis dit : « Quelle idée saugrenue ! » Deux jours à Berlin ont suffi à me faire changer d'avis.

Il répondit que ce n'aurait pas été possible sans l'aide de deux instituteurs comme Karisme et Kendra.

— Les gens sous-estiment M. Hooker. C'est l'un de ces hommes heureux de la terre qui trouvent exactement ce qu'ils ont envie d'être et la place qu'ils doivent occuper. Il ne serait pas efficace dans la classe secondaire, où il faut enseigner des matières déterminées parce que des inspecteurs font passer des examens à nos jeunes. Savez-vous ce qu'il enseigne ?

— Je me le suis souvent demandé. Quand ses élèves entrent dans ma classe, ils n'ont pas toutes les bases, vous ne l'ignorez pas.

— Il enseigne les splendeurs de la vie eskimo : la chasse au morse, les grandes baleines. Et il est excellent pour l'arithmétique simple.

— Je l'ai remarqué.

— Mais il méprise des choses comme la poésie, l'histoire et les contes classiques pour les enfants. Il dit que c'est de la foutaise. Son culte ? C'est celui de Notre-Dame du Football. Et il encourage ses élèves à continuer les vieux arts eskimos, comme la sculpture, la vannerie et le travail des peaux.

Il réfléchit à ce sujet quelques instants, les yeux fixés sur la nuque du directeur, quelques rangées de sièges devant lui.

— Dans nos écoles, les programmes s'infléchissent en fonction des intérêts du maître. Et nous prions Dieu qu'il (ou elle) s'intéresse à quelque chose. Le sujet lui-même ne paraît pas compter pour beaucoup.

Cette remarque encouragea Kendra à annoncer :

— Savez-vous, monsieur Afanasi, que nous avons une sorte de génie à l'école ? Amy Ekseavik.

— Vous m'en avez déjà parlé.

— Et elle m'a dit l'autre soir à Francfort qu'elle serait sans doute obligée d'interrompre ses études.

— Pourquoi ? Puisqu'elle réussit magnifiquement...

Kendra savait que sa réponse était peu agréable à entendre, mais rien ne la préparait à une réaction aussi violente.

— Elle m'a dit que son père boit trop et qu'elle sera obligée de retourner là-bas pour aider sa mère.

Elle entendit Afanasi retenir son souffle et serrer les dents.

— Mademoiselle Scott, il y a deux aspect de la vie eskimo que nous ne désirons pas répandre à tous les vents, surtout par des allogènes venus du Sud du Quarante-Huitième.

Son visage sombre se plissa de colère et il braqua l'index vers Kendra.

— Ne faites aucun commentaire sur notre ivresse. Ne répandez aucune histoire sur notre taux de suicide. Ce sont des problèmes qui se cachent dans l'âme eskimo, et nous n'apprécions pas les sermons venus d'ailleurs. Dans votre cas en particulier... Vous êtes encore une inconnue au milieu d'inconnus et je vous conseille de la fermer.

Tremblant d'une rage ancienne, car il avait dû donner cette leçon plus d'une fois à des hommes et des femmes en contact avec les Eskimos, il quitta sa place et ne reparla plus à Kendra pendant le reste du voyage. Mais à leur arrivée à Desolation, comme le père d'un des enfants de la classe secondaire se présenta à l'avion trop ivre pour reconnaître son fils — ce qui lui arrivait souvent —, Afanasi le montra du doigt à Kendra.

— C'est le cancer qui ronge notre âme. Mais nous devons le supporter nous-mêmes. Vous ne pouvez rien ajouter, ni condamnation, ni espoir. Alors je vous supplie de faire ce que je vous ai si grossièrement suggéré. N'en parlez jamais.

Lèvres pincées, Kendra se mit à observer de plus près la situation du village. Sous la bonne humeur des réunions au gymnase et des petites fêtes auxquelles elle invitait les parents de ses élèves, se dissimulait un remous silencieux composé des deux courants sombres qui contaminaient la vie des Eskimos : l'ivresse, qui datait des baleiniers cyniques de Boston comme le capitaine Schransky et son *Erebus*, et le malaise général introduit avec les meilleures intentions du monde par les missionnaires comme le Dr Sheldon Jackson, les défenseurs de la loi des Blancs comme le capitaine Mike Healy et son *Bear*, et les dispensateurs de l'éducation moderne comme Karisme Hooker et Kendra Scott.

Tous ces changements, proclamés supérieurs à l'ancien mode de vie des Eskimos, n'avaient pas pu s'intégrer en si peu de générations, et le malaise, la maladie de l'âme, évoluait avec un résultat malheureusement trop fréquent : ceux qui ne se réfugiaient pas dans l'ivresse essayaient de se libérer par le suicide. Ignorant le fond de la situation, Kendra n'avait pas fait le compte des ivrognes de Desolation et n'avait pas consulté non plus la liste des suicides au cours des cinq années précédentes. Mise en éveil, elle réunit un lamentable dossier sur ces deux plaies du monde eskimo.

Une vieille femme lui révéla sans le vouloir la cause de la réaction violente d'Afanasi.

— Son grand-père, le missionnaire, était un homme envoyé par Dieu. Pour nous aider. Il a apporté beaucoup de bonnes choses. Il a souvent essayé de bannir l'alcool du village. Mais les Blancs en rapportaient toujours. Beaucoup d'argent... Cet Afanasi a essayé d'aider ceux qui s'égaraient. Il disait toujours : « Venez à Dieu ! » Mais rien n'a changé. Et ses fils. Ils en ont perdu deux. Le père de Vladimir était toujours ivre. Il aurait dû être un excellent chasseur mais il est mort jeune. Son frère Ivan, l'oncle de Vladimir, est devenu bizarre. Il a cessé de pêcher et de chasser. Il s'est simplement arrêté. Puis il s'est tiré une balle.

La femme interrompit son récit, étudia la jeune maîtresse d'école pendant quelques instants, puis ajouta :

— La maladie eskimo saute les générations comme le saumon remonte le courant. D'abord un noble Afanasi, mais ses deux fils se détruisent. Notre Afanasi, à la génération suivante, est encore un homme noble, mais avez-vous appris ce qui est arrivé à son fils ?

— Non.

— Un jour, sans raison, il s'est tué.

Kendra resta sans voix et la vieille conclut en hochant la tête :

— La sœur de Vladimir, à Seattle, aura peut-être un petit-fils, qui sera noble à son tour.

*
**

Ce premier hiver se termina par une suite pénible de journées où le thermomètre resta au-dessous de trente-cinq degrés et souvent de quarante. Kendra dut trouver un moyen de secouer l'ennui qui accablait ses élèves. Elle leur parla des merveilles de Salt Lake City et de Denver, et essaya de leur expliquer ce qu'était un rodéo. Puis elle apprit que l'une des institutrices de Barrow avait rapporté de vacances à Honolulu des films de bonne qualité sur l'archipel, et elle demanda à M. Hooker s'il avait assez de fonds pour inviter la jeune femme à venir parler à leurs élèves.

— Nous ouvrirons les portes à toute la communauté, dit-il et ce fut une soirée de fête.

Outre les images pittoresques de fleurs tropicales et de danseurs qui se lançaient des épées enflammées, le film contenait une séquence originale, que l'institutrice présenta avec un soin particulier.

— Nous allons assister à présent à l'inauguration d'une école. Regardez les belles fresques... Vous vous rendez compte : un gymnase sans murs... Mais ce que je veux vous montrer, c'est ce vieil homme — il arrive pour bénir le bâtiment avant que tout le monde puisse entrer, pour assurer aux dieux des îles que tout est en ordre. C'est un *kahuna*... Il parle aux dieux. C'est ce que vous appelleriez un chaman.

Le film montra les cérémonies solennelles, les montagnes derrière l'école neuve, le merveilleux visage ridé du kahuna lorsqu'il sollicite la bénédiction.

— Vous remarquerez aussi ces quatre hommes en noir qui regardent... Des prêtres catholiques. Ils n'aiment pas les kahunas mais ont invité celui-ci à bénir leur école. Pouvez-vous deviner pourquoi ?

Elle arrêta le film et dit d'un ton plus grave :

— Regardez bien les images qui vont suivre. Huit mois avant l'inauguration que vous venez de voir, la construction de la même école, mais avec un autre bâtiment, venait de s'achever. Quelqu'un prévint les prêtres catholiques : « Vous feriez bien de demander au kahuna de bénir votre école, parce que si les dieux ne sont pas contents, elle prendra feu. » Les prêtres jugèrent l'avertissement stupide. Et regardez ce qui est arrivé...

Elle montra des images, filmées auparavant, de l'incendie qui ravageait l'école. Au bout de plusieurs minutes, quand les flammes s'éteignirent et que l'on vit les cendres, elle dit :

— Le kahuna les avait avertis, et ils n'avaient pas écouté. Alors cette fois, quand leur école fut prête, ils le firent venir. Il porte autour du cou les feuilles d'un arbre sacré, le *mailé.* Il prie le dieu du feu : « Ne brûle pas cette école. » Et le dieu du vent : « N'arrache pas cette école. » Puis maintenant il bénit même les prêtres qui avaient lutté contre lui : « Garde ces hommes en bonne santé et aide-les à enseigner. » Enfin il bénit tous les élèves : « Aide tout le monde à apprendre. » L'école a cessé d'avoir des ennuis, parce que le chaman d'Hawaii l'avait protégée comme il convenait.

Jonathan Borodine fut si troublé par ce film qu'il ne trouva pas le sommeil, et, à deux heures du matin, il vint frapper à la porte de Kendra.

— Qui est là ? demanda-t-elle.

— Jonathan. Il faut que je vous parle.

— Demain matin, Jonathan. Je dors.

— Mais il le faut. Il faut que je vous voie.

À regret, l'institutrice enfila sa robe de chambre, ouvrit la porte avec précaution et fit entrer le jeune homme bouleversé.

Son problème était sans précédent. En Allemagne et dans le film, il avait découvert que des hommes et des femmes raisonnables révéraient les anciennes coutumes, et qu'il existait encore dans les deux cultures des êtres précieux pareils aux chamans.

— Qu'est-ce que l'on reproche à mon grand-père ? lança-t-il d'un ton si brusque et agressif que Kendra recula.

— Rien du tout, Jonathan. On m'a dit que c'était un excellent homme. M. Afanasi me l'a affirmé.

— Afanasi ! répéta le jeune homme avec mépris. Dans notre petit village, il s'oppose à tout ce que fait mon grand-père. Mais dans cette grande ville, ils respectent leurs chamans. Ils savent qu'ils en ont besoin.

Soudain, contre toute attente, il se laissa tomber lourdement sur le lit de Kendra et se mit à trembler, comme saisi par une force destructrice. Après plusieurs tentatives pour se maîtriser, il dit à mi-voix :

— Je vois des choses que les autres ne voient pas, mademoiselle Scott. Je sais quand les baleines vont revenir.

Comme Kendra ne répondait pas, il lui prit la main et dit doucement, mais avec une grande force :

— La nouvelle gamine que vous aimez tant, Amy... Des choses horribles vont lui arriver. Jamais elle n'ira à l'université comme vous le souhaitez. Je n'irai pas non plus. Je vais être chaman.

Sur ces mots, il se leva, s'inclina dans la direction de Kendra et la remercia de son aide. Sur le seuil, il lui dit :

— Vous êtes une excellente institutrice, mademoiselle Scott. Mais vous ne resterez pas longtemps à Desolation. Vous représentez les méthodes nouvelles mais les anciennes coutumes ne meurent jamais en nous.

Avant qu'elle puisse répondre, il partit en refermant doucement la porte derrière lui.

Kendra, décontenancée, comprit qu'elle n'aurait jamais dû lui permettre d'entrer dans sa chambre. Quant à l'annonce de son intention de suivre les traces de son grand-père, elle sentait bien que l'opéra de Munich et les bénédictions du kahuna dans le film avaient eu un impact psychologique décisif. Mais sur quelle base pouvait-elle juger si sa décision de devenir chaman avait un sens ou non ? Désemparée, elle ne se rendormit pas avant cinq heures du matin.

Elle envisagea de rendre compte à Afanasi des incidents bizarres de cette nuit-là, mais elle jugea que ce ne serait pas utile. Le leader eskimo essayait de se montrer impartial dans son jugement sur le chamanisme, mais elle avait bien vu qu'il s'opposait même à sa survivance la plus bénigne et inefficace. Elle regretta l'absence de Jeb car son opinion aurait sans doute été raisonnable et juste. Ce fut donc dans cet état d'esprit qu'elle se prépara à terminer sa première année passionnante d'enseignement dans le Grand Nord. Parfois en fin d'après-midi, alors que le printemps se rapprochait sur ces étendues encore glacées, elle arrêtait le jeune Borodine qui passait dans sa snowmobile pour essayer de le convaincre de retourner à l'université à la fin de l'été.

De façon ambiguë, il évoquait d'autres intérêts : il chercherait peut-être un emploi à Prudhoe Bay. Puis il ajouta un jour :

— De toute manière, les baleines arriveront du sud la semaine prochaine.

Cette prédiction annoncée d'un ton léger projeta Kendra au cœur de l'ancien mode de vie eskimo. Le jeudi, des éclaireurs de l'oumiak d'Afanasi, qui attendaient au bord de la banquise le long du chenal d'eau libre, signalèrent avec leur radio portative : « Les guetteurs de Point Hope nous ont avertis de la présence de cinq baleines franches qui arrivent vers nous. » Tout le village explosa de joie.

Afanasi, qui attendait depuis longtemps un rapport de ce genre, s'arrêta près de l'école avec sa camionnette et cria à Kendra de venir avec lui. Il attendit impatiemment qu'elle enfile son costume eskimo.

— Vous allez voir quelque chose ! s'écria-t-il joyeux lorsqu'ils descendirent au bord de la glace où un skidoo les attendaient.

— Je n'aime pas ces trucs-là, dit-il à Kendra, mais montez vite.

Ils glissèrent sur la glace, de la côte jusqu'aux eaux dégagées du chenal, en se faufilant entre les blocs soulevés par le gel. Près de l'oumiak l'équipage d'Afanasi, cinq chasseurs de baleine éprouvés, les attendaient pour appareiller. Kendra admira l'habileté avec laquelle Afanasi prenait sa place, en évitant que ses pieds pesants ne fassent craquer la peau de phoque du fond du bateau.

Les chasseurs de baleine de Desolation — et tout homme qui tenait à sa réputation désirait devenir l'un d'eux — utilisaient deux genres d'embarcation : l'oumiak traditionnel que l'on conduisait à la rame quand les baleines se rapprochaient du bord des glaces encore attachées à la terre, et une petite barque d'aluminium à moteur hors-bord quand le chenal était large et que les baleines restaient loin du bord. Afanasi, défenseur de la tradition, détestait autant ces barques que les bruyants skidoos. C'était un marin d'oumiak.

Quatre baleines adultes s'avançaient paresseusement vers le nord en remontant l'étroit chenal d'eau dégagée, bordé de chaque côté par une grande épaisseur de glace. Deux d'entre elles mesuraient plus de quinze mètres et devaient peser cinquante tonnes, suivant la règle simple : « Trois tonnes par mètre. » Et les quatre adultes étaient accompagnées par une jeune d'environ six ou sept mètres. Elles s'avancèrent ensemble vers les chasseurs en une procession solennelle.

— Oh ! s'écria Kendra, restée seule au bord de la glace. On dirait des galions rentrant en Angleterre après une échauffourée avec les Espagnols.

Afanasi prit le commandement. De l'arrière de son oumiak peu différent de ceux que l'on construisait en Sibérie quinze mille ans auparavant, il s'élança dans les eaux glaciales pour harponner l'un des léviathans. Quand l'énorme baleine de tête plongea, les Eskimos savaient de longue date qu'elle pourrait rester immergée six ou sept minutes, et ils supposèrent qu'ils l'avaient manquée. Mais les autres arrivèrent, et quand elles se mirent à plonger elles aussi à intervalles irréguliers, les hommes, d'Afanasi craignirent d'avoir perdu leur chance. Lorsque la deuxième baleine de quinze mètres refit surface, elle s'était écartée vers l'autre côté du chenal, le long duquel elle se glissa, indemne. Mais l'une des adultes plus petites, d'environ douze mètres de long, plongea très au sud de là où Afanasi et son oumiak attendaient. Un Eskimo du village, qui était venu à côté de Kendra, lui expliqua :

— Celle-ci va remonter juste à l'endroit où Vladimir désire la voir.

Cinq minutes plus tard, la baleine perça la surface, souffla son jet et replongea sur-le-champ avec ses grands ailerons frémissants, au plus grand désespoir des hommes de l'oumiak et des spectateurs sur la glace. Elle disparut avant que les hommes d'Afanasi puissent l'attaquer avec la moindre chance de succès.

— Ah ! gémit le voisin de Kendra avec un chagrin manifestement sincère.

Elle le regarda, en quête d'une explication.

— La communauté internationale de la chasse à la baleine, et notamment la Russie et le Canada, voulaient que nous arrêtions complètement. Mais notre commission de l'Alaska a dit : « Holà ! C'est notre mode de vie. Autorisez-nous un petit nombre chaque année. »

— Combien vous en ont-il accordé ?

— À Desolation ? Notre quota ? Deux.

— Par an ?

— Ouais. Et depuis deux ans, combien croyez-vous que nous en avons ramené au village ? Aucune.

Il cracha sur la glace, regarda vers les eaux libres, si proches, si attirantes et si hostiles à la fois. Au même instant, la troisième baleine, encore au loin, brisa la surface en un coup de tonnerre, comme pour narguer Afanasi et ses hommes.

— Les a-t-il perdues ? demanda Kendra.

— Si quelqu'un est capable de nous attraper une baleine, c'est bien Afanasi. Il en a déjà tué neuf dans sa vie. Et moi deux. Personne d'autre n'en a tué plus de quatre. C'est pour cette raison qu'il est le chef de notre village.

Kendra se retourna vers l'homme :

— Vous voulez dire qu'il est chef du village parce qu'il a ramené plus de baleines que les autres ?

— Mademoiselle Scott, à Desolation, le fait qu'il soit allé à l'université ne compte pas. Ni qu'il ait plus d'argent et une camionnette Ford. Ce qui compte, c'est qu'il puisse prendre son oumiak, qu'il répare lui-même en été après la fin de la saison, et qu'il sorte chasser des baleines alors que la plupart d'entre nous n'en sont pas capables. Dans ce village, ce sont les baleines qui font la différence.

La deuxième des baleines de taille moyenne fit surface à l'improviste tout au bout de la procession, mais cette fois Afanasi était prêt à agir. Il fit signe aux deux hommes qui tueraient la baleine — le premier tenait le harpon et le deuxième un fusil puissant —, et mit son oumiak dans la bonne position. Au début du siècle l'homme au fusil aurait tiré le premier, mais trop de baleines avaient été blessées puis s'étaient perdues de cette manière, et la loi interdisait à présent au chasseur de tirer avant que le harpon soit planté.

Le frêle oumiak se rapprocha de la baleine monstrueuse et le harponneur étendit le bras droit vers l'arrière. Il projeta le harpon avec une force énorme et la pointe se planta juste derrière l'oreille de l'animal. Aussitôt deux flotteurs de caoutchouc rouge clair, d'un mètre vingt de diamètre, attachés à la ligne du harpon, bondirent sur les eaux, pareils à des boulets dont l'animal ne parviendrait pas à s'échapper. Une seconde après l'instant où la pointe du harpon s'était enfoncée dans le cou de la baleine, la charge d'explosif qui se trouvait juste derrière la pointe explosa et détruisit les muscles. Au même instant, l'homme au fusil tira une balle au bas du cou de l'animal et le géant des mers se trouva mortellement blessé. La pointe du harpon, l'explosif dans le corps, les flotteurs de caoutchouc et enfin la balle dévastatrice : c'était trop pour que survive même une baleine de quarante tonnes. Son sang se mit à rougir la mer des Tchouktches.

Mais elle montra alors pourquoi on l'appelait le léviathan des océans : malgré ses blessures terribles, elle continua de nager vers le nord pour rattraper les autres membres de sa bande. Perdant de plus en plus de terrain, elle s'éloigna hors de vue des gens du village, qui assistaient à la scène du bord de la banquise. Des kilomètres plus au nord, les chasseurs d'un autre oumiak entreprirent de l'achever avec leur harpon à explosif et leur fusil. Le noble animal fit un dernier effort pour arracher les bouées qui le freinaient, n'y parvint pas, se retourna sur le côté droit et mourut.

Quand il vit la baleine mourir, Afanasi s'affaissa sur son banc à l'arrière de son oumiak sans éprouver la moindre impression de triomphe ; c'était la dixième chasse à la baleine réussie de sa vie ; il demeurait le maître incontesté de la côte du Nord-Ouest, mais il avait perdu une amie :

— Ô, combattant courageux ! Nous t'honorons !

Et il se mit à chanter une vieille mélopée exprimant son respect pour la baleine qui fournirait de quoi manger à tous les habitants de Desolation Point. Un mystère s'était produit : la prise d'une baleine après deux ans d'échec. La solennité de l'événement l'accablait.

***

Les hommes des deux oumiaks mirent quatre heures pour ramener la baleine morte à Desolation, et il était plus de minuit sous un ciel d'argent quand la carcasse parvint enfin près de la glace sur laquelle Kendra attendait. Deux énormes palans, composés chacun de cinq grosses poulies, se trouvaient déjà en place à cinq mètres l'un de l'autre, avec une grosse corde qui passait d'un palan à l'autre.

— Que faites-vous ? demanda Kendra.

L'un des hommes interrompit son travail pour le lui expliquer :

— Quand nous tirons deux mètres de ce bout de corde, les poulies multiplient notre force... Mais vous verrez : la baleine n'avancera que d'une quinzaine de centimètres.

Elle ne vit sur la glace rien qui puisse servir d'ancre pour le côté du système placé vers la terre : il n'y avait sur la banquise ni arbre ni poteau auxquels se fixer. Mais deux groupes d'hommes se mirent à tailler des trous très profonds dans la glace, à environ un mètre de distance. Quand on les jugea assez profonds, un homme se glissa dans l'un des trous pour creuser dans la glace un tunnel qui les relierait. Ensuite on fit passer une grosse corde d'un trou à l'autre par le tunnel. Elle fournit un ancrage indélogeable.

On tira le deuxième palan jusqu'à l'endroit où la baleine attendait, au bord de la banquise, et on fixa la masse énorme de la bête.

— Tout le monde à la corde, tout le monde ! cria Afanasi.

Tous les habitants de Desolation qui se trouvaient sur la glace saisirent le bout libre de la corde et se mirent à tirer pour rapprocher le palan fixé à la baleine de celui qu'ils avaient ancré à la glace. Comme l'homme l'avait annoncé à Kendra, l'avantage mécanique fourni par les cinq paires de poulies produisit une telle force que lentement, inexorablement, la grande baleine monta sur la glace puis se mit à glisser.

L'un des hommes d'équipage, qui surveillait l'opération, leva le fanion que l'on brandit traditionnellement à cet instant : MERCI, JÉSUS ! Les femmes s'agenouillèrent pour prier.

— Venez ! cria Karisme Hooker à Kendra qui regardait, à l'écart. C'est aussi votre baleine. Aidez-nous.

Elle prit sa place à l'une des cordes et aida à haler la baleine pour les dix derniers mètres sur la banquise.

Jamais elle n'oublierait l'atmosphère irréelle des heures suivantes : la pâle lueur du printemps qui se diffusait dans la nuit arctique ; la concentration enthousiaste de presque tous les gens de Desolation, qui tiraient en même temps sur les grosses cordes ; le vieil homme tête nue qui soulevait solennellement dans le vent une oriflamme signalant la prise d'une baleine ; la mélopée des vieilles femmes qui chantaient des paroles héritées de leurs grand-mères et des grand-mères de leurs grand-mères tandis que l'énorme baleine glissait lentement vers la côte. Quelle nuit de triomphe ! Et quand Kendra regarda tous ces gens autour d'elle, elle se rendit compte qu'elle ne les connaissait pas encore. Jusque-là, elle n'avait vu que des Eskimos à demi désemparés qu'elle avait appris à aimer en les regardant se débattre, parfois sans succès, avec les méthodes des Blancs. À présent, elle les découvrait maîtres de leur monde et parfaitement adaptés à leur milieu, fidèles à un mode de survie éprouvé par des millénaires dans l'Arctique. La façon dont chacun d'eux pouvait se battre sur un pied d'égalité avec les mers du Grand Nord ne manqua pas de l'émerveiller. L'éducation des enfants eskimos avait débuté en septembre précédent quand elle s'était présentée à eux à l'école ; sa propre éducation commença en ce soir de mai où la nuit argentée scintilla sur la glace.

Une fois la baleine amenée en lieu sûr, des hommes équipés de longues hampes se terminant par des lames acérées s'avancèrent pour le dépeçage. Ils restèrent en retrait jusqu'à ce qu'Afanasi, l'Eskimo sans pareil, guide et protecteur de leur région, donne le premier coup de couteau rituel. Au moment où il trancha dans la queue puis dans un aileron avec son couteau à dépecer, ce ne fut plus un indigène diplômé de l'université, un ancien employé de Seattle et le directeur d'une compagnie de village aux gros dividendes ; mais un Eskimo aux cheveux grisonnants tombant sur ses sourcils, aux mains rougies par le sang de la baleine.

Des vivats s'élevèrent pour célébrer sa victoire. Les autres hommes se hâtèrent de dépecer. Les jeunes s'avançaient pour recevoir leurs morceaux de *muktuk*, le bord délicieux de la peau avec le lard succulent à l'intérieur. Quand le jour se leva sur le décor de Desolation Point, chacun se réjouit d'avoir de nouveau prouvé les capacités du village à la chasse à la baleine. Karisme Hooker, pensant qu'il était temps de ramener sa jeune collègue à son logement, la chercha des yeux.

— Kendra ! s'écria-t-il. Vous pleurez !

— Je suis si fière d'avoir participé à ceci...

Mais ce qu'elle apprécia le plus, bien que ce fût d'une moindre richesse spirituelle que la chasse elle-même, survint beaucoup plus tard, milieu juillet, quand on sortit la viande de baleine des congélateurs. On hala à terre les quatre oumiaks du village, on les inclina sur le côté pour les protéger des vents violents soufflant de la mer des Tchouktches et ils restèrent là comme lieux de rassemblement pour les quatre groupes entre lesquels, selon la tradition, se divisait la population du village. M. Hooker, invité d'honneur, se trouva dans l'ombre de l'oumiak d'Afanasi, et Kendra dans celui qui appartenait à la famille de

Jonathan Borodine. Elle fut ravie de voir remettre à Jonathan un morceau de viande rituel pour le remercier d'avoir prédit le moment où les baleines passeraient devant la pointe.

— Comment le saviez-vous ? lui demanda Kendra lorsqu'il revint près d'elle.

— *Il* me l'a dit.

Pour la première fois, elle regarda le visage d'un vieillard qui s'avançait avec une canne grossière taillée dans un morceau de bois d'épave échoué sur la plage après une violente tempête de Sibérie.

C'était le grand-père de Jonathan, persuadé que ses incantations et ses charmes avaient attiré les baleines à Desolation, et Kendra remarqua qu'il la regardait sans aménité. Le jeune Jonathan ne se donna pas la peine de présenter l'institutrice et le vieillard se retira des festivités sans avoir prononcé un mot.

Ce fut un après-midi de gala, une explosion de joie pour les Eskimos : leur nourriture préférée, des mélopées et des danses silencieuses, parfois immobiles. Quand la fête battit son plein, chaque oumiak envoya une jeune femme participer au clou de la journée. Les hommes du village se réunirent autour d'une grande couverture circulaire faite de plusieurs peaux de morse cousues l'une à l'autre, la soulevèrent et la tendirent. Puis l'une des jeunes filles en compétition monta au milieu. Sur un signal, avec des mouvements rythmiques qui relâchaient et retendaient alternativement la couverture, les hommes tirèrent vers l'arrière et lancèrent la jeune fille très haut dans le ciel. Les Eskimos faisaient cela sur la côte de Desolation depuis quinze mille ans, et voir des êtres humains s'envoler ainsi comme des oiseaux donnait encore le frisson.

Mais cette journée serait spéciale, car à la fin de la compétition, Jonathan Borodine poussa soudain Kendra Scott vers la couverture. Les vivats de la foule l'incitèrent à essayer. Avec un courage qu'elle ne soupçonnait pas en elle, elle se laissa hisser sur la couverture — mais fut fort soulagée en entendant Afanasi recommander aux hommes :

— Pas trop haut.

Debout au milieu de la couverture, consciente de son instabilité, elle se demanda comment elle pourrait se maintenir en équilibre ; mais dès que le mouvement de bas en haut commença, elle se sentit miraculeusement soulevée par le rythme de la couverture. Soudain, elle se trouva à cinq mètres du sol. Perdant son calme, elle retomba comme un sac de pommes de terre.

— Je peux faire mieux ! s'écria-t-elle en se rasseyant.

Au deuxième essai, elle réussit. « Maintenant je suis une Eskimo ! se dit-elle en descendant de la couverture. Je fais partie de cette mer, de cette chasse, de cette toundra. »

*
**

Quelques jours après la fête de la baleine à Desolation, alors que son esprit résonnait encore des échos de cette effarante capture, Kendra eut l'occasion d'entrevoir un des côtés les plus laids de la « subsistance » : le revers de la médaille. Un de ses élèves se précipita à l'école avec une nouvelle passionnante.

— Mademoiselle Scott ! Venez vite sur la plage. Une nouvelle espèce vient d'arriver !

Sans lui laisser le temps de demander ce qu'il voulait dire, le gamin entraîna Kendra vers la côte, où l'objet dégoûtant qu'elle eut sous les yeux l'écœura. Elle faillit vomir.

— Quelle horreur ! Qu'est-ce que c'est ?

— La nouvelle espèce.

— Comment ça ?

— Un morse sans tête.

Elle examina la masse bouffie et reconnut que l'enfant avait raison. C'était bien le cadavre d'un morse, mais sans tête, et dans un état de gonflement putride. On pouvait croire qu'il n'en avait jamais eu.

— Comment est-ce arrivé ? demanda-t-elle.

— La loi interdit aux Blancs de tuer des morses. Mais comme je suis eskimo et que la viande de morse me permet de subsister, j'en ai le droit.

— Personne n'a subsisté grâce à ce morse.

— Ni grâce aux autres « nouvelles espèces ». Les Eskimos les tuent comme dans le temps, mais se contentent à présent de leur trancher la tête. Pour l'ivoire. Le reste peut pourrir.

— Quelle honte !

L'enfant lui expliqua dans le détail les conditions de la chasse contemporaine, et la carcasse en train de pourrir sur la plage parut à Kendra encore plus répugnante.

— Est-ce que cela se produit très souvent ?

— Tout le temps. On les tue seulement pour l'ivoire.

Il lança un coup de pied à la viande gaspillée de l'énorme cadavre.

Les mois passèrent. Kendra trouva le long des côtes de la péninsule un très grand nombre de restes boursouflés de ces beaux animaux qui jouaient naguère sur les glaces. Dans le passé ils auraient nourri des quantités de gens ; aujourd'hui, ils ne nourrissaient personne. Et cette situation impensable était défendue par des naïfs sentimentaux prétendant qu'il fallait protéger le morse pour la « subsistance » des Eskimos. En réalité ces beaux animaux ne servaient qu'à remplir les boutiques de cadeaux de pacotille à l'intention des touristes venus du Sud du Quarante-Huitième.

Quand Kendra signala à Afanasi cet abus honteux de la loi, elle constata une fois de plus les qualités remarquables de cet homme, car il était prêt à reconnaître les anomalies de la situation.

— Nous nous réfugions dans le mot « subsistance » de plusieurs façons contradictoires qui tournent autour du mot « traditionnel ». Nous désirons que le gouvernement respecte nos droits traditionnels sur les baleines, les morses et les ours polaires. Ainsi que nos droits sur de vastes étendues de terres où nous chassions dans le passé. Et nous exigeons certains égards en ce qui concerne la propriété de ces terres.

— Vous êtes l'un des principaux champions de ces droits, observa Kendra qui admirait ses efforts.

— Oui. Ils assureront le salut des Eskimos. Mais je vois aussi le caractère irrationnel de certaines de ces revendications. Mes chasseurs « traditionnels » veulent utiliser des radios pour repérer les baleines, des skidoos pour filer sur la banquise le long des chenaux à baleines, des moteurs hors-bord quand ils arrivent à leur hauteur, des harpons à explosif qui tuent plus facilement, le meilleur système de palans disponible pour les haler sur la banquise. Et quand ils festoient avec leurs prises, ils demandent du Coke et du Pepsi pour faire descendre la viande « traditionnelle ».

— Mais pourriez-vous revenir aux méthodes d'autrefois, si vous le désiriez vraiment ?

— Non. Si l'an prochain la NASA met au point un bidule capable de repérer les baleines par faisceaux lasers rebondissant sur la Lune, les Eskimos sanctifieront l'appareil comme un élément formant partie intégrante de nos méthodes traditionnelles vénérées.

Il éclata de rire.

— En est-il autrement en Utah ? Vos mormons n'ont-ils pas fini par accepter les Noirs au sein de la race humaine quand ils ont eu besoin d'eux dans leur équipe de football ?

— Je ne suis pas mormone. Et je vous soupçonne parfois de ne pas être eskimo.

— Vous vous trompez à ce sujet. Je suis un Eskimo « moderne ». Et avec l'aide d'institutrices comme vous, nous serons bientôt des milliers.

Au cours de la période éprouvante où le printemps était officiellement arrivé mais où de violentes tempêtes continuaient d'assaillir la toundra, toutes les écoles éparses sur la North Slope obtinrent un congé de trois jours pour permettre à leurs maîtres de se réunir en conférence pédagogique à Barrow du mercredi au dimanche. Kendra attendait impatiemment cette occasion pour visiter la célèbre école de quatre-vingt-quatre millions de dollars que possédait cette ville. Harry Rostkowsky viendrait en avion chercher Vladimir Afanasi, Karisme Hooker et Kendra Scott, mais un autre membre du bureau exprima le désir d'assister aux réunions et il se passa une chose étrange. Jonathan Borodine, le futur chaman, fit aussitôt une suggestion : il projetait déjà de se rendre à Barrow avec sa snowmobile, et Kendra pourrait l'accompagner pour le trajet relativement court et sans danger de soixante-cinq kilomètres. Avec la même audace qui l'avait incitée à sauter sur la couverture-tremplin, Kendra accepta la proposition. Afanasi et Hooker la mirent en garde.

— J'ai toujours eu envie de voir la toundra, répondit-elle, et Jonathan est habile avec sa Snow-Go.

— La Snow-Go a massacré plus d'un petit prétentieux qui se croyait capable de la faire marcher, fit observer Hooker.

Néanmoins, le mercredi matin très tôt, lorsque la lumière merveilleuse du soleil revenu se diffusa le long de la côte, les deux aventuriers prirent le départ vers Barrow, au nord-est — avec, coincés derrière Jonathan, Kendra, son sac de voyage et un bidon de dix litres d'essence. L'engin avançait à soixante-cinq à l'heure au maximum, mais Kendra et le jeune homme pensaient arriver à Barrow longtemps avant que Rosty décolle avec son avion pour aller chercher les autres. Et comme ils ne consommeraient même pas cinq litres pour les soixante-cinq kilomètres, ils n'avaient aucun risque de tomber en panne sèche dans une région sinistre et déserte où aucun signe d'occupation humaine ne serait visible pendant tout le trajet.

Le voyage enchanta la jeune femme, et le fait qu'elle le faisait avec Jonathan ne posait aucun problème car elle avait six ans de plus que lui. Une relation quasi maternelle s'était établie entre eux, et le jeune homme partageait avec l'institutrice de nombreuses idées et pensées qu'il n'aurait jamais racontées à une autre personne.

Pour Kendra, la plus importante révélation de ce voyage à Barrow ne fut pas la balade sur la toundra de Swow-Go mais ce qui se passa à son arrivée à la célèbre *high school* de Barrow. De dehors, le bâtiment paraissait assez banal, semblable à ce que l'on s'attendait à trouver en Utah ou au Colorado dans une communauté ayant vécu une mauvaise passe : un édifice bas, au plan banal sans architecture remarquable. On eût dit un agglomérat de locaux improvisés et Kendra fut visiblement déçue. Mais quand elle entra dans le bâtiment et vit son équipement somptueux, quel émerveillement ! Jamais elle n'avait rien vu de comparable par le luxe et l'abondance.

Bien entendu les classes avaient été annulées mais l'on avait demandé aux élèves des classes terminales de servir de guides aux visiteurs. Comme Kendra était la première arrivée, elle eut pour cicérone un jeune homme vêtu d'un impeccable complet de laine. Il se présenta comme le fils d'un ingénieur-électricien du Sud du Quarante-Huitième, qui dirigeait les installations radar du gouvernement. Il la conduisit d'abord dans les locaux spacieux réservés à l'électronique.

— Nous avons, comme vous pouvez voir, un studio complètement équipé de radio et de télévision, qui a beaucoup de succès parmi les élèves.

Il lui montra ensuite les séries d'ordinateurs.

— Les élèves apprennent l'utilisation, mais aussi l'entretien des ordinateurs.

Dans certains ateliers, on démontait et remontait des appareils ménagers et des moteurs d'automobile ; la menuiserie était mieux équipée qu'un atelier professionnel.

— On parle de faire construire par les élèves une maison chaque année, ici même, et de la vendre à l'extérieur. Ce serait faisable.

La salle consacrée à l'hôtellerie contenait tout le matériel que les élèves pourraient trouver plus tard s'ils allaient à Anchorage ou à Fairbanks travailler dans un hôtel ou un restaurant.

— Mais quelqu'un étudie-t-il avec des livres dans cette école ? demanda Kendra.

— Oh, oui ! s'écria son guide. Moi, par exemple, et la plupart de mes camarades.

Il conduisit la jeune femme dans les salles de classe, dans la vaste bibliothèque et dans le laboratoire de sciences, qui auraient fait honneur à n'importe quelle faculté de taille moyenne.

— Ma foi, le matériel éducatif est là, mais est-ce que quelqu'un apprend ?

— Vous paraissez intéressée, mademoiselle Scott, et vous jugerez donc par vous-même. Si vous revenez la semaine prochaine, vous découvrirez que tout le matériel de pointe — la télévision, la radio, les ordinateurs puissants et le reste — sont utilisés par des jeunes Blancs comme moi, venus du Sud du Quarante-Huitième et fils d'employés du gouvernement détachés ici. L'équipement ancien et bon marché, servant à l'entretien mécanique et à la menuiserie, est utilisé en revanche uniquement par les Eskimos.

Kendra s'arrêta au milieu du couloir pour regarder son guide dans les yeux.

— Quelle horreur de dire une chose pareille !

— Quelle horreur *d'être obligé* de la dire, répliqua le jeune homme sans ciller.

Telle était la réalité. Ce lycée de rêve, construit à grands frais, préparait des élèves blancs à prendre leur place à Harvard ou dans les universités d'État de Chicago et de Louisiane. Alors qu'il formait ses élèves eskimos — hormis tel ou tel enfant exceptionnel qui s'arrachait aux contraintes des villages — pour les métiers de serveuse de restaurant, de garçon d'hôtel et de mécanicien.

— Je me demande si c'est différent ailleurs quand on regarde les choses en toute honnêteté, observa Kendra. En Utah et au Colorado, on voit peu de Mexicains assis devant des ordinateurs. Et quand je suis allée en Allemagne, on m'a dit qu'à l'âge de douze ans on décidait dans lequel des trois programmes d'études s'engagerait l'enfant — ce qui déterminerait le reste de sa vie. Il paraît qu'il en va de même en France et au Japon. Les jeunes gens brillants comme vous, aux postes de décisions ; les enfants moyens, pour les tâches complexes mais sans initiative ; et au-dessous de la moyenne, les travailleurs qui font tourner le système.

Elle réfléchit un instant puis ajouta :

— Je suppose qu'il en allait de même dans l'Égypte des pharaons... Et partout.

Elle lui posa la main sur le bras et lui demanda à brûle-pourpoint :

— N'avez-vous jamais honte d'être dans cet établissement ?

— Absolument pas, répondit-il sans hésitation ni gêne. L'argent continue de jaillir du sol. Je trouve merveilleux qu'ils aient l'estomac de le dépenser pour une école.

Les jours suivants, elle revit souvent cet élève, et ce fut sur l'insistance du jeune homme qu'ils reprirent leur conversation sérieuse. Enfin, le samedi après-midi, il demanda :

— Est-ce que plusieurs d'entre nous pourrions discuter avec vous cet après-midi ?

— Oui, si je peux amener un jeune Eskimo d'à peu près votre âge.

— Nous en serons ravis.

Ils étaient sept au foyer du lycée, où ils avaient préparé des rafraîchissements. Avant de présenter Kendra, son jeune guide lui demanda :

— Où est votre Eskimo ?

— Il trafique sa snowmobile je ne sais où, répondit-elle sans émotion, et la séance débuta.

Quatre élèves de Barrow sur sept étaient des enfants de spécialistes venus du Sud du Quarante-Huitième, mais les trois qui témoignèrent du plus grand intérêt furent les Eskimos, deux élèves de terminale à l'esprit remarquablement pénétrant et un garçon plus jeune dont les réticences à s'exprimer n'indiquaient nullement un manque de vivacité d'esprit.

Pour commencer, les étudiants désirèrent connaître l'opinion de Kendra sur les universités où ils devraient s'inscrire, comme si c'était le plus grand problème qu'ils auraient à affronter. Ils apprécièrent sa réponse compétente. Une jeune fille posa une question intelligente :

— Étant donné que ma ville natale est Barrow en Alaska, quelle université de premier ordre peut avoir envie d'une étudiante comme moi pour faire la preuve de sa diversité géographique ?

— Toutes les meilleures, répondit Kendra sans hésiter. Elles auront besoin d'une étudiante comme vous

— Par exemple ? demanda l'élève d'un ton presque insolent.

— Princeton, Chicago, Stanford. Et j'ai appris d'excellentes choses sur Smith...

Puis elle orienta la conversation sur la situation des trois Eskimos.

Quand elle eut mis à l'aise les jeunes gens à la peau sombre et aux traits asiatiques, elle déchargea ses batteries :

— Votre ami Paul m'a fait observer le premier jour, quand il m'a fait visiter le lycée, que tout l'équipement onéreux, électronique moderne et ordinateurs, était utilisé presque exclusivement par les élèves blancs du Sud du Quarante-Huitième, alors que le matériel moins sophistiqué, comme la menuiserie et l'atelier de mécanique automobile, est monopolisé par les Eskimos. Qu'en pensez-vous ?

— C'est exact, dit la jeune Eskimo. Mais nos problèmes sont différents des leurs.

— En quel sens ?

— Ils feront leur vie au Sud du Quarante-Huitième. Nous ferons la nôtre en Alaska.

— Vous n'êtes pas obligés de rester en Alaska.

— Mais nous en aurons envie ! dit la jeune fille.

Et le garçon timide confirma sa réaction en des termes surprenants :

— Je ne rêve pas d'aller à Seattle. Je ne rêve même pas d'aller à Anchorage. Je rêve de travailler ici, à Barrow, même quand l'argent du pétrole cessera de couler.

Prise de compassion pour ces jeunes, Kendra se hâta de leur dire :

— Mais ne comprenez-vous pas que pour accomplir quoi que ce soit d'important à Barrow, il vous faudra un niveau d'études supérieur ? Ne voyez-vous pas que tous les bons emplois, ceux qui sont bien payés, échoient aux gens qui ont fait de bonnes études, venus du Sud du Quarante-Huitième ? Ou aux Eskimos qui ont le même niveau ?

— Nous réussirons à la manière eskimo, s'entêta le jeune garçon.

— Et que ferez-vous à Barrow ? lança-t-elle d'un ton presque agressif.

Deux ans plus tard, femme mariée flottant sur une île de glace à huit cents kilomètres au nord de Barrow, au cœur de l'océan Arctique, elle se rappellerait mot pour mot la réponse étonnante du garçon :

— Parce que le monde va s'intéresser à l'océan Arctique. C'est forcé : la Russie, le Canada, l'Amérique. Et je veux rester ici, au plein centre.

— Quelles paroles surprenantes, Ivan ! D'où tenez-vous une idée pareille ?

— Regardez la carte, répondit-il.

Des larmes montèrent aux yeux de Kendra : « Quel garçon merveilleux ! se dit-elle. Mais sans cette éducation qu'il méprise, jamais il ne réussira. »

*
**

Fin mai, la mer des Tchouktches restait encore prise par les glaces loin de la côte, mais la neige commença à disparaître de la toundra et de mauvaises nouvelles parvinrent à Desolation de la cabane solitaire où vivaient les parents d'Amy Ekseavik. Un chasseur revint avec un récit horrible :

— Le père a mis la main sur du mauvais tord-boyaux, s'est saoulé à claquer puis a essayé d'assassiner sa femme qui lui criait dessus. Il l'a manquée puis il s'est enfoncé le canon dans la gorge pour se faire sauter la tête.

Afanasi et Jeb Keeler organisèrent une expédition de secours. La mère d'Amy n'était que légèrement blessée ; une parente habitant plus bas vers le sud était venue s'occuper d'elle. Les deux femmes demandèrent avec insistance qu'Amy quitte l'école pour tenir la cabane.

En apprenant cette proposition absurde, Kendra explosa :

— Cette fillette ne quittera pas ma classe. Je l'interdis.

Afanasi lui expliqua que si l'on avait besoin d'Amy chez elle — ce qui était manifestement le cas — il fallait qu'elle y aille, car telle était la coutume des Eskimos.

— Cette enfant est brillante. Elle réussit tout ce qu'elle touche. J'ai écrit à l'université de Washington et l'on s'intéresse à son cas. Ils l'accepteront peut-être même à seize ans si elle se révèle aussi intelligente que je le prétends... Monsieur Afanasi ! ajouta-t-elle d'une voix qui se brisait. Ne condamnez pas Amy à une vie de ténèbres !

Son intervention fut sans effet. On avait besoin d'Amy chez elle, et cela passait avant toute autre considération.

Le jour où la fillette si douée partit chez elle, Kendra l'accompagna plus de trois kilomètres à pied sur la toundra où aucun arbre ne poussait, où ne s'épanouissaient que de minuscules fleurettes. Quand elles se séparèrent, l'institutrice étreignit son élève, la garda dans ses bras et dut retenir ses larmes.

— Amy, tu as un cerveau remarquable. Tu as vu toi-même à l'école que tu possèdes des dons particuliers. Écoute, c'est la vérité que je te dis : tu es très en avance sur ce que j'étais à ton âge. Tu peux réussir n'importe quoi. Pour l'amour de Dieu, lis les livres que je t'ai donnés. Fais quelque chose de ta vie. Quelque chose...

— Quoi ? demanda la jeune fille, apathique.

— Nous ne le savons pas, Amy, répondit Kendra. Mais si nous nous préparons bien, une chose ou une autre peut survenir. Regarde mon cas, Amy. Comment diable ai-je pu arriver à Desolation ? Qui sait où tu arriveras ?... Mais continue d'avancer ! Oh, Amy...

Elle aurait aimé dire mille autres choses à cette jeune fille pendant leurs derniers instants ensemble. Mais elle se pencha simplement et embrassa le visage rond et brun d'un baiser qu'Amy reçut sans la moindre émotion.

Les deux semaines suivantes le froid fut très vif, un froid de milieu d'hiver et non de printemps. Kendra se sentit soudain aussi désolée que le paysage battu par la tempête : malgré la compétence avec laquelle Karisme Hooker et elle dirigeaient leur école et encourageaient leurs élèves, les dures réalités de la vie eskimo dressaient des limites infranchissables à leur efficacité. Un soir, elle invita Afanasi et Keeler chez elle pour discuter de ces questions avec Hooker et elle-même.

Elle posa d'abord le problème qui la déprimait le plus :

— Monsieur Afanasi, pourquoi êtes-vous le seul Eskimo de Desolation à posséder une vision planétaire du monde... Et même le seul à vous représenter les choses à l'échelle de l'Alaska ?

— J'avais un excellent grand-père, qui m'a enseigné ce que je devais faire ; plus un père et un oncle qui m'ont montré ce que je devais ne pas faire.

— Comment Karisme et moi pouvons-nous former des jeunes possédant la même ouverture d'esprit et les mêmes capacités que vous ?

— Je crois que cela se produit par hasard. Avec Amy Ekseavik, vous auriez eu une chance. Avec Jonathan Borodine... Il devrait être exactement comme moi, vous savez. Capable de s'orienter dans le monde des Blancs, un point d'appui sûr dans son village eskimo. Mais parfois l'éducation passe à côté, et pour l'instant il ne pilote que sa snowmobile.

— Il m'a dit qu'il désirait devenir chaman à l'ancienne mode, mais de façon constructive.

Cette nouvelle intéressa beaucoup Afanasi.

— Ce n'est pas une idée folle. Pas du tout. Je me suis souvent dit que les tensions de la vie moderne, la télévision, les snowmobiles, le bruit, offriraient peut-être une occasion de renaître au chamanisme tel que mon grand-père l'avait connu.

Il se leva, se mit à marcher de long en large dans le logement, picora un peu de nourriture puis s'assit près de Kendra.

— Il y a cent ans, quand Healy et son *Bear* sont arrivés ici avec Sheldon Jackson, les chamans qu'ils rencontrèrent formaient une sale bande. Les récits de Jackson leur ont donné une mauvaise réputation. Mais les chamans avec qui mon grand-père avait des relations appartenaient à une autre classe.

Il se leva de nouveau pour arpenter la pièce, puis conclut :

— Peut-être que ce jeune Borodine... vous savez qu'il a un talent sans limites : vous vous en êtes aperçu dans votre classe, Karisme... Je vais lui parler.

La conversation n'eut jamais lieu, parce que trois jours plus tard, Jonathan Borodine, dix-neuf ans, prit son fusil, son Snow-Go-7 et vingt litres d'essence pour aller tuer dans l'intérieur des terres un ou deux caribous, dont son grand-père avait très envie car c'est la meilleure viande que mangent les Eskimos. Avec en remorque un traîneau pour ramener les carcasses, il prit la direction de l'est où abondaient les lacs et les rivières au lit incertain. Dans un secteur où il s'était rarement rendu, il tua deux gros caribous, les dépeça sur place puis chargea la viande sur le traîneau et les bois à l'arrière de sa snowmobile.

Sur le chemin du retour, il essuya deux catastrophes : un orage d'une violence extrême arriva du sud, apportant de la neige fraîche et balayant celle qui restait dans les creux. Puis le blizzard se déchaîna et pendant un moment il eut très peur, car les chasseurs de Desolation étaient épouvantés par toute tempête venue du sud. Si elle se prolongeait avec la même violence, il aurait des ennuis, mais il était certain que si elle s'apaisait tant soit peu, il pourrait retrouver son chemin vers Desolation, à l'ouest. Jamais il n'envisagea d'abandonner le traîneau qu'il remorquait pour filer chez lui au plus vite : « Quand on tue un caribou, on le ramène. »

En descendant une pente modérée, avec le vent violent de la mer en plein visage, il comprit que le reste du trajet, presque soixante kilomètres, serait très dur : « T'en fais pas ! Tu as des quantités d'essence. » Puis quand il voulut remonter le versant occidental du vallon son moteur se mit à tousser. Au sommet même, à l'endroit où le vent était le plus sauvage, il s'arrêta complètement.

Il n'eut aucune crainte sur le moment, car au cours de ses nombreux déplacements il avait bien étudié son véhicule. Il se crut capable de le réparer sur-le-champ. Mais il échoua. Une nouvelle panne, beaucoup plus grave que les précédentes, avait immobilisé son Snow-Go, et dans la tempête qui faisait rage autour de lui, toutes ses tentatives d'identifier et de réparer ce qui avait fait caler son moteur furent infructueuses. La grisaille de l'après-midi se dilua en un brouillard blanc, et le jeune homme comprit qu'il était en danger.

Seul son grand-père s'aperçut que Jonathan n'était pas rentré ce soir-là, et il jugea que le jeune homme s'était réfugié à l'abri d'une crête. Mais le lendemain à midi, Jonathan n'avait pas encore donné signe de vie, et le vieillard commença à s'inquiéter. Il n'alerta cependant personne, parce que son mode de vie le tenait à l'écart des autres, et une deuxième nuit s'écoula sans Jonathan.

Le lendemain matin à l'aurore, le vieillard, tremblant de peur, se présenta au bureau construit de bric et de broc dans lequel Afanasi traitait ses affaires.

— Jonathan. Il est parti il y a deux jours. Au caribou. Il n'est pas revenu.

Afanasi passa aussitôt à l'action. Il téléphona à Harry Rostkowsky à l'aéroport de Barrow de s'envoler vers le sud-est de Desolation, du côté des lacs, pour essayer de repérer une snowmobile et un jeune homme qui campait à côté. Le secteur à fouiller se trouvait au sud de Barrow. Rosty avisa trois fois l'aérodrome qu'il n'avait rien trouvé, et Barrow le signala aussitôt à Afanasi par téléphone. Au quatrième passage, Rosty vit l'engin en panne et un corps inerte blotti non loin.

— Rostowsky appelle Barrow. Informez Afanasi, Desolation : Snow-Go repéré sur crête plein est. Corps non loin, probablement gelé.

Un groupe de quatre hommes et de deux snowmobiles s'organisa aussitôt, avec Afanasi derrière un des conducteurs, et un pisteur eskimo expérimenté derrière l'autre. Rostkowskyi, dans son Cessna, les vit quitter la ville et leur signala la direction à prendre. Au bout d'environ deux heures, car ils avançaient lentement et avec précaution, ils trouvèrent le Snow-Go neuf de Jonathan Borodine, ses vingt litres d'essence de réserve, ses deux caribous dépecés et son cadavre gelé.

Quand Kendra aperçut le cortège funèbre à l'entrée du village, elle savait déjà qu'il n'y avait plus d'espoir, car tout le monde à Desolation avait été prévenu de la probabilité d'une tragédie. Mais cela ne rendait pas la mort de ce jeune homme plus facile à admettre. Elle courut vers l'endroit où gisait le cadavre, recroquevillé dans la position où il avait gelé.

— Quel gâchis ! murmura-t-elle.

Tout le monde à Desolation pensa de même.

Kendra ressentit seulement à la fin du trimestre scolaire le plein impact des tragédies qui avaient assombri les mois de printemps où l'espoir aurait dû renaître. Pendant deux semaines, elle demeura oisive dans l'école déserte... Elle remplit la commande d'épicerie pour l'année suivante et acheta environ deux mille dollars de produits superflus pour recevoir ses élèves et leurs parents. Mais Afanasi, qui semblait veiller sur tout le monde dans son village, vint la voir soudain pour lui donner un ordre.

— Il est temps que vous sortiez d'ici. Allez à Fairbanks, à Juneau ou à Seattle. Nous avons un budget-voyage pour nos instituteurs. Je vous ai apporté un billet pour Anchorage, avec extension possible pour où il vous plaira, dans les limites de la saison. En Utah voir vos parents ? C'est d'accord.

— En ce moment même, je n'ai guère envie de les voir, répondit-elle.

Mais elle accepta les billets, l'un pour Anchorage, l'autre sans destination indiquée, et elle partit vers le sud — avec un minimum de bagages car sa demeure était désormais Desolation Point, et elle quittait le village à regret. Pendant le voyage, elle se regarda sans illusion, comme si elle avait un miroir sous les yeux : « J'ai vingt-six ans. Jamais je n'ai eu une chance réelle de me marier. Et l'article de cette psychologue de Denver montrait clairement que chaque année après vingt-trois ans, une femme cultivée a de moins en moins de chance de se marier un jour. Mais j'ai envie de vivre en Alaska. J'adore la Frontière. Le défi de l'Arctique me passionne... Mon Dieu, je ne sais que penser. »

Elle était cependant certaine d'une chose, qui participait de la nature même de la vie. Dans le ronronnement des moteurs de l'avion, elle continua de se parler comme si elle constituait le sujet d'analyse d'un observateur extérieur : « J'aime les gens. Amy Ekseavik fait partie de ma vie. Jonathan Borodine... Pourquoi ne lui ai-je pas parlé davantage ? Et je n'ai pas envie de vivre seule. Je ne peux pas affronter les années sans fin. La nuit arctique ne me pose aucun problème car elle passe ; mais la solitude de l'esprit ne passe jamais. »

Très lentement, dans un état de confusion avouée, elle prit dans la petite serviette de simili-cuir où étaient rangés ses documents scolaires une feuille déchirée sur laquelle elle avait écrit une adresse à Anchorage. À l'aéroport elle se jeta dans un taxi comme si elle craignait de changer d'avis et glissa le bout de papier dans la main du chauffeur.

— Vous pourrez trouver ceci ?

— On me foutrait à la porte si j'en étais pas capable. C'est le plus grand immeuble d'appartements de la ville.

Kendra prit l'ascenseur pour le cinquième étage et sonna en espérant que Jeb Keeler l'attendrait. La porte s'ouvrit. Son espoir ne fut pas déçu. Dans ses bras, elle murmura :

— Sans quelqu'un à aimer, j'étais perdue dans une tempête aveuglante.

Il lui répondit qu'il la comprenait. Plus tard ce soir-là, allongée près de lui, elle lui confia :

— Amy et Jonathan... Cela m'a déchiré le cœur. Nous venons enseigner dans un village, et ce sont les enfants qui nous donnent des leçons.

— Il en va de même pour les avocats, remarqua Jeb. Nous apprenons des autres beaucoup plus que nous ne les aidons.

Elle resta cinq jours auprès de lui. Vers la fin de son séjour elle lui dit :

— Afanasi se doutait que je viendrais te voir, c'est pour ça qu'il m'a donné le billet d'Anchorage. Il pense que tu es un homme de confiance. Je lui ai demandé s'il recommanderait de même tous les avocats et il a ri : « Pas Poley Markham. Je l'aime bien, mais je n'ai aucune confiance en lui. »

— Il se trompe à ce sujet, répondit Jeb. Poley est différent ; mais j'ai pu constater son honnêteté totale. Jamais il ne touche à un sou qui n'est pas à lui !

La conversation passa ensuite à leurs perspectives d'avenir. Kendra dit qu'à la fin de l'année scolaire suivante, si Jeb avait encore envie de se spécialiser dans le droit de l'Alaska, ils pourraient envisager le mariage, étant entendu que Kendra continuerait d'enseigner à Desolation, ou peut-être à Barrow. Jeb lui assura qu'avec son influence et celle de Poley, il pourrait lui obtenir un des postes de Barrow. En lui donnant le dernier baiser d'adieu, elle lui répondit :

— Il faut y penser. Une bonne institutrice avec tout ce beau matériel devrait être capable de former quelques excellents Eskimos.

À l'aéroport, tandis qu'elle attendait son vol vers le nord, elle regarda distraitement l'arrivée d'un avion Japan Air Lines en provenance de Tokyo. Les passagers qui s'arrêtaient à Anchorage débarquèrent, et elle remarqua cinq Japonais athlétiques — trois hommes et deux jeunes femmes — qui allaient s'intéresser beaucoup à l'Alaska eux aussi, mais dans un domaine très différent.

***

On l'appelait *senseï*. Tous les Japonais passionnés d'alpinisme (et ils sont légion) l'appelaient Takabuki-senseï, titre honorifique que l'on pourrait traduire par Vénéré-et-Bien-aimé-Professeur Takabuki. À quarante et un ans, il occupait officiellement le poste de professeur de philosophie à l'université Waseda de Tokyo. Mais les autorités universitaires et le gouvernement japonais avaient pris des dispositions pour qu'il puisse partir en expédition chaque fois qu'il trouvait le financement et une bonne équipe d'alpinistes.

Meilleur alpiniste du Japon, cet homme sec et nerveux, habituellement rasé de près, n'était connu des lecteurs de journaux et de magazines que par ses photographies où, couvert de barbe, il se dressait dans le vent au sommet enneigé de telle ou telle haute montagne. Comme le Japon se trouve relativement près des grands sommets de l'Asie, il avait à ses débuts vaincu le Nanga Parbat et le K-2. Au cours des années suivantes, il avait dirigé deux tentatives contre l'Everest : la première échoua à 8 100 mètres par suite de la mort de deux membres de l'équipe ; la seconde réussit et il monta avec deux de ses compagnons tout en haut du monde, à 8 847 mètres au-dessus du niveau de la mer — une performance classique sans un seul accident, même mineur.

Encouragés par le succès de Takabuki, ses supporters réunirent des fonds qui lui permirent de diriger des expéditions de moindre importance : l'Aconcagua en Argentine, le Kilimanjaro en Tanzanie, le Cervin sur la frontière italo-helvétique, deux fois le mont Saint-Élie en Alaska, et une fois dans l'Antarctique. Même ses rivaux allemands avaient fini par admettre que Takabuki-senseï était un alpiniste complet. Une revue allemande spécialisée écrivit :

> *Il réussit tout ce qu'il entreprend et possède deux traits de caractère remarquables : même dans l'adversité, il sourit pour soutenir le moral de ses coéquipiers, et il les ramène tous en vie. Les deux décès qui interrompirent son ascension de l'Everest en 1974 se produisirent six cents mètres au-dessous de l'endroit où il se trouvait lui-même, près du sommet. Deux membres de l'expédition se déplacèrent imprudemment sans s'encorder et trouvèrent la mort.*

Mais au cœur de tous ses récents triomphes, une nouvelle ambition le rongeait. Avec le temps son obsession devint si intense qu'il se sentait poursuivi par la montagne encore invaincue. Elle lui envahissait l'esprit. « C'est réalisable, se répétait-il comme pour se rassurer. L'ascension n'est pas difficile. J'aurais pu déjà le réussir dans mon enfance. En fait, une simple promenade. Mais entreprendre ce genre de promenade exige un mélange précis de force pure et d'infinie délicatesse. » En général, il s'arrêtait à cet endroit de sa rêverie, se figeait et regardait dans le vide : « Si c'est si simple, pourquoi tant d'alpinistes ont-ils trouvé la mort sur cette maudite montagne ? »

Ce fut dans cet état d'esprit que le 3 janvier il rencontra les dirigeants de l'alpinisme au Japon et les industriels qui avaient financé ses expéditions précédentes. Il se présenta à eux avec son compère Kenji Oda et s'aperçut aussitôt que les fêtes du Nouvel An — elles sont au Japon encore plus effrénées que dans le reste du monde, et l'on y boit davantage d'alcool qu'en Écosse à l'occasion d'Hogmanay — avaient laissé ces messieurs avec des yeux rouges et la gueule de bois. Après quelques taquineries aimables pour déterminer qui avait été le plus ivre de tous — tout le monde au Japon l'avait été à un degré ou un autre — ils se penchèrent sur les questions sérieuses :

— Combien de personnes dans votre équipe, croyez-vous ?

— Cinq. Trois hommes, deux femmes.

— Très peu, comparé à vos équipes de l'Everest.

— La méthode utilisée sera totalement différente.

— Ah bon ?

— Moins de camps. Du matériel beaucoup plus léger.

— Mais pourquoi le Denali vous fascine-t-il à ce point, Senseï ?... Parce qu'il vous fascine, n'est-ce pas ?

Le visage de Takabuki se durcit. Ses mains se crispèrent et il révéla ce qui le tourmentait :

— Comparé aux grandes montagnes du monde, l'Everest et le Nanga Parbat pour l'altitude, le Cervin et l'Eiger pour la difficulté du rocher, le Denali d'Alaska est banal.

— Alors, pourquoi cette obstination ?

— Parce qu'il pose un défi. Surtout pour un Japonais.

— Mais vous venez de dire qu'il était facile.

— Il l'est, à l'exception de trois faits : il se trouve à côté du cercle polaire, à moins de deux cent cinquante miles...

— En kilomètres ?

— Quatre cents, mais en Alaska on compte en miles. L'Everest se trouve à presque quatre mille kilomètres plus au sud. Cette différence de latitude fait paraître le Denali plus de mille mètres plus haut que son altitude réelle.

— Comment cela ? demanda un industriel mal dégagé des vapeurs de l'alcool.

— Aux latitudes élevées, l'air est moins dense, comme aux altitudes élevées. L'Everest est très haut mais plus humide. Le Denali est moins haut mais l'atmosphère est raréfiée depuis le début de l'ascension.

Ayant justifié son respect fondamental pour le Denali, il passa au deuxième point.

— Le Denali ne présentera guère de difficultés graves sur le plan de l'alpinisme proprement dit. Presque aucune. Et c'est là l'ennui pour nous, les Japonais, et pour les Allemands. Comme nous avons l'habitude des rochers verticaux et des très hautes altitudes, nous filons au sommet, nous nous retournons pour crier : « Vous voyez ! Ce n'était rien ! » puis pendant la descente, rendus moins prudents par notre euphorie, nous plongeons par-dessus une rampe ou disparaissons dans une avalanche, et on ne nous revoit plus.

Il s'arrêta, dévisagea ses interlocuteurs puis ajouta :

— On ne retrouve même pas les cadavres... Le Denali est un cimetière d'alpinistes allemands et japonais qui sont redescendus du sommet en chantant.

Il demanda à Kenji Oda, son camarade d'études à Waseda, de montrer la carte qu'ils avaient établie — avec des croix pour les Allemands arrogants et les Japonais distraits.

— Là, une équipe de quatre Allemands, une ascension parfaite, le record de vitesse, je crois. Aucune difficulté particulière, racontèrent-ils plus tard — je veux dire les deux qui ne sont pas morts pendant la descente.

Il cita un autre groupe de cinq Allemands.

— De vrais maîtres. J'ai grimpé avec trois d'entre eux dans les Alpes. Ils étaient capables de monter tout droit sur n'importe quelle face rocheuse. Deux morts.

Un groupe de sept avait également perdu deux hommes. Un groupe de cinq en avait perdu un.

— Comment un sommet relativement facile comme le Denali peut-il être aussi mortel pour des alpinistes expérimentés ? demanda un industriel qui avait fait de l'alpinisme avec Takabuki-senseï dans le passé.

Le prince des alpinistes évoqua un troisième facteur significatif de cette montagne haute, belle et effrayante :

— Parce qu'il ensorcelle, à la manière des sirènes de l'*Odyssée*. Mais quand on est là-haut, triomphant à son sommet, le Denali peut engendrer des orages d'une violence infernale. Des vents de plus de cent cinquante à l'heure, des températures de moins soixante-dix au thermomètre correspondant à un froid réel de moins quatre-vingt-cinq. Quand une de ces tempêtes se déchaîne, si l'on ne s'enfouit pas dans la neige comme une bête, on meurt.

Personne n'ajouta un mot, mais au bout d'un moment, l'homme qui était allé en montagne avec le senseï fit remarquer :

— Vous avez accusé les Japonais d'imprudence. Quand on est victime d'une tempête de ce genre, cela ne me paraît guère de l'imprudence.

Takabuki devint grave, pareil à un croque-mort de village.

— Vous avez raison, Okobi-san. Nos hommes se protègent bien de la tempête, mais quand elle s'achève, ils se hâtent de descendre les pentes, avancent sans tendre leurs cordes et tombent dans les précipices.

— Comment le savez-vous ? demanda une voix.

— Nous n'en savons rien, répondit Takabuki. Nous ne pouvons faire que des conjectures. Nous ne connaissons que les chiffres, et ils sont effrayants. Montrez-les, Oda-san.

— Voici le dossier. Onze Japonais morts et nous n'avons pas encore récupéré un seul cadavre. Ils ont disparu. Dans une crevasse ? Par-dessus une corniche ? Nous l'ignorons. Au prix d'efforts surhumains, ils ont conquis la montagne, puis ils ont disparu. Et le Denali refuse de nous révéler comment il les a vaincus.

Takabuki serrait les poings de colère et Kenji Oda comprit quel fait horrible le maître qu'il vénérait allait révéler ensuite.

— Messieurs, les Japonais ont été lamentables sur le Denali. Imbattables pour l'ascension, mais pour la descente...

Sa voix se mit à trembler, mais il se domina. Il montra la crête où ses prédécesseurs avaient disparu.

— Vous savez comment ils appellent cet endroit ? Venez voir !

Les hommes se penchèrent : des Américains cyniques avaient donné un nom affreux à la crête où tant de Japonais étaient morts. La plupart des membres du comité lisaient l'écriture romaine même s'ils ne parlaient pas anglais, mais deux d'entre eux demandèrent :

— Que signifient ces mots ?

— Orient-Express !... L'endroit où les Japonais foncent et disparaissent.

Et ce terme de raillerie apparaissait sur une carte devenue pour ainsi dire officielle !

— J'ai à cœur, et Oda aussi, de diriger une expédition japonaise qui démontrera que nous sommes capables de réussir, et de nous maîtriser. Nous avons fait preuve de tant d'insouciance dans le passé, de tant de témérité et de mépris du risque, que les gens de la région du Denali, les vrais montagnards... Savez-vous comment ils nous appellent quand nous arrivons à Talkeetna pour prendre les avions qui nous déposeront dans la montagne ? Les Kamikaze. Mais cette expédition ne sera pas une charge banzaï. Ai-je votre autorisation ? Et le budget nécessaire ?

Avant de donner une réponse le président posa un problème qui intriguait les alpinistes de bien des pays.

— Les cartes appellent votre montagne McKinley. Vous dites Denali. Je ne comprends pas.

— C'est très simple, répondit Takabuki. De tout temps elle a été Denali. Les vrais Alaskans et les alpinistes se refusent à l'appeler autrement. C'est un nom indien vénéré, très ancien, qui signifie « Le Haut ».

— Dans ce cas, pourquoi McKinley ?

— Je crois qu'en 1896 — le senseï se tourna vers Oda qui hocha la tête — le parti démocrate nomma comme candidat à la présidence un homme politique sans envergure du Kansas, si je me souviens bien, un nommé McKinley. Sur le plan national personne ne le connaissait, et sur le plan local on ne pensait guère de bien de lui. Le parti avait besoin d'un grand événement pour lui conférer un peu plus d'éclat, et un politicien songea à donner son nom à cette grande montagne. Très populaire... auprès des démocrates.

Les membres du comité rirent de bon cœur.

— Le même genre de choses se produit au Japon, dit l'un d'eux. Pourquoi ne reprennent-ils pas le nom ancien ?

Au cours de la discussion qui suivit, Kenji Oda, qui avait fait une partie de ses études en Amérique, prit le président du comité à part et lui dit à mi-voix :

— Jamais je ne pourrai contredire le senseï en public. Ni d'ailleurs en privé, mais McKinley était républicain, leur parti de droite. Pas du tout mauvais bougre. Et il venait de l'Ohio, non du Kansas.

— Pourquoi son nom reste-t-il attaché à ce sommet ?

— Tous les gens de bon sens essaient de le changer.

⁂

La saison d'alpinisme au Denali était rigoureusement définie : avant le 1er mai, la neige, les orages et le froid étaient trop violents ; après le milieu de juillet la chaleur « pourrissait » la neige, des avalanches dévalaient et les ponts sur les crevasses s'effondraient. Donc au début de juin, Takabuki-senseï et les quatre autres membres de l'expédition firent la brève traversée de Tokyo à Anchorage, où ils se rendirent au magasin du fourreur Jack Kim, qui servait d'agent de liaison à tous les alpinistes japonais. Coréen au sourire engageant, très au fait des affaires de l'Alaska, Kim connaissait Takabuki de réputation. Après une courte discussion, il embarqua l'équipe et sa petite montagne de matériel dans un gros quatre-quatre qui s'élança vers Talkeetna, à deux cent quinze kilomètres au nord.

À quelques kilomètres au sud de la petite ville, le jeune homme au volant écrasa le frein et se rangea sur le bas-côté.

— Le voilà ! s'écria-t-il.

De la plaine presque plate s'élevaient les trois grands pics de la chaîne d'Alaska : le Foraker à gauche, le Denali au centre, le Silverthrone à droite, avec à l'écart, sur le côté, le remarquable cube noir baptisé Dent-d'Orignal. Ils formaient un majestueux défilé sur le bleu du ciel, magnifique dans n'importe quel cadre. Ici, où la plaine environnante était si basse, tout juste au-dessus du niveau de la mer, ils se dressaient comme une masse colossale, couronnés de blanc, à la fois attirants et dégageant une impression de menace subtile.

— Chaque montagne du monde est différente, dit Takabuki-senseï à son équipe. Et chacune est à sa manière un joyau.

— Quelle est la différence, ici ? demanda l'une des jeunes femmes.

— Les environs sont si ordinaires, si bas, et la chaîne si haute et si serrée... On dirait des conspirateurs, là-haut où le vent souffle. Et ils complotent des tempêtes. Pour nous.

À Talkeetna, comme la plupart des Japonais avant eux, ils s'adressèrent à LeRoy Flatch qui déposait les alpinistes en avion à l'altitude de deux mille deux cents mètres, près de la branche sud-est du glacier Kahiltna. En enlevant les sièges arrière de son Cessna-185, il pouvait loger comme il disait « trois gros Américains et cinq Japonais maigres ». Les roues remontées et les skis en place, il avait déposé de nombreux jeunes alpinistes japonais au point de départ de leur grande aventure, en promettant de les reprendre dix-neuf ou vingt jours plus tard, quand ils redescendraient. Bien entendu, s'ils se trouvaient pris par une tempête de neige monumentale, il attendait un message radio des rangers du Parc National pour aller les chercher au bout de vingt-sept ou même de trente jours. Il constituait leur sauvegarde, leur liaison entre la montagne et le reste du monde.

Flatch leur annonça qu'il était prêt et que les bulletins météo paraissaient favorables pour les jours suivants. L'équipe de Takabuki retourna au refuge mis à la disposition des alpinistes étrangers. Ils étalèrent chaque élément de leur volumineux matériel pour une vérification finale, et écoutèrent attentivement les dernières instructions du senseï :

— Cette expédition n'a qu'un seul objectif : réparer l'honneur du Japon. Et il n'existe qu'un seul moyen d'y parvenir. Faire monter trois Japonais au sommet de cette montagne et revenir ici tous les cinq sains et saufs. Nous avons le devoir d'effacer l'opprobre de l'Orient-Express.

» Voici les règles. Nous porterons beaucoup et dormirons peu. Nous grimperons vite toute la journée pour déposer notre matériel dans la montagne, mais nous descendrons chaque soir pour nous acclimater progressivement et de manière rationnelle. Il nous faudra cinq jours pour établir notre camp à trois mille trois cents mètres. Prudence extrême autour de Windy Corner, et nous nous lancerons vers les deux derniers camps à quatre mille cinq cents et cinq mille mètres.

» Des skis jusqu'à trois mille cinq, des crampons pour le reste. Encordés à trois dans mon groupe, à deux avec Oda-san — et pas de corde détendue. Au dernier arrêt, nous établirons une base solide, que nous pourrons agrandir en grotte de neige si une tempête survient. De là, les trois hommes gagneront le sommet et rentreront très vite le même jour pendant que les deux femmes s'occuperont des vivres et de l'entretien du matériel au camp. Il ne restera plus que neuf cents mètres à monter, et un peu plus de deux kilomètres en pente très raide. Nous grimperons sans matériel et reviendrons aussitôt.

» Après avoir atteint le sommet, la partie la plus facile, notre véritable tâche commencera — et à ces mots il baissa la voix. Revenir indemnes dans ce refuge tous les cinq, sans appel aux rangers ou aux avions de sauvetage. Et sans disparition.

*
**

L'équipe de Takabuki avait été intelligemment composée. Il était lui-même un des meilleurs alpinistes du monde, qui avait vécu à peu près tout ce qui peut se produire en montagne. D'une endurance extraordinaire, très mince et ne pesant même pas soixante-douze kilos, il était capable non seulement de monter sur les plus hauts sommets avec une tenue de protection qui aurait accablé la plupart des hommes, mais de porter en même temps un sac à dos bien équilibré de presque trente kilos. Surtout, Takabuki-senseï était déterminé à vaincre le Denali, et à en redescendre.

Kenji Oda n'était pas moins résolu. Il avait dirigé le camp de base lors du deuxième assaut de Takabuki contre l'Everest, celui qui avait réussi. Le troisième homme, Yamada, n'avait pas participé aux expéditions précédentes, mais c'était un athlète splendide avec une réputation d'endurance dans plusieurs sports très pénibles. Sur les deux femmes, seule Sachiko avait une bonne expérience d'alpiniste ; Kimiko, la fille de Takabuki, avait supplié son père de l'accepter dans l'expédition et il y avait consenti à la dernière minute.

— Les femmes feront la cuisine et s'occuperont des camps, avait précisé le senseï au terme de ses instructions. Les hommes établiront les camps et porteront les lourdes charges.

Le Cessna à skis de LeRoy Flatch déposa en deux vols faciles l'équipe de cinq personnes à son point de départ, sur le glacier Kahiltna. Le premier après-midi, à deux mille deux cents mètres, s'écoula à mettre de l'ordre dans le matériel. Quand ce fut à moitié terminé, le senseï déclara :

— Montons le premier chargement.

Les trois hommes se vêtirent, chaussèrent leurs skis, hissèrent les lourdes charges sur leurs dos et s'attaquèrent à la première partie de l'ascension pendant que les deux femmes finissaient d'établir le camp. Une heure et demie plus tard, les trois hommes revinrent, trempés de sueur et prêts pour un peu de repos. Si excellente que fût leur forme, l'altitude les avait fait haleter et ils n'étaient pas fâchés que les femmes préparent le repas du soir.

Les jours suivants, ils montèrent patiemment leurs sacs en altitude — le poids ne diminuait que de ce qu'ils mangeaient — et après les préparatifs les plus prudents, comme s'ils s'attaquaient au sommet de l'Éverest, ils parvinrent au niveau de trois mille trois cents mètres, où ils laissèrent dans une cache une partie de leur équipement : leurs skis.

Le lendemain, quand ils chaussèrent leurs lourdes chaussures à crampons de fer, ils se rappelèrent un des principes décisifs de l'alpinisme : « Garder la tête claire et les pieds chauds. » Si un alpiniste (homme ou femme) oubliait l'une de ces deux recommandations, les ennuis commençaient. Takabuki vérifia en personne la façon dont ses équipiers étaient chaussés. Sur les pieds nus qui avaient pu respirer au cours de la nuit, chacun enfilait une paire de chaussettes fines, extrêmement chères, tissées dans une matière ressemblant à de la soie ou du polyester et conçue pour isoler le corps de sa propre transpiration. Par-dessus venait une deuxième paire de chaussettes très fines, puis une troisième paire tricotée à gros points lâches pour fournir de la chaleur et une protection contre les accrocs et les coups. Par-dessus venait une des chaussures les plus légères et les plus flexibles que l'on puisse imaginer, fabriquée en partie avec un métal rare, en partie avec du tissu à base d'une fibre synthétique récemment mise au point. Cette chaussure souple, extrêmement solide et élastique qui enveloppait le pied comme un gant, constituait le secret des alpinistes japonais. Elle les préparait à chausser par-dessus la très grosse botte de plastique Koffach qui offrait une protection remarquable et un confort pour ainsi dire climatisé.

Au premier regard, en voyant le pied enveloppé maintenant sous cinq couches différentes de tissu, de métal et de matériaux de l'ère spatiale, un spectateur mal informé aurait pu conclure : « Et maintenant, les crampons de métal. » C'était prématuré, car par-dessus la botte coréenne on plaçait une grosse guêtre élastique et isolée qui empêcherait la neige de descendre dans la botte ou de remonter dans le pantalon. Les crampons ne se mettaient en place qu'après, au moyen de fixations robustes. Quand c'était terminé, un grimpeur avait à chaque pied pour près de deux cents dollars de chaussures, si efficaces qu'il avait toutes les chances de monter au sommet et de redescendre sans orteils gelés — mais si lourdes que lever une jambe après l'autre, en prenant appui sur une pente raide glacée, exigeait une force hors du commun, même sans un sac à dos de trente kilos ou presque.

Pas un seul membre de l'équipe de Takabuki n'aurait les pieds gelés cette année-là ; aucun orteil ne serait amputé par les chirurgiens des hôpitaux voisins du Denali.

L'ascension se passa bien. Les trois hommes avancèrent hardiment le long de l'Orient-Express puis remontèrent directement la dernière pente jusqu'au sommet, où chacun photographia les deux autres au milieu de la neige et de la glace. Enfin le senseï cala son appareil sur un monticule de neige, mit en marche le déclencheur automatique, et prit un cliché des trois ensemble avec Takabuki qui brandissait fièrement l'étendard du club d'alpinisme de l'université Waseda, à 6 194 mètres.

Pendant la descente, au moment critique, tout continua de se passer bien, et vers midi quand ils atteignirent le camp des 5 000 mètres, ils envisagèrent de redescendre immédiatement. Mais l'allure des nuages qui se jetaient sur ceux en provenance de l'ouest déplut à Takabuki.

— Nous ferions mieux de sortir les deux pelles, dit-il.

Quand le blizzard de juin se déchaîna — car il peut y avoir des blizzards sur le Denali n'importe quel jour de l'année — les cinq Japonais étaient déjà blottis dans leur grotte de neige, où ils durent rester les trois jours entiers que dura la tempête.

Il n'y eut qu'un seul incident malheureux. Kimiko sortit pour faire quelques pas qui la détendraient, mais quand son père vit l'erreur monstrueuse qu'elle allait commettre il se mit à hurler sur un ton que la jeune fille n'avait jamais entendu :

— Kimiko ! Sans corde !

Oda-san plongea pour la saisir par la jambe. Quand ils l'eurent traînée dans la sécurité de la grotte, Takabuki lui expliqua doucement :

— Ce qui tue, c'est faire quelques pas dehors sans s'encorder.

Elle s'excusa de son erreur, mais expliqua :

— Il faut quand même que je sorte...

Elle s'encorda, Oda-san passa la corde autour d'un piolet à l'intérieur de leur grotte, et elle fut en sécurité.

Quand la tempête s'apaisa, ils descendirent. Ce fut leur dernier camp important, Takabuki-senseï, sachant que des erreurs fatales se produisent quand les alpinistes sont épuisés, vérifia personnellement la neige pour plus de sécurité, avant qu'on étale le gros tapis de nylon sur lequel on placerait les tentes. Suivant la règle coulée dans le bronze de Takabuki — « Aucun feu dans la grande tente », car de nombreuses équipes avaient perdu leur tente, leurs provisions et parfois la vie dans des incendies — l'équipe installa non loin une tente-popote toute simple, dans laquelle Kimiko alla préparer des repas chauds. Quelques instants plus tard Sachiko partit l'aider, mais ressortit de la tente presque aussitôt en criant :

— Elle n'est pas là !

Les vingt secondes qui suivirent furent un exercice de discipline, car Takabuki se plaça devant la sortie de la grande tente, les bras tendus pour empêcher quiconque de s'élancer vers ce qui pouvait être un danger mortel : si sa fille avait eu un accident, la même chose pouvait survenir à ses sauveteurs.

— Pas de fantaisie ! dit-il doucement en continuant de barrer le passage.

Kenji Oda, réagissant en quelques secondes, avait enroulé instinctivement une corde autour de son corps et l'avait assurée par des nœuds énergiques et étranges. Il prit un piolet et tendit l'autre bout de la corde à Sachiko et Yamada. Puis il écarta le senseï et sortit avec précaution de la tente pour voir ce qui s'était produit, certain que Sachiko et Yamada maintiendraient la corde tendue derrière lui, pour qu'il ne les entraîne pas dans la mort s'il tombait dans une crevasse profonde.

Il regarda d'abord dans la tente-popote pour vérifier si Kimiko n'était pas tombée par un invraisemblable hasard à travers l'épais tapis de nylon. Il examina le sol, sur la gauche de l'entrée, puis retourna dans la grande tente, le visage blême.

— Elle a plongé dans une crevasse.

Personne ne se laissa aller à la panique. Le senseï se glissa dans la tente-popote, tâta avec son piolet et découvrit à son tour le trou mystérieux par lequel Kimiko était tombée à une profondeur inconnue. Oda, sans perdre de temps, posa le manche de bois de son piolet au bord du trou pour que la corde ne ronge pas la neige en glissant — ce qui risquait de déclencher une petite avalanche capable d'ensevelir la personne au fond. Où était Kimiko et dans quel état, nul ne pouvait le deviner.

Sans hésiter un instant, Oda s'élança dans l'ouverture où Kimiko était tombée et se laissa glisser le long de sa corde, en rappel pour ralentir sa descente verticale au fond de la crevasse.

C'était un trou béant monstrueux, large de plusieurs mètres, dont on ne pouvait voir le fond. Les forces qui l'avaient creusé avaient brisé les parois lisses par une série de corniches sur lesquelles un corps en train de tomber avait des chances de s'accrocher. Mais Kimiko n'était nulle part : chaque fois qu'Oda allumait sa lampe pour examiner les redoutables formations glaciaires, il ne voyait rien.

Puis il entendit un gémissement et sur une corniche, à une dizaine de mètres au-dessous de lui, il aperçut dans la pénombre les contours du corps de Kimiko. Avec des signaux de corde, il apprit à ceux d'en haut qu'il l'avait vue. Sans hésiter, il continua de descendre. À environ un mètre au-dessus d'elle, il se rendit compte que la chute violente non seulement lui avait fait perdre connaissance, mais l'avait coincée solidement dans une fente dont elle n'avait aucune chance de s'extraire elle-même.

— Kimiko ! appela-t-il en se rapprochant d'elle.

Pas de réponse.

En attendant que la corde de sauvetage l'atteigne, il réfléchit à la façon de l'attacher avec le maximum d'efficacité. Mais avant de commencer, il encorda la jeune fille à lui si solidement que, s'il se produisait quoi que ce soit au cours des minutes suivantes, elle ne pourrait pas en tout cas continuer de tomber et mourir.

Alors seulement il prit la deuxième corde, et avec une série de nœuds mis au point pour ce genre d'urgence il forma une sorte de berceau d'où la jeune femme ne pourrait pas tomber. Mais quand il essaya de la dégager de la glace, il s'aperçut qu'elle était trop bien coincée. En tirant d'en haut avec assez de force, peut-être... Il l'indiqua aux autres avec la corde. Les trois alpinistes assurèrent d'abord la corde d'Oda, puis tirèrent sur l'autre. Lentement Kimiko fut dégagée de sa prison.

Dès qu'elle fut libérée de la glace, Oda fit signe de cesser. Dans la pénombre glacée de la crevasse où filtraient encore les lueurs du soir, il pinça le visage de Kimiko et lui comprima les épaules pour lui faire reprendre conscience. Malheureusement la deuxième partie de ces soins était fort mal venue : dans sa chute elle s'était déboîté l'épaule droite. Il appuya si fort qu'elle ouvrit les yeux, vit qu'il la tenait dans ses bras, et se mit à sangloter de douleur.

À cet instant même l'Alaska avait une population de 460 837 habitants — et donc environ 75 000 jeunes étaient en âge de tomber amoureux ou d'envisager le mariage. En fait 6 422 mariages furent célébrés cette année-là. Mais aucun ne se fonda sur un serment aussi extraordinaire que celui de Kenji Oda et de Kimiko Takabuki, suspendus au bout de leurs cordes respectives à quatorze mètres du bord d'une crevasse sur les pentes glacées du Denali. Quand elle tendit les bras pour l'enlacer, ils s'aperçurent que si elle n'avait pas heurté la corniche qui lui avait disloqué l'épaule, elle n'aurait pas rebondi vers une corniche plus basse : elle serait tombée à la verticale jusqu'à une profondeur insondable.

Cette fois-là, l'Orient-Express ne réclama aucune victime japonaise.

***

Quand Kendra Scott revint à Desolation Point après sa visite non préméditée à l'appartement de Jeb Keeler, elle découvrit qu'un nouveau venu s'était installé dans une cabane abandonnée du nord du village. On racontait qu'il vivait avec treize chiens de traîneau merveilleusement entraînés : des malamutes et des huskies. Les bruits étaient exacts. C'était un de ces jeunes Américains dont la source ne tarit jamais : diplômés d'excellentes universités comme Colgate, Grinnell ou l'université d'État de Louisiane, ils s'étaient préparés à prendre la direction des affaires de leur père, mais ils avaient renoncé au bout de cinq années d'ennui, en abandonnant un excellent métier et souvent une épouse assez semblable à eux pour tenter leur chance avec un traîneau à chiens dans les immensités sauvages de l'Alaska. On les retrouvait dans les environs de Fairbanks, de Talkeetna et de Nome, où ils travaillaient comme des esclaves à décharger des chalands, des camions ou des avions pendant la saison des expéditions, en été, pour gagner les énormes salaires qu'ils dépenseraient en hiver à nourrir leurs quinze ou seize chiens. En général, ils ne prenaient pas la peine de se raser; parfois ils gagnaient quelques sous en proposant des excursions en traîneau aux touristes. Assez souvent, des jeunes filles aventureuses sorties d'universités comme Mount Holyoke et Bryn Mawr partaient comme serveuses de restaurant pour découvrir l'Arctique, et restaient leurs compagnes pour des périodes longues ou courtes.

Le rêve de chacun de ces hommes était de courir l'Iditarod — non pas pour le gagner, bon Dieu! simplement pour terminer la course, considérée à juste titre comme la plus épuisante des compétitions organisées dans le monde. Au cœur de l'hiver arctique, avec des blizzards qui se déchaînaient de Sibérie et des températures de l'ordre de moins quarante, une soixantaine de conducteurs de traîneaux à chiens quittaient Anchorage pour une course fantastique jusqu'à Nome, sur une distance établie officiellement à 1049 miles (les mille miles plus 49 pour le 49e État des États-Unis) mais qui variait en fait entre onze et douze cent miles sur un terrain d'une difficulté incroyable.

— C'est exactement comme courir de New York à Sioux Falls dans le Dakota du Sud avant qu'il y ait des routes, expliqua Afanasi à Kendra. Et contrairement à ce que les gens pensent souvent, le concurrent se repose rarement à l'arrière de son traîneau. Il court les quatre cinquièmes du temps.

Kendra ne parvenait pas à comprendre qu'une personne saine d'esprit jette par la fenêtre autant de milliers de dollars en nourriture pour chiens et paie mille deux cents dollars de droits d'inscription pour se soumettre à un tel calvaire — surtout quand le prix n'était que de cinquante mille dollars.

— Je l'ai couru dans ma jeunesse, lui répondit Afanasi, et la gloire de glisser jusqu'à cette ligne d'arrivée, que l'on gagne ou que l'on perde, dure toute la vie.

Bien entendu, les jeunes gens du Sud du Quarante-Huitième qui montaient dans le Nord pour la course n'entraient généralement qu'une fois dans cette compétition impitoyable. Ils retournaient ensuite chez eux, se mariaient et reprenaient la direction de l'entreprise familiale. Mais quand ils vieilliraient, le certificat encadré prouvant qu'en 1978 ils avaient participé à l'Iditarod et terminé la course resterait accroché derrière leur bureau : cela faisait toute la différence avec l'exploit des athlètes locaux vainqueurs de tournois de golf de la région.

Le jeune homme qui s'était installé à Desolation pour donner à ses chiens une connaissance authentique de l'Arctique constituait à bien des égards un exemple typique de ces nouveaux venus : diplômé de Stanford, trente ans dont cinq dans l'affaire de famille et divorcé d'une jeune femme de la bonne société. (En apprenant qu'il avait décidé d'émigrer sur le cercle polaire avec treize chiens, elle avait aussitôt raconté à ses amies qu'il souffrait de troubles psychologiques.) Sur plusieurs points importants, il demeurait cependant un cas unique. D'abord il s'appelait Rick Venn, et appartenait à la puissante famille qui contrôlait les intérêts de Ross & Raglan à Seattle ; ensuite, de tous ces jeunes, il devait être le seul à avoir des liens historiques avec l'Alaska ; et enfin, petit-fils de Malcolm Venn et de Tammy Ting, il avait du sang tlingit et chinois, ce qui faisait de lui, en partie tout au moins, un indigène. Il avait le teint si sombre et les traits si évocateurs de l'Asie qu'il pouvait facilement passer pour un de ces jeunes Alaskans, russes et indigènes par moitié.

À l'inverse des autres jeunes du Sud du Quarante-Huitième, il gardait une apparence aussi soignée que s'il se trouvait à Seattle : sa cabane était aussi chaotique que les leurs mais il se rasait, se coupait les cheveux avec des ciseaux de coiffeur et lavait une bassine de vêtements une fois par semaine. Mais il ressemblait à tous par l'affection témoignée à ses chiens et l'amour avec lequel il les entraînait — dans le sable quand il n'y avait pas de neige, puis dans les creux profonds s'il y en avait.

Polar était un husky de sept ans avec du sang de loup remontant à plusieurs générations, et plus récemment du sang de malamute. Il n'était pas très gros — plus d'un autre chien de l'équipe le dépassait par la taille — mais d'une intelligence exceptionnelle : le chef incontesté de tous. Parfaitement en harmonie avec son maître, Polar réagissait sans délai aux ordres de Rick. Les chiens de traîneau sont dressés à tourner vers la droite au cri « *gee* » et vers la gauche au cri « *haw* » ; une demi-douzaine d'autres cris ont un sens particulier. Mais Polar avait le don remarquable de prévoir les intentions de Rick presque avant qu'il lance son ordre, et il conduisait les autres chiens exactement dans la bonne direction.

Les chiens courent en équipe, mais il arrive souvent, lorsqu'ils attendent sous les harnais, que deux d'entre eux se jettent l'un sur l'autre les crocs découverts, et si l'on ne les sépare pas sur-le-champ, le conflit risque de dégénérer rapidement en combat sauvage et sanglant. Bien entendu, si Rick était présent, il arrêtait aussitôt la querelle, mais en son absence Polar revenait sur ses pas, poussait un grondement rauque, et les deux chiens se séparaient. Il mordait aussi les talons de tout chien qu'il soupçonnait de tirer au flanc ; et c'était toujours lui qui bondissait en avant avec la plus grande énergie quand Rick réclamait davantage de vitesse. C'était un chien exceptionnel, et dès les premières neiges, il prenait plaisir à conduire son équipe pour des courses d'entraînement de quinze, trente et même cinquante kilomètres sur la toundra, vers l'est.

Il n'y avait aucun restaurant pour touristes à Desolation, aucune jeune serveuse aventureuse du Sud du Quarante-Huitième n'avait accompagné Rick, mais le jour où il conduisit ses chiens au village pour les faire travailler dans le sable, la foule se rassembla et Rick remarqua Kendra à côté de Vladimir Afanasi. C'était vraiment le genre de femme dont il ferait la connaissance avec plaisir et après l'entraînement il alla voir Afanasi et lui demanda de qui il s'agissait.

— La meilleure institutrice que nous ayons eue depuis longtemps. Elle vient de l'Utah.

— Mormone ?

— Peut-être. Oui, c'est peut-être la raison qui explique son désir de découvrir le Grand Nord.

— Pourrai-je faire sa connaissance ?

— Je ne vois pas comment vous pourriez l'éviter.
Donc, par un après-midi ensoleillé, Afanasi conduisit Kendra à la cabane délabrée. Elle se mit à rire dès qu'elle descendit du camion d'Afanasi, car une enseigne fort bien peinte proclamait : CHENIL DE KENSINGTON, comme s'il s'agissait d'une pension très chère pour toutous dorlotés. Le propriétaire passa la tête par la porte pour découvrir l'origine du rire, et Kendra vit un beau jeune homme net, un peu plus âgé qu'elle, vêtu d'une combinaison bleue de travail.
— Que se passe-t-il ?
— Votre panonceau me plaît. Vous prenez des chiens-chiens en pension ?
— Et comment ! J'en ai treize.
Il montra l'endroit où ses huskies et ses malamutes étaient attachés, chacun à son piquet, avec une chaîne assez courte pour l'empêcher de molester les douze autres.
— Pour l'Iditarod ?
— Vous en avez entendu parler ?
— Il faut être fou pour participer à une course comme celle-là.
— Je suis fou.
Ce fut quand il sortit de sa cabane pour lui serrer la main qu'elle comprit à quel point il était loufoque : en travers de la bavette de sa combinaison se trouvait l'un de ces slogans qu'adorent les étudiants à l'ambition don-quichottesque : RÉUNISSONS LE GONDWANA !
— C'est votre cri de guerre ? demanda-t-elle.
Il répondit qu'à Stanford, il avait passé un diplôme de géologie. Oui, c'était leur cri de guerre à l'époque.
— Mais où est le Gondwana ?
— C'est une masse terrestre qui s'est divisée il y a un quart de milliard d'années. Je crois que le pôle Sud en faisait partie.
— Vous pouvez m'enrôler dans votre croisade.
Dans les journées qui suivirent, elle en apprit plus long sur les difficultés de l'Iditarod, et s'intéressa davantage aux méthodes d'entraînement des chiens appliquées par Rick. Quand la neige se mit à tomber, elle commença à passer le samedi et le dimanche dans la cabane ; elle y apporta un semblant d'ordre et de respectabilité, mais en évitant toute relation sentimentale car elle se considérait toujours plus ou moins fiancée à Jeb Keeler. Quand le jeune avocat se rendait à Desolation pour affaires, il vivait pour ainsi dire chez Kendra, où il s'attardait jusqu'à trois ou quatre heures du matin ; mais lorsque Rick lui demanda si elle était réellement fiancée à Keeler, elle répondit :
— Prendre une décision définitive est difficile quand on est si loin de chez soi.
Une fois par semaine au moins, quand la neige était bonne, Rick emmenait Kendra sur son traîneau pour une longue course. Quelle merveilleuse expérience de partir ainsi dans la direction des lacs, bien emmitouflée dans les couvertures, avec Rick qui courait derrière et sautait de temps en temps sur l'arrière des longs patins pour crier des ordres à Polar et encourager les autres chiens !
— Je comprends maintenant pourquoi cette course fascine tellement les jeunes hommes, avoua Kendra un jour, tandis qu'ils se reposaient à mi-chemin.
— Pas seulement les hommes.
Rick lui rappela que des femmes plus âgées qu'elle avaient récemment gagné la course.

— Onze cent miles ? Ce devaient être des Amazones...
— Pour cette course-là ce ne sont pas les jambes qui comptent, mais la tête. Et le cran.
La tête, car chaque coureur devait organiser avec un pilote d'avion le lâcher d'importantes réserves de saumon séché et autres aliments tout le long du chemin pour les chiens affamés et pour lui-même. La synchronisation de ces parachutages exigeait à la fois un bon jugement et beaucoup d'argent. Plus d'un nouveau venu dépensait toutes ses économies de l'année plus un chèque de la famille pour couvrir simplement les frais de l'Iditarod.
— D'où vient ce nom ? demanda Kendra un jour.
— C'était un vieux camp de mineurs. Une piste existait par là-bas, et notre course la croise un an sur deux.
Au début de l'hiver, Kendra vécut pendant plusieurs semaines dans un monde de rêve. Elle rangea et arrangea la cabane, travailla avec les chiens, passa de longs week-ends heureux en courses d'entraînement. Elle sentit bientôt que ses impressions sur la toundra blanche infinie, au milieu des rafales de blizzard, se prolongeraient sans fin ; et elle éprouvait l'assurance merveilleuse que Rick savait toujours ce qu'il faisait. L'éventualité qu'ils puissent tomber amoureux n'avait pas encore fait surface : il était encore secoué par l'échec de son premier mariage, et elle se considérait plus ou moins liée à Jeb Keeler. Mais ils sentaient bien l'un et l'autre qu'après l'Iditarod, certaines décisions deviendraient inévitables. Pour le moment, ils se laissaient dériver.
Pendant l'une de leurs habituelles virées d'entraînement sur la neige, vers le sud, elle put observer une fois de plus que les Eskimos Inoupiats de l'Arctique vivaient toujours à deux doigts de la catastrophe. Alors qu'ils avançaient sans forcer à une bonne distance de Desolation, Rick remarqua une habitation creusée dans le sol à la manière d'autrefois, avec des murs de bois et un gros toit de terre. Sans songer qu'ils ne seraient peut-être pas les bienvenus, il cria « Gee ! » à Polar qui dirigea aussitôt l'équipe vers la cabane. Quand le traîneau s'arrêta devant la porte, Kendra comprit, horrifiée, que c'était l'endroit où avait été élevée et où habitait maintenant la meilleure de ses élèves : Amy Ekseavit. La jeune fille, qui aidait sa mère veuve, apparut sur le seuil, regarda les chiens à travers ses longues mèches, puis reconnut son institutrice emmitouflée dans des couvertures.
La rencontre demeura glaciale, car Amy avait perdu presque toute l'humanité qui s'était développée en elle grâce aux efforts de Kendra. Elle resta très distante avec les visiteurs et quand ils lui demandèrent de voir sa mère, elle s'écarta de la porte sans répondre.
La veuve apprit à Kendra que par un tour de passe-passe qui satisfaisait aux lois de l'État, elle avait obtenu le droit d'éduquer son enfant elle-même, bien que de bonnes écoles fussent à sa disposition à Desolation au nord, et à Wainwright au sud. Mais de toute évidence la flamme qui avait fini par s'éveiller dans cette enfant extraordinaire, l'année précédente à l'école de Kendra, s'était définitivement éteinte ou clignotait d'une manière si faible qu'elle n'existerait plus longtemps.
Le cœur gros de son intrusion auprès d'Amy dont le problème demeurait insoluble, Kendra fit des adieux gênés à la jeune fille puis retourna vers le nord, les larmes aux yeux pendant presque tout le trajet.
— Mon cœur pourrait se briser. C'est vraiment trop affreux, murmura Kendra quand ils s'arrêtèrent pour quelques minutes de repos.

Elle s'effondra en pleurant contre la parka de Rick. Il voulut comprendre. Elle lui expliqua l'arrivée glacée d'Amy à l'école l'année précédente puis son dégel progressif et sa métamorphose en l'une des filles les plus intelligentes, les plus prometteuses que Kendra ait rencontrées au même âge.

— Nous avons peut-être fait une chose horrible, Rick. En nous arrêtant chez elle, nous lui avons peut-être rappelé un univers perdu.

Les craintes de Kendra se trouvèrent justifiées. Trois jours plus tard, le bruit courut à Desolation qu'Amy Ekseavik, âgée de quinze ans et dotée d'un avenir brillant, avait laissé son manuel d'études ouvert sur la table grossière dans la pénombre de la case de boue, avait décroché le fusil de son père, était sortie, puis s'était suicidée pendant que sa mère dormait.

⁂

L'histoire de la première année de Kendra au nord du cercle polaire ressemble à des montagnes russes. Les coutumes de la région la surprenaient toujours. Tantôt elle se félicitait : « À présent je connais l'Alaska », tantôt de nouvelles découvertes l'obligeaient à avouer : « Je ne sais vraiment rien. » Mais aucune de ces grandes révélations ne fut plus étonnante pour elle que l'arrivée à Desolation d'une grande femme résolue qui vivait avec sa famille dans une cabane de rondins à trois cents kilomètres vers l'est — un des coins les plus reculés de l'État, où le mari dirigeait un pavillon de chasse autour duquel les clients faisaient des pêches miraculeuses et trouvaient du gros gibier.

Son fils l'accompagnait, et elle venait faire une proposition étonnante :

— J'ai donné des leçons à mon fils à la maison, avec des cours par correspondance envoyés des États-Unis. Depuis sa petite enfance. Il est encore un peu jeune, mais je crois qu'il devrait préparer un diplôme de fin d'études secondaires, parce que je le crois capable d'entrer à l'université.

Elle présenta le jeune homme, Stephen Colquitt, un mètre quatre-vingt-cinq, timide mais avec des yeux qui sautaient d'une chose à l'autre et absorbaient tout.

— Je suis venue vous demander..., expliqua la mère, visiblement nerveuse, au directeur Hooker. Voilà : nous avons entendu dire le plus grand bien de Mlle Scott, votre institutrice, qui enseigne magnifiquement les maths. Et nous nous sommes demandés si elle ne pourrait pas donner à Stephen des leçons d'algèbre.

— Ce serait très irrégulier..., balbutia Hooker. Peut-être même impossible... Nous ne pouvons pas inscrire dans notre école un enfant qui ne réside pas dans notre district.

— Oh! nous n'avions pas l'intention de le faire inscrire! Nous pensions à des leçons particulières... Nous sommes prêts à payer pour tout, ajouta-t-elle avant que le directeur ne puisse répondre.

— Je ne réclamerai rien, s'écria Kendra. Ce sera pour moi un plaisir de me rafraîchir un peu en algèbre.

— Et en trigonométrie, ajouta Stephen.

— Nous en toucherons deux mots, dit Kendra.

Les semaines suivantes furent si efficaces que le galop triomphant de Stephen à travers l'algèbre, la géométrie et la trigo soulagea un peu Kendra de son sentiment de culpabilité consécutif à la mort d'Amy. Un soir elle avoua à Afanasi et à Hooker :

— Ce que cette mère a accompli avec ses leçons par correspondance envoyées du Maryland est à peine croyable. Quand Stephen va passer son examen, ne vous y frottez pas trop, parce qu'attention...

Une autre qualité du jeune homme fit beaucoup d'effet sur Karisme Hooker :

— Son père avait un peu joué au basket-ball à l'université et ils ont installé un panneau selon les normes sur un terrain plat à côté de leur rivière. Ce gosse connaît toutes les techniques de jeu.

Dans les parties jouées au village, quand aucune école ne venait en visite, on convint que Colquitt affronterait Hooker *mano a mano.* Au cours du premier jeu, le jeune homme stupéfia à la fois le directeur et les habitants du village par son habileté à feinter l'adversaire : il faisait semblant de tenter un panier pour inciter Hooker à sauter pour bloquer le ballon, mais gardait celui-ci en main pour le lancer au moment où Hooker redescendait, en fausse position.

— Où as-tu appris ça ? demanda le directeur essoufflé pendant un temps mort.

— Papa captait les émissions par satellite et j'ai vu jouer Earl the Pearl.

Quand les résultats de l'examen de Steve arrivèrent, tout le monde comprit ce que Mme Colquitt savait depuis toujours.

— Ce gosse peut entrer dans n'importe quelle université, déclara Hooker.

Aussitôt il adressa des lettres à divers établissements en y adjoignant une recommandation de l'entraîneur de Fairbanks.

> *Karisme Hooker de Desolation et moi avons joué plus d'un match à Creighton à l'époque où nous avions ce qu'on appelle une équipe. Et je vous assure que ce jeune garçon de seize ans, un mètre quatre-vingt-cinq et encore en croissance, est prêt à entrer dans la danse. Il a dû s'entraîner tout seul, sans l'occasion de jouer en équipe. Donnez-lui cette chance, il deviendra un autre Magic Johnson. Je suis prêt à parier ma chemise.*

Au printemps, Harry Rostkowsky apporta des lettres de neuf grandes universités qui offraient à Stephen Colquitt des bourses complètes d'études — notamment Yale, Virginie et Trinity à San Antonio. Six autres désiraient l'avoir pour le basket. Sa mère et Kendra firent le tri des propositions et optèrent pour Virginie, ce qui satisfit Hooker et Steve, car ils se rappelaient l'époque où Ralph Sampson jouait dans l'équipe.

Le soir où ils terminèrent les dossiers d'inscription Kendra fut incapable de dormir, car elle essayait de comprendre comment cette grande femme sèche qui vivait dans une cabane aux cinq cents diables, sans aucune assistance en dehors de ses cours par correspondance, était parvenue à éduquer ce génie. « On dirait que les lycées de quatre-vingt-quatre millions de dollars ne sont pas nécessaires. Mais tout de même, ils ne sont pas inutiles... »

Cette conclusion la fit rire mais elle frissonna, accablée par un malaise soudain. En chemise de nuit, elle courut frapper à la porte de Karisme Hooker. Au bout d'un long silence, car il était presque deux heures du matin, Mme Hooker se présenta à la porte.

— Mon Dieu, ma petite ! Qu'est-ce que c'est ?

Kendra entra. Elle tremblait comme sous l'effet d'une fièvre mystérieuse et les Hooker comprirent qu'elle était incapable de se maîtriser.

— Kendra, asseyez-vous ! Mettez cette robe de chambre autour de vos épaules. Eh bien, que se passe-t-il ?

Mme Hooker lui servit un chocolat chaud et Kendra se ressaisit un peu.

— Je songeais à Stephen et à sa chance.

— Ce n'est guère une raison pour pleurer ! répondit Karisme. Martha et moi nous en sommes réjouis... Mais c'était il y a trois heures, ajouta-t-il d'un ton presque acerbe.

— Moi aussi, mais au milieu de ma joie... Pour moi et pour lui... J'ai pensé à Amy... Morte dans la boue.

Elle éclata de nouveau en sanglots. Les Hooker, habitués à régler au moins une catastrophe par trimestre, la laissèrent pleurer. Au bout d'un moment, elle leur adressa un regard malheureux et demanda :

— Pourquoi un garçon blanc possédant une mère à la volonté de fer parvient-il au pinacle alors qu'une fille aussi brillante mais avec une mère eskimo échoue lamentablement ?... Même vous, Karisme, avez pris la peine d'écrire des lettres pour l'aider. Personne n'a levé le petit doigt pour aider Amy, ajouta-t-elle en leur lançant un regard accusateur.

— Vous avez été splendide avec elle, Kendra, répondit Mme Hooker. Karisme me l'a dit.

— Cela paraît si injuste. Si... dégoûtant, sur le plan social et moral.

Karisme alluma sa pipe et tapota le tuyau contre ses dents.

— Kendra, si vous laissez les drames scolaires vous toucher si profondément, vous feriez mieux de quitter l'enseignement. Je le pense vraiment.

— Ne les prenez-vous pas au sérieux ?

— Au sérieux, oui. Mais pas au tragique. Je ne leur permets pas d'atteindre ma vie personnelle. Jamais.

Sans donner à Kendra le temps de protester contre cette réaction inhumaine, il s'assit à côté d'elle et lui prit la main tandis que son épouse préparait une autre tasse de chocolat.

— Depuis l'école, dans toutes les classes où j'ai étudié ou enseigné, un gamin ou une fille s'est tué de sa main ou par suite d'un accident affreux.

— Qu'avez-vous fait ?

— Je les ai enterrés, j'ai réconforté les parents et continué mon travail. Parce que ces choses-là ne peuvent être évitées. On ne peut que s'en accommoder.

— Je refuse de m'accommoder d'une telle injustice.

— Alors, Kendra, répondit Martha Hooker, ce que vous conseille mon mari est justifié : si vous laissez la vie de vos élèves vous toucher si profondément il vaudrait mieux que vous cessiez d'enseigner. Si vous continuez, cela vous détruira.

Kendra réagit à ce sage conseil, fondé sur des années d'enseignement, par une nouvelle attaque de frissons si intenses que Mme Hooker s'assit pour lui prendre l'autre main.

— Quel âge avez-vous, Kendra ?

— Vingt-huit ans.
— Il faut vous marier. C'est très important. Afanasi m'a confié que le jeune avocat, Jeb Keeler, pense beaucoup de bien de vous. Et il voit que l'ami des chiens, aux abords du village, tourne autour de vos jupes. Prenez l'un d'eux tant que vous en avez l'occasion. Si vous restez en Alaska vieille fille et institutrice, troublée à la moindre catastrophe survenant aux Eskimos, vous vous briserez le cœur.
Kendra ne parut pas l'entendre.
— C'est tellement injuste pour les jeunes Eskimos.
— Tout est injuste pour les jeunes. Il y a quelques années, quand j'enseignais au Colorado, c'étaient les voitures rapides et la marijuana.
— Très important, enchaîna Mme Hooker. Les Eskimos n'apprécient pas qu'une institutrice au grand cœur comme vous fasse preuve de trop d'intérêt pour les ennuis de leur famille. En fait, ils lui en veulent. La mort est une de ces choses qui arrivent. Il en a toujours été ainsi et ils ne veulent pas voir les gens d'ailleurs comme vous et moi fureter dans les coins et pleurer en public.
Ils la raccompagnèrent tous les deux dans sa chambre et, le matin venu, Mme Hooker lui apporta d'autre chocolat chaud.

En mars, toute l'attention de Desolation se concentra sur la puissante radio à ondes courtes de Vladimir Afanasi, qui rendait compte heure par heure de la situation dans l'Iditarod. Par temps favorable — pour une fois ! — les soixante-sept équipages quittèrent Anchorage sur un parcours qui couvrirait cette année-là onze cent quarante-trois miles (environ mille huit cent quarante kilomètres) avec sept arrêts facultatifs où les équipes, chiens et conducteurs, pourraient obtenir de la nourriture, livrée par avion. Rick avait acheté pour ses chiens d'énormes quantités de saumon séché, et Kendra avait préparé pour lui un gros sac de biscuits « énergétiques » garnis de ses noix de pécan. Il adorait aussi les pruneaux, dont il pouvait sucer le noyau après avoir mangé la chair. À un endroit imposé, chaque équipe était obligée de se reposer, chiens et conducteurs pendant vingt-quatre heures d'horloge — des vétérinaires examinaient alors les animaux. Au cours des dernières années, deux femmes avaient remporté la course — la deuxième dans le temps stupéfiant de onze jours et quinze heures — et l'on se demandait dans les camps si un homme reprendrait cette fois le trophée et les cinquante mille dollars du premier prix.
Rick, l'un des vingt-six novices qui tentaient leur chance cette année-là, savait qu'il n'avait aucune possibilité de battre les spécialistes aguerris par plusieurs participations à la compétition depuis son lancement en 1973, mais il confia à Kendra qu'il espérait terminer « dans les dix avant les quinze », c'est-à-dire neuvième au plus, en moins de quinze jours.
Pendant la première semaine de la course tous les malheurs parurent survenir. Les chiens agacèrent des orignals chassés vers le sud par des blizzards et ceux-ci se jetèrent sur plusieurs équipages qu'ils mirent à mal avec leurs sabots. Une demi-douzaine de chiens moururent et leurs conducteurs durent abandonner l'épreuve. Une tempête d'un froid très vif, venue du nord — direction inhabituelle —, incita sept autres participants à abandonner. La même tempête empêcha douze avions ou presque de livrer du saumon séché aux postes de ravitaillement le

long de l'itinéraire. Ainsi privés de « carburant », plusieurs concurrents furent contraints à l'abandon. À Ruby un éleveur de chiens de Nome gagna la prime de deux mille dollars attribuée au premier arrivé au milieu du parcours, mais Rick remarqua que dix-huit engagés possédant des équipages de la même force que le sien n'étaient déjà plus dans la course.

À Desolation, Afanasi, Hooker et Kendra se relayaient vingt-quatre heures sur vingt-quatre devant le poste à ondes courtes. Vladimir prenait les heures de classe, les instituteurs se partageaient la nuit. Ils savaient donc qu'il demeurait dans la course, mais sans pouvoir déterminer sa place exacte. Le troisième jour, alors que Kendra donnait une leçon d'algèbre, un homme qui possédait une radio surgit soudain dans la classe en criant :

— Au départ d'Unalakleet, Venn était en troisième position !

Peu après, Afanasi survint pour confirmer la nouvelle.

— Aucun débutant ne saurait être troisième !

— Polar est peut-être le meilleur chef de file de toute l'épreuve ! répliqua Kendra.

Et avec l'approbation enthousiaste de M. Hooker, ils décidèrent d'interrompre les cours ce jour-là : les enfants accompagnèrent Karisme et Vladimir devant le poste à ondes courtes où ils écoutèrent par bribes le compte rendu d'un des incidents les plus dramatiques qui fût arrivé au cours d'un Iditarod.

Afanasi expliqua la situation à Kendra :

— Il ne faut pas considérer cette épreuve comme une course olympique avec tous les coureurs au coude à coude. Dans l'Iditarod, ils sont très dispersés. L'homme de Nome qui occupe en ce moment la première place a presque une demi-journée d'avance. Personne ne le rattrapera. Le seizième concurrent doit avoir un jour et demi de retard. Le dernier ? Peut-être une semaine entière.

— Mais cette fois, le groupe qui suit le premier paraît en peloton, coupa Hooker.

C'était le cas. Une femme qui n'avait jamais été moins de quatorzième occupait, contre toute attente, la deuxième place, mais lorsqu'elle lança ses chiens à pleine vitesse sur la glace du goulet de Norton, un orignal qui suivait la ligne de la côte, pris de panique, fonça au milieu des chiens, brisa les harnais pour se libérer et se rua vers la femme, qu'il blessa grièvement au ventre et aux jambes. Rick, en troisième position, déjà en sécurité sur la glace facile qui s'étendait jusqu'à Nome et l'arrivée, vit aussitôt ce qui s'était passé. Cinq autres coureurs le virent aussi et se précipitèrent pour obtenir un bon placement parmi les dix premiers, mais Rick se détourna de son chemin, pressa Polar à la vitesse maximale et arriva à temps pour chasser l'orignal enragé et allonger la femme blessée sur son traîneau.

Avec deux de ses chiens tués, il n'était pas question qu'elle reste vraiment dans la course, mais elle tint absolument à arriver à Nome par ses propres moyens. Elle remercia Rick de son aide, lui donna l'accolade et lui assura :

— Partez maintenant. Vous avez encore toutes vos chances.

Mais il refusa de l'abandonner avec deux chiens morts encore sous les harnais, alors qu'elle souffrait atrocement. Il quitta la course environ deux heures, le temps de désharnacher les chiens et de panser les blessures de la jeune femme et de la mettre en route vers Nome.

Jamais il ne rattraperait le temps perdu par ce geste chevaleresque, d'autres participants le dépasseraient, et il comprit qu'il avait perdu toute chance de conserver sa troisième position et probablement de prendre une place dans les neuf premiers. En fait, il termina treizième, mais lorsqu'il franchit la ligne d'arrivée ce fut au milieu d'applaudissements car la femme accidentée avait expliqué ce qui s'était passé à des journalistes postés en avant-garde. Un ivrogne sortit de son bar pour lancer une remarque très pertinente :

— Je croyais que jamais de la vie je n'applaudirais un de ces fils de pute associés à Ross & Raglan, mais ce gars-là... chapeau !

Dans toute la ville ce soir-là on ne parla que de la noble attitude de Rick.

Le vainqueur, un vieux grognard de Kotzebue, avait terminé en quatorze jours, neuf heures, trois minutes et vingt-trois secondes, mais la course ne s'acheva officiellement que plus d'une semaine plus tard, quand le quarante-sixième traîneau arriva enfin pour réclamer la lanterne rouge convoitée. Ce jeune étudiant de l'université de l'Iowa avait mis vingt et un jours et dix-huit heures pour terminer cette course épuisante, et il était presque aussi fier de sa lanterne rouge que le vainqueur de ses cinquante mille dollars.

*
**

À son retour à Desolation avec Polar et les douze autres chiens, Rick fut accueilli en héros et plus d'un habitant du village se rendit au chenil de Kensington saluer l'équipe qui s'était si valeureusement comportée dans l'Iditarod. L'attitude chevaleresque de Rick avait fait l'objet d'articles dans les journaux de Seattle et de New York. *Time* avait publié sa photo avec en légende : *Gagner n'est pas tout*. Cette avalanche de publicité valut au jeune homme une longue lettre de son grand-père, Malcolm Venn, président du conseil d'administration de Ross & Raglan à Seattle — il n'avait pas reçu un seul mot de lui depuis deux ans.

Il montra la lettre à Kendra quand elle s'attarda ce soir-là, après le départ des autres. Elle se réjouit de la fierté manifeste du vieil homme pour son petit-fils non conformiste.

> *Quand tu es parti dans le Nord, je t'ai recommandé de prendre modèle sur ton arrière-grand-père. De ne jamais avoir peur d'essayer, et si tu essaies, de finir en beauté. Nous avons suivi ta course grâce aux petits bouts de nouvelles que nous offre la télévision et nous avons applaudi ta perspective d'une cinquième ou peut-être d'une troisième place, mais nous sommes beaucoup plus fiers de ta treizième.*

— Mes parents ne m'envoient jamais de lettres de ce genre, dit la jeune femme sans s'apitoyer sur elle-même.

Elle leva les yeux vers Rick — le certificat prouvant qu'il avait terminé treizième était accroché au mur, tout près de son visage. Elle le vit soudain dans une lumière plus claire qu'auparavant : elle admirait la façon dont il traitait ses chiens, avec amour et fermeté en leur instillant un désir farouche et loyal de vaincre ; elle prenait plaisir à son humour irrévérencieux ; et elle appréciait l'image, glanée dans la lettre du grand-père, d'une famille liée par une longue tradition de respect mutuel ; surtout elle voyait en lui un homme plus fort, plus équilibré que Jeb Keeler... Ses yeux durent trahir certaines de ses pensées, car au moment où elle voulut quitter la cabane, Rick lui tendit les bras en murmurant :

— Ne crois-tu pas le moment venu de rester ici ?

— Si...

Elle avait trouvé l'homme qu'elle pourrait aimer.

À son retour chez elle le lendemain après-midi, Kendra fit ce que toute personne d'honneur se serait sentie contrainte de faire à sa place. Elle écrivit en toute franchise une lettre à Jeb Keeler à Anchorage, pour le remercier de sa précieuse amitié et lui expliquer qu'elle était tombée amoureuse d'un autre. « J'ai le sentiment que toute chance de nous marier a disparu et j'en suis terriblement navrée. Lors de ta prochaine visite à Desolation, il faudra que nous en parlions, car je souhaite de tout cœur que nous restions amis. »

Lorsqu'elle cacheta l'enveloppe, elle murmura d'une voix claire, avec l'assurance exprimée par de nombreuses jeunes femmes dans les mêmes circonstances :

— Bon, une chose réglée.

Vers la même date, à Washington, se produisaient plusieurs événements qui allaient bouleverser la vie de plus d'un habitant du village — et Kendra serait l'une des plus touchées. La séquence de changements débuta quand le gouvernement des États-Unis s'aperçut (avec beaucoup de retard) que la Russie soviétique, le Canada et même la Norvège avaient fait un bond en avant dans l'acquisition de connaissances sur l'Arctique. Dans un effort frénétique pour les rattraper, le président désigna une prestigieuse Commission qui réunit un consortium d'universités américaines pour le parrainage et la supervision d'une campagne de recherches actives sur les possibilités de survie en milieu arctique, mais aussi sur l'utilisation éventuelle de l'Arctique en temps de paix ou de guerre. Une fois la décision prise et les fonds attribués, ce groupe d'hommes et de femmes très brillants conclut qu'une des premières mesures à prendre consistait à poursuivre les études lancées des années plus tôt sur T-3, l'île de glace flottante. Aussitôt les professeurs responsables se mirent à chercher des hommes de l'Arctique ayant une expérience pratique de T-3, et ils tombèrent inévitablement sur le nom de Vladimir Afanasi : à la fin de ses études universitaires, il avait été responsable de l'entretien et des opérations sur T-3 pendant trois ans.

L'appel téléphonique qui lui parvint émanait du conseiller de la Maison Blanche sur les questions scientifiques.

— Vladimir Afanasi ?... Est-ce vous qui avez travaillé sur T-3 ?... Quel âge avez-vous, monsieur Afanasi ?... Pouvez-vous encore opérer par temps vraiment froid ?... Seriez-vous prêt à réactiver T-3... Tout de suite ?... Bien entendu, je sais que T-3 elle-même a disparu depuis longtemps. Je pense à l'île qui lui a succédé. Nous l'appellerons peut-être T-7. Seriez-vous prêt ?... C'est une très bonne nouvelle, monsieur Afanasi. Vous ne vous imaginez pas à quel point les personnes associées au projet T-3 vous avaient apprécié... À propos, êtes-vous citoyen américain ?

— Est-ce un projet top-secret ou...

— Monsieur Afanasi ! Si c'était le cas, je ne vous parlerais pas sur une ligne téléphonique ordinaire. Nous savons ce que font les Soviétiques et ils savent ce que nous faisons ou allons faire. Bienvenue dans notre équipe. Vous recevrez bientôt de nos nouvelles.

Trois jours plus tard un comité de trois éminents spécialistes de l'Arctique — un de Dartmouth, un du Michigan et l'autre de Fairbanks — rencontrèrent Afanasi à Desolation, et, pendant trois journées harassantes, travaillèrent à la réactivation d'un centre de recherches sur ce qu'ils appelaient T-7. Des cartes de l'Arctique s'étalaient partout. Des listes de matériel datant de T-3 furent mises à jour et l'on rédigea des accords officiels. À la fin des réunions, Afanasi, le plus âgé du groupe, demanda le droit de choisir lui-même son assistant personnel.

— S'il est qualifié. Et s'il peut satisfaire les critères de sécurité.

— Pas de problème. Il connaît bien les affaires arctiques, il est sorti de Stanford avec d'excellentes références et surtout, il est disponible.

— Il vit dans la région ?

— Au bout du village. Je vais vous le présenter.

Les quatre hommes se rendirent donc au chenil de Kensington, où les jappements excités de treize beaux chiens les accueillirent. Ils s'arrêtèrent un instant pour les admirer.

Ils trouvèrent Rick Venn allongé sur son lit et plongé dans un des grands livres sur l'Antarctique, *The Worst Journey in the World,* par Apsley Cherry-Garrard. Le fait qu'un homme jeune comme Venn connaisse ce grand classique plut beaucoup aux trois professeurs.

— Vous êtes au courant de la tragédie de Scott ? lui demanda l'homme de Dartmouth.

— Seulement les récits classiques. Celui d'Amundsen et quelques études récentes.

— Êtes-vous du style Scott ou du style Amundsen ? demanda le savant du Michigan, se rappelant la violente animosité entre ces deux explorateurs polaires.

— Strictement Amundsen, répondit Rick. C'était un professionnel. Scott ? Du romantisme.

— Oublions ce jeune individu, déclara l'homme de l'université du Michigan. Il est pourri jusqu'à la moelle.

— Une minute ! lança Venn en enfilant son pantalon. Si j'écrivais un poème sur l'Antarctique, je choisirais Scott à tous les coups.

L'homme du Michigan éclata de rire.

— Ce n'est pas l'idéal, mais il est acceptable.

Ce fut Afanasi qui parla et le respect que témoignaient ces universitaires au sage Eskimo impressionna beaucoup Rick.

— Rick, nous avions il y a des années un laboratoire de recherche scientifique à Barrow. Sous la direction de la Marine. Il accomplissait un travail excellent mais le gouvernement l'a fermé. Pour économiser quelques gros sous. Depuis, les Russes nous ont dépassés pour la connaissance de l'Arctique, et pour les rattraper il va falloir remettre en route les recherches que nous avions entreprises sur T-3.

— J'ai lu que T-3 avait fondu depuis belle lurette.

— C'est ce que j'ai répondu quand le sujet a été abordé. Mais il y a une nouvelle île, T-7. On me demande de servir — comment dire ? — de factotum. J'aimerais vous avoir comme bras droit.

— Combien de temps ? Deux ans, trois ans ?

— Comment savoir ?

Rick Venn resta sans voix. C'était une de ces carrières dont rêvaient tous les jeunes gens compétents à la sortie de l'université : se trouver au centre d'une grande entreprise dans leur domaine, au milieu des meilleurs esprits des générations précédentes, pour mettre en pratique ce qu'ils avaient acquis au cours de leurs épuisantes années de formation, tout en faisant avancer les connaissances. N'était-ce pas le grand espoir des étudiants en médecine et en géologie, en littérature comme en géographie ? Et des occasions comme T-7 se présentaient très rarement.

— Je serais fier de travailler avec vous, messieurs, dit-il enfin.

— Que ferez-vous de vos chiens ? demanda l'homme de Dartmouth.

— Je verserai une larme et leur ferai mes adieux. Puis je les céderai à un autre... Ils m'ont valu la treizième place à l'Iditarod, vous savez.

— J'ai appris que vous auriez pu finir troisième.

— Vous l'avez lu ? Troisième ? Qui sait ?

Il se détourna des chiens.

— Les recherches seront-elles secrètes ?

— Non.

— Et vous êtes prêts à m'engager ? C'est une proposition ferme ?

Afanasi regarda les trois autres et le président du groupe, l'homme de Dartmouth, répondit en lui tendant la main :

— Ferme et définitive.

Pendant le vol de retour à Barrow dans le Cessna de Rostkowsky, l'homme de Dartmouth fit observer :

— Avez-vous remarqué ? Ni l'un ni l'autre n'a parlé de salaire.

— C'est leur univers, répondit l'homme du Michigan. Ils aiment le Nord et ils en font partie. Nous avons une chance folle de les avoir trouvés.

Cet après-midi-là, sur des cartes laissées par le comité, Rick décrivit son nouvel emploi à Kendra qui éprouva un certain émoi en apprenant le départ du seul homme qu'elle aimait pour une mission de durée illimitée.

— Depuis cinquante ou soixante mille ans et probablement davantage, l'île d'Ellesmere, à la pointe la plus septentrionale du Canada, est recouverte de glaciers tellement immenses qu'ils engendrent parfois des icebergs si fantastiques qu'on ne peut plus les appeler vraiment icebergs. Il s'agit d'îles de glace qui peuvent atteindre huit cents kilomètres carrés, et trente-cinq mètres d'épaisseur.

— C'est incroyable.

— Personne ne l'a cru quand on les a découvertes. Mais ces îles existent, et elles circulent sur l'océan Arctique dans le sens des aiguilles d'une montre pendant plusieurs années avant de dériver dans l'océan Atlantique. C'est l'une d'elles qui a coulé le *Titanic* en 1912.

Il lui montra ensuite le parcours de la célèbre T-3 qui avait circulé longtemps au nord de l'Alaska.

— Pourquoi ne restait-elle pas au même endroit ?

— Parce qu'elle flottait sur un océan. Personne ne semble comprendre que le mot Arctique se réfère à un océan, et le mot Antarctique à un continent. Mais c'est un fait... Ces îles sont si vastes et si plates, reprit-il, qu'il est très facile de niveler un terrain d'atterrissage en plein milieu pour le moment où il sera nécessaire. On peut poser sur une île de glace un avion de la taille d'un 747, et les Russes le font.

— Ont-ils certaines îles flottantes ? Les autres nous appartiennent-elles ?

— En réalité, sur le plan officiel, non. Mais sur le terrain, c'est ce qui se passe. Ou se passait. Dans les faits, nous leur avons pour ainsi dire abandonné l'Arctique.

Et il précisa la raison décisive pour laquelle les Américains avaient résolu de remettre en route un centre de recherche sur une île de glace.

— La Russie a énormément d'avance sur nous dans ses capacités à utiliser l'Arctique. Ils ont des hommes en permanence sur les îles de glace. Nous n'avons fait qu'un essai sans lendemain.

— Et ces trois hommes qui sont venus ? Est-ce pour relancer l'opération ?

À Desolation Point, même les enfants étaient au courant de l'arrivée de la moindre nouvelle importante.

— Oui. Ils désirent que Vladimir dirige les opérations sur place, au jour le jour.

— Et Vladimir veut que tu l'aides ?

— Oui.

— Tu as accepté ?

— Oui.

Elle eut envie de crier : « Et nous, dans tout ça... » Mais elle sentit instinctivement que le moyen le plus sûr de perdre un homme comme Rick Venn était de le prendre au lasso avec des larmes ou de l'épingler avec le sens de ses obligations. Il se débattrait et filerait. Elle se doutait aussi qu'il n'était pas encore prêt à prendre un engagement pour la vie, et elle aborda donc le problème par une voie détournée — et trompeuse.

— Que vas-tu faire des chiens ?

— J'espérais que tu t'en occuperais, et que tu trouverais quelqu'un à qui les céder.

— Tu veux dire les vendre ?

— Si tu peux. Sinon les donner. Mais seulement à quelqu'un qui les fera courir. Ce sont des champions. Ils méritent de participer aux compétitions. C'est dans leur sang.

Ces mots prirent pour Kendra un sens particulier ; elle vit aussitôt Rick en champion destiné à la compétition — l'île de glace constituait un challenge à sa mesure. Mais cela la laissait complètement isolée, comme tant d'autres femmes qui, abandonnant un homme bon pour un meilleur, perdaient l'un et l'autre dans l'aventure.

— Je suis donc censée traîner ici pendant des années à m'occuper de tes chiens ?

La conversation ne s'orientait pas dans le sens qu'elle escomptait, mais ce furent dans les yeux de Rick et non de Kendra que des larmes montèrent.

— Mon amour ! J'ai trouvé une vraie femme ! Je reviendrai.

— Et tu es sûr que j'attendrai deux ans, ou même plus ? Tu es sûr que Jeb ne reviendra pas frapper à ma porte ? Je peux me dire : « Et puis, zut ! » et accepter de l'épouser.

— Je suis sûr du contraire, répondit-il simplement.

En répétant ses promesses de revenir l'épouser, il ferma la cabane où ils avaient vécu des heures si heureuses, se tourna un instant vers ses chiens et s'envola avec Afanasi à destination de Barrow, puis partit à six cent cinquante kilomètres au nord, vers l'océan Arctique où une île flottante de dix-huit kilomètres de long sur cinq kilomètres de large attendait leurs expériences tardives.

⁂

Indépendamment de la Commission américaine pour l'Arctique, d'autres spécialistes s'intéressaient aux complexités du Pacifique Nord, et deux des hommes les mieux informés habitaient dans de petits villages d'Asie où ils passaient leurs journées et de nombreuses nuits plongés dans des études qui auraient des conséquences sur l'Alaska, à court ou à long terme. Ces deux hommes évaluaient mieux que les Américains l'importance mondiale de la position de l'Alaska, clé de voûte de la grande arche qui ferme le Pacifique Nord.

Ces deux hommes, un Japonais et un Russe, ne se connaissaient pas personnellement et ignoraient même leur existence réciproque ; mais ils avaient tous les deux au mur de leur bureau une grande carte montrant les pays riverains du Pacifique, depuis le Chili à l'extrême sud-est jusqu'au Mexique et aux États-Unis, puis à la Sibérie et au Japon vers l'ouest et enfin l'Indonésie, l'Australie et la Nouvelle-Zélande au sud-ouest. Un vaste territoire que cernaient une kyrielle de points rouges et noirs saupoudrés au pourtour de ce vaste océan. En fait on avait l'impression d'une carte piquée par une centaine d'abeilles dans des endroits comme la Colombie, le Kamtchatka et les Philippines — où les piqûres formaient de petites pustules rouges. C'étaient des groupes de volcans, éteints ou en activité, qui enserraient le Pacifique dans leur ceinture de feu. Ils portaient des noms lyriques — comme El Misto, Cotopaxi, Popocatépetl, Mount Shasta, Fuji-Yama, Krakatau, Vulcan et Ruapehu — qui exprimaient la violence de ces régions.

Les points noirs, beaucoup plus nombreux, signalaient les emplacements où, dans la période historique, des tremblements de terre graves s'étaient produits — et de grosses croix noires marquaient les cataclysmes du siècle, Mexico en 1985, San Francisco en 1906, Anchorage en 1964, Tokyo en 1923, la Nouvelle-Zélande en 1931. Un simple regard à ces cartes révélait une attaque constante des laves et des séismes sur tout le pourtour du Pacifique, témoignage des forces colossales qui continuent sans cesse de s'exercer sur les plaques continentales en mouvement.

Quand la plaque Nazca glissa sous la plaque continentale, les bords tremblèrent et les quartiers de Mexico s'effondrèrent en ruine. Quand la plaque du Pacifique buta le long de la plaque nord-américaine, San Francisco prit feu, et quand le côté opposé de la plaque du Pacifique glissa sous la plaque d'Asie, les bâtiments de Tokyo s'écroulèrent. Enfin, plus au nord, quand la plaque du Pacifique se força un passage sous la mer continentale peu profonde de Béring, la chaîne de volcans la plus concentrée du monde s'éleva glorieusement dans le ciel tandis que des tremblements de terre d'une violence exceptionnelle secouaient la région et, quand l'épicentre était sous-marin, déclenchaient des raz de marée (tsunamis) d'un côté à l'autre de l'océan.

L'Alaska, qui couronnait cette ceinture de feu, occupait une position clé non seulement sur le plan géographique où il assurait le lien entre l'Asie et l'Amérique du Nord, mais aussi sur le plan économique et militaire. Bien entendu, en ces dernières années du siècle, le spécialiste japonais s'intéressait surtout aux possibilités économiques, et le spécialiste russe aux possibilités militaires.

Dans un beau village de montagne, à une cinquantaine de kilomètres de Tokyo, sur la petite rivière Tama, Kenji Oda, l'alpiniste compétent qui avait sauvé Kimiko Takabuki de sa chute dans sa crevasse, approfondissait ses études. La puissante famille Oda avait choisi ce petit village de Tamagata, avec ses gracieuses maisons de bois et de pierre dans le style japonais traditionnel, pour y établir son centre de recherche. Les Oda possédaient de nombreux intérêts commerciaux, mais leur fils Kenji, l'aîné et le plus compétent de la troisième génération, s'était concentré sur la pulpe de bois. Pour compléter ses études sur cette spécialité internationale, il avait visité les forêts de Norvège, de Finlande et de l'État de Washington, en Amérique. Pendant qu'il travaillait au Washington, il avait fait l'ascension du mont Rainier au cœur de l'hiver avec une équipe d'Américains mordus d'alpinisme.

A trente-neuf ans, il appréciait pleinement son isolement à Tamagata parce qu'il y trouvait un cadre serein pour réfléchir avec un certain recul sur l'équilibre des marchés mondiaux, tout en restant très proche de vols internationaux qui quittaient Tokyo presque chaque heure vers toutes les parties de l'empire Oda : les usines de São Paulo, les hôtels acquis récemment à Amsterdam et les forêts louées en Norvège et en Finlande. Mais plus il étudiait les problèmes de pâte à papier dans le monde, et l'accès de plus en plus limité du Japon aux grandes forêts, plus il concluait que les forêts infinies de l'Alaska devaient constituer l'objectif numéro un de toute personne intéressée à la fabrication et à la distribution du papier.

— Sur le plan pratique, dit-il à son groupe d'études, les forêts d'Alaska sont plus près du Japon que les grands centres des États-Unis. Un fabricant de papier de l'est des États-Unis fait venir sa pulpe de bois des Carolines, du Canada ou même de Finlande plus facilement que de l'Alaska. Nos grands bateaux japonais pourraient, eux, accoster dans les ports d'Alaska, se charger de pulpe et revenir à travers le Pacifique Nord jusqu'à nos usines à un prix auquel les Américains ne parviendront jamais en assurant ce transport par camion ou par train.

Un représentant de la compagnie maritime Oda — cargos exclusivement — fit observer que la distance maritime du Japon à Sitka était nettement plus longue que Kenji ne l'avait indiqué, et ce dernier s'écria :

— Vous avez de bons yeux. Mais si nous lançons cette opération, nous n'irons pas à Sitka. Je songe à une île assez importante, juste au nord de Kodiak, de ce côté-ci de la baie.

Il indiqua une île couverte de forêt dense capable d'alimenter les Papeteries Oda pendant le demi-siècle à venir.

— Au cours de notre voyage pour l'ascension du Denali, expliqua-t-il, notre avion est sorti des nuages à peu près par ici, et j'ai vu au-dessous cette île entièrement inexploitée. Comme nous amorcions la descente vers Anchorage, j'ai pu constater qu'il s'agissait d'une forêt de premier ordre, probablement des épicéas, faciles à abattre, faciles à réduire en pulpe, faciles à transporter jusqu'à nos usines sous forme de pâte.

— Avons-nous une chance d'obtenir le contrôle à long terme ? Je ne parle pas de propriété légale...

Avant de répondre à cette question critique, Oda réfléchit un instant et se tourna vers la grande carte affichée au mur.

— Stratégiquement parlant, cette région fait davantage partie du Japon que des États-Unis. Toutes les ressources naturelles de l'Alaska sont plus précieuses pour nous que pour l'Amérique. Le pétrole de Prudhoe Bay devrait couler directement chez nous à travers le Pacifique. De même que le plomb, le charbon et incontestablement la pâte à papier. Les Coréens ne sont pas idiots : ils posent un pied partout. La Chine va s'intéresser énormément à l'Alaska ; Singapour et Taïwan retireraient des ressources de l'Alaska des bénéfices énormes.

Une charmante réceptionniste interrompit la conversation pour apporter le thé de la matinée avec des biscuits au riz. Kenji profita de l'interruption pour leur proposer de se rendre dans le jardin, où les beautés du paysage japonais, si délicatement entretenu comparé à la nature sauvage de l'Alaska, détendirent l'atmosphère, et la réunion reprit :

— On comprend mieux l'Alaska quand on le considère comme un pays du Tiers Monde, un pays sous-développé dont il faut vendre les matières premières aux pays industrialisés. Les États-Unis n'exploitent pas l'Alaska comme il le faudrait. Ils ne l'ont jamais fait et ne le feront jamais. C'est trop loin et trop froid... L'Amérique n'a aucune idée de ce qu'elle possède en Alaska et s'y intéresse très peu. Le marché reste donc ouvert pour nous.

— Que pouvons-nous faire ? demanda l'un des hommes.

— Nous avons déjà commencé, répondit Kenji Oda. Au cours de mon voyage de retour du Denali, j'ai commencé à négocier un bail pour cette île couverte de forêt. Aucun achat de terre, bien entendu, le gouvernement ne l'autoriserait pas. Mais le droit de couper les arbres, d'installer une usine de pulpe et de construire un appontement pour nos bateaux.

— Et le résultat ?

— J'ai le plaisir de vous annoncer qu'après plusieurs mois de négociations fort difficiles... Les Alaskans sont loin d'être stupides. Ils voient leur situation dans les mêmes termes que nous. Ils se savent orphelins dans leur propre pays. Ils comprennent la nécessité de coopérer avec leurs marchés d'Asie. Et ils savent... En tout cas les gens avec qui j'ai négocié savaient qu'ils seraient associés à la Chine et à la Russie par des liens de plus en plus étroits. Ils ne peuvent pas l'éviter. Je n'ai donc eu aucun mal à obtenir leur attention. Je crois qu'ils préféreraient échanger leur bois, leur pétrole et leurs minerais contre tout ce que le Japon pourra leur fournir en retour.

Les participants, dont la plupart étaient montés à Tamagata en voiture avant le petit déjeuner, grignotèrent des sembei et burent du thé. L'un des hommes, qui enseignait la géographie à temps partiel dans une université, prit la parole.

— Je ne désire nullement donner une leçon de géographie mais cette carte... Pouvons-nous y jeter un autre coup d'œil ?

Ils retournèrent s'asseoir.

— La Chine et nous disposons d'un heureux avantage dans nos relations commerciales éventuelles avec l'Alaska. Mais regardez comme celui-ci est proche de la Russie soviétique ! Il y a deux petites îles invisibles sur cette carte, où les deux superpuissances ne sont qu'à deux ou trois kilomètres l'une de l'autre. Si la circulation aérienne internationale était permise entre les deux régions... Ici, à l'endroit où les deux péninsules se rapprochent jusqu'à une centaine de kilomètres, on pourrait passer de l'une à l'autre en une dizaine de minutes.

— Que cherchez-vous à prouver ? demanda Oda.

— Je pense que nous pouvons prédire ceci : d'une part l'Alaska et l'Union soviétique ne se feront jamais entièrement confiance — pas de commerce, pas d'amitié possible ; et d'autre part, la Sibérie possède les mêmes ressources naturelles que l'Alaska et ne constitue donc pas un partenaire commercial évident. Enfin, nous avons besoin des richesses naturelles de l'Alaska, de même que Taïwan et Singapour, pour ne rien dire de la Chine.

— Votre conclusion ?

— Construire l'usine de pâte à papier. Envoyer nos bateaux à... Quel est le nom de cette île ?

— Kagak. Un mot aléoute. Il signifie, je crois, « riches horizons ».

— Envoyer nos bateaux à Kagak. Mais par la même occasion n'oublions pas les gisements de cuivre ou de pétrole qui, selon toute vraisemblance, devraient tomber sur notre chemin... Et tout le reste de ce que ce grand pays vide pourra nous offrir à l'avenir.

Oda intervint :

— Depuis quelque temps, j'estime que le rôle du Tiers Monde est de fournir aux pays plus avancés, sur le plan des techniques et de l'éducation, des matières premières brutes à un juste prix ; de permettre à des pays comme le Japon et Singapour d'appliquer à ces matières premières leur intelligence et leur technologie ; et de les rembourser en envoyant aux pays du Tiers Monde nos produits finis, surtout ceux qu'ils n'auront jamais la capacité d'inventer ou de manufacturer par eux-mêmes.

Plusieurs jeunes collaborateurs bien informés sur le commerce international protestèrent : un échange aussi simpliste ne serait pas possible indéfiniment. Oda montra du doigt la calculatrice qu'utilisait son conseiller financier :

— Watanabe-san, combien d'opérations sur votre petit appareil de la taille d'une carte à jouer ?

Il fallut plus d'une minute à Watanabe pour résumer les merveilleuses capacités des trente-cinq touches de sa calculatrice manuelle.

— Dix touches pour les chiffres et le zéro. Vingt-cinq autres pour diverses fonctions mathématiques. Mais de nombreuses touches m'offrent trois fonctions différentes. Au total : trente-cinq touches visibles, plus soixante-trois fonctions, soit quatre-vingt-dix-huit options.

— Quand j'ai acheté l'ancêtre du gadget miracle de Watanabe, il m'offrait les dix chiffres et les quatre fonctions arithmétiques. Il était si simple que n'importe qui pouvait l'utiliser. Mais quand vous ajoutez quatre-vingt-huit fonctions clés, vous placez l'appareil hors de portée de tout homme sans formation spéciale, et la plupart des habitants du Tiers Monde appartiennent à cette catégorie. Ils ont besoin de nous pour penser à leur place, pour inventer et manufacturer.

— Une minute, protesta l'un des membres de l'équipe. Je suis allé à l'université d'Alaska, la dernière fois que nous sommes passés à Fairbanks. Il y a des vingtaines d'étudiants en ingénierie capables d'utiliser des ordinateurs autrement compliqués que la calculatrice de Watanabe.

— Exactement ! convint Oda. Mais à la fin de leurs études, s'ils veulent trouver du travail il leur faudra descendre au sud du Quarante-Huitième. Leur absence fera de l'Alaska un pays du Tiers Monde. Nous ne devons jamais l'oublier. Courtoisie, assistance, attitude modeste, écouter plus que parler, et fournir à chaque occasion l'aide dont l'Alaska a besoin. Et notre relation avec ce grand réservoir vierge pourra nous aider magnifiquement — tandis que nous l'aiderons.

Ce fut ainsi que Kenji Oda et son épouse Kimiko, qui connaissaient l'Alaska de l'intérieur, se rendirent sur l'île de Kagak au nord de Kodiak pour établir la United Alaskan Pulp Company. Détail significatif, le mot « japonais » n'apparaissait nulle part, ni dans la raison sociale ni sur le papier à lettres de la compagnie. Aucun ouvrier japonais ne participa à la construction de l'immense usine compliquée destinée à réduire les épicéas de Kagak en une pâte à papier liquide qui partirait au Japon dans de grands bateaux-citernes. Quand l'usine fut prête à fonctionner, aucun Japonais n'apparut pour abattre les arbres, et trois ingénieurs japonais seulement s'installèrent à Kagak pour contrôler les machines complexes.

Kenji et Kimiko résidèrent eux aussi à Kagak, dans une maison modeste, et louèrent un bureau tout aussi modeste à Kodiak, où des techniciens hautement spécialisés venaient par avion de temps en temps faire une inspection. Au bout de quelques mois, dans une entreprise qui représentait dix-neuf millions de dollars, il n'y avait que six Japonais sur les lieux, et au moins la moitié des bateaux qui transportaient la pâte à papier au Japon battaient un autre pavillon que celui du Soleil Levant. Les grands industriels du Japon avaient décidé de prendre en main le développement et l'utilisation des matières premières d'Alaska, mais évitaient de le claironner, ce qui aurait engendré des tensions locales.

À cet égard, les Oda se montrèrent exemplaires. Jamais Kenji n'accomplit un acte susceptible d'attirer sur lui une attention hostile, alors qu'il multipliait les gestes qui renforçaient sa réputation de discrétion au sein de Kodiak. Un quatuor à cordes de Seattle était-il invité ? Il versait une somme légèrement inférieure à celle des trois principaux notables. Et si les écrivains locaux produisaient un beau spectacle en plein air sur Baranov et la colonisation russe des Aléoutiennes et de Kodiak, en tant que spécialiste du papier il prenait à sa charge la question des affiches et des programmes. A deux reprises, il invita des notables de Kodiak à passer des vacances dans son village de Tamagata. Une autre fois il offrit de payer les frais de deux professeurs de l'université d'Alaska à Anchorage, pour leur permettre de participer à une conférence internationale sur la Ceinture du Pacifique, qui se tenait au Chili. A la suite de ces contributions, Kimiko et lui devinrent, aux yeux de tous, « ces excellents Japonais qui s'intéressent de façon si positive à Kodiak et à l'Alaska », et chaque fois qu'on exprimait ce jugement, une voix ajoutait :

— Et ils ont fait tous les deux l'ascension du Denali. On ne peut pas en dire autant de la plupart des Américains qui traînent dans les parages.

Mais pendant ses absences de l'usine de pâte à papier de Kagak — quand il n'allait pas en vacances à Tamagata ou au Chili pour une conférence — Oda faisait discrètement le tour des régions reculées de l'Alaska, à la recherche de sites comme Bornite, où l'on avait des chances de trouver du cuivre, ou de Wainwright dont les gisements de charbon semblaient extrêmement riches. Un jour il entendit ainsi parler d'une montagne éloignée, dans le nord-ouest de l'Arctique, où l'on avait fait des sondages révélant des concentrations avantageuses de zinc. Il envoya à Tokyo des échantillons de minerai pris à plusieurs endroits de la montagne et il sollicita un bail de quatre-vingt-dix-neuf ans sur une vaste région. Quand on lui demanda des précisions à ce sujet lors de son séjour suivant au centre de recherche de la famille, à Tamagata, il répondit en toute sincérité :

— Le Japon ne désire pas « s'emparer » de l'Alaska, comme certains critiques le suggèrent. Nous voulons seulement faire avec d'autres ressources naturelles ce que nous accomplissons déjà avec succès pour la pâte à papier de Kagak. Et permettez-moi de le souligner, au cas où le sujet serait abordé en mon absence, l'Alaska profite autant que nous de la situation actuelle. Je considère que la relation est parfaite. Ils nous vendent les ressources naturelles qu'ils ne peuvent pas exploiter faute de capital, et nous obtenons les matières premières que nous pouvons transformer avec des bénéfices importants.

— Pouvons-nous faire de même avec le plomb, le charbon et le zinc de l'Alaska ?

— Mieux. La masse relative de ces minerais est plus faible. Les bénéfices éventuels seront plus élevés.

Les sages du Japon réfléchirent plusieurs minutes, cela était en accord avec le fonctionnement traditionnel de leur empire insulaire : pas de matières premières, une main-d'œuvre extrêmement nombreuse, des capacités intellectuelles supérieures. Puis un homme très âgé, qui avait connu l'hostilité témoignée dans les années trente au Japon, demanda doucement :

— Mais pourquoi les États-Unis nous laissent-ils opérer de cette manière ?

Oda offrit la seule réponse logique :

— Tout a commencé pour eux en 1867 quand ils ont acheté l'Alaska en pensant que la région n'avait aucune valeur. Pendant le demi-siècle qui a suivi, ils n'ont fait aucun cas de ce qu'ils possédaient, faute de lui reconnaître le moindre prix. Cette erreur insultante se perpétue. Elle contamine la pensée de toute une nation. Le siècle prochain sera bien entamé quand les responsables de l'Amérique prendront conscience des richesses qui se trouvent dans leur « boîte à glace ». Entre-temps, il faut toujours se représenter l'Alaska comme faisant partie de l'Asie — ce qui le place automatiquement dans notre orbite.

Et le jour même où les Japonais jetaient les bases de projets à long terme pour l'exploitation des richesses négligées de l'Alaska, d'autres industriels, en Corée, à Taïwan, à Hong Kong et à Singapour parvenaient aux mêmes conclusions et prenaient des mesures comparables pour attirer l'Alaska dans leur orbite.

Le deuxième intellectuel d'Asie qui observait l'Alaska avec une attention assidue vers la même époque avait soixante-six ans et vivait dans un petit village au sud d'Irkoutsk, dans la direction du lac Baïkal. Il avait réuni là un trésor : des papiers de famille et des études relatives à la colonisation russe et à l'occupation de l'Alaska à l'époque impériale. Avec l'encouragement du gouvernement soviétique, il était devenu une autorité mondiale incontestée sur ce sujet.

Maxime Voronov descendait de l'éminente famille qui avait fourni à l'Alaska russe de nombreux dirigeants compétents. Y compris le grand homme d'Église, le père Vassili Voronov, qui s'était marié à l'Aléoutienne Cidaq puis l'avait quittée pour devenir métropolite de Toutes les Russies.

Au soir de sa vie, encore svelte et droit avec une toison de cheveux blancs qu'il peignait en arrière avec ses doigts, Maxime Voronov avait pris sa retraite dans l'Irkoutsk de ses ancêtres, où il veillait à la remarquable collection de documents que possédait la Russie sur ses découvertes aux Aléoutiennes et son gouvernement de l'Alaska. Comme il connaissait ce sujet mieux que tout autre Russe, il devait en savoir plus long que n'importe quel Américain. Il analysait les archives historiques depuis 1947, et les conclusions intéressantes auxquelles il était parvenu avaient attiré aussitôt l'attention des dirigeants soviétiques. Pendant l'été 1986, où le temps en Sibérie de l'Est fut presque parfait, un groupe de trois experts russes en politique étrangère passa trois semaines de discussions sérieuses avec Voronov. Plus jeunes que Maxime les trois hommes rendirent hommage à son âge et à son érudition sur l'Alaska, mais ne le suivirent pas dans son interprétation des données.

— Quelles seraient vos conclusions pratiques, monsieur Voronov ?

— Sauf bouleversements imprévus d'une très grande ampleur, je ne peux pas imaginer qu'un moment propice à notre intervention se présente avant l'année 2030. Soit dans quarante-cinq ans, et c'est un minimum.

— Expliquez-vous.

— D'abord, l'Amérique restera probablement forte jusqu'à cette date. Ensuite l'Union soviétique a besoin de ce délai pour acquérir la suprématie matérielle et morale qui lui permettrait d'effectuer cette intervention avec des chances de réussite. Troisièmement, il faut que l'Alaska, de son côté, accumule un retard économique suffisant pour que notre intervention paraisse logique et souhaitable aux Alaskans. Quatrièmement, le reste du monde exigera le même délai pour s'accommoder de l'idée que notre intervention est historiquement justifiée.

— Est-ce que vos études, qui constituent notre travail de base, seront-elles plus avancées en 2030 ?

— Je ne serai plus ici, bien entendu, mais la personne qui prendra ma suite aura précisé mes recherches.

— Avez-vous songé à un successeur ?

— Non.

— Il faut que vous y pensiez.

— Donc vous êtes prêts... Moscou est intéressé par le sujet...

— Il est vital. C'est le plat qui mijote sur un coin du feu. Le camarade Petrovski sera encore vivant en 2030. Et sinon, quelqu'un d'autre.

Petrovski sourit.

— Supposons que je sois en vie. Comment dois-je orienter ma réflexion d'ici là ?

Patiemment, lentement et avec beaucoup de conviction, Maxime Voronov exposa sa vision des relations futures entre l'Union soviétique et l'Alaska. Et tandis qu'il parlait, ses visiteurs de Moscou s'aperçurent que pendant huit générations les Voronov d'Irkoutsk n'avaient jamais cessé de considérer les Aléoutiennes et l'Alaska comme partie intégrante de l'Empire russe.

— Nous commencerons par le fait (et non l'hypothèse) que l'Alaska appartient à la Russie au nom des trois droits sacrés de l'histoire : découverte, occupation, gouvernement établi. Et au nom de la géographie, parce que l'Alaska fait autant partie de l'Asie que de l'Amérique du Nord. Nous insisterons spécialement sur le fait que la Russie avait octroyé à la région un gouvernement responsable quand nous la possédions, ce que les Américains n'ont pas fait à leur arrivée. Surtout, nous avons démontré que nous pouvons développer la Sibérie alors que l'Amérique néglige le développement de la partie septentrionale de l'Alaska. Dans leurs discussions des questions d'avenir, les Américains utilisent un mot fort pratique, emprunté au vocabulaire du spectacle :

scénario. Il signifie « un schéma rationnel d'événements susceptibles de se produire ». Nous avons besoin maintenant d'un scénario soviétique pour la récupération de l'Alaska, qui nous appartient de droit, en provoquant un minimum de répercussions internationales.

— Un scénario de ce genre est-il envisageable ? demanda Zelnikov.

Voronov assura ses trois visiteurs qu'un plan pour le retour de l'Alaska dans l'orbite russe existait déjà.

— Nous appliquons deux grands concepts : la Russie dans le passé historique et l'Union soviétique dans le présent, et il n'y a aucune discontinuité entre eux. Ils forment une seule entité morale et n'entrent jamais en conflit. J'emploierai *Russie* pour le passé et *Union soviétique* pour le présent et l'avenir. Nous avons le devoir de ramener l'Alaska à la Russie intemporelle, et l'Union soviétique agira en ce sens. Le scénario sera simple, et ses règles implacables.

» Premièrement, dans les décennies à venir nous ne devrons jamais révéler notre objectif, ni en paroles, ni en actes, ni même en pensée. Si le gouvernement des États-Unis apprend notre dessein, il décidera de nous bloquer. Je ne discute donc de ces plans avec personne, raison pour laquelle je n'ai aucun successeur désigné. Et vous devez, vous aussi, garder secrets vos propres plans.

» En second lieu, nous ne devons jamais effectuer prématurément le moindre pas en avant susceptible de nous trahir. C'est la situation mondiale et non nos espoirs qui détermineront le moment propice de déclarer nos intentions et nos revendications. Quatre-vingts ans, ce n'est pas une trop longue attente pour saisir le bon moment, et je suis absolument sûr que l'occasion se présentera un jour.

» Enfin, le signal décisif sera le déclin de la puissance américaine et, plus important, la dégradation progressive de la volonté de puissance des États-Unis.

— Pouvons-nous compter sur ce déclin ? demanda Zelnikov.

— Il est inévitable. Les démocraties subissent une usure interne. Elles perdent leur élan. Je peux prévoir qu'un jour viendra où ils auront envie de se débarrasser de l'Alaska... Exactement comme nous avions envie de nous en débarrasser en 1866 et 1869.

Cette conviction l'incita à révéler sa stratégie :

— Oublions maintenant la Russie pour nous concentrer sur l'Union soviétique.

» Nous devons affirmer invariablement que les dirigeants responsables de l'abandon de l'Alaska n'avaient pas le droit d'agir comme ils l'ont fait. Ils ne parlaient pas au nom du peuple russe. Ils ne représentaient nullement l'âme de la Russie. Cette vente était malhonnête dès l'instant de sa conception. Elle n'a même pas un vernis de validité. Elle n'a transféré aucun droit à l'Amérique. Elle devrait être cassée en toute logique par n'importe quelle cour de justice internationale, et réfutée par les sages du monde entier. L'Alaska était, est et sera toujours russe. La logique de toute l'histoire mondiale l'exige.

Les trois visiteurs, ignorants des détails historiques, ne pouvaient pas juger les mérites de l'argument soutenu par Voronov sur l'illégalité de la vente. Ils demandèrent confirmation et Voronov cita les trois bases solides qui justifiaient les revendications soviétiques sur l'Alaska.

— Je vous avertis, messieurs, et j'avertis ceux qui vous succéderont : il faut fonder notre revendication sur les principes du droit, jamais sur la force, et je vous garantis que notre dossier juridique est sans faille. Il doit l'emporter devant le tribunal de l'opinion mondiale.

» En premier lieu, le gouvernement russe de l'époque n'avait pas compétence de décider au nom du peuple russe. Il s'agissait d'une tyrannie corrompue dont était exclue l'immense majorité du peuple. Comme le gouvernement ne détenait aucune autorité réelle, ses actes étaient illégaux.

» En second lieu, l'agent qui a effectué la vente, l'homme dont les manœuvres infâmes ont provoqué la conclusion du marché, n'était pas russe ; il n'avait pas l'autorisation officielle de négocier ; et il ne pouvait en aucun cas être considéré comme le représentant réel du peuple russe. Le baron Edouard de Stoeckl, comme il aimait à se présenter, n'avait aucun droit au titre qu'il affichait ; c'était un aventurier grec ou un laquais autrichien, qui est intervenu dans les négociations, Dieu sait comment, et qui a agi tout seul dans cette affaire, sans consulter Saint-Pétersbourg. Même si c'est une vente authentique, elle n'a pas été faite par la Russie.

À ces mots, Maxime montra aux hommes de Moscou trois étagères de livres en sept ou huit langues consacrés au baron Edouard de Stoeckl, et deux cahiers de notes où lui-même, Voronov, avait rédigé la chronique de la vie de cet homme mystérieux, mois par mois sur une période de quatre décennies. Mais il avait décidé depuis longtemps que la publication de ces éléments ne renforcerait pas pour le moment les revendications de l'Union soviétique sur l'Alaska.

— Tout est ici, messieurs, dans ces cahiers. Vous pouvez publier une biographie fracassante de De Stoeckl quand vous le désirerez... J'apprécierais que vous citiez mon nom en note, au bas d'une page, ajouta-t-il en riant.

Puis il passa à l'un de ses arguments les plus révélateurs :

— Troisièmement, l'affaire vraiment moche des deux cent cinquante mille dollars qui ont disparu. Les faits sont lamentables. J'ai suivi à la trace, presque jusqu'au dernier kopeck, l'argent qui est passé entre les mains de ce de Stoeckl pendant cette affaire puante. Sans la moindre ambiguïté, sans jongler avec les chiffres, j'ai démontré que de Stoeckl avait disposé non des deux cent cinquante mille dollars cités par les historiens américains, mais presque du double. Que s'est-il passé ? Les Américains soupçonnent depuis longtemps le baron de Stoeckl d'avoir utilisé cet argent à acheter les voix de membres du Congrès américain, mais n'ont jamais pu le prouver. J'y suis parvenu. Avec une extrême discrétion, j'ai acheté des papiers de famille et des vieux comptes, j'ai collectionné les coupures des journaux. J'ai pu ainsi obtenir des preuves matérielles dans des documents américains, des rapports consulaires anglais et allemands — très malins, les Allemands ! —, plus toute cette étagère de sources russes. Ensemble, ils démontrent sans ambiguïté que de Stoeckl a corrompu le Congrès des États-Unis dans des proportions incroyables.

Il s'arrêta brusquement, sourit à chacun de ses visiteurs, puis lança son argument-massue :

— Vous comprenez ce que cela signifie ? La vente était illicite dès l'instant de son acceptation par le Congrès. Le gouvernement américain, dans sa sagesse, ne voulait pas de l'Alaska. Il savait que ces régions éloignées ne faisaient pas partie de son territoire. À maintes reprises, les votes se sont opposés soit à l'achat de nos possessions, soit à leur paiement après l'achat. Mais de Stoeckl, l'aventurier venu de nulle part, a forcé la main de l'Amérique en soudoyant les membres du Congrès pour les faire voter contre l'intérêt national de leur pays.

L'acquisition de l'Alaska par l'Amérique est une opération entièrement frauduleuse qu'il convient d'annuler.

Dans la discussion qui suivit, Voronov proposa qu'un professeur soviétique — pas lui « car cela attirerait une attention peu désirable sur ce que je fais » — soit autorisé à publier un petit essai agressif qui serait intitulé *Où est passé le quart de million ?* Il révélerait les données surprenantes accumulées à Irkoutsk, citerait les noms des membres du Congrès ayant accepté les pots-de-vin, et établirait dans les cercles internationaux des fondations solides sur lesquelles bâtir la revendication soviétique sur l'Alaska. Mais Zelnikov mettait au point depuis un certain temps son propre scénario pour la reprise de l'Alaska, et il conseilla la patience.

— Je vous assure que si des érudits russes abordaient ce sujet maintenant, cela éveillerait des soupçons. Je suis d'accord avec vous, Voronov, les historiens du monde prendraient conscience des faits, et cela constituerait une base solide pour nos revendications futures, mais nous perdrions beaucoup plus à long terme que nous ne gagnerions à brève échéance. Gardez vos cahiers de notes pour 2030, nous les utiliserons avec tout le reste, et l'effet sera dévastateur.

Maxime Voronov était issu d'une famille habituée à se battre, et n'acceptait donc pas facilement un revers.

— Ne pouvons-nous pas inciter des professeurs étrangers à faire ce travail à notre place ?

— Je ne vois pas comment. Tout ce que nous tenterons, même discrètement, fera l'objet de fuites.

— Mais aux États-Unis et surtout au Canada, des spécialistes sondent déjà ces eaux boueuses pour voir s'ils peuvent déloger quelque carpe de la vase.

Il montra aux trois hommes une demi-douzaine de publications remarquables à peine connues dans l'Ouest : des Canadiens et des Américains avaient ramené à la surface plusieurs faits méconnus qu'il avait lui-même découverts depuis la fin de la Seconde Guerre mondiale. Chacun de ces auteurs avait un niveau d'érudition élevé qui lui donnait accès aux mêmes informations que Voronov.

— Ce serait trop risqué, avertit Zelnikov.

— Les Russes ne peuvent rien faire. On ne peut pas pousser les Canadiens et les Américains. La vérité ne sera donc révélée que très lentement. Et pourra peut-être se perdre si trop de temps passe.

— Pas tant que vos carnets de notes existent, répondit Zelnikov. J'aimerais en avoir des photocopies. Nous prendrons des clichés dès que nous pourrons faire venir une équipe de photographes de l'armée.

— Nous avons de bonnes machines à photocopier.

Zelnikov sourit.

— Songez-vous à confier vos carnets de notes au premier venu ? C'est sans doute la CIA qui fait marcher nos photocopieuses.

Ainsi donc la bombe russe à retardement qui menaçait l'Alaska américain était en place : à Irkoutsk Voronov y travaillait ; à Moscou des agents intelligents comme Zelnikov et Petrovski envisageaient les manœuvres géopolitiques nécessaires. Tous ceux qui travaillaient sur ce projet fort délicat gardaient en tête la déclaration finale de Maxime Voronov lors de la réunion d'Irkoutsk :

— Le moment d'agir ne se présentera que si le monde entier subit de grands changements. Mais des changements de cette ampleur surviennent à chaque siècle, et nous devrons être prêts au moment où ils se produiront.

Ni lui ni Zelnikov ne croyaient que les États-Unis accepteraient de renoncer à l'Alaska, de bon ou de mauvais gré.

— Ces gens ont trop travaillé pour agrandir leur territoire, de leur tête de pont sur l'Atlantique jusqu'au Pacifique, pour abandonner quoi que ce soit, prédit Voronov.

Zelnikov le corrigea :

— Ce n'est pas eux qui renonceront. L'opinion mondiale, la situation mondiale l'imposera. Et ils ne seront pas en mesure de résister.

⁂

Un troisième spécialiste observait lui aussi l'Alaska d'un œil compétent — mais il ne se trouvait pas en Asie. C'était un vulcanologue d'origine italienne qui avait passé sa jeunesse dans une ferme au pied du Vésuve. Enfant précoce, il passait dès l'âge de quatorze ans pour expert en matière de volcans et de tremblements de terre. A quinze ans il s'inscrivit à l'université de Bologne, où il fit de brillantes études de sciences, et il entra à vingt ans à l'Institut de Technologie de Californie, où il obtint un doctorat en sismologie, la nationalité américaine et un poste dans une station sismique fédérale de la région de Los Angeles. Il y maîtrisa les complexités de la mesure des tremblements de terre et de la technique de prévision — les connaissances dans ce dernier domaine demeurent beaucoup moins sophistiquées que dans le premier.

Giovanni Spada, quarante et un ans, se trouvait dans la petite ville de Palmer, en Alaska, où les Flatch allaient faire leur marché et où LeRoy avait piloté ses premiers avions. Dans une rue calme bordée d'arbres, il dirigeait les opérations depuis le discret bâtiment blanc du Centre de Recherche sur les Tsunamis. Pour le compte des gouvernements des États-Unis, du Canada, du Japon et de l'Union soviétique, Spada observait le comportement des volcans, les tremblements de terre et les redoutables tsunamis dont l'épicentre se trouvait à la pointe nord de la Ceinture de Feu. Entre autres fonctions, il devait prévenir les régions du Pacifique situées au nord d'une ligne passant par le Japon, Hawaii et le Mexique, dès que la zone sismique des Aléoutiennes engendrait un tsunami capable de traverser l'océan avec une violence croissante vers une côte lointaine.

Pendant l'été 1987, pour bien faire comprendre à un nouveau groupe de techniciens affectés au Centre Tsunami la puissance avec laquelle les tremblements de terre engendraient d'énormes perturbations marines, il envoya son équipe par avion à la baie de Lituya, environ sept cents kilomètres au sud-est. Il les accompagna sur un point des montagnes environnantes d'où l'on pouvait voir la baie magnifique.

— Vous remarquerez qu'il s'agit d'une anse longue et étroite, avec des côtes abruptes de chaque côté et une entrée étroite sur le Pacifique.

Quand ses jeunes collègues se furent familiarisés avec le terrain, il leur fit un récit qui les stupéfia :

— Le 9 juillet 1958, un tremblement de terre d'amplitude huit sur l'échelle de Richter se déclencha à environ cent soixante kilomètres au nord. La secousse fut si violente qu'environ quarante millions de mètres cubes de rochers et de terre basculèrent de ces hauteurs au fond de la baie, et plongèrent d'une seule masse dans l'eau. Le remous qui en résulta créa la plus grande vague que le monde ait jamais vue depuis que l'histoire existe. Regardez par vous-mêmes l'importance des dégâts.

Ils constatèrent en effet que la vague enfermée dans la baie étroite s'était élevée à une hauteur fabuleuse, en déracinant tous les arbres sur son passage.

— L'un de vous peut-il estimer la hauteur atteinte par l'eau sur les flancs de cette baie ? demanda Spada.

Un ancien élève de l'École des Mines du Colorado calcula à l'estime, avec le pouce et l'index, la hauteur du niveau de la mer à la ligne des arbres. Au bout de quelques instants, il s'écria stupéfait :

— Bon Dieu, plus de trois cents mètres de hauteur !

— Oui, répondit Spada. La hauteur exacte est de cinq cent vingt mètres. Voilà le genre de raz de marée qu'un tremblement de terre peut engendrer.

À Palmer, avec son équipe de sismographes délicats qui tâtaient la croûte terrestre, et placé en liaison instantanée avec les observatoires semblables au Canada, en Californie, au Japon, au Kamtchatka et aux Aléoutiennes, Spada observait les plaques mobiles qui se déplaçaient en même temps loin au-dessous de la surface de l'océan. Tantôt elles avançaient, tantôt elles étaient submergées, tantôt elles se fracturaient. Souvent, elles glissaient l'une contre l'autre pour produire les tremblements de terre sous-marins qui donnaient naissance aux raz de marée dévastateurs. Spada était chargé d'étudier plus particulièrement les tsunamis originaires des Aléoutiennes, car ils avaient démontré leur capacité d'engloutir des villes et des villages le long de la côte à des milliers de kilomètres de distance. Quand les styles de ses sismographes frissonnaient, indiquant que quelque chose s'était passé quelque part, il alertait aussitôt soixante centres d'observation sur le pourtour du Pacifique : un tsunami venait peut-être de s'annoncer.

Mais Spada surveillait aussi les tremblements de terre non sous-marins et tous les séismes dont la violence se transmettait dans l'intérieur du pays. Ainsi, en 1964, il avait relevé les premières secousses du violent tremblement de terre qui avait frappé Anchorage : certains quartiers de la ville s'étaient affaissés de douze mètres, d'autres s'étaient soulevés et avaient provoqué des dégâts sur une grande distance. Plus de cent trente personnes avaient trouvé la mort à cause de ce séisme, d'abord évalué à 8,6 sur l'échelle de Richter, mais calculé ensuite à 9,2 : le plus violent tremblement de terre constaté en Amérique du Nord. Environ dix fois plus puissant que le séisme destructeur de San Francisco en 1906.

Spada tenait à jour une carte unique, représentant dans tous les détails la structure supposée de la chaîne Aléoutienne. Chaque fois qu'un tremblement de terre survenait dans la région, il traçait en rouge le secteur de l'arc aléoutien.

— Depuis 1895, nous notons les endroits où les plaques ont bougé, dit-il en montrant à ses assistants neuf secteurs différents sur sa carte. Sur chacun de ces sites, un tremblement de terre s'est produit. Les plaques se sont réajustées. Donc dans ces trois espaces vides..., ajouta-t-il après avoir laissé à ses interlocuteurs le temps d'assimiler ses données.

De l'île de Lapak vers l'ouest, du côté de Tanaga et de Gareloi, se trouvait un arc très net de points rouges ; au début du siècle le mouvement des plaques dans la région avait provoqué un grand tremblement de terre. Mais à l'est de Lapak jusqu'à Adak et Grand

Sitkin la carte demeurait ce vide sinistre, démontrant que le grand réajustement des plaques ne s'était pas encore produit dans cet espace.

— Pouvons-nous craindre un tremblement de terre important par là un de ces jours ? demanda un nouveau venu.

— C'est probable, répondit Spada.

Il se trouvait de service, tout seul, pendant la nuit du 19 septembre 1985 où la plaque de Nazca glissa violemment sous la plaque continentale voisine d'Amérique du Sud. Son œil remarqua l'activité anormale de l'aiguille du sismographe avant que retentissent les signaux sonores. « Assez puissant », se dit-il. Il vérifia sur le sismographe de secours et siffla entre ses dents : « 7,8 ! Il y aura des dégâts. »

Ses assistants, réveillés par les signaux électroniques dans leurs chambres, se précipitèrent au Centre des Tsunamis.

— Un mouvement vers le nord ? demanda l'un d'eux.

— Un mouvement de 7,8, il peut se produire des répercussions n'importe où.

— Où se trouve l'épicentre ? demanda le jeune homme.

— Impossible de le situer pour l'instant.

Mais presque aussitôt arrivèrent les rapports de plusieurs autres stations d'observation. Cela permit à Spada de trianguler la direction et de placer l'origine du tremblement de terre avec une précision relative, en plein océan Pacifique au large de la côte sud-est du Mexique.

— Assez loin en mer pour ne pas menacer les terres émergées, dit-il avec assurance. Mais toute la côte du Pacifique devient vulnérable à un tsunami.

Or il apprit quelques minutes plus tard qu'un tremblement de terre important se produisait sous la ville de Mexico. Cela le stupéfia.

— Une telle puissance, à une si grande distance du glissement des plaques ! Le séisme devait avoir une amplitude supérieure à 7,8.

Quand il eut rassemblé les rapports du monde entier, ce fut lui qui calcula le premier la violence du tremblement de terre provoqué par le glissement de Nazca : 8,1 sur l'échelle de Richter, beaucoup plus qu'il ne l'avait supposé au début.

Cette fois, aucun tsunami ne se produisit : seul l'intérieur du Mexique subit la violence de cette secousse titanesque. Avant même que lui parviennent les premières nouvelles de Mexico, Spada déclara à son équipe :

— Il y aura beaucoup de morts.

On en compta plus de dix mille. Mais trois jours plus tard un modeste grondement du volcan Qugang, de l'île de Lapak, retint son attention. La région engendrait souvent des perturbations, et il envoya donc un avion examiner le degré d'activité du volcan. Le rapport du pilote le rassura :

— Six passages, à six altitudes différentes. Aucun signe d'activité importante, aucune indication d'éruption à court terme.

Spada inspirait à ses supérieurs beaucoup de respect mais aussi plus d'un sourire. Il possédait un flair surnaturel pour les volcans, les tremblements de terre et les raz de marée, comme si son enfance auprès du Vésuve l'avait initié à leur comportement. Il était donc précieux pour les Russes, les Japonais et les Canadiens, dont il surveillait les frontières sans relâche.

À ses moments perdus, quand il grimpait sur les monts Talkeetna ou explorait l'intéressant glacier de Matanuska avec son épouse américaine, ils se reposaient parfois pour prendre le thé glacé et des sandwiches tout en songeant à la violence si caractéristique du Pacifique Nord.

— De grandes plaques de glace rabotent les montagnes. Les mers se gèlent et soulèvent d'énormes blocs de glace. Des volcans comme le Qugang entrent en éruption et crachent dans l'atmosphère des millions de tonnes de laves et de cendres. Des tremblements de terre dévastent des villes, et du fond de l'océan des tsunamis se déclenchent pour engloutir des villages entiers.

Un jour sa femme réagit à ces réflexions par une remarque pessimiste :

— Et tout le temps, sur les pôles, la glace s'accumule : un jour les glaciers avanceront et anéantiront l'œuvre des hommes... Quand on vit en Alaska, on n'ignore pas le changement, ajouta-t-elle en versant d'autre thé.

Puis elle rit elle-même de son ton pompeux.

— Ne sera-t-il pas amusant, dans vingt mille ans, de repartir tous vers Asie quand le passage de la mer de Béring sera de nouveau à sec ?

Ainsi se poursuivaient leurs réflexions. Pendant ses réunions de vacances, à Tamagata près de Tokyo, Kenji Oda lançait des hypothèses sur l'avenir économique de l'Alaska; dans sa petite maison des environs d'Irkoutsk, Maxime Voronov essayait de prédire le moment où sa Russie bien-aimée serait assez forte pour récupérer l'Alaska ; et dans son bâtiment austère de Palmer, Giovanni Spada sondait le comportement des volcans, des tremblements de terre et des tsunamis.

Au même moment, sur l'île de glace T-7 au milieu de l'océan Arctique, Rick Venn aidait de tous ses efforts les États-Unis à rattraper les spécialistes des autres pays dans l'étude scientifique des mers arctiques, des fosses tectoniques sous-marines desquelles émergeront des mondes nouveaux, des plaques terrestres en mouvement qui construiront un jour un Alaska différent, de la Ceinture de Feu qui déterminait la vie et la mort dans le Pacifique, et des calottes polaires en expansion lente, au sud et au nord, capables d'ensevelir un jour une grande partie du monde dans un nouvel âge glaciaire.

— Il y a tant à apprendre ! disait-il à Afanasi, les yeux perdus sur les étoiles du pôle. Tant de choses à relier l'une à l'autre.

⁂

À l'insu de ces grands esprits civils du Japon, de la Sibérie et de l'Alaska il y avait, en Alaska même, trois groupes puissants chargés de surveiller tout ce qui se passait dans les régions de l'Arctique. Des bases aériennes d'Elmendorf (près d'Anchorage) et d'Eielson (près de Fairbanks), deux des plus puissantes du monde, des pilotes s'envolaient jour et nuit pour contrôler tous les mouvements aériens soviétiques. De temps en temps ces sentinelles renvoyaient des messages codés : « Deux envahisseurs au-dessus de Desolation Point. » Aussitôt les chasseurs américains décollaient pour faire comprendre aux Russes qu'ils se trouvaient sous surveillance. Bien entendu, des avions russes montaient la garde de la même façon, à partir de bases secrètes en Sibérie.

Vers le large, sur l'île lointaine de Lapak, témoin de tant d'événements depuis l'arrivée des premiers hommes douze mille ans auparavant, s'élevait un grand bâtiment noir sans fenêtres, de dix étages de hauteur. Il contenait des appareils secrets que comprenaient seulement quelques centaines de spécialistes aux États-Unis (plus une vingtaine d'analystes remarquables à Moscou), et constituait le principal bouclier intellectuel de l'Amérique contre toute attaque surprise des communistes. Si l'ancienne momie avait encore occupé sa grotte sur Lapak, elle aurait apprécié ce grand bâtiment noir et approuvé la nouvelle utilisation que l'on faisait de son île.

De cette façon discrète et nerveuse à la fois se poursuivait le duel perpétuel d'esprits brillants — japonais, coréens, chinois, russes, canadiens et (parfois plus efficaces que les autres) américains. Tous jouaient au même jeu passionnant : « Que va-t-il se passer ensuite dans l'Arctique ? »

***

Ce fut cet automne-là que LeRoy Flatch connut une perte de conscience temporaire — qui lui fit très peur car elle dura plusieurs minutes. Heureusement, il ne pilotait pas son Cessna à ce moment-là, mais quand il revint à lui il s'écria à haute voix :

— Nom de Dieu ! Et si j'avais été en train d'atterrir !

Il discuta de l'incident avec sa femme.

— LeRoy, il est temps de cesser de voler, lui dit-elle d'un ton sans réplique, et elle se mit en quête d'un acheteur pour leur Cessna-185.

À soixante-sept ans, LeRoy n'était pas au mieux de sa forme. Certains pilotes d'autrefois continuaient de voler après quatre-vingts ans, mais c'étaient des hommes maigres et nerveux qui veillaient sur leur santé — sinon sur les avions, qu'ils continuaient de massacrer. Flatch n'appartenait pas à cette race-là ; il aimait trop la bière et les plats mexicains pour surveiller son poids : ses excès de table l'avaient vieilli de quinze ans, et il écouta donc le conseil de sa femme.

Mais la vente de ce que celle-ci appelait « son cercueil volant » allait être retardée par deux événements apparemment sans relation. Au début d'octobre, le bruit courut à Talkeetna qu'on venait de faire une découverte extraordinaire près de fouilles archéologiques, au site du Bouleau : un chasseur solitaire qui descendait une rivière en pneumatique avait aperçu à hauteur d'yeux, jaillissant de la berge, une défense de mammouth de couleur brune, tachée par l'eau, qui devait se trouver prise au même endroit depuis douze ou treize mille ans. Le chasseur, qui avait fait deux ans d'études à l'université de Fairbanks, comprit aussitôt l'importance de sa trouvaille. Il nota l'endroit avec soin sur sa carte, remonta sur son canot et fila vers Talkeetna, d'où il téléphona à l'université.

— Je ne suis pas compétent, mais j'ai ramassé dans la boue assez d'indices pour penser que le mammouth a conservé intacts presque toute sa peau et ses poils.

La réaction fut foudroyante. Deux équipes de chercheurs atterrirent à Talkeetna et voulurent aussitôt engager des pilotes pour les conduire sur le site. LeRoy Flatch fut donc incité à reprendre le manche à balai pour convoyer les professeurs d'université et leur matériel sur la berge, distante de quatre-vingt-trois kilomètres, où, à une vitesse inhabituelle pour éviter de geler, les savants mirent au jour la carcasse complète, sans mutilation, d'un mammouth qui avait vécu (d'après la datation au carbone 14) environ douze mille huit cents ans avant l'ère actuelle. Bien entendu, les restes n'avaient nullement l'allure d'un mammouth vivant, car des millénaires sous la terre avaient comprimé la carcasse en une masse plate comme une crêpe, détrempée dans la boue. Mais quel enthousiasme ce fut quand même des novices s'aperçurent qu'il s'agissait d'un animal entier, avec toute sa peau et les organes vitaux en place : les chercheurs purent déterminer ce que l'animal avait mangé dans les heures précédant sa mort.

Flatch fut enchanté que les savants choisissent son avion pour ramener le mammouth à Talkeetna. On chargea avec soin la carcasse précieuse — car les découvertes de mammouths dans cet état, en Alaska ou en Sibérie, demeurent fort rares — et, avant de décoller, LeRoy se dit : « Ce n'est pas le moment de tomber dans les pommes. »

Le vol se passa au mieux. La carcasse partit dans l'avion-cargo qui l'apporterait à Fairbanks, et les savants échangèrent avec Flatch des adieux respectueux.

— Ce n'est pas tous les jours qu'un homme fait une livraison de viande datant peut-être de quatorze mille ans, dit-il à sa femme en rentrant.

— Je veux que tu te débarrasses de ton coucou avant le 1er janvier, répondit-elle.

Il n'en eut pas la possibilité. Dès que les journaux apprirent l'extraordinaire découverte, les reporters affluèrent à Talkeetna et demandèrent à LeRoy de les conduire sur le site du Bouleau, ce qui l'occupa tout le mois de novembre. Un jour où il pilotait trois auteurs de magazines scientifiques venus du Sud du Quarante-Huitième, il faillit perdre conscience. Il se ressaisit aussitôt et atterrit de justesse à Talkeetna. Il s'éloigna de son avion et entra dans un bureau voisin. Il ne dit rien à personne, mais quelque chose dans sa poitrine lui signala qu'il risquait de s'évanouir de nouveau. Dans le petit bureau encombré, Flatch ôta sa casquette de pilote et l'accrocha au mur pour la dernière fois. Ce fut un des rares pilotes du Grand Nord qui mourut dans son lit.

Une fois Rick Venn parti sur T-7, Jeb Keeler eut le champ libre pour faire sa cour chaque fois qu'il montait à Desolation pour affaires. Il se révéla un prétendant sérieux. Il apportait même à Kendra des fleurs — rareté très appréciée dans l'Arctique — et insistait pour qu'elle l'épouse. Il lui faisait observer ce que la jeune femme savait déjà trop bien :

— Rick est parti là-haut pour trois ou peut-être quatre ans... Que vas-tu devenir ?

Mais si séduisant que fût Jeb Keeler, Kendra ne parvenait pas à effacer de son esprit l'image de Rick Venn glissant sur les glaces pendant sa course effrénée de mille miles, dans l'Iditarod. Et à chaque fois, elle comprenait qu'elle avait fondamentalement envie de deux choses : passer ses années d'activité créatrice dans l'Arctique, et partager sa vie avec Rick Venn.

Au cœur de l'hiver, elle rédigea un message extraordinaire à T-7, qu'elle envoya par radio, dans la cuisine d'Afanasi, car elle était parvenue à un point où peu lui importait qui entendrait ou non.

RICK VENN, T-7, OCÉAN ARCTIQUE. JE VAIS ME MARIER EN JUIN ET J'ESPÈRE QUE CE SERA AVEC TOI. KENDRA.

Le résultat fut foudroyant. Un employé de Barrow, qui contrôlait les échanges radio avec T-7, fut si enchanté de ce message inhabituel qu'il le transmit à un journal de Seattle. Les rédacteurs, mis en éveil par le nom de Venn, firent passer la nouvelle par télex et tout le pays apprit la proposition de la dynamique Kendra Scott à un jeune homme extrêmement riche qui se cachait sur une île de glace. Il s'ensuivit un autre message radio.

> RICK VENN, T-7, OCÉAN ARCTIQUE. PUISQUE TU AS EU LA CHANCE DE TROUVER UNE COMPAGNE COMME ELLE. SOIS ICI EN JUIN. JE SERAI TON TÉMOIN, MALCOLM VENN.

Ce fut un mariage mémorable, dans le gymnase de l'école avec tout le village de Desolation et beaucoup de monde de Barrow et de Wainwright. Mme Scott, accompagnée par son mari, vint d'Heber City. Apprenant qui était Rick et voyant quel admirable jeune homme il paraissait, elle fut soufflée, mais ne put s'empêcher de dire à ses voisines eskimos, pendant la cérémonie :

— Dieu n'approuve pas le divorce.

Elle leur parla de plusieurs autres choses sur lesquelles Dieu avait des opinions bien arrêtées, et l'une des vieilles, dont le père, les oncles, le mari et les fils avaient chassé le morse et la baleine pendant des décennies successives, déclara à une autre Eskimo :

— On croirait entendre un missionnaire.

Malcom Venn, qui après soixante ans de relations de toutes sortes avec l'Alaska ne s'était jamais rendu au nord du cercle polaire, avait fait venir des quantités de glaces au chocolat et plusieurs douzaines de roses jaunes. Il servit de témoin à son petit-fils.

Kendra refusa de quitter Desolation sans présenter ses respects aux femmes eskimos qui s'étaient montrées si prévenantes à son égard au moment de son arrivée. Elle les invita toutes chez elle pour un déjeuner d'adieu, puis elle traversa seule le village, posa les yeux sur la mer des Tchouktches et essaya d'évaluer en toute sincérité le résultat de ses trois années à Desolation : « Je n'ai rien accompli. Aucun de mes élèves n'entrera à l'université. Aucun d'eux n'a atteint le niveau dont il était capable. Je n'ai pas réussi à les faire étudier. Je n'ai pas pu leur faire écrire un mémoire comme font les enfants qui seront efficaces un jour et exerceront des responsabilités de chefs. Je n'ai même pas obtenu qu'ils viennent à l'école régulièrement et cessent de se promener sans but le soir. Quatre ans de plus et j'allais devenir une Karisme Hooker : je les encouragerais par des plaisanteries et des flatteries, mais sans les laisser meilleurs que je ne les aurais trouvés au départ. »

Des larmes lui montèrent aux yeux. Pour les refouler, elle lança :

— Au diable leur éducation et toutes ces ambitions ! Je n'ai même pas pu sauver la vie des deux que j'ai aimés le plus... Des années gâchées ! Des vies perdues ! s'écria-t-elle désespérée, en songeant à Amy et à Jonathan.

À cet instant, si quelqu'un du village lui avait murmuré : « Mais, Kendra ! Les gens de ce village, les hommes qui vous ont lancée en l'air sur la couverture, tous, nous nous souviendrons de vous notre vie entière, car votre esprit a marché au milieu de nous et nous l'avons senti », elle ne l'aurait pas cru.

*
**

Dès qu'elle se fut adaptée au fait qu'elle était la seule femme sur l'île, la vie de Kendra sur T-7 devint aussi passionnante qu'elle l'avait espéré; Afanasi, directeur de la station de recherche, lui offrit un emploi rémunéré : elle contrôlait et classait la montagne de paperasses qui entraient et sortaient des bureaux, et les savants furent ravis de se libérer de cette corvée. Au début elle se vexa de voir qu'étant une femme, on la supposait seulement capable d'occuper un poste de secrétaire.

— Ce n'est pas précisément ce dont rêve une femme libérée à notre époque, se plaignait-elle à Rick.

Mais elle s'aperçut vite que contrôler la circulation de l'information la plaçait dans une position essentielle, car elle connaissait les dernières nouvelles avant tous les autres.

— Un poste comme le mien a vraiment certains avantages, avoua-t-elle.

Peu à peu elle joua un rôle d'assistante, et elle se rendit très précieuse.

Mais elle reçut une récompense inattendue de sa décision téméraire de demander Rick en mariage par radio et pour ainsi dire publiquement, puis d'insister pour le raccompagner sur son île de glace : les longues discussions à bâtons rompus avec les savants pendant les heures sans fin de ténèbres perpétuelles, de novembre à février, où les contacts et la dissection des problèmes humains devenaient presque essentiels. Il arrivait fréquemment que l'un d'eux déclare par exemple :

— Supposons que l'Union soviétique prenne le pouvoir d'une façon ou d'une autre en Norvège. Elle dominerait alors cinquante pour cent de l'océan Arctique.

— Mais si l'Alaska, le Canada et le Groenland conservent leur alliance fondée sur des intérêts mutuels, ripostait un autre, ils exerceront leur autorité sur l'autre moitié du Pôle, la plus proche de nous, ce qui offre certains avantages.

Presque toujours le débat exigeait des cartes, et Kendra gardait dans sa poche un exemplaire corné de la carte publiée dans le numéro du *National Geographic* dont la couverture s'ornait du portrait de la fillette eskimo. Les savants, qui avaient pourtant à leur disposition les cartes du gouvernement, se rassemblaient alors autour de Kendra. Ces discussions lui apprirent que l'archipel du Svalbard, qu'elle connaissait sous le nom de Spitzberg, jouait un rôle crucial pour toute utilisation militaire de l'océan Arctique. En effet seule la fosse au large de Svalbard était assez profonde pour permettre le passage des sous-marins ultra-modernes; les autres accès n'avaient pas assez de fond. Un des savants, au fait des questions militaires, expliqua :

— Comme la fosse du Svalbard communique avec l'Atlantique, cet océan sera deux fois plus important que le Pacifique en cas de conflit.

Les spécialistes du Pacifique s'insurgèrent.

— Je parle seulement de conflit sous-marin, reconnut l'un d'eux, et dans la mesure où il sera forcément lié aux grandes voies maritimes. Songez au repaire sûr que serait l'océan Arctique si des sous-marins pouvaient s'y mettre à l'affût pour foncer dans l'Atlantique et couper les liaisons entre l'Amérique du Nord et l'Europe.

Cette comparaison entre les deux océans incita Kendra à demander :

— Pourquoi le Pacifique est-il entouré par une ceinture de volcans en activité, et non l'Atlantique?

Cette remarque les encouragea à inviter Giovanni Spada, le vulcanologue de Palmer, à venir dans le Nord leur faire un exposé sur les développements récents dans son domaine.

À cette époque-là, T-7, au cours de ses pérégrinations régulières, s'était avancé plus près de Barrow que de tout autre aéroport utilisable au Canada et aux États-Unis. Il était donc relativement simple, pour un avion militaire, de transporter Spada et ses cartes à Barrow puis à l'île de glace, où il fut accueilli avec chaleur par des hommes qui avaient déjà collaboré avec lui dans le passé. Sa visite fut d'un grand intérêt, car il possédait les derniers détails sur le tremblement de terre de Mexico, et des conjectures étayées par des études précises sur le moment où le mont Saint-Helens risquait de se déchaîner de nouveau.

La discussion se concentra sur la carte dont il avait distribué des copies, qui représentait l'emplacement des volcans regroupés sur le pourtour du Pacifique.

— Si j'avais eu assez d'espace pour situer chaque volcan de notre arc aléoutien, il y en aurait soixante, dont plus de quarante en activité confirmée depuis 1760. Cette chaîne de feu, qui garde les abords de l'océan Arctique, demeure incontestablement la plus agitée du monde.

— L'Alaska est instable à ce point ? demanda un savant du Michigan.

— Prenez n'importe quel intervalle de temps — dix ans, vingt ans ou un siècle — et faites la liste de tous les grands tremblements de terre du monde et de toutes les éruptions volcaniques gigantesques, vous découvrirez que quatre de ces perturbations telluriques sur dix, séisme ou éruption, se sont produites en Alaska. C'est, sans comparaison possible, le secteur le plus instable du monde. À cause du mouvement des plaques tectoniques.

Tout le monde sauf Kendra connaissait cette expression.

— Qu'est-ce que c'est ? demanda la jeune femme.

Spada lui résuma la théorie : au milieu du Pacifique — « et aussi de l'Atlantique, d'ailleurs » — le magma des profondeurs terrestres semble remonter par une longue fissure.

— Croyez-le ou non, cette matière éruptive pousse le fond de l'océan vers l'extérieur en formant les grandes plaques sur lesquelles repose la surface de la terre, y compris les plus hautes montagnes et les océans les plus profonds. Si vous acceptez cette théorie, tout le reste devient simple.

Avec ses mains, il montra comment la plaque du Pacifique heurte la plaque d'Amérique du Nord le long de la ligne des Aléoutiennes : la première se glisse sous la seconde.

— Et voilà ! À l'endroit où se produit cette grande collision, des volcans se forment et des tremblements de terre contribuent à la diminution des tensions.

Pendant plusieurs heures, les savants de T-7 lui posèrent des questions sur les récentes mises au point des théories admises, et il cita des données provenant de tout le Pacifique — Nouvelle-Zélande, Amérique du Sud, Antarctique —, mais en revenant toujours aux Aléoutiennes et à sa spécialité : le système de détection des tsunamis qui protégeait les habitants du Japon, de la Sibérie, du Canada et des îles Hawaii des désastres qui les frappaient autrefois à l'improviste quand de vastes tremblements de terre sous-marins lançaient dans toutes les directions ce que l'on appelait autrefois des raz de marée.

Dans les ténèbres continues de l'hiver, avec leur île qui se déplaçait de façon à peine perceptible dans le sens des aiguilles d'une montre, comme si elle était maintenue en orbite par un fil invisible fixé à l'imaginaire pôle Nord, les savants écoutèrent Spada leur raconter l'événement qui avait modifié l'histoire marine du Pacifique.

— Le 1er avril 1946, le volcan Qugang, sur l'île de Lapak, entra en éruption. Pas grand-chose. Les cendres projetées par la gueule de feu ne parvinrent même pas à Dutch Harbor, encore moins sur le continent. Mais quelques instants plus tard un violent tremblement de terre sous-marin se produisit vers le sud de l'île. Il déplaça des millions de tonnes de terre.

» Il donna naissance à un tsunami de dimensions épiques. Pas un raz de marée se dressant très haut vers le ciel, mais un déplacement latéral d'une violence fantastique qui prit la direction de l'archipel d'Hawaii. Ce jour-là la vague passa sous trois bateaux mais un seul la remarqua. « Soulèvement soudain de la surface de l'océan, de moins d'un mètre », nota le capitaine dans le livre de bord. Cinq heures plus tard, quand la vague atteignit la ville d'Hilo sur la côte nord de l'île d'Hawaii, à la vitesse de sept cent soixante-quinze kilomètres à l'heure, elle continua d'avancer, d'avancer sans relâche, sans faire le moindre dégât. Mais au moment du reflux vers l'océan, elle aspira les voitures et les maisons. Près de deux cents personnes moururent.

» En 1792, un tsunami venu d'on ne sait où balaya la première colonie russe sur l'île de Kodiak et vous avez entendu parler de Lituya où le niveau de l'eau s'est élevé à plus de cinq cent dix mètres.

Les savants voulurent savoir si ce genre de chose risquait de se reproduire.

— Absolument pas, répondit Spada. La Ceinture de Feu restera en activité, nous pouvons en être certains, mais les conséquences seront toujours différentes. Si le tremblement de terre d'avril 1946 avait été orienté différemment, de deux degrés à gauche ou à droite, son tsunami aurait manqué Hawaii de plusieurs centaines de kilomètres. Et même ainsi, il n'était pas d'une amplitude maximale, seulement 7,4 sur l'échelle de Richter.

— Tout le monde parle de l'échelle de Richter, intervint Kendra, mais personne ne dit jamais ce que c'est.

— Une mesure imprécise mais pratique. On évalue le degré de violence à cent kilomètres du point d'origine, et on le reporte sur une graduation logarithmique, ce qui signifie que chaque unité de l'échelle est dix fois plus élevée que la précédente. Ainsi, une amplitude de quatre est dix fois plus forte qu'une amplitude de trois — si faible que les êtres humains ne peuvent même pas la déceler. Et une amplitude de neuf, qui détruit tout et constitue presque le maximum observé jusqu'ici, est un million de fois plus forte que trois.

Il leur conseilla de ne jamais oublier dans leurs études que l'Alaska possédait ces soixante et quelque volcans en activité potentielle. « Et le mot activité signifie qu'ils sont susceptibles d'entrer en éruption à tout moment. »

Plus les savants interrogeaient Spada, plus Kendra s'aperçut que leurs domaines étaient liés à celui du vulcanologue italien. Dans l'océan Arctique, qui présente des traits uniques (notamment une masse d'eau gelée en permanence), la glace toujours changeante suit des normes bien à elle ; de même, à l'endroit où ils se heurtent, les rebords des plaques obéissent à des règles particulières.

— Mais personne ne m'a encore appris, insista Kendra, pourquoi c'est le Pacifique et non l'Atlantique qui possède une ceinture de feu.

On se lança alors dans des conjectures et plusieurs voix lui rappelèrent que la montagne Pelée, l'Etna et le Vésuve n'étaient pas des volcans négligeables en leur temps. Spada proposa une réponse plus intéressante.

— J'ai envisagé deux théories. Il est possible que, par sa taille même, la plaque du Pacifique libère des forces plus importantes quand elle se heurte aux diverses plaques continentales. Mais l'explication la plus probable, c'est que l'océan Atlantique ne se trouve pas en fait au-dessus d'une plaque : il n'est pas entouré par des zones de fracture.

Sur cette remarque satisfaisante, elle se leva. Mais quand elle sortit du mess, toute seule car Rick était de service au poste de surveillance des enregistrements de courants marins, elle vit dans le ciel nocturne la plus spectaculaire aurore boréale dont elle ait été le témoin en Alaska. Revenant en courant vers la salle où les autres continuaient de discuter, elle les appela à l'extérieur, où par une température douce de moins trente et un sans vent, ils purent assister au spectacle incomparable de vastes draperies célestes, de vagues ondulantes et de couleurs changeantes.

Quand les autres retournèrent à leur travail ou à leur lit, car les horloges n'avaient guère de sens en janvier, Kendra s'attarda, songeuse. Existait-il une relation entre ces immenses cathédrales de lumière, les éruptions de la Ceinture de Feu, les variations de salinité entre les différents bassins de l'océan, et les rapports entre l'Union soviétique et la Norvège — qui revendiquaient non sans justification historique la souveraineté sur l'archipel vital du Svalbard, au large duquel devraient naviguer les sous-marins en temps de conflit ?

Elle sentit quelqu'un s'avancer vers elle. C'était Vladimir Afanasi.

— Époustouflant, n'est-ce pas ? On ne voit guère des spectacles comme celui-ci plus de deux fois dans sa vie.

Il l'entraîna vers un banc et ils s'assirent dans la nuit arctique.

— Karisme m'a dit que vous aviez pris le décès d'Amy trop...

Il ne termina pas sa phrase.

— Amy et Jonathan. le simple fait de prononcer ces noms me cause de la peine. Parfois, j'ai l'impression que mon séjour à Desolation a été une succession de crève-cœur.

— Les crève-cœur ne cessent jamais, Kendra.

Il se tut et le silence se prolongea, mais de toute évidence il désirait en dire davantage. Kendra reprit donc la parole, et sa compréhension intuitive des êtres humains lui permit de mettre le doigt exactement sur ce qui troublait Vladimir.

— Vous m'avez dit un jour, monsieur Afanasi, que votre père et votre oncle vous avaient enseigné ce qu'il ne faut pas faire. Mais vous ne me l'avez jamais expliqué.

— C'étaient des personnages tragiques, qui tentèrent l'impossible : avancer avec un pied dans le monde eskimo et l'autre dans le monde des Blancs. C'est irréalisable.

— Vous l'avez fait.

— Non, non ! Je n'ai jamais abandonné le monde eskimo. À l'université, j'étais un Eskimo. C'est pour cela que je n'ai pas passé mon diplôme. Quand j'ai travaillé à Seattle, toujours un Eskimo. Ici, sur la T-7, je suis un Eskimo, le seul avec les ours polaires.

— Que s'est-il passé pour votre père et son frère ?

— En fait, tout remonte à leur père, Dimitri Afanasi, mon grand-père. Un homme remarquable. Prêtre orthodoxe russe par vocation, il n'a eu aucune difficulté à devenir missionnaire presbytérien. Mais son épouse athapascane exerça une influence puissante sur les deux garçons. Elle était orthodoxe russe et elle refusa de changer de religion. Pas de scandale. Pas de discussion en public. « Laissez-moi tranquille comme je suis. » Donc mon père et mon oncle furent russes et eskimos, orthodoxes et presbytériens, dans le monde des Blancs et dans celui des Eskimos. Et ils sont morts tous les deux.

— Avez-vous peur du mot suicide ?

— Peur ? Non. Mon fils s'est suicidé, exactement comme les autres. Mais mon père et mon oncle ont été assassinés par les changements tragiques au sein de leur univers.

— Cela semble sauter une génération. L'impact, je veux dire. Votre grand-père n'a pas eu de problèmes. Ses deux fils en ont eu. Votre génération n'a pas eu de problèmes. Votre fils en a eu.

— Ce n'est jamais aussi simple, Kendra. Mon frère, un garçon merveilleux, s'est suicidé à dix-neuf ans.

— Mon Dieu ! Quel poids affreux !

Elle porta la main à ses lèvres puis se retourna pour prendre dans ses bras cet Eskimo remarquable qui avait donné tant de sens à sa vie. De nouvelles cathédrales se formèrent, immenses édifices impressionnants de mouvement et de lumière conçus par le ciel. Ils demeurèrent côte à côte sur le banc, et songèrent à la puissance obscure du Nord.

L'histoire se répète souvent, mais effectue rarement un cercle complet et fermé ; ce fut pourtant ce qui se passa pour Malcolm Venn quand il lui fallut inverser les efforts de sa famille depuis plus d'un demi-siècle.

Les familles Ross et Venn, de Seattle, comptaient parmi les plus respectées de la côte du Pacifique. Bien éduquées, armées de principes, toujours concernées par le progrès de la société et généreuses dans leurs œuvres de charité, elles ne revendiquaient qu'une seule chose : le monopole du commerce avec l'Alaska. Une fois ce monopole obtenu et bien protégé par la législation de Washington, les héritiers Ross & Raglan passaient pour les meilleurs citoyens engendrés par la nation.

Ils avaient également le sens de l'humour. Et quand Venn, septuagénaire distingué et élégant, reçut de ses collègues industriels de Seattle sa mission absurde, il prit parfaitement conscience de l'ironie de sa position.

— Messieurs, si j'accepte cette nomination, il faudra que je fasse des déclarations publiques à ce sujet. Je deviendrai aussitôt la risée de Seattle et de l'Alaska !

Ils en convinrent, mais lui firent observer :

— Nous sommes en situation de crise et personne n'a autant de références que vous pour agir.

Il accepta donc, bien entendu à regret, de poser sa tête sur le billot.

Accompagné par son adorable épouse, Tammy Ting, la beauté sino-tlingit de Juneau, célèbre pour son franc-parler, il arriva en avion à Sitka, loua une suite donnant sur la baie magnifique et resta plusieurs heures chaque jour rivé à la fenêtre avec une paire de jumelles puissantes. On était en juillet et il observait dans le goulet de Sitka le défilé ininterrompu des plus beaux paquebots de croisière du monde. Chaque matin à six heures, deux ou trois de ces élégants hôtels flottants faisaient escale à Sitka, un millier de passagers excités se déversaient à terre de chaque paquebot pour visiter la ville russe et dépenser des sommes énormes ; puis ils réembarquaient pour le dernier tronçon d'un des plus beaux voyages du monde : la croisière de sept ou huit jours parmi les fjords et les glaciers de l'Alaska du Sud-Est. Pour voir des touristes heureux il suffit d'aller à Sitka en été. »

Pendant ses deux premières journées en ville, Venn se contenta de citer à haute voix les noms de grands paquebots qui arrivaient :

— Le *Royal Princess,* de la grande ligne P & O de Londres. J'ai oublié ce que signifient les initiales, mais c'est la célèbre compagnie qui nous a valu le mot *posh* — chic. La légende veut que les gens chics en croisière de Londres à Bombay exigeaient un billet portant le tampon *P.O.S.H. — Port out, Starboard home* (à bâbord à l'aller, à tribord au retour). Cela leur permettait de rester dans l'ombre du bateau, d'éviter le soleil... On m'a dit que le plus beau de tous ces bateaux, à l'intérieur, est le *Nieuw Amsterdam,* de la ligne hollandaise. Mais les Chalmers m'ont conseillé : « Si vous voulez faire un jour la croisière d'Alaska, prenez le *Royal Viking.* » Regarde-le !

Le paquebot blanc se détachait sur le fond montagneux de la baie. Un peu plus loin un autre bateau de croisière, plus modeste, le paquebot français *Rhapsodie.*

Tammy Venn fit observer à son mari :

— Ils sont tous étrangers. Pourquoi n'y a-t-il aucun paquebot américain dans le lot ?

— C'est justement la raison de notre séjour. Ils sont tous étrangers. Et ils gagnent tous de l'argent à pleins seaux. Sans qu'un seul sou passe par Seattle.

— D'où viennent-ils ?

— De Vancouver. Tous jusqu'au dernier, bon sang !

Comme son mari jurait très rarement, même de façon anodine, Tammy comprit qu'il était furieux. Elle lui demanda d'une voix de miel :

— Pourquoi ne fais-tu rien à ce sujet ?

— J'en ai la ferme intention, bougonna-t-il.

Quand il crut avoir une opinion préliminaire valable sur la situation, il se rendit dans des magasins de Sitka, où il apprit qu'au cours de la saison d'été — aucun bateau de croisière ne s'aventurerait dans le Nord en hiver — deux cent seize paquebots faisaient escale à Sitka, et un plus grand nombre (deux cent quatre-vingt-trois) à Juneau, où se trouvaient des attractions touristiques extraordinaires comme le grand champ de glace à l'arrière de la ville, et les splendeurs du fjord de Taku avec ses glaciers.

Les autorités de la ville calculaient qu'en tenant compte des bateaux plus petits, environ mille passagers descendaient de chaque bateau — « Les bons paquebots n'ont jamais une couchette vide. L'équipage a des râteaux pour ramasser le fric » — et donc un quart de million de touristes fort bien pourvus venaient en Alaska chaque année, toujours via Vancouver, jamais via Seattle. Si l'on ajoutait à cela le temps passé par la plupart dans les hôtels, les restaurants, les boîtes de nuit et les taxis de Vancouver, le manque à gagner de Seattle s'élevait à des sommes astronomiques.

Le troisième jour après son arrivée, désireux de parvenir à un chiffre rationnel, Malcolm Venn commença à visiter ces merveilleux bateaux, si propres, si astiqués, dans la baie de l'ancienne capitale russe. Le premier sur lequel il monta fut le charmant petit *Sagafjord,* l'un des joyaux de la navigation de croisière. Ross & Raglan possédait jadis sa propre compagnie de navigation mais s'était retiré du secteur des années plus tôt. On accueillit cependant Venn à bord comme un confrère armateur et il apprit à sa vive surprise que sur ce bateau de premier ordre le prix d'une croisière pouvait s'élever jusqu'à 4 890 dollars. Il resta sans voix, mais le capitaine le conduisit personnellement dans une excellente petite cabine de simplement 1 950 dollars.

— Quelle est la moyenne ? demanda-t-il.

— Très facile. Notre bateau est plein, il suffit d'une division. Mais nos chiffres ne sont pas représentatifs de l'ensemble. Il vous faudrait étudier un gros paquebot.

Justement, le majestueux *Rotterdam* venait d'entrer dans le port. Il transportait plus de mille passagers, toutes ses couchettes étaient occupées (bien entendu) — au prix moyen de 2 195 dollars, lui précisa le commissaire de bord.

De retour dans sa chambre, Malcolm multiplia les chiffres du *Rotterdam* par le nombre probable des touristes à Sitka, et obtint un résultat de l'ordre de quatre cents millions de dollars. Soit : un demi-milliard de dollars. Et cette somme aurait dû passer par Seattle jusqu'au dernier sou.

Dans les jours qui suivirent, il apprit sur les croisières en Alaska plusieurs choses qui l'incitèrent à admirer le savoir-faire et l'intelligence des organisateurs européens qui avaient découvert cette mine d'or.

— Tu l'as vu par toi-même, Tammy. Prenons ce splendide paquebot anglais, le *Royal Princess.* Il se compose en réalité de cinq bateaux séparés. Les cadres de navigation, exclusivement anglais. Il n'y a pas meilleurs officiers en mer. La salle à manger, uniquement des Italiens, personne d'autre. L'équipage de pont, des Pakistanais. Dans les cales, tout le monde est chinois. Et les amuseurs, seize ou dix-huit grandes vedettes, sont tous des Américains.

Tammy confirma chaque point, puis renchérit :

— À bord du *Nieuw Amsterdam,* mêmes divisions, à part quelques variantes. Officiers de bord, des Hollandais. À la salle à manger, je ne me souviens plus : des Italiens ou des Français en tout cas. Sur le pont, des Indonésiens. Dans la cale des Chinois. Les chanteurs, l'orchestre, tout le cirque : des Américains.

Il en était de même sur tous les grands paquebots. Des officiers européens compétents les dirigeaient, les Italiens et les Français fournissaient des menus aux noms ronflants, des Asiatiques de tel ou tel pays assuraient le nettoyage et l'entretien, les Chinois faisaient marcher les moteurs et les Américains amusaient la galerie. On avait arraché aux États-Unis tout un secteur de l'économie pour le remettre à des étrangers compétents qui se débrouillaient comme des magiciens. Étant donné les beautés naturelles innombrables de la côte, les glaciers, les fjords, la vie sauvage et les petites villes de frontière, la croisière d'Alaska était vraiment le meilleur voyage organisé du monde. Et la meilleure affaire !

Pourquoi les Américains avaient-ils laissé cette aubaine glisser entre leurs doigts ? Dans une série de petites réunions auxquelles il participa avec Tammy, Malcolm Venn prit la parole en ces termes :

— Messieurs, l'Alaska et la côte Ouest subissent en ce moment une crise des transports maritimes. Notre fabuleuse industrie touristique d'Alaska, que j'évalue à plus d'un demi-milliard de dollars par an, passe entièrement par le Canada, et Vancouver en particulier, alors qu'elle devrait passer par les États-Unis, c'est-à-dire par Seattle.

La salle s'agita un peu et à l'arrière quelqu'un ricana, sans la moindre courtoisie, mais Malcolm Venn continua :

— Nous connaissons, vous et moi, la cause de ce désastre.

Il s'arrêta pour marquer son effet et lança :

— La loi Jones.

Pendant un instant la salle fit silence, puis l'homme du fond rit aux éclats, et toute la salle le suivit. Voilà que le président de Ross & Raglan mettait au pilori la loi Jones que sa compagnie avait machinée, protégée et amendée au cours de longues années de combines politiques et de plusieurs générations de pressions cruelles et injustes sur les espoirs économiques de l'Alaska.

— La loi Jones ! répéta quelqu'un sur la droite et la foule explosa de plus belle.

Venn avait prévu la réception qu'il recevrait en Alaska, il l'avait annoncée avant son départ de Seattle, mais ses collègues l'avaient convaincu : « Le fait que vous le disiez vous-même sera d'autant plus efficace. Qu'avez-vous à perdre personnellement ou pour votre compagnie ? Soyez beau joueur. »

Il prouva qu'il l'était. Il leva les deux mains et s'écria :

— D'accord ! D'accord ! C'est mon grand-père Malcolm Ross qui a conçu cette loi. C'est mon père Thomas Venn qui l'a maintenue en vigueur. Et plus tard j'ai intrigué moi-même auprès du Congrès pour éviter son annulation. Je l'ai toujours défendue, mais les temps changent et le moment est venu de...

Tammy Ting, toujours espiègle, trempa son mouchoir dans son verre d'eau glacée et essuya le front de son mari. Toute la salle rugit.

C'était exactement ce qu'il fallait pour rompre la tension, et quand les rires se calmèrent, Malcolm reprit, détendu :

— *Mea culpa*. Et si vous me donnez un couteau à vider les saumons, je me trancherai les poignets. Regardons cependant les choses en face : il ne s'agit plus de théorie mais de situation réelle. Une loi qui avait un sens en 1920 quand nous avions des bateaux américains pourvus d'équipages américains ne signifie plus rien aujourd'hui où nous n'avons plus aucun bateau américain. Nous sommes enchaînés à la loi Jones, nous semblons incapables de forcer le Congrès à l'abroger ou à la modifier, et quel est le résultat ? Savez-vous qu'il n'existe sur ces mers aucun bateau américain capable d'amener les passagers de Seattle en Alaska dont l'armateur satisfasse les conditions de la loi Jones ? Aucun. Nous avons abandonné les océans.

Il demanda à un homme mieux au courant de ces problèmes qu'il ne l'était lui-même de compléter son explication.

— Le monde a changé. Êtes-vous montés à bord du splendide paquebot anglais *Royal Princess ?* Où donc supposez-vous qu'il a été construit ? Avec les problèmes de main-d'œuvre qu'il y a maintenant au Royaume-Uni, les grèves incessantes et le sabotage industriel, il n'est plus question de construire un bateau en Angleterre, et l'Écosse est pire. Le *Royal Princess* a été construit en Finlande, parce que dans ce pays socialiste les dates de livraison sont rigoureusement honorées. La finition est si belle que les trois prochains bateaux de la flotte touristique anglaise seront également construits en Finlande.

Le bon sens imposait aux États-Unis, si la loi Jones pouvait être abrogée, de suivre l'exemple des Anglais pour la construction de leur flotte moderne :

— Se présenter sur le marché mondial, trouver les meilleurs constructeurs, les meilleurs marins, les meilleurs officiers, et les inviter à naviguer sur les meilleurs bateaux, aux prix les plus bas, de Seattle à Sitka ou partout où les touristes auront envie d'aller.

Le public applaudit.

Pendant ses deux dernières journées à Sitka, Venn engagea une secrétaire pour transcrire les notes qu'il comptait présenter à ses confrères de Seattle. En voici les deux paragraphes les plus significatif :

> *Je soumets ces conclusions en tant que petit-fils de Malcolm Ross l'initiateur de la loi Jones, en tant que fils de Tom Venn, qui la fit adopter par le Congrès, et en mon propre nom, car j'ai profité pendant plus de soixante ans des avantages de ce décret. C'était une bonne loi au moment de son adoption. Elle a servi un objectif valable, et créé la richesse de Seattle. Mais elle ne fait plus que survivre à son utilité. Les principes sur lesquels elle s'appuyait ne s'appliquent plus. Aujourd'hui notre ville perd un demi-milliard de dollars chaque année parce que la loi Jones empêche les bateaux d'utiliser normalement notre port magnifique. Je recommande l'organisation d'une immense campagne pour l'annulation de la loi Jones et j'offre mes services en tant que porte-parole. C'est ma famille qui l'a créée. C'est à elle d'éliminer cette maudite entrave.*
>
> *Mais il ne serait guère loyal de ne pas vous signaler que nos cousins canadiens de Vancouver, en voyant les possibilités offertes par notre inadvertance, ont sauté sur l'occasion avec de l'imagination, de l'intelligence et un financement généreux : ils ont les plus beaux paquebots de croisière du monde. Nous devons encourager les touristes américains à profiter de ces bateaux magnifiques, même si nous ne recevons pas un sou, car selon l'expression favorite de mon père : « Tout ce qui est bon pour l'Alaska est bon pour Seattle », et ces croisières en Alaska sont la meilleure chose au monde. Nous avons cependant droit à notre part, mais pour y parvenir, il nous faudra abattre la loi que mes parents et moi-même avons toujours parrainée.*

Ce fut ce que l'on pourrait appeler une expérience typique des transports aériens en Alaska. Le jeudi après-midi, à Juneau, le gouverneur fit venir un de ses proches collaborateurs :

— Washington envoie un homme ici pour discuter avec Jeb Keeler de la dette de la North Slope. Voyez s'il peut se trouver dans mon bureau lundi à midi.

La standardiste mit une vingtaine de minutes à remonter la trace de Jeb, mais elle finit par le dénicher à Desolation Point, où il se trouvait en grande conversation avec Vladimir Afanasi pour organiser une chasse au morse au large, dès que la mer des Tchouktches serait prise par les glaces.

— Jeb ? dit le conseiller du gouverneur. Ici Herman. Le grand patron veut savoir si vous pouvez accepter un rendez-vous dans son bureau avec un des fédéraux de Washington, lundi à midi.

— Je vous l'ai déjà dit. Je suis parfaitement irréprochable. C'est la vérité pure.

— Le gouverneur le leur a répété, mais ils ont répondu que vous seriez bien le seul dans tout l'Alaska. Ils tiennent à vous poser quelques questions. Vous pourrez venir ?

— Bien entendu. Je pars d'ici vendredi. Avec Mark Air jusqu'à Prudhoe Bay, puis à Anchorage. L'avion de neuf heures cinq me déposera lundi matin à Juneau en pleine forme.

Le téléphone resta silencieux un instant, et il ajouta :

— Vous m'avez tout dit, Herman ? Ils ne viennent pas jusqu'ici pour me cuisiner sur une chose que je n'ai jamais faite ?

— Jeb, vous en savez aussi long que moi. Ils peuvent très bien nous mentir à nous aussi, mais je crois vraiment qu'il n'y a pas de coup fourré. Ils essaient seulement de découvrir pourquoi les dettes de la North Slope ont pris de telles proportions aussi vite.

— J'y serai.

Jeb arriva à Anchorage après la tombée du jour, mais un taxi le conduisit à son appartement, où il passa plusieurs minutes dans l'ombre à regarder fixement l'espace irritant réservé à sa chèvre de montagne. Il braqua l'index droit vers le vide et lança :

— Dès demain, biquette, je m'occupe de toi.

Le lundi matin son réveil sonna à six heures. Il sauta du lit, prit une douche, se rasa et se prépara un petit déjeuner frugal : jus d'orange, café instantané et tartine de pain complet. Il fit le tri de tous les papiers que l'enquêteur de Washington désirerait sans doute voir, puis passa trois coups de fil à des clients qu'il comptait voir le mardi.

— Je pars à Juneau par l'avion du matin, je rentrerai probablement par le vol du soir et vous recevrai donc demain comme prévu. Je vous téléphone seulement pour le cas où je serais retardé.

Il appela ensuite l'agence qui s'occupait de tous ses billets d'avion.

— Ce matin vers Juneau, retour ce soir. Comme d'habitude A à l'aller, F en rentrant.

Les billets l'attendraient à l'aéroport.

Il choisissait toujours ses places avec un soin méticuleux, car même si le ciel était presque toujours nuageux ou brumeux entre Anchorage et Juneau, il y avait des beaux jours — une fois sur vingt —, et le paysage du côté de l'est était alors vraiment spectaculaire.

— Pas intéressant, précisait-il aux inconnus, bouleversant.

Invariablement il demandait un hublot de gauche à l'aller et un hublot de droite au retour — ce qui lui permettait parfois de contempler un pays de rêve.

Puis, juste avant de quitter son appartement, il vérifia sa trousse de voyage : accessoires de rasage, pyjama, chemise propre. Ses années d'expériences malencontreuses lui avaient appris à ne jamais monter dans un avion de ligne en Alaska sans tout ce qu'il lui fallait pour passer la nuit dans un lit auquel il ne s'attendait pas.

À l'immense aéroport d'Anchorage, où font escale de nombreuses compagnies internationales au cours de leurs vols entre l'Asie et l'Europe — certaines survolant directement le pôle Nord à destination de la Suède — on lui annonça :

— Décollage à l'heure prévue. Léger risque de brouillard à Juneau.

Il haussa les épaules : il y avait toujours du brouillard à Juneau. Les mauvaises langues disaient que les jours où il n'y avait pas de brouillard, la ville tirait un coup de canon pour fêter l'événement — mais bien entendu la détonation attirait le brouillard, si bien qu'à votre arrivée, même par une belle journée, il fallait vous contenter d'une éclaircie d'un quart d'heure pour l'atterrissage. Atterrir à Juneau n'était pas fait pour les cardiaques.

Le siège A ne fut guère utile à Jeb Keeler ce lundi-là, car il ne vit que du brouillard. Pas une grisaille vaporeuse mais une brume si massive que si la porte avait été ouverte, il aurait pu marcher dessus sans s'enfoncer.

— Bon Dieu ! dit-il à son voisin, ce ne sera pas drôle d'atterrir à Juneau avec un temps pareil !

— Vous en faites pas, répondit l'homme. Dans cette purée, ils n essaieront même pas.

— Ce n'est pas une chose à dire, répondit Jeb, mi-figue mi-raisin. J'ai une réunion à Juneau. Très importante : les fédéraux veulent m'envoyer en cabane.

— Vous passerez la nuit à Seattle, lui dit l'homme.

— Vous y allez ?

— Cela m'arrive deux fois par mois. Mais jamais volontairement. Je vise Juneau, mais je le manque souvent.

L'homme ne se trompait pas. Au-dessus de Juneau l'avion fit une courageuse tentative de se poser, en descendant de plus en plus bas entre les montagnes, à mesure que le radar émettait des signaux révélant des positions précises. Au moment où les phalanges de Jeb furent si crispées qu'on ne voyait plus de sang sous la peau, il entendit le pilote remettre les gaz, puis le gros Boeing 727 vira brusquement et remonta à son point de départ pour tenter un nouvel essai.

— Avez-vous aussi peur que moi ? demanda Jeb à son voisin.

— Non. Si c'est trop mauvais, il reprendra de l'altitude et filera. Vous verrez.

De nouveau, l'avion amorça sa descente progressive dans le nid de montagnes qui protégeait Juneau des tempêtes — et des avions. Pendant un instant une éclaircie fugitive de la brume permit à Jeb de voir les vagues à quelques mètres au-dessous du fuselage et les hautes falaises sombres, menaçantes, juste au bout des ailes.

— Bon Dieu ! dit-il. On va se poser sur l'eau.

Mais le pilote refusa encore d'atterrir et repartit pour un tour.

— Vraiment ! s'écria Jeb en essayant de maîtriser ses nerfs. Il ne va pas faire une autre tentative, hein ?

— Il réussit souvent au troisième coup.

Pas ce jour-là. L'avion descendit au ras de l'eau en évitant les montagnes, mais au dernier moment la visibilité était nulle. Jeb essaya de ne pas perdre connaissance, puis l'appareil s'éleva vers le ciel et la sécurité, au-dessus des montagnes, et prit la direction de Seattle. Quarante-neuf passagers à bord du 727 avaient d'importants engagements à Juneau, la capitale de l'État, mais personne ne se plaignit aux hôtesses que le pilote n'ait pas effectué une quatrième tentative. Aucun d'eux n'avait envie de passer à Seattle la nuit du lundi, mais aucun d'eux ne désirait non plus tenter sa chance contre le brouillard de Juneau.

Tout près de l'aéroport de Seattle-Tacoma (Sea-Tac) se trouvait un Vance Hotel — de bonnes chambres à des prix raisonnables pour des voyageurs immobilisés contre leur gré. Jeb ouvrit sa valise, se mit en pyjama et regarda *Monday Night Football.* À la mi-temps, il appela le collaborateur du gouverneur.

— J'arriverai par l'avion de demain midi.

— Pas du tout grave, Jeb, lui assura le haut fonctionnaire. L'homme de Washington ne peut pas repartir de toute façon. C'est le FBI, comme vous vous en doutiez, mais vous ne faites pas l'objet de leur enquête. Vous êtes simplement invité à apporter votre témoignage. Moi aussi, d'ailleurs.

Le mardi matin, Keeler et quarante-huit autres Alaskans se regroupèrent à l'aéroport pour le vol de retour à Juneau. L'avion se posa sans problème et à l'heure prévue à Ketchikan et à Sitka, mais sur Juneau le temps était si mauvais qu'après trois tentatives affolantes mais infructueuses, le 727 dut continuer sur Anchorage, avec Keeler qui contemplait de son précieux siège F un brouillard encore plus épais que celui de la veille.

Après deux journées de voyage et quatre mille six cent vingt-sept kilomètres de vol pour rien, Jeb retourna à son appartement. Un coup de téléphone de Juneau lui annonça que la météo prévoyait du beau temps le mercredi.

— Nous aimerions tous que vous fassiez une autre tentative, Jeb. Vous-savez-qui assure que vos renseignements seront sans doute vitaux.

Et le mercredi matin à l'aurore, avec une chemise propre dans ses bagages, Jeb repartit à l'aéroport et constata que la brume s'éclaircissait vite. Bientôt les beaux monts Chugach devinrent visibles.

L'avion prit de l'altitude. Les grandes chaînes de montagnes s'élevaient, scintillantes, avec une telle majesté que tous ceux qui pouvaient les voir s'extasièrent. Il eut la chance ce matin-là d'avoir dans le siège B voisin une dame âgée professeur de géographie. Elle se pencha devant lui pour admirer les montagnes, mais cela ne dérangea nullement Jeb, car elle les connaissait toutes de nom et pouvait reconnaître les immenses glaciers qui tombaient de leurs cimes vers la mer.

— C'est la chaîne des Chugach. Pas extrêmement haute, mais regardez-les ! De deux mille quatre cents mètres directement dans la mer.

Puis elle retint son souffle, car juste au-dessous d'eux se trouvait le terminus du pipe-line, à Valdez, surmonté par un champ de glace d'une étendue colossale.

— Il doit y avoir... Combien de glaciers croyez-vous qu'il y ait ?

— Peut-être une demi-douzaine.

— Vous n'avez pas de bons yeux ! Il doit y en avoir vingt.

Au moment où il allait lui demander pourquoi elle en savait si long, elle dit à mi-voix :

— Voilà une des parties que j'aime le plus. J'apprends à mes étudiants à la vénérer. Vous voyez ce beau massif ? À presque trois mille trois cents mètres ? Le mont Steller. Et cet énorme glacier sur ces pentes ? Le glacier Béring. Comprenez-vous l'importance du rapprochement de ces deux hommes ? Steller et Béring ?

— Non.

Elle lui expliqua brièvement la relation entre ces deux esprits remarquables qui avaient découvert l'Alaska pour le compte des Russes.

— Un Allemand, un Danois. Ils ne se comprenaient pas mutuellement, mais ils demeurent là à jamais bloqués ensemble dans les glaces.

Sans laisser à Jeb le temps de répondre, elle lui saisit le bras.
— Vous vous rendez compte ? dit-elle doucement. Vitus Béring dans son petit bateau percé : il voit ça, il se demande ce que cela signifie. Et à ses côtés George Steller lui murmure : « C'est forcément un continent. C'est forcément l'Amérique. »
Les minutes suivantes furent magiques. La chaîne Fairweather, que peu de voyageurs ont vue, était formée d'une quantité de pics très élevés, revêtus de neige, qui s'élevaient directement de la mer et entouraient une des merveilles de l'Amérique du Nord : la baie du Glacier, calme et douce, encerclée de montagnes. Dans ses eaux d'énormes blocs de glace se détachaient des glaciers avec un bruit de tonnerre au terme de leur descente presque imperceptible vers la mer. Des ours hantaient les rivages. Une baie magnifique avec une vingtaine de bras de mer qui s'avançaient vers l'intérieur du pays et un si grand nombre de glaciers que personne, même en avion, ne pouvait les voir tous.
Au moment où le 727 amorça un virage lent vers l'est, Jeb découvrit le vaste champ de glaces de Juneau qui s'étendait loin dans le Canada, avec la menaçante Patte du Diable qui s'avançait comme pour accrocher l'avion et l'attirer dans une mort glacée. De cette mer de glace descendaient une vingtaine de glaciers, dont ceux qui se jetaient dans le fjord de Taku, au sud. Quelle toile de fond pour un drame sans équivalent dans aucune partie du monde !
— Par beau temps, dit la voisine de Jeb juste avant l'atterrissage, ces quatre-vingt-dix minutes de vol entre Anchorage et Juneau sont sans doute les plus spectaculaires de la terre. On m'a dit que l'Himalaya est époustouflant, mais ils n'ont pas ce mélange d'océan, de haute montagne, de champs de glace sauvages et de glaciers sans fin.
— J'aurais aimé vous avoir comme professeur, dit Jeb.
Quand elle se tourna pour le remercier du compliment, elle s'écria soudain :
— Mais j'ai vu votre photo dans le journal. C'est vous, l'Autre ! Celui dont la fiancée a demandé l'autre gars en mariage à la radio...
— Lui-même, répondit Jeb.
— Cette fille devait être cinglée, non ?
— C'est ce que je me suis dit.
Sur ces mots, au terme d'une troisième tentative, Jeb atterrit à Juneau en grand style. Mais en fin d'après-midi, quand il voulut repartir vers Anchorage, le brouillard provenant du courant japonais s'était étendu à nouveau et bloquait complètement le fonctionnement de l'aéroport. Son pyjama et sa trousse de voyage étaient prévus pour cela : il passa la nuit à l'Hôtel Baranov de Juneau. Le lendemain matin il retourna chez lui sur son siège dans l'espoir de revoir les glaciers, mais bien entendu les nuages demeurèrent impénétrables.
Ainsi donc, sa brève réunion de deux heures avec l'enquêteur du gouvernement dans la capitale de l'État lui avait fait gaspiller quatre jours entiers : du lundi matin au jeudi après-midi. On ne prenait jamais à la légère un voyage à Juneau.

***

D'une manière curieuse, ce voyage de quatre jours valut la peine d'être fait, car l'interrogatoire eut lieu non seulement en présence de l'envoyé du ministère de la Justice, mais de deux agents locaux du FBI et d'un représentant du gouvernement de l'État. En voyant ce tribunal impressionnant aligné de l'autre côté de la table, Jeb Keeler se mit à transpirer, mais l'homme de Washington s'en aperçut et fit preuve d'un esprit de conciliation remarquable.

— Monsieur Keeler, nous désirons vous interroger sur plusieurs sujets assez indignes, mais nous vous assurons d'emblée que nous ne nous intéressons pas à vous personnellement. Votre dossier, réuni par ces messieurs du FBI, s'est révélé irréprochable et nous vous en félicitons.

Il tendit la main pour serrer celle de Jeb, honteusement moite.

— Monsieur Keeler, commença le représentant de l'Alaska, que savez-vous de la North Slope ?

— J'ai travaillé un peu partout dans la région : à Prudhoe Bay pour les compagnies pétrolières, à Desolation Point pour la compagnie locale... De temps en temps une petite affaire pour la grande compagnie indigène, mais comme vous le savez, c'est Poley Markham qui s'occupe de presque tout ce qui les concerne.

— Nous ne l'ignorons pas, lança l'homme de Washington d'un ton de mauvais augure. Mais n'avez-vous jamais eu d'activité juridique — pour la rédaction de contrats commerciaux, par exemple — avec la circonscription de North Slope ?

— Non. Seulement avec la grande compagnie et ses petits satellites, jamais avec la circonscription.

Il faisait allusion à un phénomène alaskan : un vaste « district urbain » vide, d'une taille supérieure à un État moyen comme le Minnesota mais avec une population de moins de huit mille habitants. Or ce district touchait environ huit cents millions de dollars par an au titre de redevances versées par les compagnies de pétrole installées à Prudhoe Bay — soit environ cent mille dollars d'argent frais par homme, femme et enfant de la juridiction.

— Un afflux soudain d'argent, surtout de cette importance, incite les gens à commettre des folies, déclara un des hommes du FBI.

Il lut sur une feuille dactylographiée plusieurs affaires assez malpropres où la fortune inattendue avait entraîné les responsables locaux à un comportement bizarre :

— Un passage souterrain chauffé pour protéger les diverses lignes et conduites : coût prévu, cent millions de dollars ; coût terminé, trois cent cinquante ; coût réel, en Oregon par exemple, onze millions seulement. Une école neuve : coût prévu, vingt-quatre millions...

— Je suis au courant, coupa Jeb. Coût terminé : soixante et onze millions.

— Faux, déclara l'homme du FBI. Elle n'est pas encore terminée. Elle en coûtera peut-être quatre-vingt-quatre.

— Combien aurait-elle coûté, au sud du Quarante-Huitième ?

— Nous avons fait venir sur place plusieurs entreprises spécialisées dans la construction d'écoles en Californie. Ils nous ont indiqué le chiffre de trois millions deux cent mille.

Le représentant de l'Alaska intervint :

— En Californie, oui. Mais qu'ils essaient d'en construire une sur la North Slope, où chaque clou doit arriver par bateau ou par avion.

L'homme du FBI en convint :

— Les constructeurs californiens nous ont répondu la même

chose. Nous leur avons demandé ce qu'aurait coûté l'école à Barrow : « Nous aurions pu la bâtir pour vingt-quatre à vingt-six millions », m'ont-ils dit.

— C'est le devis d'origine, grogna l'homme de Washington, celui qui a explosé jusqu'à quatre-vingt-quatre.

Écœuré il demanda à l'agent du FBI de ne pas poursuivre la liste des horreurs. Il prit une feuille blanche, griffonna quelques chiffres et la retourna avant de la faire passer vers Jeb, pour que celui-ci ne puisse pas lire.

— Outre leur huit cents millions de dollars de redevances du pétrole, qu'ils ont dépensés, combien croyez-vous que ces rêveurs, là-haut, ont emprunté sur le marché financier, à New York et à Boston — entièrement dépensé et donc en s'endettant ?

Jeb réfléchit un instant. Ayant entendu parler de la « générosité » de la circonscription en affaires, il estima que son endettement devait s'élever à peu près à la moitié de ses revenus.

— Peut-être la moitié des huit cents millions. Disons environ quatre cents millions en obligations placées par des banques de la côte Est.

— Retournez la feuille, lui dit l'homme de Washington.

Et Jeb vit le chiffre effarant d'un milliard deux cents millions de dollars. Il en resta soufflé.

— Plus d'un milliard de dollars ! Comment une poignée d'Eskimos n'ayant jamais fait d'études...

Puis l'interrogatoire devint plus rapide, plus mordant, plus brutal.

— Êtes-vous au courant du rôle joué par Poley Markham auprès de la circonscription de North Slope ?

— Il joue un rôle partout en Alaska.

— A-t-il organisé la mise en circulation de ces obligations ?

— Il a aidé toutes les compagnies pour leurs emprunts.

— Markham possédait-il des intérêts dans les compagnies qui ont obtenu les grosses opérations ?

— Je crois qu'il n'a jamais investi dans une autre compagnie que la sienne. Il fait cavalier seul.

— À votre avis, Poley Markham est-il un escroc ?

— À mon avis c'est l'homme le plus honnête que je connaisse. Je vais assez souvent à la chasse avec Poley et le caractère d'un homme se révèle entièrement sur la banquise et en montagne.

— Que répondriez-vous si nous vous apprenions que Poley Markham a touché plus de vingt millions d'honoraires en Alaska ?

— Je le croirais volontiers. Et je parierais qu'il a signé des reçus pour cet argent, à un cent près. Il m'a dit il y a des années qu'il y avait de l'argent à la pelle par ici, et qu'on pouvait le ramasser en toute honnêteté.

— Vous pensez donc qu'il a gagné sa part honnêtement ?

— Oui, monsieur. Autant que je sache. J'en suis sûr.

Les hommes le remercièrent pour ces réponses et répétèrent qu'il ne faisait lui-même l'objet d'aucune enquête.

— Nous n'avons aucune preuve indiscutable de malversation. Et je vous avouerai que nous ne pouvons rien trouver contre votre ami Markham. Mais quand deux milliards de dollars s'envolent, nous devons rechercher les doigts crochus.

Le soir même, à son retour dans son appartement d'Anchorage, Jeb essaya de joindre Poley et le trouva enfin dans un country-club d'Arizona.

— Tu as les fédéraux sur le dos, Poley. Et ils sortent leurs griffes.
— Ils m'ont interrogé. Ici. Et ce n'est pas à moi qu'ils en ont. Ils enquêtent sur l'incroyable coup fourré de la North Slope. Huit mille Eskimos qui ont dépensé deux milliards de dollars jusqu'au dernier sou.

Pendant un instant Jeb revit les visages des indigènes de Desolation : comment imaginer que ces chasseurs qui vivaient près de la mer glacée contractent de telles dettes ?

— Tu es net dans cette débâcle ? demanda-t-il à Poley.

— Jeb, chaque sou que j'ai touché m'a été remis par chèque... Des honoraires d'avocat assortis d'un reçu dans les règles.

— C'est ce que j'ai dit à l'homme de Washington.

— Un rouquin avec des petites lunettes de grand-père ?

— C'est ça.

— Il est parti d'ici très sceptique. Je suis sûr que tu ne l'as pas convaincu davantage, Jeb. Mais il ne trouvera aucune trace de combine avec moi.

Le silence se prolongea un instant, puis Poley ajouta ;

— Bien entendu, j'ai recommandé mes amis de Californie et d'Arizona pour les contrats juteux. Mais ils ne m'ont rien versé, Jeb. Pas de dessous-de-table, pas de refuge de chasse en montagne.

— Mais deux milliards de dollars ! Poley, il y a forcément quelque chose de louche.

— As-tu vu quoi que ce soit de louche autour de toi, Jeb ? Non. Et autour de ton ami Afanasi ? Jamais. Et autour de moi ? Pas une seule fois. Je me suis trouvé impliqué dans tout, tu le sais. Mais tu connais ma règle d'or : « Même s'il s'agit seulement de quatre sous, laisser une trace de reçus d'un kilomètre de large. »

— Les fédéraux m'ont appris qu'ils avaient suivi à la piste plus de vingt millions de dollars de ces reçus...

Poley éclata de rire.

— Sinon, je ne l'aurais jamais fait.

— C'est exactement ce que je leur ai dit, répondit Jeb.

Comme Poley Markham devait monter à la North Slope pour apporter son soutien à ses clients pendant l'enquête du FBI, il fit escale à Anchorage pour vérifier ce que Jeb avait exactement déclaré aux enquêteurs lors de l'interrogatoire de Juneau. Il arriva à l'appartement au moment où la télévision alaskane en émoi annonçait que Giovanni Spada, du Centre de Tsunamis de Palmer, venait de lancer une alerte grave. Dans la chaîne des Aléoutiennes, le volcan Qugang au large des côtes Nord de Lapak venait d'entrer en éruption ; d'énormes nuages de poussière se dirigeaient vers l'est, et donc vers Anchorage. « Mais la distance est si grande qu'il faut s'attendre à la dispersion de la poussière avant qu'elle attaque notre région. »

En fin d'après-midi, il y avait pourtant un nuage de cendres dans l'air.

— Filons d'ici, suggéra Poley. Un guide m'a annoncé des chèvres de montagne dans une anse de la côte du Pacifique, juste au nord des terres du gouvernement, à la baie du Glacier.

Ils préparèrent donc leur équipement de chasse, louèrent un quatre-places et s'envolèrent vers une région sauvage où personne ne se rendait jamais. L'air y était si clair et pur qu'il suffisait d'une goutte d'eau pour troubler la paix. Ils remontèrent très au-dessus d'un endroit où ils avaient aperçu trois boucs aux petites cornes bien formées.

— Enfin la chance nous sourit. Cette fois ils sont au-dessous de nous, pas au-dessus. Si nous descendons avec précaution, tu auras un de ces beaux animaux.

Mais quand il étudia la pente, il la jugea trop raide et modifia son plan.

— Il va falloir lancer des pierres pour leur faire peur. Mieux vaut attendre ici qu'ils montent vers nous.

Son jugement était bien fondé. Peu à peu les boucs se mirent à remonter la pente, mais à une allure si lente que les deux hommes durent attendre une bonne heure. Ils la passèrent à discuter à voix basse du problème crucial autour duquel tout tournait encore en Alaska, et de la question encore plus importante qui se poserait en 1991. Au sujet du premier, Poley lança :

— N'est-ce pas très étrange ? Les deux États qui s'irritent le plus l'un contre l'autre sont aussi ceux qui se ressemblent le plus.

Jeb lui demanda ce qu'il voulait dire.

— L'Alaska et le Texas. Quand nous réclamons du personnel expérimenté pour venir nous aider sur nos gisements de pétrole, deux hommes sur trois arrivent du Texas ; je crois même que la moitié de nos nouveaux résidents permanents sont des Texans qui se sont fixés.

— On en voit effectivement beaucoup à Fairbanks, convint Jeb.

— Et ici comme au Texas, on n'entend jamais la moindre protestation contre l'OPEP. Nous tenons à ce que les Arabes maintiennent le prix du pétrole aussi haut que possible. Ils font le travail à notre place.

Mais les deux hommes convinrent qu'avec la chute désastreuse des prix du pétrole, les jours de gloire du développement de l'Alaska touchaient à leur fin, exactement comme au Texas.

— Nous avons eu de la chance d'arriver ici au moment où nous l'avons fait, Jeb, et j'espère que tu as économisé ton argent, parce qu'en 1991, il se présentera ici des occasions comme tu n'en as jamais rêvé. Un homme sage avec huit ou dix millions de dollars d'argent frais pourra s'offrir une belle tranche de ce merveilleux pays. J'attends avec impatience.

— Tu penses à la fin des restrictions prévues par la loi de 1971 ?

— Oui.

Seul un compatriote alaskan aurait apprécié pleinement le ton menaçant de la réponse de Poley. Il avait suivi de près les opérations des treize immenses sociétés indigènes, seuls propriétaires authentiques des terres. Et il en avait conclu que la plupart se trouvaient dans une position financière si pitoyable que les indigènes seraient contraints de vendre leurs terres à des Blancs de Seattle, de Los Angeles et de Denver qui auraient l'argent pour les racheter, et les compétences nécessaires pour gagner une fortune en exploitant habilement le pays. De toute évidence, cela signifiait que des Eskimos bien intentionnés comme Vladimir Afanasi étaient en danger de perdre la terre sur laquelle leurs ancêtres avaient vécu depuis des millénaires. Jeb, qui voyait en Afanasi le salut de l'Alaska, interrogea Poley à ce sujet.

— Je pense que la compagnie de la North Slope sera la seule capable de survivre, répondit ce dernier d'une voix rassurante. Malgré la dette colossale et l'effondrement des prix du pétrole, nous avons construit des structures sociales et politiques très solides dans le Grand Nord.

Sur les douze autres compagnies, j'ai de bonnes raisons de croire que cinq sont déjà condamnées. Ce sont celles-là que nous attaquerons.

Et sur ce flanc de montagne désolé qui dominait le Pacifique, le fossé qui séparerait toujours les deux hommes se manifesta, car Jeb Keeler, si déçu qu'il fût par la perte de Kendra Scott, adorait sincèrement l'Alaska et voyait en lui l'association unique entre des nouveaux venus comme lui et des indigènes installés de longue date comme les Eskimos, les Athapascans et les Tlingits pour qui il avait travaillé. Il désirait que les groupes cohabitent dans l'harmonie pour développer ce pays merveilleux d'un effort commun, et notamment échanger ses ressources naturelles avec des pays comme le Japon et la Chine, en échange de produits finis. Surtout il souhaitait que les indigènes conservent la pleine propriété de leurs terres pour pouvoir continuer s'ils le désiraient leur mode de vie fondé sur la « subsistance ». Exprimer cette conclusion, c'était se placer manifestement en travers des ambitions de Poley Markham, qui révéla alors ses plans avec une clarté surprenante.

— Je ne vois pas du tout les choses comme toi, Jeb. Jamais les indigènes ne seront capables de gérer leurs propres terres — pas dans le monde moderne des avions, des snowmobiles et des automobiles, sans parler des supermarchés et des appareils de télévision. Même les six ou sept compagnies qui sont viables aujourd'hui risquent de se dégrader avant la fin du siècle. Et les hommes comme moi seront prêts à les cueillir.

Pendant quelques instants Jeb réfléchit à cette prédiction pessimiste, dont il dut avouer qu'elle demeurait fort probable. Mais avant qu'il ne précise son avis sur ce qu'il considérait comme une tragédie, Poley ajouta une révélation qui mit au jour son caractère machiavélique :

— Pourquoi supposes-tu que j'ai travaillé si dur pour ces compagnies ? Pas pour l'argent — je veux dire après avoir réuni mon petit panier d'œufs. Je voulais connaître les capacités de chacune, où se trouvaient les bonnes terres, où l'effondrement avait le plus de chance de se produire. Parce que j'ai compris dès le premier jour que l'organisation démente établie par la loi du Congrès ne pourrait pas survivre à ce siècle. Et cela voulait dire que les terres tomberaient finalement entre les mains de personnes comme toi et moi.

— Pas moi, répondit Jeb d'une voix ferme. J'aiderai les indigènes à solliciter du Congrès une extension de la loi au-delà de 1991. Nous ne permettrons pas que les Eskimos et les Indiens perdent leurs terres.

Poley se recula pour toiser ce jeune homme avec qui il était lié de plus d'une manière et qu'il avait introduit dans le cercle fermé des experts du Sud du Quarante-Huitième conscients de ce qui se passait en Alaska. Il avait vraiment du mal à croire ce que Jeb venait de lui annoncer.

— Mon jeune ami, si tu te lances dans cette voie, nous allons croiser le fer, toi et moi.

— Je m'y attends depuis un certain temps, Poley. Je veux que l'Alaska reste unique en son genre : le pays des merveilles du monde moderne. Alors que tu désirerais en faire une nouvelle Californie du Sud.

— Regarde la vérité en face, mon petit ! (Et en utilisant cette expression, la même que le jour de leur rencontre dans le nord du Canada, il indiqua la distance qui venait de les séparer de nouveau.) Anchorage est le San Diego du Nord.

— Je suis prêt à abandonner Anchorage, avoua Jeb. Mais le reste doit être protégé des griffes d'hommes comme toi, mon vieil ami.

Poley éclata de rire.

— Impossible. Le prochain recensement prouvera qu'Anchorage possède plus de la moitié de la population. Ses représentants fileront à Juneau pour voter des lois qui feront enfin entrer l'État dans le monde moderne. Et l'on installera probablement la capitale à Anchorage, où elle devrait se trouver depuis fort longtemps.

— Plus tu parles, Poley, plus je m'aperçois que je serai amené à combattre presque tout ce que tu tenteras de réaliser.

Si les deux avocats avaient eu leur radio allumée, ils auraient entendu un appel d'urgence lancé par Giovanni Spada à tous les pays du Pacifique Nord :

« Alerte tsunami. Je répète : alerte tsunami. Il vient de se produire un tremblement de terre sous-marin très violent au large de l'île de Lapak dans les Aléoutiennes. Environ 8,4 sur l'échelle de Richter. Toutes les régions côtières sont avisées qu'un raz de marée... »

Au lieu d'écouter cette information qui aurait guidé leurs actes sur cette côte vulnérable, ils s'occupèrent des boucs qui avaient commencé à réagir comme Poley l'avait prédit. Mais avant de se lancer dans les dernières phases de la chasse, Poley eut envie d'apaiser leurs divergences politiques et il changea complètement de sujet :

— Sais-tu, Jeb, que ta chèvre de montagne n'est pas du tout une chèvre ? C'est une antilope, baptisée chèvre à tort.

Surpris, Jeb se tourna vers son futur adversaire.

— Personne ne me l'a jamais dit... Mais si la chèvre portait le nom d'*antilope des neiges* ou d'*antilope arctique* elle serait deux fois plus recherchée, non ?

— Pas par moi, grogna Poley. J'aime les choses simples et honnêtes.

Puis il reprit son rôle de directeur de la chasse, auquel il semblait prédestiné.

— Jeb, il faut que tu attrapes un de ces boucs quand ils remonteront ce sillon. Si tu les laisses parvenir au-dessus de nous, tu les perdras.

Jeb avait déjà perdu une demi-douzaine de chèvres en suivant sa tactique personnelle ; il se laissa donc glisser sur le côté protégé de la crête en veillant à ce que les boucs, plus bas, ne puissent l'apercevoir. Lorsqu'il fut en bonne position pour les intercepter quand ils remonteraient de l'autre versant, il s'aperçut qu'il pourrait tirer une seule balle : sur le premier animal qui passerait la tête au-dessus de l'arête rocheuse. Il se retourna vers Poley, très haut au-dessus de lui, en quête d'une confirmation. Celui-ci lui fit signe « Parfait » en joignant en cercle le pouce et l'index. Le décor prêt pour la meilleure chance que Jeb aurait jamais de tuer le dernier de ses Huit Grands.

Il retint son souffle, attendit l'apparition d'un des animaux, puis connut la grande joie d'apercevoir un bouc d'un blanc de neige, aux cornes noires parfaites, surgir sur la crête et s'immobiliser un instant.

— Mais tire donc, nom de Dieu ! murmura Poley à part lui, craignant que le moindre bruit n'alerte la chèvre.

À l'instant suivant, il entendit le coup de fusil et respira mieux. Le bouc fit un bond en avant, trembla et tomba vers l'arrière, hors de vue de Jeb, sur l'autre pente.

De son poste d'observation, Poley constata aussitôt que le bouc était mort. Il avait glissé très loin dans la faille de l'autre versant.

— Jeb, cria-t-il. Tu l'as tué mais il est tombé au fond de la gorge. Va le chercher. Je vais commencer à descendre avec le matériel.

Jeb s'avança vers l'endroit où il avait vu l'animal avant sa chute. Il allait descendre avec son fusil, mais Poley lui lança :

— Laisse ton fusil. Je le porterai. La chèvre est tombée vraiment très bas.

Dès qu'il aperçut l'endroit, en contrebas, il convint de la sagesse du conseil de Poley. Il cala son arme contre un rocher où Poley pourrait le repérer facilement. Presque comme s'ils étaient reliés par une corde invisible, les deux hommes se mirent à descendre en même temps : Poley de son poste d'observation vers le fusil, et Jeb du fusil vers l'endroit où la chèvre morte se trouvait bloquée.

Pendant cette descente en tandem, Jeb ne quittait pas des yeux sa chèvre, magnifique spécimen. Mais Poley, de sa position plus élevée, pouvait observer l'ensemble du décor : l'océan Pacifique tout près, les deux caps marquant l'entrée du petit fjord, les flancs abrupts sur lesquels les trois boucs se promenaient, et le fond de la baie en forme de V, vers lequel Jeb descendait pour ramener son trophée. On eût dit un décor miniature de peintre pour une toile représentant la côte de l'Alaska idéalisée.

Mais Poley vit aussi que l'eau de la baie était soudain aspirée sans discontinuer vers le large, et comprit qu'il allait se produire une catastrophe.

— Jeb ! Jeb ! se mit-il à crier.

Mais dans son impatience de récupérer son bouc, le jeune homme avait pris de l'avance et se trouvait hors de portée de voix. Poley continua cependant de hurler. Puis il vit les eaux revenir dans la baie et remonter inexorablement, comme poussées du large par un titan aux intentions mauvaises.

— Jeb ! Reviens !

Et il comprit que les vagues sombres, pas très hautes mais avec cette formidable pression derrière elles, ne s'arrêteraient pas avant d'avoir englouti la vallée et remonté les pentes jusqu'à une incroyable hauteur : deux ou trois cents mètres au-dessus du niveau ordinaire de la mer. Quand Jeb prit enfin conscience du danger, les eaux étaient si hautes et montaient si vite qu'il ne pouvait plus rien faire pour se sauver. Il vit le flot bouillonnant happer la chèvre et la ballotter en tous sens, submergée dans l'écume. Puis les vagues impitoyables furent sur lui ; elles le projetèrent d'un côté puis l'engloutirent — elles grimpaient sur les flancs de la vallée encore plus vite que les chèvres. La dernière chose qu'il vit ne fut pas son dernier trophée, entraîné dans les profondeurs, mais Poley Markham qui grimpait avec l'énergie du désespoir pour gagner des hauteurs inaccessibles même au tsunami de l'île de Lapak.

À l'instant de sa mort, Jeb comprit que son ami réussirait et il lui cria :

— Vas-y, Poley. Tu vas y arriver !

***

Pour l'heure, il semblait bien que l'Alaska s'orientait dans la direction souhaitée par Poley Markham, et non vers l'avenir que Jeb Keeler, Vladimir Afanasi et Kendra Scott, chacun à sa manière, avait rêvé.

Faits et fiction

1. *L'affrontement des blocs.* Les diverses conceptions géologiques de ce chapitre ont été précisées et vérifiées au cours des dernières décennies mais exigent encore des mises au point. L'histoire particulière des différents terrains d'Alaska n'a pas été totalement définie, mais les grands faits de base — comme l'existence, la genèse, les mouvements et la collision des plaques — sont en général acceptés. Il ne saurait exister d'autre explication à la formation et à l'histoire agitée des îles Aléoutiennes.

2. *Béringia.* Peu de théories géologiques sont acceptées de façon aussi générale que celle-ci — et surtout l'idée qu'un passage existera probablement de nouveau dans moins de vingt-cinq mille ans. Les déplacements d'animaux d'Asie vers l'Amérique du Nord sont rarement contestés, mais l'on discute encore de l'existence et du fonctionnement d'un corridor sans glaces vers le reste de l'Amérique du Nord. Le fait que les mastodontes soient arrivés longtemps avant les mammouths paraît irréfutable.

3. *L'arrivée des hommes.* La plus ancienne preuve matérielle de la présence d'êtres humains sur le sol de l'Alaska semble se trouver sur une petite île au large des Aléoutiennes. Elle ne remonterait qu'à douze mille ans avant notre ère. Mais d'autres découvertes problématiques d'une date très antérieure, au Canada, en Californie, au Mexique et en Amérique du Sud, incitent de nombreux spécialistes à postuler des arrivées d'êtres humains en Alaska dès quarante et trente mille ans avant notre ère. Sans tenir compte de ces dates, il paraît certain que l'ordre d'arrivée fut le suivant : Athapascans d'abord, Eskimos beaucoup plus tard, et enfin les Aléoutes qui sont probablement une branche des Eskimos. Les Tlingits seraient de toute évidence une ramification des Athapascans.

4. *Russes, Anglais, Américains.* Le tsar Pierre le Grand, Vitus Béring, Georg Steller et Alexeï Tchirikov sont des personnages historiques dont nous avons relaté fidèlement les actes. Bien que le capitaine James Cook et ses deux officiers subalternes William Bligh et George Vancouver aient effectivement navigué dans les eaux d'Alaska à l'époque, nous les avons présentés ici dans un décor imaginaire. Les citations de leurs

livres de bord le sont aussi. Le bateau américain *Evening Star,* Noah Pym et tout son équipage relèvent de la fiction, de même que l'île de Lapak. Mais le meurtre « expérimental » de huit Aléoutes s'est produit.

5. *Russie orthodoxe et chamanisme.* Les faits religieux sont historiques, les personnages religieux sont tous imaginaires. Les données relatives à l'île de Kodiak sont historiques. Alexandre Baranov est un personnage historique de grande importance.

6. *La colonisation de Sitka.* Kot-le-an est un chef tlingit authentique. Cœur-de-Corbeau est fictif. Le prince Dimitri Maksoutov, le baron Edouard de Stoeckl et le général américain Jefferson C. Davis sont des personnages historiques représentés fidèlement. Le père Vassili Voronov et sa famille sont imaginaires, mais il est exact qu'un prêtre-héros orthodoxe de la région fut appelé par Saint-Pétersbourg pour devenir métropolite de Toutes les Russies.

7. *La période de chaos.* Le capitaine Michael Healy et le Dr Sheldon Jackson sont historiques. Le *Bear* était un bateau réel, tel que nous l'avons décrit. Le capitaine Emil Schransky et son *Erebus* sont imaginaires. Les difficultés de Healy et de Jackson avec la justice sont tout à fait réelles.

8. *La ruée vers l'or.* Soapy Smith de Skagway et le commissaire Sam Steele de la Police Montée du Nord-Ouest sont des personnages historiques fidèlement dépeints, ainsi que George Carmack et Robert Henderson, les découvreurs de l'or du Yukon. Tous les autres sont imaginaires. Les deux itinéraires vers les gisements d'or — la remontée du fleuve et le col de Chilkoot — sont présentés avec fidélité.

9. *Nome* : Tous les personnages sont fictifs. L'épopée cycliste Dawson-Nome se fonde sur un fait réel.

10. *Le saumon :* Tous les personnages sont imaginaires, mais les détails des opérations de l'industrie du saumon au début de notre siècle se fondent sur des documents historiques. Le rôle de Ross & Raglan dans les transports maritimes, le commerce et les conserveries ne s'inspire des actes d'aucune compagnie en particulier. Le lac et la rivière des Pléiades sont imaginaires, de même que la conserverie située sur le fjord de Taku — qui, lui, est réel.

11. *Matanuska.* Tous les personnages américains sont fictifs, mais les lieux, la colonisation et le développement de la région sont historiques. Les données relatives à l'invasion des Aléoutiennes par les Japonais sont historiques. Les détails sur les revendications de terres et la loi de 1971 sont exacts.

12. *La Ceinture de Feu.* Tous les personnages sont imaginaires, et notamment les spécialistes japonais et russes ainsi que leurs projets sur l'Alaska. La jeune institutrice et les deux avocats travaillant pour la North Slope sont entièrement inventés, sans la moindre relation avec des personnes réelles. L'équipe d'alpinistes japonais est imaginaire mais l'ascension a réellement eu lieu. L'île de glace T-3 est historique et a fonctionné comme nous l'avons indiqué ; T-7 n'a aucune réalité. Les données sur les tsunamis d'origine alaskane sont exactes ; le tsunami de la dernière scène du livre est imaginaire, mais il pourrait devenir réel d'un jour à l'autre. Les détails de la vie des Eskimos à Desolation Point — village imaginaire — se fondent sur la réalité. La course Iditarod a lieu tous les ans et la loi Jones de 1920 continue d'inciter les paquebots de croisière à partir de Vancouver et non de Seattle.

Remerciements

Dans mes ouvrages récents, j'ai cité les noms de toutes les personnes qui m'avaient aidé dans mes recherches. J'avais l'intention de faire de même, mais cette fois le nombre était si grand que la liste devint sans fin. Il ne pouvait être question de la publier. Cependant certains professeurs, parfois de renommée mondiale, m'ont vraiment aidé beaucoup plus que ne l'exigeait une normale courtoisie, en relisant certaines parties du manuscrit et en me proposant des modifications utiles. Je tiens à les en remercier :

— Dr David Stone, université de l'Alaska, sur les plaques terrestres ;
— Dr David Hopkins, université de l'Alaska, sur Béringia ;
— Dr Jean Aigner, université de l'Alaska, sur les premiers peuplements ;
— Pr Frank Roth, du Sheldon Jackson College, sur Healy et Jackson ;
— Dee McKenn, bibliothèque de Nome, sur la ruée vers l'or dans cette ville ;
— Dr Timothy Joiner, éminent expert du saumon, sur ce poisson ;
— Joe Horiskey, guide réputé du Denali, sur les questions d'alpinisme ;
— Jonathan Waterman, du Parc du Denali, sur cette montagne ;
— Elva Scott, d'Eagle, sur la vie à moins quarante ;
— David Finley, de Wainwright, sur l'enseignement au nord du Cercle Polaire.

Mes recherches n'auraient même pas pu commencer sans l'assistance des intrépides aviateurs de l'Alaska, qui m'ont emmené dans tous les coins de leur Etat : Ken Ward, aux conserveries de saumon abandonnées ; Layton Bennett sur le site où le vapeur canadien a coulé ; Tom Rupert dans un coin reculé du Yukon ; Bob Reeve, il y a bien longtemps, dans les Aléoutiennes ; et surtout les pilotes d'hélicoptères qui m'ont permis de visiter des lieux inaccessibles par d'autres moyens : les officiers Tom Walters et Pete Spence des Garde-Côtes des États-Unis à Three Saints Bay ; Randy Crosby et Price Bower du Service de Sauvetage de Nome, au monument si éloigné et désolé élevé en l'honneur de Will Rogers.

À tous les autres dont l'aide et les conseils me furent constamment précieux, j'exprime ici ma gratitude — et notamment à mon bon génie du traitement de textes, Kim Johnson-Bogart.

Enfin et surtout, à mes hôtes Mike et Mary-Ann Kaelke, du Sheldon Jackson College à Sitka, mes plus sincères remerciements pour m'avoir autorisé à occuper leur cabane de rondins avec mon épouse pendant trois saisons.

Table